GW00374496

Jacques Chirac,
une vie

DU MÊME AUTEUR

Aux Éditions Flammarion
La Tragédie du président, 2006 ; J'ai lu, 2007.
L'Immortel, 2007 (Grand prix littéraire de Provence) ; J'ai lu, 2008.
Le Lessiveur, 2009 ; J'ai lu, 2010.
Monsieur le Président, 2011 ; J'ai lu, 2012.

Aux Éditions Gallimard
Le Vieil Homme et la mort, 1996 ; Folio 1997.
Mort d'un berger, 2002 ; Folio, 2004.
L'Abatteur, 2003 (« La Noire ») ; Folio policier, 2006.
L'Américain, 2004 ; Folio, 2006.
Le Huitième Prophète ou les Aventures extraordinaires d'Amros le Celte, 2008 ; Folio, 2009.
Un très grand amour, 2010 ; Folio, 2011.
Dieu, ma mère et moi, 2012.

Aux Éditions Grasset
L'Affreux, 1992 (Grand Prix du roman de l'Académie française) ; Folio, 2008.
La Souille, 1995 (Prix Interallié) ; Folio, 2008.
Le Sieur dieu, 1998 ; Folio, 2007.

Aux Éditions du Seuil
François Mitterrand ou la tentation de l'histoire, 1977 ; Points, 1990.
Monsieur Adrien, 1982 ; Points, 1991.
Jacques Chirac, 1987 ; Points, 1995.
Le Président, 1990 ; Points, 1991.
La Fin d'une époque, 1993 (Fayard-Seuil) ; Points, 1994.
François Mitterrand, une vie, 1996 ; nouvelle édition, 2011.

Aux Éditions J'ai lu
Le Jour de gloire est arrivé, avec Éric Jourdan, 2007.

Franz-Olivier Giesbert

Jacques Chirac,
une vie

Flammarion

Première édition de *Jacques Chirac* © Éditions du Seuil, 1987.
Première édition de *La Tragédie du Président* © Éditions Flammarion, 2006.
Pour la présente édition © Éditions Flammarion, 2014.
ISBN : 978-2-0812-8012-0

« La récompense des grands hommes, c'est que longtemps après leur mort, on n'est plus bien sûr qu'ils soient morts. »

Jules Renard, *Journal*

Prologue

C'était en Corrèze, en 1973. J'étais venu suivre, en journaliste, la visite de Jacques Chirac, jeune ministre, dans un centre de handicapés mentaux. Comme d'habitude, il me sema. Je partis à sa recherche et finis par le surprendre dans une chambre. Il était agenouillé auprès d'un débile profond. Il lui tenait la main et le regardait dans les yeux en lui parlant doucement.

Quand Chirac m'aperçut dans l'embrasure de la porte, une gêne et une rougeur passèrent sur son visage. Puis, se ressaisissant, il me dit avec un sourire vainqueur et une voix que l'émotion rendait un peu sourde : « Regardez, il sourit. Même les débiles profonds ont des lambeaux de conscience. »

Extraordinaire image sulpicienne. À moins qu'il ne s'agisse de l'effet de scène d'un grand acteur. C'est ce jour-là que j'ai commencé à m'intéresser à Jacques Chirac.

Était-il, à cet instant, lui-même ou un autre ? À l'expérience, en fait, il apparaît toujours comme lui-même et un autre.

J'ai travaillé sur Jacques Chirac pendant près de quatre décennies. Je ne suis pourtant pas sûr d'avoir percé sa vérité, tant elle a toujours couru très vite. Plus je croyais m'en approcher, plus elle m'échappait.

C'était un homme qui ne se la jouait pas et qui aimait les gens, surtout quand ils étaient de peu ou de rien. Une anecdote le résume mieux que tout. Quand il sortit de l'École nationale d'administration, l'huissier ne se contenta pas de donner le nom du premier, mais clama de sa voix de stentor : « Monsieur Rouvillois est major. Monsieur Chirac, seizième » [1].

---

1. Au classement général de la promotion « Vauban », en 1959, Chirac est arrivé seizième, et onzième au classement de sa section » administration économique et financière ».

9

Tout Chirac était là : l'huissier était devenu son copain. La France est un pays monarchique et assez crédule où, pour être considéré, il faut afficher des airs profonds, les yeux plissés, tournés vers l'horizon, le menton césarien, en observant des silences éloquents. Sans oublier de creuser la distance avec le petit personnel. Chirac n'a jamais été de ce genre-là. Il n'avait pas le sens des hiérarchies sociales. Il y avait du bon Samaritain en lui. C'est ce qui l'a toujours racheté.

C'est pourtant le même personnage qui n'a cessé de mentir, promettre, tromper et neutraliser ses ennemis, avec un cynisme certain et un art consommé de l'assassinat politique. C'est le même aussi qui, méfiant à l'extrême, au crépuscule de son règne, s'était retranché de tout, dans une solitude qui confinait à l'autisme. Il est vrai qu'il avait une excuse : peu d'hommes d'État ont été à ce point trahi et piétiné, de plus par ceux-là mêmes qu'il avait, tel Édouard Balladur ou Nicolas Sarkozy, les plus choyés et promus. Le pouvoir l'a métamorphosé.

Pétaradant, truculent et chevaleresque, Jacques Chirac eut d'abord l'air de tomber d'un roman d'Alexandre Dumas avant de finir par incarner la France radicale-socialiste, à la manière d'André Ledru-Rollin, qui, pendant la révolution de février 1848, déclara à des manifestants qui bloquaient une barricade : « Laissez-moi passer, il faut que je suive les autres, je suis le chef. »

C'est l'histoire de ce destin et de cette métamorphose que j'ai voulu raconter après avoir suivi pas à pas, pendant des années, un homme mystérieux qui, tout au long de sa vie, n'a jamais été celui que l'on croyait.

De Jacques Chirac, on a tout dit et son contraire. Qu'il était faible et autoritaire ; libéral et dirigiste ; populiste et technocrate ; versatile et cabochard ; socialisant et fascisant ; sentimental et calculateur. On l'a comparé tour à tour au général Boulanger, au bon père Queuille, à Napoléon Bonaparte, à Margaret Thatcher, à Guy Mollet, au général Pinochet et à Georges Clemenceau.

C'est beaucoup pour un seul homme. Mais à force de jouer des partitions différentes en gigotant dans tous les sens, Chirac a fini par imposer au pays un personnage gigogne, gaulliste, bonapartiste et radical-socialiste selon les ans. D'une certaine façon, il fut tout cela à la fois.

Sans doute avait-il une vérité : cette haine de soi qui se traduit par un manque d'assurance, des complexes en tous genres et une tendance, rare à ce niveau de réussite, à l'autodénigrement permanent,

Il y avait, de surcroît, beaucoup de masochisme en lui. Il fut même un cas d'école d'aliénation à la politique. À Matignon, à l'Hôtel de Ville de Paris, puis à l'Élysée, son bureau fut sa geôle. Ses journées ne laissaient jamais de place à l'imprévu, sauf pendant les campagnes électorales où il retrouvait l'exubérance un peu forcée des détenus en permission judiciaire. Esclave de son métier, il s'était cloîtré. La plupart du temps en conduite automatique, il égrenait des phrases toutes faites, des formules passe-partout et les mêmes sempiternelles blagues. Il ne portait en lui aucune transcendance ni aucun désir, à part celui de rester au centre de la scène sur le mode : « J'y suis, j'y reste. »

Moins retors qu'on l'a prétendu et plus cultivé qu'on le pensait, ce n'était pas un homme médiocre. Il avait au moins quelques principes. S'il ne croyait pas forcément ce qu'il disait, il croyait toujours à ce qu'il faisait et le faisait avec soin.

D'une méticulosité enfantine, il ne laissait rien au hasard. Avec lui, tout était toujours classé, les dossiers comme les gens. Pour preuve, il vouvoyait systématiquement tous ceux qui avaient d'abord été des membres de son cabinet, comme Juppé et Villepin, et tutoyaient tous les autres, comme Séguin ou Fillon. À part Sarkozy et Raffarin qu'il tutoyait, mais qui, malgré ses demandes répétées, persistaient à le vouvoyer.

Sans son sens de l'organisation, son professionnalisme pointilleux et son adaptabilité idéologique, il n'aurait sûrement pas été aussi increvable : de son entrée au cabinet de Georges Pompidou à Matignon, en 1962, à son départ de l'Élysée, en 2007, après un long règne, Jacques Chirac n'a jamais quitté les lambris des palais officiels.

Il restera un cas dans l'Histoire de France. Une incongruité et un record de longévité. Deux fois Premier ministre (1974-1976 et 1986-1988), il aura gouverné le pays pendant quatre ans avant de le présider pendant douze ans. Auparavant, il aura été, sept ans durant, secrétaire d'État ou ministre sous de Gaulle, puis Pompidou.

Vingt-deux ans de pouvoir, à quoi il faut ajouter, quand il n'était pas aux affaires, les années comme maire de Paris, ce qui fait trente-neuf ans au total. Pas banal.

À force de vivre en concubinage avec la République, Jacques Chirac a fini, dans une de ces dernières transfigurations, par se confondre avec elle, l'histoire de cet homme devenant l'Histoire de France, pour le meilleur et pour le pire.

Il est vrai qu'il ressemblait trop aux Français pour qu'ils ne se reconnaissent pas en lui. Le chiraquisme n'a jamais été mieux défini que par l'ancien garde des Sceaux Jacques Toubon qui fut l'un de ses grands serviteurs :

« Chirac est comme tous les journaux, comme le quotidien *Le Parisien* qui, un matin, s'inquiète du trou de la Sécurité sociale et, quelques jours plus tard, de la réduction des dépenses de santé. À juste titre, dans les deux cas, cela va de soi. En fait, il est incroyablement représentatif des Français. Avec leurs aspirations, leurs contradictions et leur pusillanimité... C'est parce que le pays a ressenti ça qu'il a été deux fois président. Sinon, il n'aurait pas eu ce destin [1]. »

Artiste en représentation, Jacques Chirac a donné, tout au long de sa carrière, le sentiment de ne pas oser être lui-même. Pour se faire aimer ou comprendre, il n'a jamais hésité à changer de costume ou de discours. C'est ainsi qu'avec lui, tout recommençait toujours quand tout paraissait fini : il s'est donné sans arrêt les moyens de sa renaissance et de sa régénérescence, sans subir les mêmes lois de gravité que les autres politiciens.

Jamais apaisé ni accompli, capable de se créer et de se recréer en fonction des circonstances, Jacques Chirac aura finalement été, sans le savoir, l'un des meilleurs disciples de Hannah Arendt, théoricienne du libéralisme et de l'antitotalitarisme, qui écrivait dans *La crise de la culture* : « Je crois que la pensée, comme telle, naît de l'expérience des évènements de notre vie et doit leur demeurer liée comme aux seuls repères auxquels elle puisse se rattacher. »

Pour Hannah Arendt, comme l'a noté Claude Lefort [2], « penser » ne signifie pas seulement se mouvoir dans le « déjà pensé » mais recommencer et, précisément, recommencer à l'épreuve de l'événe-

---

1. Entretien avec l'auteur, le 25 août 2004.
2. *Essais sur la politique*, Seuil, 1986.

ment. » Voilà bien ce qu'a toujours fait Chirac, politicien voyageur sans bagage ni mémoire. Voilà pourquoi il a duré.

Comme Mitterrand, il a su incarner la cohabitation, une fois comme Premier ministre, l'autre comme président, assurant, du coup, la pérennité des institutions. Il a su aussi, à sa façon, mettre fin à la guerre civile froide qui, depuis des décennies, agitait le pays. Mais, de toute évidence, il n'a pas rencontré en chemin la grande idée qui le dépasserait.

L'objet, ici, n'est pas d'inventer une fausse cohérence à un personnage baroque, mais de le raconter, tout simplement, avec ses grandeurs, ses petitesses et ses misères.

Remerciements

Jacques Chirac que j'ai rencontré pour la première fois en 1972 et sur lequel j'ai commencé à travailler en 1982, m'a reçu longuement à de multiples reprises. Et il a répondu en détail à presque toutes mes questions. Il a eu d'autant plus de mérite que, dans mes écrits, au fil des ans, je l'ai souvent blessé. Sans son fair-play et son aide constante, je n'aurais pu écrire ce livre.

Je tiens aussi à dire ma reconnaissance envers tous ceux, amis ou adversaires de Jacques Chirac, souvent décédés depuis, qui m'ont reçu et obligé, notamment :

Les présidents de la République Valéry Giscard d'Estaing, François Mitterrand et Nicolas Sarkozy.

Ses intimes Claude Pompidou, Jean-Louis Debré, Michel François-Poncet, Jacques Friedmann, Jérôme Monod et François Pinault.

Les anciens Premiers ministres Maurice Couve de Murville, Jacques Chaban-Delmas, Pierre Messmer, Michel Rocard, Édith Cresson, Édouard Balladur, Alain Juppé, Jean-Pierre Raffarin, Dominique de Villepin.

Ceux qui furent ses amis ou ses collaborateurs proches : Jean-Luc Barré, Denis Baudouin, Marcel Dassault, Denise Esnous, Marie-France Garaud, Pierre Juillet, Pierre Mazeaud, Bernard Pons, Michel Roussin, Jacques Toubon, Robert-André Vivien.

Les anciens ministres Jean-Louis Bianco, Michel Jobert, Pierre Joxe, Raymond Marcellin, Michel d'Ornano, Alain Peyrefitte, Michel Poniatowski, Philippe Séguin, Hubert Védrine et Simone Veil.

Et, bien sûr, sa femme Bernadette et leur fille Claude.

Je veux remercier aussi Teresa Cremisi, mon ange gardienne, qui sait veiller à tout.

Il me faut également exprimer ma gratitude à Maud Simonnot, ainsi qu'à Alice d'Andigné, mes éditrices, pour le soin qu'elles ont apporté au manuscrit ; à Thérèse Richard, Marie-Christine Morosi et Jean-Marc Turc qui, tout au long de ma vie professionnelle, m'ont supporté et ont fourni la documentation ou les vérifications dont je suis pathologiquement avide.

Je veux enfin rendre hommage aux trois personnes sans qui je n'aurais été qu'un bouchon au fil de l'eau, submergé par mon métier et dépassé par les événements : Danièle Verdière, ainsi que Françoise Vernat et Omar Foitih, qui m'ont toujours, dans tous les sens du mot, assisté. Je ne me lasserai jamais de les remercier et j'espère bien pouvoir leur rendre, dans une autre vie, tout ce qu'ils m'ont donné.

1

Le refuge et la source

« Si la chèvre ment,
ses cornes ne mentent pas. »
Proverbe bulgare

Le 5 février 1921, à Noailhac, un petit village de Corrèze, couleur de cendre et de fumée, à une quinzaine de kilomètres de Brive-la-Gaillarde, Jean Valette et Louis Chirac marient leurs enfants. Grands et raides, le regard fier, ils ont des têtes faites pour les manuels d'histoire – au chapitre sur l'école de la IIIe République. Ils sont tous deux instituteurs, autoritaires, sévères, et, cela va de soi, radicaux-socialistes.

Le fond de l'air est aigrelet et un épais brouillard gris s'insinue entre les maisons. Le cortège s'ébranle, mariés en tête, et descend jusqu'à l'église. La tradition limousine dit que celui des deux époux qui, après la bénédiction nuptiale, se lèvera le premier sera le maître de maison. On raconte que, ce jour-là, Marie-Louise, la mariée, a été la plus rapide.

Marie-Louise Chirac, née Valette, n'est pas du genre à passer inaperçue. Elle a un grand nez, des jambes très longues et un rire tonitruant. Cette jeune fille au visage énergique est très populaire à Noailhac où on l'appelle « Nini ». C'est une personnalité dominatrice et sans complexe. Apparemment, ce n'est pas le cas de son mari. Abel Chirac, pâle et mince, est d'humeur sombre et réservée. Il traîne la jambe.

Le repas de mariage se déroule dans la salle de classe de Jean Valette, le père de Marie-Louise. L'oncle Olivier, qui s'est établi

« aux colonies », a envoyé des bananes. Les enfants de Noailhac, qui en voient pour la première fois, les mangent avec la peau.

C'est un repas de noces traditionnel avec de la soupe aux choux, du vin chaud à la cannelle et une pièce montée au nougat. On y parle de la guerre de 14-18, bien sûr. Il ne s'en est toujours pas remis, Abel Chirac. Mobilisé en 1916 alors qu'il venait d'être reçu à la deuxième partie du baccalauréat, il est revenu au pays avec la médaille militaire, le grade de caporal-chef et une maigreur cadavérique. Il a la détestable impression d'avoir laissé sur le front son énergie et sa mémoire. C'est pourquoi il a commencé à apprendre Ronsard et Verlaine par cœur, pour remettre son cerveau en marche.

On parle aussi politique, ce jour-là. C'est le sujet de conversation favori des Valette comme des Chirac, où l'on est républicain de père en fils. Mais les uns et les autres n'appartiennent pas à la même gauche. Jean Valette est un ancien jésuite reconverti dans le mariage et la laïcité tranquille. Louis Chirac est un franc-maçon qui a la religion en horreur. L'anticléricalisme a parfois ses bigots. Il en est un. Les deux hommes partagent néanmoins la même aversion pour les communistes et le même goût pour la discipline. Gare aux écoliers qui ne retirent pas leur casquette à leur passage...

Mitterrand et Mauriac sont nés dans une certaine province. Céline ou de Gaulle, à une certaine date. Jacques Chirac, lui, est né dans un certain milieu. C'est celui du radicalisme rugueux et rigoureux de ses deux grands-pères, Jean Valette et Louis Chirac, deux instituteurs qui ont le culte de l'école, de la méritocratie et de la (IIIe) République. Ces rationalistes progressistes sont comme en terre de mission dans cette Corrèze pauvre qui cultive le seigle, la châtaigne et l'art de la superstition. Ils aiment leur terroir. Mais ils veulent le faire entrer dans le XXe siècle.

Le premier Chirac dont il soit fait mention dans les registres paroissiaux est né au Couffinier, aujourd'hui commune de Gros-Chastang, vers 1607. Sa descendance est composée principalement de laboureurs, de maçons, de menuisiers.

Mais l'idée de s'appeler Chirac ne pouvait venir à des gens ordinaires. À en croire une étude généalogique d'une revue régionale, le *Lemouzi*[1], leur nom peut être rapproché de *sûra* qui, en sanskrit védique, signifie « fort, vaillant » et, en avestique (ancien iranien), « héros ». Thématiquement, *kû-ro* contient l'idée d'« autorité » en indo-européen primitif d'où dérive le celtique.

Si Jacques Chirac n'est pas né en Corrèze, comme l'aurait voulu la tradition familiale, vieille d'au moins trois siècles, c'est que son père Abel l'a brisée en suivant le chemin de Rastignac. Autrement dit, en « montant » à Paris. Entre-temps, il a abandonné son poste d'instituteur et il est entré dans la banque. Très exactement à la BNC (Banque nationale du crédit).

S'exiler, c'est, pour Abel Chirac, la meilleure façon de réussir. C'est aussi un moyen d'échapper à l'autorité exigeante et tatillonne de son père. Il n'aime pas ses colères. Il ne comprend pas ses obsessions. Louis Chirac est un militant. Directeur pendant quinze ans de l'école Firmin-Mirbeau, à Brive-la-Gaillarde, il est l'une des figures locales de la gauche radicale-socialiste. À sa retraite, il devient chroniqueur régulier de *La Dépêche de Toulouse*. Il y polémique frénétiquement avec les journaux catholiques du cru, comme *Le Petit Gaillard*[2] qui se gausse de ses contradictions et de ses « cabrioles mirlitonnesques ».

La petite sédition de son fils va mener celui-ci haut et loin. Abel Chirac est l'un des employés les plus en vue de la BNC quand le petit Jacques naît, le 29 novembre 1932. Pour l'heure, il n'est encore qu'un des salariés de la succursale de la banque de Clermont-Ferrand. Mais il sera bientôt nommé à la tête d'une agence importante, celle de l'avenue de la Grande-Armée, à Paris. Avec sa femme Marie-Louise, il forme un couple sans histoire. Un couple balzacien, taciturne et dur à la tâche. Une blessure tenaille toutefois les Chirac. Dix ans plus tôt, ils ont eu une petite fille, Jacqueline. Elle est morte d'une broncho-pneumonie vingt-quatre mois plus tard.

« Ma mère avait été traumatisée, raconte Jacques Chirac. Je n'ai jamais bien compris si elle ne pouvait plus avoir d'enfant ou bien si mes parents ne voulaient plus en avoir à la suite de cette affaire. Toujours est-il que je suis né par accident. »

---

1. Janvier 1982.
2. 1er décembre 1934.

19

Quand « l'accident » a lieu, dans la clinique Geoffroy-Saint-Hilaire, près du Jardin des Plantes, à Paris, le monde, vacillant, n'en finit pas de panser ses plaies, creusées par la grande crise de 1929. Dans tous les pays occidentaux, les files de chômeurs s'allongent, les prix des matières premières s'écroulent, les faillites se multiplient. C'est l'heure du pessimisme. Donc, des prophètes. Huit jours avant la naissance de Jacques Chirac, Paul von Hindenburg, président de la république de Weimar, a offert la chancellerie à un certain Adolf Hitler qui n'a pas réussi à former un gouvernement de coalition. Mais ce n'est que partie remise.

Le monde est dangereux. Mais, si Jacques Chirac n'est pas fils de prince, il est au moins, comme on dit, fils de famille. Fils unique aussi, ce qui ne gâte rien. Encore qu'il reconnaisse volontiers avoir été un « enfant gâté ». Non par son père, absent et inflexible, mais par sa mère.

C'est pour le petit Jacques que Victor Hugo aurait pu écrire son poème :

Lorsque l'enfant paraît, le cercle de famille
Applaudit à grands cris. Son doux regard qui brille
Fait briller tous les yeux.

Marie-Louise Chirac était, selon son fils, « le prototype de la femme au foyer ». Elle allait de temps en temps à la messe. Elle lisait parfois un roman. Mais elle ne disait jamais rien. « Elle n'avait qu'un seul hobby, dit Jacques Chirac. C'était de s'occuper de mon père et de moi. Elle s'intéressait essentiellement à son appartement qui était toujours impeccablement propre comme le lui imposait notre statut de petits-bourgeois. »

Omniprésente, Marie-Louise Chirac est toujours à l'affût des désirs de son fils, voire de ses caprices. Sur la dévotion de cette mère pour son enfant, tous les témoignages concordent : elle le couve et le couvre d'attentions. Quand il rentre de l'école, il trouve toujours, sur la table de la cuisine, une sucette dont le papier a été ôté pour éviter tout geste inutile au petit Jacques. Quand il prépare une interrogation écrite, elle demande aux visiteurs de mettre une blouse blanche. « Il ne faut pas que le petit attrape des microbes », explique-t-elle sans gêne apparente.

Il arrive que l'excès d'amour fatigue. Le petit Jacques pourrait haïr cette mère qui le comble. Il l'adore. Il l'idolâtre. À chacun de ses anniversaires, il y va de son petit poème, comme celui-ci, présenté au milieu d'images pieuses de la Vierge Marie :

Toi si bonne, toi si parfaite
Qui nous aime avec tant d'amour,
Maman, c'est aujourd'hui ta fête.
Pour ton enfant, quel heureux jour !
En échange de nos offrandes,
De nos chants pour toi composés,
De nos bouquets, de nos guirlandes,
Donne-nous beaucoup de baisers.

Puis, pour que tu sois satisfaite,
Nous ferons si bien nos devoirs,
Nous dirons sans lever la tête
Nos prières tous les soirs
Nous ne ferons plus de tapage
Quand tu nous le défendras,
Et le plus bruyant sera sage
Aussitôt que tu le voudras.

Embrasse-nous, mère aimée.
Oh ! presse-nous bien sur ton cœur,
C'est notre place accoutumée
Dans la joie ou dans la douleur.
Oh ! Le cœur d'une bonne mère,
C'est bien le plus précieux,
C'est un bonheur que Dieu sur terre
Laisse tomber du haut des cieux.

Le petit Jacques n'a connu ni les privations ni les humiliations que les biographes recréent volontiers pour leurs grands hommes. Chateaubriand se moque, dans ses *Mémoires d'outre-tombe*, des chroniqueurs qui composent des antécédents aux enfants prédestinés : quand ils ne sont pas nés tristes, ils se contentent de rêver à l'écart et de ne pas partager les jeux de leurs compagnons. Jacques Chirac fut, au contraire, un garçon turbulent et convivial.

Y a-t-il, malgré tout, une souffrance originelle dans cette enfance que Jacques Chirac décrit comme « heureuse et sans histoire » ? Sans doute. Et cette souffrance a même un visage. C'est celui du père.

D'abord, M. Chirac père mène, en dehors du domicile familial, une vie sentimentale aventureuse. Il aime les femmes. Il en a donc beaucoup. Jacques dit ne s'être jamais rendu compte de rien. Il n'est pas sûr que ç'ait été le cas de Mme Chirac mère. Il s'était installé, entre les deux époux, quelque chose de lancinant et d'indicible. Leur fils l'a forcément ressenti.

Ensuite, Abel Chirac est du genre formaliste, exigeant et cassant. Exactement comme son père, Louis Chirac. Il n'admet pas la contestation. Or son fils, galopin au regard volontaire et vite insolent, n'aime pas avoir le dessous. C'est, lui aussi, une forte personnalité.

Le petit Jacques est fier de la réussite professionnelle de son père, de sa mémoire éléphantesque, de sa haute stature. « Physiquement, dira Jacques Chirac, il était bien mieux que moi. »

Dans une autobiographie qu'il ne s'est jamais résolu à publier [1], Jacques Chirac écrit : « Dans la famille Chirac, sur le plan de la taille, on aurait plutôt tendance à dégénérer. Mon grand-père mesurait près de deux mètres [...]. Il était très solide, il avait une magnifique chevelure, une voix superbe, et il me terrorisait. Devant lui, tout le monde filait doux. Il lui suffisait d'entrer dans une pièce pour que je décampe. Mon père avoisinait un mètre quatre-vingt-quinze. Il était sûr de lui, plus grand et plus fort que moi, ce qui lui conférait un avantage considérable. Je l'aimais beaucoup mais nos relations étaient plus clairement placées sous le signe de la hiérarchie que de l'amitié. Mon enfance a baigné dans une atmosphère d'autorité certaine. Moi, je ne mesure qu'un mètre quatre-vingt-dix et je crois pouvoir affirmer que, même compte tenu de l'évolution des mœurs vers une société dite plus "permissive", mon grand-père était, incontestablement, plus autoritaire que mon père qui, lui-même, l'était plus que je ne le suis. »

Abel Chirac reprochait surtout à son fils de ne pas travailler assez à l'école. Il pouvait réciter des pages entières de Rimbaud ou des poètes du Moyen Âge. À son fils étonné par ses talents, il disait, impatienté : « Si tu n'as pas de mémoire, c'est parce que tu es paresseux. » Et, pendant les vacances, il veillait bien à ce que le petit Jacques restât chaque jour à travailler plusieurs heures dans sa chambre.

---

1. *Les Mille Sources.*

Jacques Chastanet, menuisier à Sainte-Féréole, qui fut camarade de jeu de Jacques Chirac, témoigne : « Son père ne laissait guère de liberté à son fils ; il l'obligeait à réviser des après-midi entiers. » Marinette Pascal, une voisine, confirme : « Jacques se faisait souvent gronder. »

L'autorité paternelle se manifestait rarement sous la forme de châtiments corporels. « Quand mon père m'engueulait, ça me terrifiait, dit Jacques Chirac. J'ai probablement reçu quelques baffes, mais je n'en ai pas gardé le souvenir. Je me rappelle, en revanche, qu'en voulant, un jour, me donner un coup de pied dans le derrière il s'était fait très mal en se cognant contre un fauteuil. »

Il ne faut pas se méprendre. La distance du père n'est pas de l'indifférence. Il veut imprimer sa marque sur son fils. Le soir, il rentre du travail vers 20 heures et il dîne en famille dans la cuisine. Le repas terminé, il va chercher un livre dans la bibliothèque où, en dehors des grands classiques de la littérature, on trouve surtout des romans policiers de la collection « Le Masque ». Assis à table, la cigarette aux lèvres, il fait ensuite une lecture à son fils. Pagnol y passera. Viendra, après, le tour de Baudelaire, Hugo et Romains.

Mais le premier choc littéraire du petit Jacques, c'est la lecture paternelle des *Croix de bois* de Roland Dorgelès, un grand roman sur la guerre de 14. Au passage, son père lâche quelques souvenirs. « Il avait un côté ancien combattant, dit Jacques Chirac. Il ne fallait pas trop le pousser pour qu'il se mette à raconter sa guerre. Mais il faisait toujours des récits objectifs et froids. Il avait une grande pudeur. Il ne pouvait pas se livrer. »

Et la politique ? À la table familiale, elle est absente. En la matière, ce n'est donc pas son père qui aura fait l'éducation du petit Jacques. « Pas conceptuel ni même très cultivé, il était totalement apolitique », dit son fils. Mais il ne fait aucun doute qu'Abel Chirac votait modéré, comme on disait à l'époque. Il n'aimait pas la gauche mais il ne le disait pas. Sans doute pour ne pas creuser le fossé avec la Corrèze si radicale et si socialiste…

À l'avènement du Front populaire, en 1936, Abel Chirac a clairement choisi son camp. Alors qu'à Brive-la-Gaillarde Louis Chirac, son père, fête la victoire électorale de la gauche, à Paris son fils se fait du mauvais sang. Il prend le parti des nationalisés. Il est vrai qu'à son agence de la BNCI – la BNC est devenue, entre-temps, la Banque nationale pour le commerce et l'industrie – Abel Chirac s'est lié à deux clients riches et célèbres : Henry Potez et Marcel Bloch qui ne s'appelle pas encore Dassault. Des inventeurs géniaux et mirobolants. Ils ont mis au point ensemble l'hélice « Éclair » pendant la guerre de 14. Concurrents, associés et amis à la fois, ils sont en train de révolutionner l'industrie aéronautique. Mais ils sont dans le collimateur du nouveau gouvernement qui a décidé de nationaliser leurs usines.

Après le vote par la Chambre de la loi de nationalisation des industries de guerre, le 17 juillet 1936, Pierre Cot, le ministre de l'Air, recherche une solution à l'amiable. Il trouvera très vite une oreille attentive : celle d'Henry Potez. L'avionneur vient dire au ministère qu'il accepte la proposition d'indemnisation. Mais à une condition : « Être payé tout de suite [1]. » L'affaire est conclue en un tournemain : 31 millions d'indemnités pour Henry Potez.

C'est un coup de génie. Est-ce Abel Chirac qui le lui a soufflé ? Toujours est-il qu'Henry Potez, premier des constructeurs à pactiser avec le « Front popu », ramasse la mise alors que des rumeurs de dévaluation commencent déjà à secouer la Bourse. Pour avoir lanterné, Marcel Bloch fera, lui, une moins bonne affaire. Il ne récupérera que 17 millions après que le franc aura été dévalué, le 27 septembre.

Que vont-ils faire de ces millions, Potez et Bloch ? Pour Abel Chirac, c'est le moment, c'est l'instant. Il propose toutes sortes de placements aux deux nationalisés dont il est tout à la fois le banquier et le conseiller financier. Tandis que Marcel Bloch acquiert des actions tous azimuts, Henry Potez investit dans la Bourse ou dans l'immobilier au Canada. Et ils achètent ensemble un immeuble, 46, avenue Kléber, pour y installer leurs bureaux.

On sait que les nationalisations, en France, n'ont pas leur pareil pour sauver la mise des classes dirigeantes. En l'espèce, elles ont arrondi la fortune d'Henry Potez et de Marcel Bloch.

Les conseils d'Abel Chirac ont été si judicieux qu'Henry Potez lui propose de devenir son directeur général. Comment pourrait-il refuser ?

Le père de Jacques devient subitement l'un des hommes clés de l'industrie française. Son destin se mêlera désormais à celui d'Henry

---

1. Cf. Pierre Assouline, *Monsieur Dassault*, Balland, 1983.

Potez, petit homme brun, à la calvitie naissante, qui domine alors l'aéronautique. Le Front populaire n'a pas entamé sa toute-puissance.

Réaliste, Pierre Cot a dû utiliser les compétences des nationalisés : Henry Potez a été propulsé à la présidence de la Société du Nord et Marcel Bloch à celle de la Société du Sud-Ouest. Ce sont deux des six grandes sociétés nationales d'aéronautique. Ils ont l'un et l'autre des bureaux d'études ou des entreprises de sous-traitance qui travaillent – au prix fort – pour leurs nouvelles sociétés. Au Parlement, la gauche et la droite leur reprochent leurs doubles casquettes. Mais Bloch est le plus visé des deux : certains de ses avions seraient des « cercueils volants ». Le 22 mars 1940, Henri Naudier, président de la sous-commission de contrôle du Sénat, dira : « Si, pour Potez, on peut à la rigueur passer l'éponge car il a fourni du bon matériel, il n'en reste pas moins que Bloch a touché 97 millions pour avoir livré du matériel médiocre. » Du point de vue technologique et industriel, Potez paraît indéboulonnable.

Abel Chirac s'est passionné pour son nouveau métier et il a réussi. Jusqu'à la guerre. Car, quand l'entreprise se remettra en marche, en 1945, elle aura perdu la baraka. Henry Potez commettra l'erreur de ne pas prendre le virage des avions à réaction. Mieux inspiré, Marcel Bloch-Dassault prendra son envol avec les Mystère et les Mirage.

Jacques Chirac résume de façon lapidaire le match Potez-Bloch : « Jusqu'en 1940, Potez, c'est le grand qui réussissait tout. Dassault, c'est le petit qui ratait plus ou moins tout. C'est après la guerre que Potez s'est planté et que Dassault est devenu le génial Dassault. »

Après les petits instituteurs, les grands industriels : c'est le milieu dans lequel s'ébroue, désormais, le petit Jacques. « À la fin des années trente, raconte Marcel Dassault, j'étais en cure à Vichy avec ma femme et, un jour, en nous promenant, nous rencontrons les Chirac à la terrasse d'un café. Avec son fils, on regardait passer les voitures pendant que les adultes parlaient entre eux de choses importantes. Il me disait : "Ça, c'est une Citroën ; ça, c'est une Renault." Il ne se trompait jamais. Alors, j'ai voulu le mettre à l'épreuve. À cette époque, j'avais une grande voiture assez rare et j'étais sûr qu'il ne pourrait pas m'en donner le nom. Je l'ai donc conduit jusqu'à mon automobile et il s'est écrié : "Monsieur, c'est une Graham Paig." J'avoue que j'étais très étonné. On est entré dans un magasin de jouets et nous l'avons dévalisé. »

Parvenus, les Chirac ? Ils sont en tout cas arrivés dans la grande bourgeoisie. Ils fréquentent quelques-uns des grands patrons français. Ils vont au restaurant. Ils ont des domestiques. Ils gardent cependant les habitudes et les traditions corréziennes. Leur repas du soir, par exemple, commence toujours par la soupe qu'il leur arrive de « couper », à la mode paysanne, d'une lampée de vin rouge. Ils ont également le culte – rural – de l'amitié. Abel Chirac, aime rendre service. Il peut, par exemple, accélérer les délais de livraison des Renault : à Sainte-Féréole, tout le monde en profite. Il prête aussi beaucoup plus qu'on ne lui rend. « Mon père était un bon banquier et un bon financier, dit Jacques Chirac. Mais ce n'était pas un homme d'argent. Il était incapable de garder trois sous pour lui. » Chose curieuse, le directeur général de Potez prend même ses distances avec les membres de sa famille qu'il suspecte de vouloir faire fortune. Il explique qu'il n'aime pas les « affairistes ».

Il est vrai que les Potez ou les Bloch sont avant tout des aventuriers partis à la conquête du ciel. Ils osent trop mais comme dirait le poète, leur audace est si belle…

2

La guerre des boutons

« La jeunesse est une fraction de folie. »

Proverbe arabe

Le 14 juin 1940, le téléphone sonne dans la maison de campagne que les Chirac ont louée à Parmain, près de L'Isle-Adam, pour y passer les week-ends. Dans le jardin, le petit Jacques, qui a tout juste sept ans, s'initie à son nouveau jeu : le lancer de couteau – de cuisine, en l'occurrence. Un jour, le couteau qu'il lançait contre un tronc d'arbre lui est revenu en pleine figure. Depuis, une cicatrice s'est plantée près de son œil droit.

Au bout du fil, c'est la voix nasillarde de Marcel Bloch-Dassault :

« Marie-Louise, il faut partir. Les Allemands arrivent.

— Mais Abel est en voyage au Canada avec Henry Potez.

— Cela ne fait rien. On passe vous prendre à Parmain. Munissez-vous d'une seule valise. »

Quelques secondes plus tard, le téléphone sonne à nouveau. C'est Georges Basset, un vieil ami de la famille, ancien combattant de la guerre de 14 dont il est revenu avec le grade de lieutenant, sept ou huit citations et une réputation de héros :

« Marie-Louise, je passe te prendre. Il faut foutre le camp.

— Mais Marcel Bloch vient de me dire qu'il passait me chercher.

— Tu prendras la première voiture qui se présentera. Il n'y a pas une minute à perdre. »

Marie-Louise Chirac rappelle Marcel Bloch-Dassault qui lui dit :

« Faites ce que vous demande Basset. »

27

Et c'est Georges Basset qui arrive le premier. Marie-Louise Chirac et son fils montent dans la Renault Viva 4 où s'entassent déjà cinq Basset et leurs bagages. C'est l'exode qui commence.

La Viva 4 est bloquée sur le pont de Parmain. Un embouteillage. Il n'en finit pas. Un officier français passe en courant. Georges Basset sort sa tête par la fenêtre et demande :

« Mon capitaine, qu'est-ce qui se passe ?

— Les Allemands sont à cinquante kilomètres.

— Et alors ? Vous ne vous battez pas ?

— Vous vous rendez compte, monsieur ? Ils nous tirent dessus ! »

Cette histoire, Jacques Chirac la certifie exacte. Elle en dit long sur l'état d'esprit qui règne alors en France. Plus rien ni personne n'a prise sur les événements déchaînés. L'armée bat en retraite. Le peuple s'enfuit. Et le gouvernement capitule. Charles de Gaulle, alors sous-secrétaire d'État à la Défense nationale, expliquera dans ses *Mémoires de guerre* : « L'exercice même du pouvoir n'était plus qu'une sorte d'agonie, déroulée le long des routes, dans la dislocation des services, des disciplines et des consciences. »

Expérience décisive pour le petit Jacques. Il sort subitement d'une chronique de Marcel Proust pour entrer dans un roman de John Steinbeck. Pour la première fois de sa vie, cet enfant gâté apprend la peur, le froid et la mort.

Un vent de panique souffle sur la France. Deux millions de soldats et sept millions de civils se sont jetés sur les routes où se mêlent les enfants perdus, les vaches affamées et les fous relâchés. De son avion, Saint-Exupéry observe « l'interminable sirop qui n'en finit pas de couler » sur « les routes noires » : « On évacue, dit-on, les populations. Ce n'est déjà plus vrai. Elles s'évacuent d'elles-mêmes. » De sa Viva 4, le petit Jacques peut voir les voitures en panne abandonnées dans les fossés, les cadavres d'animaux jetés sur les bas-côtés, les larmes sur les visages apeurés.

Le petit Jacques apprend aussi la pénurie. En ce mois de juin 1940, comme l'écrit Henri Amouroux dans sa *Grande Histoire des Français sous l'Occupation* [1], « on se bat pour un litre d'essence. On achète un verre d'eau ». Quant aux magasins, ils sont vides ou fermés : au choix.

---

1. Tome 1, *Le Peuple du désastre, 1939-1940*, Robert Laffont, 1976.

Le 18 juin, quand le général de Gaulle lance son appel de Londres, Brive-la-Gaillarde est passée de trente mille à cent mille habitants. Sa gare est hantée de voyageurs qui attendent un train improbable. Marie-Louise Chirac s'est installée, avec son fils, à quelques kilomètres de là, dans la maison de ses parents, à Sainte-Féréole. Elle y attendra tranquillement le retour de son mari, deux mois plus tard.

Abel Chirac n'est pas pétainiste. Mais il dira, ensuite, que ce Maréchal, qui a fait don de sa personne à la France, n'a mérité « ni sa gloire ni son déshonneur ». C'est, en fait, un gaulliste modéré comme Henry Potez, son patron. Plutôt que de se précipiter à Londres, les deux hommes ont décidé de pratiquer une résistance douce, passive.

À peine arrivé, Abel Chirac demande à sa femme de refaire les valises. Il faut retourner travailler.

Travailler ? Henry Potez refuse de « collaborer » avec les Allemands. Il a donc fermé ses bureaux et ses ateliers de la région parisienne. Il a fait disparaître ses plans d'avions. Puis il s'est exilé au Rayol, près de Toulon, dans une grande maison cossue où il lit les journaux et joue au bridge. C'est sa façon de faire la grève. À tout hasard, il a gardé quatre employés. Parmi eux : son chauffeur, Auguste ; son comptable, M. Debon ; et, bien sûr, son directeur général, M. Chirac, qui vient de changer de prénom. Il ne se fait plus appeler Abel mais François.

Chaque jour, François Chirac se rend à son travail chez les Potez. Mais c'est une fiction. Il n'a rien à faire si ce n'est de commenter l'actualité du jour avec son patron. Ce petit jeu durera plus de quatre ans. C'est sans doute pendant cette période que la Société Potez et Compagnie a perdu son génie et sa puissance créative.

Moins on fait de choses, moins on a de temps. François Chirac et son patron n'ont jamais une seconde à eux, comme tous les oisifs. Mais ils souffrent de leur condition qui se ramène, en gros, à attendre le facteur et sa livraison de journaux.

Sur la terrasse de l'hôtel de la Mer, transformé en bureaux, ils prennent le soleil en fumant. Jacques Chirac se souvient avoir entendu son père répéter dès 1940 : « De victoire en victoire, les Allemands vont vers la défaite finale. » Alors, Henry Potez : « Cessez de dire tout le temps la même chose. Pour l'instant, tout va aussi mal que possible. » Les deux hommes sont convaincus que le IIIᵉ Reich est condamné à perdre. Mais sa déroute se fait attendre…

Jacques Chirac a huit ans. Sur les photos d'époque, il a la raie à gauche et une petite mèche sage court sur son front. Son nez, frémissant, semble déjà à l'affût du monde. Tout son visage, léché d'amour maternel, semble respirer la sensualité contenue.

Il a les lèvres épaisses, légèrement boudeuses, comme tous les enfants gâtés. Il a aussi le regard droit, plein de force, comme tous les garçons révoltés. Il a deux faces, en vérité. C'est le Petit Prince et c'est Gavroche. Côté pile : le fils unique. Côté face : le sauvageon.

Et c'est ainsi que se compose le climat dans lequel vivra désormais Jacques Chirac : tout à la fois étriqué, conformiste, aventureux et séditieux. Sa jeunesse est une ivresse.

Chaque matin, le petit Jacques se rend à l'école communale du Rayol. Elle se trouve à une heure de marche de la villa des Chirac et ne comprend qu'une classe de quinze élèves. Il a un ami qui, selon les jours, est aussi son ennemi. C'est Darius Zumino. Son père, immigré italien, est ouvrier agricole. Il a douze enfants. Ils habitent tout près et vivent tous ensemble dans une pièce. Dans leur assiette, il va sans dire qu'ils trouvent plus souvent de la soupe au pain que du bœuf bourguignon.

« Les Zumino étaient communistes, naturellement, dit Jacques Chirac. Non parce qu'ils étaient misérables – ils étaient, d'ailleurs, heureux de vivre – mais parce qu'ils se sentaient communistes, tout simplement. Aujourd'hui, ils sont tous RPR, bien entendu. »

Souvent, en sortant de l'école, Darius file le premier et monte sur une falaise où il attend Jacques. Et, quand l'autre passe, il lui jette des pierres. Ce sont des batailles homériques. Les deux écoliers ne marchandent ni leurs insultes ni leurs coups. « Comme il était un peu plus fort que moi, reconnaît Jacques Chirac, c'est généralement moi qui trinquais. »

Quand ils se sont réconciliés, les deux sauvageons courent ensemble les ravins, se poursuivent dans des jeux de piste, chassent les oiseaux, pêchent le mérou. Naturellement, ils ont tous deux les pieds nus. Sur les cailloux, la corne des pieds du petit Jacques s'épaissit sans arrêt. Longtemps après, de retour à Paris, l'enfant sauvage aura un mal fou à s'habituer aux chaussures.

Les Chirac ne s'occupent pas de politique ? Elle s'occupera d'eux.

C'est le 27 novembre 1942 que le petit Jacques ressentira sa première émotion politique. Ce jour-là, le gouverneur de Toulon a invité « toutes les personnes qui n'ont rien à faire dans cette ville, et qui peuvent avoir ou trouver ailleurs les moyens de vivre, à quitter la place ». Les troupes allemandes viennent d'entrer en zone libre. Elles occuperont désormais tout le territoire. Au Rayol, Jacques Chirac est, comme d'habitude, en train de musarder sur les collines quand, soudain, le ciel s'embrase puis se couvre de fumée. C'est l'Histoire qui se fait ; c'est l'Histoire qu'il regarde.

Dans la rade de Toulon, la flotte française est en train de se saborder. La France avait perdu son indépendance. Elle est en train de perdre sa marine. Bientôt, c'est toute son armée qui sera liquidée. Ce soir-là, une fois n'est pas coutume, les Chirac parleront politique à table. Ils ont le sentiment d'un « immense gâchis ». Comme ses parents, le petit Jacques devient de plus en plus partisan de cet ancien sous-secrétaire d'État à la Défense nationale .qui, de Londres à Alger, prétend incarner la France.

Arrivent les Allemands. Ils essaiment partout, sur les collines, dans les vignes, sur les plages, et communiquent entre eux avec des téléphones de campagne. Des kilomètres de fil noir courent dans le maquis. Darius et Jacques inventent un nouveau jeu. Ils s'amusent à couper les fils, au grand dam de leurs parents. Ils en font ensuite des ficelles ou des lassos, c'est selon. Actions de vandalisme plutôt que de résistance : c'est Jacques Chirac qui le dit. Il se souvient avoir fait ainsi le désespoir d'un lieutenant allemand, « un homme tout à fait distingué et pas du tout nazi qui se retrouva rapidement sur le front de l'Est ».

Surviennent les Alliés. Dans la nuit du 14 au 15 août 1944, les premiers commandos arrivent. Ce sont des Français. Ils se sont trompés. Ils devaient débarquer à trois ou quatre kilomètres de là. Mais la mer était trop calme et le rocher qui devait leur servir de point de repère n'affleurait pas. Ils ont donc échoué devant les falaises du cap Nègre qu'il leur a fallu gravir.

Un officier frappe à la porte des Chirac. Il a quarante ans et le torse scintillant de décorations. Il semble promis à la gloire et commande la 1re division de la France libre. C'est le général Brosset.

Il passera la nuit suivante à la Casa Rosa, la petite villa des Chirac. Pendant le dîner, il parlera beaucoup avec le petit Jacques

31

et, le lendemain matin, avant de prendre congé, il lui glissera une tablette de chocolat dans la poche.

Le petit Jacques gardera longtemps dans la bouche le goût de ce chocolat : le général Brosset aura été son premier modèle. Au milieu des soldats américains qui grimpent les collines, les poches pleines de chewing-gums qu'ils distribuent à tout-va, il est de plus en plus fasciné par la chose militaire. Ce frondeur aime l'armée ; cet individualiste adore la discipline.

Quelques mois plus tard, le jeune Jacques apprend que le général Brosset a trouvé la mort dans un accident stupide : sa voiture est tombée dans un ravin en Alsace. « Ce fut, dit Jacques Chirac, la première grande peine de ma vie. Sans doute parce que, de toutes les personnes que j'avais rencontrées jusqu'alors, c'est celle qui m'avait le plus impressionné. C'était un héros. »

Mais qui a dit que le tombeau des héros est le cœur des vivants ? Après avoir longtemps pleuré dans sa chambre, le jeune Jacques décide de « faire quelque chose » en mémoire du général Brosset. Il taille une planche puis écrit dessus à l'encre de Chine :

AVENUE DU GÉNÉRAL-BROSSET

En ce temps-là, il manquait un nom à un chemin du Rayol : celui qui descendait de la route de la corniche vers la mer. Avec des clous et un marteau, Jacques plante sa plaque très haut sur un mur. C'était en 1945. Un quart de siècle plus tard, l'inscription était toujours là.

Un jour, le conseil municipal du Rayol décide de bitumer cette route. M. Gola, le maire, qui fut le régisseur des Potez, s'étonne du nom qui a été donné au chemin. Il fait faire des recherches dans les archives municipales mais on ne trouve nulle trace d'une avenue du Général-Brosset. Qu'à cela ne tienne : M. Gola décide de garder le nom. « Mettons simplement une plaque plus convenable », dit-il. De passage à Paris, il raconte l'histoire à Jacques Chirac.

Alors, Chirac : « L'avenue du Général-Brosset, c'est moi. »

Quelques semaines plus tard, il sera nommé Premier ministre et inaugurera, en grande pompe, l'avenue du Général-Brosset. Cet homme aime se pencher sur son enfance, qu'il idolâtre comme si le meilleur de sa vie avait été au commencement.

Vraiment ? À l'époque, pourtant, le petit Jacques ne respire pas le contentement. Il finira même par se dresser contre l'ordre des grandes personnes. Après le temps de l'enfant gâté, voici celui du garçon révolté…

3

L'angoisse à quinze ans

La micheline qui fait la navette entre Toulon et Saint-Raphaël passe juste au-dessous de la Casa Rosa. En chemin, elle crache des étincelles. Et c'est ainsi qu'une nuit, en 1943, elle mettra le feu aux taillis. En quelques minutes, la villa des Chirac est cernée par les flammes. Toute la famille sort sans même se changer et s'enfuit par la route quand le petit Jacques se souvient, subitement, que son père a oublié ses cigarettes dans l'armoire de la chambre des parents. Il fait demi-tour et court jusqu'à la maison, sous les hurlements de sa mère.

« En ce temps-là, dit Jacques Chirac, les cigarettes étaient rationnées. Chez nous, on récupérait les mégots avec une attention extrême. Mon père les réutilisait. Pour lui, le tabac, c'était la chose précieuse entre toutes. »

Ses parents ordonnent au petit Jacques de revenir mais il a décidé de ne rien entendre. Il veut montrer à son père qu'il n'est pas un propre-à-rien. Il a besoin d'être reconnu. Mission réussie.

« Que je songe à récupérer son tabac, dit Jacques Chirac, c'est une des choses qui, avec ma réélection triomphale aux élections législatives de 1968, a le plus impressionné mon père. »

Le petit Jacques a besoin de plaire, comme tous les anxieux. Mais il n'est pas facile de faire la conquête de ce père exigeant. Et non moins malaisé de retenir son attention. C'est peut-être pourquoi ce garçon est si turbulent. Il se rappelle sans cesse au souvenir du directeur général de Potez. On ne compte plus ses manquements à la discipline dans les établissements scolaires qu'il a fréquentés. C'est plus qu'un farceur : un rebelle.

Après la guerre, Jacques Chirac se retrouve au lycée Hoche, à Saint-Cloud où ses parents se sont provisoirement installés. S'ils font état, avec prudence, de son tempérament chahuteur, les historiographes officieux se gardent d'évoquer son renvoi dudit lycée : une sombre affaire de boulettes en papier tirées contre un professeur de géographie. Asocial et solitaire, c'est une sorte d'indiscipliné pathologique. Quand il ne blague pas pendant les cours, il bavarde…

Ce n'est même pas un bon élève. « J'ai commencé à travailler en classe de première, dit Jacques Chirac. Auparavant, tout mon problème, c'était de ne pas avoir d'examen de rattrapage à l'automne, ce qui aurait gâché toutes mes grandes vacances. Je me suis donc arrangé pour passer toujours au ras de la barre. Mon unique but dans la vie, en fait, c'était de me promener. »

En seconde, son professeur d'histoire écrit sur son carnet de notes : « Esprit vif et curieux. Travaille avec goût. Mais plus spontané que réfléchi. » L'année suivante, le professeur d'histoire notera : « Trop bavard, trop distrait et trop nerveux pour réussir. »

Ce garçon dissipé n'est cependant ni un chef de bande ni une grande gueule. Il n'a guère laissé de traces au lycée Carnot où il a débarqué après que ses parents eurent quitté Saint-Cloud pour s'installer 10, rue Frédéric-Bastiat, une rue cossue du VIIIe arrondissement de Paris. Il a seulement provoqué une allergie chez son professeur de philosophie. Chaque fois que celui-ci entre en classe, avant même de commencer son cours, il dit : « Chirac, à la porte ! »

« Nous étions dans les mêmes murs, dit Jacques Friedmann, qui est devenu son meilleur ami. Nous avions les mêmes professeurs, les mêmes salles de classe. Eh bien, je n'ai aucun souvenir de Jacques. »

Que faisait-il, ce chenapan, pour passer inaperçu ? Sa vie se faisait en dehors du lycée Carnot et il n'avait de cesse que de quitter ses hauts murs pour partir à la conquête du monde.

Quel monde ? La légende veut que Jacques Chirac ait été imperméable à la culture. Si cette légende a la vie dure, c'est parce qu'il l'a entretenu complaisamment. C'est ainsi qu'on ne trouvera, dans les récits de son enfance qu'il distille à ses biographes, aucune allusion à ce qui occupa, pourtant, l'essentiel de son temps. À le croire, son activité principale aurait surtout consisté à « conter fleurette » aux demoiselles du quartier sur les bancs publics du parc Monceau, proche du lycée. Au passage, il racontera qu'il a suivi des cours de cuisine au Cordon Bleu, rue du Faubourg-Saint-Honoré. Il y mijotait des petits plats vendus, dans une cafétéria, au bénéfice des bonnes œuvres. Officiellement, sa jeunesse fut banale et bourgeoise, alors qu'elle fut, en vérité, curieuse, avide, ouverte aux vents du monde.

S'il est vrai que la culture ne s'hérite pas mais se conquiert, comme dit Malraux, le jeune Jacques fut un authentique aventurier. Mais pourquoi diable a-t-il tout fait, depuis, pour que cela ne se sache pas ? Sans doute parce que cette face-là ne correspond pas à l'image qu'il entend donner de lui-même. Toutes les ambiguïtés viennent de là, toutes les méprises, tous les quiproquos.

À quinze ans, donc, le jeune Jacques est fasciné par les civilisations anciennes. Il se passionne notamment pour l'Inde du Nord-Ouest, celle qui, deux millénaires avant l'ère chrétienne, a donné naissance au sanskrit, l'une des plus vieilles langues du monde : Et, un jour, il annonce à ses parents qu'il veut apprendre le sanskrit.

Va pour le sanskrit. On indique à ses parents un vieux professeur qui habite dans le XIIIe arrondissement. C'est « Monsieur Delanovitch », un septuagénaire tiré à quatre épingles, toujours en cravate, avec une grande crinière blanche lamartinienne. Il habite un misérable rez-de-chaussée sur fond de cour, où il façonne des « écorchés » : des petits bonshommes en papier mâché à l'usage des écoles primaires, Ce « Russe blanc » parle couramment douze langues. Il lit dans le texte le grec, le latin et, bien sûr, le sanskrit. Ce sera l'une des rencontres les plus décisives du jeune Jacques.

Originaire de la grande bourgeoisie lituanienne, « Monsieur Delanovitch » était attaché d'ambassade en Iran quand survint la révolution russe de 1917. Sa femme, une princesse de sang, se trouvait alors en Russie. Elle fut tuée dans la tourmente. Préférant ne pas connaître son sort, il commença une vie d'errance et fut ouvrier chez Renault puis chauffeur de taxi avant de fabriquer des « écorchés ».

« Monsieur Delanovitch » apprend, pendant trois mois, le sanskrit au jeune Jacques. C'est un échec. Un jour, le vieux professeur décide donc d'arrêter : « Je vais t'apprendre le russe, ça te sera plus utile. »

Là, c'est le coup de foudre : cette langue lui plaît tout de suite. Et c'est ainsi que ses parents finissent par proposer à « Monsieur Delanovitch » de s'installer chez eux, dans leur nouvel appartement de la rue de Seine, où ils ont une chambre avec entrée indépendante. Le professeur accepte. Il passera désormais la moitié du temps chez les Chirac, jouant tout à la fois, pour le jeune Jacques, le rôle de précepteur, de complice et de père spirituel.

De père tout court ? Jacques Chirac s'en défend, naturellement. Mais il ne nie pas que cet homme raffiné ait laissé sur lui son empreinte. Depuis la mort de « Monsieur Delanovitch », dans les années cinquante, il va se recueillir régulièrement sur sa tombe. C'est dire son importance. De tous les gourous qui ont traversé sa vie, celui-là reste, en fait, inégalé. Les autres, on le verra, ont plus ou moins façonné le Chirac public. Ce « Russe blanc » a contribué, lui, à fabriquer le Chirac privé en lui inoculant la passion de la littérature russe, de la civilisation perse, de l'art chinois et de bien d'autres choses encore.

Chez les Chirac, « Monsieur Delanovitch » a le statut d'un grand-père. Chez eux, il est chez lui. Il partage régulièrement les repas de famille. Il vient parfois passer des vacances en Corrèze. Et il parle pendant des heures avec le jeune Jacques. Il l'initie à Pouchkine, Tolstoï, Dostoïevski. Il lui prête des recueils de poésie. Il l'emmène faire le tour des musées de Paris.

C'est au musée Guimet – dont il deviendra un habitué – que grandit l'attrait du jeune Jacques pour la philosophie indienne. L'hindouisme le captive. Cet adolescent a faim d'absolu. C'est une religion pour lui. Il songe même, pendant quelques mois, à se convertir. Il renoncera finalement, faute de temples et, peut-être, de conviction. Mais il achète, depuis cette époque, tous les livres qui parlent de Visnu (prononcer *vichnou*) ou de Krisna (dire *krishna*). Il en a quatre cents, pour la plupart annotés.

Quand Ravi Shankar vient faire sa première tournée en Europe, il reste quinze jours dans un petit théâtre du IX\ :sup:`e` arrondissement. Le jeune Jacques s'y rendra tous les soirs. Le musicien indien finira par repérer ce grand adolescent aux yeux fascinés qui se tient au premier rang. Une nuit, il le laissera entrer dans sa loge.

« Monsieur Delanovitch » ne va pas seulement l'initier. Il va aussi contribuer à alourdir l'angoisse qui, déjà, pèse sur Jacques Chirac. Un jour, lisant les lignes de la main de son protégé, il lui fait, sur le ton dégagé des grandes confidences, une remarque qui changera son enfance.

Observant la ligne de vie qui court autour de la paume de sa main gauche, il lui apprend qu'elle est exceptionnellement courte. À quel âge mourra-t-il ? À trente ans ? À quarante ans ? « Monsieur Delanovitch » ne sait mais il est convaincu que l'espérance de vie de son jeune disciple est limitée. « Tu ne vivras pas longtemps », dit-il au jeune Jacques qui, comme dirait Montaigne, troublera désormais « la vie par le soin de la mort et la mort par le soin de la vie ».

Non, décidément, Jacques Chirac ne sera jamais, lui, du genre à attendre que la mort le trouve, « plantant ses choux et nonchalant d'elle ». Il n'aura désormais plus le temps. Elle est à ses trousses. Il court...

Chirac, qui a déjà un petit côté « sorcier », prétend sentir les événements avant qu'ils n'arrivent ; il s'intéresse aux sciences occultes ; il n'est pas loin de penser que le réel et le surnaturel ne font qu'un. Il est donc tout disposé à écouter les diseurs de bonne (ou mauvaise) aventure et à croire les prédictions de « Monsieur Delanovitch ».

La découverte de la petitesse de sa ligne de vie n'a peut-être pas fondamentalement changé son caractère. Elle est en tout cas tombée sur un terrain propice. Il y a quelque chose de pathétiquement célinien chez ce personnage, tant il est convaincu que, si le monde a une vérité, c'est la mort.

Il ne panique pas pour autant. Même si, comme l'a écrit naguère Maurice Clavel, on peut déceler dans son regard d'« insondables angoisses », il ne les laisse pas se déployer. La journaliste Michèle Cotta, qui l'a souvent suivi dans ses voyages, raconte : « J'ai très peur en avion. Or, chose curieuse, avec lui, je me suis toujours sentie en sécurité. On se dit qu'il ne va rien lui arriver. Il a tellement l'air à l'abri des maux du cœur et du corps. »

L'est-il ? Pas toujours. Un noir souci chevauche en croupe du cavalier. Et Chirac n'est pas du genre à garder ses larmes pour lui pendant les enterrements. Il a de vrais et longs chagrins. Il n'admet pas de cesser de vivre avec ceux qu'il a aimés. On est loin de la légende du Chirac cuirassé, aguerri, indestructible. Il y a beaucoup de blessures sur cette nuque de taureau.

Écoutons Bernadette Chirac : « Après la disparition de son père, mort très vite, comme un chêne qu'on abat, il m'avait dit, je me souviens : "Quand ma mère mourra, ce sera encore plus difficile et douloureux." Il avait raison. Il fut très atteint. »

Il n'accepte même pas la maladie. Ni la sienne – il ne prend jamais de médicaments, n'acceptant de tromper sa douleur qu'à l'aspirine Upsa. Ni celle des autres : cet homme pourchassé par le temps est capable de tout arrêter, subitement, pour s'occuper d'un ami souffrant – pour le faire changer de service hospitalier, par exemple, ou bien pour le faire traiter par un grand spécialiste de ses relations.

Qu'ils échouent ou qu'ils frondent, et le regard de Chirac peut brusquement refuser à ses proches le droit à l'existence. Il ne les voit plus. Mais qu'ils se retrouvent à l'hôpital, et tous ceux qui, un jour, ont été dans son champ de vision sont l'objet d'effusions de compassion. Faibles ou puissants, il les accompagnera, à coups de visites, de billets ou de fleurs, jusqu'à leur dernier souffle. On l'a beaucoup vu, par exemple, au chevet de personnalités du Tout-État comme Maurice Siégel à qui il avait, pourtant, retiré la direction d'Europe 1, en 1974 – à la demande, il est vrai, de Valéry Giscard d'Estaing. Mais il se dépensera également sans compter autour de telle obscure relation sur son lit de mort. Il n'a pas la fraternité hié-rarchique.

On peut faire de Chirac – et ses propagandistes ne s'en privent pas – un être parfait, un sommet de délicatesse et de générosité, pressé de dispenser le bien comme Saint Louis ou Henri IV. On peut aussi le ranger dans la catégorie de ceux que Nietzsche appelle les « compatissants » (« Mais pourquoi donc a-t-il les joues rouges ? N'est-ce pas parce que trop souvent il lui a fallu avoir honte ? »). On peut également expliquer ces grands élans par une anxiété fon-damentale : celle de l'homme qui a toujours quelque chose à se reprocher, un tourment à tromper, une faute à racheter. C'est sa vie qui répondra…

C'est un adolescent démodé. Il ne s'intègre pas aux jeux collectifs du lycée. Il reste sur son quant-à-soi et rêve, en silence, de bohème. Marginal et décalé, il vit en dehors de son temps, des salles de cinéma et des surprises-parties. Il n'ouvre même pas les journaux que son père rapporte, le soir, à la maison : *L'Équipe* et *Paris-Presse*. Et il évite soigneusement les grands débats politiques qui, parfois, divisent sa classe. Certes, il est partisan du général de Gaulle. Mais c'est parce qu'il a entendu dire qu'il fallait l'être. Pendant la campagne des élections municipales de 1947, il s'insérera même au RPF. Un jour, un copain l'emmène dans une permanence du parti du Général. Il prend sa carte. « Il ne faut cependant pas exagérer l'importance de ce geste, dit Jacques Chirac. Ce fut un acte spontané. Je ne savais pas ce que je faisais. C'est en 1958 que je suis vraiment devenu gaulliste. »

Qu'est-il donc, au juste ? Un jeune homme romanesque, tout simplement. Il collectionne des reproductions de tableaux modernes sur cartes postales, qu'il achète chez les libraires du boulevard Saint-Germain. Sa chambre est remplie de Chirico, de Balthus, de Picasso, de Miró et de Kandinsky, son préféré. Quand il ne dévore pas des ouvrages obscurs sur l'hindouisme ou l'art chinois, il va voir des spectacles de danse. Ou bien il fait les antiquaires. À la maison, il ne prend pas beaucoup de place. Il est rarement là. En fait, il se contente de se cultiver et de « trouver ça farce ».

Son père n'est pas du même avis. Il a décidé que Jacques ferait l'École polytechnique. Il le voit déjà en patron. À moins que ce ne soit en ingénieur. Mais, pour cela, son fils se doit de travailler. Or, il fait preuve d'un mélange agaçant d'aisance et de désinvolture. Il ne prend pas le lycée au sérieux.

C'est le fils de « Monsieur Delanovitch » avant d'être celui de François Chirac. Jacques respecte son père mais, apparemment, il n'a pas – ou plutôt pas encore – la même image de la « réussite » que lui. Il préférera toujours les plaisirs culturels aux jouissances matérielles.

Et c'est ainsi que sourd la colère de François Chirac. Il a l'impression d'avoir couvé un canard boiteux. À la table familiale, il arrive, parfois, que le ton monte. Le jeune Jacques hausse les épaules. Ses études, il les fait. Partout. Sauf au lycée Carnot...

Jacques Chirac n'est pas un « cancre ». Il se borne simplement à lire en diagonale les manuels scolaires. Il survole, il rêvasse, il picore. Il fait confiance à ses capacités d'assimilation qui, déjà, sont grandes. Et, à la surprise générale, il est reçu au baccalauréat avec la mention « assez bien ».

40

Il ne sait pas très bien ce qu'il veut faire. Il se verrait bien capitaine au long cours mais il n'ose pas en parler à ses parents. « J'avais tâté le terrain, dit Jacques Chirac. Mon père avait un ami qui était président de l'Union industrielle et maritime. C'était une personnalité importante du monde de la marine marchande. J'avais demandé qu'il me pistonne pour trouver du travail sur un bateau. Naturellement, ça n'a pas marché. »

En attendant que leur fils se décide, ses parents l'inscrivent en mathématiques supérieures au lycée Louis-le-Grand. Son père a toujours la même obsession : Polytechnique. Mais le jeune homme de dix-sept ans qui dit adieu aux couloirs tristes du lycée Carnot a décidé, dans le même temps, de prendre congé du domicile familial et de l'autorité parentale. Il a le front haut et le regard révolté d'un personnage de Joseph Conrad. Il prend un baluchon et la route de Rouen. Il s'en va à la conquête du monde. Il ne part pas en vacances mais pour la vie...

En mai 68, les étudiants révoltés faisaient des barricades. Auparavant, ils faisaient leurs bagages. À défaut de jeter des pavés, Jacques Chirac lève donc l'ancre. Pour se retrouver, il rompt avec sa famille, ses habitudes, ses avantages. Il s'engage à Rouen comme inscrit maritime puis gagne Dunkerque en auto-stop. Pour avoir l'air d'un marin, il s'est acheté une pipe et un paquet de tabac noir – du « gros cul », comme on dit à l'époque. C'est, décidément, l'anti-dandy. Il se fait embaucher comme pilotin sur un cinq mille tonnes, le *Capitaine-Saint-Martin*.

Où va-t-il ? Ce cargo charge du charbon à Dunkerque, le décharge à Alger, prend ensuite la direction de Melilla, au Maroc espagnol, y charge du minerai de fer, puis le décharge à Dunkerque. Autant dire que Chirac-le-pilotin apprendra à vivre dans la poussière et la crasse. Il fera quatre fois le circuit Dunkerque-Alger-Melilla-Dunkerque.

Le capitaine le prend tout de suite en amitié. Chirac l'appelle le « Bosco ». Les océans n'ont plus de secret pour ce vieux bourlingueur qui a tout fait, y compris le cap Horn. Lors du premier voyage, dans le golfe de Gascogne, il remarque que son pilotin, alors de quart, souffre du mal de mer. Il l'emmène dans sa cabine et lui fait manger trois boîtes de sardines : « Avec ça, tu te caleras bien l'estomac. C'est un remède radical. »

41

Jacques Chirac prétend que, depuis ce jour, il n'a plus jamais eu le mal de mer. De cet épisode maritime, il ne garde pas seulement le goût des sardines mais aussi la nostalgie de la fraternité. « On n'avait pas le temps de s'ennuyer ni de regarder les mouettes, raconte-t-il. On travaillait pratiquement seize heures par jour. Il y a toujours quelque chose à faire sur un bateau. Et je m'entendais très bien avec l'équipage, constitué, pour l'essentiel, de Bretons. » Lors des escales, il partage avec eux la tournée des comptoirs et les joies poisseuses des bars louches.

Une nuit, à Alger, le « Bosco » l'emmène, avec quelques jeunes matelots, dans un lupanar de la Casbah. Quand il revient sur le *Capitaine-Saint-Martin*, au petit matin, il n'est plus tout à fait le même.

Il n'en finit pas d'être un homme.

Ce n'est peut-être pas un hasard si Jacques Chirac a perdu son pucelage dans un bordel algérien. Ni paillard ni rabelaisien, il n'est pas non plus du genre romantique. C'est un « macho » qui croit aux valeurs de la virilité, quitte à mesurer la masculinité à la consommation de tabac ou d'alcool. Une philosophie somme toute militaire. « Les femmes pensent à l'amour, les hommes aux galons ou à quelque chose de ce genre », souffla de Gaulle à Malraux [1]. Chirac pourrait cosigner.

Ni touriste à la Paul Morand, ni globe-trotter à la Blaise Cendrars, Jacques Chirac n'est pas un marin raffiné. C'est un aventurier au sens bourgeois du mot. Jeune homme libre, il chérit la mer. Et il sait maintenant qu'il a trouvé sa voie. Il continuera à travailler sur le *Capitaine-Saint-Martin* et il passera le concours de lieutenant au long cours. Naturellement, ses parents n'en savent rien. « Si je leur avais demandé leur avis, dit-il, ça aurait fait des étincelles épouvantables. »

Désormais, il ne prend plus son travail à la blague. Il a fini de songer à la gloire par la plume. Il ne pense plus qu'à se dépasser lui-même et, pour cela, il a trouvé un moyen : la mer. Il s'imbibe d'air salé, d'histoires corsées, de récits de voyage. Sur le *Capitaine-Saint-Martin*, il a le sentiment de vivre au-dessus de lui-même. Et il est fier de gagner enfin sa vie, même si sa première feuille de paye est très modeste.

---

1. André Malraux, *Les chênes qu'on abat*, Gallimard, 1971.

Les mois passent. Arrive octobre. Au lycée Louis-le-Grand, les cours de math sup commencent sans le jeune Jacques. Rue de Seine, les Chirac s'impatientent. C'est un défi qui leur est lancé. Et ils ont de plus en plus de mal à se reconnaître en ce marin qui leur envoie de ses escales des mots rapides et exaltés.

Un jour, alors que le *Capitaine-Saint-Martin* accoste à Dunkerque, Jacques Chirac reconnaît une silhouette familière sur le quai. Un grand gaillard fait les cent pas en fumant des cigarettes. C'est son père. La tête rentrée dans les épaules, il n'a pas l'air content.

En effet. Quand Jacques Chirac descend du bateau, son père le traite de « connard » avant de lui annoncer qu'il le ramène sur-le-champ à Paris. Ainsi s'achève le voyage initiatique. Il faut retourner rue de Seine et aux réalités. L'heure de l'aventure viendra plus tard, si elle vient un jour.

Sur le chemin du retour, Jacques Chirac plaide sa cause. « Je ne suis pas doué pour les études, explique-t-il à son père. J'ai envie de travailler rapidement. C'est fascinant de commander un bateau. Je voudrais être lieutenant au long cours. Un jour, je serai capitaine. » Naturellement, son père fait le sourd. Il voit toujours son fils en polytechnicien.

Il a tort. En math sup, qu'il réintègre avec un mois de retard, Jacques Chirac ne réussira pas trop mal. Mais il ne sera pas non plus un crack. « Pour être franc, dit-il, ça me cassait les bonbons, ces histoires de maths. » Entre deux cours, il multiplie donc les escapades, pour la plupart culturelles. Il parle d'écrire des livres. Ou des articles. Il ne sait toujours pas quel métier il fera. Bref, il flotte.

À l'âge où il se doit de trouver sa voie, Jacques Chirac paraît disloqué. C'est qu'il est partagé entre au moins deux personnages, contradictoires de surcroît. D'un côté, un esthète lunaire qui, le soir, dans sa chambre, traduit *Eugène Onéguine* de Pouchkine. De l'autre, un aventurier avide de nouveaux paysages et convaincu, comme Nietzsche, que l'homme est quelque chose qui doit être surmonté. Quant à ses parents, ils voudraient lui voir jouer un troisième rôle : celui d'un étudiant conformiste et rangé. Beaucoup de rôles pour un seul homme. Il va falloir choisir…

4

L'hélicoptère de Sciences-Po

« Veux-tu des perles ? Plonge dans la mer. »
Proverbe kurde

Il a dix-huit ans. Il parle comme un charretier et fume comme un sapeur. Il a l'air de tout savoir. Il a la pâleur inquiète d'un personnage de Dostoïevski et il ne distingue pas encore où le mènera sa frénétique boulimie. En lui cohabitent la mythologie républicaine de ses deux grands-pères, la curiosité cosmopolite et fantasque de « Monsieur Delanovitch », son goût de la poésie et des arts plastiques, la témérité péremptoire de sa mère, le goût du travail et les vertus bourgeoises de son père. C'est déjà l'homme des antithèses : cultivé, cosmique et cossu.

Il désespère son père. Aussi, quand Jacques Chirac lui explique un jour qu'il veut faire Sciences-Po (« On m'a dit que c'était intéressant »), l'autre n'hésite pas un instant. Va pour Sciences-Po. C'est peut-être là que se trouvera enfin ce fils qui se cherche tant.

Prudent, Jacques Chirac prend une année sabbatique. Si l'expérience de Sciences-Po n'est pas satisfaisante, il est convenu avec ses parents qu'il réintégrera le lycée Louis-le-Grand où il est autorisé à passer dans la classe supérieure : math spé.

Précaution inutile : en octobre 1951, quand il entre à Sciences-Po, Jacques Chirac se moule dans un nouveau personnage, celui d'un étudiant assidu et besogneux. « Il s'intéressait gloutonnement à tout, note Béatrice de Andia qui partageait les mêmes bancs que lui. Il n'était jamais rassasié. »

C'est la fin de sa jeunesse.

Jacques Chirac est-il devenu, soudain, Jacques Chirac ? Il a en tout cas tourné le dos au personnage romantique et majestueusement désinvolte qu'il incarnait jusqu'alors. Il n'est plus le jeune homme qui pense à autre chose. Renonçant au système de valeurs de ses années flâneuses, il jette toute son énergie pétaradante dans le travail universitaire. Il ne reste rien de commun entre l'étudiant sportif, compétitif, bien habillé de la rue Saint-Guillaume, et le pilotin ébouriffé du *Capitaine-Saint-Martin*. « Je me suis tout de suite plu, dit Jacques Chirac. Alors, j'ai abandonné le reste. »

Qui a dit que la meilleure preuve de caractère est de savoir vaincre le sien ? Jacques Chirac a changé de partition. Mais ce qui étonne le plus, ce n'est pas la métamorphose de ce personnage caméléon. C'est sa rapidité.

Il éblouit ses camarades et ses professeurs avec ses réponses érudites. En histoire, son maître de conférences, Marcel Reinhart, professeur à la faculté de Caen et auteur de plusieurs ouvrages sur Henri IV, a une obsession : faire participer les étudiants. Pour ce faire, il arrive aux cours avec un cahier où ses assistants notent d'une croix les interventions de chaque élève. À la fin du trimestre, ils font le compte. « Les croix de Jacques Chirac, on ne savait plus où les mettre », note Jacques Friedmann, qui fut assistant de la première année en 1951. Parce qu'il est l'un des meilleurs élèves de la deuxième année, il a été chargé de piloter les nouveaux arrivants. Jeune homme réservé et sérieux, d'une sensibilité plutôt de gauche, il deviendra l'ami le plus proche de Jacques Chirac.

« Jacques Chirac, se souvient Friedmann, était à la fois actif et brillant. Il intervenait toujours avec assurance. C'était un bon élève mais ce n'était pas vraiment un chef de bande. » Rue de Seine, les dîners familiaux sont moins orageux. François Chirac a une nouvelle ambition pour son fils : l'École nationale d'administration...

Lors de la première conférence de Sciences-Po, Jacques Chirac avise une jeune fille au front immense et au regard sage. Les tables étant disposées en carré autour du professeur, il se trouve qu'elle est assise juste en face de lui. Elle aussi a remarqué ce grand énergumène filiforme. Et il l'agace : « Il remuait sans arrêt ses jambes sous la table. Je me disais que ce garçon était trop nerveux et qu'il devait sûrement boire trop de café. »

La jeune fille agacée s'appelle alors Bernadette de Courcel. Sa famille a de la branche, des biens et des valeurs mobilières. Mais elle ne fait pas que de l'argent. Elle fabrique aussi des héros. L'oncle Geoffroy, par exemple. Bernadette en est très fière. C'est la gloire des Courcel. Il fut tour à tour chef de cabinet du général de Gaulle en 1940, commandant d'escadron d'automitrailleuses en Libye puis, après la guerre, ambassadeur de France. À Sciences-Po, en ce temps-là, Courcel est un nom qui se prononce avec révérence. À juste titre.

On a parfois dit que c'est Bernadette qui a fait les premiers pas. « Elle avait tout de suite repéré que Jacques était un type valable, dit Béatrice de Andia, sa camarade de classe. Elle utilisait tous les moyens possibles pour l'approcher. Quand elle était dans un autre séminaire, elle faisait en sorte de se lier avec le groupe de jeunes filles que nous formions autour de Jacques. C'est ainsi que nous sommes devenues amies. »

Bernadette s'est simplement arrangée, en fait, pour se trouver toujours dans le champ de vision de Jacques. Cette jeune fille pieuse et angélique était bien trop réservée pour en faire davantage. Écoutons sa version : « J'étais d'une timidité maladive. Jacques s'en était aperçu et il m'avait conseillé de me jeter à l'eau en prenant le premier sujet proposé par Reinhart. Ce que je m'empressai de faire. J'écopai donc d'un exposé sur la Révolution. À la sortie de la conférence, j'allai donc le préparer à la bibliothèque. J'étais en train d'y travailler quand je vis arriver ce grand escogriffe qui me dit : "Mademoiselle, j'ai l'intention de monter un groupe de travail qui se réunirait chez moi. Nous serons quatre. Voulez-vous en faire partie ?" Et c'est dans la foulée que nous nous sommes connus. » Tout se serait donc passé lors de la première rencontre, du premier regard.

La version de Jacques Chirac, si elle est moins romantique, n'est pas vraiment contradictoire. À l'en croire, c'est Sa Majesté le hasard qui aurait fait les trois quarts de la besogne : « Je voulais faire un groupe de travail. J'avais déjà repéré deux types. Il me fallait une fille. Je lui ai proposé de venir avec nous parce qu'elle me semblait être la meilleure élève. »

Jacques et Bernadette apprennent à travailler ensemble. Rue de Seine, ils partagent les mêmes lectures, les mêmes amitiés, les mêmes sandwichs. Ils passent des après-midi ensemble. Et de fil en aiguille…

Elle est douce et lui si frétillant qu'ils sont faits pour s'entendre. Mais il n'a pas d'yeux que pour elle. Il est trop ardent, trop affamé d'aventures. Et il entend bien garder les ailes libres.

C'est le bourreau des cœurs de Sciences-Po. « Il plaisait beaucoup aux jeunes filles », dit Bernadette, énigmatique. Trois camarades de Sciences-Po confirment. Jacques Friedmann se souvient qu'il avait du « succès auprès de ces demoiselles ». Quant à Michel Rocard, un autre camarade de Sciences-Po, ce qu'il a surtout retenu du Jacques Chirac d'alors, c'est « la cour de filles formidables qui gravitait autour ».

Ce jeune homme couvert de femmes trouve-t-il quand même le temps d'être amoureux de Bernadette ? Il ne se déclare pas. Ce n'est pas son genre. Mais Bernadette, submergée de petits mots, assaillie de coups de téléphone, n'a pas besoin des aveux de Jacques. Certes, elle est bien consciente qu'il l'utilise : « Il me faisait faire ses fiches de lecture parce qu'il n'aimait pas trop lire le genre d'ouvrages qu'on était censé ingurgiter à Sciences-Po. J'ai lu beaucoup de choses pour lui, à commencer par *De la démocratie en Amérique* de Tocqueville. Il était déjà très organisé et il appréciait cette gentille fille consciencieuse qui lisait des tas de bouquins pour lui. Cela crée des liens. »

De là naît leur complicité et aussi la fascination – le mot n'est pas trop fort – qu'il exerce sur Bernadette : « Il m'a tout de suite distancée. Il fallait voir la rapidité avec laquelle il survolait les dossiers. Il comprenait tout au premier coup d'œil mais il ne s'impatientait pas de la lenteur des autres. »

S'est-il servi cyniquement de Bernadette ? La réponse ne fait aucun doute. C'était un étudiant obligeant. « Il était toujours prêt à porter les paquets et à ouvrir les portes », dit Béatrice de Andia. « Il adorait déjà rendre service », précise Michel Rocard. S'il cherche à tirer parti de Bernadette, en fait, c'est sans doute pour se l'approprier. Elle est à son service. Il la prend en charge. Et chacun y trouve son compte.

En juin 1952, alors qu'elle est déjà partie en vacances, c'est lui qui lui annonce son échec à son examen de fin de première année. « J'espère, lui écrit-il, que ce petit incident ne vous empêchera pas de jouir comme il se doit de la douceur romantique du lac d'Annecy. Pensez à Lamartine bien plutôt qu'à Meymard et continuez à respirer l'air des cimes avant de reprendre contact avec l'atmosphère saturée des amphithéâtres. »

En marge, ce post-scriptum qui en dit long sur ses façons : « Excusez-moi de vous écrire au stylo à bille, je viens de casser ma plume. »

On l'appelle l'hélicoptère parce qu'il bouge tout le temps ses bras comme des pales. « C'était un grand gaillard agité, indépendant et personnel », dit Michel François-Poncet, un autre camarade de promotion qui est devenu l'un de ses amis les plus proches. « Il était toujours pressé », ajoute Michel Rocard, orfèvre. Jacques Chirac n'aime déjà pas donner du temps au temps.

Pour ses amis, c'est un coup de vent. Il est rare, par exemple, qu'il se rende au café des étudiants de Sciences-Po, Chez Basile, qui fait aussi salon de thé. Quand il y va, il semble s'y ennuyer. Il faut aussi le traîner dans les surprises-parties et il n'en est jamais le dernier parti. On le voit beaucoup, en revanche, à la librairie de l'Institut. Il passe de longs moments à farfouiller dans le rayon des livres ou des revues.

Il fait partie de la catégorie des « polars ». Il ne sort pas de chez lui sans sa cravate. Il ne tombe pas aisément la veste. Il s'est même acheté un smoking. Il semble qu'il soit grisé, en fait, par le niveau social de ses nouvelles fréquentations. L'ex-pilotin du *Capitaine-Saint-Martin* se trouve en effet sur les mêmes bancs que Michel François-Poncet, le neveu de l'ambassadeur ; Laurence Seydoux, la fille de l'ambassadeur ; Claude Delay, la fille du grand psychiatre ; Marie-Thérèse de Mitry, une Wendel.

Jacques Chirac n'est pas du genre à rater les cours. Il se fait même fort de suivre religieusement les cours d'André Siegfried, père des politologues modernes et fondateur de la sociologie électorale avec son *Tableau politique de la France de l'Ouest sous la IIIe République*. Apparemment, ce grand esprit, alors proche de la retraite, aurait bien mérité d'être chahuté. Jacques Chirac résume ainsi ses conférences : « Et lors de mon quarante-deuxième voyage aux États-Unis, j'ai observé 1° que l'Amérique est un continent ; 2° qu'elle compte un certain nombre d'habitants. » Curieux enseignement, en vérité : celui de la banalité sentencieuse. Mais il préparait avantageusement à l'ENA.

Jacques Chirac apprécie davantage, en revanche, les cours de Jacques Chardonnet, son professeur de géographie, qui organise des voyages en province, des visites d'usines, de raffineries ou de mines. C'est ainsi qu'un jour ses étudiants descendent en Lorraine dans l'une des mines les plus profondes du monde : onze cents mètres sous terre. Petit problème : les mineurs ne veulent pas que les femmes descendent. Elles porteraient malheur. Béatrice de Andia s'habille donc en jeune homme. Quand la supercherie est découverte, au fond du puits, un vrai scandale éclate. Jacques Chirac la défend. Noble et cavalier, il est déjà celui qui prend les affaires en main.

Avec Jacques Chardonnet encore, il fera le pèlerinage au barrage de Donzères-Mondragon. C'est là que toute la promotion découvre qu'il s'est épris de Mlle de Courcel. Noble et cavalier, il est déjà celui qui prend Bernadette par la main.

Et politiquement, où est-il ? En disponibilité, c'est-à-dire ouvert et non pas sceptique façon Raymond Aron. À l'époque, l'auteur de *L'Opium des intellectuels* domine, et de loin, Sciences-Po. Clair, froid et ironique, il enchante son public étudiant. Même si Jacques Chirac ne l'a pas eu comme professeur, il lui doit beaucoup. Cet homme au regard perçant a laissé son empreinte sur toutes les promotions des années cinquante.

Michel François-Poncet, qui a passé ces années-là en compagnie de Jacques Chirac, résume ainsi l'état d'esprit qui régnait rue Saint-Guillaume :

« On ne remettait pas grand-chose en question, on n'était pas du genre contestataire, mais on était curieux de tout. On n'imaginait pas vivre sans *Le Monde*, que l'on décortiquait avant de le découper religieusement pour faire nos fameux dossiers. On suivait avec plus ou moins de délices les changements ministériels. Je me souviens que nous avions été assez choqués par l'arrivée de Joseph Laniel à la présidence du Conseil, en 1953, cet homme que François Mauriac avait brocardé d'une formule assassine : "La démocratie à tête de bœuf." En fait, l'ambiance politique de la IVe République nous fascinait et nous exaspérait à la fois. Nous n'étions pas gaullistes pour autant. De Gaulle, pour nous, c'était un vieux con. Ses troupes avaient disparu. Et Raymond Aron nous expliquait que c'était un phénomène dépassé. Alors ? Alors, on avait les yeux rivés sur les deux personnages qui tranchaient avec le reste de la classe politique : Edgar Faure et Pierre Mendès

France. Avec toutefois une préférence pour le dernier. Et l'on s'est jetés sur *L'Express* dès sa parution : c'est un journal qui nous a beaucoup marqués. »

Étrange métamorphose. Le voici donc tiré à quatre épingles, avec de belles manières et des bonnes notes. Chez lui, Jacques Chirac ne fait plus scandale. Le soir, sa mère ne l'attend plus en tremblant : avec son père, ses relations se sont stabilisées. Michel François-Poncet qui, à cette époque, fréquenta souvent le 93, rue de Seine, se souvient n'avoir « jamais ressenti de tensions particulières entre l'un et l'autre ». « Ce n'était pas une maison d'une gaieté folle, ajoute-t-il. Tout était centré sur les études du fils qui y passait le moins de temps possible. » Absent et assagi, il ne torture en tout cas plus ses parents.

Avec Jacques Chirac, pourtant, il faut toujours se méfier des apparences. Cette maturité, il la travaille. Il la déploie. Mais si c'était un rôle de composition ?

5

Rocard

« Couvre-toi des vêtements de la générosité ; l'avarice d'un
homme montre ses défauts, mais la générosité couvre tous
les défauts. »

Tarafa al-Bakri

Rue Saint-Guillaume, un jeune homme aux cheveux coupés très
court commence à se faire remarquer. Il circule en Solex. Il traîne
toujours une énorme sacoche bourrée de livres, de dossiers, d'exemplaires du *Monde*. Il parle vite et bien, d'une voix grave et décidée.
Il n'a jamais une seconde à perdre. C'est un personnage étonnant :
impatient, vif et folklorique, il vous donne l'impression d'avoir rencontré l'une des personnes les plus intelligentes de la deuxième
moitié du siècle. Animateur des Étudiants socialistes, il est secrétaire du groupe Droit-Sciences-Po. Il s'appelle Michel Rocard et on
le surnomme « le petit dictateur de poche ».

Avec Gérard Belorgey, un ami de Chirac, il a fondé les Cercles
d'études politiques et sociales (CEPS). Et il organise des conférences. C'est ainsi que Guy Mollet ou René Dumont viendront
plancher devant les étudiants de Sciences-Po. Jacques Chirac assiste
à plusieurs de ces réunions. Il s'y imbibe de socialisme et de tiers-
mondisme. Un jour, Michel Rocard lui demande de sauter le pas
et de s'inscrire au Parti socialiste qui s'appelle alors la SFIO. On
imagine le dialogue entre ces deux jeunes gens faits pour s'entendre
avec leur air assoiffé, tendu, hanté.

« Tu prends ta carte de la SFIO ? demandera Michel Rocard.

— Je préfère attendre et réfléchir un peu.

— Dans la vie, il faut choisir son camp.

— Je n'ai pas envie de m'enfermer dans quelque chose de rigide. Et puis je vous trouve trop conservateurs. »

Cela ne s'invente pas. Mais ce que Jacques Chirac reproche alors à la SFIO, c'est sa modération à l'égard du colonialisme, sa prudence en matière sociale et son goût pour la *combinazione*. Bref, le parti de Guy Mollet n'est pas assez à gauche pour lui. Ni assez animé...

Un jour, Chirac suit, avec Gérard Belorgey, une réunion de la 5e section de la SFIO, rue Saint-Placide – la section de Mireille Osmin, une « historique » du pivertisme et du gaucho-socialisme. La lumière est faible, les militants sont assoupis et leurs débats sans fin. En sortant, Chirac dit à Belorgey : « C'est bien, ce parti, mais ça manque quand même de dynamisme. »

Il n'empêche qu'il a un coup de foudre pour Rocard qui, il est vrai, le lui rend bien. Ils ont les mêmes goûts, la même faim d'action, la même frénésie tabagique. Ils sont également amoureux de la même jeune fille : Marie-Thérèse de Mitry, une des héritières de la famille Wendel, qu'ils se disputent poliment – si poliment qu'elle finira par épouser un troisième jeune homme : Jean François-Poncet, cousin de Michel François-Poncet et futur ministre des Affaires étrangères de Valéry Giscard d'Estaing.

Chirac-Rocard... Des décennies plus tard, il reste quelque chose de leur complicité d'alors. De Chirac, Rocard dit : « C'est quelqu'un qui est capable d'élans de générosité inouïs. » De Rocard, Chirac dit : « Michel a parfois d'étonnantes fulgurances d'intelligence. » On verra qu'il n'hésitera pas, au besoin, à s'en servir...

Il s'en est fallu de peu, en tout cas, que Chirac ne devienne socialiste. « Si j'avais eu quelques centimètres de plus, ironisera un jour Rocard, je crois que je l'aurais convaincu. »

Paul Guilbert, son ancien compagnon de Sciences-Po, qui deviendra journaliste au *Quotidien de Paris*, témoigne : « J'étais RPF. Pour moi, Chirac faisait partie de ces progressistes qui couraient après les idées dans le vent. C'était une sorte de bourgeois de gauche, encore qu'il n'avait ni l'état d'esprit ni les préjugés ni la suffisance des bourgeois de l'époque. »

Michel Rocard précise : « Jacques Chirac était très mendésiste, en fait. Et il cultivait la même méfiance que Pierre Mendès France à l'égard des partis politiques. »

Jacques Chirac n'a pas les mêmes souvenirs. Écoutons-le : « J'étais entouré de mendésistes, c'est vrai, mais je n'étais pas mendésiste. D'abord, et ce n'est pas une raison très noble, parce que c'était une mode. Or, je n'ai jamais aimé les modes. De même que je n'ai donné ni dans le houla-hoop ni dans le scoubidou, je n'ai pas donné dans le mendésisme. Ensuite, et c'est plus sérieux, je ne décelais pas grand-chose de positif dans le langage de Pierre Mendès France. Pour moi, son discours, très intellectuel et assez superficiel, n'apportait rien de constructif. Même si j'ai nourri, depuis, une certaine admiration pour son caractère et pour son goût de la solitude, je continue de penser que c'était avant tout un esprit négatif. Je ne vois pas d'inconvénient à ce qu'on lui élève partout des statues mais il faut bien reconnaître qu'il n'a pas tenu ses promesses. Il y avait, chez lui, un côté bulle de savon. De Gaulle, lui, faisait des propositions concrètes pour atteindre les objectifs qu'il se fixait. Il parlait un langage d'efficacité. C'est ce qui m'attirait chez lui. »

Gaulliste, Chirac ? Pas vraiment. Ses camarades de Sciences-Po ont gardé l'image d'un *condottiere* tournicotant autour des organisations et des idées de gauche, exécrant la classe politique qui régnait, alors, sur la IVe République, lisant, courant, dévorant. D'après Michel Rocard, il fut « à deux doigts » de prendre sa carte de la SFIO. « Chirac craignait, dit Rocard, qu'une adhésion eût été contraignante pour la suite. Il préférait ne pas s'investir complètement. »

Une fois de plus, les souvenirs des deux hommes ne coïncident pas. Jacques Chirac est certain, lui, d'avoir adhéré « quelque temps » aux Étudiants socialistes. Mais cette SFIO, vautrée dans « la République des partis », n'était pas vraiment faite pour lui. Il trouvait Jules Moch « réactionnaire », Paul Ramadier « insignifiant » et Guy Mollet « compassé ». Il n'est guère que Michel Rocard et quelques apôtres du renouvellement socialiste qui trouvaient grâce à ses yeux.

Pourquoi avoir adhéré aux Étudiants socialistes, alors ? La personnalité de leur chef de file à Sciences-Po n'a sans doute pas joué un rôle négligeable. Il sait éblouir son monde, Rocard le messianique, le facétieux, le pétillant, brûlant de fièvre, toujours avide d'idées nouvelles, assoiffé d'action, trompant, comme Chirac, son angoisse dans le travail et le tabac.

Adhésion ou pas, l'épisode des Étudiants socialistes laissera des traces sur Jacques Chirac.

En 1971, alors qu'il est ministre des Relations avec le Parlement dans le gouvernement de Jacques Chaban-Delmas, il dira à l'auteur que Michel Rocard est l'un des hommes politiques dont il se sent le plus proche ; qu'il voit des convergences entre la participation préconisée par le général de Gaulle et l'autogestion prônée par celui qui est alors secrétaire général du PSU ; qu'il rêve de faire partie, demain, d'une coalition où il retrouverait ceux des socialistes qui acceptent les institutions de la Vᵉ République. « Notre projet de société, expliquera-t-il, n'est pas si différent. » Pour qui en douterait, il n'hésitera pas à plaider, cinq ans plus tard, pour un « travaillisme à la française », illustrant ainsi avec éclat une ambiguïté fondamentale dont les secousses se perpétueront tout au long de sa carrière.

Ce n'est pas un hasard s'il parle volontiers de son passage chez les socialistes ou de ses relations avec Michel Rocard. Entré à gauche par révolte et générosité plutôt que par préméditation « marxiste », Jacques Chirac a, durant sa jeunesse, engrangé des « valeurs » qu'il n'a cessé, par la suite, de dilapider. D'où ce complexe de culpabilité qui, chez lui, sourd par intermittence. D'où le doute qui l'habite entre deux coups de menton dominateurs. D'où, enfin, ce quelque chose d'opaque qui s'est installé entre les Français et lui.

Sur son dévergondage avec la gauche, les explications officielles de Jacques Chirac ne laissent aucun doute : « En réaction contre la droite et l'extrême droite à Sciences-Po, j'ai été un moment tenté par la politique de gauche. J'ai "flirté" avec les socialistes qui étaient dirigés par un garçon que j'estime et que j'aime beaucoup... Michel Rocard. Les trouvant trop conservateurs, trop à droite, je n'y suis resté que quelques mois et je suis parti. Il n'y avait à l'époque ni PSU, ni maoïstes, ni gauchistes. Alors, je suis allé voir ce qui se passait du côté du PC. » Traduisez : comme le gauchisme n'avait pas encore de réalité, Chirac était condamné à assouvir sa révolte au Parti communiste. À défaut de grives...

Ces étonnantes confidences ont été faites en 1972 à trois universitaires, Catherine Clessis, Bernard Prévost et Patrick Wajsman, auteurs de *Jacques Chirac ou la République des cadets*[1]. À cette époque, une partie non négligeable de l'intelligentsia était saisie par le virus du « chic radical », comme le disait joliment l'écrivain américain Tom Wolfe. Le gaucho-maoïsme proliférait dans la France de Pompidou alors même que le capitalisme à la française était au zénith. Le journaliste Serge July et le philosophe André Glucksmann donnaient le ton. Le vieux Sartre et Simone de Beauvoir, leur caution. Ils se prenaient pour de nouveaux « résistants ». Ils n'arrivaient pas à supporter le siècle.

Or c'est précisément le moment que choisit Jacques Chirac pour reconnaître qu'il aurait pu être, lui aussi, gauchiste ou maoïste. Deux ans seulement avant de débarquer au ministère de l'Intérieur, alors même qu'il est l'un des piliers de ce système Pompidou accusé de tous les péchés. Pas banal.

Faut-il expliquer l'aveu de Jacques Chirac par un accès de snobisme idéologique ? Ce n'est pas vraiment son genre. Il est plus probable qu'il cherche à justifier son passage éclair au Parti communiste par l'absence d'une structure de substitution : pour les fils de famille révoltés, en ce temps-là, il n'y a pas le choix. C'est le PC ou rien.

Il reste que Chirac reconnaît les faits. Chaque fois qu'on l'interroge sur ses convictions politiques à Sciences-Po, il répond la même chose ; à dix-huit ans, il penchait à gauche, « comme tous ceux qui, à l'époque, n'étaient pas d'extrême droite ». Certes. Mais de là à gigoter autour du Parti communiste... En 1950, il signe l'appel de Stockholm lancé par le Comité mondial de la paix, aux mains de Staline. Le texte réclame « l'interdiction absolue de l'arme atomique ». C'est ainsi que Chirac mêle sa signature à celle des communistes et de leurs compagnons de route – Louis Aragon, Pablo Picasso, Irène Joliot-Curie, etc.

Chirac communiste ? En 1952, on le voit brandir, deux semaines de suite, *L'Humanité-Dimanche* devant l'église Saint-Sulpice. On l'aperçoit dans une réunion de cellule à quelques pas de là. Ce passage éclair au PC, qu'il raconte sans complexe, met cependant mal à l'aise ses propres partisans. Au point que Thierry Desjardins, grand reporter au *Figaro* et auteur d'une monumentale biographie du président du RPR, n'hésite pas à écrire que « Chirac n'a jamais

---

1. Presses de la Cité, 1972.

vendu *L'Humanité*[1] » alors que l'intéressé lui-même l'a reconnu dans de nombreux entretiens.

Écoutons Chirac : « Ce qui m'attirait vers les communistes, c'était le pacifisme. Comme beaucoup de jeunes, j'étais traumatisé par Hiroshima et j'étais hostile à l'armement nucléaire. Je n'avais pas compris que nous étions manipulés. Ceux-là mêmes qui m'avaient fait signer l'appel de Stockholm me dirent un jour : "Si tu veux militer au PC, il faut que tu commences par vendre *L'Humanité*." Ce que je fis. Puis, un soir, ils m'emmenèrent dans un local qui leur servait de permanence, tout près de la place Saint-Sulpice. Et c'est ainsi que j'ai assisté à ma première réunion de cellule. Ce fut aussi ma dernière. J'ai été épouvanté par le sectarisme, la langue de bois, le culte de la personnalité de Staline. Et j'ai fui. Mon hymen avec le Parti communiste n'aura duré que quinze jours. »

De tous les hommes d'État que compte la France, Jacques Chirac est, curieusement, le seul qui ait fait un – petit – tour du côté du PC. Mis à part Michel Rocard et Pierre Mauroy, tous sont entrés en politique par la droite ou par le centre. Chirac, lui, a commencé par l'extrême gauche. Par naïveté, par générosité, par inconscience : au choix. Mais il s'est rangé, d'entrée de jeu, du côté des faibles et de ceux qui prétendent les représenter : les communistes.

Récapitulons :

En rébellion contre son père, Valéry Giscard d'Estaing choisit, en décembre 1944, de s'engager dans l'armée du général de Lattre de Tassigny, la première armée française. Il a dix-huit ans. Il faut bien que jeunesse se passe. Sa guerre faite, VGE retourne ensuite sagement chez ses parents avant de se présenter à Polytechnique où il apparaît déjà centriste, moderne et sûr de son destin.

À dix-huit ans, Raymond Barre rate, lui, son premier rendez-vous avec le gaullisme. C'est en novembre 1942. Le contre-torpilleur *Léopard*, fidèle à la France libre, fait son entrée dans la baie de Saint-Denis-de-la-Réunion. Il n'en faut pas plus pour que l'île se rallie à de Gaulle et que s'y ouvre un bureau de recrutement où Barre manquera à l'appel. Il fera son droit. Pas la guerre.

---

1. *Un inconnu nommé Chirac*, La Table ronde, 1983.

François Léotard, lui, fera des prières. À l'âge où Chirac frétille autour du PC, Léotard se recueille sur les prie-Dieu. À vingt-trois ans, il deviendra même frère Honorat au monastère bénédictin de La Pierre-qui-Vire. Pour quelques mois seulement. On n'a qu'une vie. François Mitterrand n'a pas encore découvert la politique à dix-huit ans. Il ne s'est donc pas trouvé. Il regarde le monde avec l'ironie froide de Drieu La Rochelle.

Au même âge, Laurent Fabius n'est pas catalogué à gauche, Jean-Pierre Chevènement non plus. Du premier, ses condisciples de Sciences-Po puis de l'ENA se souviennent qu'il avait le cœur au centre. De l'autre, qu'il était nationaliste.

On a les jeunesses qu'on peut.

Celle de Jacques Chirac est à l'image de l'homme : incompréhensible au premier abord, tant elle paraît contradictoire – rebelle et conformiste, tourmentée et bourgeoise. Il a envie d'en finir avec ce que Barbusse appelle le « préjugé séculaire » pour « tout refaire proprement selon la raison et la morale ». Mais il veut aussi réussir. C'est le genre de jeune homme à tenir des propos fracassants en gants blancs, et de préférence devant des demoiselles en robe du soir. Tant il est vrai qu'il se contente de rêver sa révolution. Il ne la construit pas.

Après ses atterrissages ratés à la SFIO puis au PC, Jacques Chirac reprend de l'altitude et regarde de loin cette classe politique qui, à ses yeux, entraîne le pays sur la voie de la décadence. « Je suis rentré dans ma coquille », explique-t-il. Ce n'est pas exact. Il ne cesse, au contraire, d'en sortir...

6

La légende de l'Ouest

« Qui cherche des aventures ne les trouve pas toujours
bien mûres. »

Cervantès

À dix-neuf ans, il croit avoir trouvé sa voie. Il sera haut fonctionnaire, croix de bois, croix de fer. Ses parents sont rassurés. Il semble
néanmoins trop « physique » pour pouvoir croupir derrière un
bureau. Épaules, bras, carrure, tout chez lui respire la force et la
puissance. On le verrait bien sur un cheval. Ou bien en cheval.
Tout son être le dit : ce jeune homme a faim de grands espaces.

Quand on regarde les photos d'époque, ce qui frappe le plus,
c'est le combat que se livrent, sur ce visage aigu, un regard de
misanthrope et des lèvres fières, heureuses, d'extraverti. Il n'est
cependant pas besoin d'être grand clerc pour deviner qui va
l'emporter : c'est l'instinctif qui, déjà, domine.

L'audace et l'énergie qu'il ne peut épuiser dans la politique après
ses « mauvaises » expériences à gauche, Jacques Chirac les dépensera
dans l'aventure. Chaque été, il met les voiles. Il sait sans doute ce
qu'il fuit mais il ignore ce qu'il cherche. Il n'empêche qu'il le
cherche avec assiduité.

À la fin de la première année de Sciences-Po, il part avec un
copain, Bernard Neute, pour le cap Nord. C'est le début d'une
longue série de voyages où Chirac entreprendra de se « réaliser ».

Écoutons-le : « Ce Bernard Neute était un très bon copain, du
genre "brut de décoffrage". Il avait une S4C Salmson qui datait de
1932, l'année de ma naissance. Cette voiture avait donc près de
vingt ans. Sa caractéristique, c'était de ne pas avoir de dynamo mais

un truc qu'on appelait "dynastar". Naturellement, il tombait tout le temps en panne. Une nuit, il pète alors que nous sommes au nord de la Suède. Nous venons de traverser un fjord et nous sommes à soixante kilomètres au moins de la première ville. On avise un Suédois et on essaie de lui expliquer comme on peut qu'on n'a plus de phares mais que le moteur marche. Il nous dit : "Pas de problème. Venez coucher chez moi. J'habite à quatre-vingts kilomètres. Je mettrai mes pleins phares et vous me suivrez." Le problème, c'est qu'il s'agit d'une route de montagne et le Suédois roule excessivement vite. On arrive tant bien que mal à lui coller au train. Seulement voilà : comme un malheur n'arrive jamais seul, je suis pris en route d'une irrésistible envie de pisser. Impossible de s'arrêter. J'essaie de me contorsionner pour pisser par la fenêtre. Sans succès. En désespoir de cause, je finis par enlever ma godasse et par pisser dedans avant de la vider par la fenêtre. J'ai dû recommencer le manège plusieurs fois. »

C'est le genre d'histoires que Jacques Chirac aime raconter dans un grand éclat de rire paillard. Peu lui chaut de paraître trivial. Autant son sourire est étriqué, coincé, autant son rire est naturel, volcanique. Il prend volontiers plaisir aux plaisanteries de salle de garde. Il peut être grossier – comme la vie.

Il retournera deux ans plus tard dans les pays scandinaves. Cette fois, c'est Michel François-Poncet qui l'accompagne.

« Une nuit, raconte François-Poncet, on est arrivés très tard à Amsterdam et on avait demandé à un policier l'adresse d'un hôtel. Il nous envoya dans un bobinard. »

Ce ne sont pas des enfants de chœur et ils aiment assez l'étalage de la dépravation. A la recherche du monde et de son identité, Chirac fait son miel de tout – y compris des lupanars et des bars louches. Quand on a vu ces choses-là, on est à peu près sûr d'avoir vu l'homme.

Mais c'est son premier voyage aux États-Unis, en 1953, qui marquera le plus Chirac. À vingt ans, il entend bien ne laisser à personne le soin de dire que c'est le plus bel âge de la vie. Il le prouvera.

Le mythe américain se porte alors très bien en France. La clarinette de Sidney Bechet (*Petite Fleur*) donne le *la*. Le poing d'Eddie Constantine (Lemmy Caution), le ton. Et Chirac s'habille à l'américaine : blouson à col large et pantalon ample. Il a la même silhouette chaloupée que Marlon Brando dans *Sur les quais*, qui sortira, l'année suivante, sur les écrans.

Paul Guilbert, son ancien camarade, raconte : « Mais, pour nous, l'Amérique, c'était quelque chose de lointain, d'exotique. Les petits-bourgeois de l'époque restaient puceaux très tard et, comme au temps de Brasillach, ils allaient en vacances en Italie ou en Espagne. »

Jacques Chirac bluffera la rue Saint-Guillaume. Il épatera tout le monde comme il épatait papa et maman. Avec deux camarades, Philippe Dondoux et Françoise Ferré, il s'inscrit à la Summer School de la Harvard Business School. C'est une session de trois mois d'été de l'école de gestion la plus célèbre des États-Unis. Il est si fier de l'avoir suivie que, dans la notice biographique qu'il a adressée au *Who's Who*, il est écrit qu'il est « diplômé de l'Institut d'études politiques et de la Summer School de l'université Harvard ».

Étrange diplôme. Comme aurait dit Machiavel, ce n'est pas vraiment un titre qui l'honore mais, en l'espèce, c'est lui qui honore le titre...

Pour payer les frais d'inscription à la Summer School, le trio a décroché une bourse au Quai d'Orsay. Reste à trouver l'argent pour le voyage et le séjour. Philippe Dondoux fait jouer l'ami d'un ami de M. de Félice, secrétaire d'État à l'Agriculture, et obtient un rendez-vous avec l'éminence, un soir, dans son appartement privé.

« Nous étions très impressionnés, raconte Jacques Chirac. C'était la première fois que nous nous trouvions en face d'une personnalité politique de cette importance. Il s'est débrouillé pour nous trouver une bourse et nous avons pu partir dans un bateau de la Greek Line. Nous avions des billets de 7e classe, parce qu'il n'y avait pas de 8e classe. Nos cabines étaient juste au-dessus de la salle des machines. Quand nous sommes arrivés à Boston, nous sommes tombés sur une vieille dame très gentille qui était la directrice du Radcliff College, un collège féminin très distingué de Harvard. Elle partait en vacances et elle nous proposa de nous installer dans sa villa. Le problème du logement était réglé. Restait à trouver un travail. Philippe et moi avons fini par trouver un emploi de plongeur dans un restaurant de la chaîne Howard Johnson. Mais c'était l'été et il faisait une chaleur à crever. Autant dire que les conditions de travail étaient vraiment épouvantables. »

Il n'a jamais travaillé aux pièces ni à la chaîne. Mais l'ancien enfant gâté de la rue de Seine, saturé de baisers et de sucreries, aime dire qu'il a connu la sueur du bout du monde et qu'il s'est, lui aussi, battu les flancs pour une bouchée de pain.

Sur cet épisode, Chirac a toujours été prolixe et complaisant. Ses hagiographies sont ainsi pleines de mauvaises odeurs, de vaisselle sale et de nuits blanches à la plonge. C'est le complexe de Zola – un mélange de mauvaise conscience et de célébration de l'ahan.

Jacques Chirac suit ses cours de 8 à 16 heures. Puis, de 16 heures à 2 heures du matin, il lave la vaisselle au Howard Johnson. Il plaît. Au bout de quelques jours, en effet, le gérant du restaurant repère ce grand type vibrionnant, dur à la tâche, qui fait la plonge en chantant. Il est promu. Au comptoir. Il sert désormais les sandwichs et les glaces – les *twenty-eight flowers*, c'est-à-dire les vingt-huit parfums.

« Rapidement, raconte Chirac, je suis devenu un personnage connu. Comme on me trouvait aimable, ce que j'étais d'ailleurs, j'avais droit à de bons pourboires. »

Il séduit. Dans une chronique parue dans *La Parisienne*[1], dirigée par Roger Nimier, l'écrivain Claude Dulong rapporte ce que Chirac et Dondoux lui ont dit à travers le comptoir :

> « Pour gagner encore un peu plus d'argent, ils avaient eu l'idée de donner des leçons de français et posé des petites notes à cet effet dans différentes bâtisses de l'université. Les clients n'ont pas tardé à se présenter, ou plutôt les clientes. Elles arrivaient fin prêtes, le sourire complice : "J'ai oublié mon stylo – disaient-elles – mais ma voiture est en bas. Si vous voulez que…" »
>
> « Excédés et furieux, ces bourreaux des cœurs ont renoncé à la péda-gogie. Vous comprenez – m'explique l'un d'eux –, ce qu'on veut, nous, c'est de l'argent et la Californie… Les *college girls* : on n'a pas le temps. »

Pas le temps ? Chirac trouve quand même celui de rencontrer une jeune Américaine de Caroline du Sud qui fait, elle aussi, sa « Summer School » au Radcliff College. C'est Florence Herlihy. Elle a des taches de rousseur et une grande décapotable blanche. Le soir,

---

1. Avril 1954.

ils sortent ensemble. Ils font les bars de Harvard Square ou ils vont regarder l'océan. Et, un jour, ils finissent par se fiancer – « Officieusement, précise Chirac. J'étais amoureux, ajoute-t-il. On avait décidé de se marier. » On décidera tout aussi vite de se démarier...

Pourquoi Jacques Chirac rompt-il si rapidement avec sa fiancée ? Parce que son père, outragé, lui a écrit une lettre de récriminations ; parce qu'il a (déjà) la sincérité expéditive ; parce qu'il ressent, enfin, l'appel de l'Ouest. Un copain américain lui propose de l'emmener à Los Angeles avec ses amis. Il part. Défilé de highways, de motels, sur fond de plaines ou de désert. Mais la voiture est trop vieille et elle flanche avant d'arriver à destination. Chirac et sa bande continueront le voyage en auto-stop.

À San Francisco, se prenant toujours pour Steinbeck, il déniche un job dans les petites annonces de l'*Examiner* : la veuve d'un pétrolier texan cherche un chauffeur pour aller à Dallas. Mais la vieille dame n'aime pas rouler. Il faut faire beaucoup d'étapes. À chaque escale, Chirac fera de longues marches. Il a déjà des fourmis dans les jambes.

Arrivés à Dallas, la vieille dame propose à Jacques Chirac et à Philippe Dondoux de dormir dans l'un des grands hôtels de la ville. Et c'est alors que survient un incident savoureux, dont ils ont gardé l'un et l'autre un souvenir puissant.

Écoutons Chirac : « On descend. J'ouvre le coffre et, pour prendre nos valises, je commence à sortir celles de la vieille dame qui sont au-dessus des nôtres. Sans que je le remarque, un groom emporte avec nos bagages une petite valise qui lui appartient. Elle non plus n'a rien vu. On s'embrasse. Elle remonte dans sa voiture et puis s'en va. On rentre dans le hall de l'hôtel et on trouve quatre valises. Une de trop. J'ai tout de suite le bon réflexe. Je me précipite vers le concierge de l'hôtel et dis : "On a pris cette valise par erreur et on va la rendre à sa propriétaire. Il faut prévenir le commissariat de police." On connaissait le nom de la vieille dame mais pas son adresse. On cherche dans l'annuaire. On trouve sept personnes portant le même nom. On note leur domicile et on appelle un taxi. Coup de chance, le chauffeur est un Breton installé à Dallas depuis dix ans. Il nous dit : "Pas de problème. On va faire le tour. Je ne vous ferai pas payer." À la cinquième adresse, on tombe sur une villa superbissime, dans la banlieue résidentielle. Des voitures de flics sont garées devant. Dès qu'on arrive, la vieille dame, qui est

dans l'embrasure de la porte, nous montre du doigt : "C'est eux."
Sale coup. Les policiers fondent sur nous en poussant des cris hystériques. On proteste de notre innocence, on s'explique, on montre
la valise. La vieille dame la prend et l'ouvre. Il y a dedans trois
étages de diamants, de perles, d'émeraudes, de rubis. Une fortune.
Quand les flics ont pu vérifier que nous avions vraiment déclaré la
chose à l'hôtel, tout s'est arrangé et on s'est embrassé une dernière
fois. »

Quelques jours plus tard, Chirac et Dondoux se retrouvent à La
Nouvelle-Orléans. Chirac décide qu'il fera sa thèse sur le développement du port de la ville et rencontre à cet effet le directeur des
relations extérieures dudit port. C'est dans cette ville qu'il prendra
la décision de rompre définitivement avec Florence (« Ce n'était pas
sérieux »). Un coup de téléphone puis une lettre feront l'affaire.

André Malraux, orfèvre, disait que tout aventurier est né d'un
mythomane. Il y a, en fait, quelque chose de sage et de rangé, voire
de scolaire, chez ce voyageur nommé Chirac. Il ne sera ni Rimbaud
ni Kipling, comme en témoigne cette lettre qu'il adresse, le 30 septembre, à Bernadette :

> Après le désert de l'Arizona et ses cactus, les champs de pétrole et
> les plantations de coton du Texas, La Nouvelle-Orléans. Là, quatre
> jours à visiter la ville, le port (je rapporte une volumineuse documenta-
> tion si vous voulez faire votre thèse là-dessus ! ?) et les mauvais lieux
> (boîtes de jazz, etc.). Ensuite, la côte du golfe du Mexique, les forêts
> du Mississippi et de Géorgie, le tabac des deux Carolines et de la
> Virginie, enfin nous voici à Washington. C'est probablement la plus
> belle ville des États-Unis sinon la plus moderne : moins industrielle
> que Chicago, moins luxueuse que Los Angeles, moins colonisée que La
> Nouvelle-Orléans, moins affairée que New York (on pourrait continuer
> longtemps), c'est une ville verte et aristocrate où l'on imagine très bien
> ces messieurs du Sénat discuter de politique internationale ou les
> vieilles dames puritaines de Boston tenir leur congrès annuel sur les
> effets de la télévision sur la morale publique.
> Nous resterons ici cinq ou six jours avant de repartir à New York
> [...]. Fin d'un beau voyage qui nous aura certes appris plus que tous
> les cours de Sciences-Po réunis.
> Enfin, les examens nous attendent.

C'est à son retour, en octobre 1953, que Jacques Chirac décidera
de se fiancer avec Bernadette Chodron de Courcel. La réception a

lieu chez les parents, boulevard Raspail. Cristal, lustre et champagne. Coincé, gauche et cravaté, le futur gendre s'essaye au baise-main, à la retenue vouvoyante, aux conversations mondaines et flûtées. Il fait son entrée dans le grand monde.

Si elle n'était pas feinte, sa révolte n'était, en somme, guère profonde. L'ex-rustaud à la mèche rebelle se meut désormais avec une relative aisance au milieu des particules et des noms de boulevard.

Après le complexe de Zola, voici donc le complexe de La Rochefoucauld. Après avoir lavé la vaisselle, Jacques Chirac apprend à se faire servir.

Nouvel avatar déroutant de ce personnage qui change sans cesse de visage et d'ambition, le fiancé de Mlle Chodron de Courcel n'a plus rien à voir avec le plongeur du Howard Johnson de Boston. Pour changer si souvent d'apparence, Jacques Chirac ne peut pas s'aimer (« Il faut bien reconnaître, aime-t-il répéter, que je suis pas terrible et même un peu pataud »).

Il se cherche et il ne se trouve pas.

Fils de bourgeois, il joue aux aventuriers du Nouveau Monde. Roturier, il se frotte à la bonne société des aristocrates. Convaincu qu'il n'est « pas très intelligent » – c'est une expression qu'il emploie souvent –, il décide de devenir major de Sciences-Po.

En vain. Le jour de l'annonce des résultats, il attend fiévreusement dans le hall de Sciences-Po la fin des délibérations du jury. « J'avais un petit doute, raconte Jacques Chirac. Il y avait une putain d'épreuve qui était éliminatoire si on n'avait pas la moyenne et je craignais un peu de m'être planté. On voit enfin descendre les profs avec, à leur tête, Christian Chavanon. Je me précipite vers lui. "Félicitations, me dit-il. Vous êtes troisième." Puis il m'explique : "On a délibéré pendant longtemps sur les notes de conférences parce qu'on s'est rendu compte que certains profs avaient coté un peu haut. Les autres ont donc dû réajuster en donnant des points de plus. Vous aviez la meilleure note de ma conférence et j'ai beaucoup hésité à rajouter un point de plus, ce qui, compte tenu des coefficients, vous aurait fait major. Finalement, je ne vous ai pas rajouté ce point." Alors, j'ai dit à Christian Chavanon : "Monsieur, je ne vous remercie pas." Et je lui ai tourné les talons. Ce que je contestais, ce n'est pas qu'il ait refusé de réajuster ma note ; c'est qu'il me l'ait dit, avec l'air de quelqu'un qui avait arraché les ailes des mouches quand il était petit. »

Chirac est reçu avec la mention « bien » et les professeurs ne tarissent pas d'éloges sur lui. La lecture des appréciations des maîtres de conférences est éloquente.

En géographie économique, son maître de conférences note : « Étudiant de grande valeur, très intelligent, consciencieux et qui a fourni, durant toute l'année, un travail fructueux et utile. Étudiant d'avenir. »

En géographie technique et industrielle, le maître de conférences n'est pas moins emballé : « Intelligent et travailleur. Étudiant excellent, et sur qui je ne fais aucune réserve. »

Le maître de conférences de droit public est, en fait, le seul à émettre quelques réserves : « Les devoirs ne sont pas mauvais, mais trop documentés. M. Chirac a trop de connaissances, qu'il a d'ailleurs parfaitement assimilées. Mais, voulant tout dire, il lui arrive d'exposer sans perspective et sans relief. Il intervient fréquemment au cours des conférences, toujours de façon intéressante et précise [...]. Son intérêt a toujours été en éveil ; la lutte qu'il a menée contre le défaut d'exposition signalé plus haut a été constante. Il doit réussir. »

L'une de ses copies de diplôme traite le sujet suivant : « L'évolution des rapports entre l'État et les groupements professionnels en France au XXe siècle. » Chirac a obtenu 13, avec cette appréciation : « Des connaissances, des choses intéressantes, mais c'est d'une longueur démesurée et cela laisse une impression de décousu. »

Apparemment, Chirac n'a pas été très inspiré. Il a conclu son devoir ainsi : « Dans l'intérêt même de la démocratie et des contribuables, il semble dangereux que l'État s'avère être "providence" sans discrimination. Le maniement de la "corne d'abondance" suppose un homme fort et intègre. Il faut savoir si le gouvernement sera cet homme ou non. »

Que peut faire Chirac après Sciences-Po ? L'ENA. Pour lui, c'est une façon de retarder encore son entrée dans la vie civile. Ce moment, il le redoute parce qu'il n'a toujours pas trouvé sa vocation. Quand on lui demande alors ce qu'il fera plus tard, il répond, avec l'air de ne pas y croire, qu'il se verrait bien en haut fonctionnaire – préfet, par exemple, ou conseiller d'État. En un mot, il se dit prêt à servir la République comme tous les jeunes gens qui ont décidé de laisser l'avenir venir à eux.

Au lieu de préparer, comme tout le monde, son concours d'entrée à l'ENA, Jacques Chirac retourne deux mois aux États-Unis – à La Nouvelle-Orléans, très exactement. Il y prépare un numéro spécial sur son port pour une petite revue, *L'Import-Export français*, et engrange, pour cela, des centaines de photographies, des kilos de documentation et des articles qu'il a commandés aux notables locaux.

Son insouciante négligence ne l'empêche pas, pourtant, d'être facilement reçu à l'écrit du concours d'entrée de l'ENA, à l'automne. Il passera l'oral dans des conditions plus rocambolesques.

Écoutons-le :

> « Le grand oral était public. Le jury comprenait une dizaine de personnalités – des hauts fonctionnaires, des professeurs d'université, etc. Le président en était Louis Joxe. On tirait un sujet d'exposé, on allait s'isoler pendant une demi-heure pour préparer son baratin et il fallait parler, ensuite, pendant dix minutes. Pas neuf minutes et cinquante-neuf secondes ni dix minutes et une seconde. Non : dix minutes pile. C'était une question de discipline. Une contrainte pour voir si on savait se maîtriser. Après, on nous interrogeait. Jusque-là, tout s'était à peu près bien passé. Mais j'avais une grippe carabinée et la tronche comme une citrouille. Dès qu'on commence à me poser des questions, j'angoisse complètement. J'étais vraiment trop mal foutu. Louis Joxe, qui était musicien, commence à me parler de Bayreuth. Alors, je lui fais : "Monsieur le président, je préfère vous dire tout de suite que je ne suis pas musicien. Interrogez-moi sur l'archéologie, la peinture, la sculpture, la poésie. Pas sur la musique." Il m'a dit après : "Le jury a trouvé que c'était une bonne réponse." La dernière question, c'est encore cet animal de Joxe qui me la pose : "On se réfère beaucoup à la philosophie de ce médecin de l'Antiquité, vous voyez qui je veux dire, monsieur Chirac." J'avais de plus en plus de bourdonnements dans la gueule. Je lui réponds : "Oui, monsieur le président, vous voulez parler d'Hypocrite." Ce fut mon dernier mot. Tout le monde a rigolé. »

Et c'est ainsi que Jacques Chirac est admis à l'ENA. Mais, avant d'y entrer, il doit s'acquitter de ses obligations militaires. La guerre l'attend en Algérie, qui engendrera plus de révoltés qu'elle n'en tuera. Va-t-elle faire un homme de ce grand garçon maladroit et disloqué ?

7

Le piton de la gloire

« Ah ! Dieu que la guerre est jolie
Avec ses chants, ses longs loisirs. »
Guillaume Apollinaire

Il a vingt-deux ans, le menton en avant, le cheveu court et
gominé. Il se tient raide comme un piquet et il parle d'une voix de
stentor. Il a, enfin, découvert sa vraie nature : celle du soldat, féru
d'ordre, assoiffé de discipline et rude au commandement. À l'École
d'application de l'armée blindée et de la cavalerie, c'est-à-dire
Saumur, où il fait son apprentissage d'officier, Jacques Chirac en
impose. Et il s'impose.

Apparemment, l'ex-esthète du Quartier latin se révèle et se
découvre dans la chose militaire. Mais comme Chirac-le-soldat n'est
que le dernier avatar d'un personnage qui change tout le temps de
face, comme pour brouiller les pistes, la prudence est de rigueur.
Un Chirac, on l'a déjà vu, chasse l'autre…

Sa carrière militaire commence mal, d'ailleurs. La légende (vraie)
raconte que, le 15 septembre 1955, à la fin de la période d'instruction, le colonel lisant le classement des EOR (élèves officiers de
réserve) oubliera le plus actif et le plus méritant d'entre eux :
Jacques Chirac.

Mais laissons le héros raconter lui-même l'épopée : « Lors de
"l'amphigarnison", la cérémonie de fin de formation, le colonel
annonce, d'entrée de jeu, qu'il n'y a pas de major cette année.
"Exceptionnellement." Puis il égrène les noms. Au quinzième, mon
tour n'est toujours pas arrivé et je commence à tordre sérieusement

le nez. Au trentième, toujours pas de Chirac. Je n'y comprends plus rien. Une fois le classement donné, le colonel ajoute qu'il demande à l'EOR Chirac de passer le voir dans son bureau. Un type très gentil. Il me fait : "Chirac, vous étiez major. Malheureusement, avec votre dossier de la Sécurité militaire, vous ne pouvez pas être officier. – Pourquoi ça ? – Ben, parce que vous êtes communiste." Tout s'éclaire : c'était encore cette histoire de signature de l'appel de Stockholm. J'avais déjà dû me faire pistonner pour obtenir un visa à l'ambassade des États-Unis qui, dans un premier temps, me l'avait refusé. Alors, je dis : "Le problème, mon colonel, c'est que je ne suis pas communiste. – Cela, c'est votre affaire, répond-il. Mais, si vous le souhaitez, vous pouvez aller à Paris régler votre cas." »

Il n'hésite pas. Monté à Paris, Jacques Chirac sonne à toutes les portes. Son futur beau-père est horrifié (« C'était le genre : "Ciel ! Ma fille épouse un communiste !" »). René Chodron de Courcel emmène tout de même l'EOR déçu voir son cousin Geoffroy, qui se trouve être secrétaire général de la Défense nationale. Il devrait pouvoir faire quelque chose. Eh bien, non, justement. Il ne veut entendre parler de rien (« Sans doute, ironise Chirac, ne voulait-il pas se mêler d'une dangereuse affaire qui pouvait déboucher sur une histoire d'espionnage international »).

Désespéré, Jacques Chirac accourt chez son maître de Sciences-Po, Jacques Chardonnet, professeur de géographie économique (« Un vrai homme de droite. Je crois que c'est pour ça qu'il n'a jamais eu la Légion d'honneur »). Il lui raconte l'affaire. Chardonnet le rassure. Il peut tout arranger : le général Kœnig, ministre de la Défense nationale, est son ami.

Le lendemain, en effet, le général Kœnig (« Un militaire ouvert et tutoyeur ») reçoit, entre deux portes, l'élève dépité de Saumur et lui dit : « J'ai vu ton dossier. Il n'y a rien dedans. Sauf cette histoire d'appel de Stockholm. C'est encore une connerie des RG. J'ai supprimé ta fiche et tu es réintégré à tes rang, place et fonction. »

Major de Saumur, Jacques Chirac se retrouve au 11ᵉ régiment de chasseurs d'Afrique (RCA), à Lachen, en Allemagne fédérale. Il est « popotier », ce qui lui permet d'annoncer, dans le mess, le menu de chaque repas en terminant par la phrase rituelle : « À nos femmes, à nos chevaux et à ceux qui les montent. Par saint Georges, vive la cavalerie ! » Mais il s'ennuie. Il a faim d'action. Que fait-il si loin du fracas des armes, alors que la guerre a commencé en Algérie ?

Le 26 janvier 1956, après la victoire de la gauche socialiste et radicale aux élections législatives, Guy Mollet, secrétaire général de la SFIO et président du Conseil, présente son gouvernement. François Mitterrand est ministre de la Justice. Pierre Mendès France, ministre d'État – il démissionnera peu après.

L'Histoire aime les paradoxes : avant que le général de Gaulle, porté au pouvoir pour gagner la guerre, ne fasse la paix, Guy Mollet, élu pour faire la paix, enfoncera la France dans la guerre. Il suffira, pour cela, qu'il rencontre le peuple d'Algérie, qu'il croise le regard apeuré de braves gens et qu'il reçoive quelques tomates.

Guy Mollet n'a pas inventé le reniement. Il n'a fait que le découvrir sur son chemin. Et il l'a assumé bravement. Après avoir lancé un appel pour un cessez-le-feu, il demande, le 12 mars 1956, à l'Assemblée nationale de lui voter les « pouvoirs spéciaux » pour conserver l'Algérie à la France. Tel fut l'effet des tomates.

Quelques jours plus tard, la moitié du 11ᵉ RCA – à commencer par le 3ᵉ escadron, celui du sous-lieutenant Chirac – est appelée à partir en Algérie. Il n'y a qu'un problème : le major de Saumur. Il ne suit pas ses hommes. Il a été affecté à Berlin, comme interprète anglais-français-russe. Il est effondré. Il ne se laissera pas voler sa guerre...

Écoutons son récit : « Je vais voir mon colonel et je lui dis : "Je ne pars pas à Berlin, je pars avec mon escadron." Il a l'air bien embêté : "Tu vas faire un sac de nœuds pas possible." J'insiste : "Je m'en fous, je pars." Comme c'est un cavalier, c'est-à-dire quelqu'un qui ne réfléchit pas trop aux conséquences de ses actes, il finit par lâcher : "D'accord. Tu pars." Et nous voilà en route pour l'Algérie *via* Marseille. Pendant ce temps, à Berlin, ne me voyant pas venir, les autorités saisissent la Sécurité militaire. Les gendarmes se précipitent chez mes parents, rue de Seine : on me recherche comme déserteur. On finit par me retrouver sur mon piton algérien, à Souk-el-Arba, à la frontière marocaine. Berlin se fâche et réclame une "sanction exemplaire". Il y a dû y avoir un drame dans je ne sais quel bureau du ministère de la Défense nationale mais mon colonel a pris fait et cause pour moi : "On manque d'officiers en Algérie. Donc, je garde ce gars-là. Et je le couvre." Je n'ai plus jamais entendu parler de rien. »

La guerre de Jacques Chirac est faite pour cette vieille revue, *La Semaine de Suzette*, qui était au journalisme ce que l'image d'Épinal est à la photographie. Il en a la nostalgie. Quand il la raconte, avec ce mélange de trivialité aventureuse et de réalisme faubourien, l'œil s'illumine et tout l'être se met à vibrer, sous l'afflux des souvenirs.

Il a l'air de croire que l'homme en armes est le seul qui soit tout à fait un homme. Et il préfère, à tout prendre, l'odeur de la poudre à celle du patchouli.

Le 17 mars 1956, avant de partir pour l'Algérie, il a quand même épousé Mlle Chodron de Courcel. Mariage rapide. Le sous-lieutenant Chirac est passé en coup de vent. Pour la nouvelle Mme Chirac, c'est une bonne mise en condition : leurs relations seront toujours placées, désormais, sous le signe de la célérité.

Dès le premier jour de leur mariage, Jacques Chirac a l'air convaincu qu'il n'y a, avec Bernadette, née Chodron de Courcel, qu'une stratégie à suivre : « En amour, la victoire, c'est la fuite » (Napoléon Ier).

Bernadette Chirac n'est pas à plaindre pour autant. Cette femme a de la ressource. Après avoir fait ses études à « Sainte-Marie-des-Fleurs-et-des-Fruits » à Gien, pendant la guerre, elle a fréquenté, comme Anne-Aymone Giscard d'Estaing, l'institution de la rue de Lubeck, à Paris. Cela donne des certitudes. Quant à son père, il dirige, avec son frère, la Faïencerie de Gien et les Émaux de Briare. Il possède aussi des immeubles à Paris. Cela donne de l'assurance.

Elle sait compter. Et elle ne s'en laisse pas conter. C'est une femme d'autorité. Devant son mari, toutefois, elle se sent souvent dépassée. Pour résumer les choses, elle use volontiers d'une métaphore qui dit tout : « Il est la locomotive. Je suis le wagon. Mais parfois, ça va si vite que j'ai peur de décrocher. » Et elle ajoute : « J'ai horreur du risque. J'ai besoin que les choses soient planifiées et organisées. Toute ma vie, il aura donc fallu que je force ma nature. » Pour commencer, il faudra qu'elle se morfonde en attendant les lettres du piton...

Jacques Chirac est à la tête de trente-deux hommes. Il est en poste à Souk-el-Arba, près de Montagnac, tout près de la frontière marocaine. De là, il conduit des opérations de ratissage ou monte des embuscades, c'est selon. Il a l'air heureux.

Que cherche-t-il et que trouve-t-il sur son piton algérien ? Il y a la fraternité des armes, il y a les nuits d'inquiétude, cernées par un silence absolu, il y a la mort qui rôde et qu'il apprend à déjouer, il y a, enfin, le plaisir de commander qu'il découvre et savoure. À propos de sa guerre d'Algérie, Jacques Chirac déclarera benoîtement à *Paris-Match*[1] vingt-deux ans plus tard : « Pour moi, et contrairement à ce que l'on a pu penser, ce fut un moment de très grande liberté, et probablement un des seuls moments où j'ai eu le sentiment d'avoir une influence réelle et directe sur le cours des choses [...]. Parce qu'il y allait de la vie d'hommes que j'avais sous mes ordres [...], c'est le seul moment où j'ai eu le sentiment de commander. »

En un mot, il apprend le pouvoir. Il ne pourra plus s'en passer.

L'autorité, ça se défend. Le sous-lieutenant Chirac a toujours un nerf de bœuf sur lui. Et il s'en sert volontiers, comme il le rapporte : « Pour un officier, c'est un instrument qui est presque plus utile qu'une arme. J'en faisais usage quand les gens se comportaient mal avec les Algériens pendant les opérations de ratissage ou quand, dans une embuscade, ils commençaient à s'affoler un peu et tiraient dans tous les sens. Un coup, juste un coup. Pas pour les punir, non, pour leur rappeler qu'ils devaient se maîtriser. »

L'autorité, ça se mérite aussi. Jacques Chirac reconnaît que, pendant sa guerre, il lui est arrivé d'avoir le « trouillomètre à zéro » (« Une fois, je me souviens, j'avais perdu mon peloton, j'étais seul, encerclé, on ne voyait rien à cent mètres et ça tirait de tous les côtés. Mon Dieu, que j'avais la langue sèche... »). Il reste qu'il prend plaisir à braver la mort, à se dépasser lui-même et à risquer sa vie pour une mauvaise cause. Sur sa témérité de tête brûlée, les témoignages abondent. Paul Anselin, un sous-lieutenant qui sort de Saint-Cyr et qui a pris en main le commando du groupe d'escadron, rapporte : « Quand on partait faire nos opérations de ratissage, il fallait prendre une piste de quarante kilomètres que les "fellouzes" avaient souvent minée. Alors, autant dire qu'on ne se battait pas pour aller dans le véhicule de tête qui pouvait sauter à tout moment. Jacques Chirac était toujours volontaire pour monter dedans. »

---

1. 24 février 1978.

Une autre scène jette un éclairage étrange sur son audace. Un jour, son peloton prend d'assaut une ferme de la région, qui est considérée comme un repaire de « fellouzes ». Dans la cheminée, le feu couve sous la cendre. En remuant les braises, un guide musulman découvre une cache. L'interprète invite les combattants algériens à se rendre. Pas de réponse. On jette une grenade. Toujours pas de réponse. Mais le silence ne convainc personne, surtout pas le sous-lieutenant Anselin.

« Je veux un volontaire pour aller voir, dit-il. Y a sûrement des "fellouzes" là-dedans. »

Alors, Chirac :

« Je mets une djellaba et j'y vais. »

Tout le monde avale sa langue et l'autre descend. Il ne trouvera rien ni personne.

Qui a dit que le culte des héros est le culte de la veine ? Le sous-lieutenant Chirac a de la chance. Il le sait. Il le dit. Mais il tente toujours le sort autant qu'il peut...

Il se jette tout entier dans la guerre. C'est un personnage sorti de *L'Espoir* de Malraux. Qu'il s'agisse d'un mauvais combat, perdu d'avance, lui importe finalement assez peu. Il suffit que le geste soit beau...

Le 12 janvier 1957, lors d'une opération de ratissage à l'oued Krarba, au nord de Tlemcen, le PC et une partie du 3e escadron sont attaqués par les rebelles. Le commando du sous-lieutenant Anselin part à l'assaut. Il croyait livrer bataille à une section (vingt-cinq fellaghas). Il se retrouve en face d'une compagnie (cent fellaghas).

Anselin raconte ainsi la suite, trente ans plus tard :

« J'étais très mal parti. Quatorze de mes hommes avaient disparu dans la tourmente. Pour faire face aux cent fellaghas, on n'était plus que six. Je demande à deux de mes gars d'aller chercher du renfort. Ils reviennent blessés. Impossible de passer. On n'avait plus de munitions. On n'avait plus de contact : mon porteur radio s'était évanoui dans la nature. On était dans la nasse, quoi.

« C'est alors que je vis arriver le sous-lieutenant Chirac avec son peloton. Il avait entendu des coups de feu. Il était venu à fond de train pour me porter secours. Il m'avait sauvé la vie, en somme. Avec nos hommes, on s'est repliés dans une ferme. On avait tiré notre épingle du jeu mais on n'était pas contents. On s'est dit : "Les fells vont repartir, cette nuit, par la rivière. Il faut leur tendre une embuscade." C'est ce qu'on a fait. On était, il faut bien le dire, complètement fadingues.

« On a guetté les fells à quatre, je me souviens. Quand ils sont passés – ils étaient une trentaine –, on a tiré à la mitraillette et à la grenade. Puis on est remontés dans la ferme. Le lendemain, on est allés aux résultats, comme on dit. En ratissant bien, on a trouvé dix cadavres de rebelles.

« C'est ce jour-là que j'ai compris qu'on ne gagnerait pas la guerre d'Algérie. On avait perdu six hommes, un fusil-mitrailleur, un poste de radio, et, quand le commandant nous a rejoints, il n'a rien trouvé de mieux à dire, avec un air victorieux : "On a gagné, les gars. Nous sommes redevenus les maîtres du terrain." Après cela, on m'a proposé une citation à l'ordre de l'armée mais, dans un premier temps, on a refusé la croix de la valeur militaire à Chirac parce qu'il était venu à ma rescousse sans attendre les ordres. »

La guerre l'inspire. Jacques Chirac commence à se ressembler, enfin, dans le démon de l'action, l'exorde claironnant et le compagnonnage militaire. Les ambiguïtés s'estompent, les contradictions aussi.

Cet état d'esprit soldatesque, qui naît sur le piton de Souk-el-Arba, ne fera que croître, désormais. Ce sera l'un des traits forts d'un caractère qui, on le verra, connaîtra encore quelques sautes de vent.

Chirac-le-soldat... Pierre Messmer, ancien ministre de la Défense nationale du général de Gaulle, qui, en matière militaire, en connaît un bout, est sans équivoque : « Cet homme aime dire les choses en les outrant, à la façon du Général. Quand il réfléchit, il est d'une incroyable liberté de parole mais, dès qu'il est engagé dans l'action, il suit une discipline de fer. Ce sont là des caractéristiques de militaire de carrière. »

Jérôme Monod, l'ami de Chirac, son fidèle, va plus loin encore : « Chirac aime la lutte. C'est sa passion. Quand on allait au Japon, il s'intéressait avant tout aux arts martiaux. Et quand il entrait dans mon bureau, du temps où j'étais secrétaire général du RPR, j'avais vraiment le sentiment d'avoir un tigre haletant en face de moi. »

Et c'est ainsi que Jacques Chirac a vu la guerre en rose.

Fut-il un soldat magnanime et chevaleresque, un de ceux qui savent désobéir aux ordres criminels ? Oui et non. Jacques Chirac est allé sur son piton avec la conviction qu'il fallait réconcilier la France et la population algérienne. Il la traite donc avec égard et bienveillance. « La première fois que je l'ai vu, rapporte Paul Anselin, je me souviens qu'il tenait un petit garçon musulman par la main. »

La torture ? Jacques Chirac prétend ne l'avoir jamais rencontrée. Et il est vrai qu'elle ne se pratiquait pas à Souk-el-Arba. Dans le peloton de Chirac, les ratonneurs avaient même droit au nerf de bœuf. Mais, quand le peloton prenait un prisonnier et qu'un hélicoptère venait en prendre livraison pour l'emmener au PC de Montagnac, tout le monde savait qu'il tomberait entre les griffes des services « spécialisés » du 11ᵉ RCA qui le mettraient à la question. Il n'est pire aveugle que celui qui ne veut pas voir...

De son piton de la gloire, Jacques Chirac semble n'avoir rapporté que de bons souvenirs, des images pieuses, des histoires saintes d'ancien combattant. Il reconnaît toutefois avoir croisé, une fois ou deux, au hasard d'un chemin, le visage lourd et pesant de l'absurde : « Ma sensation la plus forte, ce fut un jour que l'on marchait sur une piste avec un musulman de quatorze ou quinze ans. Il saute sur une mine. Je me précipite. Il tombe dans mes bras. Apparemment, il n'a rien. Je pense simplement qu'il s'est évanoui. J'ai quand même ouvert sa chemise et j'ai découvert un petit trou rouge, avec un éclat : ça ne saignait pratiquement pas. À un moment donné, j'ai senti davantage son poids. Il était mort. »

Si ses quatorze mois de guerre d'Algérie furent vécus comme une étrange féerie, en même temps qu'une découverte de soi-même, Chirac le doit sans doute à son peloton. Il l'aime. Il s'aime.

C'est l'un des rares officiers à manger avec ses hommes. Il porte le même paquetage qu'eux – avec la couverture enroulée en boudin derrière le dos, un système qu'il a mis au point. Et il prend souvent le parti de son peloton contre ses supérieurs, comme il le raconte lui-même, avec le parler du militaire : « Mes types attrapaient tout le temps des furoncles. Énormes et mal placés. Un jour, je m'aperçois que la moitié de mon unité en est atteinte. Je préviens mon régiment, à trois cents kilomètres. On m'envoie le médecin-capitaine. Il arrive avec de bonnes paroles ("Ce n'est pas grave") et un pot de cinq kilos de pommade dégueulasse. Il en tartine les

74

hommes. Et il repart. Aucun effet. Je préviens le régiment. On me répond : "Ne nous emmerdez pas. Vous n'avez qu'à remettre de la pommade." Alors, la moutarde me monte au nez. Mon père avait un ami qui travaillait dans un laboratoire pharmaceutique. Je lui fais passer un message. C'est ainsi que j'ai reçu, gratuitement, des caisses d'auréomycine. Tous les jours, je faisais passer les types à la queue leu leu et je les soignais moi-même. En quelques jours, les furoncles ont disparu. Naturellement, ça n'a pas plu du tout aux médecins militaires du PC qui ont demandé des sanctions contre moi. Ils n'ont pas eu gain de cause. »

Indiscipliné, Chirac ? Juste, sur la forme, avec ses supérieurs directs qu'il traite parfois d'un peu haut. Mais sur le fond, c'est-à-dire sur la raison d'être de la guerre d'Algérie, c'est un homme d'ordre qui ne souffre pas l'objection. Même la critique du gouvernement est, pour lui, un acte d'indiscipline. C'est que, contrairement à une légende qu'il entretient avec complaisance, Jacques Chirac n'est pas gaulliste. Pas encore...

Chirac, en fait, est gouvernemental, donc molletiste, comme le confirme Paul Anselin : « Moi, j'étais, à l'époque, ultra-gaulliste. Lui, c'était un socialiste cocardier. Il aimait bien de Gaulle, c'est vrai, mais ses héros du moment s'appelaient Guy Mollet et Robert Lacoste. En un mot, il était de gauche et "Algérie française". »

Comme François Mitterrand, dont la formule est restée célèbre, le sous-lieutenant Chirac croit que « la seule négociation, c'est la guerre ». Il la fait donc sans complexe ni remords.

Le soir, autour du feu, les sous-lieutenants Chirac et Anselin palabrent pendant des heures. Ils ont toujours la même discussion, comme des milliers d'appelés :

« Ce gouvernement est inefficace, disait Anselin. Il n'a aucune autorité et il ne sait pas diriger l'armée.

— Il faut laisser faire l'armée, répondait Chirac.

— Mais tu vois bien qu'elle fait n'importe quoi. On ne peut pas continuer à tout tolérer, la torture et les bombardements aveugles : tout ça est en train de fabriquer de nouveaux rebelles.

— C'est la guerre. »

Tel est, en substance, le dialogue du politique (Anselin) et du soldat (Chirac). Mais, au fil des mois, le sous-lieutenant Chirac commencera à se politiser...

Ses hommes tombent. Ses illusions aussi. Quand il est libéré, une semaine après la chute du gouvernement Mollet, Chirac, convaincu de l'incompétence de la IVᵉ République et de l'impuissance de l'armée française, est probablement devenu gaulliste. Mais il ne le sait pas encore...

Il est aussi devenu « fana-mili », comme il dit. Il aime les garnisons, les clairons, les galons. En 1984, apprenant l'existence de SAS (*Special Air Service*) français, il décida de les recevoir sans tarder. Ces héros de la Seconde Guerre mondiale sont des oubliés de l'Histoire. Connaissant tout des techniques de combat et de sabotage, ils étaient parachutés, par groupes de dix, derrière les lignes allemandes. Six cents partirent. Cent revinrent. Parmi eux : Jean de Lipkowski, le général Bergé, le colonel Chateau-Jobert. Exaltant leur combat lors d'une réception en l'honneur des derniers survivants – tous émus aux larmes –, Jacques Chirac pleura.

Sur quelle guerre ?

8

Les barricades d'Alger

> « Rien ne ressemble à l'orgueil
> comme le découragement. »
>
> Amiel

Comment se déprendre de la guerre ? Au sommet de son piton, Jacques Chirac n'est plus en exil sur cette terre. Réconcilié avec lui-même, il est si à l'aise dans son nouveau personnage qu'il se refuse à le quitter. À Souk-el-Arba, il a décidé de s'engager en se faisant « activer » dans son grade. L'armée a d'abord accepté – elle manque d'officiers – puis, vérifications faites, elle a refusé : en entrant à l'ENA, il a signé un contrat avec l'État. Elle ne le laissera pas se parjurer…

Le retour d'Algérie, en juin 1957, lui réserve un réveil de drogué. À peine arrivé à Paris, il ne songe déjà plus qu'à répartir pour « rempiler ». Henri Bourdeau de Fontenoy, le directeur de l'ENA, lui rappelle qu'il a pris, avant de passer son concours d'admission, un engagement à servir l'État, et non l'armée. C'est un grand résistant qui a toujours, dira Chirac, « un petit mouchoir tricolore au fond de sa poche pour essuyer une larme patriotique ». Mais c'est aussi un haut fonctionnaire qui entend faire respecter les droits de l'administration. Au mousquetaire du piton d'en apprendre les devoirs.

Pour ce faire, Chirac n'est pas dans les meilleures dispositions. La plupart des condisciples de sa promotion de l'ENA ont fait leur service militaire dans une « planque » comme le ministère de l'Air, boulevard Victor. Ils sont restés dans le coup. Ils ont continué à travailler. Revenant de l'Ouest algérien, l'ancien sous-lieutenant du

3e escadron du 11e RCA souffre d'un lourd handicap qu'il résume crûment : « Intellectuellement, j'avais dépéri. J'avais perdu l'habitude de travailler dans les livres. »

Jacques Friedmann, son ami, son camarade d'ENA également, confirme : « De toute la promotion, c'était, de loin, celui qui avait le plus de mal à réintégrer la vie civile. »

Pour ne rien arranger, l'ENA l'expédie, pour son stage de début de scolarité, à la préfecture de Grenoble où règne une atmosphère aussi déliquescente que courtelinesque. Une atmosphère de IVe République.

Le préfet de l'Isère est un homme très intelligent qui se lève et se couche très tard. Il n'a ni le temps ni l'envie de s'intéresser au stagiaire Chirac. Il le met donc entre les mains de son directeur de cabinet, Marcel Abel, un brave homme qu'on appelle « Bibise » parce qu'il embrasse tout le monde. Autodidacte, il a été intégré à la préfectorale au titre de la Résistance. Et il ne manque jamais de le faire savoir.

« Il faut que tu comprennes bien, dit-il d'entrée de jeu au stagiaire Chirac, tu es dans une école, je ne sais plus comment ça s'appelle mais c'est ici que tu te formeras, sur le tas, comme moi qui ai fait une brillante carrière, car c'est toujours comme ça qu'on commence dans l'administration, par les tâches les plus modestes, alors, tu vas faire ce que je faisais, quand j'avais ton âge : tu vas porter les plis. »

Pendant plusieurs jours, Jacques Chirac porte les plis – à la direction de la voirie, de l'agriculture, des anciens combattants, etc. Jusqu'à ce qu'il décide, un jour, de donner la pièce à un huissier qui s'acquittera de cette tâche au moins aussi bien que lui.

Trois mois de supplice bureaucratique. Écrivant ses malheurs à Paul Anselin, Jacques Chirac se fait répondre qu'il est devenu « bien indiscipliné ». Alors, dans sa lettre suivante, il écrit : « La critique des supérieurs est la soupape de sûreté de la discipline. »

Un Jacques Chirac est né à Souk-el-Arba. Il en a gardé la nostalgie. Il rêve toujours de nuits blanches, d'embuscades nocturnes, de marches montagnardes, de petits matins frisquets. Après son stage à la préfecture de Grenoble, il a obtenu, avec son rapport, la plus mauvaise note de la promotion. Il songe encore à s'engager. Mais la direction de l'ENA ne veut toujours rien entendre. Alors, va pour l'ENA.

Qu'il ait failli devenir militaire de carrière en dit long sur sa vraie nature. Chose étrange, ses hagiographes n'insistent pas sur ce point qu'il souligne pourtant à plaisir. Il aura désormais, dans la vie civile, la brutalité martiale des officiers manqués. Il s'appuiera, dans l'action, sur une morale de guerrier – cocardière, sommaire et téméraire.

Il y aura toujours un sous-lieutenant en lui : l'ENA ne l'a pas tué. Plus tard l'officier de l'Ouest algérien resurgira souvent, jugulaire au menton, supplantant l'homme politique qui n'arrivera jamais à se lisser pour rassurer tout à fait. Et c'est ainsi que, parlant des montants compensatoires agricoles ou des prix des tarifs publics, Jacques Chirac retrouvera si souvent les accents sonores du major de Saumur s'écriant : « Par saint Georges, vive la cavalerie ! »

Est-ce parce qu'elle l'oblige à se dégrossir ? Jacques Chirac n'aime pas l'ENA. Dans *Les Mille Sources* [1], il écrit : « J'y ai fait irruption à la manière d'une boule qui rase les quilles. À peine arrivé, j'ai été pris à la gorge par l'ambiance démente qui régnait à l'École [...]. On se marchait sur la tête, on s'épiait, on voulait à tout prix réussir – et réussir à quoi ? Plus l'État étalait ses vacances, plus on se pressait, on se bousculait, on se trahissait même pour le servir. On a vu des étudiants qui, croyant avoir découvert un renseignement intéressant dans un livre de bibliothèque, arrachaient la page afin de conserver la documentation à leur seul usage. »

Mise au point avisée. On a peine à y croire, tant elle tombe à pic : elle permet de tordre le coup à l'image de Chirac-le-vorace, décidé, dès son arrivée à l'ENA, à absorber la France. Elle n'est pourtant pas tout à fait fausse. À écouter ses condisciples, le grand escogriffe qui atterrit rue des Saints-Pères pour les premiers cours, en janvier 1958, n'a pas un profil d'énarque. Il y a en lui quelque chose de trop fruste, de trop malhabile.

À en croire Bernard Stasi, l'un de ses camarades de promotion, Jacques Chirac est « à la fois polar et à part ». Il ne se mêle guère aux autres. Il serre les mains à toute vitesse. Il passe dans les couloirs comme l'éclair. Il a déjà l'air important et pressé.

---

1. *Op. cit.*

Ce n'est pas un hasard s'il n'est pas très aimé. Jacques Friedmann, son alter ego, étant très sociable, sa mère reçoit beaucoup d'énarques à sa table. Elle se souvient : « Ce qui me frappait le plus, c'est qu'un grand garçon de l'âge de Chirac ait tant d'ennemis. Il est vrai que, partout où il était, il prenait beaucoup de place. Il est vrai aussi qu'il avait un jugement impulsif et tranchant sur les gens. Il les aimait ou il ne les aimait pas, on ne savait jamais pourquoi. »

Sa promotion – qui s'est donné un « parrain » qui n'engage à rien : Vauban – comprend quelques fortes personnalités. Outre Jacques Friedmann et Bernard Stasi, déjà cités, on y trouve Alain Chevalier qui sera président de Moët-Hennessy, Jean-Yves Haberer qui deviendra directeur du Trésor puis PDG de Paribas, Jacques Boyon, enfin, dont Jacques Chirac fera, en 1986, un secrétaire d'État à la Défense nationale.

C'est avec Chevalier, jeune homme cultivé et tendu, brûlant de feu intérieur, que Chirac se trouvera surtout des atomes crochus. Avec Friedmann, ils forment un petit groupe de travail – et de belote...

En juin 1959, Jacques Chirac est seizième au classement de sortie. Son rang – très moyen – lui donne quand même accès à l'un des grands corps de l'État : la Cour des comptes.

Il a une petite fille, Laurence, un bel avenir de haut fonctionnaire et une myriade de nouveaux noms sur son carnet de relations. Il n'est pourtant pas comblé. Faisant le point sur cette période de sa vie, Jacques Chirac a écrit : « Ce qui m'avait frappé, en 1957, rentrant de mon service militaire en Algérie, où j'avais été coupé de tout, c'était l'effondrement de la France et l'absence d'État. Sans doute le fait que l'on m'enseignait, à l'École nationale d'administration, précisément, le service de cet État fantôme, ajoutait-il à mon désarroi. Littéralement [...] je ne comprenais pas qu'on puisse admettre une telle situation [...]. Nos professeurs nous expliquaient, démonstrations lumineuses à l'appui, que le redressement économique de la France était tout à fait exclu. Le déficit de la balance des paiements était considéré, par les plus éminents de nos maîtres, comme une fatalité inéluctable, tout à fait comparable à une anémie pernicieuse chronique, reconnue comme telle par le malade lui-même, et acceptée. Plus, imaginer une guérison, fût-ce à longue échéance, faisait douter de vos aptitudes à exercer une activité sérieuse. Le bateau coulait lentement, dans le port, sous les yeux de promeneurs trop avertis et trop convaincus pour être vraiment attristés. Là-dessus, le général de Gaulle arrive, Jacques Rueff fait son plan, six semaines se passent, et la balance des paiements est en équilibre. Le phénomène m'a frappé. Je me suis dit : Méfions-nous des théoriciens, méfions-nous des technocrates, méfions-nous des économistes. Et, depuis, je n'ai pas modifié mon jugement [1]. »

Il n'est plus molletiste mais il est toujours gouvernemental. Depuis mai 1958, c'est-à-dire depuis le retour au pouvoir du général de Gaulle, il a un nouveau credo. En ce temps-là, Jacques Chirac est, d'après Paul Anselin, gaulliste, de gauche et « Algérie française ». Beaucoup pour un seul homme. Mais il ne craint toujours pas les contradictions...

Un jour, Anselin emmène Chirac chez Irène de Lipkowski, 191, boulevard Saint-Germain, à Paris. Le salon de cette grande figure de la IVe République est l'un des plus courus de Paris. L'un des mieux lotis aussi. Le Tout-État d'hier et d'aujourd'hui va et vient, tout bruissant de projets, sous les lambris de cette gaullo-mendésiste boutefeu et boute-en-train. On croise, chez elle, des hommes aussi différents que Pierre Hervé, ancien communiste, Jacques Duhamel, centriste intransigeant, Robert Buron, démocrate-chrétien de gauche, ou encore Jean Amrouche, militant de la décolonisation.

Pour l'heure, Mme de Lipkowski nourrit un vaste dessein : le lancement d'un grand mouvement travailliste. Le général de Gaulle donnera le coup de pouce qu'il faudra – et 30 millions de centimes...

Paraît Chirac. « Un grand type d'une beauté à vous couper le souffle, se souvient Jean de Lipkowski, le fils d'Irène. Après nos discussions, il s'installait au bureau de ma mère et il faisait des synthèses formidables. » Il ne lui reste plus qu'à faire sa propre synthèse...

Travailliste, Chirac ? Il prend assez vite ses distances avec les Lipkowski. Il subodore chez eux, non sans raison, un progressisme

---

1. *Les Mille Sources, op. cit.*

vaguement décolonisateur. Il les sent, en bref, trop disposés à brader l'Algérie. Et il n'admet pas que l'on songe à en dépouiller la France.

À leur sortie, en juin 1959, les élèves de la promotion « Vauban » sont envoyés en Algérie en « renfort administratif ». Ayant déjà fait son service militaire de l'autre côté de la Méditerranée, Jacques Chirac pourrait se dispenser de suivre ses camarades. Il refuse.

Il lui faut le fracas des armes, la peur au ventre, le grand frisson. Il a besoin de l'Algérie. Elle a besoin de lui...

Un beau jour, il atterrit donc, avec un petit groupe de camarades, dans le bureau de Jacques Pélissier, directeur de l'Agriculture et des Forêts au gouvernement général (GG) d'Alger.

Arrivée en fanfare. « Chirac est entré le premier, bien sûr, se souvient Jacques Pélissier. Les autres étaient plusieurs enjambées derrière. Il s'est présenté vigoureusement, comme un officier de cavalerie. Le voyant comme ça, j'ai tout de suite décidé d'en faire mon directeur de cabinet. »

Le lendemain, entrant dans le bureau qu'il lui a attribué, Pélissier trouvera Chirac en train d'utiliser trois téléphones à la fois. Chirac-l'interventionniste est né. Mais sa force de frappe téléphonique est encore faible...

Au GG, Jacques Pélissier est chargé d'appliquer le plan de Constantine mis au point par le général de Gaulle et qui prévoit, entre autres, l'attribution de deux cent cinquante mille hectares aux agriculteurs musulmans. Après avoir bataillé contre les rebelles algériens, les armes à la main, Chirac est trop content d'engager maintenant le combat contre eux à coups de réformes.

Politiquement, il n'est pas loin des idées de Patrie et Progrès, une petite organisation autour de laquelle gravitent quelques futurs socialistes, comme Jean-Pierre Chevènement. Pour elle, le maintien de l'Algérie dans l'orbite de la France passe par la réforme agraire. L'ancien lieutenant de Souk-el-Arba est sur cette ligne. Et il plaide pour la réforme sous toutes ses formes – agraire, sociale, culturelle.

La cause, pourtant, est perdue. Pour le révolutionnaire, on le sait, il n'y a jamais de pire ennemi que le réformiste. Les combattants du FLN s'opposent sans pitié à la redistribution des terres. Les musulmans qui s'installent dans les nouvelles plantations sont parfois égorgés à la tombée de la nuit. L'Algérie, désemparée, appareille...

Alors, le 16 septembre 1959, le général de Gaulle lâche du lest et préconise l'« autodétermination ». L'« Algérie française » n'est plus. Jacques Chirac ne cessera pas d'y croire pour autant.

Il milite, avec la dernière énergie, contre l'indépendance qui se profile. Il se démène pour cette réforme agraire que les grands « féodaux » européens refusent avec autant de fièvre que les révolutionnaires musulmans. Mais il ne perd pas non plus son temps. Ni le nord...

Il a de l'entregent. Jacques Pélissier l'emmène avec lui à Paris pour mettre la dernière main à la loi sur la promotion musulmane. Il lui présente quelques sommités politiques, comme Edgar Faure. Et il s'amuse de voir son directeur de cabinet « frétiller », l'œil étincelant, affamé de tous les détails, dans les couloirs du Sénat.

Apparemment, il sait aussi choisir ses relations. Il y a, à Alger, un fils de ministre, un grand garçon maigre, myope et ténébreux, affecté au service armée-jeunesse du GG. C'est Pierre Joxe.

Gaulliste historique, Louis Joxe, son père, est ministre de l'Éducation nationale. Il a aussi l'oreille du Général. Son fils pourra toujours servir...

Que croyez-vous qu'il advienne ? Jacques Chirac s'approche à petits pas de Pierre Joxe et les deux hommes s'accointent. Il est malaisé de résister à l'ancien sous-lieutenant de Souk-el-Arba.

Le directeur de cabinet prend en charge le fils du ministre : « Il habitait un garage avec sa femme, très belle et très brillante, dans des conditions matérielles assez épouvantables, se souvient Chirac. Il n'avait pas un rond, moi non plus, mais j'avais des facilités et des relations. Je lui ai trouvé un logement. Je lui ai aussi permis de se procurer des billets d'avion pour aller en France. »

Les deux énarques sont si proches l'un de l'autre qu'avec l'accord de Paul Delouvrier, délégué général du GG, ils feront une « mission plus ou moins officieuse » à Paris où ils raconteront à Louis Joxe les derniers événements d'Algérie.

Chirac n'est pas encore gaulliste et Joxe n'est pas encore socialiste mais ils s'éloigneront peu à peu l'un de l'autre après le réveillon du 31 décembre 1959. Ce jour-là, le fils du ministre a trouvé le directeur de cabinet de Jacques Pélissier outrageusement « Algérie française ». Il croit même avoir entendu, dans sa bouche, un éloge de la torture.

C'est qu'en cette fin d'année les tensions sont mises à vif par les bombes du FLN qui explosent sans arrêt dans Alger. Chacun doit choisir son camp.

L'ex-croisé du piton l'a choisi. Quand les pieds-noirs, se sentant trahis par de Gaulle, commencent à dresser des barricades dans Alger, le 24 janvier 1960, son cœur balance. D'après un de ses amis pieds-noirs, le docteur Armand Fine, il fraternise avec les insurgés. Selon Jacques Pélissier, il fait tout pour maintenir la cohésion, ébranlée, des fonctionnaires du GG.

Étrange époque où tout se délite, sur fond de barricades, et que Chirac vit aussi mal que Pélissier. « Nous avons assisté, écrira Chirac, au spectacle étonnant de la disparition des directeurs du gouvernement général. Ils devaient être au nombre de quinze. Combien sont demeurés en poste ? Tout au plus deux ou trois, les autres ont naufragé. Le soir de l'affrontement, on a fini par retrouver l'un des plus éminents de ces hauts fonctionnaires, caché, apeuré, chez un de ses amis. Les autres avaient couru plus loin [1]. »

Révoltés par les ultras de l'« Algérie française », dégoûtés par la couardise de l'administration, Jacques Friedmann et Bernard Stasi décident d'envoyer une motion de soutien au général de Gaulle. Tous les élèves de la promotion « Vauban » la signeront sans sourciller. Tous, sauf un. C'est Jacques Chirac. « Je ne signe pas de chèque en blanc », tranche-t-il. Il n'apposera son nom au bas de la liste que deux jours plus tard (« Parce qu'il sentait que le mouvement des barricades était en train de retomber », dira plus tard Pierre Joxe).

Pour justifier son attitude, Jacques Chirac a toujours eu recours à des explications filandreuses, du genre : les fonctionnaires ne doivent pas approuver le chef de l'État mais le servir. Il n'empêche. Pendant les deux jours qui précéderont sa décision de signer, il est clair que l'exalté du piton avait, une fois de plus, repris le dessus.

À son retour en France, en avril 1960, Jacques Chirac est un ultra, partisan de la légalité. Une espèce rare que symbolise parfaitement Michel Debré, alors Premier ministre, déchiré de contradictions, pantelant à force de contorsions. C'est ce qui expliquera plus tard les étranges affinités que cultiveront les deux hommes.

---

1. *Les Mille Sources, op. cit.*

Devenu auditeur à la Cour des comptes, Jacques Chirac se déchaîne contre les actions sauvages de l'OAS mais il a mal à l'« Algérie française ». Ses deux principaux amis, Jacques Friedmann et Michel François-Poncet, sont partisans de l'indépendance algérienne. Et ils ne supportent pas toujours très bien ses envolées militaires, ses philippiques cocardières, ses prophéties enflammées.

Il a monté un petit club. On se retrouve tous les quinze jours, autour d'un whisky, pour faire le point. Il y a là Michel François-Poncet, Renaud de La Genière, futur gouverneur de la Banque de France, Dominique de La Martinière qui sera directeur des Impôts, André Jacomet, l'un des grands patrons de Pechiney. Tous l'entendront célébrer l'« Algérie française » sur tous les tons. Ils finiront par se lasser.

Chirac, lui, ne se lassera jamais. Plus tard, membre du cabinet du Premier ministre, il embauchera à Matignon la fille du général Nicod : son père a été arrêté parce qu'il est soupçonné d'être le correspondant français du général Challe, l'un des chefs de l'OAS. Faisant campagne en Corrèze, il n'oubliera jamais non plus de faire porter des colis aux généraux emprisonnés à Tulle – Salan, Jouhaud, Challe, etc. Tant il est vrai que sa blessure algérienne coulera longtemps...

9

Matignon

« L'ambition est comme un torrent et ne regarde pas derrière soi. »

Ben Jonson

Qui a dit que celui qui connaît l'art de vivre avec soi-même ignore l'ennui ? Jacques Chirac, qui ignore cet art-là, connaît donc l'ennui. Pis, il en meurt. C'est une maladie. Et il ne peut s'en guérir par le travail, qui, comme chacun sait, est une denrée plutôt rare à la Cour des comptes. Croyant avoir épuisé les charmes du service de l'État, il envisage sérieusement de s'orienter vers des horizons plus exaltants – ceux de l'industrie, par exemple. Il a, comme on dit, des « ouvertures » à la Shell. Et il fait le tour de ses relations pour leur demander ce qu'elles pensent de son projet. Jacques Pélissier, son père putatif, son maître, sa référence, le dissuade sans conviction. Gérard Belorgey, son copain de Sciences-Po, va plus loin. Il lui propose un travail.

À l'époque, Gérard Belorgey est chargé, au secrétariat général du gouvernement, de superviser les textes dits de « défense des institutions républicaines » – autrement dit, les textes anti-OAS. Il est en même temps le scribe de la maison, celui qui dresse les procès-verbaux des conseils interministériels. « Évidemment, dit Belorgey, je ne pouvais pas faire les deux choses en même temps. On m'a demandé de trouver quelqu'un pour me décharger. J'ai tout de suite pensé à Jacques que je voyais s'amertumer à la Cour des comptes. »

Quand il reçoit Jacques Chirac pour l'embaucher, Jacques-Henri Bugeard, le responsable des affaires économiques au secrétariat général du gouvernement, est tout de suite frappé par l'énergie contenue de ce jeune homme qui parle très vite et semble tout savoir. Au point qu'il laisse échapper : « N'allez pas vous imaginer, cher jeune homme, que vous allez vous installer rapidement dans mon bureau. »

Il ne croit pas si bien dire, Jacques-Henri Bugeard. Six mois plus tard, le « jeune homme » s'installera dans son fauteuil. Non qu'il ait pris sa place mais parce que les services de Matignon ont été réorganisés. Devenu entretemps chargé de mission du nouveau Premier ministre, Jacques Chirac a réquisitionné son bureau.

Au secrétariat général du gouvernement, dans le service de Jacques-Henri Bugeard, Jacques Chirac s'ennuie encore, même s'il travaille beaucoup. Ce n'est pas une tanière pour un jeune loup : c'est un étouffoir. À peine arrivé dans ce saint des saints qu'est, à ses yeux, l'Hôtel Matignon, il se rend compte qu'il n'est pas fait pour ce rôle de « greffier muet », comme il dit. Cantonné dans la rédaction des comptes rendus de réunions ministérielles, il lui faut se contenter d'écouter pérorer Giscard (Finances), Pisani (Agriculture) ou Grandval (Travail). Il regarde avec envie les « politiques » de la maison : les membres du cabinet du Premier ministre.

L'un d'eux le remarque. C'est Pierre Lelong, un ancien élève de l'ENA, rouquin, réservé, qui deviendra un jour secrétaire d'État aux PTT. Pour l'heure, il fait partie de la cellule économique de Georges Pompidou, où il s'occupe notamment du contrôle des prix et des questions agricoles. Il signale le jeune Chirac à l'attention de René Montjoie, le recruteur de la maison.

Chef du gouvernement depuis le 5 avril 1962, Georges Pompidou ne connaît guère plus les rouages de l'État que les arcanes de la politique politicienne. C'est un banquier ; c'est un intrus.

Ancien directeur de cabinet du général de Gaulle à la présidence du Conseil, en 1958, ancien patron de la banque Rothschild, il est membre du Conseil constitutionnel quand il se trouve propulsé, à la surprise générale, au poste de Premier ministre. Il arrive à Matignon avec les méthodes et les idées du privé. Il veut, à ses côtés, les meilleurs et les plus intelligents, comme John F. Kennedy. Et c'est ainsi que son cabinet sera l'une des plus belles pépinières de l'histoire de la République.

À la tête de son équipe, Georges Pompidou a placé François-Xavier Ortoli. Cet homme a une haute idée de sa personne et de sa carrière qui le mènera loin, au commissariat au Plan, au ministère de l'Économie puis aux Communautés européennes. Il a un défaut. Il est toujours d'accord avec le dernier qui a parlé. C'est le prototype du grand commis à la française, cauteleux et précautionneux.

Aux côtés d'Ortoli, on trouve de tout. Un polytechnicien à la compétence universelle : René Montjoie, ingénieur du corps des Mines, visage blanc, tendu, gai comme une porte de prison, qui deviendra commissaire au Plan avant de disparaître prématurément. Un grand bourgeois gaulliste : Olivier Guichard, qui traîne un air d'ennui et une ambition tranquille qui fera de lui l'une des grandes figures de la Ve République. Un avocat massif et ténébreux, enroulé dans une cape de bure : Pierre Juillet qui, déjà, sculpte sa légende.

Bien sûr, on trouve aussi des énarques en quantité. En ce temps-là, le Tout-État se confond déjà avec le Tout-ENA. Et Pompidou-le-normalien ne dédaigne pas de s'approvisionner en matière grise dans la grande école la plus cotée de Paris. Parmi ses énarques : Bernard Ésambert, qui deviendra président de la Compagnie financière, ou encore Jean-René Bernard, futur ambassadeur à Mexico. Ils seront bientôt rejoints par Édouard Balladur, Michel Jobert et Jean-Philippe Lecat, trois graines de ministres.

À la mi-novembre, René Montjoie propose à Jacques Chirac de rejoindre l'équipe avec le grade le plus modeste : chargé de mission. Il s'occupera – entre autres – de la construction, de l'aménagement du territoire, de l'industrie aéronautique, des transports aériens.

Un soir, avec Bugeard, Montjoie entraîne Chirac dans le bureau de Pompidou. Le Premier ministre jette un œil rapide sur lui.

« C'est une grande perte pour moi », hasarde Bugeard.

Alors, Pompidou :

« J'espère bien. Sinon, ce ne serait pas un gain pour moi. »

Chirac est grisé : « J'avais tout juste trente ans et je pouvais pratiquement traiter d'égal à égal avec les ministres que j'appelais directement sur l'interministériel. »

Rares sont ceux qui l'impressionnent. Chirac se fraye son passage sans ménagement, au coupe-coupe, comme le raconte Pierre Lelong : « À la différence de Jean-René Bernard et de moi-même qui nous comportions en fonctionnaires, il s'est rapidement transformé en petit empereur régnant sur le logement et l'aviation. Il s'est mis à tout décider à la place des ministres. Je me souviens qu'il traitait Jacques Maziol, le ministre de la Construction, comme le dernier des imbéciles. Il avait de l'autorité, de la personnalité, mais il était néanmoins soucieux de ne jamais marcher sur les pieds de ses collègues de Matignon. C'était un très bon camarade, en fait. On l'aimait bien. »

À l'évidence, pourtant, Jacques Chirac a de l'appétit pour tous. Autant le monde des cabinets est prudent et feutré, autant l'ancien auditeur à la Cour des comptes est pressé. Sur chaque dossier, il donne l'impression de jouer son va-tout. Le plus menu problème devient une affaire d'État. Et Chirac prend sans arrêt des initiatives, des risques, et donc des coups. « J'ai toujours été indépendant, dit-il, et je pensais que ma fonction consistait à régler les problèmes en embêtant les autres le moins possible. Ainsi était-il rare que je demande, pour me couvrir, des conseils ou des autorisations. Si bien que, de tous les membres de l'équipe, j'ai probablement été celui qui voyait le moins souvent le Premier ministre. »

On peut en douter. Georges Pompidou, en fait, n'a pas pour habitude de partager son temps avec ses collaborateurs. Ils n'ont donc pas le droit de défiler dans son bureau. Sans doute parce qu'il n'est jamais moins seul que dans la solitude, il ne veut pas qu'on l'« enquiquine », comme il dit. Plus tard, à la tête du ministère des Finances, Édouard Balladur s'efforcera de travailler de la même façon – dans le silence.

Même François-Xavier Ortoli, le directeur de cabinet de Pompidou, doit veiller à ne pas le déranger inopinément. Jacques Chirac comprend tout de suite que cet homme, fort intelligent mais dépourvu de caractère, ne pèse pas lourd dans la noria pompidolienne. Il a l'habileté de ne pas se fier aux apparences qui, dans le système Pompidou, sont trompeuses.

Tout de suite, il se met dans le sillage de celui dont il est de bon ton de se moquer dans la cellule économique, comme le raconte Pierre Lelong : « Ortoli, Montjoie et moi, on était dotés d'un certain complexe de supériorité et on se moquait volontiers d'un type dont on ne comprenait pas la fonction exacte à Matignon. Il écrivait mal, il parlait mal, il bouclait mal ses dossiers, il boitait un peu. Il faisait pâle impression, en vérité. Je me souviens que Chirac nous reprenait toujours : "Vous avez tort. Vous le sous-estimez. C'est une grosse tête politique." »

Cet homme a le poil dru, l'œil perçant, la pipe sévère. C'est Pierre Juillet ; c'est l'homme mystère des années Pompidou.

Il s'est installé au rez-de-chaussée dans ce qui est considéré comme le plus beau bureau de l'hôtel Matignon – celui des présidents du Conseil sous la IVe République. Ses fenêtres donnent sur ce qu'on dit être le plus beau jardin officiel. Il vient de temps en temps mais il fait toujours croire qu'il n'est pas là. C'est son chic.

De son rez-de-chaussée, Juillet a entrepris une opération qui doit lui donner le contrôle de Matignon. En principe, la maison se trouve entre les mains d'Olivier Guichard. Ancien directeur de cabinet du général de Gaulle sous la IVe République, il est devenu l'homme fort du cabinet de Georges Pompidou. Mais il est indolent et lymphatique. Son regard lointain ne voit pas venir les coups.

Gaulliste historique, Olivier Guichard est membre – avec Jacques Chaban-Delmas, Michel Debré, Jacques Foccart, Pierre Lefranc et Roger Frey – de la confrérie des « barons ». Décidés à s'approprier, le jour venu, le legs du Général, ils déjeunent souvent ensemble et se serrent les coudes. « Ils se partagent le pain et les postes », ironise Juillet. Et ils toisent de haut tous ceux qui ne font pas partie de leur aristocratie.

Pierre Juillet, par exemple, qui pourrait pourtant revendiquer, lui aussi, le titre de gaulliste historique. Les barons le considèrent comme un benêt prophétique ou un mégalomane archaïque, c'est selon. Mais ils ne le prennent pas au sérieux.

Qui sème le mépris récolte la vengeance. Les années aidant, l'amertume de Pierre Juillet a ranci. Sa vengeance n'en sera que plus terrible. Il se fera la main en commençant par circonscrire l'influence du baron Guichard auprès de Pompidou.

Guichard a l'amitié de Pompidou. Juillet, son estime. C'est lui qui veille sur les fonds secrets ; c'est lui qui furète dans le monde politique à l'affût de nouveaux candidats pour les prochaines élections législatives ; c'est lui, enfin, qui « pense » la stratégie du Premier ministre au cours de week-ends prolongés dans la Creuse.

Juillet n'a qu'un problème : il s'appelle Guichard et il contrôle le cabinet.

Ortoli est l'homme de Guichard. Montjoie est l'homme d'Ortoli. Et tous les autres ou presque sont les hommes de Montjoie. Pour déstabiliser Guichard, il suffit donc de faire sauter Ortoli. Juillet s'y emploie.

Sans trop de mal. Pompidou trouve Ortoli « pagailleux ». Il s'impatiente de ses prudences. Juillet se contente de mettre du sel sur les plaies.

Charmant et nonchalant, arrivant tard le matin et restant longtemps à déjeuner, Olivier Guichard ne se doute de rien, comme le rapporte Jean-Luc Laval, alors conseiller politique de Pompidou : « Olivier était trop affectif pour voir ce qui se tramait. »

Trop insouciant aussi. Et il tombera de haut quand, au début de janvier 1966, Pompidou lui annoncera qu'il a décidé de remplacer Ortoli par Jobert. C'est la première révolution de Juillet. Le baron Guichard aura été sa première victime.

Étrange Jobert. Avec son air revenu de tout et son art de la litote, il ne paye pas de mine mais il en impose. Il sait se faire craindre, comme les petits, et respecter, comme les grands commis. Ancien conseiller de Pierre Mendès France à la présidence du Conseil, cet énarque a des fulgurances d'écrivain, un œil d'entomologiste et des manières de dilettante (quand Pompidou arriva à Matignon, il l'appela pour lui proposer de venir à ses côtés mais Jobert, qui prenait des vacances au Portugal, préféra ne pas les écourter. C'est tout lui).

Michel Jobert s'aime trop. Il ne saurait donc être l'homme de personne. Mais tout le monde remarque que Pierre Juillet le pousse en toute occasion : dans les conversations avec les collaborateurs de Matignon ou dans la voiture du Premier ministre. Olivier Guichard, lui, est peu à peu marginalisé. Et il accepte mal sa déroute. Blessé, mortifié, il cherche à écarter de Matignon le seul conseiller qui joue ouvertement Juillet : Chirac.

« C'est quelqu'un d'imprudent, dit Guichard au nouveau directeur de cabinet de Pompidou. Si on le garde, on prend des risques. »

Alors, Jobert, dans un claquement de mâchoires :

« Si vous avez des faits précis à m'apprendre, je suis prêt à les examiner avec vous. Sinon, il vaut mieux arrêter là notre conversation. »

La conversation n'ira pas plus loin. Elle ne fut cependant pas sans suites. Il restera toujours quelque chose d'opaque entre Guichard et Jobert ; un malaise aussi, sourd et jamais formulé, entre Guichard et Chirac.

Imprudent, Chirac ? De cette équipe composée avant tout de technocrates empesés, il est l'un des rares à avoir compris que les grandes carrières se font à coups de petits services. Pendant les cinq années qu'il a passées à Matignon, Pierre Lelong dit qu'il n'a fait l'objet en tout et pour tout que de deux interventions politico-économiques de membres du cabinet de Pompidou. C'est peu. Mais les deux interventions émanaient de la même personne : Jacques Chirac. C'est beaucoup.

Une fois, Jacques Chirac lui demande d'augmenter les importations contingentées de vins de Tunisie. En échange de quoi, Jean-Claude Roussel, PDG de Roussel-Uclaf, se fait fort de vendre des hélicoptères à Rabat. Étrange marchandage...

Une autre fois, Jacques Chirac invite Pierre Lelong à déjeuner avec deux sénateurs de l'Oise. Les élections approchent et les deux hommes ne savent pas encore qui prendre comme troisième de liste. Ils hésitent entre le docteur Natali, un ami de Chirac, et un autre.

Le docteur Natali, justement, est du déjeuner. Visiblement, pour que ce bon médecin soit pris comme troisième de liste, il suffirait que Pierre Lelong donne un petit coup de pouce à la coopérative de sucre que les deux sénateurs patronnent. Elle n'est pas rentable. Pour qu'elle le soit, il faut augmenter le contingent de betteraves qu'elle a le droit de raffiner chaque année.

Jacques Chirac plaide, naturellement, pour cette augmentation. On a les grands desseins qu'on peut. Convaincu, Pierre Lelong demandera à Edgard Pisani, ministre de l'Agriculture, de faire un geste. L'attentionné conseiller sera récompensé, quelques mois plus tard, par un repas chez Lasserre et deux bouteilles de champagne. Il lui restera tout de même quelque chose sur le cœur quand il apprendra que le docteur Natali est l'homme à tout faire de Marcel Dassault, député de l'Oise. « Chirac m'avait présenté l'affaire de façon tout à fait innocente. À aucun moment il ne m'avait dit que Dassault était derrière tout ça. » À l'évidence, Jacques Chirac, s'il n'est pas encore un grand manipulateur, n'est déjà plus un petit saint.

Affairisme ? Clientélisme ? La vocation interventionniste de Jacques Chirac peut aller jusqu'à la bienfaisance. Pierre Lelong, qui est la bonne foi même, reconnaît que son audacieux collègue l'a également « tarabusté » pour une affaire bien plus modeste : le cas d'un père jésuite qui avait monté une école agricole du côté de Caen et qui avait besoin de subventions. « Chirac, se souvient Lelong, vous cassait tout le temps les pieds avec des histoires de ce genre. »

C'est une nouvelle dimension du personnage qui apparaît : l'intercesseur ou l'entremetteur, comme on voudra. Sollicité ou pas, Jacques Chirac ne peut jamais s'empêcher d'arranger les différends entre l'État et les particuliers. Il se fourre, de la sorte, dans toutes les affaires qui passent à sa portée. Et il s'y piquera, parfois. Quand il ne se laissera pas piéger...

Quelques années plus tard, il sera ainsi accusé d'être intervenu, en tant que secrétaire d'État au Budget, en faveur d'un des rois parisiens de la chirurgie esthétique, Roger Mouly. L'affaire commence en 1968 quand un contrôle fiscal établit une différence de 2 millions de francs entre les encaissements bancaires du médecin et sa déclaration de revenus. Mais il se trouve qu'il est originaire de la région d'Ussel où il a toujours une résidence secondaire. Cela tombe bien : c'est la circonscription de l'homme qui a en charge les impôts des Français. Il tire donc la bonne sonnette, aux Finances, et, un jour, les 2 millions de francs sont miraculeusement classés comme gains de jeux de hasard. Bref, ils ne sont plus imposables.

L'affaire, pourtant, n'est pas classée. Elle fera même scandale, quelques mois plus tard, quand le conseiller fiscal du médecin, Georges Dega, dira que son client a été blanchi sur intervention personnelle de Jacques Chirac. Si c'était vrai, ce ne serait pas de la corruption, pas même de la concussion ni du trafic d'influence ; ce serait tout bonnement quelque chose comme de l'abus de pouvoir. On parlera longtemps d'une pièce saisie lors d'une perquisition chez Dega. Elle donnerait à connaître l'immixtion du secrétaire d'État au Budget et se trouverait sous le scellé numéro neuf. Il ne sera jamais ouvert.

Erreur de jeunesse ? Jacques Chirac nie tout en bloc et intente même un procès en diffamation à *L'Express* qui l'a accusé d'être intervenu (il retirera sa plainte quand, en 1974, il fera entrer sa directrice, Françoise Giroud, au gouvernement).

Il n'empêche que la passion de l'entremise habite ce jeune homme. À la fin des années soixante toujours, il vient en aide à un autre Corrézien, Christian Gaucher, un promoteur immobilier qui a décidé de construire une marina à Bormes-les-Mimosas. L'administration est contre son projet. L'ancien sous-lieutenant lui taille, alors, un chemin à travers le maquis des réglementations. La Cour des comptes a d'ailleurs relevé, à propos de ce dossier, « un infléchissement contestable des procédures administratives ». La marina finit par sortir de terre mais l'affaire se termine en banqueroute sans, toutefois, éclabousser vraiment Chirac.

C'est le temps de ceux que Michel Poniatowski appellera, dans une formule célèbre, « les copains et les coquins ». Chirac se fait des copains.

On ne pourra pour autant mettre en doute, à propos de ces affaires, l'intégrité de l'étoile montante du pompidolisme. Mais, de même que les escrocs ont leurs délicatesses, l'honnête homme a parfois ses faiblesses. Emporté par son désir de plaire, Jacques Chirac a fini par se desservir. Apparemment, il a retenu la leçon : on ne l'y reprendra plus.

10

Raminagrobis

« Accroche ton wagon à une étoile. »
R.W. Emerson

C'est avec l'arrivée de Michel Jobert à la tête du cabinet que commencera l'ascension de Jacques Chirac. Il a trente-trois ans, un culot monstre et l'avenir devant lui. Il a compris qu'il n'y a pas de petits dossiers. Et il rend volontiers service à ses petits camarades. Quand il ne leur fournit pas des billets d'avion à tarif réduit, il leur déniche des logements à bas prix. C'est lui, par exemple, qui trouvera à Édouard Balladur, le conseiller social de Pompidou, son appartement du Trocadéro. Tendu, affairé, roublard, il a le panache ébouriffant d'un héros de Stendhal et le réalisme froid d'un personnage de Balzac.

Contrairement à la légende, il n'est pas boulimique. Il cherche même à se délester de l'aménagement du territoire – secteur qui, il est vrai, se trouve placé sous la tutelle de son ennemi Guichard. Il s'en débarrasse finalement sur Pierre Delmon, futur patron des Charbonnages de France. Mais il arrive aussi à Chirac de ressembler à sa caricature. Son téléphone est toujours occupé. Son temps, compté. Son attention, intermittente. Son débit, accéléré. S'il est vrai que l'excès de sommeil fatigue, le surcroît de travail lui donne apparemment des ailes. L'action est sa cause – puisqu'il n'en a pas trouvé d'autre – et il s'y déploie sans retenue aucune, comme le rapporte Pierre Lelong, son ancien collègue de Matignon : « Plus le temps passait, plus il s'agitait. Un soir, alors qu'il sortait du bureau de Georges Pompidou, il vint me voir et me dit, tout effusant, avec un sourire illuminé : "Je ne te remercierai jamais assez de m'avoir fait entrer dans ce cabinet." Il était tard. Il m'énervait. Alors, je lui ai répondu : "Tout ce que je te demande comme récompense, c'est de me rappeler la prochaine fois que j'essaierai de te joindre. J'ai essayé toute la journée de t'avoir au bout du fil." Il a blêmi et bredouillé quelque chose. Je lui ai dit tout ce que j'avais sur le cœur : "On ne peut pas travailler avec toi. Tu fais trop de choses à la fois, tu es devenu insaisissable, tu ne sais pas t'arrêter. D'ailleurs, je suis sûr que tu ne lis jamais rien." Alors, il s'est écrié, mi-moqueur, mi-sérieux : "Non, non, tu n'y es pas. Je lis *Le Monde* tous les matins, aux cabinets." C'est la seule altercation que j'aie jamais eue avec lui. »

L'« agité » sait se rendre utile et populaire. Auprès de ses pairs comme de ses patrons qui ne tarissent pas d'éloges sur lui. Sur sa fougue indomptable, sur sa rouerie technocratique, sur sa force de conviction, les compliments fusent de partout. On en a fait des livres. C'est son histoire sainte. Écoutons la litanie des louanges :

Michel Jobert : « Jacques Chirac était si dévoué, si disponible, si plein d'alacrité que, dans ces exercices tristes du pouvoir, il apportait toujours une note rafraîchissante. Au gouvernement, on est entouré de gens qui vous disent qu'on ne peut rien faire à cause de telle ou telle réglementation. Lui disait toujours la même chose : "Pas de problème. J'en fais mon affaire." Et, quand il avait une idée en tête, on ne pouvait plus lui faire lâcher prise. Georges Pompidou adorait ça. »

René Montjoie : « Il a très vite agi avec une autorité croissante. Je me souviens l'avoir vu à quelques occasions entrer chez le Premier ministre pour faire changer une décision. Je ne dis pas qu'il réussissait à chaque fois, car Georges Pompidou avait du "répondant"… mais enfin, il n'hésitait pas à plaider pour un dossier déjà tranché [1]. »

Édouard Balladur : « Un jour, Pompidou m'a dit en souriant : "Si je disais à Chirac que cet arbre me fait de l'ombre, il le couperait dans les cinq minutes." »

Georges Pompidou : « À mon cabinet, on l'appelle le "bulldozer". L'expérience prouve qu'il obtient tout ce qu'il demande. Il ne s'arrête pas tant qu'il ne l'a pas obtenu. »

---

1. *Jacques Chirac ou la République des cadets, op. cit.*

Sa réputation est faite. Il existe. Reste à approcher Georges Pompidou. Or, le Premier ministre n'est pas du genre liant. Il a fait installer, on l'a vu, un cordon sanitaire entre ses collaborateurs et lui. C'est Anne-Marie Dupuy, son chef de cabinet, qui le surveille. Et elle n'est pas d'un tempérament accommodant. Le soir, elle donne à Georges Pompidou les notes de ses collaborateurs qu'il lui rend annotées, le lendemain matin. C'est ainsi que plusieurs membres du cabinet, comme Jean-René Bernard, ont rarement eu le contact direct avec le chef du gouvernement. Jacques Chirac ne fait pas partie de ceux-là.

Cerbère du Premier ministre, Anne-Marie Dupuy est aussi la Madelon de Matignon. Tous les soirs, à 20 heures, elle offre un pot, dans son bureau que partage Claudius Brosse, chef adjoint de cabinet, un des anciens camarades de Chirac à l'ENA. Autour d'un whisky, les conseillers font le point sur la journée. Un rite qui se perpétuera tout au long des années Pompidou. Et Chirac ne sera pas le dernier à le pratiquer.

C'est le dernier salon où l'on cause. Parfois, Georges Pompidou passe une tête, prend un scotch, marmonne quelques mots puis retourne à ses dossiers. Il lui arrive souvent de croiser le regard de ce chargé de mission survolté dont Michel Jobert et Pierre Juillet lui disent tant de bien. Un jour, il dit à Anne-Marie Dupuy : « Ce type dont vous me parlez si souvent, faites-le donc venir, un soir, dans mon bureau. J'aimerais le connaître. »

Georges Pompidou n'est pas l'homme des épanchements ni des confidences. Quand il reçoit ses visiteurs, il allume une cigarette et fait des ronds de fumée entre leurs regards et le sien. Pour ne rien arranger, il lui arrive aussi de consulter négligemment les pages d'un dossier sur lequel ses yeux se baissent dès que la conversation se relâche. Bref, il met mal à l'aise, celui que les gazettes appellent « Raminagrobis », surnom (bien) trouvé par François Mauriac. Mais il en faudrait davantage pour démonter Jacques Chirac.

Ambroise Roux, ancien vice-président du CNPF et ami de Pompidou, a dit un jour : « Quand Pompidou a vu Chirac, il s'est tout de suite dit : "*C'est lui.*" [1] »

Tout les sépare, pourtant. Imaginons-les face à face.

L'un est tout en rondeurs. L'autre tout en angles.

---

1. Maurice Szafran, *Chirac ou les Passions du pouvoir*, Grasset, 1986.

L'un sait donner du temps au temps. L'autre ne peut pas attendre.

L'un est calculateur, lent, secret. Avec son poil noir et son œil de braise, il correspond tout à fait au portrait-robot de l'Auvergnat établi par Alexandre Vialatte, orfèvre : « L'Auvergnat se compose en gros de la tête, du tronc et des membres. Avec la tête, il pense l'économie ; avec les membres, il la réalise ; avec les mains, il la met dans le tiroir. »

L'autre est intuitif, vif et enfiévré. Toujours en mouvement, il semble mériter ce bon mot qu'Alexandre Sanguinetti, roturier du gaullisme, a longtemps colporté et que Catherine Nay cite dans *La Double Méprise*[1] : « Chirac est un officier de cavalerie. On lui donne un ordre. Il sourit finement. Il sort. Il revient. Il a oublié l'ordre et le cheval. »

Qu'ont-ils donc en commun, cet homme tranquille et cet homme pressé ? Un terroir et une histoire. D'où viennent-ils ? De la même grande famille du Massif central. Où vont-ils ? Au travail : c'est à peu près tout ce qu'ils savent faire.

Ils veulent incarner la France urbaine et industrielle. Mais leurs racines n'arrivent pas à pousser ailleurs que dans leur province. C'est la même, justement : le Cantal pompidolien et la Corrèze chiraquienne sont deux départements limitrophes. De même que les États-Unis et la Grande-Bretagne sont deux pays séparés par une langue commune, Montboudif et Sainte-Féréole, les villages de leur enfance, se différencient par une culture et une tradition semblables, avec les mêmes lopins arides, les mêmes hivers venteux, les mêmes rivières à écrevisses.

Ce n'est pas tout. Ils sont tous deux des produits de l'école laïque, celle de la IIIe République. Léon, le père de Georges Pompidou, était instituteur. Et il avait épousé une institutrice. Naturellement, il était de gauche, comme le grand-père de Jacques Chirac. Il militait, lui, à la SFIO.

Le Premier ministre et son chargé de mission sortent du même bain, en somme. Et ils n'ont pas besoin de se parler pour se comprendre. Ils cultivent tous deux cette retenue que l'on respire dans les villages du centre de la France. Ils éprouvent aussi la même

---

1. Grasset, 1980.

méfiance instinctive à l'égard de tous les messieurs à particules qui prétendent tout régenter sous de Gaulle.

Ce sont tous deux des parvenus. De Chirac, on pourrait écrire à peu près ce que Jean Cau, écrivain, journaliste à *Paris-Match*, grand ami de l'un et de l'autre, a dit de Pompidou dans ses *Croquis de mémoire*[1] : « Il n'était pas, c'est un éloge, très intelligent. Il ne pensait vite qu'au terme d'une réflexion et toutes ses décisions étaient d'abord des jugements [...]. Je me demandais parfois s'il n'était pas, profondément, d'ossature conservatrice et ne se disait pas : "Pourquoi changer un monde où j'ai si bien réussi ? Il est bon, ce monde, et ma vie le prouve." Mais, en même temps, une inquiétude le visitait... »

Pompidou et Chirac ont la même sensualité paysanne, le sourire bambocheur, amateur de paillardises, de robes rembourrées et de repas fermiers. Ce n'est probablement pas un hasard s'ils ont souvent le même rictus de maquignon sur un foirail du Massif central, quand leurs lèvres laissent tomber la cigarette à la verticale et que la fumée attaque l'œil qui se ferme à moitié, tandis que les narines irritées s'élargissent en naseaux. Il ne leur manque plus que le béret. Moitié goguenards, moitié combinards, ils ont l'air de dire comme le Sganarelle de Molière : « Quoi que puisse dire Aristote et toute sa philosophie, il n'est rien d'égal au tabac : c'est la passion des honnêtes gens. » C'est dans ces moments de vérité, surpris par les flashes à la tribune des congrès, que resurgissent leurs fibres rurales. Ce sont des hommes du XIXᵉ qui veulent faire entrer la France dans le XXIᵉ siècle.

Pompidou surveille Chirac comme le lait sur le feu. Il pose des questions sur son âge, sa famille, ses projets. Il a remarqué que c'est à lui qu'il faut donner les dossiers pour qu'ils avancent. Certes, son chargé de mission n'en fait pas toujours ce qu'on lui dit d'en faire. Il répugne à exécuter les consignes quand il n'est pas d'accord. Mais qu'importe : pour le Premier ministre, sa rage de vaincre efface tout, les pataquès et les boulettes.

« Personnel », Chirac ? Certainement. Mais son individualisme et son esprit d'initiative s'adaptent tout à fait au système Pompidou où, comme le souligne Michel Jobert, la délégation était grande mais sans filets : « Quand il vous engageait quelque part, Pompidou

---

1. Julliard, 1985.

vous précisait toujours que c'était sous votre responsabilité. Sous-entendu : en cas d'échec, il n'en répondrait pas. Il disait souvent des choses du genre : "Si ça vous amuse…" »

Apparemment, ça « amuse » Chirac. Et il hérite de tous les dossiers délicats, de l'aérotrain aux chantiers navals. Il devient ainsi, selon Jean-Luc Javal, alors conseiller politique de Matignon, « le *deus ex machina* de la cellule économique ».

S'il insécurise ses collaborateurs, Pompidou les responsabilise en même temps. Chirac dira un jour : « J'ai toujours estimé qu'agissant par délégation du Premier ministre j'étais un peu le chef du gouvernement. »

C'est donc aux avant-postes que cet « un peu Premier ministre » vit le début du règne de Pompidou qui correspond aux dernières années de l'abondance. Premier accroc : la grève des mineurs en 1963. Il coûtera cher à Georges Pompidou qui commet là sa première bourde politique en cherchant à forcer son caractère : au lieu de jouer la négociation, il fait signer au général de Gaulle un décret de « réquisition » que les grévistes bravent joyeusement pendant plusieurs semaines. Le ridicule ne tuant pas en politique, le chef du gouvernement survit. Mais Chirac, on le verra, retiendra la leçon : « Mieux vaut ployer que rompre. »

Cette grève des mineurs, c'est l'un des signes avant-coureurs de la grande crise de Mai 68. Il y en a d'autres. Mais ils sont à peine perceptibles. La France est à un tournant et elle ne le sait pas.

Résumons. En 1965, la France est au sommet de ce que l'économiste Jean Fourastié a appelé les « trente glorieuses » – trois décennies pendant lesquelles la croissance économique s'est élevée de 4 à 5 % par an. La même année, la courbe démographique de l'Hexagone bat tous les records : son taux de fécondité culmine à 2,9 enfants par femme. C'est pourtant à reculons, dans la morosité, que le pays marche vers le paradis de prospérité que lui font miroiter les futurologues.

Sur le plan social, le terrain devient même dangereusement glissant. C'est le temps des grèves générales et des défilés ouvriers, et Georges Pompidou prophétise qu'avec cinquante mille chômeurs la France explosera…

De crainte de provoquer des orages, le Premier ministre avance lentement. Si lentement qu'il a l'air de ne pas bouger. De Pompidou, de Gaulle a dit à juste titre, dans ses *Mémoires d'espoir*, qu'il

« incline vers les attitudes prudentes et les démarches réservées ». En privé, le Général lâchera un jour : « Je l'ai pris parce que c'était un arrangeur. »

En attendant, « l'arrangeur » semble croire que le vaisseau le plus sûr est celui qui reste à l'ancre. Chirac veille à ce que personne ne la lève.

Le scepticisme de Pompidou rencontre souvent celui de Chirac. Quand, par exemple, Pisani, ministre de l'Agriculture, entreprend de réformer la fiscalité foncière, Chirac démolit le projet. Pompidou l'enterre.

Il arrive toutefois à Chirac d'avoir des audaces. Sur le dossier du Concorde, par exemple. Quand les travaillistes arrivent au pouvoir, en 1966, ils décident d'annuler sur-le-champ les deux grands projets franco-britanniques arrêtés (et signés) par leurs prédécesseurs conservateurs : le tunnel sous la Manche et le Concorde. C'est une vieille tradition : non seulement l'Angleterre, mais le Labour est une île…

Le tunnel sous la Manche est tout de suite abandonné. Mais, sur le Concorde, les avis sont partagés. Au gouvernement, deux écoles sont en présence. D'un côté, ceux qui sont d'accord pour laisser tomber. C'est, bien sûr, l'opinion du ministère des Finances. Mais Pompidou n'est pas loin de la partager, qui, en 1967, disait (en privé) avoir « personnellement jugé vain et trop onéreux le programme d'étude et de fabrication du Concorde [1] ». De l'autre côté, ceux qui sont décidés à tout faire pour continuer le projet. Parmi eux, Jacques Chirac. Il pense qu'il faut mobiliser les syndicats français pour qu'ils fassent pression sur les *trade-unions* britanniques. C'est la thèse qu'il défend, avec véhémence, lors d'un conseil interministériel où se décidera la stratégie française.

À la sortie, Georges Pompidou prend son chargé de mission par le bras : « Vous avez monopolisé le temps de parole pendant ce Conseil. C'est aux ministres de parler. Vous êtes sorti de votre rôle. »

On peut parier, sans prendre trop de risques, que le timbre du Premier ministre est alors plus paternel que méchant. Chirac bénéficie d'un traitement de faveur. C'est encore l'« enfant gâté ».

---

1. Pierre Rouanet, *Pompidou*, Grasset, 1969.

Il est bien le seul. Pompidou, qui ne ménage pas sa peine, n'a pas tendance à ménager davantage ses collaborateurs. « Je suis un vachard », dira-t-il un jour. Et c'est ainsi qu'il fait régner « une ambiance curieuse », comme le rappelle Michel Jobert : « À Matignon, les jours succédaient aux nuits et on se retrouvait le matin comme si on ne s'était jamais quittés. Pompidou ne disait jamais ni bonjour ni bonsoir. On avait l'impression d'être là parce qu'il lui fallait bien des conseillers. Mais il avait l'air de douter en permanence qu'ils aient de la jugeote et du bon sens. »

Pompidou ne récompense pas ses collaborateurs. Ils sont donc condamnés à quémander ou à se servir. Un jour, Jobert lui dit : « Il en va de votre réputation. Si Matignon ne mène à rien, c'est qu'il ne compte pas. Comment voulez-vous que les autres en tiennent compte ? »

Jobert, bien sûr, ne parle pas pour Chirac qui est l'un des rares collaborateurs que Pompidou aime trouver dans son champ de vision. Très vite, le chargé de mission devient ainsi un habitué des soirées que donne le Premier ministre, tous les quinze jours. Cela commence par un film que l'on va voir dans une salle privée de la rue du Bac, pour se terminer par un grand dîner au rez-de-chaussée de l'hôtel Matignon. Parmi les habitués : le couturier Pierre Cardin, la romancière Françoise Sagan, l'industriel Francis Fabre, le banquier Michel David-Weill, les frères Defforey et, cela va de soi, les cousins Rothschild. Chirac se fait des relations.

Le Premier ministre a pour Chirac des affinités électives et des attentions particulières. Un jour, passant dans le bureau de Claudius Brosse, chef adjoint de cabinet, Pompidou le voit pointer les Légions d'honneur. Le Premier ministre entraîne son chargé de mission dans un coin :

« Votre père l'a, la Légion d'honneur ?

— Non, répond Chirac.

— On m'a dit qu'il avait été banquier et que c'était quelqu'un de très bien... On va l'inscrire sur cette promotion. »

Politiquement, Pompidou est devenu le père spirituel – et affectif – de Chirac qui s'imprègne de tous ses préceptes, de toutes ses leçons.

Convaincu qu'il ne suffit pas de plaire pour gagner, Chirac répétera, des années plus tard, la vieille maxime de Pompidou : « Qui n'a pas d'ennemis n'a pas d'amis. » Moyennant quoi, il pense, comme son ancien patron, qu'il ne sert à rien de caracoler en tête des sondages : mieux vaut partir à point...

Même si ce n'est pas sa pente naturelle, même s'il aime les courtisans – qu'il châtie bien –, Chirac s'efforcera toujours de suivre l'enseignement de Pompidou, à l'affût des critiques et soucieux, comme il disait, de « garder le contact » :

« Pour ne pas se laisser enfermer dans sa tour d'ivoire, de Gaulle avait des traîne-patins qui venaient dégueuler comme des veaux, le soir, dans son bureau. Pompidou faisait la même chose. À partir de 20 h 30, il recevait les copains, des profs de Carcassonne ou d'ailleurs, des types incroyables, avec des chaussures percées, qui disaient des choses du genre : "Georges, tu fais encore une connerie." Ni Giscard ni Mitterrand n'ont su garder ce contact. »

Culturellement, Pompidou a également contribué à la formation de Chirac. « C'est lui, dit Michel François-Poncet, qui lui a inculqué son goût de la musique, de la peinture, de la poésie. » Il héritera même, dans la succession légitime, d'amis personnels de Pompidou, comme Pierre Boulez.

Quand Pompidou mourra, Chirac se comportera d'ailleurs en héritier fidèle. D'abord, en se mettant au service de sa veuve, exigeante et directive – Chirac fait tout ce qu'elle demande, sans discussion. Ensuite, en multipliant les attentions à l'égard des anciens collaborateurs de Pompidou. Un jour, se prenant de bec avec l'un d'eux, Denis Baudouin, il finira par lui lâcher : « De toute façon, sache bien que, quoi que tu fasses, je ne ferai rien contre toi parce que je sais ce que Pompidou pensait de toi. »

Pompidou est donc son père. Mais en est-il le fils ? Quand le Premier ministre décide de créer avec sa femme la Fondation Claude-Pompidou, chargée de multiplier les structures d'accueil pour les handicapés, il confie la direction des opérations à Jacques Chirac. Un geste qui n'est probablement ni fortuit ni innocent : de la même façon, de Gaulle avait naguère placé Pompidou à la tête de la Fondation Anne-de-Gaulle. Il y a, dans le gaullisme, une symbolique de la philanthropie...

Lorsque Pompidou ira soutenir Chirac à Ussel, lors de la campagne des élections législatives de 1967, il mettra clairement à jour le rapport plus filial que professionnel qu'il entretient avec son chargé de mission : « À mon cabinet [...], on n'a encore jamais réussi à trouver quelqu'un qui lui résiste et la preuve en est que, malgré un emploi du temps extrêmement chargé, je me trouve ici, n'ayant pu résister moi non plus. J'espère quand même qu'il ne me poussera pas trop vite hors du gouvernement, mais, avec une telle activité, une telle puissance de travail, une telle capacité de réalisation, on peut tout craindre. »

Dans sa recherche en paternité, Jacques Chirac avait trouvé là une figure qui ressemblait comme une copie à l'original : lointaine, bourrue, austère mais finalement bienveillante. On choisit son père moins souvent qu'on ne le pense.

Mais c'est quand on croit l'avoir trouvé qu'on le cherche le plus. Et justement, à Matignon, Chirac vient d'en découvrir un autre...

11

Juillet

« Le silence, ainsi que la nuit, permet de tendre des embûches. »

Francis Bacon

Qu'aurait été Jacques Chirac sans Pierre Juillet ? Sans doute un baron du pompidolisme. Assez prospère et non moins avantageux. Avec une voiture à cocarde mais peut-être bien sans destin. Un fantôme de la politique, comme il en passe tout le temps, éphémère et provisoire. Un feu de paille.

Certes, Georges Pompidou a tout de suite porté sur Jacques Chirac un regard bienveillant et paternel. Mais il n'est pas sûr que, s'il n'y avait été poussé, l'ex-professeur aurait laissé l'ancien sous-lieutenant récupérer si facilement son patrimoine politique. « Amitié de seigneur n'est pas héritage », comme dit un vieux proverbe rural. Tant il est vrai que les grands, boursouflés d'égotisme, ne préparent jamais facilement leur succession.

Ils n'aiment pas leur dauphin et ils finissent généralement par se retourner contre lui. Les Chinois ont tout compris, qui disent : « Servir un prince, c'est servir un tigre… »

C'est donc Pierre Juillet, le conseiller du prince, qui a pris soin de Jacques Chirac ; c'est lui qui s'est chargé de lui donner une ossature, un territoire, un destin. Troisième père, dans l'ordre chronologique, il sera, en fait, le père fondateur de Chirac-le-politique : « Quand Jacques Chirac était devant Pierre, se souvient Marie-France Garaud, il faisait tout pour ressembler à l'image que l'autre avait de lui. »

Avant que Pierre Juillet ne le prenne en main, Jacques Chirac ne paye pas de mine. C'est un homme de cabinet empressé, efficace, militaire, comme il y en a beaucoup d'autres. Politiquement, il est à peu près tout à la fois : « Algérie française » et progressiste, gaulliste et radical, ultra et loyaliste. Changer de lit ne guérit pas sa fièvre. C'est un personnage qui attend sa cohérence.

Débarquant à Matignon, en 1967, Marie-France Garaud dit en rigolant à Pierre Juillet : « Votre Chirac ressemble au fils que Chaban et Giscard auraient pu avoir ensemble. » Physiquement, cela crève les yeux. Mais, sur le plan symbolique, ce n'est pas moins judicieux : Jacques Chirac ne sera longtemps qu'un technocrate, c'est-à-dire pas grand-chose.

En lui enseignant l'esprit gaullien qui est, pour lui, « un mélange d'exigence et d'imagination », Pierre Juillet a entrepris de faire de Jacques Chirac le porte-drapeau de l'anti-gauche et de la France profonde. Les ouvrages pieux négligent volontiers l'importance de cet homme dans l'invention et la fabrication du futur maire de Paris. On l'a oublié sur la route de la grande épopée chiraquienne.

C'est pourtant au contact de ce barrésien inspiré – « républicano-fasciste », comme dit Claude Labbé – que Jacques Chirac a fini par venir au monde. Et il est sûr que l'on tient toujours d'où l'on vient...

Pierre Juillet est de toutes les époques. Tantôt, il s'appelle Machiavel, tantôt, Mazarin. Il conseille les princes. Il fait les rois et parfois même les défait. Il supporte mal les modes de son temps. Il ne souffre ni les courtisans ni les compatissants. C'est pourquoi sans doute il s'est installé dans son ciel, d'où il regarde tout le monde de si haut.

Tout le monde, sauf le général de Gaulle : c'est sans doute le seul homme qui n'ait jamais fait les frais de son persiflage. Mais il est vrai qu'il n'aurait sans doute jamais été Pierre Juillet sans le Général, cet autre barrésien qu'il cite si volontiers et dont il se plaît à suivre à la lettre quelques-uns des préceptes les plus connus. Il est convaincu que la politique est d'abord une aventure individuelle (« Face à l'événement, c'est à soi-même que recourt l'homme de caractère »). Ou encore que la France ne peut être la France sans la grandeur (« Vieille France accablée d'Histoire, meurtrie de guerres et de révolutions, allant et venant sans relâche de la grandeur au déclin, mais redressée, de siècle en siècle, par le génie du renouveau ! »).

Ce sont là deux citations puisées dans les œuvres du Général, *Le Fil de l'épée* et les *Mémoires de guerre*. Mais Pierre Juillet, conteur mirobolant et prédicateur étourdissant, en a beaucoup d'autres à son répertoire – inédites, réinventées, voire chimériques. Sur son ton de prophétisme jubilatoire, il se plaît ainsi à répéter que de Gaulle disait : « Nous vivons un moment d'exception. Il faut en profiter. La France va maintenant rentrer dans cinq mille ans d'obscurité… »

Formule juilletienne par excellence. Quand cet homme parle, on entend toujours les clameurs et les craquements de l'Histoire. Avec sa cape, sa canne et son air sombre, il ressemble d'ailleurs à un personnage du Larousse. Il semble n'être jamais sorti de la France de la chasse et des châteaux qui est, à ses yeux, celle de toujours.

Étrange Juillet. Il lit Lucrèce dans le texte mais il ne fait que feuilleter, avec un air vaguement dégoûté, les magazines politiques. Il fuit les journalistes mais il peut passer des heures à parler des cours de la viande de mouton avec les paysans de son terroir de la Creuse.

Ce misanthrope cultive les mystères comme d'autres cultivent les relations. Claude Labbé, ancien président du groupe gaulliste à l'Assemblée nationale, se souvient l'avoir vu faire une drôle de tête devant un visage inconnu, lors d'un déjeuner de notabilités chiraquiennes, au siège du RPR, dans les années soixante-dix.

« C'est Ivan Levaï, lui souffla Claude Labbé d'un air important.

— Qui est-ce ? demanda Juillet.

— Un grand journaliste, voyons. »

Alors, sans prendre la peine de finir son hors-d'œuvre, Juillet se leva et quitta la table.

Au service de son personnage, Pierre Juillet a tout mis, et d'abord le secret et le silence. Il a compris que c'était la meilleure façon de se faire entendre.

Tel est l'homme avec lequel Jacques Chirac se lie à Matignon, au début des années soixante : théâtral, prosaïque et rêveur. Un peu fantasque aussi. Il ne fait pas de notes. Il n'a jamais de dossiers. Il ne respecte aucun horaire. Malgré les apparences, cet esprit follet est pourtant doté d'un pouvoir considérable : « La cuisine politique, explique Denise Esnous qui fut la secrétaire de Georges Pompidou avant de passer au service de Jacques Chirac, ça n'intéressait pas le Premier ministre. Il n'était à son aise que dans les affaires de l'État. Le reste, il laissait ça à Pierre qui adorait ça. »

Autant dire que, pour celui qui veut arriver, à cette époque, il vaut mieux devenir un ami de Pierre Juillet et attendre. C'est ce que fait Jacques Chirac. C'est ce que feront Jean-Philippe Lecat, Jean Charbonnel ou Olivier Stirn, autres baronnets de ce qu'on appellera la « monarchie de Juillet ».

Doté des pleins pouvoirs politiques, Pierre Juillet évangélise, manœuvre et ferraille déjà contre ses trois phobies : les réformistes, les affairistes et les gaullistes historiques. Les réformistes, d'abord, parce qu'il ne veut pas qu'on lui défigure sa France, celle de Péguy : s'il se veut « social », comme le Général, il peste contre le réformisme mou, celui d'une droite qui ne s'assume pas. Les affairistes, ensuite, parce qu'il est convaincu qu'ils ont réussi à parasiter le système (« Ce régime mourra des scandales, dit-il en leitmotiv. C'est un miracle qu'il soit encore en place »). Les gaullistes historiques, enfin, parce qu'il les considère comme des usurpateurs. Il se gausse volontiers de leurs Résistances qui n'ont pas toutes été admirables, il s'en faut. Et il entend leur faire payer leurs humiliations, leurs vilenies, leurs vexations.

Autant de phobies qu'il transmettra à Jacques Chirac, la moindre n'étant pas celle des barons, ces gaullistes qui se sont accaparé la légende et l'héritage du Général. Il est vrai que Pierre Juillet, en la matière, n'a pas moins de titres qu'eux.

Il a fait une belle Résistance, lui. Des maquis, il n'a rapporté ni Légion d'honneur ni croix de guerre mais une blessure qui le fait boiter encore un peu. La Libération ne lui réussit pas, pourtant. En 1944, il débarque à Paris, avec ses diplômes de droit, et parvient seulement à se tailler une petite place au ministère de l'Intérieur. Il n'y fait pas d'étincelles et retourne bientôt dans sa province, à Limoges, où il s'inscrit au barreau et se jette, tête baissée, dans l'aventure du Rassemblement du peuple français (RPF), le parti de Charles de Gaulle. De 1947 à 1952, il est l'un des hommes forts du mouvement – pour le Centre puis pour tout le Sud-Ouest.

Mais même s'il épouse une secrétaire du Général, Annick Mousnier, Pierre Juillet n'approche jamais vraiment de son héros. Il aurait pu, pourtant. Pendant la traversée du désert de Charles de Gaulle, au début des années cinquante, il rencontre Georges Pompidou, le directeur de cabinet de l'ancien chef de la France libre. Les deux hommes sympathisent. Ils partagent le même appétit de terroir, la même nostalgie de la province, le même scepticisme fondamental.

Le RPF reflue rapidement, le Général se retire à Colombey-les-Deux-Églises et Georges Pompidou s'ennuie à mourir. Quand il décide de quitter de Gaulle, en 1954, pour travailler à la banque Rothschild, il souhaite que ce soit Pierre Juillet qui le remplace à la tête du cabinet.

Ce qui arrive sans qu'on l'ait fait venir, c'est le destin. Mais Pierre Juillet n'est pas du genre à le saisir si facilement. Il hésite. Il se torture. Il a une haute idée de lui-même et il ne veut pas être l'envoyé spécial permanent de Pompidou auprès du Général. Il redoute, pour tout dire, d'être sans cesse déchiré entre son amitié pour l'un et sa loyauté pour l'autre. Il refuse, donc. Et c'est ainsi qu'Olivier Guichard prend, auprès de Charles de Gaulle, la succession de Georges Pompidou.

Mai 1958 : c'est le retour du Général. Grisés par leur nouveau pouvoir, les barons oublient purement et simplement Juillet qu'ils laissent croupir à Bruxelles où il anime l'agence Opera Mundi, spécialisée dans les reventes d'articles de journaux. Mais il parvient tout de même, non sans efforts, à se caser chez André Malraux, ministre des Affaires culturelles. Il est son chef de cabinet. En voyage aux quatre coins du monde avec l'auteur de *L'Espoir*, il « s'amuse bien ». En 1959, lassé des parades et des moulinets du ministre des Affaires culturelles, il finit par refluer dans le privé.

Quand Pompidou est nommé Premier ministre, en 1962, Juillet devient vraiment Juillet. Il est, après Guichard, l'un des premiers appelés au cabinet de Matignon où il peut, avec la complicité bienveillante du chef du gouvernement, en découdre à son gré avec les barons. Apparemment, Pompidou ne les aime pas davantage...

Mais c'est après l'élection de Georges Pompidou à la présidence en 1969, que la chasse aux gaullistes historiques sera vraiment ouverte. Le nouveau chef de l'État ayant nommé Jacques Chaban-Delmas à Matignon, Pierre Juillet, avec l'appui de Jacques Chirac, n'aura de cesse de faire tomber le plus fringant des barons. Il l'accuse de réformisme. Il le soupçonne d'affairisme. Bref, il a fait du Premier ministre la synthèse de toutes ses phobies. Et il cisèle contre lui des formules assassines qui font le tour de Paris, du genre : « Ce n'est pas qu'il a du punch, mais quel jeu de jambes ! »

En 1971, Georges Pompidou annonce à son Premier ministre, ravi, que Pierre Juillet quitte l'Élysée. Quelques jours plus tard, l'ancien conseiller politique du président vient rendre visite à Jacques Chaban-Delmas, à Matignon, où les deux hommes ont ce dialogue saisissant :

« Je quitte le service du président, dit d'entrée de jeu Juillet, parce qu'il ne veut pas se séparer de vous. Cela a sans doute dû vous étonner qu'un conseiller du chef de l'État fasse, à ce point, campagne contre le Premier ministre...

— J'en ai été, c'est vrai, très surpris.

— Eh bien, pour moi, vous êtes l'homme politique le plus néfaste qui soit. Je pense que vous êtes gaulliste...

— C'est aimable à vous !

— ... mais vous êtes en train de mener la France au socialisme. Vous serez peut-être président un jour, mais ce sera pour son plus grand malheur. »

C'est Pierre Juillet tout craché : bravache et donquichottesque. Quelques mois plus tard, Pompidou, démoralisé par les mauvais résultats de son référendum sur l'Europe, lui demandera de reprendre du service à l'Élysée. Il reprendra aussitôt sa campagne contre Chaban. En juin 1972, Juillet dit en ville : « Si Chaban est encore à Matignon, le 14 juillet, je démissionne. » Le 5 juillet, le maire de Bordeaux est congédié.

Qui a dit que servir était la meilleure devise de ceux qui aiment commander ? Pierre Juillet est un homme d'autorité. Susceptible, exclusif et ombrageux, il ne souffre pas de ne pas être écouté. D'où ses relations tumultueuses avec Georges Pompidou.

Avec Jacques Chirac, les choses sont, dans un premier temps, beaucoup plus simples. Pierre Juillet le sert en même temps qu'il le crée. Ce n'est pas un hasard s'il en parle comme d'un fils ou d'un animal au dressage, c'est selon. En 1970, il dira ainsi à Alexandre de Marenches, le patron des services secrets français : « Je ne sais pas si ce Chirac est un jeune chien ou un jeune loup. »

Quelques années plus tard, remerciant Pierre Juillet pour tout ce qu'il avait fait pour lui, Jacques Chirac s'entendra répondre : « C'est la première fois qu'un cheval remercie son jockey. »

Pierre Juillet fut-il un bon instructeur ? Quelque chose lui manque, qui manque à Jacques Chirac. Ne comprenant goutte à la modernité, l'Alceste de la Creuse n'a évidemment pas branché son protégé sur les grands courants, culturels ou pas, de la société française. Il lui a, au contraire, appris à les traiter de haut, comme des épiphénomènes. C'est le syndrome de la France éternelle. Juillet est du genre à croire qu'il percera mieux son époque dans les chroniques de Joinville que dans les rapports du commissariat général au Plan. Chirac ne s'est pas jeté pour autant sur les premières mais il a découvert qu'on pouvait fort bien se passer des seconds.

En se cantonnant dans son métier de politicien professionnel, Chirac s'est ainsi peu à peu coupé de son temps. C'est, on le verra, le principal défaut de l'armure chiraquienne.

À son disciple, Pierre Juillet a, en revanche, enseigné toutes les ficelles de l'art de la politique, et d'abord le cynisme – un cynisme à la Maurras, qui disait : « Le privilège du succès est, dans l'ordre de l'action, une marque de vérité. » Il l'a aussi préparé à manœuvrer les hommes et les idées. Il l'a, en somme, déniaisé. Mais il a également tenté de donner à ce jeune homme disponible quelques bases de conviction – sur le travail, la famille, la France et sa place dans le monde. Ce ne fut pas, on s'en doute, chose très facile.

Il lui a enfin désigné de temps en temps un objectif. Pour expliquer la nature de leurs rapports, Jacques Chaban-Delmas dira, rossement : « Jacques Chirac est un émouchet [1] posé sur le doigt ganté de Marie-France Garaud. De temps en temps, Pierre Juillet tire l'anneau pour que Chirac vole une heure. Et tue. »

Un jour, pourtant, l'émouchet, las de recevoir des ordres, ne reviendra pas. Et laissera Pierre Juillet seul avec son anneau et le poing ganté de Marie-France Garaud...

Il ne restera plus qu'un chien entre Jacques Chirac et Pierre Juillet : ce schnauzer acariâtre que l'ancien conseiller politique de Pompidou traîne partout avec lui, non sans nostalgie. C'est un cadeau du maire de Paris. Il passe ses journées aux pieds de son maître qui le traite avec un mélange d'affection et de tristesse.

Mais, s'il a perdu Chirac, il n'a pas perdu sa puissance de fascination. C'est ainsi que Valéry Giscard d'Estaing a cherché, en 1981, à récupérer l'homme qui, pourtant, avait grandement contribué à le déstabiliser. Après sa défaite à l'élection présidentielle, VGE télé-

---

1. Petit rapace.

phone à Pierre Juillet, dans la Creuse. Il lui demande de rédiger pour lui un avant-projet pour l'allocution d'adieu qu'il entend faire à la télévision, le 19 mai. L'autre s'exécute, docilement, et téléphone, quelques heures plus tard, son texte à la secrétaire du président battu.

C'est ainsi que la patte inimitable de Pierre Juillet apparaît dans le discours de fin de septennat de Valéry Giscard d'Estaing, et notamment dans la conclusion, redondante : « Et, dans ces temps difficiles où le mal rôde et frappe dans le monde, je souhaite que la providence veille sur la France, pour son bonheur, son bien et sa grandeur. » Un silence de sept secondes et VGE dit avec emphase : « Au revoir ! » Mais ce n'est pas fini. L'ancien chef de l'État se lève et s'en va. Puis, tandis que retentit *La Marseillaise*, la caméra montre aux Français, une minute durant, le fauteuil vide du président déchu.

Peu après, VGE téléphone à Juillet :

« Qu'avez-vous pensé de mon message d'adieu ?

— Très bien, fait Juillet. À part la chaise.

— J'aimerais vous revoir. Que vous me disiez pourquoi j'ai été battu.

— Je peux vous le dire tout de suite. À cause de vos erreurs.

— Sachez, répond Giscard, bougon, que, dans mon septennat comme dans ma campagne, je n'ai pratiquement pas commis d'erreurs.

— En ce cas, conclut Juillet, je crains que nous n'ayons plus grand-chose à nous dire. »

Quelques jours plus tard, François Mitterrand fait savoir à Pierre Juillet qu'il veut le voir. Mais l'autre répond qu'il ne viendra pas à Paris avant octobre. Longtemps après, l'ancien conseiller politique de Pompidou rôdera autour de Raymond Barre. Il en reviendra dépité. « Cet homme a des humeurs, dira-t-il. Je ne suis pas sûr qu'il ait du caractère. »

12

Racines

« Quand une vache blanche entre dans une étable, une vache blanche en sort cent ans après. »

Dicton du Cantal

Au début de janvier 1965, M. Uminski, maire radical-socialiste de Sainte-Féréole, en Corrèze, décide d'abandonner toute activité publique. Il demande à son adjoint de le remplacer. Au moment de boucler la liste, on s'aperçoit qu'il manque un conseiller municipal pour obtenir le nombre requis. On cherche. Pourquoi pas le jeune Chirac qui a si bien réussi à Paris ? M. Uminski lui écrit une lettre pour lui demander d'être candidat. Chirac ne recevra jamais cette lettre.

Quelques jours plus tard, le sous-préfet de Brive-la-Gaillarde téléphone à Chirac à Matignon :

« Alors, vous êtes candidat ?

— Pour l'être, il faudrait d'abord que je me présente.

— Vous n'êtes pas au courant ? Vous êtes sur la liste de Rassemblement républicain de Sainte-Féréole. Il n'y a qu'une liste, d'ailleurs. Vous êtes sûr d'être élu. »

Chirac téléphone aussitôt à M. Uminski qui lui dit, en guise d'explication :

« Je t'ai écrit. Tu ne m'as pas répondu. J'ai considéré que tu étais d'accord. »

C'est une histoire chiraquienne – on la retrouve dans la plupart de ses biographies – et elle est, bien sur, trop belle pour être vraie.

Les choses se sont pourtant passées ainsi. À un détail près : ce n'est pas avec l'élection de Sainte-Féréole qu'a commencé, comme Chirac l'a souvent laissé entendre, son épopée corrézienne ; c'est avec sa nomination, en novembre 1964, à la CODER (Commission de développement économique et régional) du Limousin.

Jean Charbonnel s'est attribué la paternité de cette nomination. Ancien conseiller référendaire à la Cour des comptes comme Chirac, il a été élu pour la première fois député de la Corrèze en 1962. Sur les dix-sept parlementaires du Limousin, il est l'unique élu de la majorité. Et ce misanthrope ressent son isolement dans ce qui est alors, pour les gaullistes, la plus difficile des terres de mission. Il réclame sans arrêt des renforts. Il prétend ainsi avoir obtenu de Pompidou que Chirac « fût nommé membre de la première assemblée régionale, la CODER du Limousin ».

Il est pourtant difficile de ne pas voir, dans cette nomination, l'ombre de Pierre Juillet. Ancien délégué du RPF pour le Limousin, le conseiller politique de Pompidou aime se ressourcer dans sa Creuse natale. Convaincu que la majorité ne doit pas abandonner cette région à l'opposition, il suscite des vocations, tisse sa toile, ébauche la stratégie et organise les rencontres. C'est ainsi qu'en juillet 1965 il réunit, dans sa propriété du Puy-Judeau, ceux que les gazettes appelleront, deux ans plus tard, les « jeunes loups de Pompidou ». Il y a là Jean Charbonnel et Jacques Chirac, bien sûr, mais aussi, au milieu de beaucoup d'autres, deux futurs ministres : Bernard Pons et Pierre Mazeaud.

Chirac a-t-il trouvé sa vocation ? Pas vraiment. D'abord, parce qu'il n'a pas encore de circonscription. Ensuite, parce qu'il garde deux fers au feu. Tout en caressant le projet de se présenter aux élections législatives, comme le souhaite Juillet, il a un œil sur la direction des transports aériens que Pompidou lui a promise.

Mais voici venir, pour Chirac-Hamlet, le temps de choisir. Un jour de juin 1966, Pompidou le convoque dans son bureau :

« J'ai réfléchi. Il faut que vous vous présentiez aux élections. »

Chirac comprend que Juillet est passé par là.

« Où ? hasarde-t-il.

— On vous trouvera une circonscription à Paris.

— À Paris ? Pourquoi pas en Corrèze ?

— Il n'y a que trois circonscriptions. Celle de Brive est déjà prise par Charbonnel. Celle de Tulle est tenue par Montalat qui est

114

une vraie institution. Reste celle d'Ussel. Mais c'est la plus mauvaise circonscription pour nous.

— Si j'allais voir de plus près ?

— Vous pouvez toujours essayer. »

Le jour même, Chirac passe au siège du parti gaulliste – qu'on appelle alors l'UNR –, 123, rue de Lille. Il demande la liste des adhérents de la circonscription d'Ussel. On lui donne cinq noms sur un papier. Il les convoque pour le week-end suivant.

Quand, le samedi matin, il arrive à Ussel, il va prendre un petit noir au café de la Gare. Au comptoir, il entend parler politique. Il tend l'oreille. Le débat, fiévreux, porte justement sur les prochaines élections législatives. Les uns disent que la circonscription ira aux communistes, les autres qu'elle restera aux socialistes.

Il broie du noir. Il ne sait pas que ce café est le rendez-vous des cheminots communistes. Tout le reste de la journée est à l'avenant. Il se perd dans la ville, paresseuse et silencieuse, pleine de vieux jardins qui dorment, avant de retrouver quatre adhérents de l'UNR (sur cinq) que la vie semble accabler.

Le lundi matin, Chirac passe voir Pompidou.

« Ce que j'ai vu à Ussel n'est pas très encourageant, dit-il, mais je peux toujours essayer.

— Pourquoi ne pas vous présenter à Paris, alors ?

— Parce que c'est impossible. Je ne sens pas bien Paris, monsieur le Premier ministre. Je crois que j'y ferais une mauvaise campagne. » Puis, inquiet mais pas fou : « Et si je suis battu ?

— Vous serez directeur des transports aériens comme je vous l'avais promis. »

Du point de vue de la maturation de la conscience politique de Chirac, du point de vue de sa psychologie aussi, cette entrevue marque un tournant. Jusqu'à présent, il vivait dans un cocon, celui de la technocratie de la Ve République. Certains, comme Pierre Lelong, soutiennent qu'il n'avait pas d'idées politiques. D'autres, comme Jean Charbonnel, disent qu'il avait une « réputation ambiguë » : moitié à gauche, moitié « Algérie française ». Il sera, désormais, un croisé du gaullo-pompidolisme. En quelques mois, le personnage va se métamorphoser : l'évidence du combat politique s'impose à lui et il apprend le métier des armes.

Pour commencer, il va rechercher des appuis. La circonscription d'Ussel fut longtemps occupée par le bon docteur Queuille. Élu pour la première fois député en 1914, il fut un grand distributeur de subventions et de décorations devant l'Éternel. Il fut aussi l'une des grandes figures du radicalisme : trois fois président du Conseil, vingt-cinq fois ministre. Chirac veut son onction.

Un jour, il téléphone à Jérôme Monod, alors patron de la DATAR (Délégation à l'aménagement du territoire et à l'action régionale) : « Si je ne me trompe pas, tu as bien épousé une petite-fille de Henri Queuille ? J'aimerais que tu me le fasses rencontrer. C'est important. »

Message transmis. Demande refusée. Le bon docteur Queuille n'aime pas les gaullistes. Ni les pompidoliens. Mais Chirac ne s'avoue pas vaincu. Et, quelques semaines plus tard, il réussit à décrocher une entrevue avec l'ancien président du Conseil.

Que croyez-vous qu'il advienne ? Queuille flanche. Il ira même jusqu'à dire à Monod, avec une considération émue : « Ce garçon est si charmant qu'il mériterait d'être radical. »

Les moissons s'annoncent bien. Mais Chirac a encore beaucoup d'autres adversaires potentiels à neutraliser, amadouer ou circonvenir. Il s'y emploie avec ce mélange d'aplomb et d'assurance qui lui fait dire : « J'ai la naïveté de croire que, lorsque je veux réellement quelque chose, il n'y a aucune raison pour que je ne l'obtienne pas. »

La méthode qui lui permet de faire son trou, dans ces montagnes et ces bois hostiles, est fascinante, non pas par sa sophistication, mais, au contraire, par sa simplicité. Chirac joue le contact direct et il se rend compte, d'abord avec surprise, puis avec ravissement, que personne ou presque ne lui résiste.

Après Henri Queuille, il s'attaque à Henri Belcour. C'est le maire d'Ussel, la plus grande ville de la circonscription. De souche radicale – son père a travaillé avec Queuille –, il s'est fait élire, en 1965, à la tête d'une liste « apolitique ». Chirac lui propose tout à trac d'être son suppléant. L'autre écoute en silence, et en fumant. Il finira par fondre.

Chirac fait, ensuite, le siège de Charles Spinasse. Maire d'Égletons, la deuxième ville de la circonscription, cet homme fut, sous la IIIᵉ République, l'un des grands théoriciens de la SFIO. Sous le Front populaire, Léon Blum en fit son ministre de l'Économie nationale. Il appartenait à la gauche du parti et donnait volontiers des leçons de socialisme. En 1940, il vote les pleins pouvoirs au maréchal Pétain. Depuis, il n'en finit pas de faire son *mea culpa* pour n'avoir pas su voir, en 1936, la montée en puissance du nazisme.

En l'accueillant, Spinasse parle tout de suite à Chirac de son grand-père, ce bon vieux Louis, qu'il a bien connu. Un vrai militant de la « sociale », cet homme-là. Le jeune Jacques aurait-il rompu avec la tradition familiale ? Que non. Le chargé de mission de Pompidou apprend à l'ancien ministre de Blum qu'il fut naguère tenté par la SFIO ; qu'il partage toujours la plupart des grandes valeurs des socialistes ; qu'il est, par exemple, un adepte fervent de la solidarité nationale. Il est simplement anticommuniste. Mais comment ne pas l'être ? Spinasse hoche la tête. Quelques jours plus tard, il déclarera : « La ouleur politique de Jacques Chirac ? Il est sans aucun doute socialiste. Il aurait certainement appartenu au Front populaire [1]. »

Quand, dans la foulée, on demandera à Jacques Chirac s'il aurait soutenu le Front populaire, il répondra sérieusement, sans se démonter : « Avec des hommes comme Spinasse, certainement. »

Reste Marcel Audy. C'est l'homme fort de la circonscription. Sénateur radical, maire de Meymac, il fut, pendant l'occupation allemande, capitaine de l'armée secrète en Corrèze. Le député socialiste sortant ne se représentant pas, c'est ce héros de la Résistance qui devrait porter les couleurs de la FGDS (Fédération de la gauche démocrate et socialiste). Il impressionne Chirac qui le décrira ainsi : « Intelligent, efficace, bel homme, tout pour plaire. » Queuillien jusqu'au bout des ongles, il est aussi, cela va de soi, un expert ès subventions. Au cours de la tournée des cent dix-sept communes de la circonscription qu'il vient d'entamer, le chargé de mission de Pompidou entend souvent le même refrain : « Vous êtes bien sympathique, me disait-on. Mais vous avez vu ce clocher ? C'est Marcel. Cette route ? Encore Marcel. Ce talus ? Toujours Marcel. Alors, vous comprendrez, on soutiendra Marcel. »

Imbattable, Marcel Audy ? C'est ce que Chirac a l'air de croire. Il ne voit qu'une solution : convaincre le sénateur-maire de Meymac de ne pas se présenter. Il suffisait d'y penser…

Chirac accourt chez Audy et lui tient ce langage :

---

1. *Jacques Chirac ou la République des cadets, op. cit.*

« Vous êtes anticommuniste et vous acceptez l'investiture de François Mitterrand qui vous obligera, après le premier tour, à vous désister pour le PC. Qu'est-ce que ça veut dire ? »

Alors, Audy :

« Vous n'y êtes pas. Je n'aurai pas à me désister pour le PC puisque j'arriverai avant lui au premier tour.

— C'est ce qu'on verra. Vous savez bien que vous arriverez en troisième position derrière le PC et moi. Vous vous voyez en train d'appeler à voter pour le candidat communiste ? »

Les convaincus sont terribles. Le doute commence à ronger Marcel Audy. Un soir, n'y tenant plus, il demande à Chirac de passer le voir « tout de suite » et, après une discussion qui durera jusqu'à 2 heures du matin, il prend devant lui la décision de se retirer. La FGDS n'a plus de candidat. La voie est libre.

Chirac, déjà, perce sous Chirac. En quelques semaines, il aura fait jouer toutes les facettes de son talent politique :

Le coup d'éclat. En choisissant de se présenter en Corrèze, il épate Pompidou. C'est sans doute juste ce qu'il voulait.

L'habileté. Au lieu de partir en campagne contre son principal adversaire, comme n'importe quel politicien, son premier réflexe est de chercher à le convaincre de dégager la route. Pas banal.

La confiance en soi. Convaincu, d'entrée de jeu, qu'il sera élu, il semble être une illustration du bon mot de Talleyrand, mi-adage, mi-conseil : « On ne croit qu'en ceux qui croient en eux. »

Le toupet. Dans ce département plus socialiste que radical, il se comporte en « candidat officiel », façon Second Empire : « Votez bien et vous serez bien traités. » Mais il n'hésite pas non plus, pour brouiller les pistes, à se présenter comme un homme de gauche. Dans sa brochure électorale, il souligne ainsi qu'il a « du sang radical dans les veines ».

L'impudence. En campagne, Chirac réquisitionne l'administration. Élu et devenu ministre, il la mettra carrément à sa botte comme en témoigne ce reportage, parmi tant d'autres : « Le préfet, ou plus souvent le sous-préfet, l'accompagne dans ses déplacements. Une doléance est-elle émise ? "Prenez note !" Et monsieur le sous-préfet s'empresse de consigner. Dans le fief électoral, c'est le sous-préfet d'Ussel qui règle les déplacements. Il trace l'itinéraire, prépare les dossiers, fixe les rendez-vous, apporte les médailles, rédige les éléments de réponse aux questions qui seront posées. Dans les entrevues, en face de M. Chirac, il joue le faire-valoir et plaide coupable au nom de l'administration qu'il représente, lorsqu'une promesse de M. Chirac n'a pas été tenue [1]. »

L'interventionnisme. Il se passionne pour des histoires d'adduction d'eau, de bourses d'études ou d'ordures ménagères. C'est un arrondissementier qui a besoin que l'électeur ait besoin de lui. C'est aussi, comme il le dit souvent, un « sensuel sensitif » : « Pour bien comprendre les gens, expliquera-t-il, il faut que je puisse les toucher au sens propre du mot. »

L'ouverture. Chirac est un concret. Pour lui comme pour les hommes de la IIIe République, le combat politique commence par la conquête des hommes, fussent-ils socialistes ou communistes. Sur le terrain, il ne pratique donc pas cette guerre civile froide qui, depuis plusieurs générations, divise la France. Ses ennemis, il les contourne ou il les retourne, c'est selon. Ce n'est pas un hasard si, en Corrèze, plusieurs élus communistes sont devenus chiraquiens.

Le stakhanovisme. Fils de l'école laïque, Chirac croit d'abord à la méritocratie. Donc au travail. Il est convaincu que le monde appartient à l'effort. La circonscription d'Ussel à plus forte raison. Pompidou dort cinq heures par nuit ? Il dormira moins encore. Chaque week-end, il arpentera le plateau de Millevaches, serrera des mains, répondra aux lettres. Il cherche à aller au-delà de lui-même. Pour lui, apparemment, un travail opiniâtre vient à bout de tout. Même de la gauche en Corrèze...

Et c'est ainsi que s'ébauche la légende de Chirac-le-Corrézien dont Michel Jobert a fait ce portrait saisissant : « Toujours courant, il arrachait aux administrations, parmi ses tâches qu'il accomplissait à merveille, subventions, places, décorations. Son ambition était que chaque village ou hameau de la circonscription qu'il avait choisie lui soit redevable d'un secours, d'un investissement – fontaine ou école –, d'une bourse à un interne méritant, d'une place dans une maison de retraite. Il partait le vendredi soir, dans la nuit, toujours par la route, et sa voiture conduite à la diable, et entretenue de même, était célèbre auprès des gardes mobiles qui manœuvraient la chaîne d'entrée de Matignon. Il fonçait sur l'obstacle au

---

1. *Le Monde*, 18-19 octobre 1970.

risque de dommages, quand on ne lâchait pas la barrière précipitamment. Il revenait le lundi matin, souvent sans avoir dormi, et reprenait allègrement les dossiers de la construction et de l'aéronautique, pour lesquels il se passionnait, et dont il était le démarcheur inlassable et convaincant [1]. »

Sur le chapitre corrézien, les encensoirs ne chôment pas. Jacques Chirac mène sa campagne « tambour battant ». Il « combat sur tous les fronts ». Il se comporte en même temps comme « l'homme de tout le monde ». Il « s'incruste totalement » dans son terroir. Il est d'un « dévouement sans limites ».

On a les épopées qu'on peut. Celle de Chirac-le-Corrézien est classique et ennuyeuse – à la mode radicale-socialiste, somme toute. Pour parfaire le tableau, il faudrait une touche mythologique, voire mystique. Chirac, qui, décidément, pense à tout, la met au point. Le 5 décembre 1966, non loin de l'abbaye de Solignac, fondée en 631 par saint Éloi, le ministre trésorier du roi Dagobert, il retrouve dans une auberge les « jeunes loups » que Georges Pompidou a lancés à l'assaut des contreforts du Massif central : le docteur Pons, Jean Charbonnel, froid comme un glaçon, Pierre Mazeaud, toujours en ébullition, et quelques autres. Ils inventent une nouvelle devise : « Libération, éviction, rénovation. » Et, l'alcool aidant, ils prêtent serment : « Nous resterons unis et solidaires tant que nous n'aurons pas bouté les socialistes et les communistes hors du Limousin. »

C'est le serment de Solignac ; c'est le cri de ralliement des « jeunes loups ».

Ce jour-là, devant un Charbonnel qui est secrétaire d'État, Chirac apparaît comme le chef de la bande.

Quelques-uns des « jeunes loups » lui sont déjà tout dévoués. Bernard Pons, par exemple. C'est Chirac qui a convaincu Pompidou qu'il fallait l'investir dans la circonscription de Figeac, dans le Lot. Il l'aide à faire campagne. Mais il aide tout le monde, il est vrai, parce qu'il tient les cordons de la bourse : Marcel Dassault, l'ami de la famille, a décidé de lui donner un coup de pouce. Partageux, Chirac en fera profiter les autres.

Même si le génial inventeur du Mirage et du Falcon a l'excuse d'être une vieille relation des parents de Chirac, il subventionne la

1. Michel Jobert, *L'Autre Regard*, Grasset, 1976.

campagne électorale de celui qui, à Matignon, est chargé des dossiers de l'aéronautique. C'est un fâcheux mélange des genres, même si on peut imaginer que la tendre affection de Marcel Dassault ait joué autant que ses intérêts bien compris. Mais les sentiments n'empêchent pas les affaires...

Un jour de 1966, alors qu'il travaille à *Jours de France*, le journaliste Philippe Alexandre est convoqué par son patron Marcel Dassault : « Philippe, lui dit Dassault, je vais vous présenter un homme dont je voudrais faire un secrétaire d'État à l'Aviation civile. Je voudrais que vous vous occupiez de lui. » Cet homme, c'est Chirac. « Vous allez vous installer à Limoges et monter un journal local pour lui, poursuit Dassault. Vous ferez tout pour qu'il soit content. Il le mérite. C'est un garçon très gentil. » Marcel Dassault suit de près les opérations. Tous les soirs, Philippe Alexandre doit lui téléphoner pour faire le point.

Le patron des Avions Marcel Dassault a mis le paquet. Il a acheté un journal local, *L'Essor du Limousin*, qui publie désormais des éditions en Corrèze, en Haute-Vienne et dans le Lot pour soutenir les candidats de la majorité. Mais il est clair qu'il n'a d'yeux que pour Chirac. Il trouve que Charbonnel a la main fuyante et transpirante. Il juge Mazeaud léger. Il est convaincu, en revanche, que le fils de son ami François Chirac a, comme on dit, un avenir : « Ce petit a toujours eu quelque chose, je l'avais déjà remarqué quand il était jeune. Sa mère me l'a dit un jour, il n'était pas comme les autres. »

À l'époque, Philippe Alexandre ne souscrit pas à ce jugement. Jacques Chirac ne l'impressionne guère qu'en voiture. « C'était un courant d'air, raconte Alexandre. À peine arrivé, déjà reparti. Et chaque fois que je montais dans sa voiture, je me souviens que j'étais pris d'une peur bleue. Il roulait très vite en parlant, en fumant, en prenant des risques insensés et en regardant à peu près partout sauf devant lui. »

Arrive Robert Mitterrand. Après le retrait de Marcel Audy, c'est le propre frère de François Mitterrand que la FGDS expédie dans la circonscription d'Ussel. Un industriel portant beau et parlant bien qui a le profil du candidat idéal. Il fera d'ailleurs, selon Chirac, « une campagne parfaite ». À quelques détails près, toutefois...

D'abord, Robert Mitterrand a la fâcheuse habitude, quand il fait la tournée des bistrots, de demander un thé. Ou bien le cafetier n'en a pas. Ou bien il interroge : « Vous êtes malade ? » Chirac, pendant ce temps, enfile les Suze. Ensuite, Mme Mitterrand porte une minijupe. À Paris, c'est la mode. Sur le plateau de Millevaches, c'est une attraction. Les Corréziennes serrent les dents sur son passage. Puis, pour bien souligner sa nature d'étranger, Chirac prend l'habitude, dans les réunions publiques, d'apostropher Robert Mitterrand en patois, mettant ainsi les rieurs de son côté. Enfin, pour couronner le tout, son frère François, tenant une réunion publique à Beaulieu-sur-Dordogne, accuse le gouvernement de ne pas entretenir le barrage qui s'élève, menaçant, au-dessus de la ville. C'est la gaffe. Fissuré, le barrage ? Les habitants de Beaulieu se demandent si le président de la FGDS n'a pas porté malheur.

Comme on dit dans les campagnes : qui sème le chardon récolte les épines. Le 5 mars 1967, au premier tour des élections, le candidat de la FGDS fait un mauvais score alors que celui qui porte l'étiquette « Ve République » s'envole :

J. Chirac	15 289 voix
G. Émon (PC)	10 567 voix
R. Mitterrand (FGDS)	8 657 voix
M. Kellermann (PSU)	1 203 voix

Arithmétiquement, le candidat du PC devant bénéficier des reports de voix de la FGDS et du PSU, Chirac est battu. Il redouble d'efforts. Au deuxième tour, le 12 mars, il est élu par 18 522 voix contre 17 985 à Georges Émon.

Chirac est devenu Chirac. Il va désormais vivre en concubinage (forcé) avec la gauche qui, idéologiquement, domine le département, manger de la tête de veau au cours de banquets interminables, faire semblant de boire l'apéritif dans des trous perdus (« Pour éviter de boire trop, j'ai une technique formidable : on porte son verre aux lèvres, on le repose et on reprend le verre vide d'un autre »). Il va perdre aussi ses certitudes technocratiques et découvrir une vocation rurale (« Depuis mon plus jeune âge, je ne me suis jamais embêté dans une cour de ferme »). Il va, enfin, donner le sentiment d'être à peu près partout mal à l'aise sur cette terre sauf, en fin de semaine, sur le plateau de Millevaches.

Tels sont les effets de la Corrèze.

Ce ne seront pas les seuls. En faisant campagne sur les routes de Corrèze, cette année-là, Jacques Chirac découvre le problème des handicapés mentaux. Certes, il y a été sensibilisé par les Pompidou, intarissables sur la question. Mais rien ne vaut d'approcher les réalités de près. Dans les cours de ferme, il croise, parfois, l'œil hagard d'un débile profond, démuni, abandonné, attaché ou enfermé, c'est selon. Et, chaque fois, il craque. « En ce temps-là, rapporte Chirac, les gens considéraient souvent qu'avoir un enfant handicapé profond, c'était une tare. On le cachait. On l'enchaînait. On ne voulait surtout pas en entendre parler. Je me disais sans arrêt : "C'est pas possible de continuer à ne rien faire. Ou bien on décide carrément de les liquider parce qu'on les considère comme des monstres qui n'ont pas le droit de vivre. Ou bien, si ce n'est pas le cas, il faut leur créer un environnement qui leur soit adapté." C'est ce que je me suis efforcé de faire avec la Fondation Claude-Pompidou et avec mon association qui occupe, aujourd'hui, huit cents personnes. Cette affaire, ces affaires, j'y tiens, parce que j'y ai mis beaucoup de moi-même. Elles sont maintenant passées du stade artisanal au stade industriel. »

Chirac a commencé petit. En 1968, alors qu'il est secrétaire d'État du général de Gaulle, il va chercher lui-même, dans le XIXᵉ arrondissement de Paris, un handicapé que ses parents ont enchaîné à une cuisinière et dont ils veulent se débarrasser. Avec l'aide d'un infirmier, il le conduit, dans sa voiture, au centre de Peyrelevade qu'il vient d'édifier dans son fief corrézien. Il mettra ainsi souvent la main à la pâte.

Chirac a mis sur pied sept centres de handicapés mentaux en Corrèze. Il les visite régulièrement. Il surveille la cuisine. Il encourage le personnel dont il salue à tout bout de champ « l'extraordinaire dévouement ». Il faut l'avoir vu, ému, parler aux débiles profonds, les caresser, les embrasser, à l'affût de tous les signes d'éveil, de la bouche qui s'entrouvre ou de l'œil qui revit. « Ils sont très sentimentaux, dit-il. Ils ont même une sensibilité bien plus grande que la nôtre. » Il est là, cela va de soi, totalement désintéressé.

L'est-il quand il tapote les épaules des paysannes mafflues, embrasse les enfants, prête une oreille compatissante aux vieillards esseulés, palabre en se crottant dans les cours de ferme ? Il voudrait faire croire qu'il fait tout cela par pur plaisir. À l'écouter, il ne ferait jamais montre, sur ses terres, du cynisme traditionnel du politicien arrondissementier.

Charles Ceyrac, ancien député, président du conseil général (RPR) de Corrèze, témoigne – à décharge, cela va de soi : « Jacques pleure. On ne croirait pas ça mais c'est vrai que, devant des petites gens démunies ou une vieille dame qui a bien connu sa mère, il ne peut retenir ses larmes. Franchement, je ne pense pas qu'il fasse ça pour gagner des voix. »

Sans doute. Il reste sur le terrain, il ne finasse pas, comme il dit. En 1971, quand meurt Jean Montalat, maire de Tulle et grande figure du socialisme corrézien, à peu près aussi antigaulliste qu'anticommuniste, Chirac fait dire sans complexe à sa veuve qu'il arrive et qu'il aimerait qu'elle soit là pour la photo. L'autre refuse. C'est le genre d'histoires qui courent en Corrèze. Elles ne sont pas toutes fausses. Et elles jettent une lumière crue sur ses méthodes.

Dans une enquête collective publiée par *Le Monde*[1], sa tactique est ainsi mise à nu. C'est celle, vieille comme le suffrage universel, du serre-la-louche : « "Casimir, c'est quinze voix." M. Chirac, secrétaire d'État auprès du ministre des Finances et conseiller général de Meymac, fait stopper la voiture de la préfecture. Le chauffeur exécute une longue marche arrière. Le sous-préfet d'Ussel rappelle : "La femme de Casimir a été malade." La DS noire s'immobilise devant la ferme. Voici Casimir sur le pas de sa porte. M. le ministre descend de voiture et s'avance la main tendue. Il lance avec naturel : "Comment va notre malade ?" »

En Corrèze, il ne compte pas son temps mais il compte ses voix. Même quand sa gloire s'affirme, il faut qu'il passe des heures dans les salles de mairie ou dans les gargotes du plateau de Millevaches à traiter d'obscurs problèmes de bornage ou de goudronnage.

Dans les années soixante-dix, Jacques Chirac emmène dans sa circonscription Denis Baudouin et Xavier Marchetti, deux anciens chargés de presse de Georges Pompidou. Ils l'écoutent discuter interminablement avec quelques habitants de Saint-Pardoux-le-Neuf qui réclament un chasse-neige pour l'hiver. Il ne veut pas le leur accorder. Le débat s'éternise et ses invités parisiens s'ennuient.

À la fin, Denis Baudouin dit, sceptique, à Jacques Chirac :

---

1. 18-19 octobre 1970.

« Je n'ai rien compris à ton truc et je me demande si tu n'as pas perdu ton temps. Combien y a-t-il d'habitants dans ce village, d'abord ?

— Quatre-vingt-dix.

— Combien de communistes ?

— Quatre-vingt-cinq. Mais je dois avoir gagné quatre voix. » Un silence, puis : « De toute façon, tu ne peux pas comprendre. »

Jacques Chirac a compris la Corrèze et elle l'a compris. Mais l'a-t-elle bonifié ? Parce que c'est une région hostile et sans cesse à reconquérir, elle l'a installé dans son personnage de médiateur clientéliste : sa survie électorale n'est jamais acquise ; il doit toujours faire ses preuves ; il se met donc en quatre.

La Corrèze lui a mis les deux pieds sur terre. Et elle lui donne sans cesse des leçons d'humilité. Conscient de sa précarité électorale, il ne l'est pas moins de la vanité de la chose politique. Il ne rêve pas à la postérité. On ne le voit pas réfléchir sur un grand dessein pour la France en marchant seul sur les chemins boueux du plateau de Millevaches, sous un vent revêche, quand il est bombardé de demandes d'intervention. Il lui faut chercher un emploi pour la fille du marchand de bestiaux ou obtenir un rapprochement familial pour le fils du facteur, qui fait son service militaire en Allemagne fédérale (« Pour lui, dit Charles Ceyrac, le président du conseil général, il n'y a pas de petits problèmes »). Et il s'entremet avec un mélange de fièvre, de volupté, de gravité aussi.

Certes, les petites choses sont grandes pour les petites gens. Mais ne le sont-elles pas devenues, à la longue, pour Jacques Chirac ? La Corrèze lui fait voir la France par le petit bout. Et c'est ainsi que l'Hexagone n'est plus qu'une clientèle...

13

Le printemps des « enragés »

> « Quand l'arbre est devenu grand, on l'abat. »
>
> Lao-tseu

Le 7 avril 1967, Jacques Chirac fait la tournée des popotes (et des bureaux) à Matignon. Il se trouve dans l'escalier qui mène à l'étage noble – celui du Premier ministre, de Michel Jobert, directeur de cabinet, de Mme Dupuy, chef de cabinet – quand il aperçoit, quelques marches plus haut, la silhouette lourde du chef du gouvernement. Georges Pompidou l'appelle puis lâche, dans un sourire : « Chirac, je vous ai réservé un strapontin dans le nouveau gouvernement. Mais, je vous en prie, ne vous prenez pas pour un ministre. »

Le député de la Corrèze se doutait, il est vrai, de quelque chose. Deux jours après son élection, le général de Gaulle avait demandé à le voir. Le président avait observé avec curiosité le seul des « jeunes loups » de Pompidou à ne s'être pas cassé les dents sur les montagnes du Limousin. Il l'avait jaugé. Il l'avait jugé.

Le grand homme n'avait pas vraiment impressionné le nouvel élu. Pendant l'auguste rencontre, Bernadette Chirac, aux cent coups, promenait, pour se détendre, les enfants dans les jardins du Trocadéro. Quand, au retour de son mari, elle lui demanda, inquiète, comment l'entrevue s'était passée, il répondit sur un ton détaché que le général de Gaulle ne l'avait pas « intimidé ». Mais qui peut se vanter d'avoir jamais intimidé Chirac ?

Rencontre décisive, pourtant. Non pas pour ce qu'ils se disent – l'entrevue ne dure qu'une demi-heure –, mais parce que, en quelques phrases, le général de Gaulle a su séduire Chirac. Ce jour-là, le Général a donné à l'amateur qu'il est encore les armes du professionnel : « De Gaulle ne mettait pas de barrière avec son interlocuteur, dit Chirac. On était tout de suite de plain-pied avec lui. Avant de recevoir les gens, il devait se faire donner des fiches parce qu'il prenait toujours soin, dans la conversation, de glisser des allusions ou des références à votre vie personnelle. Elles avaient l'air naturelles, spontanées. Un jour qu'il nous avait invités à dîner, ma femme et moi, je me souviens qu'il nous avait parlé de nos filles : il connaissait leur prénom et leur âge. Il vous parlait comme un ami que vous fréquentez depuis longtemps. »

Leçon apprise...

Jacques Chirac est, dans l'ordre des préséances, le dernier des ministres du gouvernement : vingt-neuvième exactement. Mais il hérite de ce qui est, aux yeux de Georges Pompidou, un poste clé : le secrétariat d'État à l'Emploi. Dans la sidérurgie, dans les charbonnages, dans les chantiers navals, l'heure des restructurations a sonné. Le Premier ministre est convaincu qu'il ne tiendra pas longtemps sur la crête des trois cent mille chômeurs. Il a quelques mois d'avance sur tout le monde.

Fine mouche, Chirac prend soin d'installer ses bureaux le plus loin possible du 127, rue de Grenelle. C'est là que se trouve Jean-Marcel Jeanneney, ministre des Affaires sociales, auquel il est, en principe, rattaché.

« C'est une attitude que j'ai toujours adoptée, dit-il. Quand j'étais officier en Algérie, je me suis débrouillé pour que mon escadron soit détaché et se trouve à deux cents kilomètres de mon colonel. Quand j'étais à Matignon, je suis allé m'installer sur le trottoir d'en face alors que tout le monde se battait pour être le plus près possible du Premier ministre. Quand, enfin, je suis devenu secrétaire d'État à l'Emploi, j'ai jeté mon dévolu sur un hôtel particulier de la rue de Tilsitt, près des Champs-Élysées, ce qui introduisait une distance respectable entre mon ministre et moi. »

Et c'est ainsi qu'il n'a pratiquement aucun contact avec Jean-Marcel Jeanneney et son directeur de cabinet. Ils ne demandent jamais de comptes et ne donnent jamais de nouvelles à leur secrétaire d'État (« Il est vrai qu'en ce temps-là, dira Chirac avec ironie, l'emploi n'était pas à la mode ! »).

Échange de bons procédés : pour diriger son cabinet, Jacques Chirac recrute Gérard Belorgey, son vieux camarade des Étudiants socialistes à Sciences-Po, qui, il n'y a pas si longtemps, l'a mis en selle à Matignon. Dans la foulée, il embauche, entre autres, un sous-préfet, Olivier Stirn, et un énarque, Jean-Paul Parayre, qui deviendra, quelques années plus tard, patron de Peugeot SA.

Avec son équipe et avec Matignon, Chirac met au point une batterie de mesures antichômage. Ce n'est pas un petit plan pour l'emploi comme on en verra beaucoup d'autres dans l'avenir. C'est, en fait, une refonte totale et une consolidation du système de protection sociale que l'Hexagone s'est construit pendant les « trente glorieuses ». Le secrétaire d'État invente ce qu'on appellera plus tard « le traitement social du chômage ». L'Histoire a de ces ruses…

Social-démocrate, Chirac ? Son plan n'est pas, à l'évidence, d'inspiration libérale. Qu'on en juge.

D'abord, Chirac institue la garantie de ressources pour tous les travailleurs sans emploi et généralise le régime des aides complémentaires. Le nombre des chômeurs secourus va ainsi tripler. Le secrétaire d'État invite aussi l'UNEDIC à relever le taux des allocations de 35 à 40 % du salaire de référence pendant les trois premiers mois de chômage.

Ensuite, Chirac crée l'Agence nationale pour l'emploi (ANPE), les « techniques antérieures » tenant plutôt, à ses yeux, « de la soupe populaire que de celles du placement moderne ».

Enfin, *last but not least*, Chirac fixe un taux minimum d'indemnité de licenciement et établit ce qu'il appelle un « délai de prévenance ».

Le 5 décembre 1967, invité d'honneur au déjeuner de l'Association des spécialistes de l'information sociale, le secrétaire d'État à l'Emploi n'hésitera pas à dire, dans un mouvement de menton gaullien, que son plan antichômage fait du système de protection français « le meilleur de tous les pays capitalistes et socialistes ».

Apparemment, la France n'en a pas conscience. Quelques semaines plus tôt, aux élections cantonales, l'opposition atteignait 49,8 % des suffrages.

À l'étroit dans l'Hexagone, le général de Gaulle pense au monde d'après-demain. Mais il sent bien qu'il commence à fatiguer les

Français : « Lorsqu'ils ont la trouille, dit-il, ils se serrent autour de moi comme des moutons. Après, ils s'égaillent [...]. Ils retournent à leurs chères divisions [1]. »

Ils doutent, en fait. Certains s'inquiètent de la petite vague de chômage qui passe sur le pays après quinze années de plein emploi. Dans *L'Express* [2], Georges Suffert sonne le tocsin : « Le taux de croissance de notre économie baisse : nous ne ferons guère plus de 4,5 % cette année pour 5 % prévus par le Plan. »

D'autres, au contraire, n'en peuvent plus de l'abondance. Le journaliste Pierre Viansson-Ponté est tout à fait représentatif de cet état d'esprit, qui écrit à la une du *Monde* : « La France s'ennuie. »

On ne s'ennuie pas à la faculté de Nanterre, pourtant : les gauchistes y font grand bruit – et presque la loi. Dans cette université, le doyen Grappin mène une politique libérale que Georges Pompidou désapprouve. Jacques Chirac a entendu le chef du gouvernement morigéner Alain Peyrefitte, le ministre de l'Éducation nationale, en Conseil des ministres : « Il y a des désordres continuels à Nanterre. Le moment est venu d'agir. C'est un engrenage dangereux [3]. »

Le 2 mai 1968, les maoïstes ayant pris le contrôle de la faculté, le ministre de l'Éducation nationale fait fermer Nanterre. Le lendemain, les premiers incidents ont lieu au Quartier latin entre étudiants et forces de l'ordre. Chaque soir ou presque, l'émeute reprendra pour culminer dans la nuit du 10 au 11 mai. Au petit matin, le bilan s'élève à trois cent soixante-sept blessés (parmi lesquels une grande majorité de policiers). À partir de là, tout s'enchaîne. Les universités se mettent en grève une à une. Les têtes s'enflamment peu à peu.

C'est Mai 68. Autrement dit, le désennui, la révolution, le fracas d'une société dont les fondations chancellent. On chante la fin du vieux monde, l'imagination au pouvoir, sous les pavés la plage. On confond les CRS et les SS, de Gaulle et la tyrannie, les désirs et les réalités.

« Frappe-toi le cœur », disait Musset. C'est ce que fait la France en ce printemps pathétique. Elle croit exsuder le bonheur et le

---

1. Raymond Tournoux, *Le Tourment et la Fatalité*, Plon, 1974.
2. 24 avril 1967.
3. Philippe Alexandre, *L'Élysée en péril*, Fayard, 1969.

progrès social parce que, pour la première fois, ses habitants ne passent plus dans la rue sans se voir. Ils s'arrêtent. Ils se parlent. Pour s'apostropher, parfois…

Alors que Georges Pompidou se trouve en visite officielle en Iran et en Afghanistan, la Sorbonne est fermée et occupée par les forces de l'ordre. Mesure qu'approuve Jacques Chirac, partisan de la poigne. À son retour, le chef du gouvernement, d'assez méchante humeur, désavoue ses ministres. « Le général de Gaulle aime qu'on prenne ses responsabilités, dit-il. Je suis Premier ministre, j'ai l'intention de prendre les miennes. » Le 11 mai, il annonce que la Sorbonne sera rouverte et que les étudiants arrêtés seront libérés. C'est trop tôt ou c'est trop tard. Inutile d'avoir lu Clausewitz pour savoir qu'un pouvoir acculé ne doit jamais reculer.

C'est la première faute de Pompidou. Ce sera, à dire vrai, la seule.

Le lendemain de son intervention, Pompidou comprend qu'on n'obtient point merci de ses ennemis en les apaisant : les syndicats préparent une grande manifestation unitaire pour le 13 mai, le corps social est en alerte, les préfets sont dans tous leurs états, l'angoisse envahit les palais gouvernementaux.

Pour Jacques Chirac, c'est le moment, c'est l'instant. Depuis plusieurs jours, il se morfondait dans les antichambres de Matignon à l'affût des consignes de celui qu'il appelle dévotement « Monsieur le Premier ministre ». Georges Pompidou l'appelle, justement. Il a besoin de lui. Et il lui tient à peu près ce langage : « Il ne faudrait pas que les syndicats s'y mettent, maintenant. Je compte sur vous pour maintenir le contact avec eux. »

C'est ainsi que le secrétaire d'État à l'Emploi devient, auprès de Pompidou, l'un des hommes clés de Mai 68. Une sorte d'ambassadeur itinérant, chargé des missions secrètes, des contacts délicats. Il va faire partie du « dernier carré » du Premier ministre avec Michel Jobert, le directeur de cabinet, Pierre Juillet, le conseiller politique, et Édouard Balladur, le conseiller social.

Il est partout. Il hume les vents. Il dépiste les intrigues. On le verra même un soir dîner chez son directeur de cabinet, Gérard Belorgey, en compagnie de Michel Rocard, numéro un du PSU, qui est l'un des animateurs du mouvement de Mai 68. Il faut imaginer le face-à-face entre les deux anciens camarades de Sciences-Po arbitré par leur ami commun Belorgey. Chirac est attentif. Rocard, didactique. Ils restent les meilleurs amis du monde, pour le meilleur et pour le pire. Mais ils ne sont pas du même côté de la barricade. Ils échangent leurs doutes, leurs convictions. Et Rocard rigole : « On va gagner, Jacques. Mais ne t'en fais pas. On aura toujours besoin de gars comme toi. »

Du Chirac de Mai 68, Édouard Balladur a fait, un jour, ce portrait attendrissant : « Totalement dévoué au Premier ministre, il passait à Matignon tout le temps qu'il ne consacrait pas, ici où là, à des entretiens avec les émissaires des syndicats. Il s'y donnait sans ménager sa peine, insoucieux des risques, jamais fatigué, toujours tout entier dans ce qu'il faisait. Croyant plus à la vertu des contacts entre les hommes qu'à celle des écrits, à l'efficacité des tête-à-tête clandestins qu'à celle des discussions publiques, il ne se laissait pas décourager par les difficultés. Revenant à la charge quand il n'avait pas convaincu, tour à tour véhément, prévenant, chaleureux ou habile, brutal aussi quand il le fallait, il jouait de son intelligence, de sa promptitude, prêt à se rendre où l'on voulait, à rencontrer qui l'on voulait si cela pouvait être utile, n'ayant pour les questions de forme pas plus de considération qu'elles n'en méritent [1]. »

Jacques Chirac a fait de Henri Krasucki, alors numéro trois de la CGT, son interlocuteur privilégié. Il le trouve intelligent, efficace, « régulier ». Krasucki, lui, semble fasciné par ce secrétaire d'État rapide, passionné, gesticulant. Bref, entre ces deux êtres si dissemblables, le courant passe.

Leurs relations, pourtant, vont se distendre. Le 16 mai, l'un et l'autre comprennent que la grève est en train de se généraliser. Ce n'est plus seulement une crise universitaire ou sociale ; c'est une crise nationale. Krasucki évite donc de se commettre avec Chirac. Pour éviter les fuites, les deux hommes se téléphonent en utilisant des noms de code. Chirac se fait appeler Walter.

Le 20 mai, Krasucki fixe un rendez-vous à Chirac ; il n'ira pas lui-même mais il enverra l'un de ses hommes de confiance. Ils se retrouveront square d'Anvers, près de la place Pigalle, sur le premier banc à gauche.

Le même jour, Chirac rend visite au général de Gaulle qui a convoqué tous ses ministres, qu'il reçoit un à un. Le président,

---

1. Édouard Balladur, *L'Arbre de mai*, Atelier Marcel Jullian, 1979.

partisan d'une offensive foudroyante, se contente, pour l'heure, de consulter.

« Alors, Chirac ? demande-t-il au plus jeune de ses ministres. Que faut-il faire ?

— Négocier, mon général. S'entendre avec les syndicats. C'est la seule chose à faire. Ils sont les premiers à s'inquiéter de ce mouvement de grève qu'ils n'arrivent pas à contrôler. Et ils savent bien qu'ils seraient balayés en cas de cataclysme. Ils préfèrent le statu quo. Ils ne demandent qu'à trouver un accord avec nous. »

De Gaulle ne dit rien mais il n'a pas l'air convaincu. Il songe à utiliser cette arme qui, jusqu'à présent, s'est révélée si payante : le référendum. Il en veut au Premier ministre de retenir son bras ; il pense que sa tactique de conciliation est dangereuse. C'est ce jour-là, pourtant, qu'il donne carte blanche à Georges Pompidou.

Et c'est ce jour-là que Jacques Chirac s'en ira proposer la négociation à la CGT au rendez-vous du square d'Anvers. Mais, quand il arrive sur place dans sa Peugeot 403 banalisée, le secrétaire d'État à l'Emploi s'aperçoit que le square a disparu : on y creuse un parking. Il descend quand même de voiture et regarde autour de lui. Pas l'ombre d'un banc. Est-ce un piège ? Une main se pose sur son épaule. Il se retourne. Un homme, qui fume la pipe, lui glisse le mot de passe en souriant.

C'est l'envoyé spécial de Krasucki. Il s'excuse. Il ne savait pas que le square n'existait plus. Et il fait bien comprendre au secrétaire d'État qu'il n'est qu'un des obscurs rouages de la CGT. Il n'est là que pour prendre les messages.

Chirac explique alors la proposition de Pompidou. Pour éviter le débordement des troupes, pourquoi ne pas organiser une grande négociation sur les revenus, sur le salaire minimum, sur la Sécurité sociale ? « Je transmettrai », dit l'homme. Et il tourne les talons.

Le lendemain, Chirac, suivant le mot d'ordre de Pompidou (« Ne lâchez plus Krasucki ! »), téléphone au numéro trois de la CGT. « Nous étudions vos propositions, lui répond "Krasu", laconique. On se rappelle. »

Les jours suivants, le secrétaire d'État cherche, à plusieurs reprises, à joindre Krasucki. Sans succès. Le numéro trois de la CGT – après Frachon et Séguy – ne prend plus « Monsieur Walter » au téléphone.

Le 23 mai, enfin, Henri Krasucki appelle « Monsieur Walter » et lui propose un rendez-vous dans un des quartiers les plus populaires de Paris, rue Chaptal, tout près de la place Pigalle.

Faut-il y aller ? « Faites attention, dit Pompidou. Il ne manquerait plus que la CGT prenne un secrétaire d'État en otage. Ce serait le bouquet ! »

De même que le léopard ne se déplace jamais sans ses taches, Jacques Chirac a gardé son tempérament de sous-lieutenant ; c'est même le grand point fort de ce personnage contrasté. Il est toujours habité par le goût du risque ; il aime les missions dangereuses.

À tout hasard, pour ce rendez-vous historique avec Henri Krasucki, il prend tout de même un revolver. Et c'est ainsi qu'il entre dans une « série noire » qui aurait pu sortir de l'imagination d'un James Hadley Chase, comme le montre ce récit haletant de Philippe Alexandre, visiblement puisé aux meilleures sources :

« Il glisse son revolver dans sa poche. Il convoque l'officier de police chargé de sa protection et un membre de son cabinet. Il leur dit :

"J'ai un rendez-vous dans le quartier le plus mal famé de Paris. Je n'ai pas confiance. Vous allez m'accompagner."

« La Peugeot noire arrive au coin de la rue indiquée. Chirac montre une maison grise devant laquelle deux costauds font les cent pas. Il dit à ses anges gardiens :

"C'est ici. Au troisième étage. Si dans trois quarts d'heure, vous ne m'avez pas vu revenir, montez. Avec vos armes." Il hésite une dernière fois : "Dans trois quarts d'heure. Compris ?"

« Il descend, franchit à pied les cent derniers mètres. La crosse du revolver lui griffe la poitrine. Il s'approche des deux gorilles et prononce à mi-voix son nom de code ; on lui répond :

"Très bien. Suivez-nous."

« Derrière ses guides, Chirac monte l'escalier plein d'odeurs de friture et de bruits de radio. Au troisième étage, une porte s'ouvre. Le secrétaire d'État se retrouve dans une petite chambre : un lit, une table ; un soutien-gorge traîne sur une chaise. Mais il n'y a pas de femme : seulement trois hommes dont deux dirigeants connus de la CGT. Jacques Chirac s'assied sur la chaise qu'on lui tend. Les battements de son cœur retrouvent leur rythme habituel.

« Au bout de la rue, dans une Peugeot, un officier de police en civil regarde sa montre. Fin de l'intermède : la grande négociation entre le gouvernement et les ouvriers a pratiquement commencé [1]. »

En fin de soirée, le même jour, Georges Séguy, secrétaire général de la CGT, remet un texte à la presse. C'est la réponse officielle du bureau confédéral à la proposition officieuse de Jacques Chirac. La centrale note, dans son communiqué, que « les organisations syndicales ont toutes exprimé leur volonté de voir s'ouvrir rapidement les discussions avec le gouvernement et le patronat ». Elle critique, en passant, « la lenteur des pouvoirs publics à répondre à cette attente ».

Georges Pompidou peut prendre la CGT au mot. La grande négociation syndicats-gouvernement-patronat s'ouvrira le lundi 27. Mais Georges Séguy est pressé, très pressé. Ce sera finalement le samedi 25 mai, à 17 heures, au ministère des Affaires sociales, rue de Grenelle.

Avant la séance, Georges Pompidou a mis au point sa stratégie avec Michel Jobert, Édouard Balladur et Jacques Chirac. Le secrétaire d'État à l'Emploi a définitivement supplanté Jean-Marcel Jeanneney, le ministre des Affaires sociales, que le chef du gouvernement n'a même pas pris la peine de consulter. Tout au long des négociations, d'ailleurs, Jeanneney, hors jeu, ne soufflera mot et traînera un air d'ennui désabusé.

Georges Pompidou et ses hommes sont décidés à jouer à fond la carte de la CGT pour casser le front syndical. À leurs yeux, seule la centrale de Georges Séguy peut arracher les grévistes au vertige révolutionnaire. Quand elle sera d'accord sur un compromis, pensent-ils, les autres finiront bien par suivre, bon gré mal gré.

Quelques minutes avant le début de la négociation de Grenelle, le Premier ministre tient aux responsables de la CGT le langage que Chirac tient, depuis deux semaines, à Krasucki : « Vous êtes menacés autant que le gouvernement, et peut-être davantage. Si les étudiants, les gauchistes de toute espèce et les partis politiques qui courent après eux, sans parler des syndicats qui vous concurrencent,

---

1. Philippe Alexandre, *L'Élysée en péril, op. cit.*

134

entraînent les ouvriers, vous serez emportés, quoi que vous fassiez. Votre encadrement n'y résistera pas [1]. »

Quand les responsables de la CGT sortent de son bureau, notera plus tard Édouard Balladur, Pompidou a le sentiment qu'il a gagné. « Je suis prêt à négocier toute la nuit s'il le faut, souffle le Premier ministre. Les accords seront signés dimanche au plus tard. »

André Fanton, député gaulliste de Paris, que le Premier ministre reçoit ce jour-là, diagnostique : « Pompidou voulait refaire les accords de 36, il se prenait pour Léon Blum. » Et il est vrai que le chef du gouvernement est décidé, d'entrée de jeu, à lâcher beaucoup. Jacques Chirac avait laissé entendre à ses interlocuteurs de la CGT que le pouvoir était prêt à envisager une augmentation de 20 % du SMIG (Salaire minimum interprofessionnel garanti). « C'était énorme, dit-il, mais nous avions pensé qu'un tel "cadeau" permettrait de faire bien démarrer les discussions. »

Bien vu ? Quand, lors de la première nuit de négociation, Georges Pompidou annonce, pour mettre de l'ambiance, qu'il peut envisager une augmentation du SMIG « de l'ordre de 20 % », André Bergeron, secrétaire général de FO, fait de la surenchère : « Non. Il faut 35 %. »Et Paul Huvelin, patron du CNPF, apparemment dépassé, opine alors, à la surprise générale. Adjugé.

Ensuite, la discussion s'enlise, la CFDT fait traîner les choses et Séguy s'impatiente. De temps en temps, il échange de lourds regards avec Pompidou ou Chirac. Entre le gouvernement et la CGT, ce n'est certes pas l'entente cordiale mais c'est au moins l'alliance objective. Contre tous les débordements, contre tous ceux qui, comme les cédétistes, sont prêts à jouer la poursuite du mouvement.

Le 27 mai, après deux jours de négociations infructueuses, Pompidou et ses hommes commencent à douter de l'issue. Le Premier ministre a le sentiment d'être allé trop loin dans les concessions. Il rompt son flegme légendaire en lâchant une réflexion désabusée qu'entendront plusieurs syndicalistes : « Oh, comme responsable du budget de l'État, il y a longtemps que j'ai roulé sous la table. » Apparemment, pourtant, cela ne suffit pas.

Chirac broie du noir quand, à 2 heures du matin, il remarque un étrange remue-ménage dans la délégation de la CGT. Séguy sort

---

1. Édouard Balladur, *L'Arbre de mai, op. cit.*

de la salle de négociation pour téléphoner. Quelques instants plus tard, il appelle toute son équipe et confère avec elle. Puis il revient et fait un signe au secrétaire d'État à l'Emploi. Il veut lui parler seul à seul.

Dans le petit salon où ils se sont isolés, Séguy annonce à Chirac qu'une grande manifestation est prévue au stade Charléty, ce 27 mai. Y participeront, d'après ses informations, François Mitterrand [1], Pierre Mendès France et les dirigeants de la CFDT.

Le secrétaire général de la CGT est rouge de colère : « La CFDT bloque la négociation parce qu'elle est engagée dans une opération "politicienne". Elle est en train de nous rouler. » Puis : « Maintenant, il faut conclure. »

Pendant que la grande négociation s'éternise sous l'œil las de Pompidou, Chirac et Séguy s'enferment donc dans un bureau. Pour en finir. Deux heures durant, le secrétaire d'État à l'Emploi cherchera, à la demande du Premier ministre, à aplanir toutes les difficultés. Quand il a un doute, il fait passer un petit papier au Premier ministre qui le renvoie annoté. Sur l'échelle mobile des salaires et des prix, le secrétaire d'État propose que le patronat et les syndicats se retrouvent plus tard pour en parler. Séguy hoche la tête. Sur la question de la Sécurité sociale qui tient tant à cœur à la CGT, il suggère la réduction du ticket modérateur et un débat à l'Assemblée nationale. L'autre accepte.

Chirac a moins d'atomes crochus avec Séguy, « homme d'appareil et militant communiste type », qu'avec le « très fin », le « très astucieux » Krasucki. C'est tout de même avec le secrétaire général de la CGT qu'il boucle, dans le huis clos d'un salon lambrissé, ce qu'on a appelé les accords de Grenelle.

À la fin de leur discussion, Séguy dira à Chirac : « N'ayez aucune crainte. Il y aura encore, des "queues" de grèves dans les entreprises. Mais tout rentrera dans l'ordre d'ici quarante-huit heures [2]. »

Quand les deux hommes reviennent – pas ensemble, bien sûr, pour ne pas étaler leur collusion –, Pompidou sait que tout est réglé.

---

1. François Mitterrand, finalement, ne se rendra pas à la manifestation du stade Charléty.
2. Philippe Alexandre, *L'Élysée en péril, op. cit.*

La CFDT tente bien de faire encore traîner le débat. Mais Pompidou et Séguy sont pressés. Les Français aussi.

Il est 7 heures du matin et il pleut. Tout le monde tombe de sommeil et, dans la foulée, d'accord : le SMIG augmentera de 35 %, les salaires de 10 % et le principe de la création de sections syndicales d'entreprise est acquis. Mai 68 est fini. C'est du moins le sentiment de Jacques Chirac.

14

Le dauphin

« Plus grosse la tête, plus forte la migraine. »
Proverbe serbe

Ce lundi 27 mai, après une nouvelle nuit blanche, Jacques Chirac rentre chez lui, fatigué mais grisé. Avec ces accords de Grenelle, il est convaincu, comme Pompidou, que la France va se remettre au travail. Il a le sentiment d'avoir respiré l'Histoire à pleins poumons. Il est sûr, enfin, d'être devenu l'un des hommes forts du système Pompidou.

Après s'être lavé et rasé, il s'allonge un moment sur son lit et il écoute les nouvelles à la radio. Flanqué de Benoît Frachon, le président de la CGT, Georges Séguy est venu rendre compte du protocole de Grenelle à douze mille salariés de Renault, réunis dans la cour de l'île Seguin. Il est hué. Aussitôt, il se reprend : « Mais rien n'est signé, camarades ! À la demande du gouvernement au sujet de la reprise du travail, poursuit-il, nous avons indiqué que nous n'avions pas lancé l'ordre de grève et qu'il nous était donc impossible de donner un ordre de reprise du travail. »

Le mouvement les dépassant, les dirigeants de la CGT feignent d'en être les organisateurs. Ils ne reconnaissent plus le gouvernement légal et plaident pour l'avènement d'un « gouvernement populaire ». Le mardi 28 mai, ils appelleront leurs troupes à défiler le lendemain pour obtenir un « changement politique ».

Chirac, pourtant, n'a pas le sentiment d'avoir été « roulé » par Séguy. Dans un entretien avec les auteurs de *Jacques Chirac ou la*

République des cadets [1], il laisse transparaître ce qu'il faut bien appeler sa connivence avec les communistes : « Les communistes ne "roulent" pas les gens comme ça. Ce n'est pas leur style. Je pense seulement que, chez Renault, les responsables de la CGT se sont mal "débrouillés" : ils avaient laissé entrer beaucoup trop de gauchistes dans l'usine. »

Apparemment, avec ces accords de Grenelle, Pompidou et ses hommes ont perdu sur tous les tableaux : sur le plan social mais aussi sur le plan économique. Au Conseil des ministres, le général de Gaulle se borne à faire remarquer platement que le travail n'a pas repris dans le pays. En sortant, le Premier ministre est blessé, mortifié. « Le Général n'a pas eu un mot pour me remercier de ce que j'ai fait », rapporte-t-il tristement, de retour à Matignon, à Jobert et Balladur.

Quelques instants plus tard, Balladur croise plusieurs ministres qui attendent, dans l'antichambre, que Pompidou les réunisse. Michel Debré, ministre des Finances, se lève et apostrophe le conseiller du Premier ministre :

« Alors, vous êtes content ?

— Content n'est pas le mot qui convient.

— Pourtant, en deux jours de discussions avec les syndicats, vous avez réussi à mettre par terre l'économie française... et vos accords ne parviennent même pas à rétablir l'ordre. C'était bien la peine [2]. »

Étranges journées. Tout craque. Les visages se défont. Les langues se délient. Les portes claquent. Le Premier ministre donne l'ordre aux chars de Satory de venir prendre position dans la banlieue parisienne. François Mitterrand annonce qu'il est prêt à se présenter à la présidence de la République et qu'il appellera Pierre Mendès France pour former un gouvernement provisoire. Le général de Gaulle murmure : « Depuis quelque chose comme trente ans, j'ai affaire à l'Histoire. Je me demande si je ne devrais pas la quitter. »

Tout craque. Y compris le masque du Premier ministre. De Matignon ou bien du quai de Béthune, sur l'île Saint-Louis, où il habite, il entend, chaque soir ou presque, le fracas des émeutes du Quartier latin. Il en a perdu le sommeil. De Gaulle aussi. Le

---

1. Catherine Clessis, Bernard Prévost et Patrick Wajsman, *op. cit.*
2. Édouard Balladur, *L'Arbre de mai, op. cit.*

28 mai, le Général dira à Christian Fouchet, son ministre de l'Intérieur : « Je n'arrive plus à dormir à l'Élysée avec ces grenades qu'on entend éclater dans les environs[1]. »

Il est minuit, ce soir-là, quand le Premier ministre appelle Chirac. Le secrétaire d'État est en pyjama ; il a *Le Monde* à la main ; il va se coucher.

« Jacques, ça ne va pas, dit Pompidou, la voix cassée de fatigue et de tabac.

— Que puis-je faire ? demande Chirac, déjà bondissant.

— Passez me voir tout de suite. Je vous attends. »

Quand Chirac arrive à Matignon, le Premier ministre a perdu son cafard et retrouvé son tonus. Le secrétaire d'État s'assoit. Les deux hommes parlent et fument, fument et parlent. Ils font leurs comptes. Ils rêvaient de réconcilier la France avec elle-même. Ils croyaient à la politique de la négociation. Elle a piteusement échoué. Ce sont eux, finalement, les grands vaincus de Grenelle. La solution est désormais entre les mains du général de Gaulle. Mais il semble justement avoir perdu la main...

Des explosions crèvent le silence de proche en proche. Comme la plupart des Français, Pompidou et Chirac ont le sentiment que la crise touche à son terme. Mais ils ne connaissent pas la fin de l'histoire. D'ordinaire, ce genre de révolution se termine par la fuite du souverain (1848) ou bien par la répression (Galliffet contre la Commune). Il n'y a apparemment pas de troisième voie. Le Premier ministre n'exclut plus tout à fait que les communistes tentent un coup de force. En ce cas, pense-t-il, ils prendront d'assaut l'Hôtel de Ville et non pas l'Élysée ou Matignon. Il est bien décidé à se battre et, si besoin, à employer l'armée.

Mais le pire n'est pas toujours sûr. Pompidou est convaincu que de Gaulle peut reprendre le dessus s'il abandonne son projet de référendum sur la participation et décide de dissoudre l'Assemblée nationale. C'est, pour le pouvoir, le meilleur moyen de retrouver sa légitimité. Le Général hésite : « Pompidou, lui a-t-il dit dès les premiers jours de la crise, vous êtes trop optimiste. »

Trop optimiste ? Le Premier ministre hausse les épaules. Il ne se départ jamais, c'est vrai, d'une sorte d'épicurisme euphorique. Il donne toujours le sentiment d'être en veine. Même ce soir-là. Mais

---

1. Christian Fouchet, *Les lauriers sont coupés*, Plon, 1973.

il se veut avant tout réaliste (le jour de la grande manifestation gaulliste du 30 mai qui réunira un million de personnes et renversera le courant, Pompidou dira à Juillet : « Si je connaissais le con qui a organisé ça ! – Ben, c'est nous, répondra l'autre. J'ai même débloqué 10 000 francs. » Alors, Pompidou, glacial : « Y aura cinquante mille personnes »).

Le Premier ministre, en fait, est prêt à envisager toutes les solutions et à essayer toutes les ouvertures. Quitte à se contredire. Exactement comme Chirac qui décrit ainsi Pompidou dans la tempête : « Mis à part ce coup de fil qu'il me passa à minuit, je n'ai jamais vu ni senti Pompidou inquiet. Même dans les moments de grande tension, il lui arrivait de s'extraire de la discussion en cours pour se transporter subitement en d'autres temps, d'autres lieux, et parler des cigares Davidoff, du dernier roman à la mode ou de je ne sais quoi d'apparemment futile. Son bureau était devenu le QG du gouvernement. C'était un va-et-vient permanent. L'Intérieur y avait installé des appareils de communication du dernier cri qui permettaient de suivre le déroulement des opérations de police. Tout ça faisait un vacarme infernal. Mais Pompidou qui travaillait sur un petit guéridon, près de la fenêtre, ne perdait jamais son calme. »

C'est pendant ces heures sombres de Mai 68 que Chirac nouera ses rapports privilégiés avec Georges Pompidou. Son entreprise de filiation est arrivée à son terme.

Les Pompidou ont un fils, Alain, qu'ils ont adopté. Mais, apparemment, cela ne suffit pas à assouvir tout à fait les instincts de paternité du Premier ministre. Il commence à regarder Chirac avec des yeux protecteurs. Il lui trouvait du talent. Il lui découvre des qualités. C'était son poisson pilote. Il devient son dauphin.

Son jeune secrétaire d'État, Georges Pompidou le racontera un jour ainsi à son ami Jean Cau, journaliste à *Paris-Match* :

« Il n'était pas timide mais fasciné. Absolument fasciné de manière aiguë par le Général. Quant aux maréchaux gaullistes, couverts de médailles glanées au fil de l'Histoire, les Debré, Frey, Guichard, Messmer, etc., il posait sur eux un œil respectueux mais aux aguets.

— Du regret de n'être pas de leur espèce et de n'avoir pas vécu leur épopée ?

— Non. Il avait sa jeunesse à leur opposer. »

Pompidou dira encore à Cau :

« Vous savez, en Conseil des ministres, lorsque tout le monde avait parlé et que je me tournais vers Chirac silencieux et interrogeais : "Mais qu'en pense M. Jacques Chirac ?", il y en avait qui se demandaient pourquoi je me souciais à ce point des avis d'un si jeune homme [1]. »

Ce n'est donc pas par hasard si le jeune Chirac est l'un des rares hommes sur lesquels Pompidou peut encore s'appuyer pleinement, en ces journées de folie, alors que tout l'appareil d'État se délite autour de lui, que les ministères se vident de peur, que le fossé se creuse entre de Gaulle et lui.

C'est la débandade. Y compris au secrétariat d'État à l'Emploi, rue de Tilsitt. Dans ses mémoires inédits [2], Jacques Chirac écrit, à propos des membres de son cabinet : « Tous excellaient à prendre des responsabilités administratives, à préparer des déclarations mesurées et fortes, j'étais plutôt fier de mon équipe. Et le vent de mai s'est levé. Certains, que je ne nommerai pas, se sont effondrés, d'un coup, comme sous l'effet d'un cyclone. D'autres se sont savamment éparpillés. L'un des plus dignes m'a remis sa lettre de démission. Un seul a été parfait : Jean-Paul Parayre. Il s'est contenté d'être là, de le montrer, de ne pas déserter son bureau et ne pas faire le bel esprit, c'est-à-dire, quand le bateau tangue, le mauvais esprit. Je passe sous silence le fidèle compagnon, au cœur torturé, qui s'est rendu chez François Mitterrand, dès 9 heures du matin, pour l'assurer de sa fidélité la plus complète. Il n'était pas le seul à avoir eu cette idée originale, force lui fut de faire la queue. Longtemps. Si bien que, le soir, on l'a prié de rentrer se coucher sans avoir été reçu. Cela ne l'a pas entièrement démonté. Par l'entremise d'une de ses amies, journaliste, il a tenté de faire savoir à François Mitterrand qu'il se tenait à sa disposition ! C'était un de mes proches collaborateurs et ami "fidèle". »

Dans son autobiographie, Chirac ne cite pas son nom. L'ami « fidèle », c'est Olivier Stirn, alors son chef de cabinet. La journaliste, Michèle Cotta.

Tirant les leçons de la démarche d'Olivier Stirn, Jacques Chirac conclut : « François Mitterrand, au hasard des sondages politiques et des poussées de défaitisme ou de triomphalisme qui agitent la

---

1. *Paris-Match*, 4 avril 1986.
2. *Les Mille Sources, op. cit.*

majorité, a disposé d'un extraordinaire poste d'observation. Son paillasson aurait beaucoup à dire. François Mitterrand est, certes, de nous tous, du fait de sa position et de la conjoncture, celui devant qui la peur, l'arrivisme, la soif, l'impatience et l'ingratitude se sont davantage montrés. J'imagine que certains de ces revirements subits, de ces prises de conscience inattendues, de ces pitoyables lâchetés et de ces vilenies apeurées, loin de lui être agréables, ont dû lui faire douter, un peu plus, de l'animal politique. »

Au gouvernement, le moral n'est pas meilleur que dans le cabinet de la rue de Tilsitt. Certes, Pompidou peut compter sur quelques membres du gouvernement, solides comme des armoires normandes : Raymond Marcellin, Olivier Guichard, Roger Frey. Sans parler du secrétaire d'État à l'Emploi. Mais beaucoup de ministres, et non des moindres, se terrent, affolés, en province. Quant à ceux qui restent à Paris, en première ligne, ils n'arrivent pas souvent à conserver leur sang-froid. « Il m'a été donné, écrit Chirac dans son autobiographie, de voir se décomposer, se dissoudre des hommes politiques tenus pour éminents dans l'univers gaulliste. »

Christian Fouchet, le ministre de l'Intérieur, passe d'un extrême à l'autre. Quand il ne s'emballe pas, il se déballonne. Dans la nuit du 24 au 25 mai, il ira jusqu'à réclamer des blindés pour charger les étudiants.

Alain Peyrefitte, le ministre de l'Éducation nationale, lâché sans pitié par tout le monde ou presque, ne sait plus bien à quel saint se vouer.

Michel Debré, le ministre des Finances, passe de la colère à l'abattement et inversement. Il finira au lit. Grippé, paraît-il.

Albin Chalandon, ministre de l'Industrie, devenu mendésiste, préconise, à voix basse, la démission du général de Gaulle.

Charles de Gaulle lui-même tire sa révérence. Le mercredi 29 mai, il annonce qu'il ajourne le Conseil des ministres et part pour Colombey-les-Deux-Églises. Avant de s'en aller, il dit à Georges Pompidou : « Je suis vieux, vous êtes jeune, c'est vous qui êtes l'avenir. » Puis : « Au revoir, je vous embrasse [1]. »

---

1. Georges Pompidou, *Pour rétablir une vérité*, Flammarion, 1982.

Quelques heures plus tard, Bernard Tricot, secrétaire général de l'Élysée, fait irruption dans le bureau de Georges Pompidou. Il est blême.

« On a perdu la trace du Général, dit-il. Il n'est pas arrivé à Colombey. »

Alors, Pompidou :

« Il est parti pour l'étranger ! »

Édouard Balladur raconte ainsi cette folle journée qu'il a vécue avec Chirac, Jobert et Juillet : « L'angoisse étreignit le Premier ministre. Il était plus démuni que jamais avec quelques hommes seulement autour de lui. Le départ de De Gaulle allait-il rendre espoir aux gauchistes, aux communistes, aux syndicats, à tous ceux qui souhaitaient la chute du gouvernement ? Déjà, l'on affirmait que les communistes donneraient, dans l'après-midi, l'assaut à l'Hôtel de Ville [1]. »

De là date la rupture entre de Gaulle et Pompidou, comme ce dernier le confirme dans le premier tome de ses mémoires [2]. Le Premier ministre n'a pas admis que le chef de l'État quitte le territoire national sans l'en avoir informé. Il a estimé aussi que le Général avait paniqué et pris « un risque effroyable », comme le dira Balladur, en le laissant seul aux commandes dans un Paris où le feu couvait.

Quand il revient de Baden-Baden où il a rencontré le général Massu, qui commande les forces françaises en Allemagne fédérale, de Gaulle a peut-être retrouvé la confiance des Français mais il a définitivement perdu celle de son Premier ministre (et de Chirac).

« La panique qui s'était emparée de la France, à la nouvelle que le général de Gaulle avait disparu, était un véritable référendum qui rendait bien inutile celui, fort inopportun, que le Général avait imaginé, écrira Georges Pompidou [3]. Mais je n'en avais pas moins été traité avec ce qui m'apparaissait, à ce moment-là, comme une singulière désinvolture. »

Le lendemain de l'escapade du Général à Baden-Baden, Pompidou lui remet sa démission de Premier ministre. De Gaulle la lui

1. Édouard Balladur, *L'Arbre de mai, op. cit.*
2. *Pour rétablir une vérité, op. cit.*
3. *Ibid.*

144

refuse. Alors, Pompidou : « Mon général, vous me demandez de rester. Je vous demande la dissolution. » De Gaulle cède. De retour à Matignon, le chef du gouvernement rapporte à ses conseillers : « Il a compris que si l'Assemblée nationale n'était pas dissoute je maintiendrais ma décision. » Les deux hommes n'entretiennent plus des relations amicales mais des rapports de forces. Ils ne tarderont pas à en tirer les conséquences.

Est-ce pour n'avoir pas à choisir publiquement entre l'un ou l'autre ? Chirac prétend en tout cas n'avoir jamais rien su du différend entre les deux hommes. « Je n'ai jamais senti de tensions particulières entre de Gaulle et Pompidou, dit-il. Ils étaient tous les deux pleins de pudeur et n'étaient pas du genre à prendre les tiers à témoin de leurs états d'âme. Tous ceux qui ont disserté sur leur soi-disant duel l'ont fait avec inconscience, incompétence ou mauvaise foi. »

Ou bien Chirac n'a pas vu ni entendu ce qui se passait autour de lui en Mai 68. Ou bien il cherche à mystifier. Le désaccord entre les deux hommes est apparu très clairement lors du remaniement gouvernemental du 31 mai. Le Général a décidé – suprême humiliation – d'installer au ministère de la Justice un homme qui, il n'y a pas si longtemps, accusait le Premier ministre de mettre « en danger le régime et le général de Gaulle lui-même ». C'est René Capitant, député de Paris et « gaulliste de gauche ». Vingt-quatre heures avant que sa nomination ne soit officielle, Capitant annonce qu'il sera ministre sur l'ordre de l'Élysée : « J'avalerai la couleuvre Pompidou. J'y suis bien obligé. Je ne dis pas que ce sera agréable mais ce sera mon devoir. »

Certes, Georges Pompidou profitera du remaniement pour faire avancer ses féaux : François-Xavier Ortoli sera promu à l'Éducation nationale, Raymond Marcellin à l'Intérieur, Olivier Guichard au Plan et Jacques Chirac au secrétariat d'État au Budget. Mais le Premier ministre aura du mal à avaler la couleuvre Capitant.

Quelques semaines plus tard, son éviction de Matignon, après le triomphe des gaullistes aux élections législatives anticipées de juin, achèvera la déchirure. Dans son bloc-notes, l'écrivain François Mauriac, gaulliste intransigeant, résume bien le malaise d'une partie de la majorité : « L'homme d'État qui a tenu tête presque seul sur tous les fronts, durant la crise de mai, qui a été l'organisateur de la plus grande victoire électorale en France qu'un parti ait jamais remportée, se retire ?... est congédié ? Chacun est libre d'en rêver et de répondre selon son humeur. » Dans *Pour rétablir une vérité*, Georges Pompidou ouvre carrément la plaie : « Quelque chose en moi était ébranlé. Nos rapports étaient donc des rapports de fonction et de circonstance et non pas des rapports privilégiés entre un grand homme et quelqu'un qui lui était dévoué. »

Nous voilà bien loin du couple harmonieux, embaumé d'encens, que célèbre volontiers Chirac...

En un mois, Jacques Chirac a beaucoup appris. Sur la France, sur les autres, sur lui-même. Il a perdu aussi beaucoup d'illusions et quelques certitudes. Quatre ans après, il confesse : « Je réalise après coup que Mai 68 a été quelque chose de plus important que je ne l'avais cru sur le moment. Je comprends mieux, aujourd'hui, la nécessité de tenir compte, bien plus que par le passé, des contraintes que la vie fait peser sur les hommes. À cet égard, c'est un événement positif de notre histoire contemporaine. Regrettable dans sa forme, mais positif quant au fond[1]. »

Déclaration assez sibylline. Elle indignera pourtant quelques-uns de ses disciples. Y compris les plus dévots. Dans sa biographie aussi complète qu'enflammée, Thierry Desjardins ne peut s'empêcher d'écrire : « On peut [...] se demander si Chirac n'a pas, là, lui-même été victime de Mai 68, en versant, comme le Tout-Paris politico-mondain, dans l'autocritique[2]. »

Dix ans après ce qu'on appellera les « événements de 1968 », Jacques Chirac récidive en écrivant dans son seul vrai livre, *La Lueur de l'espérance*[3] : « Mes interlocuteurs se désolent très souvent de ce qu'une grande partie de la jeunesse française se moque de la patrie, de l'armée, du devoir, du travail... Je ne dirai pas que cette contestation mérite l'éloge, mais seulement qu'il ne faut pas conclure aussitôt à l'irrémédiable subversion des valeurs. *Semper idem*... "Cette jeunesse est pourrie depuis le fond du cœur. Les jeunes gens sont malfaisants et paresseux. Ils ne seront jamais comme la jeunesse d'autrefois. Ceux d'aujourd'hui ne seront pas capables de maintenir notre culture" (inscription babylonienne, – 3 000 ans avant J.-C.)... "Notre monde

---

1. *Jacques Chirac ou la République des cadets*, op. cit.
2. *Un inconnu nommé Chirac*, op. cit.
3. La Table ronde, 1978.

a atteint un stade critique. Les enfants n'écoutent plus leurs parents. La fin du monde ne peut être loin" (inscription égyptienne, – 2 000 ans avant J.-C.)… »

Ce qu'il condamne, ce sont les politiques et les syndicalistes qui ont surfé sur la vague de Mai 68 pour en faire une révolution. Pas les jeunes ni les étudiants, dont il se refuse à dramatiser la révolte : « Après tout, les défis juvéniles d'aujourd'hui ne diffèrent guère de ceux que lançait le surréalisme au cours des années vingt, à l'émerveillement du snobisme dans les milieux mondains et cultivés. La diffusion de l'enseignement les a vulgarisés, rien de plus. Avec l'appui de la littérature ou par invention spontanée, les adolescents d'avant-guerre, si l'on en croit maints souvenirs, affectaient aussi très volontiers l'exaltation des cancres et de la gaudriole, un irrespect universel, un scepticisme absolu, un égoïsme catégorique […]. On oublie facilement que le pacifisme anarchique, l'internationalisme ont été beaucoup plus répandus qu'à l'heure actuelle, l'antimilitarisme beaucoup plus virulent. »

On dira qu'il parle là en connaissance de cause. L'homme politique, coiffé court et tiré à quatre épingles, n'oublie apparemment jamais le garçon révolté qu'il fut.

Mai 68 fut d'abord, pour lui, un danger, un tourment, une obsession. Pour devenir, le temps aidant, un remords ?

15

Cadavres

« Ce sont les cimes que frappe la foudre de Zeus. »

Eschyle

Le 10 juillet, quand la démission de Georges Pompidou du poste de Premier ministre devient officielle, Jacques Chirac est tiraillé, déchiré, traumatisé. Après la fuite à Baden-Baden, il n'a plus vraiment confiance en de Gaulle. Il est convaincu que le chef de l'État avait prévu de faire un séjour prolongé en Allemagne fédérale et qu'il a fallu la force de conviction du général Massu pour le retourner. C'est en tout cas ce qui se dit aux sommets de l'État gaulliste. Cette crise de découragement, des observateurs aussi avertis que Philippe Alexandre ou Raymond Tournoux l'ont, à l'époque, subodorée. De Gaulle lui-même l'avouera à son Premier ministre, trois jours plus tard : « Pour la première fois de ma vie, j'ai eu une défaillance. Je ne suis pas fier de moi [1]. »

Chirac est convaincu que le Général commet une grave erreur en renvoyant l'homme qui vient de sauver la mise du régime et en donnant ainsi raison au célèbre précepte d'Alexandre Dumas père : « Il y a des services si grands qu'on ne peut les payer que par l'ingratitude. » Il a envie de quitter le gouvernement. Il accourt donc à l'Assemblée nationale pour recevoir les consignes auprès de Georges Pompidou qui est en train de prendre tristement possession de son bureau de député du Cantal.

---

1. Georges Pompidou, *Pour rétablir une vérité, op. cit.*

Pompidou n'hésite pas : « Il faut rester, bien sûr. Mais au secrétariat d'État au Budget. Ne transigez surtout pas. C'est un poste où vous pourrez vous former. »

Maurice Couve de Murville, le nouveau Premier ministre, propose à Jacques Chirac un ministère de l'Information et des Réformes administratives. Il est convaincu que ce jeune homme ne peut hésiter devant pareille promotion : c'est un poste qui lui permettra de se faire connaître.

Mais Chirac refuse. Ce sera le secrétariat d'État au Budget ou rien. Pompidou l'a persuadé qu'il a besoin de lui à ce poste stratégique où l'on n'ignore rien des mouvements de l'économie française, des comptes des ministères ou encore, grâce à la Direction générale des impôts (DGI), des finances des particuliers (« Un ministère qui vaut bien l'Intérieur », aurait dit, un jour, Pompidou).

De bonne composition, Maurice Couve de Murville revient à la charge en faisant une seconde proposition, plus alléchante encore : le ministère des Affaires sociales. Nouveau refus du freluquet. Couve doit finalement s'incliner devant tant d'intransigeance. Ce n'est évidemment pas Chirac qu'il cherche à amadouer. C'est son puissant protecteur.

Chirac est ainsi catalogué, d'entrée de jeu, comme l'homme de Pompidou au sein du gouvernement Couve de Murville : le messager et le porte-parole – l'intermédiaire, en somme. C'est si vrai que, pendant le remaniement, le Premier ministre désigné le convoque et le consulte à tout bout de champ, comme s'il était l'un des grands dignitaires du régime. Il cherche un ministre de l'Éducation nationale, par exemple, et il ne le trouve pas.

« Mettez Edgar Faure à l'Éducation, dit Chirac sans hésiter.

— Faut-il vraiment lui faire une place ? demande Couve avec son air de sucer un citron. Personnellement, je n'y tiens pas.

— Il vaut mieux l'avoir à l'intérieur du gouvernement. Si vous le laissez à l'extérieur, il va vous empoisonner la vie. J'ajoute que c'est un ministère qui est fait pour lui. S'il se plante avec ses idées farfelues, on dira que c'est un échec personnel. Si, au contraire, il réussit, on dira que c'est le gouvernement qui a redressé la situation. »

Le raisonnement ne tient évidemment pas debout. Jacques Chirac en convient : « C'était bien mal connaître Edgar Faure que, pourtant, je connaissais bien. S'il réussissait, c'était lui tout seul. S'il échouait, c'était à cause du gouvernement. »

Et c'est ainsi qu'Edgar Faure est devenu ministre de l'Éducation nationale.

Quelques heures plus tard, Chirac rencontre Pompidou à une réunion de sénateurs, à la gare d'Orsay. Il lui donne les dernières nouvelles et ajoute :

« On n'a toujours pas trouvé de ministre des Finances. »

Alors, Pompidou :

« Il faut nommer Ortoli. C'est un homme sûr. »

Chirac fonce alors à Matignon.

« J'ai votre ministre des Finances », dit-il à Couve qui, une fois encore, obtempère.

Il est content, Pompidou. Avec François-Xavier Ortoli aux Finances et Jacques Chirac au Budget, il a une main dans le gouvernement. Les deux hommes, pourtant, ne vont pas être à la fête. Ils sont chargés de faire payer aux Français la facture de Mai 68.

L'histoire aime les pieds de nez, de Gaulle aussi : c'est Chirac qui, au Budget, doit faire digérer à l'économie française ces accords de Grenelle dont il fut l'un des principaux artisans. Les caisses sont vides. Le gouvernement a utilisé tous ses droits de tirage au Fonds monétaire international (FMI) et dépensé la plupart des réserves de la France. Le commerce extérieur est malade et le franc n'est pas bien portant.

Que faire ? Augmenter les impôts, cela va de soi. C'est du moins ce qu'Ortoli et Chirac ont appris sur les bancs de l'ENA. C'est aussi ce que leur serinent les services de la DGI. Le Général n'est pas de cet avis. Un jour, il convoque Chirac à l'Élysée.

« Monsieur le secrétaire d'État, racontez-moi le budget de la France… »

Chirac chausse ses lunettes, sort ses tableaux, crache ses statistiques. Au bout de quatre ou cinq minutes, le général de Gaulle l'interrompt :

« Quel est le niveau de pression fiscale, actuellement ?

— 34,7 % du produit intérieur brut, mon général.

— Eh bien, arrêtez tout là et faites-la redescendre à 33 %. C'est la seule chose qui compte. »

Message reçu. Chirac racontera souvent, par la suite, la leçon du Général : un budget n'est jugé qu'en fonction du taux des prélèvements obligatoires.

Tout en matraquant les gros revenus et en augmentant les droits de succession, Ortoli et Chirac prétendent donc faire baisser la fiscalité. « Le gouvernement, déclare fièrement le secrétaire d'État au Budget dans un entretien au *Figaro*[1], n'a pas voulu réaliser l'équilibre budgétaire par une accentuation de l'effort fiscal mais présente, au contraire, un budget caractérisé par une réduction importante de la fiscalité. »

Pour parvenir à ses fins, Chirac a taillé dans les dépenses, qui augmentent deux fois moins vite que les recettes. Un budget équilibré, en somme, que n'eût pas désavoué le professeur Barre. Le secrétaire d'État a, de toute évidence, du savoir-faire. Il ne lui manque que le faire-savoir.

Au poste clé du Budget, Chirac a l'occasion de montrer son personnage sous tous ses angles, ses bons côtés et les autres...

La maladresse. Sur l'affaire de l'augmentation des droits de succession, par exemple, le secrétaire d'État n'arrive pas à faire passer son message. Un épisode sur lequel ses biographes, officiels ou pas, ne s'attardent jamais. Il en dit pourtant long sur l'impétuosité de Chirac, ses excès de vitesse, ses dérapages incontrôlés. Version de Couve de Murville : « C'est moi qui ai lancé l'affaire. Chirac y était favorable. Mais l'opération a été mal menée sur le plan des relations publiques. » Version – concordante – de Chirac : « Quand Couve a eu cette idée, je me suis battu pour la faire passer, étant d'un naturel discipliné. Or cette réforme est mal tombée : la majorité n'en voulait pas. Très vite, je n'ai plus trouvé personne derrière moi ni devant. Ni Couve ni Ortoli. Ils n'étaient plus au courant de rien. Alors, tout seul au Parlement, de jour comme de nuit, j'y suis allé avec la souplesse d'un verre de lampe, j'ai été envoyé dans le décor et j'ai fini par comprendre que j'avais fait une connerie. Les députés gaullistes ont mis longtemps à me pardonner. »

L'appétit de pouvoir. Chirac aurait tort, pourtant, de se plaindre des absences d'Ortoli dans l'affaire des droits de succession. Dès son entrée en fonction, en effet, il a dit au ministre des Finances : « Je n'étais pas candidat pour rester. C'est Couve qui a insisté. Alors,

_____
1. 3 novembre 1969.

tu fais un décret qui me donne un statut de secrétaire d'État complètement indépendant. » Ortoli, bonne pâte, s'est exécuté. Et c'est ainsi que Chirac règne, en maître après Dieu, sur le Budget, les douanes, la comptabilité publique, le tabac et la loterie nationale. À lui, les finances nationales ; à Ortoli, les finances extérieures. Qui est le vrai ministre ?

L'esprit de clocher. Dominique de La Martinière, qui fut son directeur des Impôts, se souvient de la plaisanterie qu'il faisait avec Renaud de La Genière, directeur du Budget : « Quand on veut faire passer une réforme, il faut dire à Debré : "Ce sera impopulaire." Et à Chirac : "Cela plaira aux Corréziens." » L'obsession corrézienne du secrétaire d'État est si forte que, pendant les réunions avec ses directeurs, il passe son temps à signer des parapheurs : c'est le courrier de sa circonscription. Entre deux signatures, il lève rarement les yeux. Certains hauts fonctionnaires s'en indignent. Les plus insolents interrompent soudain leur exposé : « Vous m'entendez ? » Le secrétaire d'État n'a pas, de toute évidence, la vocation de refaire le monde, voire la France.

L'oreille. Chirac est sans arrêt à l'écoute. « C'est un type très simple, rapporte Dominique de La Martinière. Pas le genre à pérorer : "Je suis le secrétaire d'État de la France. " On pouvait tout lui dire. Quand vous lui annonciez une mauvaise nouvelle, Giscard vous punissait en cessant de vous convoquer. Chirac, lui, vous écoutait sans agacement et même avec intérêt. » Puis : « En cela, il ressemble beaucoup à Barre. »

Le caractère. Certes, Chirac ne casse pas les vitres. Plusieurs témoins se souviennent d'un conseil restreint où Dominique de La Martinière était parti en guerre contre la décision du général de Gaulle de renforcer le contrôle des prix et les contrôles fiscaux : « Mon général, avait dit La Martinière, on est à la veille d'un nouveau mouvement poujadiste. Je crains que cette mesure ne fasse qu'empirer la situation. » Couve cherche à lui couper la parole. Le Général lui demande de continuer. Chirac attendra sagement qu'Ortoli défende La Martinière pour embrayer.

Il arrive néanmoins au secrétaire d'État au Budget de casser, parfois, le morceau. Lors de l'affaire de la fausse dévaluation, par exemple, Chirac n'hésite pas à prendre le contre-pied du général de Gaulle. L'épisode se passe en novembre 1968. La confiance s'envole et le franc s'écroule. C'est le contrecoup de Mai : l'économie se venge. Et le projet de réforme des droits de succession, qui affole les petits épargnants, n'arrange rien. Il ne reste plus qu'à dévaluer. Les Allemands font savoir qu'ils sont d'accord. Les Français s'entendent rapidement avec les autres pays européens sur un taux de 9,78 %. Au ministère des Finances, les circulaires sont prêtes.

Moralement, en revanche, le Général n'est pas prêt. Après l'humiliation politique, le camouflet économique ? Il renâcle.

C'est ici qu'entre en scène un homme qui pense que la France n'est pas « condamnée » à la dévaluation. Il est vice-président de la Communauté économique européenne, où il est chargé des questions économiques. Il s'appelle Raymond Barre.

Il a un allié au gouvernement : Jean-Marcel Jeanneney, ministre des Affaires sociales, dont il fut le directeur de cabinet. Barre le convainc que la France ne doit pas céder au front des spéculateurs. Et qu'elle peut tout aussi bien emprunter aux banques européennes les devises dont elle a besoin. Jeanneney fait le siège du Général et finit par le retourner.

Le « crime » spéculatif ne payera pas. Telle sera la morale de cette histoire.

Le samedi 23 novembre, alors que commence le Conseil des ministres exceptionnel convoqué avant la réunion extraordinaire des ministres européens des Finances, les Français sont convaincus que la dévaluation est « inévitable » : toute la presse l'a déjà annoncée. Mais quand de Gaulle fait un « tour de table », comme dans les grandes occasions, la plupart des membres du gouvernement brodent sur le thème du prestige de la France. Deux voix seulement s'élèvent, avec force, pour la dévaluation : celle d'Albin Chalandon, ministre de l'Industrie, et celle de Jacques Chirac.

« Mon général, dira Chirac, c'est le seul moyen de redonner leur compétitivité à nos entreprises et d'assurer la croissance. »

La dévaluation n'aura pas lieu. L'indépendance nationale sera sauve. Le prestige du Général, intact. Le monde des finances, estomaqué. Mais la Banque de France perdra, dans cette affaire, 15 milliards de francs, au bas mot.

On a parfois dit que si le secrétaire d'État au Budget s'est engagé à ce point, ce jour-là, c'est parce que Pompidou était favorable à la dévaluation. Chirac prétend qu'il n'a pas le souvenir de lui en avoir parlé. Mais il ajoute : « Intuitivement, je suis sûr qu'il était pour. »

Comment n'aurait-il pas partagé l'opinion de Pompidou ? Il le voit tous les jours alors qu'il ne fait qu'entrevoir, de temps en temps, de Gaulle ou Couve. Chaque soir, sur le coup de 19 h 30, le secrétaire d'État au Budget fait un tour au QG du député du Cantal, 8, avenue de Latour-Maubourg. Il retrouve là, autour d'une bouteille de whisky, l'ancien Premier ministre et sa garde noire : Michel Jobert, Pierre Juillet, Édouard Balladur et Marie-France Garaud. Il fait partie du cabinet fantôme de l'ancien Premier ministre. Il est l'homme de Pompidou avant d'être celui de Couve, qu'il considère, d'une certaine façon, comme un « usurpateur ».

La loyauté ne se divise pas. Chirac ne marchande pas la sienne à Pompidou qu'il tient informé de tout, à commencer par la préparation du budget. Et, quand éclatera l'affaire Markovic, il réagira exactement comme Pompidou, avec la même violence : en tigre blessé.

L'histoire commence le 1er octobre 1968 : dans la décharge d'Élancourt, dans les Yvelines, non loin d'Orvilliers où se trouve la résidence secondaire des Pompidou, on découvre, enveloppé dans une housse en plastique, le cadavre d'un homme assassiné. Il s'appelle Stefan Markovic. Il a été le garde du corps, le confident et l'ami d'Alain Delon. On apprend, dans la foulée, qu'une lettre du mort accuse, par avance, François Marcantoni, truand apparemment « rangé », et Alain Delon lui-même. On fait aussitôt le rapprochement avec le « suicide » dans des circonstances étranges d'un autre garde du corps d'Alain Delon aux États-Unis. On commence à parler de chantage, de drogue, de parties fines. On évoque même, dans les journaux, la participation de « la femme d'un ancien ministre » ou d'« un ancien membre du gouvernement » à ces soirées libertines. On murmure que des photos circulent. C'est parce qu'il en savait trop que Markovic aurait été tué. On sort d'un roman de Georges Simenon pour entrer dans un SAS de Gérard de Villiers.

Comme toujours, les premiers concernés sont les derniers avertis : ce sont les Pompidou qui sont visés mais ils ne se doutent de rien. Beaumarchais avait tout compris quand il faisait dire à Bazile, dans son *Barbier de Séville* : « Croyez qu'il n'y a pas de plate méchanceté, pas d'horreurs, pas de contes absurdes qu'on ne fasse adopter aux oisifs d'une grande ville en s'y prenant bien. » Le Tout-

154

État gobe et jase. Un jour, n'y tenant plus, Jean-Luc Javal, qui fut chargé de mission de Pompidou à Matignon, prend son courage à deux mains, passe le voir, avenue de Latour-Maubourg, et lui tient ce langage : « Il faut que vous sachiez quelque chose que personne n'ose vous dire. La "femme d'un ancien ministre" dont tout le monde parle à propos de l'affaire Markovic, c'est votre femme, et ce que je puis vous assurer, c'est que, dans les dîners en ville, dans les salles de rédaction, il n'est question que de cela [1]. »

Georges Pompidou a justement rendez-vous avec Pierre Somveille, un de ses anciens collaborateurs, devenu directeur de cabinet de Raymond Marcellin à l'Intérieur. Cela tombe à pic. Il pourra y voir plus clair. Malchance : Somveille fait savoir *in extremis* que sa visite est remise au lendemain. Il est retenu par le ministre. Pompidou s'agace. Le jour suivant, nouveau contrordre. Pompidou s'énerve.

Pierre Somveille finira tout de même par venir faire le point sur le dossier Markovic. Il ne sait pas bien comment raconter son histoire. Elle est pourtant toute simple : un certain Akow, Yougoslave emprisonné à Fresnes, est entré dans la danse ; il dit avoir rencontré Mme Pompidou dans une partouze dans les Yvelines ; sa déclaration figurera dans le dossier d'instruction.

Et de Gaulle ? Il est au courant de tout. Au lendemain de la Toussaint, il a réuni, à l'Élysée, un petit conseil de guerre avec Maurice Couve de Murville, René Capitant, le garde des Sceaux, et Raymond Marcellin, le ministre de l'Intérieur. Il a été décidé que la justice suivrait son cours. En guise de conclusion, le Général a tout de même demandé à son Premier ministre de prévenir Pompidou. Mais Couve ne l'a pas fait. Il garde une dent contre cet homme qui, il n'y a pas si longtemps, lui faisait la leçon sur sa vie privée. Il ne prend pas, de toute façon, cette affaire au tragique.

Le député du Cantal est indigné que personne, au sommet de l'État, n'ait songé à le défendre. Personne, pas même de Gaulle. « Ainsi, note-t-il dans le premier tome de ses mémoires [2], le Général lui-même, qui connaissait ma femme depuis si longtemps, n'avait pas tout balayé d'un revers de main. » Il s'étonne aussi, dans ce texte posthume, qu'aucun de ses ministres ou de ses amis « n'eût le

---

1. Georges Pompidou, *Pour rétablir une vérité, op. cit.*
2. *Ibid.*

courage d'aller voir le Général et de dénoncer le scandale des attaques contre ma femme et moi ». Ce qui rend d'autant plus net le coup de chapeau qu'il donne au secrétaire d'État au Budget : « Celui qui fut le plus fidèle, le plus ardent, qui m'aida vraiment, c'est Jacques Chirac [1]. »

De tous les proches de Pompidou, il sera en effet, avec Marie-France Garaud, l'un des plus actifs. D'un côté, Marie-France Garaud met le juge d'instruction devant ses contradictions, exige qu'on entende les témoins, démonte, pour tout dire, le complot. De l'autre, Jacques Chirac fait la leçon aux ministres, aux députés, aux journalistes. Sans gants (blancs).

Thierry Desjardins raconte : « Un jour, Chirac est dans sa voiture officielle avec cocarde. Il se rend à un déjeuner. Il écoute les informations à la radio. Et il entend que le juge Patard qui mène l'enquête sur l'affaire Markovic ("Un méchant con", dira Pompidou en reprenant un mot de Chaban) a cité "comme témoins" M. et Mme Pompidou [2]. »

Chirac décèle même, à en croire Pompidou dans ses mémoires posthumes, « un ton de jubilation » dans la voix du journaliste qui donne la nouvelle.

Mais laissons Desjardins poursuivre : « Hors de lui, Chirac fait arrêter la voiture, se précipite dans un bistrot et appelle Joël Le Theule, alors secrétaire d'État auprès du Premier ministre chargé de l'information (et ancien ministre des DOM-TOM de Pompidou). Fou de rage, Chirac exige des explications, il exige que cette campagne orchestrée cesse sur les ondes nationales et il va jusqu'à déclarer à son collègue, célèbre jeune célibataire [...], que, "si ça ne s'arrête pas tout de suite, il va y avoir des pédés qui vont le regretter" [3]. »

« Une sérieuse engueulade », dira, dans ses mémoires [4], Pompidou qui en avait eu vent.

Le député du Cantal, qui a des lettres, a lu Corneille : « Tombe sur moi le ciel, pourvu que je me venge. » Sa colère sera lente, mais terrible. On veut l'abattre ? Il déstabilisera le régime. Le 17 janvier

---

1. *Ibid.*
2. *Un inconnu nommé Chirac, op. cit.*
3. *Ibid.*
4. *Pour rétablir une vérité, op. cit.*

1969, dans un hôtel, de Rome, il dit benoîtement devant un petit groupe de journalistes : « Ce n'est, je crois, un mystère pour personne que je serai candidat à une élection à la présidence de la République quand il y en aura une. » Puis : « Mais je ne suis pas du tout pressé. » Un mois plus tard, il récidive à Genève : « J'ai un passé politique, j'aurai peut-être un destin national. »

Dans ses mémoires, il se fait reproche de n'avoir pas mesuré, sur le coup, l'effet produit par ses déclarations. Il n'empêche. Consciemment ou non, Pompidou a obtenu ce qu'il voulait : la France commence à se détourner du vieil homme qui l'a trahie ; elle observe le député du Cantal avec de plus en plus d'intérêt. Le Général est atteint. Et cela tombe mal : de Gaulle a en effet décidé de consulter, une fois encore, son « cher et vieux pays » en lui soumettant un référendum sur la régionalisation qui prévoit la réforme du Sénat. Il sent que l'Histoire est en train de le perdre de vue. Il ne s'est toujours pas remis de Mai 68. Il a le sentiment que le siècle ne peut plus le supporter. Et il fait de cette consultation une affaire personnelle – un plébiscite, dira-t-on. S'il perd, il partira.

La France peut donc se débarrasser, à bon compte, de son président. Pompidou est prêt à prendre la relève. Il l'a dit. Pour lui ouvrir les portes de l'Élysée, il suffit de dire *non* au référendum. Tel est le scénario écrit en ces premiers mois de 1969. Il ne reste plus qu'à le jouer.

La plupart des ministres adjurent de Gaulle d'ajourner son référendum. Mais il a décidé d'aller jusqu'au bout de son destin. Comme dans une pièce de Shakespeare. « C'était un suicide programmé », dira Chirac.

Pompidou, d'une certaine façon, a « tué » de Gaulle. Chirac, lui, l'a-t-il trahi ? La question, à dire vrai, n'a guère de sens. Mais, quand on la lui pose, il la prend au sérieux et s'indigne : « Tout le monde savait que j'allais tous les jours avenue de Latour-Maubourg. Je faisais les choses franchement. Couve peut en témoigner, qui me sondait de temps en temps pour savoir ce que Pompidou penserait de telle nomination ou de telle réforme. »

Il est vrai que Jacques Chirac ne se cache pas de préparer l'après-gaullisme – autrement dit, le pompidolisme présidentiel. C'est ainsi qu'il tisse des liens avec les députés qui, au sein du « club des huit », forment la jeune garde parlementaire du député du Cantal : Olivier Stirn, Jean-Philippe Lecat, Pierre Mazeaud, Jacques Sourdille, etc.

Il est vrai aussi que, tout au long de l'affaire Markovic, il prend fait et cause pour Pompidou qui pense, à l'époque, que la calomnie est entretenue par une petite camarilla gaulliste. Un jour, l'ancien Premier ministre ira jusqu'à dire au général de Gaulle, qui l'a invité à dîner à l'Élysée : « Ni place Vendôme, chez M. Capitant, ni à Matignon, chez M. Couve de Murville, ni à l'Élysée, il n'y a eu la moindre réaction d'homme d'honneur [1]. »

Georges Pompidou a noté, sur une petite fiche, les noms de tous ceux qui, dans cette affaire, lui ont « manqué », comme il dit. Une liste de quinze personnes qu'il garde dans son portefeuille. Quand il sera président de la République, il la conservera plusieurs mois, sur son bureau, sous son sous-main.

« Au fond, dira, un jour, Pompidou à son conseiller Balladur, je garde leur nom pour m'en souvenir et non pour les punir. »

En tête de la liste noire : Maurice Couve de Murville, Bernard Tricot, secrétaire général de l'Élysée pendant l'affaire, Aubert, secrétaire général de la police. Autant d'hommes qui, dans l'avenir, n'auront rien à attendre de Chirac.

C'est après son élection à la présidence que Georges Pompidou pourra, enfin, démêler les fils de la machination. Couve n'y était pour rien. Ni Tricot. L'affaire avait été montée de toutes pièces par quelques agents du SDECE. Après l'assassinat crapuleux de Markovic, ils cherchèrent tous les documents ou témoignages qui pouvaient mettre en cause l'ancien Premier ministre et sa femme. Ils alimentèrent les gazettes de chantage, les avocats marrons, les ragots parisiens. Et, quand le soufflé retomba, ils poussèrent en avant Alexandre Markovic, frère du mort, qui raconta qu'il avait dîné, un jour, dans la cuisine des Delon avec les Delon et les Pompidou. C'était faux, naturellement.

Qui était Alexandre Markovic ? Un homme des services secrets yougoslaves. Interrogé par Michel Jobert, l'ambassadeur de Yougoslavie à Paris répondit que les services secrets de son pays n'étaient pas les seuls à intervenir dans cette affaire. Dans ses mémoires, Georges Pompidou se demande si le diplomate ne voulait pas parler des Soviétiques. Mais, à l'époque, il ne savait probablement pas encore la vérité.

---

1. *Ibid.*

L'affaire Markovic, en fait, c'était la vengeance de l'affaire Ben Barka ; c'était la réponse des services secrets français au désaveu que leur avait infligé Pompidou après la disparition du chef de l'opposition marocaine, en 1965.

Les auteurs de la cabale n'avaient simplement pas prévu qu'en aiguillonnant le député du Cantal elle devait se retourner contre le Général.

Chirac fait campagne pour le *oui* au référendum sur la régionalisation. Il ratisse le centre de la France et plus particulièrement le Limousin. Un soir d'avril, lors d'un dîner officiel en l'honneur d'un chef d'État africain, de Gaulle prend à part le secrétaire d'État au Budget :

« Alors, Chirac, comment sentez-vous ce référendum ?

— Pas très bien, mon général.

— Ah ? Vous croyez que c'est tangent ?

— Je dois vous dire que je suis très pessimiste, mon général. Mais il est vrai que ma région, le Limousin, ne vous a jamais été favorable. C'est un terrain très difficile comme vous le savez. On y fera, au mieux, 45 %. » Chirac remarque qu'un air soucieux passe sur le visage du Général. Il se reprend : « Mais tout le monde attend votre prochaine intervention télévisée. Les choses iront mieux après. »

Alors, de Gaulle :

« Non, elles n'iront pas mieux, Chirac. Il est évident que je vais perdre ce référendum. »

Le 27 avril 1969 au soir, le pays apprend que le général de Gaulle a perdu son référendum : 53,2 % des Français ont voté *non*. Onze minutes après minuit, le chef de l'État annonce sa démission. Il ira désormais trôner dans son ciel. La France est veuve de De Gaulle et de Gaulle est veuf de la France.

Deux jours plus tard, Georges Pompidou annonce qu'il est candidat à la présidence de la République. Jacques Chirac sera le trésorier de sa campagne. Il est chargé des recettes. Juillet, Jobert et Balladur supervisent les dépenses.

« Je ne suis pas le général de Gaulle », s'en va répétant Georges Pompidou. Mais quelqu'un l'est encore moins que lui. C'est Alain Poher, président du Sénat, qui assure l'intérim du chef de l'État à l'Élysée. Le centre a trouvé en lui ce que certains appellent drôlement son « bonhomme providentiel ». Il est vrai, brave et simple. Il plaît aux Français.

Que serait l'Histoire sans de Gaulle ? Pas grand-chose. Mais que serait la France sans le bon M. Poher ? Il incarne parfaitement les Français qui, à ce moment-là, ne supportent plus la pompe, la geste et la légende.

Écoutons Chirac : « Au départ, les sondages étaient excessivement mauvais. Ils donnaient 45-55 % pour Alain Poher. Résultat : on ne nous donnait pas une chance ni un rond. J'avais tous les créanciers sur le dos ; personne ne voulait nous fournir de prestations sans être payé d'avance. Et, pour ne rien arranger, j'avais pour principe de refuser l'argent des étrangers comme celui des agents immobiliers. Un soir, Pierre Juillet m'apprend qu'une étude d'opinion, aussi exécrable que les précédentes, allait être publiée le lendemain par la presse. À ce moment-là, Georges Pompidou sort de son bureau. Il a l'air touché, malheureux. "On n'est pas sortis de l'auberge", grogne-t-il. Et il nous propose de dîner avec lui. On comprend tout de suite, à son regard, qu'on ne peut pas lui refuser. On va au Napoléon, qui se trouvait en face de nos bureaux. C'était notre cantine. Ce soir-là, le restaurant était vide. Pas un chat. "Où voulez-vous vous installer ? demande le patron. Sur la terrasse ou à l'intérieur ?" Alors, Pompidou, grinçant : "Mettons-nous sur la terrasse, contre la vitre. Il faut qu'on nous voie. C'est le moment de nous faire connaître." Telle était l'ambiance. »

Mais plus la campagne dure, plus le bon « Monsieur Intérim » s'use. Il est vrai qu'il ne s'est pas préparé. Il n'avait pas prévu de se lancer dans l'aventure présidentielle. Pour incarner le courant centriste, Alain Poher avait d'abord compté sur Valéry Giscard d'Estaing puis sur Antoine Pinay. Les deux hommes s'étaient défilés. Alors, en désespoir de cause, il avait sollicité le général Kœnig, l'un des héros de la France libre. « Je ne me vois pas à l'Élysée, lui avait répondu l'autre. Et j'estime qu'un général ne peut pas succéder à un autre général. » Il avait donc fallu que le président du Sénat se dévoue.

Pauvre M. Poher. Il n'en demandait pas tant. Avec son air d'attendre un autobus, il ne fait brusquement plus l'affaire. La France le regarde couler.

Le 15 juin, Georges Pompidou est élu président de la République avec 58,21 % des voix. Pour Chirac, apparemment, c'est le moment, c'est l'instant. Il est en droit de nourrir les plus hautes espérances.

Peu après son élection, Pompidou invite le journaliste Jean Cau à déjeuner en tête à tête à l'Élysée. Cau raconte leur conversation dans *Croquis de mémoire* [1] :

« Qui allez-vous prendre comme Premier ministre ? demande Jean Cau.

— Qui voulez-vous que je prenne ? Chaban !

— Chaban ? Mais c'est un gandin, un patron de salon de coiffure, un marchand de chaussures de luxe, et je vous assure que c'est du trente-sept qu'il vous faut, madame ! Un chef de rayon.

— Je sais, je sais, mais je n'ai personne d'autre. Il y aurait Chirac... Vous le connaissez ?

— Non.

— Il y aurait Chirac mais il est trop jeune... Et puis les gaullistes, si je leur sortais Chirac... »

Plus haute est la faveur, plus rude sera la chute...

---

1. *Op. cit.*

16

La tasse de thé

« Ne mangez point de cerises avec les grands ;
ils vous jetteront les noyaux au nez. »
Proverbe danois

Un jour de juin, Jacques Chirac croise Georges Pompidou dans un couloir de l'Élysée. Le nouveau président de la République s'arrête pour le saluer et lui jette négligemment : « Vous allez rester au Budget. Mais est-ce que vous souhaitez autre chose ? » Chirac, bien sûr, espérait mieux. Mais les choses sont présentées de telle façon qu'il ne peut qu'acquiescer bravement.

Pompidou a, de toute évidence, un (gros) faible pour Chirac. Un jour, il demandera d'un air dégagé à Xavier Marchetti, son attaché de presse :

« Vous le voyez de temps en temps, Chirac ?

— Non. Pas vraiment.

— Voyons, Marchetti, il faut voir Chirac. »

Une autre fois, le président dira, professoral, à Denis Baudouin, le chef de son service de presse : « Il fera une belle carrière, Chirac. Mais il ne faut pas hésiter à lui donner des coups de règle sur les doigts. »

Le chef de l'État l'aime bien, son secrétaire d'État. Et il le châtie bien. D'entrée de jeu, dès son accession à l'Élysée, il lui a rogné les ailes. Pas pour l'humilier, encore moins pour le décourager. Sans doute pour qu'il prenne du poids et garde bien les pieds sur terre.

Il tombe de haut, en tout cas. Les temps ont bien changé. Sous de Gaulle, Chirac était consulté sur les remaniements. Sous Pompidou, Jacques Chaban-Delmas, le Premier ministre désigné, ne prend même pas la peine de l'appeler. Chirac se sent floué, abandonné, hors jeu. C'est là, dès le premier jour, que sourd son ressentiment contre ce chef de gouvernement désinvolte et gouailleur.

Le 21 juin au soir, veille de la formation du gouvernement, le téléphone sonne dans l'appartement des Chirac, rue de Boissière. Le secrétaire d'État, anxieux, se rue dessus. À l'autre bout du fil, c'est Valéry Giscard d'Estaing.

« Cher ami, dit Giscard, je suis heureux de vous annoncer que vous êtes secrétaire d'État au Budget. Je suis moi-même ministre des Finances. Nous travaillerons donc ensemble.

— Je m'en réjouis.

— Moi aussi. Mais je dois à la vérité de dire que ce n'est pas moi qui vous ai choisi. C'est le président Pompidou. Si j'avais eu à choisir, cependant, c'est vous que j'aurais choisi. »

Tout paraît donc pour le mieux dans le meilleur des mondes. Mais Chirac ne peut s'empêcher de s'inquiéter.

« Il y a un problème, dit-il. J'ai pris de mauvaises habitudes.

— Ah ? Vraiment ? De mauvaises habitudes ?

— Avec Ortoli, j'étais un secrétaire d'État totalement indépendant. Je n'ai jamais demandé à rester au gouvernement et je préfère vous dire tout de suite que je suis prêt à m'en aller plutôt que d'accepter un changement de statut.

— On devrait pouvoir s'arranger », répond Giscard avec un détachement étudié.

Mais Chirac ne saurait se contenter de cette formule vague. C'est un homme de pouvoir. Il sait ce qu'on dit du nouveau ministre des Finances : « Exigeant, distant, méprisant, rapide, incapable de déléguer. » Pour défendre son territoire, il se dresse, toutes griffes dehors, et revient à la charge :

« Je connais votre façon de travailler. Quand vous étiez ministre des Finances, vous contrôliez tous les services. Je vous demande de prendre l'engagement de n'avoir personne, dans votre cabinet, qui traite des affaires relevant de ma compétence.

— Pas de problème.

— Et je veux que vous resigniez le décret d'attribution que m'avait fait Ortoli. Sans en changer une seule virgule.

— Je suis d'accord. »

En raccrochant, Chirac est aux cent coups. Pompidou déteste Giscard. C'est donc pour surveiller le nouveau ministre des Finances qu'il l'a maintenu au secrétariat d'État au Budget.

Cafard, Chirac ? Il ne s'en sent pas la vocation. Il va, au contraire, se mettre sagement dans le sillage de Giscard. Non sans arrière-pensées.

De sa première collaboration avec Giscard, Chirac parlera toujours sur un ton ému. Il entend en donner, pour l'Histoire, une vision idyllique. « Tout s'est parfaitement passé, dit-il. Giscard a tenu parole. » Il est vrai que le secrétaire d'État au Budget y a mis du sien. Quelques minutes après le coup de téléphone de Giscard, il appelle Jacques Friedmann, son meilleur ami, qui fut l'un des collaborateurs de Giscard, et lui tient à peu près ce langage : « Tu sais ce qui m'arrive ? Une vraie catastrophe. Je reste au Budget et Giscard devient mon ministre des Finances. Je ne sais vraiment pas comment m'y prendre. Toi, tu le connais. Alors, je ne te demande pas ton avis, tu viens auprès de moi comme directeur de cabinet. »

Jacques Friedmann s'incline. Il avait déjà refusé la direction du cabinet de Chirac au secrétariat d'État à l'Emploi. Mais, cette fois, leur amitié ne souffrirait pas qu'il refusât. Quand Friedmann débarque au Budget, Chirac le présente ainsi à Giscard : « Je souhaite que les relations entre nos deux cabinets soient aussi étroites que confiantes. C'est pourquoi j'ai demandé à l'un de vos anciens collaborateurs de diriger le mien. »

Bref, Chirac fait allégeance...

On n'imagine pas couple plus mal assorti. Chirac et Giscard ont bien été à la même école : l'ENA. C'est-à-dire qu'ils peuvent expliquer une chose ou son contraire avec la même conviction monocorde. Mais, à ce détail près, ils n'ont rien de commun.

L'un est bonapartiste, vorace, rustique, mal fagoté. En Corrèze, dans les restaurants-épiceries du plateau de Millevaches, il tutoie tout le monde, y compris la serveuse, partage le pain et la piquette, lève la lame du couteau comme tous les paysans, balance lui-même les bûches dans l'âtre. Quand il se veut solennel, il l'est avec emphase, comme tous les bouseux.

L'autre est orléaniste, au régime, propre et bien mis. Il adore les érudits, les diplômes, les particules et les souliers vernis. Dans son appartement du XVIe arrondissement ou dans son château du Loir-

164

et-Cher, il prise surtout la compagnie des grands de ce monde. À la rigueur, des bien-nés. Quand il se veut simple, il l'est avec excès, comme tous les féodaux.

Dans sa *Physiologie du mariage*, Balzac prétend que le sort d'un ménage dépend de la première nuit. Les lois qui régissent les mariages ne sont pas très différentes de celles qui président aux accouplements politiques. Pour travailler ensemble, il faut d'abord y trouver du plaisir. Or, d'entrée de jeu, Chirac et Giscard n'éprouvent aucun bonheur à se voir.

Giscard, par exemple, supporte mal cette manie qu'a Chirac de secouer sans arrêt ses deux jambes. Quand il ne tape pas du pied. C'est bien simple, si vous êtes assis à la même table que lui, elle bouge tout le temps sous ses coups de genoux. Le ministre des Finances ne s'accommode pas non plus des gestes brusques de son secrétaire d'État, de ses grosses blagues et des cigarettes qu'il grille à la chaîne. Chirac gigote tout le temps. Il ne tient pas en place. Il a toujours l'air de quelqu'un qui a un rendez-vous urgent. « Ce garçon me donne le tournis », dira un jour Giscard.

Chirac, lui, s'impatiente des hésitations de ce ministre à qui il est toujours difficile d'arracher une réponse claire à une question urgente. Il accepte mal aussi cette distance que Giscard cherche à mettre entre lui et les autres. « Je ne sens vraiment pas ce type, dira Chirac. On ne sait jamais ce qu'il pense. »

Quelques incidents émailleront les premières semaines de leur cohabitation. Giscard tient à marquer son territoire. Il le fait avec raffinement et cruauté, en bon disciple du marquis de Sade. Le chemin de l'association entre les deux hommes est ainsi semé d'épreuves :

Le scandale de la porte. Un jour, Chirac est convoqué par Giscard. C'est la première fois. Pour entrer dans le bureau du ministre des Finances, le secrétaire d'État a le choix entre deux possibilités. D'abord, emprunter la grande porte, celle des visiteurs extérieurs : c'est ce qu'il faisait déjà quand Couve puis Ortoli occupaient la place. Ensuite, passer par le bureau du directeur de cabinet, où une porte donne accès à l'auguste bureau : c'est le chemin que prennent les collaborateurs du ministre. Le directeur de cabinet peut ainsi « filtrer » les fâcheux. Chirac n'hésite pas. Il passe par la grande porte. À peine en a-t-il franchi le seuil que Giscard lui dit, d'une voix sifflante : « Dorénavant, monsieur le secrétaire d'État, vous passerez par le bureau de mon directeur de cabinet. »

L'affaire de la tasse de thé. Une autre fois, alors qu'il est en conversation avec son secrétaire d'État au Budget, Giscard appuie sur le bouton d'appel de l'huissier et, quand ce dernier passe la tête, lui demande une tasse de thé. Une seule tasse. Sans en proposer à son visiteur qui n'en croit pas ses oreilles. Goujaterie naturelle ou humiliation calculée ? En sortant du bureau du ministre, Chirac se perd en conjectures.

L'histoire de la cigarette. Giscard déteste que l'on fume dans son bureau. Chirac n'aime pas qu'on lui interdise de griller de temps en temps une petite cigarette. Le choc a lieu, un jour, en présence de Jacques Friedmann, le directeur de cabinet de Chirac, qui raconte : « N'y tenant plus, Jacques allume une cigarette. Il cherche autour de lui : pas de cendrier. Il ne sait pas très bien quoi faire. Pour se donner du courage, il m'offre une cigarette. Je la prends. Les cendres, au début, ça va, on les fait tomber sur le tapis. Mais on a beau tirer le moins possible sur nos cigarettes, il faut bien arriver à l'heure de vérité : que va-t-on faire des mégots ? Alors, Jacques sort de sa poche un petit carton d'invitation, on tamponne nos cigarettes dessus, il plie soigneusement le tout et le range dans sa poche en prenant un air dégagé. Tout cela s'est passé sous l'œil de Giscard qui, à aucun moment, ne nous a proposé de cendrier. »

Ce ne sont là que des broutilles. Apparemment, Giscard a cherché, pendant les premières semaines, à tester les défenses et les nerfs de Chirac. Mais le secrétaire d'État a décidé de ne pas jouer avec son ministre. Il sait que l'autre a des griffes au bout des pattes. Il s'en méfie. Il file doux. Et, un beau jour, comme par miracle, les petites vexations cesseront...

Si les choses se sont arrangées entre Chirac et Giscard, c'est parce qu'ils se sont habitués l'un à l'autre ; c'est aussi parce que le ministre des Finances s'est découvert des connivences théoriques et tactiques avec son secrétaire d'État.

D'abord, Chirac n'est plus Chirac. Autrement dit, il n'a rien à voir avec cet indécrottable laxiste qu'on lui avait dépeint. Certes, quand il supervisait, à Matignon, les dossiers de l'aéronautique, c'était un budgétivore de la pire espèce qui, pour demander une rallonge, revenait une onzième fois à la charge quand il avait été éconduit dix fois. Il demandait toujours plus, en élevant la voix et en tapant sur la table, pour Concorde, pour Airbus, pour les Mirage. Et c'est ainsi qu'il devint la bête noire de Jacques Calvet, l'un des piliers des Finances, devenu directeur adjoint du cabinet de Giscard, futur patron de la Banque nationale de Paris puis de Peugeot SA. Une personnalité forte, ce Calvet. L'apparence est nonchalante, la voix un peu traînante, l'œil perçant mais tranquille. Il est pourtant craint par tout le monde, rue de Rivoli, où sa technicité et son esprit de décision impressionnent très fortement. Y compris Giscard.

D'entrée de jeu, Chirac redoutait Calvet, son expansionnisme, son intransigeance, ses vacheries pour tout dire. Il s'en méfiait tellement qu'il avait prévenu Giscard dès le premier jour : « Je ne veux pas que Calvet ait quoi que ce soit à voir avec le budget. »

Las ! Calvet est ministre *bis*. Il n'a fait qu'une bouchée du directeur de cabinet en titre : Jean Serisé, un petit homme qui fait tout pour passer inaperçu. Mais Chirac et Calvet font rapidement la paix – et même cause commune. L'homme fort de Giscard se rend compte, avec délectation, que le secrétaire d'État met désormais sa hargne et sa ténacité au service de la « rigueur ». Il ne lui coupera pas ses longues jambes.

Roux-Combaluzier de la « politique d'assainissement », Giscard et Chirac se renvoient sans arrêt l'ascenseur. Le secrétaire d'État fait sagement écho au ministre des Finances qui va partout répétant qu'un pays doit savoir dominer ses désirs. C'est la ligne Calvet.

« Dépenser plus que nous gagnons, je le dis tout de suite, cela n'est pas possible [1] » : tel est l'austère leitmotiv du secrétaire d'État. Dans la foulée, Chirac met en garde les Français contre un éventuel « emballement » de l'économie. Il dit aussi qu'il faut rester « vigilants afin de ne pas remettre en question les équilibres établis ». Le côté Cassandre en moins, il parle déjà comme tous les « peine-à-jouir » de la « rigueur » économique qui, dans les années quatre-vingt, pourront s'en donner à cœur joie.

Chirac ajoute toutefois un codicille personnel à ce discours pré-barriste : « La pression fiscale, serine-t-il déjà, a atteint, pour des raisons tenant à la fois à la psychologie des Français et à la structure

---

1. Débat au Sénat, le 9 juin 1970.

du régime fiscal, une limite qu'il n'est pas possible de dépasser [1]. »
Il aura, sur ce point au moins, de la suite dans les idées...

En accord avec Giscard sur le plan économique, Chirac est aussi, ce qui ne gâche rien, très arrangeant avec le ministre des Finances sur le plan fonctionnel. Trop arrangeant ? Jacques Friedmann en convient à demi-mots : « Jacques régnait sur le budget et sur la comptabilité publique, c'est vrai. Mais il était pratiquement tenu à l'écart des autres domaines. J'avais parfois le sentiment qu'il s'écrasait un peu trop. »

Il se résigne facilement au second rôle. Les exemples abondent. Quand le franc est dévalué de 11,1 % en août 1969, il n'est pas mis dans la confidence. Tous les hauts responsables du ministère des Finances sont au courant. Pas lui. « On me traite comme un domestique », grogne-t-il dans un premier mouvement de colère.

Quand tout est bouclé et qu'il reste à régler les détails du plan d'accompagnement, Giscard réunit tout son état-major de la rue de Rivoli. Il lui faut bien convoquer aussi son secrétaire d'État qui arrive, l'air malheureux et distrait, flanqué de Jacques Friedmann. La séance traîne en longueur quand, sur le coup de 20 h 30, Chirac se lève et dit avec insolence : « Ce n'est quand même pas une dévaluation qui va nous priver de dîner. »

Mais ce n'est là qu'une bravade sans conséquence. Et Giscard n'a pas le souvenir que Chirac lui ait demandé des explications sur l'affaire de la dévaluation. Il croit, de toute façon, avoir une excuse. C'est Pompidou qui, pour ménager l'effet de surprise et réussir ainsi l'opération, avait voulu que le moins de personnes possible soient informées du projet de réajustement monétaire. Le ministre des Finances n'avait simplement pas songé à rajouter son secrétaire d'État à la liste des initiés.

N'importe. Chirac ne cherche pas d'histoires. Eût-il tort, le maître a toujours raison. Un jour, il veut connaître la rémunération de ce qu'on appelle les « postes extérieurs » du ministère des Finances – les présidents d'Air France, de la Régie Renault, etc. Il demande donc à la Direction du budget la liste des salaires. Elle la lui communique aussitôt. Manquent, dans le dossier, les revenus des présidents de banques ou d'assurances. Renseignements pris, il faut demander leurs émoluments à la Direction du Trésor dont ils

---

1. Interview aux *Échos*, le 9 juin 1970.

relèvent. Le Trésor présentera à Chirac une fin de non-recevoir :
« Ce sont des informations que nous ne pouvons pas communiquer
au secrétaire d'État. » Chirac se contentera, cette fois, de serrer les
dents.

Un dernier élément contribue au rapprochement entre Chirac et
Giscard. C'est la politique. Au départ, les collaborateurs du ministre
des Finances se méfient du secrétaire d'État au Budget : « C'est,
disent-ils, le petit rapporteur de l'Élysée. Giscard ne pourra pas
l'accepter longtemps. »

Mais Chirac rend régulièrement compte à Giscard de ses entretiens politiques à l'Élysée. Il l'informe – de rien comme de tout.
C'est lui qui, par exemple, apprendra à Giscard la mort du général
de Gaulle, le 9 novembre 1970. Mieux : le secrétaire d'État plaide
la cause de Giscard à l'Élysée. Rude tâche. Giscard râpe les nerfs
de Pompidou. Bien sûr, le ministre des Finances a appelé à voter
pour lui pendant la campagne présidentielle. Mais, sous de Gaulle,
ils ne se sont jamais ménagés et Pompidou a la rancune plus tenace
encore que Giscard. Le président tient à maintenir la distance.

Giscard-Pompidou, c'est le choc du raffinement conceptuel
contre l'épaisseur paysanne ; de la « croissance zéro », grand mythe
du moment, contre l'industrialisation à tous crins ; de l'esthétisme
désabusé contre le style parvenu du président, qui s'appuie sur le
triptyque : Porsche pour l'épate, Saint-Tropez pour le farniente et
Vasarely pour la fronde. Le chef de l'État est totalement imperméable au charme de celui qu'on appelle, dans le Tout-État, le « gis-
cordinateur ». « C'est, tranche-t-il, un funambule de la statistique,
un tocard du concept, un snob idéologique. » Agacé par son brio,
Pompidou a même trouvé un truc qui met toujours Giscard mal à
l'aise. Lors des conseils restreints consacrés à la préparation du
budget ou aux questions économiques, il ne demande pas au
ministre des Finances de tirer les leçons de la réunion, comme le
veut la tradition : Giscard excelle à cet exercice. Pompidou le fait,
au contraire, parler en premier. Et ce n'est jamais brillant. « Alors,
vous voyez ce que je vous disais », s'amuse Pompidou, le sourire
victorieux, en sortant.

Chirac, pourtant, ne s'avoue pas vaincu. Chaque soir, il fait les
bureaux de l'Élysée et y explique qu'il ne faut pas « marginaliser »
le ministre des Finances. Il vante sa loyauté, sa science, son œil
(de lynx).

Chirac ne se contente pas de tenir ce discours au « château ». Giscard apprend avec ravissement que son secrétaire d'État dit dans Paris : « Quel dommage que Giscard ne soit pas UDR [1]. »

C'est l'époque où l'on dit que Chirac se giscardise. Certes, le secrétaire d'État au Budget ne comprend pas l'obsession de la hiérarchie de Giscard, encore moins sa manie de l'étiquette ou des plans de table. Mais l'autre le bluffe. C'est qu'il ne travaille apparemment pas beaucoup, Giscard. Il aime les week-ends, les chasses lointaines et les soirées mondaines. Rien, pourtant, ne lui échappe. Et, autour de lui, personne ne résiste.

Surtout pas Chirac. Il va même faire du mimétisme. Il articule ses syllabes aussi lourdement que Giscard et appuie plus qu'il ne le faut sur les graves. Pour ressembler tout à fait à son modèle, il ne lui manque qu'une chose : le charisme...

Cette fascination qu'il éprouve pour Valéry Giscard d'Estaing, aucun de ses proches ne la nie. Écoutons-les :

Jacques Friedmann : « C'était une machine prodigieuse, Giscard. Il est l'une des rares personnes qui ait jamais intimidé Jacques. »

Bernadette Chirac : « Devant Giscard, Jacques faisait un vrai complexe. »

Jacques Toubon : « Depuis qu'ils se connaissent, Chirac a toujours eu une attitude révérentielle avec Giscard. »

Qui s'attache à bon arbre en reçoit bonne ombre. Jacques Chirac s'attache et colle. « Il fallait les voir en Conseil des ministres, se souvient Raymond Marcellin, alors ministre de l'Intérieur. Deux compères. Ils se soutenaient l'un l'autre. » Il est vrai qu'ils ne manquent ni l'un ni l'autre d'ennemis.

Dans le groupe UDR de l'Assemblée nationale, un groupe omnipotent après les élections législatives de 1968, on a rapidement pris en grippe « Chicard » et « Gisrac », ces duettistes qui fleurent tant le post-gaullisme. Quant à Jacques Chaban-Delmas, le Premier ministre, il les trouve carrément sujets à caution. « Ce sont des conservateurs », dit-il.

Chaban n'aime pas Chirac. Il l'appelle avec un brin d'ironie « brillant jeune homme », ce qui a le don d'exaspérer le secrétaire d'État. Et il ne fait même pas semblant de lui demander ses lueurs sur les grands problèmes économiques de l'heure. Il sait que Chirac

1. Olivier Todd, *La Marelle de Giscard*, Robert Laffont, 1977.

est proche de Pierre Juillet et de Marie-France Garaud, les conseillers de Pompidou, qui, dès le premier jour, ont juré sa perte.

Avec Giscard, c'est pire encore : le Premier ministre est sans arrêt sur ses gardes. Il a perçu en lui le rival ; il a senti le couteau.

Comme Giscard, Chirac pense que le Premier ministre n'a pas la « classe ». Il lui reproche sa « légèreté ». Il lui fait grief, ce qui pourrait être une autocritique, de n'être capable ni de réflexion ni d'introspection. Il le blâme, enfin, de prendre tant d'aises avec l'autorité présidentielle, fondement des institutions de la Vᵉ République.

C'est peut-être là le ciment le plus solide de l'alliance entre Chirac et Giscard : l'antichabanisme. L'un et l'autre considèrent que le Premier ministre n'est pas un « homme d'État ». Ils sont également convaincus que Jacques Chaban-Delmas, en multipliant les initiatives personnelles, se comporte comme un président du Conseil de la IVᵉ, outrepasse ses fonctions et pervertit la pratique gaullienne de la Constitution. Bref, qu'il se trompe de République. Ils le font savoir.

La faute de Chaban ? Son fameux discours sur la « Nouvelle Société » du 16 septembre 1969, il l'a fait parvenir à l'Élysée quelques minutes avant de le prononcer. Michel Jobert, secrétaire général de l'Élysée, l'a lu en vitesse. Mais Georges Pompidou a été mis devant le fait accompli. Ce texte constitue pourtant un acte politique de première importance. D'inspiration mendésiste, il porte la griffe de Jacques Delors et de Simon Nora, les deux nouveaux hommes forts de Matignon, qui ont longtemps fréquenté les conclaves de la gauche moderne. Reprenant la plupart des thèmes chers au club Jean-Moulin et autres cénacles réformistes des années soixante, il dénonce la société bloquée et ouvre les voies d'une social-démocratie à la française.

C'est une bombe politique. Elle casse tous les vieux clivages, désarme les socialistes, dresse les contours d'un nouveau consensus. C'est justement ce que veut Jacques Chaban-Delmas. Mais c'est justement ce qui horripile Georges Pompidou. Depuis le discours sur la « Nouvelle Société » – slogan que lui avait proposé Guichard pour la campagne présidentielle et qu'il avait refusé –, le chef de l'État ne cesse de répéter qu'il est inutile de faire la politique de ses adversaires : la gauche ne disparaîtra pas, dit-il, sous prétexte que la droite fait du social à tout-va. Pierre Juillet, le conseiller politique du président, est plus sévère encore. Il l'accusera de faire le lit du socialisme.

Bigre ! Ces critiques, Giscard et Chirac auraient mauvaise grâce à les reprendre à leur compte. La « Nouvelle Société » de Chaban, c'est la préfiguration de ce que Giscard appellera, cinq ans plus tard, la « société libérale avancée ». Il se dira d'ailleurs tout à fait favorable, de prime abord, au projet chabanien. Et il ne cessera, par la suite, de rivaliser de réformisme avec le Premier ministre. Quant à Chirac qui, sept ans après, devait appeler de ses vœux un « travaillisme à la française », il reconnaît sans ambages : « Le discours de la "Nouvelle Société" ne m'a pas choqué. C'était plutôt un bon discours. Il n'a rien de révolutionnaire. On en a fait un événement parce qu'il a cristallisé tous les problèmes entre Pompidou et Chaban. Problèmes qui devaient bientôt être montés en épingle par les conseillers des uns et des autres. »

Ce n'est pas Chaban-le-réformiste que Giscard et Chirac combattent dans un même élan fraternel. Pas davantage le politicien boy-scout et tutoyeur qui appelle ses ministres par des noms de volaille – « canard », « poussin » ou « oisillon », ce dernier sobriquet désignant plus particulièrement le secrétaire d'État au Budget. Ce n'est pas non plus, quoi qu'ils disent, le chef de gouvernement qui met au défi la primauté présidentielle.

On sait de quelles petitesses naissent, parfois, les grandes causes. On ne peut exclure, en l'espèce, que leur antichabanisme commun ait des raisons très prosaïquement politiciennes : le Premier ministre se trouve sur la route de l'un et de l'autre, tout simplement.

La terre ne pouvant tolérer deux soleils, le ministre des Finances ne peut supporter qu'un autre que lui, dans la majorité, cherche à occuper le créneau du centro-modernisme. Il considère, au surplus, le Premier ministre comme le pilier de cet « État-UDR » qu'il entend bien renverser.

Chirac, lui, voit en Chaban le patron de l'establishment gaulliste et l'incarnation du système des barons. Tout-puissants sous Pompidou comme sous de Gaulle, ils se partagent tout : le pain lors de leur déjeuner hebdomadaire, les postes lors des remaniements gouvernementaux, les clientèles, les complots et, parfois, les aventures. Ils n'aiment pas les cadets qui, comme Chirac, piaffent à leur porte. Ils ont de toute façon leurs propres poulains, comme André

Fanton dont Michel Debré entend bien faire, un jour, le patron du parti gaulliste.

Pompidou connaît l'aversion des barons pour Chirac. Jusqu'à présent, il s'en amusait. Il a décidé, désormais, de l'utiliser. Un jour, il fera une petite place à Chirac à la table des barons. Pas n'importe quel jour : c'est le lendemain de la mort du général de Gaulle qu'il le retient à déjeuner avec eux à l'Élysée. On imagine les regards, les sous-entendus, les silences. Les barons n'apprécient pas d'avoir à raconter leurs souvenirs et leurs batailles sous l'œil détaché du secrétaire d'État au Budget. Mais Pompidou n'en a cure.

Ce 10 novembre 1970, en fait, c'est le sacre du dauphin ; c'est aussi la déclaration de guerre du président aux barons...

17

« Marie-la-France »

« Si l'homme était un fleuve, la femme en serait le pont. »
Proverbe arabe

Le 7 janvier 1971, Jacques Chirac devient ministre délégué du Premier ministre, chargé des relations avec le Parlement en remplacement du baron Roger Frey que Georges Pompidou a relégué aux Réformes administratives. Dans le même temps, le président de la République a fait entrer au gouvernement Robert Poujade qui devient ministre de l'Environnement, libérant ainsi le secrétariat général de l'UDR qui est confié à René Tomasini, député de l'Eure et antichabaniste notoire.

Chirac-Tomasini. C'est l'équipe sur laquelle Pompidou compte pour « marquer » le Premier ministre, former des équipes et préparer la campagne des municipales, en mars de la même année, puis celle des élections législatives de 1973.

Jacques Chirac apparaît clairement, ce jour-là, comme l'héritier du président. S'il réussit, Matignon est à sa portée. Georges Suffert ne s'y trompe pas, qui signe dans *L'Express*[1] un article acide qui, désormais, donnera le ton. On y retrouve tout l'attirail thématique des articles qui, les mois suivants, seront consacrés au ministre des Relations avec le Parlement.

L'ambition : « M. Chirac est fascinant non par ce qu'il a de compliqué, mais par ce qu'il a de simple. Il est ambitieux. C'est tout. Sa vie, son travail, ses jeux, son argent et ses rêves, tout s'ordonne autour de cet objectif unique : réussir. »

---

1. 11 janvier 1971.

La rusticité : « Pour arriver là, finalement, il n'a pas marchandé sa peine : il a travaillé, voyagé, flatté. Tout cela sans finesse. Mais pourquoi diable la finesse ? »

La filiation : « M. Pompidou a compris : M. Chirac est de sa race, en gros. Un peu moins sophistiqué, peut-être. Un peu plus ennuyeux. C'est l'époque qui veut ça. Les jeunes gens, décidément, lorsqu'ils n'ont pas le goût de la révolution, ont celui de l'efficacité. »

La décadence : « De Gaulle puis Pompidou, puis Chirac [...] ; la révolte, la succession, la gestion, tout ce chemin qui mène de la mystique à la politique, de la poésie à la prose, des discours sur la France au plaidoyer sur la Corrèze, c'est peut-être la pente inévitable que dégringolent les songes politiques. »

De tous les articles qui dépeindront le Chirac d'alors, c'est, de loin, le plus talentueux. Mais ce n'est pas le plus cruel. Le ministre des Relations avec le Parlement est devenu la cible privilégiée d'une partie de la presse, notamment de *L'Humanité*. Rien de plus normal : il n'y a pas si longtemps, sous la IIIe ou la IVe République, les aînés montaient péniblement, marche à marche, l'escalier du pouvoir. Or, comme l'écrira un jour finement Pierre Viansson-Ponté [1], ce jeune homme a pris l'ascenseur et grillé les étages.

L'étage que fréquente ce nouveau baron du régime, justement, c'est l'étage noble de l'Élysée. Il y retrouve chaque soir Pierre Juillet et son adjointe, Marie-France Garaud : ces deux éminences cohabitent dans le même bureau lambrissé, l'un des trois grands bureaux du « château » avec celui du chef de l'État et du secrétaire général de l'Élysée. C'est avec eux, sur le coup de 19 h 30, que le ministre des Relations avec le Parlement fait le point sur les manœuvres du jour et peaufine les tactiques du lendemain.

Certes, Jacques Chirac prend toujours soin d'aller saluer Michel Jobert, le secrétaire général de l'Élysée, puis Édouard Balladur, son adjoint. Mais ce sont des visites de politesse. Les deux hommes ne se font pas d'illusions : le ministre des Relations avec le Parlement joue l'autre clan.

À Matignon puis dans les bureaux de Latour-Maubourg, Michel Jobert et Pierre Juillet étaient apparemment les meilleurs amis du monde. Ils n'avaient pas la même sensibilité, c'est vrai, mais ils s'en

---

1. *Lettre ouverte aux hommes politiques*, Albin Michel, 1976.

amusaient. « Plus je vieillis, plus je vire à droite, disait Juillet. – C'est drôle, répondait Jobert. Moi, c'est exactement le contraire. » L'entente cordiale a brusquement pris fin à l'Élysée : le pouvoir suprême a fait de deux copains deux rivaux. Histoire classique. « Juillet voulait tout régenter, dit Jobert. On a cessé de communiquer mais personne ne s'en apercevait. » Ils s'épient. Ils s'espionnent.

Michel Jobert se souvient d'avoir surpris, un jour, Marie-France Garaud en train de fouiller dans un de ses tiroirs. « Elle prétendait chercher un dossier dont elle avait besoin sans tarder, dit-il. J'en ris encore. » Telle était l'atmosphère de l'Élysée en ce temps-là : électrique et névrotique. Le « château » n'est plus qu'un nœud de vipères – et elles mordent.

Le secrétaire général de l'Élysée en veut à Jacques Chirac de s'être ligué avec ceux qu'il appelle les « harpies » : Marie-France Garaud, Anne-Marie Dupuy et Pierre Juillet, leur « mascotte ». Quant à Édouard Balladur, il n'arrive pas à retrouver avec le ministre des Relations avec le Parlement la complicité fraternelle des grandes heures de Mai 68. On dit, à cette époque, qu'il le juge léger, naïf, superficiel. Sans personnalité, pour tout dire.

Jacques Chirac est-il sous influence ? Le tandem Juillet-Garaud a en tout cas trouvé en lui un relais aussi docile qu'habile. A l'heure de l'apéritif, on verra le ministre des Relations avec le Parlement chercher les verres, les glaçons, la bouteille de whisky, puis servir sagement la compagnie. Il parle peu. Et quand ses deux hôtes émettent leurs avis ou leurs oracles, c'est selon, il semble les écouter religieusement. Il a simplement, disent-ils, une fâcheuse tendance à s'emballer. Question d'âge, probablement.

Curieux couple. Deux provinciaux qui aiment les idées simples, les hommes carrés et les pouvoirs forts. Ils adorent aussi le mystère et ils ont toujours l'air de partager un secret. Qui domine l'autre ? Quand Pierre Juillet reçoit un visiteur de marque, il arrive que Marie-France Garaud s'éclipse discrètement, respectueusement, dans un bureau voisin. Elle ne semble pas, pourtant, être faite pour les seconds rôles.

Pierre Juillet n'a qu'une obsession : la France (profonde) qu'il retrouve dans la Creuse pour des séjours prolongés. N'ayant pour la chose politique qu'une passion intermittente, il ne fait souvent que passer à l'Élysée où sa seule fonction officielle est « l'organisation des chasses présidentielles ». C'est donc son adjointe qui assure la permanence. Elle convoque son monde, offre le thé, donne ses consignes. Elle peut jouer de tous les registres : la puissance d'envoûtement, la force de conviction, la menace sifflante. Et elle obtient à peu près toujours ce qu'elle veut. On commence à parler, à l'Assemblée nationale, des « Marie-France's boys » : Olivier Stirn, Paul Granet ou encore Pierre Vertadier. Alors même que Chirac prend son envol, ce « Rastignac en jupons », pour reprendre un mot de Pompidou, est en train d'entrer à grandes enjambées (bottées) dans la légende de la Vᵉ République.

L'idée de s'appeler Marie-France ne pouvait venir que d'une femme de génie. Mais elle s'appelle Marie-Françoise, en fait. Fille de Mᵉ Quintard, un avoué cossu de Poitiers, elle est née en 1934 avec beaucoup de certitudes et non moins d'aptitudes. À l'âge de six ans, elle accompagne son père qui chasse le perdreau au chien d'arrêt. Elle vise toujours bien. Très jeune, elle monte à cheval. Il lui en est resté quelque chose : même en talons hauts et tailleur Chanel, elle donne l'impression de rentrer d'une longue chevauchée campagnarde, de descendre tout juste de sa monture, la cravache à la main. Chez les sœurs de la Providence où elle a fait ses études, il lui est arrivé de faire le mur. Figée sur les vertus bourgeoises, elle n'est pas pour autant du genre à s'immoler. Il ne faut pas se fier au chignon, plutôt sévère : elle s'aime.

Et elle aime les puissants. Marie-France Garaud a le « snobisme » de la France, de l'Histoire, de la littérature. Cette provinciale riche, sportive et sensuelle est ainsi dotée d'une culture ébouriffante et parfois un peu envahissante. Ni Emmanuel Mounier, ni Julien Gracq, ni Paul Valéry n'ont de secrets pour elle. Aucun détail de l'histoire de France ne lui est étranger, surtout pas le mot de Louis XIV : « Tout l'art de la politique est de se servir des conjonctures » – « et des hommes, Sire », ajouterait-elle. Encore moins la confidence de Napoléon Iᵉʳ à Talleyrand : « Je sais, quand il le faut, quitter la peau du lion pour celle du renard. » Elle sait changer d'apparence au hasard des interlocuteurs, surprendre, désarçonner – et tuer, comme tous les grands politiques.

De Marie-France Garaud, Arthur Conte, ancien PDG de l'ORTF, a écrit : « Elle respire l'amitié chaude... Il faut pourtant contempler le cou. C'est par lui, puissant et souple, que se trahit la Walkyrie guerrière, âpre au combat[1]. » Et Françoise Giroud a ajouté : « Fascinante personne, probablement l'une des femmes les plus haïes de France parce qu'elle a beaucoup humilié, et au-delà. » Rares sont ceux qui, à l'époque, osent tenir tête à « l'homme qui gouverne la France », comme dit *Le Nouvel Observateur*.

Sa vie, Marie-Françoise née Quintard l'a menée à bride abattue. Résumons. Après des études de droit, elle « bovaryse » deux ans au barreau de Poitiers, monte à Paris, épouse Me Louis Garaud, avocat poitevin, dont elle aura deux enfants, s'ennuie à mourir comme rédactrice au contentieux du ministère de la Marine avant d'entrer, en 1961, comme attachée parlementaire au cabinet de Jean Foyer, garde des Sceaux. Pierre Juillet entend parler d'elle. Six ans plus tard, sans même la connaître, il la convoque et l'embauche dans l'équipe de Georges Pompidou. Elle est chargée, là encore, de veiller au grain à l'Assemblée nationale. Et elle fait des étincelles. Comme elle connaît bien les centristes René Pleven et Jacques Duhamel, elle prépare leur ralliement à Pompidou lors de l'élection présiden-tielle de 1969. Elle supervise aussi, pendant la traversée du désert du député du Cantal, le « dossier Markovic ». En quelques mois, à force de labeur et d'entregent, elle se hisse au rang de « pompido-lienne historique ».

Inutile de dire que les barons n'aiment pas cette femme qu'ils trouvent « intrigante », « cynique », « sans principes ». Il est vrai qu'elle les déteste. Avec Pierre Juillet, elle guerroie très vite contre le Premier ministre de Pompidou, ce « sauteur » de Chaban, accusé de réformite aiguë, de socialisme rampant, voire même d'insanité galopante pour avoir songé à « libéraliser » l'information à la télévi-sion. Elle exècre ce qu'elle appelle « l'esprit de compromis » mais elle adore les manœuvres tortueuses. Une lumière glauque flotte autour d'elle. Affairée de mystères, crépitante d'idées, toujours en mouvement, elle ne laisse aucun répit au chef du gouvernement.

Un jour, lors d'une réunion du groupe parlementaire gaulliste, une algarade oppose Jacques Chaban-Delmas à Christian de La Malène, antichabaniste primaire. « Je vous emmerde », finit par lâcher le Premier ministre de la France. En sortant, il croise Marie-France Garaud. Et, sous cape : « Ce que j'ai dit s'adressait particu-lièrement à vous, madame. » Elle sourira parce qu'elle n'a que

---

1. *Hommes libres*, Plon, 1973.

mépris pour ce chef de gouvernement qu'elle considère comme un pantin entre les mains de ses conseillers : « Enlevez-lui Jacques Delors, dira-t-elle pendant l'un de ses discours, et il ne lui reste plus rien. »

Pour faire pièce à Jacques Chaban-Delmas, déjà pris au filet, elle a décidé, avec Pierre Juillet, de lancer Jacques Chirac et Pierre Messmer. Ce sont les deux « premier-ministrables » de ces faiseurs de rois messianiques, intrépides et convaincus que le destin prend toujours le chemin de la volonté.

C'est à ce moment que se noue la connivence Garaud-Chirac. Sur quoi repose-t-elle, en dehors de leur fascination commune pour le pouvoir ? La conversation de Marie-France Garaud est la meilleure que l'on puisse trouver aux sommets de l'État. Belle, grande et drôle, elle a le rire généreux, la lippe gourmande et, chose étrange, quelque chose de perpétuellement noir dans le fond des yeux : c'est l'acuité du pessimisme. Elle est convaincue que l'Histoire est tragique et elle en a conçu un profond désenchantement envers le genre humain. Elle excelle dans la psychologie des hommes politiques qu'elle prend (trop) souvent pour de médiocres marionnettes et qu'elle démantibule à plaisir. Elle aime les « coups » – fourrés, de préférence – qu'elle raconte comme des parties de chasse. Et elle entrelarde ses propos de métaphores paysannes, de références historiques, de citations présidentielles : « Justement, Georges Pompidou me disait... »

Ce qui fascine Jacques Chirac chez Marie-France Garaud, c'est aussi tout ce qu'il n'a pas : des idées arrêtées, d'ardentes convictions, une sorte de corps de doctrine. Politiquement, intellectuellement, le ministre des Relations avec le Parlement est toujours flottant, habité par le doute. Il butine au hasard des lectures ou des rencontres. Il change souvent d'avis. Il n'a pas, comme il dit, la science infuse. Et voilà qu'il rencontre quelqu'un qui ne s'interroge pas – ou peu. Il admire, chez Marie-France Garaud, ce côté balzacien prophétique. « Contrairement à des anxieux comme Jacques Chirac, dira-t-elle un jour, quand la décision est prise, je n'hésite plus [1]. »

---

1. *L'Enjeu*, journal électoral de Marie-France Garaud, publié avant les élections législatives de mars 1986.

179

Entre le pompidolo-conservatisme et le chabano-réformisme, le ministre des Relations avec le Parlement donne en tout cas le sentiment d'hésiter. Certes, son bras droit à l'UDR, René Tomasini, verse volontiers dans le verbalisme droitier. Georges Pompidou envisage même de se débarrasser du secrétaire général du parti gaulliste après qu'il s'en est pris à « la lâcheté des magistrats qui libèrent les casseurs » et aux « ennemis de la liberté » qui, selon lui, monopoliseraient l'information sur la première chaîne de télévision. Jacques Chirac obtiendra son maintien.

Tout en protégeant le tonitruant « Toto », le ministre des Relations avec le Parlement multiplie néanmoins les déclarations d'inspiration modérée, voire réformiste. Qu'on en juge :

Sur la répression policière : « Il ne suffit pas d'être ferme, il faut encore appliquer cette fermeté avec énormément de discernement si l'on ne veut pas augmenter le désordre[1]. »

Sur le patronat : la position du CNPF sur la formation professionnelle – il refuse d'en assurer une partie de la charge – n'est « ni raisonnable ni sérieuse[2] ».

Sur la concertation : « À la notion de lutte de classes prônée par les marxistes et leurs alliés objectifs mais hélas pratiquée encore par certains patrons "de combat" se substitue progressivement la notion de contrat[3]. » On croirait entendre Jacques Delors, le « père Joseph » de Jacques Chaban-Delmas.

On pourrait multiplier les exemples. Contrairement à Marie-France Garaud, Chirac semble convaincu qu'un cheveu sépare le faux du vrai et sa volonté commence curieusement là où ses certitudes finissent. Sorti de sa fidélité pompidolienne et placé sur le terrain conceptuel, ce n'est pas un hussard mais un esprit compliqué, voire confus. Un article paru dans la revue *Preuves*, au premier trimestre 1972, et intitulé « Finalité de la croissance », résume bien sa mécanique intellectuelle. Il ne peut avancer une idée sans la démolir aussitôt.

Dans cet article, Jacques Chirac entremêle à plaisir thèse et antithèse. Mais où est donc la synthèse ?

---

1. Déclaration devant les Jeunes Dirigeants d'entreprise, le 15 juin 1971.
2. *Ibid.*
3. Revue *Preuves*, 1972.

Thèse : « Seule la croissance permet une évolution vers une société plus juste. C'est essentiellement sur le surplus de richesses que produit chaque année un pays que peut s'effectuer une meilleure répartition sociale. La stagnation, dans ce domaine, ne peut qu'être stérilisante. »

Antithèse : « Mais à l'inverse, au fur et à mesure que cette croissance s'accélère et se prolonge, elle engendre par son existence même des difficultés, des contradictions. »

Que faire ? Chirac renvoie pratiquement dos à dos les modèles soviétique et américain : « Le modèle marxiste, qui, au nom d'une idée très spéciale de la justice, interdit toute véritable responsabilité individuelle ou collective, ne peut pas être admis, mais il n'est pas possible d'accepter davantage le modèle américain, où la philosophie mécaniste a trouvé son expression la plus complète. »

Après quoi, Chirac balance à nouveau, tel l'âne de Buridan, entre l'affirmatif et le négatif.

Oui : « Une telle politique de croissance que certains économistes ont baptisée du nom savant d'"anthropogénie" renverserait la tendance actuelle qui fait du progrès social, intellectuel ou culturel une conséquence, voire un simple embellissement du développement économique et technique réel ; elle donne le primat dans la croissance à l'équilibre harmonieux sur la rapidité, à la montée lente de la communauté dans son ensemble sur l'ascension fulgurante de quelques-uns. »

Non : « Dans une société où, pour bénéficier de la distribution des richesses, il faut participer d'une manière ou de l'autre au processus productif, dans une civilisation de plus en plus "sophistiquée" dont la complexité ne cesse de s'accroître, le nombre des marginaux abandonnés ou "sinistrés de la croissance" connaît une augmentation rapide. »

Y a-t-il une solution ? Là encore, Chirac hésite.

Oui : « L'organisation de structures de solidarité [...] dans le cadre d'un vaste système de sécurité sociale. »

Non : « Les prestations servies, si elles coûtent fort cher à la collectivité, ne permettent que de freiner modérément le "décrochage économique" du groupe bénéficiaire tout en lui conférant une position d'assisté qui risque de le fermer sur lui-même et d'accentuer son isolement moral. »

On ne s'étonnera pas, dans ces conditions, que la conclusion ressemble à une motion nègre-blanc de fin de congrès radical. Chirac y explique qu'il faut « bien analyser » ce qui provoque le réflexe anticroissance. Autrement dit : « cette conception matérialiste mécaniste du progrès économique qui, malgré les atténuations apportées par un certain socialisme, a gravement appauvri le concept de croissance ».

L'article souffre, à l'évidence, d'un grave défaut de construction. Mais il met bien au jour le Chirac un tantinet caricatural de ces années-là. Idéologiquement velléitaire, le ministre des Relations avec le Parlement trouve refuge, sur les grands problèmes, dans l'amphigourisme technocratique.

Il n'arrive pas à choisir un projet politique. Il les joue donc tous en même temps. On connaît le mot du général de Gaulle : « Les hommes, si lassants à voir dans les manœuvres de l'ambition, combien sont-ils attrayants dans l'action pour une grande cause ! » Jacques Chirac n'est vraiment pas attrayant...

Les géants de la politique s'accrochent à une idée – une seule. De Gaulle s'est attelé à la France, Pompidou à l'industrialisation, Mitterrand à l'union de la gauche. Jacques Chirac, lui, n'est encore accroché qu'au président et à quelques-uns de ses collaborateurs.

C'est à cette époque, cependant, qu'il commence à développer le thème qui, quinze ans plus tard, le fera passer dans la catégorie supérieure, celle des hommes d'État : la cohabitation. Il ne l'a pas inventée. Il l'a découverte.

Le 23 septembre 1971, lors d'une conférence de presse, Georges Pompidou a déclaré qu'il fallait distinguer la majorité présidentielle et les majorités qui se dégagent à l'occasion des autres consultations électorales. Tollé chez les gaullistes. Devant les secrétaires fédéraux de l'UDR, le 3 octobre, Jacques Chirac explique qu'en disant cela le chef de l'État était dans le droit fil du Général qui, dans son discours de Bayeux, en 1946, parlait d'un président « placé au-dessus des partis ». Il faut, dit le ministre des Relations avec le Parlement, que « l'élection présidentielle – fait politique fondamental – ne puisse pas être remise en cause par les élections législatives et, par conséquent, que les majorités qui se dégagent à l'occasion de ces deux consultations ne soient pas confondues ». Puis : « Il est naturellement souhaitable pour le bon fonctionnement des institutions qu'elles soient aussi proches que possible l'une de l'autre, et vous savez que nous ferons tout le nécessaire pour qu'il en soit ainsi. »

Comment la cohabitation pourrait-elle fonctionner ? « La seule condition, dit alors Chirac, c'est que le président de la République puisse prendre un certain recul par rapport à la gestion quotidienne, afin que son autorité ne soit pas mise en cause par les aléas inévitables de la vie politique. »

On parle, on parle, et c'est ainsi que se fait l'Histoire.

Déclaration prémonitoire. Une autre ne l'est pas moins. C'est celle qu'il fait, le 23 novembre 1971, en faveur d'un régime présidentiel – régime où, on le sait, le chef de l'État perdrait fatalement le droit de dissolution et où, comme aux États-Unis, les deux partis dominants pourraient cohabiter, l'un campant sur le pouvoir exécutif, l'autre sur le pouvoir législatif.

En préambule, Jacques Chirac commence par affirmer le contraire de ce qu'il dira plus tard : « Les partis politiques traditionnels, qui sont en réalité, calqués très exactement sur leurs ancêtres de la IVᵉ République, de la IIIᵉ République et peut-être même d'avant, ne répondent pas et ne peuvent pas répondre, en raison même de leurs structures, au désir de participation et s'inscrivent comme des écrans entre les citoyens et le pouvoir politique. »

Ce sont toujours ceux qui n'ont pas pris le contrôle d'un parti qui parlent ainsi. En 1976, à la tête du RPR, Jacques Chirac fera l'éloge, avec la même conviction, des partis et autres appareils verticaux. Pour rester au goût du jour, l'homme politique doit savoir changer d'avis comme de chemise…

Mais ce n'est pas ce qui compte dans la déclaration de Jacques Chirac, ce jour-là. Après avoir souligné « la complexité croissante de la technique, de la technologie, l'évolution très importante des modes d'information et des moyens audiovisuels, en particulier », il note que les écrans entre les citoyens et le pouvoir politique ont tendance à tomber. Puis, claironnant : « C'est un problème qui suppose une réforme des structures politiques et qui permet de se poser la question de savoir si le régime parlementaire n'appartient pas au passé. »

Là encore, le ministre des Relations avec le Parlement va faire des vagues. Chez les giscardiens qui exigeront une « mise au point » qu'ils n'auront pas. Mais aussi à l'Élysée où Pompidou s'est toujours prononcé contre le régime présidentiel. Non sans quelques arguments, en ces temps de lyrisme idéologique. « Le régime présidentiel, dira-t-il un jour à Giscard, qu'est-ce que c'est ? C'est la suppression du droit de dissolution. Je trouve cela bien dangereux. C'est concevable dans un système anglo-saxon. Car les Anglo-Saxons ont des réflexes de compromis en cas de crise entre l'exécutif et le législatif. Les Français ont, au contraire, des réflexes de guerre civile. Si le législatif met à la porte l'exécutif, c'est une révolution [1]. » Pierre Juillet et Marie-France Garaud sont sur la même longueur d'onde. Chirac sera donc rudement sermonné et n'évoquera plus ce délicat sujet.

Tel est alors Chirac : discordant et disconvenant. Il sent un peu le soufre, ou l'orage. Après chaque incartade, il baisse la tête, l'air soumis. Mais il n'arrive pas vraiment à plaire. Même plus à l'Élysée...

---

1. Catherine Nay, *La Double Méprise, op. cit.*

18

Château-Chirac

« Même lavé à l'eau de rose, l'ail ne perd pas son odeur. »

Proverbe indien

C'est l'illustration du principe de Peter : au ministère des Relations avec le Parlement, Jacques Chirac est vraiment arrivé à son niveau d'incompétence. Il n'a plus d'administration derrière lui ni de projets de loi à préparer. Il lui faut désormais écouter, négocier, apaiser – bref, gérer non plus des dossiers mais des êtres de chair et plus particulièrement deux cent quatre-vingt-onze députés UDR. Or, « il ne sait pas y faire ». Si un élu l'arrête, dans les couloirs de l'Assemblée nationale, il s'en débarrasse en lui offrant une cigarette avant de lui jeter : « On se rappelle et on déjeune ensemble. » En audience, il n'a pas davantage de patience. À peine son visiteur entre-t-il dans son bureau que Jacques Chirac a déjà l'air ennuyé, débordé, traqué, c'est selon. Il se lève, s'assoit, gigote, se gratte, fume, tousse. Au cas où l'autre n'a pas compris qu'il indispose, le ministre finit par lâcher : « Bon, excuse-moi, vieux, il faut que je file, j'ai un rendez-vous à l'Élysée. »

Il y a, chez Chirac, une inaptitude fondamentale à remplir cette fonction éminemment politique. Il n'entend rien aux relations humaines, comme on dirait dans l'industrie. Il ne sait pas perdre son temps avec un fâcheux. Sur ce fiasco ministériel, ses collaborateurs et amis de l'époque sont unanimes.

Jacques Friedmann : « Les députés allaient le voir comme on va au confessionnal. Ils voulaient juste un peu d'attention. Or c'est tout le temps Jacques qui parlait et, dès que l'autre en plaçait une, il prenait congé. Les gens ressortaient furieux de son bureau. »

Jacques Toubon : « Il ne pouvait pas s'arrêter cinq minutes, s'asseoir dans les galeries de l'Assemblée nationale et laisser les gens venir à lui. Il filait à toute vitesse comme s'il craignait de se faire harponner par un indésirable. »

Marie-France Garaud : « C'est un ministère où il faut donner aux gens l'impression qu'ils disent des choses importantes et intelligentes. Jacques Chirac n'avait pas le temps de les entendre. Il était trop occupé à courir dans tous les sens, comme un rat empoisonné. »

Le drame des impatients, c'est qu'ils sont souvent en retard – d'une bataille, d'un débat, d'un complot. Jacques Chirac n'échappe pas à la règle, qui, au ministère des Relations avec le Parlement, accumule les embarras.

Juillet 1971. C'est le manifeste des présidents de commission à l'Assemblée nationale. Signé, entre autres, par Alexandre Sanguinetti (Défense), Alain Peyrefitte (Affaires culturelles), Jean Charbonnel (Finances), il s'en prend au gouvernement, qu'il accuse, en gros, de se concerter davantage avec les syndicats qu'avec la majorité parlementaire. Mais les connaisseurs de la chose politique notent que le pamphlet anti-gouvernemental est également paraphé par Hubert Germain, député de Paris et président de l'association Présence et Action du gaullisme. Ils apprennent, dans la foulée, qu'il a mis la main à la rédaction du texte. Bon sang, mais c'est bien sûr ! Ce grand gaillard de Germain est un fidèle de Pierre Messmer, ministre d'État, chargé des DOM-TOM depuis le début de l'année et nouveau protégé de Pierre Juillet et de Marie-France Garaud. Bref, il ne peut s'agir que d'une nouvelle opération du tandem de l'Élysée contre le Premier ministre.

Le ministre des Relations avec le Parlement a reçu quelques éclats au passage : c'est lui qui est chargé d'organiser le travail parlementaire. « On ne peut exclure, dit Jacques Chirac, qu'il y ait eu, dans cette affaire, un petit côté règlement de comptes à mon égard. Mais, après tout, je ne l'avais peut-être pas volé. » À l'époque, Juillet et Garaud nient cependant avoir téléguidé cette opération qui a pris Chirac par surprise. Mais ils ont, on l'a vu, deux fers au feu : Messmer et Chirac. Il n'est sans doute pas mauvais, à leurs yeux, qu'ils s'aiguisent l'un l'autre...

Septembre 1971. C'est le fiasco du face-à-face télévisé avec Georges Marchais. Toute la France attendait Jacques Chirac, mais la fusée médiatique explose avant même le décollage. Opposé au secrétaire général du PC à l'émission « À armes égales », le ministre des Relations avec le Parlement ne crève pas l'écran, loin de là. C'est un débat de politicards caricaturaux qui aurait pu être imaginé par des chansonniers à la main lourde : on y retrouve tous les poncifs éculés du tournoi politicien. Résumons-nous :

« Vous manquez de sérieux, s'indigne Marchais.

— Vos chiffres ne correspondent pas à la réalité, s'étonne Chirac.

— Vous rognez les libertés démocratiques, éructe Marchais.

— Ne parlez pas des libertés, s'étrangle Chirac.

— Vous êtes de mauvaise foi », se lamente Marchais.

Et ainsi de suite.

Tous les contradicteurs de Georges Marchais sont condamnés d'avance. Il se met, d'emblée, en position d'accusé. On ne compte plus les coups que lui portent ses adversaires mais ceux qu'ils manquent. Chirac prend le secrétaire général du PC non pas de biais mais de front, tête contre tête, cornes contre cornes. Et, comme sur les prés, c'est le plus tendre des deux qui flanchera. Le lendemain matin, Georges Pompidou, qui a regardé le match à la télévision, soupirera : « On ne gagne rien à se colleter contre Marchais. »

Novembre 1971. Aux assises de l'UDR à Strasbourg, le ministre des Relations avec le Parlement s'exprime avec la subtilité de ces « enragés » du gaullo-pompidolisme qui, depuis les élections législatives, peuplent l'Assemblée nationale, aboyant après les réformes, clabaudant contre le laxisme, rêvant, en fait, d'autoritarisme. Il leur en donne – un peu. Éloquent comme un télex, il déclare : « Le bon fonctionnement des institutions suppose l'existence au sein de la majorité d'un parti détenant à lui seul la majorité absolue à l'Assemblée nationale. » Puis, sur un ton incantatoire : « Il n'y a pas de place dans le monde pour la France de Mitterrand et de Jean-Jacques Servan-Schreiber. »

Le mythe de « Facho-Chirac » est né. Il fera une longue carrière…

Janvier 1972. L'affaire commence avec le coup de colère d'un inspecteur des impôts dans le magazine économique *L'Expansion* : « Lequel d'entre nous dans la profession ne connaît pas le nom de ce ministre qui, depuis des années, très légalement, ne paie pas d'impôts parce qu'il déduit de ses revenus des frais de restauration de château historique ? Mieux : c'est l'administration qui lui fait des remboursements de crédit d'impôts. » La semaine suivante, *Le Canard enchaîné* retrouve le ministre en question. C'est Jacques Chirac.

On sait qu'il n'est point de petit chez-soi. À tout hasard, Chirac a tout de même voulu que le sien fût très grand : deux mille mètres carrés habitables sur onze hectares de terre. Le 3 mars 1969, alors qu'il est secrétaire d'État au Budget, il devient propriétaire du château de Bity, à Sarran, en haute Corrèze. Une « ruine » du XVIᵉ siècle, qui fut occupée jadis par Jean-Gabriel de Selve, mousquetaire du roi. Chirac l'achète pour le prix de 210 000 francs. Curieusement, le 3 avril suivant, Bity est classé « monument historique ». Une aubaine et une bonne affaire. S'agissant d'un monument classé, la participation de l'État aux travaux de restauration doit en effet s'élever, en principe, à 50 %. En l'espèce, ce sera moins : sur des frais de réfection de 200 000 francs, les pouvoirs publics verseront 60 000 francs.

On s'étonnera naturellement que le classement du château de Bity soit intervenu un mois seulement après que le secrétaire d'État au Budget l'eut acheté. La presse d'opposition hume le fumet du scandale. Mais Jacques Chirac fait savoir que le principe du classement de Bity avait été voté le 26 décembre 1963, sur une proposition de Charles Spinasse et avec l'accord de Marcel Champeix, sénateur socialiste.

Il ne convainc pas : même s'il était justifié, le classement tombe à pic pour Jacques Chirac. Coïncidence ? Peut-être. Mais quand bien même le secrétaire d'État au Budget aurait accéléré la procédure, somme toute régulière, il ne s'agirait que d'une petite indélicatesse. Il n'y aurait rien là de vraiment choquant. Ce qui l'est davantage, en revanche, c'est qu'il n'ait pas payé d'impôts en deux ans, ni en 1970, ni en 1971. Rue de Rivoli, on dit qu'il paraphrase saint Matthieu : « Faites ce que je dis, mais ne faites pas ce que je fais. »

Tout est légal. Mais est-ce bien moral ? Quand André Wurmser note dans *L'Humanité* : « M. Chirac n'est pas coupable juridiquement [...]. Moralement, il n'est pas défendable », l'éditorialiste communiste exprime bien le sentiment général.

Jacques Chirac réagit comme une bête blessée. Il téléphone à ses amis journalistes. Il s'embrouille dans des explications qui, souvent, font mauvaise impression. « Quand les impôts m'ont fait savoir que les travaux de réfection du château effectués à mes frais étaient déductibles de mes revenus, déclare-t-il au *Canard enchaîné*, j'ai refusé par lettre. » Mais il ne montre pas la lettre. Il s'abstient à tout moment de dire la vérité, toute simple mais peu reluisante. Le secrétaire d'État au Budget ne faisait pas lui-même sa déclaration d'impôts.

Dominique de La Martinière, alors directeur des Impôts au ministère des Finances, explique : « C'est mon chef de cabinet qui faisait sa déclaration. Dans le feu du zèle, il en a trop fait. Et je suis sûr que Jacques Chirac, toujours sous pression, l'a signée sans rien remarquer. »

L'affaire a eu le don d'énerver Georges Pompidou : « Quand on prétend faire de la politique, grogne-t-il, on s'arrange pour ne pas avoir de château. Sauf s'il est dans la famille depuis au moins Louis XV ! » Elle a fait flotter autour de Chirac un parfum peu ragoûtant de combines et de menus grappillages. Elle lui a donné aussi un méchant surnom : « Château-Chirac ».

Quand Chirac dit à Pompidou que ce n'est, après tout, qu'un petit manoir qui ne compte que six fenêtres, l'autre le reprend, avec un œil noir et un sourire cruel : « Six fenêtres, oui, mais sur trois étages ! »

Pour le président, cette affaire relève à la fois de l'erreur politique et de la faute de goût. S'il voulait devenir un homme d'État, il fallait d'abord que Chirac songe à donner l'exemple, au lieu de rechercher le faste comme la laitière de La Fontaine (« Quel esprit ne bat la campagne ? Qui ne fait châteaux en Espagne ? »). « Décidément, il n'est pas encore mûr », tranche Pompidou qui paraît, soudain, prêt à mettre une croix sur ce dauphin trop maladroit. Tant il est vrai que la porte des grands est toujours balayée par les vents...

Aux sommets de l'État, on a beaucoup dit, à l'époque, que cette affaire du château n'était qu'une manifestation du syndrome Chodron de Courcel. C'est sa femme, si voussoyeuse et si délicate, qui aurait encouragé le ministre à acheter Bity. Mais l'explication ne tient pas. Bernadette Chirac fait partie de ces aristocrates qui croient que la vraie noblesse se conquiert en vivant mais qu'elle n'est pas acquise et qu'elle ne s'achète jamais.

Plus dure avec elle-même qu'avec les autres, Bernadette, née Chodron de Courcel, est du genre à venir alimenter chaque jour, pendant des semaines, son père qui se meurt à l'hôpital. Jacques Chirac ne la laisse jamais faire ses sandwichs. Elle ne met pas assez de beurre. En Corrèze, l'ascétisme de Mme Chirac est légendaire, sa frugalité aussi : apparemment, il s'agit là de la vraie nature de Bernadette. Et, s'il s'agit d'un rôle de composition, il faut convenir qu'elle le joue fort bien.

En achetant Bity, en fait, Jacques Chirac a sans doute voulu suivre les traces de Pierre Juillet et de Marie-France Garaud. Tous deux sont des châtelains : l'un a un manoir dans la Creuse, l'autre dans les Deux-Sèvres. Là-bas, ils se ressourcent, ils écoutent le vent et ils comptent leurs moutons.

Ébloui par les certitudes provinciales du tandem Juillet-Garaud, Chirac a sans doute voulu s'enraciner davantage en Corrèze. Et « entrer au château », comme on disait jadis...

Où va Jacques Chirac ? De moins en moins loin. Il n'a plus d'or au bout des doigts. Il déglingue tout ce qu'il touche. C'est un personnage qui semble s'être laissé dépasser par son avenir et n'avoir plus qu'un passé. On le dit cassant, gaffeur, vorace et même cupide. Et, à l'Assemblée nationale, les députés parlent parfois de lui à l'imparfait. La montagne a accouché d'une souris...

Comment vit-il les caprices de la fortune ? Jacques Chirac se voit (presque) toujours avec lucidité et sincérité. Il se dit qu'il peut mieux faire. Écoutons-le : « C'est vrai que j'avais une mauvaise image de marque chez les députés. D'abord, j'étais le jeune que Pompidou poussait : ça ne favorisait pas forcément la sympathie. Ensuite, j'avais parfois été très maladroit : l'affaire des droits de succession, par exemple, a longtemps laissé des traces. Enfin, au ministère des Relations avec le Parlement, ça a été la fin des haricots : si j'ai fait convenablement mon travail sur le plan administratif, je n'ai pas su entretenir de bonnes relations avec les élus. »

Il n'est pas plus populaire en France que dans le groupe UDR de l'Assemblée nationale. Au baromètre mensuel SOFRES-*Figaro*, il n'arrive pas à décoller : sa cote culmine à 4 % d'opinions favorables, loin derrière Jacques Chaban-Delmas ou Valéry Giscard d'Estaing qui tournent autour de 50 %.

Quand, enfin, Jacques Chaban-Delmas démissionne, le 5 juillet 1972, Jacques Chirac ne fait donc pas partie des « premier-ministrables ». Et Georges Pompidou nomme tout naturellement à Matignon l'autre candidat de Pierre Juillet, Pierre Messmer. Le tandem de l'Élysée sable le champagne.

Mais, en confectionnant son gouvernement avec Pierre Messmer, Georges Pompidou fait un oubli freudien. Quand il montre son projet de liste à Pierre Juillet, son conseiller a un haut-le-corps :

« Et Chirac ? Vous avez oublié Chirac ?

— Mon Dieu, c'est vrai. Mais où peut-on bien le mettre ?

— Il lui faudrait un grand ministère technique. Pourquoi pas l'Industrie ? »

Georges Pompidou opine. Va pour l'Industrie...

Le soir, en passant voir Pierre Juillet et Marie-France Garaud, Jacques Chirac blêmit en apprenant la nouvelle :

« L'Industrie ? Vous n'y pensez pas, dit-il en faisant les cent pas.

— C'est un beau ministère, plaide Pierre Juillet, un tantinet agacé. Vous devriez être content.

— Mais c'est un ministère qui n'existe pas. Prestigieux, peut-être, mais complètement honorifique. Sans administration, sans vraie marge de manœuvre : ce sont, vous le savez bien, les Finances qui prennent les décisions en matière d'allégements fiscaux.

— Que voulez-vous, alors ?

— À tout prendre, je préférerais encore l'Agriculture. »

Adjugé. Sur sa liste, George Pompidou raye *in extremis* le nom de Michel Cointat, qui sera renvoyé sans savoir pourquoi dans sa bonne ville de Fougères. Et c'est Jacques Chirac qui se retrouve, à sa place, ministre de l'Agriculture. Jean Charbonnel, autre élu de la Corrèze, héritera de l'Industrie.

Quelques heures plus tard, Pierre Juillet et Marie-France Garaud vérifient que l'Industrie est en effet un faux ministère – une coquille vide. Et les anges gardiens s'autocongratulent : « Ce garçon est épatant. Il a quand même du sens politique. »

Il l'avait bien caché. Il va maintenant le déployer...

19

Le ministre aux pieds crottés

« Quand l'escargot bave, ne lui en demandez pas la raison. »

Proverbe chinois

Il est parti au ministère de l'Agriculture, rue de Varenne, étrillé, à bout de souffle, comme un fuyard. Il en est revenu avec le regard droit et le sentiment d'avoir réussi. C'est si vrai que longtemps après – en 1978, très exactement –, accordant un entretien au *Quotidien de Paris*, il répond sans l'ombre d'une hésitation à son ami Paul Guilbert qui lui demande où il a le sentiment d'avoir été le plus utile à la France : « Quand j'étais ministre de l'Agriculture... »

Relisant le texte avant publication, le stylo à la main, Marie-France Garaud, alors conseillère de Chirac, sursaute en lisant cette réponse. « Allons, dit-elle à Paul Guilbert. Jacques a été Premier ministre, il a fondé le RPR. Vous voyez bien qu'il plaisante. » Et, d'un geste furibond, elle biffe la phrase. Épisode tout à fait révélateur de la mythification par Chirac de son passage au ministère de l'Agriculture.

Mythification ? Dans ce ministère, Jacques Chirac a peut-être servi la France. Mais il a aussi servi son image en faisant preuve à nouveau de savoir-faire et, pour la première fois, de faire-savoir.

Il a même, chose nouvelle, un projet. Banal sans doute, démagogue peut-être. Mais il a le mérite d'exister. C'est le développement rural.

Le 14 novembre 1972, lors de la présentation du budget de l'agriculture, il déçoit tout de même quelques chroniqueurs comme

Rémi Huppert du *Monde*[1] : « D'aucuns espéraient que le discours de M. Chirac à l'Assemblée nationale ressemblerait à celui de son collègue des Finances, M. Giscard d'Estaing, que son allocution lui serait occasion sinon de tracer une doctrine nouvelle, du moins de présenter une réflexion d'une certaine élévation sur les problèmes agricoles [...]. Mais M. Chirac les traita en froid technicien, usant d'un verbe facile mais peu imagé. »

Le credo du ministre : il faut renforcer l'exploitation de type familial – « à responsabilité personnelle », comme il dit. Électoralement, c'est un langage très payant – et les législatives ne sont pas loin. Mais économiquement ? Quand Chirac déplore l'exode rural et quand il plaide pour une politique d'animation rurale afin de préserver la « richesse » de l'agriculture française, il ne laisse pas seulement parler ses fibres paysannes et corréziennes. Il fait aussi un pari, somme toute pompidolien : que la croissance va continuer sur sa lancée ; qu'il faut donc continuer à augmenter la production agricole. Les surplus ? Connaît pas : « Pour répondre à la demande, même non solvable, qui existe actuellement en matière d'alimentation, dit-il dans un entretien avec Philippe Alexandre[2], il faudrait doubler la production agricole mondiale. »

Doubler ? Ce n'est pas encore assez. Il ajoute : « Et. comme la population doit doubler d'ici à l'an 2000, il faudrait quadrupler la population agricole en moins de trente ans. »

Tel est le ministre de l'Agriculture : optimiste et productiviste. Pas churchillien, « Monsieur anti-quotas » n'assènera ni « sang » ni « larmes ». Il va s'enflammer, au contraire, contre la Commission de Bruxelles quand elle envisage de réduire la production de sucre de la CEE (« Tous les experts prévoient une pénurie de sucre dont le prix a déjà grimpé de 120 % en dix-huit mois »). Ou bien il va partir en guerre contre le rapport Thiede qui, pour en finir avec les excédents agricoles, propose de laisser en friche de cinq à onze millions d'hectares cultivables. Chirac ou l'anti-« croissance zéro »...

Le dauphin nage dans le bonheur, au ministère de l'Agriculture. Il est incollable sur le prix européen de la viande bovine, les exportations de soja, les excédents de pommes ou de poudre de lait. Il

---

1. *Le Monde*, 16 novembre 1972.
2. *Paris-Match*, 2 mars 1974.

adore les marathons européens, les crises « au bord du gouffre », les nuits blanches à griller des cigarettes. Jacques Toubon, « tête politique » du ministre de l'Agriculture, témoigne : « Pour nous, ce fut une période faste, celle où Chirac s'est imposé aux autres. »

Un esprit peu suspect de complaisance, Pierre-Marie Doutrelant, qui est alors le meilleur spécialiste des questions agricoles, note : « Jamais – c'est vrai – le revenu agricole n'a progressé deux ans de suite aussi fortement [...]. Jamais aucun gouvernement n'a autant fait pour la paysannerie actuelle depuis 1960. Jamais, depuis M. Pisani, un ministre de l'Agriculture n'est apparu aussi pressé d'agir et aussi efficace. Jamais la concertation entre les organisations paysannes et le gouvernement n'a été aussi radieuse [1]. »

Si un vent de révolte continue néanmoins à souffler dans les campagnes françaises, la raison en est toute simple, selon Doutrelant : « Quels qu'aient été les efforts méritoires du gouvernement, l'écart persiste entre les revenus de la plus grande partie des paysans et les ressources des autres Français [2]. »

Il n'empêche. Les syndicalistes agricoles sont, pour la plupart, au septième ciel. Un jour, Michel Debatisse, président de la FNSEA (Fédération nationale des syndicats d'exploitants agricoles), déclare : « Un syndicaliste ne s'avoue jamais satisfait. Eh bien, moi, je le ferai. » Une autre fois, Marcel Bruel, le « patron » des éleveurs, se goberge : « Jacques Chirac est [...] le meilleur ministre de l'Agriculture depuis Sully. » Chose rare pour un ministre de l'Agriculture, quand il se rend dans les foires agricoles, on ne lui jette pas des tomates mais des fleurs. C'est la coqueluche des herbages et des labours. C'est la star des cours de ferme.

Pourquoi réussit-il ? Comme les paysans, Chirac plante, sème, butte, moissonne, engrange. Tout : projets, réformes, monts et merveilles. Il lance l'Office de la viande qui interviendra, chaque fois qu'il le faudra, pour maintenir les prix à la production. Il se démène comme un diable lors des Conseils des ministres européens de l'Agriculture : son homologue allemand lui conseillera même, un jour, de se faire psychanalyser. Il va jusqu'à envisager l'impensable : des vacances pour les paysans qui seraient remplacés dans leurs fermes par des stagiaires des collèges agricoles, rémunérés, en partie, par l'État...

---

1. Le *Monde*, 6 janvier 1973.
2. *Ibid.*

194

Corporatisme ? Il y a, chez Chirac, un rural qui sommeille sous le cavalier. Il aime humer dans les cours de ferme les odeurs de son enfance, crotter ses chaussures dans le purin, plonger sa main dans le cul des vaches, soupeser le veau blanc à l'œil, ouvrir la bouche du cheval pour dire son âge. Mais, s'il cultive volontiers le clientélisme avec les catégories sociales, il pratique carrément le favoritisme à l'égard des agriculteurs français. Ce n'est pas une politique ; c'est une religion. Il la partage avec Juillet et Pompidou.

Pierre Juillet raconte que, voyageant un jour avec de Gaulle au temps des années folles du RPF, à l'aube de la IVe République, il avait vu l'un des augustes sourcils du Général se lever devant un champ verdissant de petites pousses.

« Qu'est-ce que c'est ? avait demandé de Gaulle.

— De l'orge, mon général », répondit Juillet sans hésiter.

Alors, de Gaulle fit arrêter la traction avant Citroën et, accompagné de Juillet tout tremblant d'être démenti, il alla voir le champ de plus près : c'était bien de l'orge en herbe.

Chirac est, comme Juillet, comme Pompidou aussi, un homme qui peut reconnaître de l'orge en herbe à vingt mètres. Avec ces deux pères putatifs, il peut parler, pendant des heures, et sur le ton de la passion, des cours du porc, de la dinde ou de la pomme de terre. Rien de ce qui est agricole ne leur est étranger.

Mais si l'agriculture compte tant pour ces trois hommes, ce n'est pas tant à cause de sa production et de ses capacités de développement ; c'est à cause des paysans eux-mêmes – des « exploitants familiaux » que Pompidou célèbre régulièrement en Conseil des ministres. Ils les ont parés de toutes les vertus comme naguère les rousseauistes attribuaient toutes les qualités aux indigènes. C'est le noyau dur de leur électorat ; c'est aussi la base du tissu social ; c'est enfin l'animation des campagnes. Il n'y aura pas de bonne France sans ces bons Français.

Et c'est ainsi que Chirac a tendance à confondre la France avec la Corrèze…

Rien ne l'arrête. Jacques Chirac fait fort et gros. Jacques Friedmann, qui supervise alors les affaires économiques à Matignon auprès de Pierre Messmer, témoigne : « On ne pouvait pas le tenir. Il m'en a fait voir de toutes les couleurs. »

195

Il est vrai que Chirac a retrouvé sa place, toute sa place, dans le cœur de Pompidou. « C'était, de toute évidence, le ministre préféré de Pompidou, se souvient Bernard Stasi, alors ministre des DOM-TOM. En Conseil, il s'enquérait de ses avis, échangeait des regards complices avec lui et lui réservait de temps en temps un petit mot affectueux qui faisait frémir les autres de jalousie. » Il est vrai aussi que le ministre de l'Agriculture est redevenu, pour le chef de l'État, un homme sur lequel il peut se reposer complètement. Certes, il lui arrive de dire à quelques-uns de ses proches, comme Marie-France Garaud : « Je vous en prie, calmez-le. » Mais c'est toujours d'une voix toute tremblante de délectation.

Pompidou ne lui marchande plus sa confiance. Un dimanche matin, vers 8 heures, pendant un de ces « marathons » européens qui durent toute la nuit, le ministre de l'Agriculture décide d'appeler le président dans sa résidence secondaire, à Orvilliers. Il redoute qu'un point du projet d'accord soit considéré, par les « ultras » du gaullisme, comme un premier pas vers la supranationalité. Il préfère donc se couvrir.

C'est Pompidou qui décroche le combiné. Il a la voix lasse. Chirac commence son explication. Alors, le président : « Premièrement, Chirac, vous me réveillez ; deuxièmement, Chirac, vous faites partie du gouvernement ; troisièmement, Chirac, vous êtes chargé de négocier, alors, négociez [1]. »

Et il raccroche. En reposant le combiné, Chirac a tout de même de quoi se rengorger un peu. Si Pompidou l'a laissé maître de la décision, c'est parce qu'il croit en lui. Le chef de l'État a simplement la fidélité bougonne, l'estime agressive, l'amour vache.

Un jour, Georges Pompidou n'hésitera pas à donner raison à Chirac contre Giscard. L'affaire commence le 3 novembre 1973 avec la publication d'un arrêté du ministre des Finances fixant les marges bénéficiaires des détaillants de fruits et légumes. C'est une décision qui, économiquement, n'est pas absurde. Elle va même de soi. Du moins dans la logique étato-dirigiste qui est alors celle de Giscard. Sur ces entrefaites, VGE s'envole pour la Malaisie où il restera quinze jours. Officiellement, pour inaugurer la grande foire de Kuala Lumpur. Officieusement, pour chasser le tigre...

1. Thierry Desjardins, *Un inconnu nommé Chirac, op. cit.*

Et voilà que, partout, les étals s'embrasent : c'est la révolution sur les marchés, dans les halles et dans les épiceries. Le 15 novembre, les détaillants ferment boutique. Le pays s'inquiète. Pompidou aussi. Il est convaincu qu'il y a en chaque Français, outre le paysan, un petit commerçant qui sommeille. En l'absence de Giscard, il confie le dossier à Chirac.

Que fait le ministre de l'Agriculture ? Il reçoit aussitôt les organisations de détaillants. Il leur offre des cigarettes, des boissons, de bonnes paroles. Puis il leur donne raison et satisfaction. Pour ne pas humilier le ministre des Finances, il trouve même une parade toute chiraquienne : l'arrêté de Giscard est maintenu mais les contrôles s'effectueront « dans la plus grande souplesse ». La grève des fruits et légumes n'aura pas lieu.

Giscard rentre de Malaisie reposé mais furieux. Il parle, sur un ton pincé et vaguement dégoûté, de « démagogie ». Et il bat froid à Chirac pendant un mois.

Un mois. Pas un jour de plus. C'est que le ministre de l'Agriculture multiplie les formules aimables à son endroit. Contre Chaban, Chirac a, de toute évidence, décidé de jouer Giscard. Et il ne s'en cache pas. Il sait que Pompidou n'aime pas son ancien Premier ministre : « Son grand tort, lui a dit un jour le président, c'est de ne songer qu'à être aimé. » Cela tombe bien. Il n'a lui-même aucune confiance en ce galantin. Il est convaincu qu'il ne fait pas le poids. C'est l'époque où Chirac dit aux journalistes : « Chaban, président ? Mais vous voulez rire ! Il ne survivrait pas au premier tour ! »

Il ne mégote pas. Le 4 janvier 1973, recevant la presse agricole, il déclare tout à trac : « M. Giscard d'Estaing est l'un des rares hommes d'État actuels. » Les semaines suivantes, pendant la campagne des élections législatives, les initiés remarquent que le ministre de l'Agriculture s'en va surtout porter la bonne parole dans des circonscriptions tenues ou convoitées par des giscardiens. « En ce temps-là, se souvient Jacques Toubon, Chirac n'avait rien à refuser à Giscard. »

Le 13 août, Chirac donne un nouveau coup de pouce à Giscard en déclarant au *Point* : « Si M. Pompidou venait à disparaître, je serais giscardien. »

Quand il tient ces propos prophétiques, Chirac n'est pas censé savoir que le chef de l'État est très malade et qu'il mourra quelques mois plus tard. Au contraire, à en croire ses proches, il est convaincu, à cette époque, que Matignon est un objectif à sa portée. Il ne désespère donc pas de succéder à Pompidou lors de l'élection présidentielle prévue en 1976 – à condition, bien sûr, d'avoir détruit Chaban qui se trouve sur son chemin, avec la faveur du parti gaulliste.

Mais Chirac a remarqué comme tout le monde les bouffissures qui gonflent le visage du président, sa démarche hésitante, son irritabilité croissante, ses grippes à répétition. En évoquant publiquement cette « disparition » qui le briserait en plein vol, cherche-t-il à conjurer le sort ?

20

Le syndrome de Reykjavik

« Couche-toi et sois malade, tu sauras qui te veut du bien
et qui te veut du mal. »

Proverbe espagnol

Pierre Juillet veut faire de Jacques Chirac un Premier ministre.
Après les élections législatives de 1973, médiocres pour la majorité,
il suggère à demi-mot au président de remplacer Messmer qui n'a
pas percé par Chirac qui, à l'Agriculture, a fait son trou.

Georges Pompidou est bien conscient qu'il doit organiser sa succession. Il n'y a pas si longtemps, il disait à Denis Baudouin, son
fidèle, son confident, chef du service de presse de l'Élysée : « Il n'y
a jamais eu, pendant l'Empire romain, de meilleure dynastie que
celle des Antonins. Ils se choisissaient. Ils se cooptaient. Ils savaient
préparer la suite. »

Faut-il, alors, préparer Chirac ? Claude Pompidou, la femme de
l'ancien président, raconte : « De Chirac, mon mari disait toujours :
"C'est un type généreux, loyal, courageux. On peut lui demander
n'importe quoi." Mais il ajoutait aussitôt : "Il est si jeune. Il faut
qu'il se forme." Il pensait à lui pour la suite. Et, après les élections
de 1973, il m'a confié qu'il songeait sérieusement à lui pour Matignon. Je me souviens qu'il n'avait pas fini sa phrase, comme s'il
avait voulu que je la reprenne au vol. »

Le président finit par envoyer paître Juillet. Il trouve Chirac trop
tendre et il ne se sent pas assez décrépit. Son conseiller politique
revient à la charge avec un nouveau plan. Il ne demande plus Matignon pour son poulain. Il veut simplement en faire l'homme fort
du gouvernement – le ministre des Finances, très exactement.

Soit. Mais Giscard dans tout cela ? Juillet en fait son affaire. Son schéma est simple : faire passer VGE au Quai d'Orsay et le remplacer par Chirac. Pour arracher l'accord de Giscard, le conseiller politique du président a une botte secrète. C'est Michel Poniatowski.

Il a en effet convaincu Pompidou de faire entrer au gouvernement Michel Poniatowski, meilleur ami de VGE, député du Val-d'Oise, prince de sang – un sang vif – et bretteur magnifique. Cet homme possède une subtilité considérable dans un corps éléphantesque, une profonde volonté de puissance sous des dehors modestes, un fichier privé sur la plupart des hommes politiques dans sa maison de Neuilly et, surtout, un sens inouï des formules assassines qu'il glisse négligemment dans des discours d'une grande platitude. C'est lui, par exemple, qui a trouvé, à propos de Chaban et des scandales, un slogan qui fera mouche : « les copains et les coquins ». Bref, ce faux amateur est un vrai tueur. S'il se contentait de sabrer le maire de Bordeaux, tout irait bien pour Juillet. Mais il s'acharne sur tous les gaullistes. Il ne les aime que morts. Il est donc urgent de le faire taire. Autrement dit, d'en faire un ministre.

Entrant au gouvernement, « Ponia », tout miel, prêtera une oreille compréhensive à la proposition de mutation de VGE au ministère des Affaires étrangères. Il fera même mine de défendre l'idée auprès de Giscard. Seulement voilà : son ami ne veut rien entendre. Il s'accroche comme une huître à la rue de Rivoli.

Que faire ? Juillet n'est pas homme à se décourager. Il revient voir Pompidou avec une nouvelle proposition.

« Chirac, dit-il, a échoué aux Relations avec le Parlement, ministère politique, mais il a réussi à l'Agriculture, ministère technique. Essayons de le mettre dans un ministère technico-politique, l'Intérieur par exemple. »

Le chef de l'État secoue la tête :

« Marcellin se débrouille bien, place Beauvau, et il me sécurise. Si j'y mets Chirac, on dira que je monte en première ligne. »

Sur ces entrefaites, coup de théâtre : Juillet apprend que Giscard est en train de flancher ou, du moins, qu'il n'est plus si réticent à la solution du Quai. Quand le conseiller politique de l'Élysée va annoncer la nouvelle au président, celui-ci laisse tomber : « C'est trop tard. Je viens de proposer le ministère des Affaires étrangères à Michel Jobert. »

C'est le fiasco. « Si la manipe a échoué, expliquera plus tard Raymond Marcellin, c'est parce que Pompidou était très malade et que son réflexe était de faire rentrer tout le monde dans le rang. Ses forces défaillaient mais il essayait de faire encore ce qu'il voulait, non pas ce qu'on voulait lui faire faire. »

On ne s'étonnera pas que Chirac n'eût été au courant de rien. D'abord, Juillet croit comme de Gaulle que « rien ne rehausse l'autorité mieux que le silence, splendeur des forts et refuge des faibles ». Ensuite, c'est un personnage trop conscient de sa valeur pour s'abaisser à raconter, par le menu, ses tractations avec le chef de l'État. Enfin, Juillet ne serait pas Juillet sans le secret.

Chirac se dit ainsi persuadé que Juillet ne l'avait pas mis en piste pour Matignon. Mais la plupart des élyséens sont convaincus du contraire. Y compris Édouard Balladur, alors secrétaire général adjoint de la présidence, qui se souvient : « Juillet le poussait sans relâche. Il était clair qu'il voulait en faire un Premier ministre. »

Raymond Marcellin est plus précis encore : « L'avancement est ainsi programmé : un grand ministère puis le remplacement de Messmer comme Premier ministre pour être, le moment venu, candidat à la présidence de la République. La candidature de Jacques Chaban-Delmas pourrait difficilement être maintenue alors que Jacques Chirac, Premier ministre en exercice, poserait la sienne. Il est assez facile de deviner quel serait le choix de l'UDR[1]. »

Chirac n'a-t-il rien vu ni senti ? On peut en douter. Ce ministre, qui, comme l'a écrit Michel Jobert[2], « visitait successivement plusieurs bureaux à l'Élysée, en chaque occasion possible, et malgré les tâches agricoles », est bien conscient que quelque chose se trame. Marie-France Garaud se souvient l'avoir entendu dire, au lendemain des élections législatives : « Sortez-moi de là. J'ai tout promis. Je ne pourrai plus rien tenir. »

Jacques Toubon nuance : « Chirac hésitait mais il avait, c'est vrai, plutôt envie de partir. Moyennant quoi, tout ce qu'il a fait au ministère de l'Agriculture, et qui demeure pour lui un capital irremplaçable, a été réalisé après les élections, et non pas avant. »

On ne connaît que peu de cas, dans l'Histoire, d'hommes d'État mettant en place leur dauphin. Quand, parfois, ils daignent l'instal-

---

1. Raymond Marcellin, *L'Importune Vérité*, Plon, 1978.
2. *L'Autre Regard, op. cit.*

ler sur un socle, c'est pour le déboulonner aussitôt. Les patrons, les syndicalistes ou les universitaires savent parfois bien préparer leur succession. Les politiques, jamais – ou presque. Ils voient danser la mort, leur propre mort, dans le regard de celui que l'on présente comme leur héritier. Et ils ne le supportent pas. Gâteux, grabataires ou moribonds, ils cherchent toujours à aller jusqu'au bout de leur pouvoir et à s'en délecter jusqu'à leur dernière goutte de vie.

De Gaulle se sépara de Pompidou après que ce dernier fut devenu son dauphin incontesté. Quand le Général dut finalement lui laisser la présidence de la République, il le regarda, au dire de Jacques Vendroux, son beau-frère, « comme un Judas, un traître, un renégat [1] ».

En ce mois d'avril 1973, Pompidou, rongé par la maladie, se refuse à mettre Chirac en position de pouvoir prétendre à sa succession. En le maintenant au ministère de l'Agriculture, il semble dire, comme les vieux paysans sur la fin : « Il ne faut jamais se dépouiller avant de se coucher. »

Bref, Chirac est un dauphin sans delphinat – un favori que son protecteur a omis de coucher sur son testament.

Mais Juillet n'est pas mieux loti. Ce printemps-là, c'est un conseiller dont le prince n'écoute plus les avis. Qu'il n'ait pas obtenu la promotion de Chirac, passe encore. Mais que le clan Jobert tienne désormais le haut du pavé, il n'arrive pas à l'accepter.

Entre les deux ailes du « château », autrement dit entre Juillet et Jobert, c'est la guerre. En embauchant Xavier Marchetti, l'une des grandes signatures de *Paris-Match*, à son service de presse, le président lui avait dit : « J'ai deux ailes. Ne mettez jamais les doigts entre les deux. Et sachez bien que je reste toujours au milieu. »

Il n'y a qu'un problème. Le président n'est plus au milieu. Il joue clairement une aile contre l'autre. Et, pendant ce temps, quelqu'un, doucement, s'avance. C'est Édouard Balladur, secrétaire général adjoint de l'Élysée et bras droit de Michel Jobert. On le dit sec, sérieux et ennuyeux. Mais il ne perd jamais son calme ni son humour – glacé, cela va de soi. Avec son haut cou, son œil lointain, son air parfaitement maîtrisé, il semble fait pour les tempêtes qui s'annoncent. Pompidou aime de plus en plus se reposer sur lui.

---

1. Raymond Tournoux, Le *Tourment et la Fatalité*, op. cit.

C'est justement ce qui inquiète ses ennemis de l'Élysée – et il en a. Un jour, ne reculant devant rien, ils transmettent au chef de l'État un petit dossier d'accusations putrides. Tel est en effet le climat du château : malpropre et empoisonné. Mais que fait Pompidou devant tant de vilenie ? Au lieu de repousser ces accusations en se bouchant le nez, le chef de l'État demande une enquête.

Balladur en a vent. Alors, un soir, il entre dans le bureau du président et lui jette une lettre en disant, d'une voix tremblante de colère blanche : « Puisque vous avez cru bon de diligenter une enquête sur moi sans même me tenir au courant, vous trouverez dans ce pli les réfutations que vous n'avez même pas pris la peine de me demander. »

Et Balladur sort, théâtral, en claquant la porte.

Cet homme est donc, en plus, pourvu de caractère. C'est ce soir-là sans doute que Pompidou a décidé de le nommer secrétaire général de l'Élysée à la place de Michel Jobert, promu ministre des Affaires étrangères.

À la même période, une autre porte claque. C'est celle de Juillet. Informé de la mauvaise humeur de son conseiller politique, Georges Pompidou a marmonné : « Qu'il aille donc s'occuper de ses moutons. » On s'est empressé de répéter le mot à l'intéressé. Humilié, mortifié, ridiculisé, il a décidé de retourner dans sa Creuse. Un jour, Pompidou annonce gravement la nouvelle à Jobert :

« Juillet s'en va.

— Comme d'habitude, hasarde Jobert, perfide.

— Non, pas comme d'habitude, justement. Définitivement.

— Tiens, fait Jobert, ironique. Vous êtes bien sûr ? »

Ce n'est pas la première fois en effet que Juillet prétend prendre congé de Pompidou. Mais ses brouilles avec le président ne durent jamais que le temps d'une saison. La dernière fâcherie entre les deux hommes date du référendum sur l'Europe, en 1972. « Une fausse bonne idée, avait dit Juillet. Les Français ne s'intéressent pas à la politique étrangère. Vous aurez un maximum d'abstentions. » Et il était parti. Après le fiasco du référendum (39,5 % d'abstentions), Pompidou, on l'a vu, l'avait fait rappeler.

Cette fois, pourtant, les choses semblent sérieuses. Juillet a rangé ses dossiers et il a fait savoir partout qu'il ne reviendrait plus, croix de bois, croix de fer. Mais il n'a trompé personne. Il tire toujours les fils et les ficelles : en contact téléphonique permanent avec lui, Marie-France Garaud assure l'intérim.

Quand Édouard Balladur dit, avec un brin de sadisme, à Marie-France Garaud qu'il faut songer à remplacer Juillet, elle proteste : « Attendez. Je suis sûre qu'il va revenir. » Il n'est pas très loin, il est vrai. Pour Jacques Chirac qu'il fouette ou qu'il bride, c'est selon, il n'est même jamais parti...

La vérité ne gagne jamais à montrer son visage. Le 1er juin 1973, quand Georges Pompidou se rend à Reykjavik, en Islande, pour conférer avec Richard Nixon, le président des États-Unis, c'est un grand malade que surprennent toutes les caméras de la presse internationale. Il a les traits boursouflés. Il doit s'aider des deux mains pour descendre la passerelle et il ne se déplace qu'avec une lenteur extrême. Pour ne rien arranger, il a un sourire coincé, souffrant, effrayant.

Rien n'est plus rapide qu'une rumeur. Quelques heures plus tard, elle court la France, jusque dans les campagnes les plus reculées : le président est gravement atteint. On parle de cortisone, de cancer, de chimiothérapie. On commence à évoquer sa succession.

Le chef de l'État sait de quoi il mourra mais il ne le dira pas. Le diagnostic a été formulé pour la première fois en juillet 1972 : c'est la maladie de Waldenström. Elle est mortelle. Il attend, donc. En serrant les dents, comme on fait dans son Cantal. Il vient d'une terre où l'on ne parle ni de ses malheurs ni de ses maux. Ce n'est pas lui qui ferait, à la façon de Chateaubriand, « la réhabilitation de ce pauvre corps, si malmené par l'âme ». Il ne s'aime pas. Comme Chirac, comme tous ceux qu'il apprécie et comprend, il tire le maximum de sa carcasse.

« Vous n'avez pas l'air bien, lui dira un jour Denis Baudouin, le chef de son service de presse qui est devenu son ami. Il faut vous reposer.

— Moi, Baudouin, je suis d'une famille où l'on ne se couche que pour mourir. »

En attendant, le président fait mine de prendre les choses à la farce. Il ironise pesamment sur ses « cancers hebdomadaires » et, introduisant des invités à table, laisse tomber : « Chacun a ses soucis. Nixon va être démissionné. Moi, je vais mourir. »

Pour décrisper l'atmosphère, Édouard Balladur, le nouveau secrétaire général de l'Élysée, utilise une autre méthode. Il fait comme si le bureau du président, qui jouxte le sien, était toujours occupé. Quand il reçoit ses visiteurs, il vient justement, comme par hasard, de voir Pompidou qui, d'après les communiqués médicaux, se repose des suites d'une grippe à rechutes. Sur sa santé, il n'a que de bonnes nouvelles. Et il transmet d'un même ton égal ses consignes, ses colères ou ses blagues.

Mais l'humour noir de Pompidou et le sang-froid de Balladur n'y changent rien : la classe politique est frappée du syndrome de Reykjavik. Elle prépare déjà les élections. De colloques économiques en émissions télévisées, Giscard s'est mis en marche. Chaban, lui, court à perdre haleine. Quant aux barons du gaullisme, ils ont décidé de prendre en main l'UDR. Contre le président, accusé tout à la fois de faiblesse et de despotisme.

Un jour, Alain Peyrefitte, secrétaire général de l'UDR, est ainsi allé proposer à Georges Pompidou que la direction du mouvement gaulliste soit attribuée à Michel Debré. « Je ne le tolérerai pas, explose le président. S'il le faut, je démissionnerai. » Et il éconduit son visiteur. Quelques minutes plus tard, il raconte sa conversation à Marie-France Garaud : « De Gaulle n'aurait jamais accepté ça. C'est parce que c'est moi et que je suis malade qu'ils veulent me mettre sous tutelle. »

Le trio Juillet-Garaud-Chirac cherche, avec l'énergie du désespoir, à desserrer l'étreinte qui pèse sur l'Élysée. Mais il ne peut rien contre la rumeur : on peut à peu près tout arrêter, sauf les langues de tout un pays. Aux assises de l'UDR, à Nantes, en novembre 1973, Jacques Chirac lit, pathétique, un discours agressivement pompidolien. Et le congrès boude. Jacques Chaban-Delmas lit, dans la foulée, un texte belliqueusement chabaniste. Et le congrès applaudit.

Chaban est sûr de son affaire. Trois semaines après l'arrivée de Messmer à Matignon, il avait déjeuné avec le nouveau Premier ministre. Il y avait aussi Debré. Au café, le chef de gouvernement avait dit au maire de Bordeaux : « Il est bien entendu que mon destin s'arrête à Matignon. Nous sommes d'accord pour que ce soit vous qui assuriez la continuité du gaullisme. »

Dans les premières semaines de 1973, les trois hommes s'étaient retrouvés. Et, à la salade de fruits, Debré avait gravement posé la question cruciale au Premier ministre :

« Qu'allons-nous faire si Georges Pompidou ne finit pas son mandat ? »

Alors, Messmer :

« Ce n'est pas à moi qu'il faut poser la question. C'est à Jacques Chaban-Delmas. »

Que peut-il espérer de mieux, Chaban ? Il oublie de se méfier. Il est aux anges. Après tout, il n'a que Messmer en face de lui, c'est-à-dire pas grand-chose.

Avec son regard ligne bleue des Vosges, Messmer semble fait pour les cimes. Il ne lui manque que l'ambition. Mais si vous ne vous occupez pas de votre destin, c'est parfois lui qui s'occupe de vous. En l'occurrence, il a pris le visage de Pierre Juillet et de Marie-France Garaud. Ils ont pris en charge l'avenir du Premier ministre. Ils ont décidé d'en faire un président. Ils ont seulement oublié de prévenir l'intéressé.

En décembre 1973, quelques jours avant Noël, Valéry Giscard d'Estaing est convoqué à l'Élysée, dans le bureau de Pierre Juillet et de Marie-France Garaud où il s'entend dire à peu près : « Si jamais Georges Pompidou n'arrivait pas au terme de son mandat, n'essayez pas de bouger : Pierre Messmer sera le candidat de la majorité. Et il sera élu parce qu'il aura la machine derrière lui. Tout est déjà prêt : on a l'argent et on peut partir à tout moment. Vous ne pourrez rien faire. Mais ne vous formalisez pas. Vous êtes destiné aux plus hautes fonctions. Attendez simplement votre tour. Et sachez que, si Messmer l'emporte, vous jouerez un rôle éminent. »

Tout le monde ne songe déjà plus qu'à l'après-Pompidou. Le président n'arrive même plus à cacher la douleur qui, parfois, l'assaille : ceux qui l'approchent, à cette époque, ne peuvent douter qu'il est désormais en danger de mort.

Michel Poniatowski : « C'était en novembre 1973. Ministre de la Santé et de la Sécurité sociale, j'étais venu parler à Pompidou d'un projet de loi. Soudain, il devint blême et transpirant. Puis il me coupa d'un geste : "Arrêtez. Je ne peux plus vous entendre." Et il se mit la tête dans les mains. »

Raymond Marcellin : « C'était au début de 1974. Je lui parlais quand, brusquement, il s'est effondré sur son fauteuil en murmurant avec un air si malheureux : "C'est dur, c'est dur." »

Chaque fois, c'est la mort qui passe...

Et elle rôde à l'Élysée. Le climat y est si lourd qu'il arrive que les nerfs des propres collaborateurs du président craquent. Un soir, pour dérider Pompidou, Marie-France Garaud va dans son bureau afin de lui raconter une de ces histoires drôles dont il est si friand. Un chargé de mission de la présidence a été surpris tout nu avec une demoiselle sur une plage de Corse et, au lieu de s'excuser, il a dit aux policiers qui en rient encore : « Vous ne savez pas à qui vous avez affaire. » Elle a le sentiment que le chef de l'État ne l'écoute pas. Il a le regard fixe et les jointures de ses mains sont blanches comme neige.

Peu après, Marie-France Garaud retrouve son mari et les Juillet chez Prunier, un restaurant de l'avenue Victor-Hugo. Elle arrive, comme toujours, très en retard mais, cette fois, Pierre Juillet se fâche. Alors, elle fond en larmes, devant les garçons et les clients : « Vous savez bien que Pompidou va mourir ! »

Jacques Chirac n'a pas de ces états d'âme. Contre toute logique, il est le seul de tous les proches de Pompidou qui, jusqu'au dernier moment, semble croire que le président va s'en sortir.

« Personne ne savait qu'il était mourant, dit-il encore, pour la bonne raison qu'il ne l'était pas. Il a attrapé une cochonnerie sur un organisme fatigué, ce qui a provoqué une septicémie – et il en est mort. Ce n'était pas prévu. Ni sa femme ni personne n'était préparé à cela. »

Non content de se tromper, Jacques Chirac persiste, en somme, dans l'erreur. Tout le monde n'a pas l'esprit si ferme.

Pourquoi s'aveugle-t-il devant la maladie présidentielle ? Pratique-t-il la méthode Coué ou bien laisse-t-il parler son inconscient ? La réponse est, à dire vrai, toute simple. De tous les hommes politiques, Chirac est apparemment celui qui souffrirait le plus de la mort du président. Il ne perdrait pas seulement un *pater familias* mais aussi un maître, un bienfaiteur, un ange gardien. Après quoi, il lui faudrait probablement faire le deuil de ses hautes ambitions, traverser des déserts, retourner à la base. Il n'est donc pas question que le chef de l'État disparaisse.

Gare à ceux qui, déjà, rêvent de se partager les dépouilles. À l'époque, Chirac ironise méchamment sur eux : « Le président est conscient qu'autour de lui on discute ferme. Deux clans s'opposent. Sur une conception politique ? Non. Sur un diagnostic médical. Jacques Chaban-Delmas a des rapports médicaux concluant à un départ obligatoire du président en juin ou octobre au plus tard. Donc, il se dépêche. Valéry Giscard d'Estaing, lui, pense que le président ira jusqu'en 1976. Qu'il finira son mandat. Ce qui lui donne du temps, donc plus d'espérance [1]. »

Qui a dit que l'humour était une tentative d'expurger les grands sentiments de leur sottise ?

Georges Pompidou approche de sa fin et il le sait. À la fin de l'année 1973, il remet son testament à Édouard Balladur (« Ni fleurs ni couronnes ni monument funéraire, bien sûr. Une simple dalle de pierre de taille... »). Quelques semaines plus tard, rencontrant Leonid Brejnev à Pitsounda, sur les bords de la mer Noire, il finit par laisser tomber, épuisé, devant Michel Jobert : « Je ne vais tout de même pas mourir ici. » Le 28 février 1974, sentant ses forces l'abandonner et apparemment décidé à préparer l'avenir, il se résout, enfin, à donner un nouveau gouvernement à la France.

Trois semaines plus tôt, L'Express [2] a cassé les vitres du Tout-État en annonçant : « C'est Giscard qui remplacera Messmer avant la fin du mois. » Michèle Cotta, l'auteur de l'article qui a fait sensation, n'est pas une débutante. Ni une plaisantine. Elle ne le dit pas – secret professionnel oblige – mais elle tient son information de source autorisée. Plus autorisée que sûre, en l'espèce.

C'est Jean-Philippe Lecat, ministre de l'Information, qui a vendu la mèche. Un brave homme au-dessus de tout soupçon, qui n'est pas du genre à inventer n'importe quoi. Cet ancien major de l'ENA a parlé, comme toujours, en service commandé : Pierre Juillet et Marie-France Garaud lui avaient demandé d'organiser la « fuite ».

Le tandem Juillet-Garaud a-t-il cherché à forcer la main à Pompidou ? A-t-il simplement voulu lancer un ballon d'essai ? La nouvelle fait en tout cas tant de bruit que les conseillers du président jugent nécessaire d'allumer un contre-feu. C'est Chirac qui, du

---

1. Michèle Cotta, *La VIe République*, Flammarion, 1974.
2. 4 février 1974.

bureau de Garaud à l'Élysée, convoque Michèle Cotta pour lui tenir à peu près ce langage : « Georges Pompidou est en mesure de gouverner jusqu'à l'élection présidentielle de 1976. Sa maladie n'est pas mortelle. Giscard et Chaban en seront pour leurs frais. »

C'est le scénario de Chirac qui semble l'emporter avec le remaniement ministériel rendu public le 1er mars. Pompidou a décidé, dans un sursaut d'orgueil, de ne pas donner raison au *Point* qui a titré haut et fort ce que tout le monde pense autour du président : « Messmer doit partir. » Il conserve donc son Premier ministre mais il donne un sérieux coup de pouce à Chirac qui prend en main le ministère de l'Intérieur. C'est, à dire vrai, la seule nouvelle de ce réaménagement. Contre Chaban et Giscard, le président a désormais un nouveau recours : après Messmer, Chirac.

Cette thèse, Chirac l'accrédite quand il raconte : « Lorsqu'il a annoncé ma nomination à l'Intérieur, Pompidou a eu une phrase qui a tinté à mes oreilles, du style : "Ainsi vous aurez achevé un parcours suffisant pour connaître tout le gouvernement." Ce n'était pas le genre d'homme à dire quelque chose comme ça sans arrière-pensées. Je me suis dit que j'étais un fer au feu qui pourrait éventuellement servir, selon les circonstances. »

Juillet est comblé. Il peut réinvestir son bureau de l'Élysée. « Il est revenu, s'amuse Jobert, mais il n'y a qu'un problème : Pompidou ne l'a pas rappelé. »

C'est le réflexe de Volpone : Georges Pompidou renvoie dos à dos tous les prétendants en assurant à Pierre Messmer encore six mois, voire un an d'existence – le temps qu'il reste à Jacques Chirac pour convaincre.

Place Beauvau, Chirac s'impose d'entrée de jeu comme l'anti-Marcellin. Son prédécesseur s'était donné, non sans un brin de provocation, des airs d'épouvantail à libéraux. Il aimait dire : « Ne dites pas que je suis un brave type, on n'aurait plus peur de moi. » En cinq ans de ministère, cet homme paisible et madré avait tout de même commis quelques grosses bourdes, la moindre n'étant pas cette sombre affaire de micros posés dans les locaux du *Canard enchaîné*.

Déboulant après Marcellin, Chirac se sculpte, à peu de frais, un profil libéral. Pour commencer, il annonce la suppression des écoutes téléphoniques strictement politiques. « Le voyeurisme, dit-il, ce n'est pas mon genre. » Et il prépare, dans la foulée, la réorganisation de la DST (Direction de surveillance du territoire) dont, rappelle-t-il en privé, il est une ancienne « victime ».

L'affaire remonte à 1965. Jacques Chirac, alors chargé de mission de Pompidou à Matignon, se rend en Union soviétique pour négocier avec Robert Vergnaud, directeur des transports aériens, le survol de la Sibérie par Air France qui veut établir entre Paris et Tokyo une liaison plus courte que la « route polaire ». Lors d'un trajet en train entre Moscou et Leningrad, les deux hommes se retrouvent dans le même compartiment que deux femmes dont l'une, Alevtina Fedorova, est employée au bureau d'Air France à Moscou. Naturellement, les services secrets français veillent. Un des membres de la délégation française, honorable correspondant du SDECE, est intrigué. Il prévient Paris : enquête faite, Alevtina Fedorova travaille bien pour le KGB. Alors, la machine s'emballe et Chirac est mis sur table d'écoute.

Dès son arrivée à l'Intérieur, Chirac retrouve sa fiche d'écoute et la donne *au Nouvel Observateur* qui la publie, le 11 mars 1974 : « Chirac, âgé de trente-deux ans, est de nationalité française [...]. Il constitue une "visée opérationnelle" des services soviétiques. Lors d'un voyage à. Moscou, une femme nommée Fedorova Alevtina, utilisée par le KGB, s'est efforcée de le séduire. Parmi les documents découverts chez Pavlov, l'officier du GRU récemment expulsé, il a été découvert un rapport dans lequel Pavlov exprimait une option sur Chirac. Compte tenu de la position de M. Chirac, il est certain que les services spéciaux soviétiques cherchent le moyen de l'approcher. »

On aura rarement vu ministre prendre possession aussi vite de ses services. Après avoir annoncé que l'Intérieur aura désormais un rôle plus politique que policier, il « démarcellinise » à toute vitesse, faisant valser tout le monde, les directeurs comme les préfets. En privé, Marcellin, relégué au ministère de l'Agriculture, parle de « chasse aux sorcières ». En public, de « poudre aux yeux ». Il écrira plus tard : « Il s'agissait de donner l'illusion d'une politique plus libérale au ministère de l'Intérieur, et ceci afin de faciliter la suite [1]. »

Illusion d'une politique libérale ? Pas si sûr. Dans plusieurs instances gouvernementales – notamment en Conseil des

_____

1. *L'Importune Vérité, op. cit.*

ministres –, Chirac s'en était pris, au cours des mois précédents, à l'obsession du complot gauchiste comme à l'abus des écoutes téléphoniques. Il fut aussi, comme Jean Taittinger, le garde des Sceaux, défavorable à la dissolution de la Ligue communiste et d'Ordre nouveau, décidée, l'année précédente, à la demande de Marcellin.

Mais Chirac n'aura pas le temps de mettre ses belles intentions libérales à l'épreuve. La mort est en train de rattraper ce président qui la fuit si lentement, d'un pas tellement lourd.

Le 21 mars, la maladie du président arrive à la phase terminale : celle des hémorragies. Un communiqué médical annonce que le chef de l'État n'a pu assister au traditionnel dîner du corps diplomatique en raison d'une « lésion bénigne d'origine vasculaire, située dans la région ano-rectale », c'est-à-dire d'hémorroïdes. Pourtant, quand Jacques Chirac est reçu par le président, cinq jours plus tard, pour faire le point sur sa réforme du ministère de l'Intérieur, il le trouve, comme d'habitude, « normal, confiant, naturel ».

Le lendemain, au Conseil des ministres, le président ne fait plus le tour de la table pour saluer un à un les membres du gouvernement. Il se dirige directement vers son fauteuil où il s'abandonne. Il parle pourtant, ce jour-là. Et bien. Après un exposé de Michel Jobert, ministre des Affaires étrangères, il explique la dégradation des relations entre la France et les États-Unis : « Il faut savoir sacrifier le secondaire à l'essentiel. Le secondaire, c'est le commercial sur lequel il faut savoir faire des sacrifices. L'essentiel est la politique. »

Quelques instants plus tard, à propos de la rentrée parlementaire, le chef de l'État demande à ses ministres de ne pas « chercher à louvoyer ou à combiner ». C'est le genre de leçon que Pompidou adore seriner en Conseil. Ce n'est pourtant pas un Conseil des ministres tout à fait ordinaire. Il y a, dans la belle voix grave du président, quelque chose de solennel comme si, ce jour-là, il s'adressait à la postérité. Mais il ne sait pas mourir. Il ne veut pas mourir.

« À l'heure actuelle, dit-il à ses ministres, ma vie n'est pas agréable ni physiquement ni moralement. » Puis : « Mais cela n'a rien de dramatique et cela finira. Cela étant, je ne gambade pas. » Avant de lever la séance, enfin, il laisse tomber : « J'ai le ferme espoir d'embêter tout le monde. »

Après le Conseil des ministres, Michel Poniatowski et Olivier Guichard diront à leurs proches que le président est au bout du rouleau. Yves Guéna murmurera : « Il va mourir. » De tous les membres du gouvernement, Jacques Chirac est seul à confier, apaisant, à ceux qui l'interrogent : « Il est en train de remonter la pente. Il a simplement besoin d'un peu de repos. »

On pourrait dire qu'il ment. Mais Chirac, en fait, refuse de regarder la mort en face. Elle chamboulerait trop de choses, son passé et sa gratitude mais aussi son avenir et ses ambitions.

Le lendemain de la mort de Pompidou, Chirac est dans sa voiture quand il entend, sur l'antenne d'Europe 1, Jean Mauriac, journaliste à l'AFP, fils de François Mauriac et grand ami des barons, faire le compte rendu de ce Conseil des ministres du 27 mars 1974 qui fut le dernier que présida Pompidou. Mauriac raconte que le président était quasi mourant, qu'il arrivait à peine à parler, qu'il avait même un peu de coton sur la joue.

« Un récit indigne et scandaleux, raconte Jacques Chirac. La moutarde me monte au nez. J'étais en voiture boulevard Malesherbes, je fais brusquement demi-tour, au grand dam d'un chauffeur de taxi que j'ai failli emboutir, et je fonce sur Europe 1. Arrivé au studio, je dis au journaliste de faction : "Je veux parler. Ou vous me donnez le micro tout de suite. Ou je vous fous par la fenêtre." Et c'est ainsi que j'ai raconté ma version du Conseil des ministres. »

Que dit Jacques Chirac ? « M. Pompidou, déclare-t-il au micro d'Europe 1, était précisément dans une excellente forme physique ce jour-là, probablement meilleure qu'il ne l'avait été dans les jours passés. Il a fumé comme il en avait l'habitude, beaucoup, il a interrogé tout le monde, il a tenu à ce que chacun fasse son commentaire, donné parfois longuement son sentiment sur les choses. »

En repartant, le ministre de l'Intérieur croise Jean Mauriac sur le trottoir. Il arrête sa voiture, ouvre la fenêtre et traite le journaliste de « voyou ». Alors, Mauriac se jette sur la Citroën et renvoie l'insulte à Chirac en tambourinant sur le capot.

Tel est Jacques Chirac. Il traite de sagouins, de pendards, tous ceux qui soulignent avec complaisance l'état de dégradation physique et morale de Pompidou au moment de sa mort.

Quelques mois plus tard, remettant la plaque de grand officier de la Légion d'honneur à Pierre Messmer, Jacques Chirac retrouve Jean Mauriac. Branle-bas. Puis abordage. Entre les deux hommes, le ton monte. Et Chirac commence à faire des moulinets d'un bras menaçant quand Olivier Guichard et Roger Frey, ses deux amis, décident d'entraîner Jean Mauriac dehors : « Il vaut mieux que tu t'en ailles. Il va y avoir un drame. »

Quelques mois plus tard, donc, Chirac ne supportait toujours pas l'idée que la mort de Pompidou fut programmée. Il fallait que ce soit un accident – un accident dont il allait tirer quelque avantage…

21

L'instant fatal

« Le peuplier aura beau pousser, il n'atteindra pas le ciel. »
Proverbe libanais

Le dimanche 31 mars, Georges Pompidou est frappé de septicémie alors qu'il se trouve dans sa résidence secondaire d'Orvilliers. Son pauvre corps fourbu n'en peut plus. Il s'abandonne. Le chef de l'État est alors ramené d'urgence dans son appartement du quai de Béthune.

Pourquoi pas à l'hôpital ? Parce qu'il n'y a plus rien à faire et que, dans les campagnes du Cantal, on meurt toujours chez soi. Il est 3 heures du matin quand Pierre Messmer appelle Jacques Chirac au téléphone :

« Je vous réveille mais le président est au plus mal. On pense qu'il va mourir dans les heures qui viennent. »

Si Messmer le dit... C'est à cet instant-là que les certitudes de Chirac chancellent. Il comprend enfin ce que tout le monde sentait ou savait.

« J'enfile un pantalon et j'arrive », dit-il.

Les deux hommes attendent jusqu'au petit jour à Matignon que la mort arrive. Mais elle ne vient pas. À 8 heures du matin, quand ils se quittent, elle semble même être repartie. « Il va mieux », a dit le professeur Schram qui soigne le président.

Le lendemain soir, même manège. Les médecins estiment que le président ne passera pas la nuit. Chirac et Messmer se retrouvent donc ensemble à Matignon où plusieurs des dignitaires du régime, comme Olivier Guichard, les rejoignent. Au petit matin, le président n'est toujours pas mort. Les malades ne le font pas exprès.

Quai de Béthune, les médecins se relaient au chevet du président, sous l'œil de son fils, le docteur Alain Pompidou. Il est effondré. Il ne savait pas la mort si proche. Mais il n'est pas le seul à être dépassé. L'appartement du chef de l'État est sens dessus dessous. Le téléphone sonne sans arrêt. Dans l'entrée, un médecin dort sur le manteau de Balladur.

Le troisième jour de l'agonie, c'est-à-dire le mardi 2 avril, alors que Chirac s'apprête à passer une nouvelle veillée funèbre avec le Premier ministre, l'interministériel sonne sur le bureau de Messmer qui décroche.

« C'est fini », fait la voix brisée de Balladur à l'autre bout du fil.

A-t-il au moins laissé un message ? Quelques minutes avant sa mort, le président a murmuré à l'oreille de Pierre Juillet, venu à son chevet : « Il faut continuer ce qui a été fait depuis 1958. »

C'est du moins ce que raconte Juillet. Mais l'infirmière attitrée du président ne se souvient pas d'avoir vu Juillet entrer dans la chambre de Pompidou. À l'en croire, Balladur et Messmer ont été les seuls politiques à se recueillir, pendant les dernières heures, devant le lit du chef de l'État. Quant aux dernières paroles du président, elles auraient concerné sa résidence secondaire du Lot et non point la Constitution de la Ve République : « Je ne pourrai pas aller à Cajarc. »

Jacques Chirac pleure. Il est submergé par un vrai et profond chagrin. Michel Jobert qui était à ses côtés à la messe de funérailles, en l'église Saint-Louis-en-l'Île, se souvient encore de son dos secoué de longs et fréquents sanglots (« Pour être éploré ainsi, dit-il, il ne pouvait pas ne pas l'aimer beaucoup »). On découvre soudain un grand sentimental, un écorché vif, un cœur gros. Il sera désormais aux petits soins pour Mme Pompidou et portera, en signe de deuil, une cravate noire pendant pas moins d'un an. Dans sa *Lettre ouverte aux hommes politiques*[1], le journaliste Pierre Viansson-Ponté, qui, visiblement, l'exècre, ne peut s'empêcher d'écrire, à propos de cette cravate noire : « De votre part, un tel geste – gratuit, car pouvait-il émouvoir et quels avantages pouviez-vous en escompter ? – donne à réfléchir. C'est presque avec surprise qu'on vous découvre senti-

---

1. *Op. cit.*

mental à votre manière, capable de gratitude désintéressée, en un mot humain. »

Si le bonheur est salutaire pour les corps, c'est, selon le mot fameux de Marcel Proust, « le chagrin qui développe les forces de l'esprit ». Tout baignant de larmes, Jacques Chirac prend aussi les armes – et elles ne sont pas courtoises. À peine Georges Pompidou a-t-il rendu son dernier souffle que, déjà, le ministre de l'Intérieur entre en campagne. Contre Chaban. Contre l'homme qui, dit-il, n'a aucune chance de remporter, pour l'UDR, l'élection présidentielle à venir. Devant les éminences du régime, sonnées par la mort du chef de l'État et venues aux nouvelles à Matignon, Chirac dit à Messmer : « Il faut que vous soyez candidat. Vous êtes notre seule chance. »

Pierre Messmer secoue doucement la tête. Il n'y croit pas vraiment. Chaban caracole en tête des sondages. Lui stagne dans les eaux basses. Tout le monde le prend de haut, les journalistes, les technocrates, les politiques. Il a le sentiment confus de ne pas faire le poids. Ce soir-là, pourtant, il fait l'unanimité – ou presque. « Vous seul pourriez assurer la cohésion de la majorité », embraye, après Chirac, Jean Taittinger, le très distingué garde des Sceaux, sous l'œil approbateur d'Alain Peyrefitte.

Dans leur coin, Michel Debré et Alexandre Sanguinetti bougonnent. Ils s'étonnent de ce quasi-consensus contre Chaban. Il est populaire. Il s'est préparé. Que faut-il de mieux ?

Alors, Chirac, la voix tremblante et le ton prophétique : « Si c'est Chaban, c'est bien simple, Edgar Faure et Giscard d'Estaing seront également candidats. Or Chaban n'est pas le meilleur, vous le savez bien. Il fera une bêtise par jour et il finira la campagne en loques. Avec Messmer, en revanche, on est sûr d'avoir une candidature unique de la majorité. On a donc toutes les chances de battre Mitterrand. »

Au fond de la pièce, un homme se tait. C'est Pierre Juillet. Il n'est pas tout à fait sûr qu'il faille mettre Messmer en selle. Il est impressionné par les réticences du Premier ministre. Il doute aussi qu'il ait le dynamisme nécessaire pour mener une bonne campagne. Il se demande donc s'il ne doit pas jouer le tout pour le tout et pousser carrément Chirac, encore un peu béjaune, certes, mais tellement entreprenant.

Tel est le rêve que caresse alors Pierre Juillet en tirant sur sa pipe. Un rêve absurde : Chirac n'aurait pas été en mesure de s'imposer comme candidat unique de l'UDR. Un rêve malfaisant de surcroît : en ne donnant pas tout de suite à Messmer le signal du départ, Juillet, qui a d'ordinaire la main plus heureuse, lui a fait perdre un temps précieux. C'est là sans doute la grande erreur d'une carrière qui, pourtant, en comprend si peu.

Tandis que Juillet est à ses songes, Chirac est à la manœuvre. Le ministre de l'Intérieur est partout, déchaîné, démultiplié, distribuant sans relâche la bonne parole messmérienne. Aux députés, aux journalistes, aux préfets qu'il appelle ou convoque, il dit toujours la même chose : « Pompidou avait choisi Messmer. Je le sais. »

Il ne suffit pas qu'il le dise pour qu'on le croie. Les incrédules ont raison. C'est faux : Pompidou n'avait choisi personne. Pierre Juillet et Marie-France Garaud n'ont pas trouvé l'ombre d'un testament politique dans le coffre-fort du président décédé qu'ils ont fait ouvrir par les services secrets.

Récapitulons. Un jour, l'ancien président penchait, à tout prendre, pour Jacques Chaban-Delmas (après les élections législatives de mars 1973, il demande à Chaban de ne pas se présenter à la présidence de l'Assemblée nationale que convoite Edgar Faure : « Restez hors du jeu politicien. Il me sera ainsi plus facile de vous rappeler à Matignon la dernière année de mon septennat. Telle est en tout cas mon intention. La meilleure position pour être élu président, c'est celle de Premier ministre. Vous serez mon successeur, Jacques. » Duplicité ? Pas sûr. Quelques mois plus tôt, avant de partir pour une tournée africaine, il murmure à Jacques Foccart : « Si l'avion tombait, le meilleur d'entre nous serait Chaban »).

Le lendemain, il se demandait, en désespoir de cause, s'il ne devait pas préférer Valéry Giscard d'Estaing (en janvier 1974, il évoque même devant VGE, médusé, la perspective de le nommer Premier ministre : « Soyez prêt »).

Le troisième jour, enfin, la vie reprenant le dessus, il s'irritait contre Pierre Messmer qui ne décollait toujours pas dans les sondages (« On n'arrivera jamais à rien avec lui », répétait-il, découragé, à Xavier Marchetti, son conseiller de presse).

Et il concluait qu'il restait le meilleur. Bref, comme les vieux rois vacillants du théâtre shakespearien, il prêchait le faux, brouillait les

217

pistes et cherchait à diviser pour régner. Il mourut ainsi comme meurent souvent les grands de ce monde : *intestat.*

Mais Chirac n'en a cure. Cet homme a parfois des illuminations. Comme les vieux paysans du plateau de Millevaches, il croit alors pouvoir humer les vents et prédire l'avenir. « Il a un côté sorcier », disent très sérieusement ses meilleurs proches. Il est persuadé que Chaban n'a aucune chance, qu'il n'est ni habile ni intelligent, qu'il est un candidat déplorable, qu'il s'effondrera pendant la campagne. Et personne ne lui enlèvera cette conviction qu'il ne partage alors qu'avec une extrême minorité du Tout-État.

Il est vrai qu'il n'a pas le choix. L'élection de Chaban, l'ennemi juré, les rejetterait, lui et le tandem Juillet-Chirac, dans les ténèbres de la Ve République. Il en a froid dans le dos. Et le frisson lui donne des ailes...

Chirac en fait trop. Le mercredi 3 avril, au conseil de cabinet qui se réunit à Matignon, il explique qu'il faut que le Premier ministre fasse, dès 12 heures, une déclaration au pays afin de s'affirmer « solennellement » comme le chef de la majorité. L'idée tombe à plat. En sortant, il entraîne plusieurs membres du gouvernement par la manche et leur tient le même discours : « Le meilleur, c'est Messmer. D'ailleurs, il était le candidat de Pompidou. » Certains disent avoir eu un haut-le-cœur : après tout le président n'est pas encore enterré. Comment peut-on être si indécent ?

Messmer, lui, n'en fait pas assez. Il ne fait même rien. Le même jour, le Premier ministre reçoit Jacques Chaban-Delmas qui lui dit :

« Je me présenterai envers et contre tout.

— Envers et contre tous », répond Messmer. Puis : « Cela dit, Jacques, si vous êtes décidé, je ne me présenterai pas. »

Tel est le chef du gouvernement : s'il ne brille pas dans les sondages, il brille par le bon sens. Il a compris que la décision du maire de Bordeaux est irrévocable. Il craint, de toute façon, de n'être pas à la hauteur. Il est résigné.

Paraît Chirac. À 15 heures, ce même mercredi, il regonfle à bloc Messmer en l'abreuvant de sondages apocalyptiques et d'analyses catastrophiques : lui seul peut sauver la France des « socialo-communistes ». « D'accord, finit par lâcher Messmer. Mais je ne me présenterai que si je suis le candidat unique de la majorité. Que les autres se retirent. »

Le ministre de l'Intérieur adjure à nouveau Messmer de faire une déclaration. Il prendrait alors tout le monde de court. Il apparaîtrait ainsi comme l'incarnation de la légitimité. Rien ni personne ne pourrait plus l'arrêter. Le chef du gouvernement hoche la tête. Mais il ne bougera pas : son instinct est toujours de se hâter lentement. Il est en train de perdre du temps – et sa chance.

Mais Chirac joue-t-il vraiment Messmer ? Se prépare-t-il déjà à rallier Giscard ? La question mérite d'être posée. Fatigué, tendu, impatient, la voix cassée par les cigarettes et les nuits sans sommeil, le ministre de l'Intérieur fait l'article aux députés UDR : « Les sondages sont mauvais pour le Premier ministre ? Mais il ne faut pas croire aux sondages. Et, de toute façon, j'en ai d'autres, désastreux pour Chaban. » Il se démène trop pour ne pas croire un peu en l'étoile du chef du gouvernement.

Il n'empêche. Le jeudi 4 avril, à peine sorti de la messe en l'église Saint-Louis-en-l'Île, le ministre de l'Intérieur, tout de noir vêtu mais blanc comme un linge, s'en va déjeuner aux Finances avec Valéry Giscard d'Estaing. Déjeuner d'état-major : autour de la table, les deux hommes retrouvent Michel Poniatowski, Pierre Juillet et Marie-France Garaud. Déjeuner de dupes aussi : dans ce salon Napoléon III de la rue de Rivoli, personne ne mettra vraiment ses cartes sur la nappe.

Certes, VGE annonce, d'entrée de jeu, son intention de se présenter. Mais, quand Chirac et Juillet se relaient pour plaider le dossier de la candidature unique, il laisse dire. « Il avait l'air encore tout effrayé par l'événement qui avait tout déclenché », rapportera Marie-France Garaud. Le ministre de l'Intérieur et ses conseillers ont le sentiment que Giscard les a écoutés avec bienveillance quand ils lui ont expliqué que Chaban finira pas se retirer devant Messmer. Ils ont bien remarqué que « Ponia » rigolait : pour lui, le maire de Bordeaux ira jusqu'au bout, c'est-à-dire au fiasco. Mais ils ont trouvé le ministre des Finances plein d'égards, tout à fait accommodant, suavement coulant.

À la fin du repas, pour couronner le tout, Valéry Giscard d'Estaing a même laissé tomber : « Si Messmer est candidat, je vous donne ma parole, je ne serai pas candidat. »

Qu'espérer de plus ? Contre Chaban, Chirac et les siens ont le sentiment d'avoir, enfin, décroché l'argument massue : VGE ne se retirera que devant Messmer. Ils savent bien que le ministre des

Finances peut considérer qu'il n'est pas vraiment lié par cet engagement formulé sur un ton dégagé et courtois après un déjeuner privé : comme on disait sous l'Ancien Régime, promettre et tenir sont deux. N'importe. Ils foncent.

Jouent-ils la comédie ? Pas encore. Deux jours après la mort de Pompidou, ils sont toujours convaincus que Messmer peut faire l'affaire. Le Premier ministre a encore en tête la phrase que Chaban lui a jetée, comme une tomate : « Vous êtes mauvais. » Il sent pourtant monter en lui un destin national. La sève est là. Mais, quand Chirac lui dit qu'il faut se lancer maintenant, il lui répond qu'il est pressé, surtout, de ne rien précipiter. Il ne se déclarera pas, de toute façon, avant qu'Edgar Faure, président de l'Assemblée nationale, ait fini de prononcer l'oraison funèbre. Question de décence ou affaire de goût.

Chaban, lui, n'attend pas. À 16 h 09, en pleine oraison funèbre, une dépêche tombe sur les téléscripteurs de l'AFP : « Jacques Chaban-Delmas est candidat. » « Ce n'est pas convenable », s'étrangle Chirac, ce qui, dans sa bouche, est la pire des insultes.

Cette dépêche va bouleverser la carrière de Chirac.

Le visage tordu de souffrance, les yeux rougis, il n'en gamberge pas moins. Il joue seul, désormais. Il comprend que Messmer a raté le coche et qu'il n'a plus guère de chances d'être le candidat de la majorité. Mais il reste décidé à barrer la route à Chaban. Et il envisage sérieusement de rallier Giscard, comme le lui soufflent Pierre Juillet et Marie-France Garaud.

Ce n'est pas avec les bons sentiments que l'on fait de la bonne politique. C'est avec les coups de tête, avec les défis. Chirac l'a compris : s'il joue Giscard, qui a besoin de lui, il peut ramasser la mise ; avec Chaban, il ne peut nourrir aucun espoir. Il fait donc le pari de Pascal, version politique : « Pesons le gain et la perte en prenant croix [1] que Giscard l'emportera. Estimons ces deux cas : si vous gagnez, vous gagnez tout ; si vous perdez, vous ne perdez rien. »

Il suffisait d'y penser.

À partir de cette dépêche, tout s'enchaîne. À 17 h 30, ce même jeudi 4 avril, Pierre Messmer a convoqué à Matignon tout l'état-major du gaullisme, le ban et l'arrière-ban, les barons et les

---

1. Face, quand on joue à pile ou face.

noblaillons : Jacques Chaban-Delmas, Olivier Guichard, Michel Debré, Alexandre Sanguinetti, Jean Taittinger, Claude Labbé, etc. C'est ce jour-là, en quelques phrases lapidaires et un brin prophétiques, que Chirac prend date – en même temps qu'une sérieuse option sur la direction du parti gaulliste.

Pompidou enterré, le temps est venu pour lui de parler en chef. Il le fait sur le ton de Robespierre apostrophant Danton. « Si vous êtes candidat, lance-t-il à Chaban, Giscard se présentera aussi et vous disparaîtrez dans la trappe. Vous n'arriverez pas à suivre. Vous verrez : à la fin des courses, vous ferez 15 %, Giscard 30 % et Mitterrand 45 %. »

La sainte Trinité des barons est indignée. Debré s'étouffe, Chaban blêmit et Guichard s'écrie :

« Ce n'est quand même pas Giscard qui va choisir notre candidat ! »

Alors, Chirac :

« Non, ce n'est pas Giscard. » Puis, s'adressant à Chaban : « Mais vous êtes un mauvais candidat. Et vous vous effriterez : un jour, un caillou fera éclater le pare-brise. Laissez Pierre Messmer y aller à votre place. Il ne fera pas d'erreur politique, lui. »

Il est allé trop loin. Bredouillant de colère, Chaban laisse tomber en torturant ses belles mains de dandy sportif :

« Tout ce que vient de dire le ministre de l'Intérieur ne tient pas debout. » Puis, regardant Messmer les yeux dans les yeux : « Vous n'êtes pas électoral, Pierre. »

Le maire de Bordeaux annonce quand même, en se levant, qu'il se donne la nuit pour réfléchir. Mais c'est déjà tout vu : le vendredi 5 avril, à 9 heures, il confirme sa candidature au Premier ministre.

Chirac n'aura de cesse, désormais, de déstabiliser Chaban. Le héros balzacien devient, brusquement, un personnage florentin. Il sort de son monde douillet, protégé, pour entrer dans celui de tous les dangers.

Saint-Just disait : « Osez ! » Ce mot contient l'essence même de la politique : ceux qui ne tentent rien n'obtiennent jamais rien. Audacieux comme le cheval aveugle du proverbe, le ministre de l'Intérieur se meut maintenant, non sans aisance, dans une atmosphère de conspiration. Et, pour démolir le candidat de son parti, il se sert de tout : de la fausse confidence, du sondage truqué, voire même de l'intimidation.

En Conseil des ministres, ce vendredi-là, Chirac reporte d'une semaine le premier tour de l'élection présidentielle : plus la campagne sera longue, pense-t-il, plus Chaban s'épuisera. Le même jour, il « s'explique » avec le maire de Bordeaux.

« Si je suis le candidat unique de la majorité, lui demande Chaban, me soutiendrez-vous ? »

Le ministre de l'Intérieur hésite, puis :

« Si vous êtes le seul, bien sûr, mais il n'y a pas de chances que vous le soyez. »

Et, de son bureau de la place Beauvau, il continue, bien sûr, sa campagne téléphonique contre Chaban. Il en fait tant qu'au bureau exécutif de l'UDR plusieurs éminences du parti, comme Robert Poujade, demandent son exclusion au secrétaire général, Alexandre Sanguinetti, qui lève pathétiquement les bras au ciel : « Mais comment pourrais-je l'exclure ? Il n'a même pas sa carte ! »

Le lendemain, Chirac est encore secoué de sanglots pendant la messe officielle en l'honneur de Georges Pompidou. Dans la nef de la cathédrale Notre-Dame, où sont entassés les grands de ce monde et du Tout-État, c'est apparemment le seul à sangloter. Mais, dès qu'il sort de l'office, c'est pour reprendre le fil de son complot, ruminer son aversion et lever le couteau du sacrifice.

Le dimanche 7 avril, il dit froidement dans le huis clos du comité central de l'UDR, déclenchant un énorme chahut : « En ma qualité de ministre de l'Intérieur, je puis vous assurer que, sans candidature unique, nous allons au casse-pipe. Nous serons même ridiculisés, vous verrez. M. Chaban-Delmas en portera l'entière responsabilité. »

Chirac fait encore mine de défendre Messmer. Mais il n'y croit plus. Au même moment, Pierre Juillet prend le train pour Clermont-Ferrand. Il a un rendez-vous important. Il va retrouver Valéry Giscard d'Estaing, qui, le lendemain, de sa petite mairie de Chamalières, annoncera sa candidature : « Je voudrais regarder la France au fond des yeux, lui dire mon message et écouter le sien. »

Apparemment, il ne sied guère à Chirac de tuer Chaban. L'ancien sous-lieutenant n'est quand même pas un assassin et il trouve cet ennemi trop gentil, trop brave, trop faible aussi. Il se pose les mêmes questions que l'Hermione de Racine : « Pourquoi l'assassiner ? Qu'a-t-il fait ? À quel titre ? » « Il a faseyé », se souvient Marie-France Garaud.

Au lendemain du comité central, Chirac se rend chez Chaban, rue du Docteur-Blanche, à Paris. « Qu'est-ce que j'apprends ? demande-t-il sur un ton dégagé. Vous n'avez pas confiance en moi ? » Le maire de Bordeaux ne soufflant mot, le ministre de l'Intérieur insiste : « Sachez bien que je serai pour vous. » L'autre a l'air surpris. Alors, Chirac : « Comment ? Vous ne me croyez pas ? Je suis gaulliste, monsieur, et je vous assure que je vous soutiendrai... Je vous le jure... »

Parjure ? Le bourreau ne ment jamais à sa victime. Si, parfois, il lui conte des sornettes, c'est simplement pour l'apaiser...

22

Les longs couteaux

« L'assassinat n'a jamais changé l'histoire du monde. »
Benjamin Disraeli

Il a fini son apprentissage. Il n'est plus l'exécutant enfiévré qui, depuis 1967, officiait au gouvernement pour le compte de Georges Pompidou ou du général de Gaulle. Il a quitté les palais nationaux pour affronter la vie, la violence politique, la rancœur des barons. Raide sous les huées et habile à la manœuvre, il est en train de devenir son propre patron. Nous sommes là au vrai début de la carrière politique de Chirac.

Pressent-il qu'il peut devenir Premier ministre si Valéry Giscard d'Estaing l'emporte ? Probablement. Et il le dit. Mais ce n'est pas vraiment ce qui importe à ses yeux. Il est bien davantage décidé à mettre la main sur l'UDR. On l'écoute encore parce qu'il prétend parler au nom d'un mort. Il sait bien que, demain, on l'enverra promener : « Combien de divisions ? » Il n'en a pas. Donc il lui en faut. Il est convaincu qu'après le fiasco prévisible de Jacques Chaban-Delmas et des barons le parti gaulliste sera à ramasser. Il se voit bien à sa tête. Tant il est vrai qu'en politique on hérite souvent de ceux qu'on assassine.

Personne, autour de lui, ne l'encourage à faire scission, comme le rapporte Jacques Toubon : « On se disait tous qu'on ne revient jamais dans une église qu'on a quittée. Pour nous, l'avenir de Jacques passait par l'UDR. Il fallait qu'il y reste et travaille, de l'intérieur, en cherchant des appuis, pour la candidature de Giscard. »

Aussi, le dimanche 7 avril, quand Valéry Giscard d'Estaing évoque devant Pierre Juillet la perspective d'un ralliement pur et simple de Jacques Chirac à sa candidature, l'autre sursaute : « Vous n'y pensez pas. On le prendrait en flagrant délit de trahison. Non, nous devons agir en douceur. Il faut que vous étendiez lentement la main sur lui. »

Et c'est ainsi que le triumvirat Chirac-Juillet-Garaud monte une opération en deux temps. D'abord, il faut discréditer Chaban en montrant aux Français qu'il est un candidat de division puisqu'il refuse de se retirer devant le Premier ministre. Ensuite, la preuve étant faite, il s'agit de creuser les divisions du parti gaulliste et de produire au grand jour une dissidence antichabaniste. L'affaire est menée rondement. Les grandes manipulations politiques valent ce que valent leurs metteurs en scène et, en l'espèce, ils sont très doués.

Le mardi 9 juin, une dépêche tombe sur les téléscripteurs de l'AFP : Pierre Messmer annonce sa candidature. Il se dit « résolu » à se présenter « au suffrage des Français » si les autres se retirent. C'est un formidable coup de bluff ; c'est un rude coup pour Chaban ; c'est aussi, cela va de soi, l'œuvre du ministre de l'Intérieur.

Deux jours plus tôt, avec Pierre Juillet, Jacques Chirac s'est échiné à convaincre le chef du gouvernement qu'il est le seul qui puisse sauver la majorité. Pendant près de trois heures, ce dimanche-là, il a épluché, avec Messmer, les rapports des préfets. Ils sont tous accablants pour Chaban et, pour ne rien arranger, ils prédisent souvent la victoire de Mitterrand, le candidat de la gauche unie. En vaticinant, le ministre de l'Intérieur a l'air de croire tout ce qu'il dit. Il vit jusqu'à la transe l'Apocalypse à venir. Il impressionne le Premier ministre. Mais il ne le convainc pas vraiment.

Messmer hésite. Ce n'est pas qu'il soit pleutre, ce héros de Bir Hakeim qui fut l'un des rares Français à s'évader d'un camp de Viets. Mais il se juge et il est sévère. Il ne s'aime pas et il doute de lui, peut-être à tort. Il redoute aussi les foucades de sa femme, exquise mais parfois triviale, voire extravagante (pendant une réception à Matignon, elle prend brusquement congé avec un plateau de petits-fours en disant haut et fort : « Qu'est-ce qu'on s'emmerde ici ! » Un jour qu'on lui demande, à un cocktail, ce que fait son mari, elle répond : « Le con ! »). « Vous seul pouvez battre Mitterrand », lui répètent cependant, en chœur, Chirac et Juillet. À la fin, le chef du gouvernement semble flancher. Mais c'est peut-être pour avoir la paix. « Ce Chirac me fatigue », dit-il aux membres de son cabinet.

En le poussant à se présenter, Chirac et Juillet font-ils preuve de duplicité ? Probablement. Quelques heures plus tôt, Juillet a pris le café avec Poniatowski chez Marie-France Garaud, dans le XVIIe arrondissement. Et il lui a tenu à peu près ce langage : « Si les gaullistes sont assez bêtes pour ne pas soutenir Messmer, c'est évidemment Giscard que nous aiderons. » Quelques heures plus tard, il ne disait pas autre chose à Giscard qu'il retrouvait à Chamalières.

À en croire Marie-France Garaud, leur calcul était tout à fait logique : « On venait de gagner les élections législatives avec une solution unitaire autour de Messmer. On voulait refaire la même opération avec lui. Et on était sûr que Chaban se retirerait parce qu'il était absurde qu'il se maintienne. »

Ils sont même convaincus qu'il aurait été élu. « Je dois reconnaître que j'étais l'un des rares de cet avis, dit aujourd'hui Jacques Chirac, mais j'étais persuadé que, dans l'émotion générale, il serait passé : c'est un homme honnête et de conviction. J'étais sûr, en revanche, que Chaban n'avait pas assez d'épaisseur pour tenir la distance. »

Il n'empêche. Chirac et Juillet sont l'un et l'autre désemparés devant le manque d'enthousiasme du Premier ministre (« Il a le réflexe du bœuf devant la bétaillère », ironisera Juillet). Ils ne croient même pas qu'une candidature Messmer puisse faire reculer Chaban – ni Giscard. S'ils s'obstinent, c'est pour ébranler le maire de Bordeaux.

Messmer n'est pas dupe. On a souvent fait un sot de celui que les journaux appellent volontiers par ses deux prénoms, « Pierre-Auguste ». S'il peut passer pour tel, c'est parce qu'il cherche à cacher ses doutes sur son talent derrière la gravité solennelle des faux inspirés. Mais le Premier ministre a, bien sûr, tout compris. Avant de publier le communiqué annonçant sa candidature, il dira à Christian Poncelet, l'un de ses fidèles au gouvernement : « Il n'y a pas une chance sur cent que ça réussisse. »

Quand il prend connaissance de la déclaration de Pierre Messmer, le mardi matin, Jacques Chaban-Delmas entre en fureur : « Je croyais qu'il me soutenait ! C'est un coup de poignard dans le dos ! » Valéry Giscard d'Estaing, lui, se contente d'être agacé. Il dira plus tard, dans un communiqué sibyllin, qu'il eût été prêt, une semaine plus tôt, à se retirer. Mais maintenant...

En fin de journée, après le refus furibond de Chaban et celui, plus policé, de Giscard de se retirer de la compétition, le Premier ministre annonce que, les conditions posées n'ayant pas été réunies, il abandonne : « Ma décision est irrévocable. » Le Tout-État a trouvé une nouvelle occasion de se moquer de « Pierre-Auguste » qui a lancé son appel avec près d'une semaine de retard.

Pourquoi Messmer s'est-il lancé dans cette affaire s'il ne s'est pas laissé berner par les bonnes paroles du ministre de l'Intérieur ? Le Premier ministre dira peu après : « J'avais le devoir de faire savoir aux Français ce que Chaban leur cachait, c'est-à-dire que nous avions tout fait pour l'empêcher de se présenter. » Bref, Messmer a joué froidement le jeu de Chirac dont il partage l'aversion pour Chaban et les barons. Il a pensé, lui aussi, aux lendemains d'élections. Il a marqué le coup.

Chaban ayant été déstabilisé par la manœuvre de Messmer, Chirac peut mettre au point le deuxième volet de l'opération : la fédération des antichabanistes à l'intérieur de l'UDR. Son raisonnement, le ministre de l'Intérieur l'expose ainsi à Michèle Cotta [1] : « Il ne faut pas que l'UDR soit battue avec Chaban. Si Giscard l'emporte, les UDR se rallieront en ordre dispersé. Ils partiront un à un. Il ne restera plus d'UDR. Si, au contraire, un noyau prend date, avant le premier tour, il sera, après le second, l'élément stable, celui autour duquel l'unité se fera chez les gaullistes. »

Le vendredi 12 avril, les sondages commencent à flancher. Chaban, qui approchait 30 % d'intentions de vote, assez loin devant Giscard, se retrouve brusquement à 25 %. Derrière VGE. C'est le moment, c'est l'instant. Chirac peut passer à la vitesse supérieure. Le soir, il se rend au domicile parisien du maire de Bordeaux et lui tient à peu près ce langage : « Vous êtes en train de naufrager le mouvement gaulliste. Jamais je ne vous soutiendrai. » Le lendemain, il s'en va expliquer très froidement sa stratégie à Valéry Giscard d'Estaing qu'il rencontre au ministère des Finances. Ce sera leur seul et unique tête-à-tête de la campagne.

« Alors, vous allez me soutenir ? demande Giscard.

---

1. *La VIᵉ République, op. cit.*

— Oui. Mais indirectement. C'est ce que je peux faire de mieux pour vous. » Chirac expose alors l'opération qu'il est en train de monter : « Tout votre problème, dit-il à Giscard, c'est le premier tour. Si vous arrivez au-dessous de la barre des 30 %, je crois que vous aurez du mal à être élu. Je peux vous apporter des voix. Pas grand-chose : deux points, peut-être deux points et demi. Et je ne peux les prendre qu'à Chaban. C'est votre seul réservoir. Il faut le pomper au maximum afin que vous soyez le mieux placé possible pour le deuxième tour. »

Et il dévoile à Giscard son projet de regroupement, autour d'un manifeste, des antichabaniens de l'UDR. VGE est aux anges. Mais, quand il évoque la possibilité de nommer son interlocuteur à Matignon s'il l'emporte, il a une surprise : Chirac envisage cette perspective avec un mélange d'ennui et de désinvolture. « Je n'ai pas tellement envie de servir quelqu'un d'autre que Georges Pompidou », finit par lâcher le ministre de l'Intérieur qui rappelle qu'il siège au gouvernement depuis sept ans.

Giscard met cet apparent manque d'enthousiasme sur le compte de la psychologie. Question de pudeur ou affaire de coquetterie, c'est selon. Il n'a pas compris – c'est leur premier malentendu – que le ministre de l'Intérieur, bien décidé à devenir son propre maître, n'a alors qu'un objectif en tête : la reconquête de l'UDR. La proposition de Matignon complique son plan. C'est pourquoi il a spontanément tendance à la refuser.

Décrivant son état d'esprit de l'époque, Jacques Chirac dira : « Je pensais que si j'avais une vocation, c'était celle de reprendre le mouvement gaulliste. Ses chefs historiques se disputaient et s'annulaient. Personne ne s'imposait. C'était ma chance. »

Il la tente. Avec Pierre Juillet, Marie-France Garaud, Jacques Toubon et Pierre Lelong, il téléphone en quelques heures aux députés ou aux ministres qui partagent ses doutes sur la candidature de Chaban et il leur demande de signer un texte lourdement ampoulé et apparemment anodin. Que dit ce qu'on appellera le « manifeste des quarante-trois » ? D'abord, il regrette « profondément » la candidature unique qui aurait respecté « l'esprit de rassemblement de la Ve République ». Ensuite, après avoir rendu hommage à Pierre Messmer, il souligne les « risques » que font courir les divisions. Enfin, il appelle à une « position concertée » en faveur de la solution qui permettra de faire échec à la « coalition socialo-communiste ».

C'est Pierre Juillet qui a imaginé la manœuvre. Elle se déroule en plein week-end de Pâques, l'un des plus longs de l'année. L'inconvénient est évident : les députés sont difficiles à joindre. Mais l'avantage ne l'est pas moins : les chabaniens, qui sont eux aussi aux champs, n'auront pas le temps de réagir. Le ministre de l'Intérieur et les siens misent avant tout sur l'effet de surprise. C'est la meilleure façon d'éviter les pressions, les contre-feux et les explications de texte.

Tous les services du ministère ont été réquisitionnés. Jean Fabre, député UDR de la Haute-Marne, est réveillé à 2 heures du matin par les gendarmes – furieux, il ne signera pas. Paul Granet, député UDR de l'Aube, parti en week-end sans laisser ses coordonnées, est retrouvé au bord d'une piscine du Midi. Mais plusieurs élus échappent aux mailles du filet.

Quêtant les signatures, Chirac tient un discours vague, unitaire et douloureux : « Chaban va être battu, nous en avons maintenant la certitude, avec les derniers sondages. Il faut que nous nous battions jusqu'au bout pour l'unité de candidature. C'est la meilleure façon de préserver l'avenir et de barrer la route à Mitterrand. »

Quelques membres du gouvernement flairent le piège : Robert Galley, Christian Poncelet et Hubert Germain, peu suspects de chabanisme, refuseront de signer. Mais beaucoup de députés, violés par un Chirac haletant et pressé, n'y voient que du feu. Ils ne comprennent pas que ce texte sera fatalement interprété comme un désaveu de Jacques Chaban-Delmas désigné à l'opinion comme le fauteur de désunion. Plus tard, quelques-uns, comme Gabriel de Poulpiquet, le député le mieux élu de France, diront qu'ils ont été « abusés » et chercheront à se rétracter. Sans résultat. Le mal a été fait.

Le samedi 13 avril, à 19 h 28, le manifeste est rendu public, avec ses quarante-trois signataires : quatre membres du gouvernement (Jacques Chirac, Jean Taittinger, Jean-Philippe Lecat, Olivier Stirn) et trente-neuf députés (pour la plupart, des élus lambda de l'UDR). Si Chaban a jamais eu une chance de se redresser, il l'a perdue ce jour-là, à cette heure-là.

Chaban et ses Horaces hurlent à la « trahison ». Mais Chirac et ses Curiaces répondent : « On ne trahit pas ce qui n'existe plus. »

Et il est vrai que le candidat gaulliste est en train de couler bas. Jusqu'alors, c'était un (vieux) jeune homme heureux, ouvert et sautillant. Il est devenu chagrin, solennel et confus. Et, à chaque apparition télévisée, il perd des voix. Tels sont les effets du progrès.

« On ne tire pas sur une ambulance », écrira Françoise Giroud dans *L'Express*. Chirac, qui n'a pas ces scrupules, mitraille sans discontinuer le maire de Bordeaux. Devant quatre cents élus et responsables de l'UDR convoqués, le mardi 16 avril, par Claude Labbé, président du groupe à l'Assemblée nationale, le ministre de l'Intérieur reprend, sous les sifflets, sa batterie d'arguments contre Chaban (« J'étais entouré par des gens grimaçants de fureur, raconte-t-il. Je me suis même demandé si je sortirais vivant de la salle »).

Cinq jours plus tard, il laisse *Le Journal du dimanche* publier un sondage exécrable pour le candidat gaulliste. En sortant du bureau du Premier ministre, qui vient de le rappeler à l'ordre, il déclare avec un brin d'insolence : « Je ne vois pas en quoi cette fuite est de nature à perturber qui que ce soit. »

Chaban, soudain, ne semble plus relever que du mythe. Il cherche à ressembler si fort à de Gaulle que plus personne ne le reconnaît. Chassez le naturel, il ne revient jamais. Et c'est ainsi que les « quarante-trois » se retrouvent bientôt cinquante-six puis, les sondages aidant, soixante-douze. L'un d'eux, Olivier Stirn, secrétaire d'État aux Relations avec le Parlement, résume bien leur état d'esprit quand il annonce qu'il fera bien campagne, mais uniquement contre François Mitterrand.

Dans les réunions de l'UDR, les militants chabanistes scandent : « Chirac, traître ! Les gaullistes auront ta peau ! » Le ministre de l'Intérieur est sans doute, dans son propre parti, l'homme le plus haï de France. Mais il n'en a cure. « Pour réussir en politique, dit-il volontiers, il faut savoir inquiéter et déplaire. » En l'espèce, il est servi. « Tu l'auras, ton ministère ! » lui jette Robert-André Vivien, député du Val-de-Marne. On refuse de lui serrer la main. On le traîne dans la boue. On l'accuse de tous les maux. Il ne peut cependant s'empêcher d'en tirer quelque contentement. Tant il est vrai que ce traitement est celui que l'on réserve, d'ordinaire, aux grands hommes...

Pour la première fois, Chirac a le sentiment d'exister, c'est-à-dire de pouvoir changer le cours de l'Histoire, comme il le reconnaît lui-même : « Je pensais, sans doute était-ce prétentieux de ma part, que j'étais le seul qui, après l'élection, pourrait sauver l'UDR. Quand vous menez un combat, vous employez toutes les armes nécessaires pour le gagner. Et, quand vous êtes animé par une conviction, vous n'êtes pas vraiment sensible aux critiques dont vous êtes l'objet. »

Le dimanche 5 mai, le verdict des Français tombe : 43,2 % des suffrages pour François Mitterrand ; 32,6 % pour Valéry Giscard d'Estaing ; 15,1 % pour Jacques Chaban-Delmas. Le grand vent de l'Histoire a balayé les barons du gaullisme. Il ne reste plus qu'à faire tomber la poussière...

Le lundi matin, au bureau exécutif de l'UDR, alors que les barons cherchent à imputer à Messmer et à Chirac l'échec de Chaban, un obscur sénateur, Jacques Soufflet, explose : « C'en est assez ! Le règne des barons est terminé ! »

Les regards, désormais, se tournent vers Jacques Chirac. À Yvetot, lors de la campagne du premier tour, Valéry Giscard d'Estaing lui a rendu un hommage franc et massif : « Jacques Chirac fait partie de cette génération d'hommes politiques qui sont ou seront appelés à exercer des responsabilités politiques importantes. » *Le Point*, sous la plume d'André Chambraud, l'a annoncé dès le 29 avril : en cas d'élection de VGE, c'est le ministre de l'Intérieur qui part favori pour Matignon.

En attendant, Chirac fait le mort. Entre les deux tours, il laisse Messmer se présenter en fédérateur de la majorité et récupérer pour Giscard les plus rétifs de l'UDR. Il se contente de mobiliser les préfets pour VGE et se rend, comme chaque jour depuis la mort de Pompidou, à l'ancien QG de l'avenue de Latour-Maubourg où Édouard Balladur, ancien secrétaire général de l'Élysée, classe les archives et reclasse les fidèles.

Il déambule tristement dans les bureaux. « Je suis là », répète-t-il à Balladur et aux anciennes secrétaires de Pompidou. L'une d'elles, Mme Esnous, se souvient avec un brin d'émotion : « C'est le seul – je dis bien le seul – ministre qui venait nous voir. Il était très affectueux et nous disait avec des airs mystérieux : "N'acceptez pas de propositions de travail pour le moment. Je m'occuperai de vous." »

Introuvable et silencieux, le ministre de l'Intérieur semble avoir compris la maxime de Sénèque : « Plus on est victorieux et plus on doit montrer de patience. »

Giscard n'en montre pas moins. Quand il discourt, c'est pour enseigner, voire expliquer. Pas pour convaincre. Tout, chez lui, est lisse et dominé – la parole, le regard, les traits du visage. Il est à l'aise. Mais il n'est habité par nulle allégresse, nulle passion. C'est un géomètre de la politique. Il fait partie de ce qu'Alexandre Vialatte, un autre Auvergnat, appelait « l'espèce rarissime du "chasseur d'Afrique" ». Et il ennuie un peu les Français avec ses chiffres, ses prudences, ses litotes. Le 10 mai, pourtant, lors de son débat télévisé avec François Mitterrand, il sait faire passer le courant. Notamment quand il jette au candidat de la gauche : « Vous n'avez pas le monopole du cœur. » Neuf jours plus tard, il sera élu avec 50,8 % des voix.

Il a quarante-huit ans. C'est le plus jeune président depuis Louis Napoléon Bonaparte.

Le président a disparu. Pendant trois jours, les journalistes perdent la trace de Valéry Giscard d'Estaing. Il n'est pourtant pas à la chasse. Il est tout simplement en train de faire son gouvernement et de refaire la France avec celui que la presse appelle son « connétable » : Michel Poniatowski.

C'est dans l'hôtel particulier de Poniatowski, 16, rue Victor-Daix à Neuilly, que sera mise au point la stratégie giscardienne. Étrange maison. Elle dort sous les frondaisons. La sonnette est cachée sous le lierre qui prolifère. Les pièces sont pleines de bibelots, de vieux souvenirs, de meubles de famille. On dirait le domicile d'un notaire de campagne. À y regarder de plus près, pourtant, c'est tout le contraire d'une demeure bourgeoise : l'Histoire hante ces murs. Quand on monte l'escalier qui mène au premier étage, on tombe sur un arbre généalogique où trônent tous les grands ancêtres de « Ponia » : Talleyrand, d'Artagnan, Louvois, le duc de Morny. Un portrait domine le salon : celui de Joseph Poniatowski, maréchal de France, qui s'est fait tuer en 1813 alors qu'il couvrait la retraite de l'armée de Napoléon.

Michel Poniatowski adore la compagnie de ces personnages historiques. Il les évoque volontiers, au hasard d'une anecdote. La légende des siècles est sa maison. Il semble la caresser tout le temps d'un œil rêveur. Et il paraît bien décidé à faire honneur à son épique lignée. C'est pourquoi, sans doute, il a lié son destin à Giscard. Il a beaucoup réfléchi pour lui, beaucoup ferraillé, beaucoup comploté aussi, avec ce mélange de raffinement et de brutalité qui est le sien. Il a transféré toutes ses ambitions sur son heureux ami. Sans ce politique complet, expert en stratégie et virtuose en persiflage, VGE n'en serait pas là. C'est la force de « Ponia ». Ce sera aussi sa faiblesse.

Le connétable a une hantise : les gaullistes. Leur grand défaut, a-t-il écrit dans l'un de ses nombreux livres, *Cartes sur table* [1], « c'est de vivre sur le passé, sur des traditions, sur des dogmes ». Il aurait préféré que VGE, pour en finir avec eux, dissolve l'Assemblée nationale dès son élection. Il est convaincu qu'une nouvelle majorité, plus centriste, plus libérale, serait alors sortie des urnes. Mais Giscard, toujours prudent, n'a rien voulu entendre. Il a même pris l'engagement devant le pays de ne pas bousculer le calendrier électoral.

Privé de l'arme de la dissolution, il lui faudra jouer avec les gaullistes qui constituent le premier groupe à l'Assemblée nationale. Il s'est ainsi condamné à choisir un Premier ministre dans leurs rangs. C'est en tout cas ce qu'il pense. Dès le lendemain de l'élection, Poniatowski cherche à convaincre VGE que Guichard est l'homme qu'il lui faut. Une bonne pâte, ce Guichard, et une vieille connaissance. C'est avec le plus indolent des barons du gaullisme que « Ponia », alors directeur adjoint du cabinet de Pierre Pflimlin à la présidence du Conseil, a négocié la passation des pouvoirs qui devait amener le général de Gaulle à Matignon en 1958, pendant la crise algérienne. Cela crée des liens. Depuis, l'un de ses fils, Ladislas, le politique de la famille, a épousé Constance, la fille cadette de Guichard.

« L'avantage de Guichard, dit Poniatowski, c'est qu'il calmera le jeu.

— J'ai fait une campagne de changement, de jeunesse et d'allant, objecte Giscard. Je ne peux décemment pas prendre quelqu'un qui ait l'image du gaullisme traditionnel.

— Cela, c'est l'image. Tu sais bien que Guichard est quelqu'un de très facile, de très coulant.

---

1. Fayard, 1972.

— C'est vrai. Mais il est plus âgé que moi. On dira que je suis sous influence. On en fera la statue du Commandeur.

— Si c'est toi qui le désignes, tu sais bien qu'il n'apparaîtra pas comme un tuteur.

— Mais je ne suis pas sûr que j'aurais beaucoup de prise sur lui, conclut Giscard. De toute façon, je préfère Chirac. »

Alors, va pour Chirac. Le 20 mai, le nouveau président invite le ministre de l'Intérieur à passer au 16, rue Victor-Daix. « Ponia » sert les apéritifs puis s'éclipse. Quand Giscard fait sa proposition à Chirac, il a une surprise. L'autre ne se rue pas dessus. Il semble peser l'offre avec un brin de dédain et soupeser les risques avec une gravité inquiète.

« C'est une lourde responsabilité, fait Chirac, les yeux baissés. Mon parti est terriblement divisé. On va devoir recoller les morceaux. De ce point de vue, franchement, je ne crois pas être très bien placé.

— Il me faut une équipe jeune et dynamique. Vous avez tout à fait le profil que je souhaite.

— Mais est-ce que je suis le meilleur ? Je ne sais pas.

— On s'est toujours bien entendus. Cela devrait continuer à bien marcher.

— Il faut que je réfléchisse. Je réserve ma réponse. »

Mauvaise journée. Ce même 20 mai, Michel Poniatowski propose le Quai d'Orsay à Pierre Juillet. « Si j'avais voulu entrer au gouvernement, s'entend-il dire, c'est ce ministère-là qui m'aurait intéressé. Mais je suis un homme de cabinet et j'entends bien le rester. » Le connétable offre, dans la foulée, le Travail à André Bergeron, le secrétaire général de Force ouvrière. « Croyez-moi, répond l'autre. Je pourrai vous rendre de plus grands services à la direction de FO qu'à la tête d'un ministère. » Telles sont les étranges mœurs en vigueur à l'aube de ce septennat : l'*alter ego* du nouveau président, ivre de son pouvoir naissant, est en train de constituer le gouvernement alors même que le Premier ministre n'est pas encore désigné...

C'est que Chirac hésite vraiment. L'histoire officielle dit qu'il s'est tâté parce qu'il répugnait à se donner à un autre patron que Pompidou. Il y a, on l'a vu, une autre raison. Chirac n'a qu'un objectif : reprendre en main l'UDR pour la mettre au service de son propre destin. Et il n'est pas sûr – à tort – que Matignon favoriserait ses vastes projets. En devenant Premier ministre, il donnerait l'impression de toucher les deniers de sa « trahison ». Il apparaîtrait aussi fatalement comme le second de Valéry Giscard d'Estaing, ce qui n'est pas la carte de visite idéale pour les gaullistes.

La solution Guichard lui conviendrait donc assez bien. « C'était une bonne formule, dit Chirac, parce qu'elle me laissait les mains libres pour enlever la direction de l'UDR et sauver les restes. » Traduire : pendant que le plus valide des barons se serait épuisé à Matignon, le chef des pompidoliens aurait pu conquérir sans résistance la machine gaulliste.

Chirac, en fait, se verrait plutôt en ministre des Finances, voire en député de Corrèze. S'il écoutait son instinct, il refuserait Matignon.

Et s'il écoutait Pierre Juillet ? Avant l'élection de Giscard, l'ancien conseiller politique de Pompidou lui recommandait de refuser Matignon. « Vous auriez tout le mouvement contre vous », expliquait Juillet au ministre de l'Intérieur. Et, à VGE, il disait : « Je connais les gaullistes mieux que vous. Vous ne les aurez jamais. Ne vous cassez pas la tête et mettez "Ponia" à Matignon. C'est votre second. C'est donc un choix très logique que tout le monde comprendra. »

Depuis le second tour, pourtant, Juillet ne tient plus le même langage. Après le fiasco de Chaban, il se demande si l'UDR n'est pas menacée de mort. Rue de Lille, les bureaux du parti sont déserts. Les caisses, vides. Les députés, eux, sont aux cent coups. Avec ses prébendes et ses fonds secrets, Matignon pourrait permettre au mouvement gaulliste de se refaire une santé...

Ce jour-là, quand ils se retrouvent, Juillet, grave et spectral, adjure Chirac : « Acceptez, Jacques. L'UDR a perdu l'Élysée. Gardons-lui Matignon. Sinon, je crains qu'il n'y ait bientôt plus de mouvement gaulliste du tout. » C'est le seul argument qui pouvait trouver l'oreille de Chirac. Il porte.

Le lendemain, il fait connaître sa décision. Et c'est ainsi que Chirac deviendra, à quarante et un ans, Premier ministre de Giscard. Étrange couple. Avec leur jeunesse branlante d'enfants du tiers de siècle et leur parler plat de parfaits énarques, les deux hommes semblent faits pour qu'on les confonde.

Quelques – rares – connaisseurs de la chose politique se refusent à croire à la pérennité de cette association, réduite aux acquêts.

Dans *Cassandre et les Tueurs*[1], Gilles Martinet, ancien secrétaire national du PS, rapporte que François Mitterrand lui avait dit à l'époque : « Je ne comprends pas comment Giscard a pu commettre l'erreur de prendre Chirac comme Premier ministre. » « Et de m'expliquer, raconte Gilles Martinet, que, sous la Ve République, le président doit pouvoir disposer, à l'Assemblée nationale, sinon de la majorité absolue, du moins de la majorité de la majorité. C'était le cas du général de Gaulle et de Georges Pompidou. Ce n'était pas celui de Valéry Giscard d'Estaing. Son parti est minoritaire. Il lui faut donc exploiter à fond son succès, provoquer l'éclatement du mouvement gaulliste et rallier les transfuges au sein d'une formation unifiée. Cela est incompatible avec la présence à Matignon du seul homme capable de faire échec à cette opération et de reconstituer une force qui entrera inévitablement en conflit avec les partisans du président. »

Jacques Calvet, ancien directeur de cabinet de VGE, a lui aussi tout compris. Par l'entremise de Jean Serisé, il a fait transmettre ce message au président : « Je vous connais. Je le connais. Je peux vous dire que cela ne marchera pas. Plus tard, peut-être. Pas maintenant. » Dans *La Croix*[2], Jean Boissonnat écrit ces lignes prémonitoires, à propos du nouveau Premier ministre : « On voit mal qu'il se résigne durablement à jouer les intermédiaires accommodants, fonction pour laquelle il est d'ailleurs peu fait. »

Giscard n'a pas compris cela. Il a envie de promouvoir le jeune homme qu'il a connu naguère si compétent, si empressé, si malléable. Il aime sa vitalité et pense que l'ancien secrétaire d'État au Budget la mettra à son service comme il l'avait mise au service de Pompidou. Grave illusion. Il n'a pas vu le conquérant qui pointe sous l'exécutant zélé et fiévreux. Cette union commence donc sur un malentendu que Chirac se gardera bien de dissiper.

Le nouveau Premier ministre semble dire comme le Scapin des *Fourberies* de Molière : « Il vaut mieux encore être marié que mort... » La légende veut tout de même qu'en annonçant son consentement à Giscard Chirac ait laissé tomber : « J'accepte, mais il est possible que. vous le regrettiez. »

---

1. Grasset, 1986.
2. 2 juin 1974.

23

L'ombre d'un doute

Rien n'étant irréparable en politique, il faut maintenant recoudre. À peine pressenti pour Matignon, Jacques Chirac appelle ses ennemis de l'UDR. Il fait mine de les consulter. Il écoute patiemment leurs récriminations. Il leur propose des postes au gouvernement. Il déploie désormais, avec rouerie, toute son énergie, tout son bagou, pour réaliser la grande réconciliation de tous les clans du parti gaulliste.

Tâche malaisée. Robert-André Vivien, député du Val-de-Marne, fort en gueule du chabanisme et figure historique du parti gaulliste, refuse ainsi de prendre Chirac au téléphone. Quelques semaines plus tôt, ce héros de la Seconde Guerre mondiale et de la campagne de Corée – couvert de médailles, de citations et de cicatrices – a déclaré : « Jacques Chirac est un néo-pétainiste qui concourt à une défaite qui sert sa carrière. » Propos qui, bien sûr, a fait grand bruit.

À la cinquième tentative de Chirac, Vivien finit par accepter de parler au « renégat ». À l'autre bout du fil, le nouveau Premier ministre chantonne :

« Maréchal, nous voilà... »

Puis :

« Alors, Robert-André, tu m'en veux toujours ?

— Oui, fait Vivien.

— Quand on m'a apporté la dépêche qui reprenait ta déclaration, Alexandre Sanguinetti était dans mon bureau, figure-toi. Je la lui ai montrée. Et il a dit : "En voilà un qui a le courage de dire ce qu'il pense. S'il était là, je l'embrasserais." »

Et c'est ainsi que Chirac apprivoise Vivien. Le nouveau chef du gouvernement invite le député du Val-de-Marne à passer place Beauvau où, pendant plus d'une heure, il lui explique pourquoi la survie du gaullisme passe par Matignon :

« Je suis conscient des risques. Mais si je n'accepte pas Matignon, c'en sera fini de l'UDR. On sera tous laminés.

— Tu le seras tout autant si tu deviens Premier ministre, objecte Vivien. Tu n'auras pas la maîtrise de la politique économique. Et tu seras tout le temps "marqué" par "Ponia". Tu verras, mon vieux, tu partiras en guenille.

— Peut-être. Mais ne crois-tu pas qu'une dissolution serait une catastrophe ?

— Bien sûr, consent Vivien.

— C'est pourquoi il faut tout faire pour l'éviter. S'il y a des élections législatives anticipées dans les prochaines semaines, à la suite d'un conflit entre le président et l'Assemblée nationale, il n'y aura plus d'UDR. Nous serons juste bons pour une nouvelle traversée du désert comme du temps du RPF. À Matignon, je peux tout faire pour retarder l'heure de vérité. »

À Robert-André Vivien, le Premier ministre pressenti offre des paroles fraternelles, des cigarettes blondes et même un secrétariat d'État que l'autre refuse avec un sourire flatté. Il retourne ainsi le député du Val-de-Marne comme il retournera des dizaines et des dizaines de parlementaires chabanistes.

C'est le principe d'Agathocle que Chirac suit alors, avec un mélange de doigté, de rouerie et de cynisme. Machiavel raconte que ce fils de potier se fit roi de Syracuse après avoir massacré bestialement tous les sénateurs et qu'il sut consolider son pouvoir en multipliant les largesses. Pour s'imposer, d'après l'auteur du *Prince*, il faut exercer d'un coup toutes les violences nécessaires pour, ensuite, rassurer ses sujets et « les gagner à force de bienfaits ». Ce printemps-là, Chirac-le-machiavélien ne fait pas autre chose.

Le lundi 27 mai, alors qu'il vient d'être nommé officiellement Premier ministre, Chirac réunit au ministère de l'Intérieur tous les grands vaincus du gaullisme, les historiques et les autres – Chaban, Debré, Couve, Chalandon, Sanguinetti, etc. Il est aux petits soins, effusant de gentillesse, prêt à suivre toutes les recommandations. Et

238

il tient à peu près ce langage : « Je suis UDR. Je travaillerai donc avec l'UDR et je ferai tout pour qu'elle ne se divise pas. J'ajoute que rien, dans ma politique, ne sera contraire à mes convictions gaullistes. »

Il parle en patron – un patron modeste et attentif. Il est convaincu que le parti gaulliste n'a perdu qu'une bataille, pas la guerre, et qu'il pourra désormais, comme le dit le professeur de droit Georges Vedel, « être mieux qu'un héritier nanti ».

Quand il arrive à Matignon, Chirac n'a donc pour objectif prioritaire que de s'arrimer l'UDR. Mais il n'en dit évidemment rien à Giscard, qui est sûr que son ancien secrétaire d'État au Budget, naguère si dévoué, va lui permettre de récupérer le parti gaulliste. Sur cette question cruciale, les deux hommes n'auront jamais l'ombre d'une explication. Et le silence ne fera qu'attiser le malentendu...

On imagine la duplicité de Chirac, courbé et déférent, faisant croire à Giscard qu'il le servira comme un maître. Mais le nouveau président n'est pas non plus dépourvu de ruse. Il joue sur les deux tableaux. Michel d'Ornano, son principal lieutenant après « Ponia », résume bien l'ambiguïté fondamentale du président : « Jusqu'à l'élection, on a hésité entre deux stratégies. Ou bien on procédait tout de suite à la dissolution de l'Assemblée nationale et on essayait de construire une grande fédération des centres à vocation hégémonique sur la majorité. C'était la thèse de Michel Poniatowski. Ou bien on essayait, grâce à Chirac, d'annexer à Giscard un parti gaulliste complètement désemparé. C'était ma thèse. Giscard a choisi la dernière stratégie. Il aurait fallu s'y tenir. Le drame, c'est qu'on a suivi les deux stratégies en même temps. Comme elles étaient contradictoires, on s'est plantés. »

« Ne commencez jamais un mariage par un viol. » Visiblement, Giscard a décidé, d'entrée de jeu, de ne pas suivre le précepte de Balzac. Si l'on en croit la Constitution, le chef du gouvernement devrait désigner ses ministres. C'est rarement le cas. Mais, de toute l'histoire de la Vᵉ République, Chirac est sans doute le Premier ministre qui aura été le moins associé à la formation de son gouvernement. De ce point de vue, il aura été sans doute plus humilié que François Fillon sous Nicolas Sarkozy.

Qui met au point la liste ? Giscard, avec « Ponia ». Qui téléphone aux ministrables pour leur annoncer la bonne nouvelle ? Le président encore. Chirac, pourtant, se bat. Et, sur les détails, il lui arrive d'obtenir gain de cause. Giscard et « Ponia » avaient, par exemple, décidé de donner le secrétariat d'État aux DOM-TOM – « un vrai petit ministère de l'Intérieur », dit Chirac – à l'un des leurs. Le chef du gouvernement s'insurge : les giscardo-centristes ne peuvent truster tous les postes clés. Il exige que ce portefeuille revienne à l'UDR. Et il obtient de placer là Olivier Stirn, qui fut naguère son chef de cabinet.

Ce n'est pas le seul changement que Chirac parvient à imposer. Il y en a un autre. Le mardi 28 mai, VGE annonce à son Premier ministre qu'il a décidé de faire entrer trois réformateurs au gouvernement : Jean-Jacques Servan-Schreiber, le patron de *L'Express*, Françoise Giroud, la directrice du journal, ainsi qu'Anne-Marie Fritsch, député de la Moselle et Jeanne d'Arc du « schreibérisme » en Lorraine.

« Ce n'est pas possible, fait Chirac d'une voix blanche. Les gaullistes n'accepteront jamais. Ils vont considérer ça comme une provocation. »

Jean-Jacques Servan-Schreiber fait partie de la race des journalistes qui, à force de les avoir fréquentés, finissent par se prendre pour de grands hommes. Il est difficile, pourtant, de le prendre au sérieux. Exalté, effervescent et tranchant comme un couteau, il est affecté de ce syndrome que les Américains appellent le *name-dropping*. Toujours entre deux avions, ce patron de presse génial vient sans arrêt de rencontrer un chef d'État, un prix Nobel, un pape, un général, voire une star, qui lui ont confié de terribles secrets dont dépend, cela va de soi, l'avenir du monde. Il amuse Giscard qui aime sa conversation. Mais il a le don d'exaspérer les gaullistes. Non sans motif. Après le référendum d'avril 1969, perdu par de Gaulle, il a écrit dans *L'Express* : « Je suis fier d'être français. » Il n'a même pas hésité, un jour, à comparer le Général à Hitler.

« "JJSS", ça suffit ! répond le Premier ministre. Trois schreibériens dans le même gouvernement, ne trouvez-vous pas que c'est un peu beaucoup ?

— J'ai promis le changement.

240

« — Mais, si vous nommez Mme Giroud, ce gouvernement aura l'air d'être une succursale de *L'Express*. Quant à Mme Fritsch, je vous dis tout de suite que je suis contre son entrée au gouvernement.

— Je lui ai promis le ministère de la Santé. Qui me proposez-vous à la place ?

— Simone Veil. »

Giscard secoue la tête :

« Elle a voté Chaban au premier tour et Mitterrand au second.

— Je peux vous assurer qu'elle n'a pas voté Mitterrand. Ce qui n'est pas le cas de Mme Giroud. »

Va pour Simone Veil. Secrétaire générale du Conseil supérieur de la magistrature, c'est une amie de Marie-France Garaud, qui s'en est portée garante. Elle impressionne Chirac qui, contrairement à la légende, ne l'appelle pas « poussinette » mais, fort respectueusement, « madame ». Ancienne déportée à Auschwitz où elle a laissé sa mère, son père et son grand frère, elle a rapporté des camps de la mort un matricule (78 651) tatoué sur le bras, une étonnante force de caractère, une certaine dureté aussi. Grave, volcanique et importante, elle a l'air de sortir d'un chapitre de l'Histoire sainte. Et elle exsude l'autorité. Ce qui tombe à pic : un grand dossier l'attend, celui de la libéralisation de l'avortement. Cette femme sera la seule bonne surprise du premier gouvernement de ce que VGE appelle sans complexe « l'ère nouvelle ».

Jacques Chirac peut revendiquer à bon droit la nomination de Simone Veil au ministère de la Santé. Il peut revendiquer aussi la désignation de quelques secrétaires d'État : outre Stirn, il a casé Pierre Lelong (aux PTT) et René Tomasini (aux Relations avec le Parlement). Quatre exceptions. Pour le reste, en effet, le Premier ministre a dû se contenter d'avaliser la liste mise au point par Giscard et « Ponia ».

Résumons :

Michel Poniatowski, le grand chambellan, récupère l'Intérieur. Il annonce tout de suite la couleur. Il fera de son ministère une machine de guerre contre le parti gaulliste. À peine est-il arrivé place Beauvau qu'il convoque à déjeuner des élus centristes et schreibériens – comme Anne-Marie Fritsch, justement. Et il leur dit : « Il faut casser l'UDR, lui mettre un genou à terre. » Le mot fera le tour de la classe politique. Quelque chose d'opaque s'est ainsi installé, d'entrée de jeu, entre Chirac et le ministre de l'Intérieur, numéro trois de la République giscardienne.

Gardé à vue par « Ponia », Chirac ne peut avoir aucune prise sur ce gouvernement où les barons du giscardisme se sont approprié les postes clés : Jean-Pierre Fourcade, maire de Saint-Cloud, ancien collaborateur de VGE, débarque aux Finances. Michel d'Ornano s'installe à l'Industrie et Christian Bonnet à l'Agriculture.

Les centristes et les gaullistes se partagent les restes.

Jean Lecanuet, ex-élève de Sartre, ancien ami de Bachelard, surnommé le « douillon » par ses électeurs rouennais – c'est une pomme tiède enrobée de crème et de sucre qui fait le régal des Normands –, reçoit enfin le salaire de tant d'années de combat solitaire. Il devient garde des Sceaux.

Jean-Jacques Servan-Schreiber, que « Ponia » appelait naguère le « tarabistouilleur », est promu ministre des Réformes. On peut se demander, dans ces conditions, à quoi vont bien servir les autres ministères. Et c'est probablement ce que JJSS lui-même se demande.

Jean Sauvagnargues, fils d'instituteur, agrégé d'allemand et ambassadeur à Bonn, se retrouve ministre des Affaires étrangères. VGE a dit qu'il voulait un vrai professionnel de la diplomatie au Quai d'Orsay. Ce qui lui a plu, chez Sauvagnargues, c'est sa banalité. On chercherait en vain une lueur dans son regard. Il est très froid, très raide, très compétent. On remarquera toutefois, par la suite, qu'il lui arrive de dire un peu n'importe quoi dans les cocktails ou dans les conférences. C'est fâcheux mais c'est normal. Cet homme ne supporte pas l'alcool.

Jacques Soufflet, l'inconnu des Yvelines – qu'il représente au Sénat –, est bombardé ministre de la Défense. Il a une aversion : tout ce qui tourne autour des barons du gaullisme (« Y en a marre, des barons », répète-t-il avec un air inspiré). Et il a une passion : la chasse. C'est en levant les faisans qu'il a fait la connaissance de Marie-France Garaud. Et de fil en aiguille…

André Jarrot est l'ouvrier du gouvernement : folklorique et convivial, le député-maire de Montceau-les-Mines est un ancien employé du gaz. C'est aussi un grand sportif. Le 25 juin 1932, il a ainsi conquis un record du monde en parcourant en moto 3 223,609 kilomètres en vingt-quatre heures. VGE en a fait un ministre de la Qualité de la vie. Mais Jarrot n'a pas très bien compris ce qui se cachait sous ce titre. Interrogé sur ses attributions, il a répondu : « J'ai, je crois, la Jeunesse, l'Environnement et un brin de Culture. »

C'est à dessein, bien sûr, que Giscard et « Ponia » ont mis en avant, pour l'UDR, des personnages aussi fantomatiques ou pittoresques que Jacques Soufflet ou André Jarrot. Mauvais calcul. Rares sont les giscardiens ou les centristes qui rehaussent le tableau. À l'insignifiant s'ajoute le ridicule. Comment peut-on avoir la main si malheureuse ?

Et les gaullistes ? Maurice Couve de Murville résume bien leur état d'esprit quand il déclare, le 28 mai, devant le bureau exécutif de l'UDR, dans son style inimitable de diplomate britannique ; « Ce gouvernement ne devrait nous porter ni à l'hilarité ni à la jovialité. Il est plutôt étrange. Pour rester dans les euphémismes, je dirais qu'il aurait tendance à nous agacer. »

Il fallait que meure le gaullisme pour que vive la « République nouvelle ». Le gouvernement Chirac consacre donc, comme le note Raymond Barrillon dans *Le Monde*[1], « la dislocation de l'"État-UDR" ».

L'audacieux Chirac a-t-il manqué de fermeté ? Ou tout simplement de courage politique ? Pendant la période cruciale de la formation du gouvernement, il a, de toute évidence, mal négocié avec Giscard. On peut même se demander s'il a seulement négocié. Hormis le cas des schreibériens, VGE ne se souvient pas qu'il ait fait la moindre objection à la composition de l'équipe ministérielle. Bref, le Premier ministre a laissé faire. Arrivé au but, le conquérant a perdu sa brutalité d'antan, ses façons rugueuses, rustiques et voraces. Il semble être devenu, soudain, un politicien fluide, manipulable, ébahi par son pouvoir tout neuf.

Ses doutes, il n'ose pas les formuler devant le président. Il laisse Michel Poniatowski rendre compte du premier Conseil des ministres. Il accepte sans broncher que Valéry Giscard d'Estaing, présentant le nouveau gouvernement à la télévision, laisse tomber : « Je travaillerai directement avec les ministres. » Il est déjà le Chirac qui, deux ans durant, va s'aigrir sous VGE : « acquiesçant devant, furieux derrière », comme dira Marie-France Garaud.

_____

1. 30 mai 1974.

243

Pourquoi a-t-il, d'entrée de jeu, laissé faire Giscard ? Michel Poniatowski avance une explication : « Chirac a toujours été un peu infantilisé par Giscard. C'est un homme très intelligent mais il a tendance à présenter les choses de façon primaire et, parfois même, assez peu intelligente. Cela agaçait prodigieusement Giscard qui ne disait rien et regardait l'autre fixement, le mettant mal à l'aise. Puis, quand il s'adressait à lui, il prenait un ton didactique et pédagogue. Il donnait toujours le sentiment de vouloir lui expliquer le *b.a.-ba*. C'est ainsi que Giscard a impressionné des générations d'hommes politiques. »

Il faudra des mois de querelles, d'orages, de tempêtes, pour que le magnétisme de Giscard s'évanouisse.

24

Premier ministrillon

« Dieu, n'ayant pu faire de nous des humbles, fait de nous
des humiliés. »

Julien Green

Quand il arrive à Matignon, Chirac est, à l'évidence, ébloui par
VGE. Mais dans le même temps, par un phénomène de compensation assez courant, il a tendance à sous-estimer celui qui le fascine
tant. « Giscard n'a pas de politique, dit-il ainsi à Marie-France
Garaud. J'en ferai mon affaire. » Et c'est sans doute à cause de ce
mélange d'enchantement, de suffisance et de vertige qu'il néglige,
d'entrée de jeu, de borner son territoire. Il sera ainsi, du début à la
fin, un Premier ministre au rabais.

Trois jours après sa nomination, Helmut Schmidt, chancelier de
la République fédérale allemande, arrive en France. Chirac s'en va
l'accueillir à l'aéroport de Roissy avec toute la solennité requise. Il
l'accompagne ensuite jusqu'à l'Élysée où la porte se referme sur
VGE et son hôte. Le Premier ministre regagne alors Matignon,
laissant les deux hommes refaire le monde, l'économie européenne
et l'alliance franco-allemande.

Tels sont les effets de la Ve République : le chef de gouvernement
n'est pas habilité à traiter ni même à parler des choses importantes
– sauf, cela va de soi, en période de cohabitation. Il prend les coups.
Pas les décisions. Il lui faut accepter les caprices du président et
supporter toutes les humiliations.

Chirac les supporte. Sa première humiliation, c'est, ce même
jour, justement lorsque Giscard « oublie » de l'inviter au dîner offi-

ciel offert par l'Élysée en l'honneur de Helmut Schmidt. Jacques Pélissier, le directeur de cabinet du Premier ministre, est indigné :

« À ce dîner, il y a le ministre des Affaires étrangères et pas vous, dit-il à Jacques Chirac. C'est scandaleux.

— Je me passerai fort bien de ce dîner.

— Votre devoir est de protester. »

Alors, Chirac :

« Je ne vais quand même pas commencer comme Chaban avec Pompidou. »

Qui se laisse outrager mérite qu'on l'outrage... Naturellement, Chirac prend des risques. Mais il est décidé à jouer la fidélité au chef de l'État et le respect des institutions. Quelques semaines après l'affront du « dîner officiel », Jacques Pélissier fait part de son irritation au Premier ministre : « Vous faites beaucoup de références au président dans vos discours. Je crois que vous en faites trop. » Il s'entendra répondre : « C'est la Constitution, mon cher. Et je crois, moi, à la prééminence de la fonction présidentielle. »

Pour la plupart des historiens du chiraquisme, la brouille entre Giscard et Chirac date de beaucoup plus tard. Elle est pourtant en germe dès les premiers jours. Certes, le chef du gouvernement a l'air heureux : toutes les gazettes le soulignent. Certes, en Conseil des ministres, il semble entretenir avec le chef de l'État des rapports fraternels, ludiques et complices : tous les membres du gouvernement le confirment. Mais, en consacrant toutes ses forces à la reconquête de l'UDR – pour lui-même, pas pour VGE –, il sait qu'il se condamne à se heurter, un jour, au président. Et, même si on laisse de côté les arrière-pensées politiques, quelque chose est déjà en train de tout gâcher entre les deux hommes : c'est la multiplication de ce que le Premier ministre peut à bon droit considérer comme des offenses personnelles.

Qui a dit que l'édifice de la haine se construit avec les pierres des affronts ? Jacques Chirac accepte mal, pour commencer, la remise en question systématique par Giscard des grandes décisions urbanistiques et immobilières de Pompidou. Il apprend par la bande que le président a convoqué à l'Élysée « une espèce de conseil » autour de Michel Guy, secrétaire d'État à la Culture, afin de revoir et corriger le projet des Halles de Paris. Il ne connaît pas le dossier. Il n'émet donc pas de protestations. Il dira même, après coup, que le chef de l'État a pris « la bonne décision ».

246

Le Premier ministre peste, en revanche, quand il est informé que VGE a enterré le projet de voie sur berge qui devait « décongestionner » la rive gauche – un projet qui tenait tant au cœur de Pompidou : « Tout souterrain, dit Chirac, il mettait l'Académie française dans un écrin. C'était superbe. Si on ne l'a pas fait, c'est à cause de trois ou quatre écolo-mondains de l'aristocratie de gauche qui avaient leurs entrées à l'Élysée. Ils habitaient l'île de la Cité et ne pouvaient supporter l'idée d'avoir pendant deux ans des travaux en cours devant leurs fenêtres. »

Il monte sur ses grands chevaux, enfin, quand VGE décide d'ajourner *sine die* le Centre national d'art contemporain à Beaubourg, dans le IVe arrondissement de Paris. Une mesure d'autant plus facile à prendre que le musée n'est pas encore sorti de terre. Seule la dalle est terminée. Déjà, les élyséens se demandent ce que l'on pourra bien poser dessus. Un grand magasin ? Un parking ? « C'est tout à fait simple, dit Chirac au président lors d'une réunion au "château" avec Michel Guy, secrétaire d'État à la Culture. Si vous voulez supprimer ce Centre, il faudra le faire avec un autre Premier ministre. Pas avec moi. »

Dans les semaines qui suivent, Chirac doit encore ferrailler contre Giscard qui tente de faire disparaître trois étages, puis deux, avant de mettre bas les pouces. *In extremis*, le président s'obstine tout de même à faire disparaître une cheminée. « Si vous l'enlevez, menace à nouveau le Premier ministre, il faudra le faire sans moi. » Mais il n'y aura ni cheminée ni démission. Le chef du gouvernement finira par céder devant l'insistance de VGE qui a obtenu le renfort de Michel Guy. Il restera toujours une cheminée entre les deux hommes...

Chirac, qui garde en tête l'expérience du secrétariat d'État au Budget, en 1969, se dit que ces outrages faits à la mémoire de Pompidou et à sa propre dignité cesseront un jour. Giscard cherche simplement à tester ses défenses, comme la dernière fois. Cela lui passera...

Mais le président ne relâche jamais la pression. Dès la première semaine, il a l'occasion de montrer le peu de cas qu'il fait des propositions de son Premier ministre. La marine nationale n'a pas de chef d'état-major. Jacques Chirac propose un nom : celui de l'amiral Antoine Sanguinetti, baroudeur et querelleur, qui est le frère du secrétaire général de l'UDR. C'est peut-être pour cette raison que le chef du gouvernement l'a proposé. C'est en tout cas pour celle-là que VGE n'en veut pas. « Regardez le dossier », dit-il, avec une moue, à Claude Pierre-Brossolette, secrétaire général de l'Élysée.

Claude Pierre-Brossolette prend ses renseignements puis rend son verdict : « C'est un fort en gueule un peu farfelu. Vous risquez d'avoir des pépins. » *Exit* Sanguinetti…

Le chef de l'État, qui connaît l'art du dressage canin, ne laisse pas courir sa laisse. Il la tient toujours d'une main ferme. Avant que Chirac ne prononce son discours de politique générale à l'Assemblée nationale, Giscard le convoque ainsi à l'Élysée devant une sorte de jury, composé, entre autres, des quatre nouveaux barons du régime – Poniatowski, Fourcade, Lecanuet et Servan-Schreiber. Aucun n'est emballé par le projet d'allocution – plat et terne, il est vrai – du chef du gouvernement. Jean-Jacques Servan-Schreiber est le plus sévère : « Où sont les réformes ? On dirait du Pompidou d'il y a dix ans ! » Le président opine gravement : « Cela manque de souffle. Il faudrait demander à quelqu'un qui a une bonne plume de mettre quelques formules là-dedans. »

Chirac a toujours nié, depuis, avoir reçu, pour son allocution, des suggestions de l'Élysée. Il est vrai qu'il ne les a pas entendues. Mortifié, il n'a pas refait sa copie. C'est le même discours, à la virgule près, qu'il prononcera, le 5 juin 1974, devant l'Assemblée nationale. Un discours d'énarque, interminable et consensuel, où l'on sent la patte de Jacques Friedmann et le poids de Pierre Mendès France. On y retrouve presque tous les clichés de la « gauche moderne » de l'époque : la détente, « gage de la paix », l'organisation des marchés des matières premières du tiers monde qui souffre tant des « fluctuations aberrantes des cours », notamment sur le sucre et le cacao ; l'inégalité des chances et des conditions qu'il faut combattre par « l'accès égal à la culture » et « une plus juste répartition des revenus » ; la réforme fiscale, afin que l'impôt « joue pleinement, sans privilège ni discrimination, de droit ou de fait, son rôle redistributeur ». Pour ne pas parler de la protection de la nature, menacée par « l'accumulation des déchets de moins en moins biodégradables ». Passons.

À l'évidence, ce Chirac qui fait du Chaban sans Chaban n'est pas encore Chirac. Ni libéral ni conservateur, il est sagement, résolument, technocratiquement réformiste. On croirait même entendre Rocard, voire Mitterrand, quand il déclare devant les députés : « Il est des moments, dans l'histoire des peuples, où tout concourt à rendre plus aiguë la conscience, à la fois collective et individuelle, de la nécessité de profondes transformations. Qui peut douter que le peuple français ne vive un tel moment ? [...] Notre vocation est de conduire cette affaire avec enthousiasme et imagination, et non de la subir avec résignation. »

Claude Imbert, le patron du *Point*, résume bien l'état d'esprit général quand il décèle dans la tirade du Premier ministre « un dessein encore un peu brouillé mais bien intéressant. Celui qui marie dans une ambition de bon aloi un libéralisme à l'anglo-saxonne et un projet de modernisme social ».

Politiquement, pourtant, le Premier ministre n'est pas tout à fait en phase avec le président de la République. Tous les jours ou presque, dans le huis clos des palais officiels, un incident survient, qui met au jour de nouvelles divergences. Sur l'affaire de la campagne des essais nucléaires français dans le Pacifique, par exemple, Chirac menacera à deux reprises de démissionner.

Écoutons-le : « On faisait la dernière campagne à l'air avant d'en venir aux essais souterrains qui, eux, effectivement, sont beaucoup moins critiquables. Traditionnellement, un mois avant le début de la campagne, un décret paraît au *Journal officiel*, qui interdit toute navigation dans un certain rayon autour de Mururoa. On m'apporte ce décret à la signature. Il a déjà été signé par le ministre de la Défense. Je le signe. Pour moi, c'est de la routine. Je l'envoie à l'Élysée avec la mention "urgent", car il faut qu'il paraisse le lendemain si l'on veut respecter le délai des trente jours et je connais les lenteurs de l'administration. Le matin suivant, je reçois un coup de fil du président de la République : "Vous m'avez envoyé un texte à la signature. Il faut que nous en parlions. Venez demain à onze heures avec le ministre de la Défense." Le jour dit, il nous annonce qu'il a décidé de surseoir aux essais nucléaires dans le Pacifique. Et je tombe de l'armoire. »

Flanqué de Soufflet, stupéfait, accablé, soufflé pour tout dire, Chirac s'entend dire : « Nous sommes critiqués par tout le monde. En arrêtant les essais cette année, la France fera un geste de paix. »

C'est l'essence même du gaullisme qui est remise en question. Même si l'arrêt des essais n'est que provisoire, le pays risque de n'en retenir que la symbolique. Alors, Chirac se lance : « Cette décision, vous avez tout à fait le droit de la prendre, monsieur le président. Mais je ne peux l'accepter parce qu'elle est, à mes yeux, contraire aux intérêts nationaux. Si vous la maintenez, je ne pourrai donc pas l'appliquer. Il vous faudra trouver un autre Premier ministre. » Après une heure de discussion, les deux hommes finissent par se mettre d'accord sur un communiqué annonçant que les essais nucléaires auront lieu pour la dernière fois à l'air et qu'ils seront, dès l'année suivante, souterrains. « Cela ne posera aucun problème, lâche Chirac, goguenard, à la fin de l'entretien. C'était prévu. »

Mais l'affaire n'est pas finie. La veille, VGE a eu, sur la question, un entretien avec Jean-Jacques Servan-Schreiber. Le ministre des Réformes en a tiré la conviction que le président de la République ajournerait les essais prévus. Du coup, JJSS s'est senti assez sûr de lui pour faire un de ces « coups » dont il a le secret. Le 9 juin, alors qu'il se trouve dans son fief de Nancy, il organise en toute hâte une conférence de presse où il déclare froidement qu'il condamne la reprise de la campagne nucléaire dans le Pacifique : « L'autorité militaire a mis le gouvernement devant le fait accompli. »

Quand Chirac prend connaissance des déclarations de JJSS, il est à Tulle, en Corrèze, où il inaugure, avec Jacques Soufflet, les nouveaux bâtiments de l'école militaire. Le Premier ministre bondit de rage, saute dans son hélicoptère et, sitôt arrivé à Paris, se rue à l'Élysée où le chef de l'État lui accorde sans discuter la tête du ministre des Réformes.

Après le départ de Jean-Jacques Servan-Schreiber, le Premier ministre peut avoir l'illusion de peser sur le cours des choses. Il lui faudra vite déchanter. À défaut de JJSS, Giscard fait entrer, le 6 juillet, Françoise Giroud au gouvernement, où elle devient secrétaire d'État à la Condition féminine. Elle n'aime guère – et elle ne s'en est jamais caché – le chef du gouvernement. Il n'y a pas si longtemps, on l'a vu, Chirac portait plainte en diffamation contre son hebdomadaire, L'Express, après avoir été mis en cause dans une obscure affaire fiscale. Il lui faudra retirer sa plainte en toute hâte.

Ce Premier ministre qui ne dirige personne, dirige-t-il au moins quelque chose ? Hors jeu en matière diplomatique, il n'a même pas prise sur la politique économique. Il pourrait s'en offusquer. Il ne semble même pas en souffrir, comme en témoigne cruellement Jean-Pierre Fourcade, alors ministre des Finances : « Je ne me souviens pas avoir eu avec lui des discussions sérieuses sur le fond des problèmes. Quand on se rencontrait, c'était pour parler de questions de personnes. Ou bien pour monter des "coups". Jamais pour faire le point sur de grands dossiers, comme l'investissement ou l'épargne. »

Jacques Chirac aime bien Jean-Pierre Fourcade. Aussi abrupt que le chef du gouvernement, le ministre des Finances a la coiffure en brosse, la poignée de main athlétique, la décision rapide et l'éloquence péremptoire d'un officier de cavalerie. Autant dire que les deux hommes sont faits pour se comprendre sinon pour s'entendre. Un soir de lassitude, le Premier ministre laissera même tomber devant Marie-France Garaud, médusée : « Il faut que j'appelle Fourcade. Il me remontera le moral. C'est mon seul ami au gouvernement. »

C'est plus exactement un grand ami de Jacques Friedmann, chargé de mission à Matignon où il supervise les affaires économiques : L'un et l'autre se sont mis d'accord sur un plan d'austérité modéré pour faire face à la hausse des prix du pétrole qui creuse le déficit du commerce extérieur. Confiant ou inconscient, comme on voudra, Chirac ferme les yeux.

Pierre Juillet tente bien de les lui ouvrir. En vain. Alors que la France est confrontée au défi du premier choc pétrolier, Chirac ne donne pas l'impression de s'intéresser vraiment au problème. D'un côté, il s'agace du catastrophisme économique de l'ancien conseiller politique de Pompidou. De l'autre, il s'inquiète de la prudence de Fourcade qui s'entendra dire un jour : « Ton plan est trop mou. » Giscard, apparemment, n'est pas plus lucide.

Au président qui le reçoit, Pierre Juillet tient à peu près ce langage :

« Il faut que le Premier ministre se batte sur l'inflation et prenne l'engagement de la réduire. Il doit jouer toute sa carrière dessus.

— Vous faites erreur, répond Giscard. Le plan Fourcade suffira à remettre les choses en ordre. J'en ai exposé les grandes lignes au chancelier Schmidt. Il est d'accord. »

Depuis, Pierre Juillet raconte partout cet échange avec une mine navrée avant d'ajouter, méprisant : « Quand l'étranger est content de la France, c'est toujours qu'elle fait des bêtises. Le jour où Giscard s'en apercevra, il aura tout compris. »

Il reste néanmoins un domaine dans lequel ce Premier ministre de deuxième zone peut laisser sa marque. C'est le social. Empruntant, comme dit *Le Point*, « aux méthodes préventives de la social-démocratie suédoise », Jacques Chirac augmente le salaire minimum, les retraites, les allocations familiales. Dans la foulée, il annonce aux syndicats qu'il entend faire avancer l'amélioration des conditions de travail, la réforme de l'entreprise ou la protection en cas de licenciement collectif. Et à François Ceyrac, le président du CNPF qu'il reçoit à Matignon, il jette en confidence : « Il faut que le patronat s'engage dans un processus très rapide de transformation sociale. Si Giscard ne l'avait pas emporté, à 0,5 % près, vous seriez aujourd'hui soit nationalisé, soit, pour le moins, fortement traumatisé. Alors, jetez-vous à l'eau. C'est la seule façon d'être raisonnable. »

Chirac, en somme, est un ministre des Affaires sociales et c'est à peu près tout. Il n'a pas su s'imposer d'entrée de jeu. Il ne s'en remettra jamais. Giscard non plus, qui prend tout de suite de mauvaises habitudes. Il décide de tout. Il multiplie les conseils restreints à l'Élysée. Il donne ses consignes aux membres du gouvernement en passant par-dessus la tête du Premier ministre. Il découvre le pouvoir et, visiblement, y prend plaisir. Or, comme le dit alors fort bien Alexandre Sanguinetti, secrétaire général de l'UDR, « cet homme a toutes les intelligences, sauf celle du pouvoir... ».

Le Premier ministre a, lui, toutes les patiences. « Quand le roi revient de Reims, commente-t-il sur un ton blasé, il n'est plus jamais le même. » Il semble s'accommoder de ce président royal, égotiste et tatillon, qui expérimente sa philosophie « moderniste », bouscule les tabous de sa classe et s'installe avec ravissement sur le terrain de la « mutation culturelle ».

VGE pose pour l'Histoire. Il se fabrique. Il s'admire. Après être parti à l'Élysée en emportant, contrairement à tous les usages, son bureau de la rue de Rivoli et son carillon Louis XV, il demandera à son successeur, Jean-Pierre Fourcade, de ne pas utiliser les appartements personnels du ministre des Finances.

« Mais où vais-je déjeuner ? » s'inquiète Fourcade.

Alors, Giscard :

« J'ai beaucoup de souvenirs là-bas. J'aimerais que tout reste en l'état. »

Lors de la visite du shah d'Iran, quelques semaines après son arrivée au pouvoir, le président a pu remarquer que Reza Pahlavi traitait ses ministres comme des laquais. « Après le passage du shah, se souvient Fourcade, Giscard semble avoir pensé qu'il avait fait preuve jusqu'alors de trop de considération, de trop de courtoisie. » Il ne prendra plus de gants avec ses ministres. Y compris avec le premier d'entre eux. Il ne gouverne pas. Il règne. Chirac s'en formalise si peu qu'il n'hésite pas à abonder dans le sens de VGE.

Le chef de l'État lui ayant dit qu'il fallait présidentialiser le régime et donner davantage de pouvoirs au chef de l'État, il déclare dans un entretien avec Paul Guilbert pour *Le Quotidien de Paris* [1] : « Je suis convaincu que le régime français doit se présidentialiser beaucoup plus qu'il ne l'est actuellement [...]. C'est le chef de l'État qui est directement responsable de l'orientation générale de la politique, c'est lui qui doit donner les directives servant à l'action quotidienne du gouvernement. »

Et c'est ainsi que Chirac théorise sa propre dépossession. Mais il est vrai qu'il la vit fort bien, comme en témoignent tous ceux qui l'ont côtoyé pendant cette période. Il faut les écouter.

Jacques Friedmann : « Jacques ne trouvait pas choquant que certains dossiers importants soient traités à l'Élysée. Il avait, de toute façon, beaucoup de choses à faire. À commencer par la reprise en main de l'UDR. »

Jacques Pélissier : « Matignon était court-circuité de tous les côtés. Je passais mon temps à essayer de rattraper les fils. Mais Jacques ne s'en indignait pas. Il avait même l'air de considérer que c'était normal. Il était convaincu, en fait, qu'il était essentiel pour lui d'entretenir d'excellentes relations avec Giscard. Il subordonnait tout le reste à ça. »

Jean-Pierre Fourcade : « Son erreur fondamentale, c'est de ne pas avoir cherché tout de suite à secouer le joug de Giscard. Au lieu de cela, il s'est laissé grignoter de bonne grâce. Et, quand enfin il a voulu reprendre au président le terrain perdu, l'autre a pris ça pour une agression. »

Pourquoi, alors, Chirac ne s'est-il pas tout de suite cabré ? Parce qu'il ne pèse rien : le rapport de forces lui interdit de bouger. Parce que, aussi, il a succombé au charme giscardien – une passion réciproque comme le rapporte Claude Pierre-Brossolette, alors secrétaire général de l'Élysée : « Les deux hommes s'étaient pris d'affection l'un pour l'autre. Giscard est un homme d'un scepti-

---

1. 9 juillet 1974.

cisme et d'un cynisme sans limite. Sa passion pour Chirac me bluf-fait. Il était fasciné par son énergie. Ce qui ne l'empêchait pas de se moquer un peu de ses airs sérieux et de son côté pataud. »

S'il l'aime bien, Giscard n'a pourtant rien compris à Chirac. Un jour, il fait l'éloge de son Premier ministre devant le secrétaire géné-ral de l'Élysée :

« Ce Chirac est épatant. Dévoué, efficace, travailleur. On ne pou-vait pas trouver mieux.

— Méfiez-vous quand même, hasarde Claude Pierre-Brosso-lette. Il est ambitieux. Il sera un jour ce que vous avez été par rapport à Pompidou. Un rival.

— Vous n'y êtes pas. C'est un enfant, Chirac. Il n'a pas d'enver-gure. Il me sera toujours fidèle. »

25

Brumaire

« Malheureusement dans le monde, comme dans le monde politique, les victimes sont si lâches qu'on ne peut pas en vouloir bien longtemps aux bourreaux. »

Marcel Proust

Dès son arrivée à Matignon, Jacques Chirac avait demandé à Marie-France Garaud d'entrer à son cabinet. Elle lui avait répondu avec cette fierté provinciale et gouailleuse qu'elle affecte volontiers : « J'étais dans la maison du roi. Je ne me vois quand même pas épouser le locataire suivant. »

Avec Pierre Juillet, Marie-France Garaud garde tout de même un œil sur les affaires du Premier ministre. Elle s'emploie, entre autres, à lui frayer un chemin à l'intérieur de l'UDR. Mais le terrain est périlleux. Alexandre Sanguinetti, le secrétaire général du mouvement gaulliste, n'a jamais caché qu'il préférait Mitterrand à Giscard. Cet ancien résistant, qui a perdu une jambe pendant la guerre, voit dans la victoire de VGE la revanche de Pétain et de Vichy. Et ce faiseur de bons mots, qui est aussi un fin lettré, distille, dans le Tout-État, des formules aussi justes qu'assassines. Sur Giscard : « C'est un très bel insecte mais il n'a pas d'antenne. » Ou bien : « Il a toutes les intelligences sauf celle du pouvoir. » Sur Chirac : « Il veut rassembler mais il a du mal à se rassembler lui-même. » Ou encore : « C'est un cheval. Le drame commencera quand il se prendra pour un jockey. »

Ses formules, c'est à peu près tout ce qu'Alexandre Sanguinetti peut aligner contre l'État-Giscard qui se construit. Il le sait si bien qu'il gère son parti en dilettante désabusé. L'UDR n'a plus ni

255

argent, ni volonté, ni même projet. Ses militants, assommés, ont disparu. Rue de Lille, les bureaux du mouvement sont déserts et le téléphone ne sonne plus.

« Pendant plusieurs mois, dit Jacques Chirac, l'UDR, c'était un homme et un seul : Pierre Charpy qui faisait *La Lettre de la nation*. Tout le monde étant parti, il n'avait de contact avec personne mais, avec sa plume, il incarnait tout le mouvement – son existence et sa ligne politique. »

L'UDR, en somme, est à la fois fantomatique, crispée, hostile. Il faut la manipuler avec doigté : elle peut se cabrer au moindre faux mouvement. Le 27 mai, lors d'une réunion du groupe parlementaire dans la salle Colbert, à l'Assemblée nationale, Hector Rolland, élu de l'Allier et porte-flambeau des députés de base, provoque un beau tollé en déclarant que Jacques Chirac, devenant Premier ministre, doit être automatiquement le chef du mouvement gaulliste. « Il sera un grand Premier ministre, explique-t-il benoîtement. Si notre mouvement n'apparaît pas étroitement lié à lui, nous n'en tirerons pas bénéfice. » Devant les exclamations et les sifflets, celui qui se fait appeler « Spartacus » finit par s'écrier : « Vous avez mis l'UDR dans la m... Ceux qui ici me conspuent iront lécher les bottes de Chirac avant moi. » Les huées redoublent.

Dans la foulée, Alexandre Sanguinetti signifie à Jacques Chirac qu'il n'est plus, comme ses prédécesseurs, membre de droit du bureau exécutif de l'UDR. « Le Premier ministre, dit-il, en écho à Hector Rolland, n'est plus le chef naturel du mouvement. »

Pour ne rien arranger, Alexandre Sanguinetti, qui cherche un chef, commence à lorgner dangereusement du côté de Michel Jobert, qui fut un très populaire ministre des Affaires étrangères. En quelques mois, ce petit homme a su se poser en s'opposant à Henry Kissinger, son homologue américain. Cocardier, ergoteur et sophistiqué, il a fini par incarner avec talent et ostentation la France de toujours, celle du complexe d'Astérix.

Convaincu que Jacques Chirac lui doit quelque chose, en vertu de l'ancienneté comme des services rendus, il vient le voir à Matignon et lui dit à peu près, d'une voix paternelle : « Je vais me lancer dans l'action politique. Est-ce que vous m'aiderez ? » En posant cette question, Michel Jobert ne pense pas qu'aux fonds secrets, cela va de soi. Le Premier ministre fait mine de réfléchir. Puis, évasif et distrait : « Naturellement, je vous aiderai. Mais il faut que nous en reparlions. »

Au rendez-vous suivant, quelques semaines plus tard, Jacques Chirac a l'air à la fois absent et pressé. Il noie son visiteur sous les bonnes paroles et le reconduit très vite à la porte. « Je crois, dit Michel Jobert en prenant congé, que nous ne nous reverrons plus souvent. » Il a raison. Entre eux, la brouille est désormais consommée. Peu après, l'ancien directeur de cabinet est reçu par quelques députés gaullo-chiraquiens, comme le général Aubert et Lucien Neuwirth, qui lui jettent : « Autant vous prévenir tout de suite. Personne, au groupe parlementaire, ne marchera avec vous. »

Michel Jobert reconnaîtra là, non sans raison, la griffe de Marie-France Garaud. Elle est partout. Dans les coulisses, déployant des trésors de séduction et des bordées de menaces, c'est selon, elle déjoue les complots et dégage le terrain. Sous son contrôle, René Tomasini, secrétaire d'État aux Relations avec le Parlement, retourne un à un les élus gaullistes à coups de services, de subventions et de déjeuners arrosés. Elle a un autre atout dans sa manche. C'est Charles Pasqua, délégué à l'organisation de l'UDR.

Bonimenteur, hâbleur et tutoyeur, cet ancien résistant a l'air sorti d'un film de Marcel Pagnol. Avec ce Corse né à Grasse, on se croit toujours à Marseille, dans le café de César. Ses passions sont toutes simples : le pastis, la famille, la patrie. Et il a eu deux hommes dans sa vie : Charles de Gaulle et Paul Ricard. Il leur a même tout donné.

Pour Paul Ricard, il a gagné, comme VRP puis comme directeur commercial, la guerre de l'anisette contre Pernod, Berger et Casanis avant d'inventer sa propre marque : l'Americano Gancia. Pour de Gaulle, il a organisé le Service d'action civique (SAC) qui fera souvent les gros titres dans les journaux sous la rubrique des faits divers. Il a également monté, avec d'autres, la grande manifestation de soutien au Général du 30 mai 1968 – un million de personnes sur les Champs-Élysées. Il a même été élu député dans la foulée avant d'être battu en 1973.

Pasqua aime Chirac. Quand Robert Poujade a demandé son exclusion du bureau exécutif de l'UDR, pendant la campagne présidentielle, il s'est indigné : « Arrêtez vos bêtises. Vous serez bien content de l'avoir un jour avec vous. » Depuis, il s'est mis dans le sillage de René Tomasini. Il fait le tour des fédérations du mouvement ou de ce qu'il en reste. Il verrouille. Il cultive. Et les fruits tombent…

Claude Labbé, président du groupe parlementaire de l'UDR à l'Assemblée nationale, est le premier à flancher. Lors d'une réunion exceptionnelle des députés, le 3 juillet 1974, il fait publiquement acte d'allégeance au Premier ministre : « Nous ne marchanderons pas notre appui. »

Le 12 juillet suivant, c'est au tour d'Alexandre Sanguinetti de poser les armes. Après deux longs entretiens avec Chirac, il s'arrête à Lyon, sur la route de ses vacances, pour expliquer, lors d'une conférence de presse, qu'il apporte son « total soutien » au Premier ministre, qu'il juge pourvu d'une « bonne analyse politique ». Comme le note alors André Passeron dans *Le Monde*, « la récupération de l'UDR […] est désormais accomplie, du moins au niveau des états-majors et des responsables ».

Chirac croit, comme Lao-tseu, que le plus grand conquérant est celui qui sait vaincre sans bataille. Pour les gaullistes, il a table ouverte. Il les cajole. Il les enjôle. Et ils ressortent presque toujours désarmés de l'hôtel Matignon, désarmés et radieux.

Quand il sort sa flûte, maintenant, tout le monde danse. C'est vrai à la réunion des secrétaires fédéraux de l'UDR, le 8 septembre, comme aux journées parlementaires du mouvement à Cagnes-sur-Mer, les 26 et 27 septembre. Il parle en chef dominateur et les autres l'écoutent en soldats subjugués. Il reste bien quelques irré-ductibles sur les bancs du fond, comme Jean Charbonnel, maire de Brive, qui porte haut le flambeau de l'antichiraquisme. Mais ils prêchent dans le désert. Et le Premier ministre peut se permettre de les menacer d'exclusion.

À Cagnes-sur-Mer, le Premier ministre prononce un discours très important. Pour la première fois, avec sans doute plus de cynisme que de candeur, il y laisse clairement percer son jeu. Du grand Chirac. Pour emporter l'adhésion, il utilise toutes les palettes et tous les tons.

Comminatoire : si le mouvement gaulliste décidait de quitter la majorité présidentielle, explique-t-il, aux prochaines élections ses élus seraient « en compétition avec un candidat ayant reçu une investiture présidentielle et un candidat unique de la gauche ». « Alors, l'UDR disparaîtrait. »

Confiant : pour les prochaines élections, il annonce qu'il s'est fixé pour objectif de ramener à l'Assemblée nationale « au minimum cent cinquante députés UDR ». « Cet objectif, nous l'atteindrons. »

Intransigeant : « Je puis vous dire ici que je ne serai pas le Premier ministre qui aura constaté avec indifférence et sans réaction la disparition du gaullisme. »

Impérial : « Jusqu'à présent, nous pouvions nous abriter derrière un chef d'État qui pensait pour nous. Aujourd'hui, nous devons penser par nous-mêmes. C'est à ce prix que nous survivrons. »

Autant dire que cet appel à l'autonomie tintera fort dans les oreilles très fines et très sensibles de Michel Poniatowski. Le Premier ministre n'a pas caché ses intentions. Valéry Giscard d'Estaing, pourtant, ne lui marchande toujours pas sa confiance.

Jacques Chirac a-t-il gagné ? Pas vraiment. Les barons ont pris l'habitude de se retrouver au Palais-Royal à la table de Roger Frey, le président du Conseil constitutionnel. Là, ils égrènent leurs souvenirs, macèrent leurs rancœurs, échafaudent de nouveaux plans. Convaincus qu'ils ont perdu une bataille mais pas la guerre, ils entendent reprendre le mouvement gaulliste que le Premier ministre a charmé, certes, mais pas pris – du moins pas encore. Le mandat d'Alexandre Sanguinetti n'arrive à expiration qu'en février 1975 au plus tôt. Et qui se nourrit d'attente risque de mourir de faim. Ils ont donc décidé de liquider rapidement le secrétaire général de l'UDR qu'ils jugent trop chiraquien. Pour le remplacer, ils ont un candidat : Olivier Guichard. S'il ne fait pas l'affaire, ils ont une solution de rechange : une direction collégiale avec des hommes comme André Fanton.

Voilà qui fait enrager Jacques Chirac. Il pensait en avoir fini avec les barons. Mais c'est toujours quand on les croit enterrés pour de bon qu'ils sont le plus dangereux.

Si les barons investissent le mouvement gaulliste, ils auront tôt fait de déstabiliser le chef du gouvernement. À moins qu'ils n'en fassent leur otage. Pour Jacques Chirac, il n'y a pas mille alternatives. Ou bien le Premier ministre tient l'UDR. Ou bien l'UDR tient le Premier ministre qu'elle peut faire tomber à tout moment.

Le Premier ministre engage donc la contre-attaque. À sa façon : celle des grands prédateurs. D'abord, en tournant autour de son objectif, il semble humer l'air et tâter le terrain. Hésitant et louvoyant, il laisse faire les barons, qui se sentent bientôt assez sûrs d'eux pour s'avancer à découvert. Ensuite, d'un coup de patte d'une brutalité inouïe, il met tout le monde d'accord et emporte le morceau. Telle est sa stratégie : velléitaire, équivoque et implacable.

À Valéry Giscard d'Estaing, le Premier ministre explique, lors de leur tête-à-tête hebdomadaire, qu'il ne peut accepter que les commandes du parti soient confiées à des hommes qui lui sont hostiles. À l'en croire, ce n'est pas vraiment ce vieil ennemi personnel de Guichard qui l'inquiète. Il se dit convaincu que le brave Olivier ne pourra pas s'imposer durablement à la tête de l'UDR. Il redoute, en revanche, qu'André Fanton ne prenne très vite le dessus. Or ce député, antigiscardien de tripes, a la tête et le sang chauds. Il faut tout faire pour que le gouvernement gaulliste ne tombe pas entre des mains de ce genre. VGE opine.

« Prenez une initiative », dit Valéry Giscard d'Estaing, le 12 décembre, au Premier ministre qui l'accompagne à l'aéroport de Roissy. Le chef de l'État doit s'envoler pour les Antilles où il rencontrera Gerald Ford, le président des États-Unis. Il a déjà la tête ailleurs. Quand ils n'ont pas tort, les absents se font du tort. VGE s'en rendra bientôt compte à ses dépens...

Jacques Chirac a une idée. C'est de lancer Pierre Messmer dans la course au secrétariat général de l'UDR. Il l'a déjà jaugé au téléphone. L'autre est prêt à faire don de sa personne au mouvement gaulliste. Il lui a donc demandé de passer le voir à 18 heures. Mais le jour dit, deux heures avant le rendez-vous, Pierre Juillet appelle Marie-France Garaud. Il a sa voix des grands jours :

« On est complètement idiots, Marie-France. On va encore s'embêter avec des histoires de tringleries. Il faut que l'UDR soit conduite en direct par Chirac. »

Alors, Garaud, vibrante d'enthousiasme :

« Il suffisait d'y penser. C'est l'œuf de Christophe Colomb. »

Juillet et Garaud parlent derechef de leur insolite projet à Chirac, qui, du coup, se contentera de demander à Messmer, déçu, ce qu'il pense de sa propre candidature à la tête de l'UDR.

Il faut faire vite. Avant le conseil national du mouvement gaulliste qui doit se tenir le week-end suivant, les barons ont prévu de souper, ce même 12 décembre, chez Roger Frey, au Palais-Royal. Au menu : des huîtres fourrées aux épinards, du marcassin à la purée de marrons et, comme d'habitude, la tête d'Alexandre Sanguinetti qu'ils entendent faire tomber rapidement. Ne reculant devant rien, le Premier ministre téléphone au président du Conseil constitutionnel et il s'invite sans façon pour le soir même.

Autour de la table de Roger Frey, ce soir-là, il y a Jacques Chaban-Delmas, Olivier Guichard, Michel Debré et Jacques Foccart, autrement dit les barons, auxquels se sont joints, pour la circonstance, Alain Peyrefitte, Pierre Messmer et Maurice Couve de Murville. L'ambiance, sous les hauts plafonds et dans les décors Restauration, est à couper au couteau. Des armées d'anges passent. Et les traditionnelles plaisanteries de Couve, boute-en-train professionnel, ne parviennent pas à dissiper le malaise qui sourd dans les appartements lambrissés du président du Conseil constitutionnel.

C'est Chaban qui casse le morceau, triomphalement :

« Autant le dire tout de suite, cher Jacques. Nous pensons faire campagne pour Olivier Guichard. Il ferait un excellent secrétaire général de l'UDR, ne trouvez-vous pas ? »

Chirac fait mine d'apprendre la nouvelle. Puis il lâche froidement :

« Si Olivier est candidat, je m'y opposerai. Désolé. Mais je ne peux pas faire autrement. Son accession à la tête de l'UDR provoquerait une dualité inacceptable avec Matignon.

— Mais il n'y a pas de problème, voyons, bougonne Guichard. Si tu ne veux pas, je laisse tomber, voilà tout. »

Quelques anges passent. Chaban finit par susurrer :

« Vous voyez bien, Jacques. Ce n'est pas un complot. C'était simplement une idée que nous avions. Il n'y aura pas de conflit entre nous. »

Relayé par Debré, Chaban propose alors une direction collégiale pour l'UDR. Un directoire, très exactement. Tous les problèmes de dosage seraient ainsi résolus. Chirac fronce les sourcils. Puis, goguenard : « Après tout, le plus simple serait que je prenne moi-même le secrétariat général de l'UDR. »

Au même moment, dans un petit salon du restaurant Lasserre, à Paris, un dîner très arrosé réunit Pierre Juillet, René Tomasini et Alexandre Sanguinetti. L'un boit abondamment pour digérer le choc, les autres pour se donner du courage. Le secrétaire général de l'UDR apprend en effet, ce soir-là, qu'il est prié d'annoncer sa démission du conseil national du mouvement, le surlendemain, afin de laisser le champ libre au Premier ministre. En quelques secondes, il vieillit de quelques années. Plus que jamais, il a l'air d'un épagneul grave et sceptique.

Bien sûr, il hésite, Sanguinetti. Même quand on lui fait valoir qu'il aura un bureau à Matignon, une voiture avec chauffeur et des fins de mois assurées. Il demande à consulter Charles Pasqua, son dernier fidèle, qu'on fait appeler aussitôt.

Pasqua croit porter l'estocade : « Il faut que tu laisses la place à Jacques. C'est une question de vie ou de mort pour le mouvement. » Sanguinetti se débat, objecte, ergote. Mais c'est un moine-soldat, cet homme-là. Si on insiste, il va de soi qu'il s'inclinera. Pierre Juillet lui propose de finir la soirée à Matignon en attendant le retour de Jacques Chirac. Et la bande se retrouve à siroter des whiskies dans les bureaux du Premier ministre.

Chirac se fait attendre. Juillet l'appelle au Conseil constitutionnel :

« Rentrez vite. Sanguinetti vous attend. Il est mûr. Mais je ne peux plus compter les whiskies.

— Ce n'est pas possible, répond Chirac, agacé. Je suis en train de convaincre les barons. »

Le Premier ministre raccroche. Un quart d'heure passe. L'œil farouche, l'air rembruni, Juillet fait les cent pas pendant que Sanguinetti noie son chagrin et que Tomasini vérifie, sur un petit carnet, ses pointages pour le comité central. L'air est lourd. Marie-France Garaud finit par rappeler le Conseil constitutionnel :

« Allô. Ici Matignon. Le président de la République veut parler d'urgence au Premier ministre. »

Remue-ménage à l'autre bout de la ligne. Le chef du gouvernement arrive au téléphone. Et il s'entend dire par Garaud :

« Ce n'est pas le président, c'est Pierre Juillet. »

Elle passe le combiné à l'ancien conseiller politique de Georges Pompidou qui dit alors d'une voix ferme :

« Tout cela a assez duré, Jacques. Il faut rentrer. Vous ne convaincrez jamais les barons de rien. Venez voir Sanguinetti. C'est plus important. »

Jacques Chirac obtempère et revient à Matignon, le front lourd et l'humeur noire.

« J'allais les convaincre », bougonne-t-il.

Pierre Juillet hausse les épaules et René Tomasini expose au Premier ministre le scénario qui a été concocté :

« C'est très simple. Alexandre va démissionner samedi. Vous allez alors présenter votre candidature et vous serez élu.

— Et les barons ? objecte Chirac.

— Les barons, répondit Juillet, ils feront comme ils ont toujours fait. Ils se coucheront.

— Ils peuvent présenter un candidat contre moi, insiste Chirac.

— Vous avez raison », reconnaît Juillet.

Il se passe alors quelque chose qui comptera des années plus tard. Pierre Juillet se tourne vers Charles Pasqua, l'homme de l'organisation à l'UDR, et il lui demande sur un ton dégagé :

« S'il y a un candidat des barons contre lui, combien Jacques fera-t-il ?

— Soixante pour cent.

— Vous en êtes sûr ?

— Absolument. J'en réponds personnellement. »

C'est ce jour-là que commencera l'ascendant de Pasqua sur Chirac : le jour dit, au comité central de l'UDR, le Premier ministre fera 60 % des voix.

Le duc de Wellington remarquait jadis que le conquérant, comme la boule de canon, ne doit jamais s'arrêter en chemin. Sinon, c'est la catastrophe. Jacques Chirac hésite. Mais il sait bien que ce n'est pas avec des doutes que l'on fait de la bonne politique. Le complot est lancé. La machine est partie. Rien ne pourra l'enrayer. Le comité central de l'UDR est convoqué en session extraordinaire pour 8 h 30, au salon « l'Aiglon », de l'hôtel Intercontinental, à Paris. Tout le monde, à commencer par les barons, est pris de vitesse. Tant il est vrai que l'opération paraît sortie de la tête d'un apprenti Machiavel : elle joue avant tout sur la surprise. Homme surpris, à moitié pris...

Le vendredi, à 13 heures, Marie-France Garaud et Olivier Guichard déjeunent en tête à tête. Le plus jeune des barons raconte à l'éminence grise de Chirac que son poulain pourrait bien, un de ces jours, guigner le secrétariat général de l'UDR : c'est en tout cas ce que le Premier ministre a laissé entendre lors de son dîner au Conseil constitutionnel. Elle fait l'étonnée avant d'expliquer qu'elle a prévu de passer son week-end à la chasse. Candide, le bon Guichard s'en ira, comme d'habitude, cultiver son jardin et sa circonscription.

Jacques Chirac, de son côté, commence à prévenir les uns et les autres. Il cueille à froid Michel Poniatowski :

« J'ai prévu de me faire élire demain secrétaire général de l'UDR.

— Pardon ?

— Tu as bien entendu.

— As-tu prévenu le président ?

— C'est embêtant. Je n'arrive pas à le joindre : les lignes sont très mauvaises avec les Antilles. De toute façon, il m'avait demandé, avant de partir, de prendre une initiative. La voilà. »

Quand il entend la voix de ce hussard vibrionnant, imprévisible, inquiet, à fleur de peau, le ministre de l'Intérieur fait, comme toujours, la part des choses. Il a même tendance à rigoler : cette affaire de secrétariat général de l'UDR, c'est trop gros pour être vrai.

À 23 heures, ce même vendredi, après avoir appelé la plupart des barons, Jacques Chirac finit par joindre Olivier Guichard à La Baule. Il l'informe de son projet. L'autre se contente de grommeler : « Ce n'est pas sérieux. » Puis il passe l'appareil à Michel Poniatowski qui, justement, passait la soirée avec lui. Pour ne pas indisposer Guichard, le ministre de l'Intérieur fait semblant d'apprendre la nouvelle. Il entreprend, ensuite, de dissuader Chirac. En vain, cela va de soi.

« Il ne veut rien entendre », dira « Ponia », après avoir raccroché, à Olivier Guichard.

Mortifié, Guichard en perd son sang-froid habituel :

« Je n'aime pas passer pour un imbécile, pestera-t-il. Chirac nous ridiculise et le mouvement gaulliste avec nous. »

Le pari est si fou, si dangereux, que le Premier ministre se tâte jusqu'au dernier moment. Depuis son entrée en politique, il a été porté par l'impatience de se hausser. Mais il se demande si, cette fois, il n'est pas allé trop loin.

Le samedi matin, tout s'enchaîne, pourtant, suivant le scénario prévu. Pour commencer, Alexandre Sanguinetti, l'air bougon, mystérieux, annonce sa démission du secrétariat général de l'UDR. La salle s'interroge puis proteste. Il faut élire un remplaçant. Justement, un candidat s'avance et se dit prêt à relancer le mouvement. C'est Jacques Chirac.

Tollé. Pendant plusieurs heures, Jacques Chirac va devoir essuyer les insultes et les quolibets. Qu'on en juge.

Robert-André Vivien ricane : « Est-ce un 18 Brumaire ou un 1er Avril ? »

Alain Peyrefitte stigmatise le « mépris de la démocratie » du Premier ministre.

Jacques Chaban-Delmas crie à la « pantalonnade ».

Robert-André Vivien encore : « Ma parole, c'est Pinochet ! »

Face à cette explosion, le Premier ministre a un mouvement de recul. Pendant une suspension de séance, Michel Debré, paternel, le prend par le bras et lui vante à nouveau, loin des autres, les mérites de la direction collégiale. Jacques Chirac l'écoute avec intérêt. Apparemment, il est en train de flancher. Quand on a tout à perdre, faut-il tout risquer ?

De son QG de Matignon, Marie-France Garaud surveille les opérations. Elle connaît la maxime du Général : « L'autorité ne va pas sans prestige, le prestige sans éloignement. » Et elle adore diriger de loin, par téléphone. Apprenant que les vents tournent, elle appelle Charles Pasqua à la manœuvre, au salon « l'Aiglon » de l'hôtel Intercontinental. Il est aux cent coups.

« Tout se passe très mal, dit Charles Pasqua. Tous les gens contre ont parlé. Les autres ne disent rien. Et Chirac est, en ce moment même, en grande discussion avec Debré.

— Mon Dieu ! Voulez-vous dire que la direction collégiale revient à l'ordre du jour ?

— Exactement. Mais, si l'on votait maintenant, Chirac ferait toujours 60 %.

— Alors, que l'on fasse voter ! »

Non loin de là, René Tomasini est dans tous ses états. Il a refait ses pointages : Jacques Chirac est à deux contre un. Mais il constate que, psychologiquement, le climat devient exécrable : le Premier ministre apparaît désormais clairement comme le diviseur. Et il fait part de ses doutes à un jeune gaillard, aussi haut que le général de Gaulle, qui assiste Pasqua à l'organisation.

« C'est affreux, fait "Toto", mais je crois que Jacques va retirer sa candidature. »

Le jeune gaillard est effondré.

Justement, le Premier ministre passe par là. Il a l'œil interrogatif et sa tête des mauvais jours. Le jeune gaillard s'accroche à lui :

« Les gaullistes, il faut les prendre à la hussarde. Faisons donner Messmer et votons. Vous verrez : vous obtiendrez sans difficulté deux tiers des voix. »

Le jeune gaillard en question, c'est l'un des futurs lieutenants de Chirac : Michel Noir. Avec Charles Pasqua, il a gagné, ce jour-là, ses galons. Et il est entré dans l'Histoire sainte du chiraquisme.

Ni Pasqua ni Noir, pourtant, ne sont des petits saints. Pour retourner les membres du comité central, ils n'ont pas lésiné sur les moyens, les sourires, les menaces. Le Premier ministre finit par se rendre à leurs arguments. Il s'oppose à la direction collégiale. Il fait donner Messmer. Il maintient sa candidature. Indigné, Jacques Legendre, député-maire de Cambrai et jeune étoile du néo-chabanisme, présente la sienne. Les barons tempêtent. Les insultes pleuvent. On passe au vote.

Il est sans surprise. Comme par hasard, les résultats coïncident avec les prévisions de Charles Pasqua et de Michel Noir : cinquante-sept voix pour Jacques Chirac et vingt-sept pour son adversaire. Personne, pourtant, ne pourra crier au truquage : on a voté sans mandat et à bulletins secrets.

Le vendredi, Jacques Chirac n'avait pas sa carte de l'UDR. Le samedi, il était élu secrétaire général. C'est à peu près dans les mêmes conditions que François Mitterrand s'était emparé, trois ans plus tôt, de la direction du PS, au congrès d'Épinay. On reste frappé par les similitudes entre les deux opérations. On y retrouve la même duplicité, la même impatience, la même brutalité.

Ce n'est pas vraiment surprenant. Pour les deux hommes, la politique n'est que le prolongement de la guerre par d'autres moyens. Elle n'admet pas les excuses. Ni les sentiments. Ils emportent tout sur leur passage. Et ils vont si vite qu'on se demande s'ils prennent la peine de respirer.

L'un et l'autre partaient à l'assaut d'une vieille garde encore puissante : qu'il s'agisse des barons du gaullisme (Chaban, Guichard, etc.) ou des apparatchiks du socialisme (Mollet, Savary, etc.), elle était bien décidée à ne pas se laisser déloger. Ils ne l'ont pas prise en traître puisqu'ils lui ont fait part, peu auparavant, de leur dessein. Puis ils l'ont croquée, grain à grain, comme une grappe de raisin, avec le même flegme ricanant.

C'est ainsi que l'un est devenu Chirac et l'autre, Mitterrand : en faisant table rase.

Jusqu'à présent, Chirac, casse-cou dégourdi et joueur inspiré, avait construit son destin en se mettant dans le sillage des autres. Dans celui de Pompidou, pendant douze ans, puis dans celui de Giscard, pendant huit mois. Ce matin-là, en prenant la direction de l'UDR, il accède sans ambiguïté à la maturité politique, pour le plus grand malheur de VGE. Il ne reste plus au Premier ministre qu'à plumer l'oie sans la faire crier.

En attendant, c'est l'UDR qui crie. L'après-midi, quand les membres du comité central s'en vont retrouver les militants porte Maillot, à l'hôtel Concorde où se tient le conseil national du mouvement, ils sont accueillis par un brouhaha de clameurs, de huées, de sifflets. La tension est insupportable. Jacques Chirac commencera dans le chahut son discours d'ouverture. Quand il clôturera les débats, il déclenchera, au contraire, des tonnerres d'applaudissements.

Pourquoi a-t-il convaincu ? Parce qu'il a vaincu et que les militants gaullistes sont trop contents de se faire violenter. Leur mouvement, qui a vécu, pendant onze ans, à l'ombre d'un grand homme, a la nostalgie d'un vrai chef. Jacques Chirac en a les apparences, sinon les attributs. L'UDR aime les éperons, les mâchoires, les coups de cravache et les jugulaires au menton. Elle est conquise. Après le Général, elle a au moins hérité d'un colonel…

Au conseil national, pourtant, les barons ont sonné la charge. Olivier Guichard, par exemple, est sorti de sa réserve bonasse pour laisser tomber d'une voix exceptionnellement vigoureuse, l'index pointé en direction du Premier ministre : « C'est un mauvais coup parce qu'il nous divise. Votre décision renie un effort de plus de trente ans. » Michel Debré, sermonneur comme jamais, a mis en garde : « La politique n'est pas un jeu, la politique est un service public. » Annonçant sa décision de démissionner du mouvement, René Ribière, député du Val-d'Oise et vieille figure du gaullisme parlementaire, dit à Jacques Chirac : « Un de vos ministres, monsieur le secrétaire général, a récemment qualifié de "fascisant" un des principaux partis politiques. Avec vous à la tête de l'UDR, je crains que cette épithète ne puisse bientôt être appliquée à ce qui fut le mouvement gaulliste. »

Les exhortations historiques, les admonestations hystériques, rien n'y fait. Tous les barons ou presque devront s'incliner devant l'unanimisme qui soulève bientôt la salle. À la fin du conseil national, une motion de soutien à Jacques Chirac est adoptée à main levée. Un seul militant indique qu'il ne prend pas part au vote. C'est Jacques Chaban-Delmas.

Reste maintenant à gagner la victoire. Jacques Chirac, comme tous les machiavéliens, tend sa main aux vaincus. Il en fait même trop, comme toujours. On le voit se précipiter, tout effusant, vers Chaban qui passe dans un couloir : « Comment ça va, cher ami ? » On l'aperçoit se ruer, la paume tendue, vers Guichard, Vivien et les autres. Il faut savoir terminer une guerre...

Et cela, Chirac le sait. Il s'est donné deux mois pour réorganiser l'UDR et laisser la place à un homme qui aura sa confiance. En attendant, il soigne sa minorité en suivant à la lettre le précepte d'Henri IV : « Le meilleur moyen de se défaire d'un ennemi est d'en faire un ami. » Grâce aux voix chiraquiennes, Olivier Guichard est ainsi le mieux élu des parlementaires délégués au comité central. André Fanton, le hussard noir des barons, se voit proposer un secrétariat général adjoint qu'il refuse. Albin Chalandon, qui flottait entre les uns et les autres, acceptera, lui, l'aubaine.

L'état-major que Chirac met sur pied est guidé, comme le notera *Le Monde*[1], par « la volonté d'affirmer une nouvelle image de marque ; celle du libéralisme et d'une certaine ouverture ». Déjà, dans son discours au conseil national, le Premier ministre avait dans un même mouvement annoncé le projet de loi sur la taxation des plus-values, exalté les vertus de la participation et célébré la réforme de l'entreprise. Parmi les nouveaux secrétaires généraux adjoints et secrétaires nationaux du mouvement, on trouve des hommes comme Jean Taittinger, ancien garde des Sceaux de Pompidou, réformiste notoire ; Lucien Neuwirth dit « Lulu », auteur de la loi sur la contraception qui porte d'ailleurs son nom ; Jean de Lipkowski, ex-mendésiste, gaulliste de gauche ; René Caille, porte-parole tonitruant de l'aile « ouvriériste » de l'UDR.

Réformiste, Chirac ? Probablement. Pierre Lelong, alors secrétaire d'État aux PTT, qui entrera en conflit avec lui, se souvient : « Son obsession, c'était de faire du social. Il était à la remorque des

---

1. 20 décembre 1974.

idées de gauche, naviguant au plus près en essayant de se faire critiquer le moins possible par les commentateurs à la mode. »

Ainsi naquit Jacques Chirac : brûlant, rapace et réformiste, furieusement réformiste. Il ressemble si fort à un chef qu'il finira par se prendre pour tel.

Valéry Giscard d'Estaing n'a rien vu. Quand son Premier ministre prend l'UDR à l'abordage, Olivier Stirn, secrétaire d'État aux DOM-TOM, se trouve aux côtés de VGE, aux Antilles. Il rapporte que le président, en apprenant la nouvelle, était au comble du ravissement. Claude Pierre-Brossolette, secrétaire général de l'Élysée, se souvient avoir entendu Giscard commenter le coup d'État chiraquien ainsi : « C'est sans doute mieux comme ça. »

Le chef de l'État vit, il est vrai, au-dessus de lui-même. Il trône loin du monde et de son tintamarre. Il ne voit donc pas venir les coups. Claude Pierre-Brossolette explique ainsi, non sans cruauté, la psychologie présidentielle : « Il y avait, chez Giscard, l'idée qu'il était tellement beau et tellement intelligent qu'on ne lui ferait pas de méchanceté. Narcisse, il se croyait invulnérable, irrésistible. Et il avait parfois tendance à prendre les autres pour des imbéciles. »

Faisant taire les prophètes de malheur, le président dit à son état-major de l'Élysée : « "Ponia" est fatigant. Qu'il laisse donc tranquille ce pauvre Chirac ! » Et, à la fin de l'année, il décide de décorer son Premier ministre de l'ordre national du Mérite.

Apparemment, le couple Chirac-Giscard marche bien. Il règne entre eux des relations de confiance. Mais la confiance n'est-elle pas souvent mère du dépit ?

26

Les autruches

> « Le mensonge qui fait du bien vaut mieux que la vérité
> qui fait du mal. »
>
> *Proverbe persan*

Les hommes politiques devraient préparer la prochaine génération. Ils se contentent généralement de préparer la prochaine élection. C'est, apparemment, ce que fait Jacques Chirac qui, dans les
entretiens qu'il accorde à la douzaine, parle plus volontiers de politique que d'économie.

Après l'explosion des prix des matières premières de 1973 – ce
qu'on appelle aujourd'hui le premier choc pétrolier –, Chirac a-t-il
vraiment vu venir la crise qui, pendant près d'une décennie, allait
secouer l'économie occidentale ? Oui et non. Certes, quelques jours
après son accession à Matignon, il présentait un plan d'austérité.
Certes, il n'a cessé, depuis lors, de plaider pour la rigueur : « Il
faudra s'habituer à une économie dont la croissance sera modeste »,
déclare-t-il le 23 septembre 1974. Mais c'est pour ajouter aussitôt :
« Il faut absolument que le taux de progression des salaires reste
légèrement supérieur au taux de progression des prix. » D'entrée de
jeu, le Premier ministre a refusé de faire passer la lutte contre
l'inflation avant le maintien du pouvoir d'achat et du plein emploi.
Lors de sa déclaration de politique générale, il n'a même pas hésité
à brocarder « l'erreur paresseuse de la déflation ». De ce point de
vue, il est, à l'évidence, l'anti-Barre.

À qui va-t-il faire payer la crise ? À l'entreprise. Pour le Premier
ministre comme pour le président de la République, c'est la victime
expiatoire du choc pétrolier, taillable et corvéable à merci.

C'est donc l'entreprise qui endurera, pour l'essentiel, les effets du plan social – notamment avec l'augmentation du SMIC. C'est elle encore qui supportera le poids du plan anti-inflationniste de Jean-Pierre Fourcade – prélèvement fiscal supplémentaire de 5 milliards de francs, maintien d'un encadrement très strict du crédit, etc. Au lieu de répondre au choc pétrolier en renforçant les investissements, donc les entreprises, le tandem Giscard-Chirac a préféré prendre la décision de protéger avant tout les salariés et les consommateurs. Choix stratégique aberrant : pour s'en tirer, en somme, l'Hexagone devrait investir moins et consommer... plus.

C'est ainsi que la France sera l'un des rares pays industrialisés dont le train de vie restera intact, pour le plus grand malheur de son appareil industriel. En 1975, alors que la croissance est en moyenne négative dans les pays de l'OCDE (– 0,3 %), elle est positive dans l'Hexagone (+ 0,2 %).

Sur la crise, Giscard et Chirac parlent à peu près le même langage : celui, réconfortant, des anesthésistes. Après avoir annoncé qu'elle serait « durable », lors de sa conférence de presse du 24 octobre 1974, le président fait volte-face et répète en Conseil des ministres : « Dramatiser, c'est décourager. » Alors, sans discontinuer, le chef du gouvernement, la leçon bien apprise, dédramatise pour encourager. Lors d'un déjeuner organisé par la *Revue des Deux Mondes*, le 28 janvier 1975, il déclare : « Pour résumer la situation présente, je me suis gardé d'employer le mot "crise". Il implique en effet, dans la mémoire collective des Européens, des souvenirs qui ne peuvent que rendre plus difficile une analyse correcte [...]. Dans le monde de 1975, il n'y a pas de crise mondiale. Il y a une remise en question qui peut être une salutaire remise en ordre. »

Chirac n'a pas voulu être celui qui fermerait le chapitre ouvert par les « trente glorieuses » – trente années pendant lesquelles le pouvoir d'achat a été multiplié par quatre. Il n'a pas eu ce courage. Mais il est vrai qu'aucun homme politique français ne l'a eu, ce courage. Jusqu'à ce que Pierre Mauroy, après un an de faste budgétaire et de relance par la consommation populaire, décide d'avaler le calice de la rigueur, en 1982.

Le Premier ministre n'en a pas moins été partisan d'une austérité plus « musclée » que celle du plan Fourcade (« Jacques me trouvait trop laxiste », reconnaît son ancien ministre des Finances). Chirac fait également front, pendant plusieurs mois, contre tous ceux qui réclament la relance à tout-va.

Dans *L'Express*, il résume ainsi sa philosophie économique devant le journaliste Roger Priouret :

« Sans doute, certains – je crois que vous en êtes – suggèrent une solution de plus grande facilité, qui consisterait à tolérer pour l'économie un certain taux de hausse des prix qui faciliterait la croissance. Mais il n'est pas possible de maintenir l'inflation à un taux modéré. Comme l'a dit un économiste qui avait de l'humour : "On ne fait pas plus un peu d'inflation qu'on fait un peu de grossesse."

« L'inflation, en effet, n'a de charme, pour les agents économiques, que quand elle s'accélère progressivement, donnant à chacun l'illusion d'un accroissement constant de ses revenus en argent. Et, dans une économie ouverte comme la nôtre, on assiste très vite au déséquilibre des échanges extérieurs, auquel il faut remédier bientôt par une action de déflation qui plonge dans un chômage aggravé [1]. »

Ces propos, d'une grande orthodoxie, Jacques Chirac les a tenus après avoir relâché quelque peu la pression. Le 23 avril 1975, il parvient à arracher à VGE un premier petit plan de relance. Mais il est convaincu que ce n'est pas assez. La production industrielle a baissé de 14 % en moins d'un an. Le niveau des offres d'emploi chute de 9 % tous les mois : le pays compte déjà neuf cent mille travailleurs sans emploi et le patronat en prédit déjà deux millions pour l'année suivante.

Que faire, alors ? Rompre avec la politique de refroidissement. Le Premier ministre se demande en effet si le diagnostic de François Mitterrand n'est pas le bon : le gouvernement risque d'être balayé, bientôt, par l'explosion sociale. À moins qu'il ne se décide à relancer vraiment. Chirac s'appuie sur une étude d'Edmond Malinvaud, probablement le plus grand économiste de France, réalisée pour le Commissariat général au Plan. Elle plaide pour un « redéploiement » de l'activité économique et, dans la foulée, pour le retour à une croissance soutenue. Le 23 juillet 1975, au cours du Conseil des ministres, le chef du gouvernement repart à la charge : « Avec notre taux de chômage, nous sommes entrés dans la zone de

---

1. *L'Express*, 24 novembre 1975.

danger : c'est tout le pays qui peut maintenant sauter en l'air. Le plan de redressement n'a que trop duré. Les entreprises ont besoin d'une relance, même si les technocrates imbéciles ne songent qu'à freiner leurs investissements. »

Interloqué, VGE fait un tour de table. Et, à la surprise générale, Michel Poniatowski abonde dans le sens du Premier ministre : « Les Français ont peur du chômage. Si l'on veut éviter que le climat ne se dégrade, il faut lâcher du mou. » Michel Durafour, ministre du Travail, et Christian Bonnet, ministre de l'Agriculture, embrayent. Le président est surpris. Surpris et secoué. C'est une unanimité qui donne à songer.

Le 29 juillet, Valéry Giscard d'Estaing flanche : « L'évaluation des faits économiques et sociaux a été différente au cours des derniers mois de ce qui avait été prévu », dit-il aux Français. Puis : « Il faut donc agir. » Et le président annonce « un programme important de soutien de l'activité économique ». Le lendemain, au Conseil des ministres, Jacques Chirac en profite pour enfoncer le clou. Il se livre à une attaque en règle de la politique de Jean-Pierre Fourcade avant de conclure : « On a commis, depuis un an, trop d'erreurs d'appréciation. »

Ainsi naît Chirac-la-relance. Après avoir prêché la rigueur pendant la première année du septennat de VGE, il se fait soudain, dans un retournement saisissant, l'avocat de la reprise économique. Jugulaire au menton, il se contredit lui-même avec la même conviction péremptoire.

Ainsi naît aussi Chirac-l'inconstant. À cette occasion, en effet, il apparaît comme un personnage qui change d'avis comme de chemise. Question de propreté sans doute, comme disait Jules Renard. Mais le Premier ministre brouille ainsi son image de hussard noir téméraire et tout d'une pièce.

Il fait le parcours inverse de François Mitterrand qui, en 1981, a commencé par prendre les chemins de la relance avant de déboucher, grâce à Pierre Mauroy, sur la rigueur économique. Mais, dans les deux cas, le résultat est le même. C'est une perte de crédibilité.

En reprenant à nouveau le thème de la croissance, Chirac ne fait pourtant que reprendre un vieux thème qui lui est cher. Pour lui, le doute n'est plus permis, à l'approche des échéances électorales : le gouvernement doit entrouvrir les vannes. À Roger Priouret encore, le Premier ministre déclare froidement : « Ce qui est important pour nous, non seulement pour notre devoir d'hommes politiques, mais pour les échéances électorales, c'est la situation économique et ses conséquences. La France est un pays – et Georges Pompidou le disait souvent – qui supporte à la rigueur l'inflation, mais certainement pas la récession et le chômage [1]. »

Pour Chirac, cette crise, qui est arrivée sans qu'on l'ait fait venir, n'a rien à voir avec le destin : le monde est à la volonté bien plus qu'à la fatalité.

D'après plusieurs éminences du giscardisme, c'est sur l'économie que tout a commencé à se fissurer entre VGE et le Premier ministre.

Jean-Pierre Fourcade se souvient d'avoir entendu Giscard dire, à cette époque : « Sur la relance, Chirac a des thèses extrémistes. Il raconte vraiment n'importe quoi. »

Michel Poniatowski confirme que l'agacement présidentiel date de l'été 1975 : « Ils avaient un dialogue de sourds. L'un disait : "Ouvrons les robinets pour préparer les élections." L'autre répondait : "Serrons les boulons pour lutter contre l'inflation." »

À en croire la version officielle du giscardisme, Chirac, en présentant le plan de relance, se serait fait tancer par le chef de l'État :

« Je vous ai demandé un plan de lutte contre l'inflation. Vous m'avez fait un plan de relance de l'inflation.

— Il faut relancer l'économie pour pouvoir affronter en bonne position les élections législatives anticipées. Je propose qu'elles aient lieu en juin 1976.

— Les élections, ce n'est pas votre problème mais le mien. Occupez-vous de l'inflation. »

« Ponia » rapporte même que VGE aurait grommelé devant lui : « Cette affaire de relance, c'est un choix politique fondamental. En lâchant maintenant, on se condamne sans doute à faire des efforts beaucoup plus grands dans l'avenir. »

À chacun sa vérité. Jacques Chirac refuse, lui aussi, d'assumer la paternité du plan de relance du 4 septembre. À l'entendre, il aurait préparé le terrain. Pas le train de mesures…

« Les pays européens étaient en pleine récession, explique-t-il. Ils se sont donc concertés à Bruxelles pour mettre au point une relance par l'investissement. Ce plan, le président de la République l'a

---

1. *Ibid.*

voulu. Jean-Pierre Fourcade l'a conçu. Et je l'ai, pour ma part, totalement approuvé. Je ne pouvais guère faire davantage : ce n'est pas trahir un secret de dire que la conduite de la politique économique m'échappait un peu. » Pourquoi, alors, lui attribue-t-on la responsabilité de la relance ? « Sans doute parce que Raymond Barre, mon successeur, a pris l'habitude, pour se forger une personnalité, de me critiquer à travers ce plan qu'il trouvait détestable. Mais il savait bien que c'est le président qui en avait pris l'initiative. »

Historiquement, Chirac n'a pas tort. C'est Giscard qui a mis au point le plan de relance. Dans *Le Pharaon* [1], Jean Bothorel va même jusqu'à écrire : « Ce sera sa chose. »

À Bonn, lors du sommet franco-allemand, les 25 et 26 juillet 1975, c'est en effet le président qui définit les grands principes du plan avec Helmut Schmidt qui, de son côté, parachève ses mesures de relance de l'économie allemande. Après le Conseil des ministres du 4 septembre, c'est encore Giscard qui présente aux Français ce qu'il appelle son « programme de développement économique » : 23 milliards de crédits supplémentaires – pour les restructurations industrielles, le réseau routier, le logement, le TGV, etc.

C'est un plan Giscard, en somme. Pas un plan Chirac. Et, claquemuré dans son bureau de Matignon, le Premier ministre ne manque pas, à l'époque, de le faire savoir : « Giscard, explique Chirac à sa petite équipe de l'UDR, ne peut tout de même pas nous faire endosser la responsabilité d'une politique qu'il a directement concoctée avec les ministres, par-dessus Matignon [2]. »

S'il n'est pas l'auteur du plan, Chirac l'a inspiré. Bref, il est au moins complice.

Étrange fatalité. Giscard et Chirac avaient d'abord raté la rigueur : en refusant de toucher au pouvoir d'achat des ménages, ils avaient plumé l'avenir, c'est-à-dire les entreprises et les investissements. Ils allaient maintenant rater – à moitié, il est vrai – la relance. Entre octobre 1975 et avril 1976, la croissance a atteint, en taux annuel, 18 %. Mais la hausse des prix reste à un niveau trop élevé : 10 %. Et le déficit du commerce extérieur continue à se creuser.

---

1. Tome 1 de l'*Histoire du septennat giscardien*, Grasset, 1983.
2. *Ibid.*

À qui la faute ? L'un et l'autre étaient sur la même longueur d'onde. Ce n'est donc pas à cause du fond des choses que Chirac et Giscard ont entamé, cet été-là, leur procédure de divorce. C'est à cause des vices de forme : en quelques mois, ils vont miner leur contrat de confiance...

27

Les liaisons dangereuses

La haine est toujours plus clairvoyante et plus ingénieuse que l'amitié.

Pierre Choderlos de Laclos,
Les Liaisons dangereuses

« Vous n'avez pas été un mauvais Premier ministre. Vous n'avez pas été Premier ministre du tout. »

C'est ce que Jacques Chirac s'est entendu dire, un jour, alors qu'il demandait à Marie-France Garaud s'il avait été un bon chef de gouvernement. Dans la bouche de son éminence grise, ce n'était sûrement pas une boutade. Comme Pierre Juillet, elle était convaincue que l'ex-hussard de Georges Pompidou n'avait pas pris, à Matignon, assez de hauteur ni de recul, qu'il s'enlisait dans la gestion quotidienne, qu'il suivait, pour tout dire, la stratégie du bourdon sur la vitre.

Était-il vraiment Premier ministre, ce grand escogriffe toujours pressé, jamais en repos et légèrement écervelé ? À cette époque, Marie-France Garaud raconte qu'elle a découvert un autre Chirac : « Celui du soir, celui que je connaissais jusqu'alors, était attentif et sérieux. Celui du jour, celui que j'apprends à connaître, est dissipé et galopant. »

Notant que VGE rend souvent des. arbitrages contre son Premier ministre, Marie-France Garaud demande à Jacques Chirac de réunir son état-major, chaque lundi matin, pour faire le point sur les dossiers de la semaine. Il accepte, apparemment de bonne grâce. Mais il arrive toujours en retard, l'air distrait ou préoccupé, c'est selon. Il passe son temps à répondre au téléphone. Parfois même, il s'éclipse au bout de quelques minutes : « Excusez-moi. Il faut que j'appelle la Corrèze. C'est important. » Il va de soi que la conférence du lundi sera rapidement supprimée...

On peut trouver plusieurs explications à l'attitude du Premier ministre. D'abord, sa difficulté à se concentrer sur les questions de fond – ce qui n'est pas surprenant chez un homme qui ne croit pas à l'urgence du long terme. Ensuite, sa volonté de ne pas laisser ses propres collaborateurs prendre en main sa stratégie – et il est vrai que Marie-France Garaud était une conseillère aussi directive que dominatrice. Il est même probable que Jacques Chirac a saboté la conférence du lundi pour les deux raisons en même temps : par lassitude de primesautier et par soif d'autonomie.

Faut-il en conclure pour autant que cet ennemi de la prévision ait été un exécrable Premier ministre ? Les avis sont partagés. Curieusement, Michel Poniatowski prend, sur cette question, le contre-pied de Marie-France Garaud : « Chirac faisait très consciencieusement son métier de Premier ministre. Tant qu'il n'a pas fait de politique, il faisait de la très bonne gestion. »

Claude Pierre-Brossolette, alors secrétaire général de l'Élysée, est à peu près sur la même longueur d'onde : « Il était rapide, sérieux, efficace. Il était même gentil et modeste. » Puis : « Mais je n'arrivais jamais à savoir le fond de ses convictions. Je n'étais même pas sûr qu'il en avait. »

Sur ses qualités de Premier ministre, tout le monde n'a pas la même vision : les déçus du chiraquisme, par exemple, condamnent le Premier ministre de Giscard au nom de la morale, de l'aptitude et de la capacité politique.

Pierre Lelong, que Jacques Chirac a écarté sans ménagement du secrétariat d'État aux PTT après une grève des postiers qui avait mal tourné, est l'un des moins indulgents : « Le Premier ministre était toujours de l'avis du dernier qui avait parlé. Du coup, ses consignes changeaient tout le temps. Et il était très difficile de travailler avec lui. D'autant qu'il était impensable de lui extorquer une conversation de fond. C'était bien la preuve qu'il n'avait pas d'idées bien précises sur la politique à suivre. »

Yves Guéna, que Jacques Chirac a porté à la tête du mouvement gaulliste avant de le liquider quelques mois plus tard, n'est pas moins cruel : « À la fin, les comités interministériels à Matignon avaient disparu. Il n'y avait plus que des conseils restreints à l'Élysée. Le Premier ministre était trop occupé à faire de la politique. Il faisait, non sans raison, une fixation sur Michel Poniatowski qui le court-circuitait systématiquement. Il passait donc son temps à courir après le ministre de l'Intérieur. Et, pendant ce temps-là, il ne gouvernait pas. »

C'est tout le problème : depuis son arrivée à l'Élysée, VGE a deux bras droits. Un de trop. Alors, ils jouent, comme le dira un jour Marie-France Garaud, à « Madame Première et Madame Seconde ».

Gigantesque, attentif et cardiaque, Poniatowski parle d'une voix douce. Il a souvent les yeux baissés et un sourire coquin, comme s'il pensait à autre chose. Mais, quand il est avec VGE, tout son visage s'anime, ses pommettes rougeoient, ses deux petits yeux papillotent de plaisir : c'est un autre homme. « Spadassin et femelle, comme dit Marie-France Garaud, Poniatowski a aimé Giscard comme un homme aime un homme. » Claude Pierre-Brossolette confirme : « "Ponia" était jaloux comme un tigre. Et, comme il est du genre lourdaud, il a multiplié les impairs. » Jean-Pierre Fourcade avoue : « Il me montait sans arrêt contre Chirac. »

Jacques Chirac ne voit pas les choses autrement. « C'est Michel Poniatowski qui a creusé le fossé entre Giscard et moi, dit-il. Étant de nature très disciplinée, j'ai, au départ, complètement joué le jeu. Mais "Ponia", qui considérait que je prenais trop de place, disait sans arrêt au chef de l'État : "Méfie-toi de Chirac. Il fait trop de voyages à l'étranger. Il te fait de l'ombre." C'était de l'action psychologique vingt-quatre heures sur vingt-quatre. Et, bien entendu, ça a fini par porter. À cela, il faut ajouter mon lot de vexations quotidiennes. Elles avaient pour effet de me dresser contre le président et non contre leurs auteurs que je ne connaissais d'ailleurs pas. »

Dans *Les Mille Sources*[1], son livre non publié, Jacques Chirac avait développé le même thème : « Il m'est arrivé d'apprendre – par l'un ou l'autre de mes ministres, quand ce n'était pas par la presse ou la radio – des décisions importantes sur lesquelles je n'avais pas été consulté. S'il m'advenait de diverger d'opinion avec mon ministre de l'Économie et des Finances, je pouvais très bien apprendre qu'une décision avait été prise à l'Élysée sans que j'en

_____

1. *Op. cit.*

aie été davantage informé. Jour après jour, j'ai mesuré ce qu'il y avait d'inconvenant à prétendre détenir une responsabilité qu'on n'était pas en mesure réelle d'exercer. »

Le 31 janvier 1975, quand Giscard et « Ponia » remanient le gouvernement, ils ne prennent même pas la peine de prévenir Chirac qui, quelques jours plus tôt, déclarait, péremptoire, qu'il n'y aurait pas de remaniement.

Quelques mois plus tard, cherchant un remplaçant pour Jacques Pélissier, son directeur de cabinet, qui vient de prendre la présidence de la SNCF, le Premier ministre convoque un homme qui l'a ébloui lors de son passage éclair à l'Intérieur. Un roc comme il les aime. C'est Robert Pandraud, énarque à la voix rocailleuse. Bougon, balourd, zozotant et tétant toujours quelque chose, une cigarette, une pipe ou un crayon, il a l'œil mi-clos du berger, sa vigilance tranquille. Et il ne semble jamais ému par rien, même quand tout bouge autour de lui.

Chirac demande à Pandraud s'il veut bien devenir son directeur de cabinet à Matignon.

« Évidemment, fait l'autre. Mais il faudrait que tu en parles à "Ponia". Jusqu'à nouvel ordre, je fais partie de son cabinet.

— J'en fais mon affaire », tranche Chirac.

Le Premier ministre appelle alors « Ponia » sur l'interministériel. Pandraud comprend tout de suite que l'affaire est mal engagée. Chirac rame, s'échauffe. Puis, laissant tomber l'écouteur :

« Je suis désolé mais ça ne peut pas se faire. "Ponia" et le président envisagent autre chose pour toi : la direction générale de la Police. »

Y a-t-il encore un Premier ministre à Matignon ? Celui qui, alors, fait office de chef du gouvernement ne peut en tout cas pas choisir à sa guise son directeur de cabinet. Pas banal…

Michel Poniatowski a bon dos et les courts-circuitages n'expliquent pas tout. Entre Jacques Chirac et Valéry Giscard d'Estaing, le malentendu date du premier jour. Catherine Nay l'a fort bien résumé : « Valéry Giscard d'Estaing croit son Premier ministre assez souple et maniable pour lui être indéfectiblement soumis et Jacques Chirac croit le président assez malléable et fragile

280

pour lui imposer à la longue ses volontés. C'est la double méprise [1]. »

La conquête de l'UDR par le Premier ministre a commencé à entrouvrir les yeux présidentiels : pour la première fois dans l'histoire de la Ve République, le chef du gouvernement pèse plus lourd, à l'Assemblée nationale, que le président de la République. C'est un tournant institutionnel. Et François Mitterrand, alors premier secrétaire du PS, ne fait pas seulement de la polémique quand il déclare au *Point* [2] : « Désormais, le président de la République n'est plus maître du choix de son Premier ministre, car celui-ci dispose d'un appui parlementaire plus large que le sien. Il ne pourra plus le révoquer à son gré, sauf à l'occasion de difficultés gouvernementales qui affaibliraient l'exécutif [...]. M. Giscard d'Estaing rêvait d'un régime de plus en plus présidentiel. Et c'est le contraire qui se produit. La dyarchie récusée dédaigneusement par de Gaulle existe désormais. La faillite constitutionnelle par où passera un jour ou l'autre la crise des institutions, c'est-à-dire la possibilité pour un Premier ministre de rester à son poste en s'appuyant sur l'Assemblée nationale contre la volonté du chef de l'État, M. Chirac, par son récent retour en force, vient de l'actualiser. M. Giscard d'Estaing mesurera bientôt la faute qu'il a commise en négligeant cet aspect de la Constitution et en désignant un homme capable de l'exploiter, ce qu'avant lui de Gaulle et Pompidou avaient soigneusement évité. »

Le trait est forcé, la conclusion scabreuse, mais l'analyse est juste : Jacques Chirac a entrepris de se hisser au niveau de Valéry Giscard d'Estaing. Ce n'est pas sans raison que l'état-major de VGE à l'Élysée répète alors à qui veut l'entendre la sentence d'un vieux sage chinois qui avait tout compris : « Le ciel n'a pas deux soleils, le peuple n'a pas deux souverains » (Mencius).

Au fur et à mesure que le Premier ministre renforce son emprise sur l'UDR, le président semble perdre la sienne sur la majorité : l'un grandit, l'autre rétrécit. C'est particulièrement clair aux assises du mouvement gaulliste à Nice, les 14 et 15 juin. Elles réunissent six mille délégués sous le plus grand chapiteau de France et devant des portraits de cinq mètres de haut du général de Gaulle et de

1. *La Double Méprise, op. cit.*
2. 27 janvier 1975.

Georges Pompidou. C'est le sacre de celui qui, il y a un an encore, n'était qu'un homme seul, désarmé, renié par les siens.

À la stupeur générale, Jacques Chirac annonce, à la fin de son discours de clôture, qu'il se démet de son mandat de secrétaire général. Il propose de se faire remplacer par un intérimaire, André Bord, gaulliste alsacien, dévoué et pataud, qui, cela va de soi, ne lui fera pas d'ombre. Pour qui n'aurait pas compris, il annonce, dans la foulée, qu'il se « considère comme moralement responsable de l'avenir du mouvement ». Et il se fait proclamer secrétaire général d'honneur.

Pourquoi cette « démission » ? Parce que, tout en continuant à contrôler l'UDR, Jacques Chirac entend maintenant étendre sa main sur toute la majorité. Il guigne, pour tout dire, le titre de chef de ladite majorité pour préparer les élections législatives de 1978. Depuis plusieurs mois déjà, il explique au président qu'elle ressemble à une « brouettée de grenouilles qui sautent de tous les côtés » ; qu'il lui faut un grand coordonnateur ; qu'il est tout désigné, en tant que Premier ministre, pour tenir ce rôle. À chaque fois qu'il revient à la charge, VGE fait mine de ne pas comprendre : « Mais, voyons, vous êtes déjà chef de la majorité. »

Que veut Chirac ? D'abord, en finir avec les petites phrases. C'est à croire que tout le monde, dans la majorité, n'a de cesse que de le ridiculiser ou de le brocarder, c'est selon. Les membres du gouvernement s'en prennent parfois directement à lui. Le Premier ministre ayant déclaré – sottement – que le pays a évité « un grand drame » en votant VGE, et non Mitterrand, Françoise Giroud, secrétaire d'État à la Condition féminine, lui répond publiquement : « Je ne saurais tolérer que l'on crache sur l'opposition. C'est peut-être habile, mais c'est insupportable que l'on dise de la moitié des Français qu'ils ont été des criminels. » Pierre Abelin, ministre centriste de la Coopération, déclare froidement : « Il faut combattre l'UDR avec toute notre énergie. » Quant à Jean-Pierre Fourcade, dans un entretien avec Jacqueline Chabridon pour *Le Figaro*[1], il défie son Premier ministre avec une insolence inouïe : « J'ai une plus grande expérience de la gestion que Jacques Chirac. Il n'a jamais dirigé personnellement une administration ou une entreprise, il s'est peu penché sur les problèmes internationaux. Il me fait donc confiance

----

1. Le 30 avril 1975.

dans ces domaines. Nous avons des conceptions différentes de la société. Il est, au fond, beaucoup plus interventionniste et dirigiste que moi. C'est un homme qui a été marqué par la sociologie de sa circonscription. »

Ces ministres, Jacques Chirac les retrouve, chaque mercredi ou presque, à la table du Conseil. Ils n'ont cure de ses remontrances. Ils le regardent droit dans les yeux, avec un sourire moqueur, parce qu'ils ont tous droit à la protection de VGE. Autant dire que l'autorité du chef du gouvernement est flageolante, aux sommets de l'État.

Humilié, Jacques Chirac passe sa mauvaise humeur sur deux hommes de Giscard : René Haby, ministre de l'Éducation nationale, et Christian Bonnet, ministre de l'Agriculture. Ce sont ses têtes de Turcs. À l'un, il dit en comité interministériel : « On sait que vous avez été instituteur. Ce n'est pas la peine de défendre cette profession à ce point. » À l'autre, il lâche devant plusieurs ministres : « Vous êtes incapable de diriger votre administration. » Et il oublie d'inviter Bonnet aux repas qu'il organise régulièrement avec les quatre principaux représentants du monde agricole – les présidents de la FNSEA, des Jeunes Agriculteurs, des chambres d'agriculture et de la Mutualité agricole.

Irritable et crispé, Chirac n'a pas toujours la hauteur et la patience que commande la fonction. On le verra même, un jour, interrompre brutalement un comité interministériel après une algarade avec Jean-Pierre Fourcade.

Chirac voudrait que le gouvernement et la majorité le reconnussent. Il a besoin de considération et de beaucoup d'autres choses encore.

Après avoir abandonné le secrétariat général de l'UDR, aux assises de Nice, Chirac est convaincu que Giscard ne fera plus aucune difficulté pour le mettre officiellement à la tête de la majorité présidentielle. Il se trompe. VGE répugne, non sans raison, à confier le « rééquilibrage » de ladite majorité à celui qui, politiquement, y a le moins intérêt.

Au Conseil des ministres qui suit les assises de Nice, le chef de l'État, après avoir salué la « démission » de son Premier ministre (« C'est une sage décision »), laisse tomber un commentaire équivoque : « l'organisation d'ensemble de la majorité présidentielle » devra permettre aux Françaises et aux Français « d'apporter leur soutien personnel au mouvement vers une société libérale avancée ». Comprenne qui pourra...

Le Premier ministre comprend tout de suite. Il est atterré. Il ne se sent pas la force de supporter longtemps encore les diatribes et les sarcasmes des ministres ou des apparatchiks giscardiens. Ce qui n'était qu'une querelle de pouvoir se transforme ainsi peu à peu en conflit politique.

Récapitulons. Depuis l'avènement de VGE, la surprise est au pouvoir. Le président tend la main aux taulards de Lyon. Il invite les éboueurs à petit déjeuner à l'Élysée. Il s'en va dîner chez le Français moyen, garde champêtre ou sapeur-pompier, dans le pays profond. Il change le rythme de *La Marseillaise*. Il décide que la photo officielle ne se fera plus en hauteur, mais en largeur, et qu'il n'y sera plus en redingote mais en habit de ville. Il fait broder son emblème sur le drapeau présidentiel. Il conduit souvent sa voiture lui-même. Bref, il étonne.

Autant dire qu'il agace Chirac. Avant de se rendre au Conseil des ministres, le chef du gouvernement dit parfois à ses collaborateurs : « Qu'est-ce qu'il va encore nous inventer, ce matin ? » Il n'aime pas ce qu'il appelle, avec un brin de condescendance, les « gadgets » du président.

Et ses réformes ? Apparemment, elles lui conviennent. Après tout, c'est lui qui les met au point et qui les défend devant le Parlement. Le chef du gouvernement a ainsi fait voter l'abaissement de l'âge du droit de vote à dix-huit ans, la libéralisation de la contraception, la légalisation de l'avortement, la réforme des collectivités locales, etc.

VGE ayant déclaré que la France doit devenir « un immense chantier de réformes [1] », Chirac en est le maître d'œuvre. Aujourd'hui, pourtant, ses biographes orthodoxes expliquent religieusement qu'il fut, d'entrée de jeu, un réformiste malgré lui : la tension entre les deux hommes aurait donc été avant tout politique.

À en croire Thierry Desjardins [2], le Premier ministre découvre très vite que « finalement, Giscard est chabaniste. Même manie de vouloir faire jeune, de jouer au tennis ou de faire du ski devant les photographes, même idée fixe qu'on peut récupérer l'électorat de

---

1. 24 septembre 1974.
2. *Un inconnu nommé Chirac, op. cit.*

l'adversaire sans perdre le sien [...]. Chirac sait parfaitement que, si le président se lance dans cette politique de la proie pour l'ombre, il va perdre des voix en masse sans en gagner une seule ».

Sur la forme, il est vrai, le président et son Premier ministre ne sont pas sur la même longueur d'ondes. Tandis que VGE célèbre Léon Blum – « l'un des hommes politiques que j'admire le plus » – et les idées de la gauche – beaucoup « doivent être mises en œuvre » –, Chirac multiplie les attaques frontales, sans grande élégance, contre le Programme commun. Question de tempérament. Juste répartition des rôles aussi...

Mais sur le fond ? Pierre Juillet et Marie-France Garaud ont, certes, une vision clairement conservatrice de la société – provinciale, gastronome et gaullienne. Ils mettent en garde contre ce qu'on pourrait appeler le syndrome de Benjamin Disraeli. Autrement dit, contre la politique qui consiste à revêtir les habits de l'adversaire. « Chassez votre électorat, disent-ils, c'est l'autre qui revient au galop. Et qui vous renverse. » Jacques Chirac hausse les épaules. Il reste, lui, sur sa ligne des années soixante, celle du réformisme « musclé ».

Et c'est ainsi que les mesures sociales des premiers mois du septennat de VGE portent sa griffe. Il supervise la création de l'allocation supplémentaire d'attente qui garantit aux personnes licenciées pour raison économique 90 % de leur salaire brut pendant un an. Il met également au point la loi du 3 janvier 1975 qui subordonne tout licenciement à l'autorisation de l'Inspection du travail. Encore un pied de nez de l'Histoire : c'est l'annulation de cette loi qui figurera en tête du programme de la droite pour la campagne des élections législatives de 1986.

Ce n'est pas tout. Chaque fois qu'il en a l'occasion, Chirac réaffirme sa volonté réformatrice. Il entend bien changer la société, ni plus ni moins. Dans un grand entretien avec Georges Mamy pour *Le Nouvel Observateur* [1], il définit ainsi sa philosophie sociale : « J'ai toujours été frappé par le caractère excessif des inégalités dans notre société non pas par rapport à ce qui existe dans d'autres pays mais par rapport à ce qui devrait exister pour des gens qui ont pour ambition – comme c'est le cas des gaullistes – d'affirmer la dignité de l'homme. Et, bien que ce soit une tâche difficile, ardue lorsqu'on

---

1. 3 février 1975.

[...] voit les adhérences qui maintiennent les privilèges, je pense que nous devons affirmer de façon concrète notre volonté d'organiser une société plus juste et plus humaine. Eh bien, nous le ferons [...]. Je crois que tous les murs peuvent être abattus. La puissance des armes modernes est plus grande et les remparts sont de plus en plus fragiles. »

À l'UDR, il ouvre même officiellement la chasse aux conservateurs lors d'un comité central qui se réunit les 11 et 12 octobre 1975 : « Les conservateurs ont tenu une trop grande place dans l'UDR. C'est aux plus progressistes d'entre nous d'occuper le devant de la scène. »

Paroles en l'air ? Sa pratique gouvernementale a tendance à coïncider avec sa mélopée réformiste. S'il bloque la réforme de l'entreprise avec la complicité tacite de VGE, Chirac enterre aussi quelques projets qui ont le défaut d'être à rebours de la sensibilité ambiante et de l'idéologie dominante, celle de la gauche. Il en va ainsi de la privatisation d'une partie de l'audiovisuel d'État.

Quelques semaines après l'arrivée de Giscard à l'Élysée, Denis Baudouin, alors délégué à l'information du gouvernement – le ministère du même nom a été supprimé par Pompidou –, propose la privatisation de la troisième chaîne de l'ORTF. C'est une bombe. Mais Baudouin est un vrai libéral et il est allé jusqu'au bout de sa logique.

VGE, note Jean Bothorel dans *Le Pharaon* [1], « partage les convictions de Baudouin et dit clairement son intention de rompre le monopole ». Ce projet, révolutionnaire pour l'époque, dresserait fatalement beaucoup de monde contre lui : les gaullistes, les socialistes et les communistes, les syndicats... Chirac s'y oppose avec la dernière énergie, et Giscard finira par s'incliner. Il faudra se contenter d'un éclatement de l'ORTF.

On peut expliquer la position de Chirac contre la privatisation par cet étatisme robuste et véhément qui, depuis l'ENA, ne l'a jamais quitté. On peut aussi l'interpréter par la volonté de ne pas effaroucher cette intelligentsia qu'il prétend mal connaître et qui s'accroche fiévreusement au principe du monopole d'État sur l'audiovisuel. Le plus sensible aux sirènes du Tout-Paris culturel

1. *Op. cit.*

n'est pas forcément celui qu'on croit. C'est particulièrement net lors de l'affaire de la vente du *Figaro*.

Quand le plus vieux quotidien de France commence à battre de l'aile et que ses propriétaires décident de s'en débarrasser, le Premier ministre cherche à le faire reprendre par plusieurs banques. Mais Robert Hersant est plus rapide. Il bénéficie aussi de l'appui de VGE et de Marie-France Garaud. Aux sommets de l'État, Chirac est, curieusement, celui que gêne le plus aux entournures le rachat du *Figaro* par le député UDF de l'Oise. Il soutient même ceux qui, derrière Raymond Aron, entendent limiter l'influence de leur nouveau patron sur la ligne politique du journal.

Dans ses *Mémoires* [1], Raymond Aron, racontant l'histoire d'un combat perdu, confirme bien que Jacques Chirac ne resta pas inerte :

« Les grands personnages auxquels je confiai mes inquiétudes ne manifestèrent qu'un médiocre intérêt pour cette crise à répétition du *Figaro* (à l'exception de Jacques Chirac).

« Le président de la République me déconseilla, si mes souvenirs ne m'abusent pas, de quitter *Le Figaro*, mais il me parut insensible à l'essentiel, à savoir la perte d'autorité intellectuelle et morale qu'entraînerait pour le journal le départ de quelques noms symboliques. Seul Jacques Chirac reconnut la force de l'argument et il menaça Robert Hersant de lui refuser le soutien de l'UDR aux élections s'il acculait au départ les "intellectuels" du *Figaro*. »

Chirac saura bien, le moment venu, amadouer Hersant. D'autant qu'il ne résiste pas au magnétisme naturel de celui qui est en train de fabriquer le premier groupe de presse français. Mais l'épisode en dit long sur ses doutes, sa pente naturelle, sa mauvaise conscience.

Va-t-il tomber à droite ou à gauche ? Comme VGE, Chirac a souffert d'un prurit réformiste et cherché à échapper au face-à-face avec son électorat. Comme lui encore, il a cru que « le changement est une nécessité de survie ». Pendant les premiers mois du septennat, en fait, les deux hommes ont ouvert les enchères. Et il est malaisé de dire aujourd'hui qui, en matière de réformisme, fut le plus offrant des deux...

---

1. Julliard, 1983.

Peu à peu, pourtant, Chirac a commencé à détester la « réformite » giscardienne. Il l'a associée à tout le reste, et d'abord aux innombrables coups de téléphone quotidiens de ce président effervescent qui le harcèle sans arrêt avec de nouvelles idées et le traite en secrétaire ou, au mieux, en directeur de cabinet.

En décembre 1975, Chirac a pris sa décision. Pendant les fêtes de Noël, qu'il passe en Guyane où il est en visite officielle, il glisse à l'oreille d'Olivier Stirn, son secrétaire d'État aux DOM-TOM :

« Je ne crois pas que Giscard va finir son mandat.

— Tu plaisantes ou quoi ? fait Stirn, amusé.

— Il y a trop de problèmes et il ne cherche pas à les résoudre. On dirait qu'il ne se rend compte de rien. Il va falloir prendre ses distances, ça va tanguer. »

Quelques jours plus tard, Jérôme Monod, son directeur de cabinet, annonce au Premier ministre qu'il souhaite faire entrer au cabinet de Matignon Jacques Wahl, conseiller financier à Washington, pour superviser les questions économiques. « N'en fais rien, dit Chirac. Je crois qu'on va bientôt partir. »

28

Le putsch

« Le roi ne meurt jamais. »

François Ier

Le 11 janvier 1976, VGE et « Ponia » remanient leur gouvernement. Officiellement, ce n'est rien qu'un « réaménagement technique » sans importance. Mais les deux hommes abattent leurs cartes. Un homme aux manières onctueuses, à la voix de violoncelle et au curriculum chargé, fait son entrée dans le gouvernement. C'est Raymond Barre, professeur d'économie et ancien vice-président de la Commission de Bruxelles. Il devient ministre du Commerce extérieur.

C'est « Ponia », convaincu de la fin prochaine de Chirac, qui l'a glissé dans le gouvernement, à tout hasard. « Mettons un fer au feu », a-t-il dit à VGE qui a opiné. Non sans humour, le chef de l'État a ensuite demandé à son Premier ministre d'annoncer lui-même à Barre qu'il lui offrait le Commerce extérieur. Barre se fera prier. Il demandera un délai de réflexion. Chirac ne lui donnera que la nuit…

Mais ce qui frappe alors le plus dans ce nouveau gouvernement Chirac, ce n'est pas l'entrée en politique de Raymond Barre ; c'est la promotion donnée aux principaux rivaux du Premier ministre, Michel Poniatowski et Jean Lecanuet, qui deviennent tous deux ministres d'État. Quand ils apprennent la nouvelle, Pierre Juillet et Marie-France Garaud éructent :

« Vous vous êtes laissé manœuvrer comme un trompette », tonne Juillet dans son langage inimitable.

Quant à Garaud, elle fait carrément une scène.

« C'est ridicule, dit-elle. Vous avez l'air de la pendule entre les deux candélabres. Il faut refuser.

— Mais il est trop tard, beaucoup trop tard », fait Chirac, à la fois ennuyé et pressé.

Il prend congé.

« Où allez-vous ? demande Garaud.

— Déjeuner à l'Élysée avec "Ponia" et Lecanuet.

— Mais ce n'est pas possible. Annulez tout de suite ce déjeuner.

— J'ai accepté, répond l'autre avec lassitude. On ne fait pas faux bond au président de la République. »

Jacques Chirac est blessé. À partir de ce jour-là, il écoute d'une oreille attentive et complaisante les philippiques de ses deux conseillers. Et il hoche la tête quand ils lui disent qu'il est mis sur le même pied que « Ponia » et Lecanuet, qu'il est relégué au rang de chef de parti, que l'UDR n'est plus marginalisée mais ridiculisée.

Comme une humiliation n'arrive jamais seule, VGE lui cherche noise à propos de l'appartenance politique de Norbert Segard, nouveau secrétaire d'État aux PTT. Cet élu du Nord, apparenté UDR, est tout à la fois gaulliste, giscardien et démocrate-chrétien. Une girouette ? « Non, se souvient Chirac. C'était un type très sympa. On se l'arrachait et il disait oui à tout le monde. »

Avant le remaniement, Chirac lui demande de prendre l'étiquette du mouvement gaulliste afin d'étoffer son contingent de ministres. « Giscard est tout à fait d'accord », croit-il bon de préciser. Peu après, Segard se rend chez le président. Après l'avoir félicité de son entrée au gouvernement, Giscard lui demande sur un ton dégagé pourquoi il s'est laissé étiqueter UDR lors de la formation de l'équipe ministérielle. « Parce que vous l'avez voulu, voyons », répond Segard, étonné. Le chef de l'État lève un sourcil dubitatif. Et il se fait raconter l'entretien que le nouveau secrétaire d'État a eu avec le Premier ministre. Alors, furibond, il téléphone à Chirac et le convoque. Il n'aura droit, cela va de soi, qu'à des explications embrouillées.

Meurtrissure n'est pas rupture. Mais c'est à cette époque que Chirac commence à dire de temps en temps à VGE, au hasard d'un aparté : « Je tiens à vous prévenir. Il va falloir que vous trouviez un autre Premier ministre. »

Giscard ne prend pas la chose au tragique. Ni même au sérieux. Il semble même se faire une raison. Dans l'euphorie de l'état de

290

grâce, il disait à Chirac qu'il aimerait avoir le même Premier ministre jusqu'à la fin du septennat. Il a tendance, maintenant, à écourter le mandat du chef du gouvernement. « Vous pourriez durer jusqu'aux élections législatives de 1978 », dit-il à Chirac. Puis, mystérieux : « Après, on verra... »

C'est là que le bât blesse. Le Premier ministre est convaincu que la crise économique va encore s'aggraver ; que Giscard est déjà victime, dans le pays, d'un phénomène de rejet ; que la majorité, telle qu'elle est composée et dirigée, court à la catastrophe pour les élections législatives de 1978. Et il ne se sent pas une vocation de bouc émissaire. D'autant qu'il se demande s'il n'a pas un destin national. Il n'est pas le seul. À la fin de l'année précédente, en visite à Dijon, le chef de l'État est resté interloqué devant des pancartes où étaient inscrits en lettres grasses deux mots qui, mis ensemble, devenaient explosifs : « Chirac président ! » « Qui sont ces gens ? » a-t-il exhalé avec un air de dégoût.

Que peut faire Chirac ? D'après Jacques Friedmann, tout a basculé dans les premiers jours de mars 1976 lors d'une réunion dans l'appartement de Pierre Juillet, rue Vaneau, à quelques pas du bureau du Premier ministre. Depuis plusieurs mois, le chef du gouvernement quitte ses dossiers et son téléphone entre 17 et 19 heures pour se rendre chez son « père Joseph ». Là, autour de la cheminée du salon, il retrouve Marie-France Garaud et Jacques Friedmann. Jérôme Monod et Charles Pasqua se joignent parfois au petit groupe qui, entre deux whiskies, est en train d'échafauder, pour l'avenir, des plans, des hypothèses, des machinations.

Le jour dit, Pierre Juillet, un verre à la main, définit ainsi devant son protégé la stratégie de rupture qui sera suivie les mois suivants : « Le poste de Premier ministre, ce n'est pas rien. On ne le quitte pas sur un coup de tête. Si vous voulez partir, il vous faut une grande cause. Je propose que vous demandiez au président des élections législatives anticipées. Il est évident que Giscard vous les refusera. Quand un président et un chef de gouvernement ont une divergence de cet ordre, le pays peut comprendre que le second s'en aille. »

Et si jamais Giscard acceptait les élections anticipées, Chirac aurait tout à y gagner. La confiance du Premier ministre et des siens repose sur trois postulats. D'abord, la gauche, prise de court par les élections anticipées, sera battue. Ensuite, dans la nouvelle configuration parlementaire, l'UDR se taillera la part du lion. Enfin, le Premier ministre, ainsi renforcé, pourra vraiment gouverner sous Giscard.

C'est lors des élections cantonales des 7 et 14 mars 1976 que tout se précipite. Giscard et Chirac savaient qu'elles seraient mauvaises. Elles sont exécrables : la gauche est désormais largement majoritaire dans le pays. Depuis l'aube de la Ve République, elle n'a cessé de se redresser : elle obtenait ainsi 35,8 % des suffrages en 1958 ; 41,2 % en 1968 ; 46,5 % en 1973 ; 49,2 % en 1974. Mais, cette fois, tous records battus, elle totalise 53 %.

Prête, comme toujours, à se jeter à l'eau avant que la barque n'ait chaviré, la majorité est sonnée, paniquarde, aux cent coups. Elle se met brusquement à douter de ce président qui, apparemment, s'est fait élire pour faire la politique des autres. Il ne sent plus la France. Elle ne le sent plus. À force de se hisser dans son ciel, il a fini par perdre pied. « En politique, commente Bertrand Motte, un vieux cacique centriste, le travesti n'est jamais payant. »

Dans *Le Point*[1], Claude Imbert résume bien l'état d'esprit de nombre de commentateurs. Si le pouvoir a perdu, dit-il, c'est parce qu'il a servi à sa majorité « une pseudo-politique de gauche (laxiste en fait d'ordre et de fierté nationale), agrémentée d'un brouillard de réformes superficielles ». La faute à qui ? À la haute technocratie giscardienne : « Si l'on excepte Jacques Chirac, politique par tempérament, et deux ou trois ministres de sa trempe, tout le Conseil des ministres ressemble désormais à un comité de coordination du Plan. » Les nouveaux maîtres, conclut Claude Imbert, assassin, « ignorent l'art politique, celui du choix, du savoir-faire et du faire-savoir. Ils ne sont pas (encore) inscrits à gauche, ils sont bureaucrates. Mitterrand les gardera. Il en fera peut-être de bons socialistes ».

C'est sur ce thème, celui de Pierre Juillet et de Marie-France Garaud, que Chirac brodera désormais. Il a enfin trouvé sa différence. Le soir du deuxième tour des élections cantonales, Françoise Giroud, secrétaire d'État à la Condition féminine, l'entendra commenter les résultats, porté par un mélange d'amertume et d'allégresse : « Nous venons de recevoir un coup de pied dans le cul et nous ne l'avons pas volé [...]. Aucune concession ne doit être faite

---

1. 15 mars 1976.

aux adversaires, à la générosité de leurs intentions et tout le baratin habituel. Est-ce qu'ils en font, eux, des concessions ? Est-ce qu'ils vont dire que nous sommes cons et généreux ? Ceux qui s'imaginent ou qui ont imaginé qu'on peut se conduire ainsi se trompent. Dans le dérapage politique que nous avons connu, il y a ce petit jeu, cette danse du ventre, ce langage de faiblesse. Et, en politique, la faiblesse ne paie pas, jamais [1]. »

Pour Chirac, c'est l'occasion et il est le larron. Le pouvoir, le vrai, l'unique, est peut-être enfin à sa portée. Pour l'arracher, il va donc mettre au point, avec le tandem Juillet-Garaud, une sorte de putsch à froid.

Une pierre ne tombe jamais seule. Un malheur non plus. Politiquement, le président est ébranlé. Économiquement, il ne l'est pas moins. Au soir du second tour des élections cantonales, VGE a été forcé de dévaluer le franc en toute hâte après un « vendredi noir » où la Banque de France a perdu plus de 1 milliard de francs de réserves. Après avoir quitté le « serpent » européen, la monnaie nationale « flotte ».

Le président aussi. Et il consulte, frappé par l'abattement qui, soudain, pétrifie les dignitaires de sa majorité. Il remarque aussi que la vague de récriminations monte directement vers l'Élysée. Son Premier ministre est pratiquement épargné par les critiques.

Il faut faire quelque chose. Jacques Chirac, justement, a des propositions à faire. Il les expose au chef de l'État, au lendemain du deuxième tour.

« La situation est très grave, dit le Premier ministre. Si nous continuons à laisser les choses aller comme ça, nous serons balayés par la crise et par la gauche. Il faut faire des élections législatives anticipées. Nous les gagnerons. Mais à deux conditions : d'abord, que nous prenions des mesures de relance ; ensuite, que vous me laissiez coordonner l'action des partis de la majorité. »

VGE hoche alors la tête avec ce mélange de componction et de goguenardise qui indispose tant Chirac.

« Il faut que vous sachiez que je ne suis pas le roi fainéant », fait-il. Puis, impérial, il laisse tomber son jugement. Il est contre la relance : « Attaquez-vous plutôt à l'inflation. » Il s'oppose à des

---

1. Françoise Giroud, *La Comédie du pouvoir*, Fayard, 1977.

élections législatives anticipées : « Pourquoi prendre ce risque ? » Mais, sur le reste, il est tout prêt à transiger : « Vous pouvez coordonner l'action des partis si vous trouvez qu'ils s'agitent trop. »

Quelques jours plus tard, c'est Pierre Juillet qui monte à l'assaut. Il tient à peu près le même langage au chef de l'État. Le personnage fascine VGE. D'abord, parce que, contrairement à lui, Juillet a un sens aigu du tragique de l'Histoire. Ensuite, parce que ce visionnaire inspiré détonne avec les technocrates compassés qui tiennent alors les leviers de commande de l'État-Giscard.

« La gauche a virtuellement gagné, dit en substance Pierre Juillet. Tout est donc compromis mais rien n'est définitivement perdu. Il faut simplement que vous sachiez ce que vous voulez. Ou bien vous vous résignez à la victoire des socialistes et des communistes et vous continuez à leur donner des gages. Ou bien vous décidez de défendre la société libérale, ses valeurs, ses acquis, et vous donnez au Premier ministre les moyens de le faire. Vous avez en Jacques Chirac un homme sur lequel vous pouvez vous appuyer. Alors, donnez-lui les pleins pouvoirs, dites-le au pays et jetez les bases d'un grand dessein pour la France. C'est ce que tout le monde attend de vous, aujourd'hui. »

Grave, macabre et pathétique, Pierre Juillet en appelle à la postérité. Il sonne le glas. Il exige la contrition. Il compose déjà l'épitaphe de VGE. Démoralisé, le président se laisse convaincre. Après coup, il reconnaîtra : « Je me suis toujours méfié des dramatisations abusives mais, à ce moment-là, le climat était si dégradé que j'ai pris l'avertissement au sérieux. »

Valéry Giscard d'Estaing sera-t-il détrôné ou va-t-il abdiquer ? C'est le dilemme où le laisse, d'une certaine façon, le scénario de Chirac, Juillet et Garaud. Va pour l'abdication...

Le 24 mars, à 20 heures, la France attend l'allocution du président à la télévision. Paraît Giscard. Costume sombre, l'air roide et funèbre, il n'a plus rien à voir avec l'homme que le pays a élu deux ans plus tôt. Le quadragénaire réjoui et sûr de lui a laissé la place à un quinquagénaire sévère et bafouilleur. Il a suivi point par point les conseils de Pierre Juillet et, apparemment, il ne s'en porte pas très bien. Il bute sur ses mots. Il ne sait pas quoi faire de ses mains. Il est mal à l'aise devant les caméras. En un mot, il est « chiraquisé ».

294

À Matignon, le Premier ministre pavoise : chaque mot qui tombe de l'auguste bouche présidentielle le comble d'aise. Pour regarder l'allocution du chef de l'État, Jacques Chirac a convié à ses côtés le ban et l'arrière-ban de la majorité – les gaullistes André Bord et René Tomasini, les giscardiens Michel Poniatowski et Jean-Pierre Fourcade.

Il connaît déjà les grandes lignes du discours de VGE. Il en a parlé avec lui, l'avant-veille, lors d'un entretien décisif de deux heures. Et il sait que Giscard a lâché sur l'essentiel.

Les antichiraquiens ont l'air comme assommés quand ils entendent la phrase clé de l'homélie présidentielle : « Je confie à Jacques Chirac le soin de coordonner et d'animer l'action des partis politiques de la majorité. »

C'est un sacre. À deux réserves près. Le Premier ministre devra quand même tenir compte de la « personnalité propre » desdits partis et rendre compte au président des « décisions qui seront prises ». À tout hasard, le chef de l'État a également rappelé que la lutte contre l'inflation restait la priorité.

Le discours terminé, Jacques Chirac, rayonnant, distribue à ses invités une note qui donne, sur un feuillet, le canevas des commentaires que les chefs de partis devront faire à la presse : « Les ... entendent s'associer avec enthousiasme et sans réserve à l'action ainsi définie par le président de la République. »

Les antigaullistes de la majorité se demandent s'ils doivent en rire ou pleurer. Pour eux, c'est un coup d'État. Et ils repartent de Matignon avec le sentiment que Giscard les a trompés.

Mais VGE, au même moment, se demande s'il ne s'est pas trompé. Il regrette déjà d'avoir rehaussé son Premier ministre : « C'était une erreur, dira-t-il plus tard. Je n'aurais jamais dû dramatiser à ce point et donner tant de pouvoir au chef du gouvernement. »

Trop tard. Jacques Chirac a pris au sérieux les propos présidentiels. Ses pouvoirs sont désormais plus étendus que ceux qui avaient échu naguère à Pompidou sous de Gaulle ou à Chaban sous Pompidou. Il va maintenant pouvoir labourer « sa » France, mener le combat idéologique contre la gauche et adapter le projet du pouvoir à sa majorité réelle.

Pour entamer sa reconquête, il veut un coup de théâtre. Il appelle donc son vieil ennemi, Jacques Chaban-Delmas. Il lui propose une rencontre. L'autre refuse de se rendre à Matignon. Qu'à cela ne tienne, les deux hommes se rencontreront en terrain neutre.

Étranges retrouvailles. Chirac est empressé, avenant, maladroit. Chaban est grave, tendu, fermé.

« Nos analyses n'ont pas toujours correspondu, hasarde Chirac en guise d'entrée en matière.

— C'est vrai. Mais on n'est pas là, j'imagine, pour parler du passé. Que me voulez-vous ?

— Voilà. Le président m'a dit qu'il comptait sur moi pour sauver la majorité. Et j'ai besoin de vous. Je vous propose de venir à mes côtés, au premier rang, comme ministre d'État, pour sortir la France de l'ornière. Je suis sûr que nous ferons, ensemble, une grande politique. »

Alors, Chaban, dans une de ces colères blanches et subites dont il a le secret :

« Retournez à Matignon, je vous en prie. Nous n'avons plus rien à nous dire. »

Le 28 mars 1976, quatre jours après sa semi-abdication, le président se rend en voyage officiel en Alsace. Il est en pleine déprime. La presse l'a pris en grippe. Apparemment, le pays aussi. Un sondage de la SOFRES pour *Le Figaro* montre que le nouveau Giscard, ce président de plomb qui a dégommé le président en peluche, n'a pas convaincu les Français. Il leur a même fait plus mauvaise impression (46 %) que bonne (43 %).

Le pays lui aurait-il échappé pour de bon ? Une surprise l'attend en Alsace. C'est le bon peuple de France qui, partout, l'acclame. De Colmar à Sélestat en passant par Strasbourg, la foule alsacienne se presse autour de lui, le salue d'applaudissements, agite, tout au long de son circuit, mouchoirs et petits drapeaux tricolores.

Les bains de foule, ce sont les remontants des hommes d'État. VGE se croyait au plus bas. L'Alsace l'a regonflé. Il culmine à nouveau dans son ciel. Et, devant les ministres qui l'accompagnent, il siffle entre ses dents : « On m'a trompé. Moi aussi, je peux avoir le peuple avec moi. »

C'est ce jour-là, à cet instant-là, que Jacques Chirac a perdu la délégation de pouvoir qu'il avait fini par arracher au président. En quelques jours, pourtant, il a commencé à déployer, à cheval et au galop, sa stratégie de redressement. D'abord, en mettant en avant les trois idées-forces du projet gouvernemental : la défense des libertés, la croissance économique et la politique sociale. Ensuite, en demandant à ses ministres de « soigner » les électeurs de la majorité (« Oui, dit-il en petit comité, on va faire de l'électoralisme. C'est peut-être pas brillant mais il faut empêcher la majorité de foutre le camp »). Enfin, en rompant avec la politique de « décrispation », chère à VGE, et en attaquant bille en tête la gauche et son « programme commun ». À Saint-Jean-de-Luz, aux journées parlementaires de l'UDR, il clame ainsi bien haut son refus de dialoguer avec l'opposition, les « fondements du régime » étant contestés, comme « ce fut le cas, en 1940, lorsque, face au renoncement et à la dictature vichyste, s'est levée la France libre ».

L'enflure n'ayant jamais tué personne, le chef du gouvernement ajoute : « Le PS est devenu, au même titre que son partenaire communiste, un parti révolutionnaire. » « Giscard démission ! Chirac président ! » s'écrient, ce jour-là, quelques militants gaullistes malavisés que le secrétaire général d'honneur de l'UDR fait taire avec agacement.

Le président enregistre. Il fait toujours mine d'avoir baissé les bras mais, en coulisses, il cherche déjà à reprendre ce qu'il a donné officiellement à son Premier ministre. Claude Pierre-Brossolette, secrétaire général de l'Élysée, donne le *la* en minimisant auprès des journalistes la mission de Jacques Chirac : « C'est un cadeau empoisonné. » Et VGE observe sans déplaisir les centristes qui attaquent à pleines dents le chef du gouvernement.

Adrien Zeller, député du Bas-Rhin, annonce qu'il abandonne la majorité à l'Assemblée nationale pour rejoindre les bancs des non-inscrits. Il considère la promotion de Jacques Chirac comme un « retour en arrière ». Ce qui ne l'empêchera pas, dix ans plus tard, de participer au gouvernement de cohabitation du même Chirac. Quant à Jean-Jacques Servan-Schreiber, il cite, pour commenter la nouvelle stratégie du pouvoir, une formule de Victor Hugo : « L'agonie a ses modes. En langue politique, cela s'appelle la réaction. »

VGE n'est pas loin de partager l'exaspération des centristes. Quelques jours après son voyage en Alsace, il reçoit à l'Élysée Jacques Chaban-Delmas, son adversaire de 1974, qu'il a entrepris, comme le Premier ministre, de circonvenir. Il est d'une courtoisie ostentatoire et affligée. Une gêne sourde rôde dans le bureau présidentiel. Les deux hommes hésitent à se regarder dans les yeux. « Ne vous excusez pas d'être président, finit par dire Jacques Chaban-Delmas, pour mettre l'autre à l'aise. Ce n'est pas à vous que j'en veux. » La conversation roule rapidement sur Jacques Chirac. Alors, VGE laisse tomber, d'une voix glacée : « Vous avez été victime de cet homme. Moi, j'ai failli l'être. »

« On ne force pas impunément la main du roi », s'en va déjà répétant Michel Poniatowski.

Le putsch a échoué. Il ne reste plus qu'à le faire savoir au Premier ministre...

29

Le nœud de vipères

> « Un seul buisson ne peut nourrir deux voleurs. »
> Aristophane

Jacques Chirac sent bien que ses jours sont comptés. Lors de leur tête-à-tête hebdomadaire du lundi, le président est à la fois distant, caustique, absent et irritable. Il prend facilement la mouche : « Si vous voulez ma place, monsieur le Premier ministre, dites-le franchement. » Et il fuit le contact. Un jour qu'il demande à VGE de bien vouloir dîner avec lui pour « faire le point », l'autre, ombrageux, appelle son fils Henri au bout d'un quart d'heure : « Cela ne vous ennuie pas qu'il vienne souper avec nous ? »

Le 22 avril 1976, lors de la conférence de presse du président, le Premier ministre comprend que sa mission est terminée. Complet gris clair, chemise à rayures bleues, Giscard est redevenu Giscard : magistral et impérial, superbe mécanique intellectuelle qui rappelle un peu Raymond Aron. En deux heures, il n'a pas un mot pour son Premier ministre. Et il prend le contre-pied de la stratégie chiraquienne en dénonçant tous ceux qui, pour défendre leurs « privilèges », s'opposent à l'une des réformes qu'il a mises en branle : la taxation des plus-values.

Tel est en effet le nouveau projet de VGE. Ce jour-là, il annonce qu'il mettra tout son poids dans la bataille des plus-values : le septennat sera réformateur ou ne sera pas. Jacques Chirac est consterné. Il est convaincu que la taxation des plus-values sera considérée comme une provocation par la France des possédants – celle devant laquelle il dut battre en retraite, il n'y a pas si longtemps, lors de l'affaire des droits de succession. Il ne lui chante pas, au surplus, de s'attaquer, une fois encore, à l'électorat gaullo-giscardien, premier visé par la mesure. Le chef de l'État n'a-t-il pas compris la leçon des cantonales ?

Fuir, là-bas, fuir… Chirac ne songe plus qu'à partir. Quelques jours après la conférence présidentielle, il retrouve, rue Vaneau, ses principaux conseillers politiques, à commencer par Pierre Juillet, Marie-France Garaud et Jérôme Monod. Il leur pose sans ambages la question qui, depuis peu, le taraude : « Si on reste encore un peu, on va finir en charpie. Je crois qu'il faut partir maintenant. Qu'en pensez-vous ? » Tout le monde opine d'une même voix.

Le plus rapide est évidemment Jérôme Monod, l'homme qui décide plus vite que son ombre : pour lui, la survie politique de Chirac passe par son départ immédiat.

Le plus éloquent est, comme toujours, Pierre Juillet qui est, depuis peu, conseiller officiel du Premier ministre avec un bureau à Matignon : « Il ne faut pas vous laisser chasser. Vous devez donc partir vite et créer un grand mouvement populaire. »

La plus drôle est, cela va de soi, Marie-France Garaud. Elle reprend une nouvelle version de la fable qu'elle sert dans tous les dîners parisiens, celle de l'escargot et du setter irlandais : « Giscard est un escargot. Il suit toujours le même chemin. Quand il y a une brindille, il fait un détour puis il reprend tranquillement sa route. Jusqu'à présent, vous avez été, vous, comme un setter irlandais, infatigable et gambadant en tous sens. Chaque fois que vous reveniez voir l'escargot, vous disiez : "Tiens, il n'a pas bougé !" Mais il a drôlement avancé, vous savez. Et il est en train de giscardiser le gaullisme. Vous n'avez plus rien à faire avec lui. »

Il n'y a qu'un problème. S'il part maintenant, le pays comprendra qu'il a démissionné à cause de la réforme des plus-values. Il tombera à droite, au champ d'honneur des « privilégiés ». De cela, il ne veut à aucun prix. Il ne lui reste plus qu'à attendre. Mais il est décidé…

Le 17 mai, le chef de l'État s'envole pour les États-Unis où il doit assister au bicentenaire de l'indépendance américaine. Le Premier ministre est allé, selon le rituel instauré par de Gaulle, accompagner VGE à l'aéroport de Roissy. Au retour, il monte dans la voiture de Simone Veil, ministre de la Santé, et il lui confie : « Je ne vais pas passer l'été à Matignon. Ma décision est prise. À l'automne, je me consacrerai à la relance de l'UDR. »

S'il avait encore des hésitations, elles seront levées le 23 mai. Ce jour-là, à Rennes, la démocratie chrétienne fait la noce – religieusement, cela va de soi. Le Centre démocrate de Jean Lecanuet et le CDP (Centre Démocratie et Progrès) de Jacques Duhamel ont décidé de s'unir pour la vie. Et ils ont donné naissance à un nouveau parti : le CDS (Centre des démocrates sociaux). Mais un mariage peut en cacher un autre : ce qui frappera le plus, dans cette cérémonie nuptiale, c'est l'appel final de Jean Lecanuet, ministre d'État, garde des Sceaux, qui déclarera, entre autres hérésies : « À un président réformateur doit correspondre une majorité réformatrice. C'est dans cette perspective que je serai conduit à proposer à mes amis réformateurs et aux républicains indépendants de s'organiser et de renforcer leur coopération pour faire face aux échéances. »

C'est un complot et Michel Poniatowski a trempé dedans. La preuve ? Quelques minutes seulement après la déclaration de Jean Lecanuet, le ministre de l'Intérieur, patron des républicains indépendants, a fait savoir qu'il approuvait l'initiative de son collègue et ami. D'après lui, elle « correspond à une évolution qui était depuis longtemps souhaitable » ; elle « est aujourd'hui nécessité ». L'UDF est conçue. Il ne reste plus qu'à l'accoucher...

Ce jour-là, bien que l'heure semble au mariage, le divorce entre Chirac et Giscard est devenu définitif. Le Premier ministre téléphone, furibond, à Michel Poniatowski et à Jean Lecanuet : « Vous déconnez ou quoi ? C'est un *casus belli* ! » Ils prennent l'autre de haut et lui expliquent, goguenards, qu'ils avaient informé le président de leur volonté de s'associer. « Il a même applaudi », rigole Lecanuet. Quand le chef du gouvernement interroge VGE, pour en avoir le cœur net, l'autre plaide l'innocence sur le mode effarouché. Il n'était au courant de rien et c'est lui faire injure de croire qu'il ait pu se mêler à la « cuisine » des partis. Qui croire ? Le Premier ministre est convaincu que le chef de l'État lui a menti.

C'est pour régler ce malentendu et quelques autres que le couple présidentiel invite Jacques et Bernadette Chirac à passer, « en famille », le week-end de la Pentecôte sur les bords de la Méditerranée, au fort de Brégançon, l'une des résidences affectées au président de la République. Le 6 juin, donc, les Chirac arrivent. Le Premier ministre a son sourire crispé des mauvais jours, un costume triste, une cravate qui ne l'est pas moins. Pensant qu'il venait régler ses différends avec le président tandis que leurs femmes se doreraient au soleil, il n'a même pas apporté de maillot de bain.

C'est un nouveau quiproquo. L'un entend parler de sa démission. L'autre, du beau temps. Comme d'habitude, Giscard répond par une moue aux questions précises de Chirac, glisse avec aisance au-dessus des reproches, change de sujet de conversation s'il est lourd de conflits et arrose l'autre de bonnes paroles. C'est un chat. On ne le caresse pas. Il se caresse aux autres.

VGE mesure mal l'état de lassitude du Premier ministre. « Je ne prenais pas très au sérieux ces menaces de démission, dira-t-il plus tard. Je les attribuais à la fatigue et j'étais sûr qu'il reviendrait, après un peu de repos, à de meilleurs sentiments. » Lénitif, le président dédramatise toujours. Il est convaincu que Chirac finira par rasseoir ses esprits. Quand on gouverne, on ne lâche pas prise...

Si Giscard entend « râper » un peu son Premier ministre, il est apparemment décidé à le garder longtemps encore. C'est si vrai que, recevant à déjeuner, le 29 mai, Amir Hoveyda, le Premier ministre du shah d'Iran, il lui avait dit, devant Chirac, stupéfait : « Vous pouvez dire au shah que Jacques Chirac sera mon Premier ministre jusqu'en mai 1981. »

De son week-end à Brégançon, Chirac reviendra froissé, accablé, mortifié : non content d'esquiver la question qui tenait le plus au cœur du Premier ministre, celle de son éventuelle démission, le chef de l'État l'aurait traité avec désinvolture. En un mot, le chef du gouvernement n'a pas aimé le protocole très collet monté de VGE.

Résumons. Le samedi soir, Valéry Giscard d'Estaing a invité à dîner son moniteur de ski, Gaby Fejoz, et sa femme. Ils sont en tenue de sport alors que les autres sont en tenue de ville. Gênés, ils ne soufflent mot. Autour de la table présidentielle où tremblent quelques flammes de bougies, l'ambiance est à couper au couteau, sur fond d'étiquette à l'ancienne. Le couple présidentiel a droit à deux fauteuils, les autres à de modestes chaises ; VGE est également servi le premier.

Retour de Brégançon, Jacques Chirac résume ainsi, devant ses proches, le fond de son problème : « Giscard devient de plus en plus monarchique. » Et il est vrai qu'il n'est pas le seul à le dire.

Paraît, quelques semaines plus tard, un article de Geneviève Galey dans *Le Point*[1]. Il raconte en détail l'étiquette qui prévalait

---

1. 9 août 1976.

lors du week-end de Brégançon : l'affaire des fauteuils et le reste. Il assure aussi que le chef de l'État s'identifierait de plus en plus au Roi Bien-Aimé : après avoir inauguré l'exposition Louis XV, organisée à Paris, n'a-t-il pas fait accrocher au rez-de-chaussée du palais présidentiel un portrait de son roi favori ? Valéry Giscard d'Estaing, note Geneviève Galey, « renoue avec la tradition historique en donnant à la fonction présidentielle quelques-unes des marques extérieures de la fonction monarchique ». Giscard se prendrait-il pour un roi ? Il n'en faut pas plus pour que la rumeur s'ébroue dans le pays...

Le jour de la parution de l'article, VGE et Chirac ont une explication orageuse, raconte Jean Bothorel [1]. Le président a pris la mouche. Il accuse implicitement son Premier ministre d'avoir organisé la « fuite » :

« D'où est sortie cette affaire insensée du *Point* ? En dehors de ma famille et de mes amis, il n'y a que vous et Bernadette qui étiez à Brégançon. Qu'est-ce que cela veut dire ?

— Je sais, répond Chirac sans se démonter. C'est votre fils Henri. »

VGE a toujours nié qu'il y ait des fauteuils particuliers pour le couple présidentiel au fort de Brégançon. Et cet article restera longtemps entre Chirac et lui.

Ce n'est là qu'un malentendu de plus. En quelques semaines, les occasions de discorde se multiplient entre les deux hommes. Les Conseils des ministres sont de plus en plus tendus. La presse bruisse de rumeurs de remaniement que le Premier ministre dément avec des formules aussi désinvoltes qu'ambiguës. Et les chroniqueurs notent que son sourire est plus jaune que d'ordinaire.

Le Premier ministre se meurt. Il est presque déjà mort...

D'abord, lors de la discussion du projet de loi sur la taxation des plus-values à l'Assemblée nationale, l'UDR entre carrément en rébellion. Claude Labbé, le président du groupe parlementaire, déclare froidement : « Rien ne peut se faire sans nous ; nous avons entre les mains une arme de dissuasion qui vient de notre groupe parlementaire et nous pouvons à chaque instant, si nous le voulons, presser le bouton. »

---

1. *Le Pharaon, op. cit.*

Claude Labbé est peu suspect d'antichiraquisme comme, d'ailleurs, la plupart des meneurs de la bataille contre la taxation des plus-values. Quel jeu joue donc le Premier ministre ? Il observe d'un œil tranquille ses propres troupes se révolter contre le chef de l'État. Il les laisse sans protester plumer et dépecer le projet de loi. Bref, il s'amuse. « Au train où nous allons, raille déjà François Mitterrand dans *L'Unité*, l'hebdomadaire du PS, vous verrez que ce nouvel impôt finira par vider les caisses de l'État. »

Il n'est chose au monde que les hommes d'État aiment moins que le ridicule. VGE, qui ne trouve pas ça drôle, finit par mettre le holà. Le 22 juin, l'œil noir et la voix sifflante, il dit à Chirac que rien ne le fera reculer. Surtout pas la perspective d'un affrontement avec l'UDR. Il exige donc que le texte soit rétabli dans ses dispositions principales et, dans la foulée, voté promptement. Le Premier ministre s'exécute aussitôt. Pour lui, on l'a vu, il n'est pas question de partir sur le mauvais dossier des plus-values.

Le même jour, il s'en va donc adjurer les groupes parlementaires de la majorité de voter la taxation des plus-values : « Je ne vous demande pas cela dans mon intérêt personnel mais dans l'intérêt de l'ensemble de la majorité. » Puis, énigmatique : « Vous vous en rendrez compte bientôt. » Propos qu'il prend soin de démentir le soir même mais qui ont l'avantage de permettre toutes les interprétations. Jacques Chirac multiplie ensuite les coups de téléphone, les billets personnels et les tapes dans le dos pour retourner les plus récalcitrants. Le lendemain, il a emporté le morceau.

Il est pourtant toujours démissionnaire. Et c'est par un de ces mécanismes freudiens de compensation, très courants dans la classe politique, qu'il dit exactement le contraire, avec l'énergie du désespoir, le 23 juin, à la télévision : « Un homme politique ne démissionne pas [...]. Dans notre Constitution, le départ ou le maintien du Premier ministre dépendent du président. »

Quelques jours plus tard, le 4 juillet exactement, Jacques Chirac écrit à VGE sa première lettre de démission et, au Conseil des ministres suivant, Michel Poniatowski semble lui apporter la réponse présidentielle. C'est un projet de loi stipulant que tout candidat aux législatives ayant obtenu moins de 15 % au premier tour ne pourra se présenter au second.

De quoi s'agit-il ? Tout simplement d'obliger les centristes et les radicaux à s'allier systématiquement aux giscardiens – contre l'UDR, cela va de soi –, sous peine d'être éliminés. C'est, en somme, un nouvel acte d'agression de « Ponia » contre les gaullistes. Le Premier ministre est mis devant le fait accompli : le ministre de l'Intérieur a oublié de l'informer avant le Conseil des ministres. *In extremis*, Michel Poniatowski acceptera tout de même de transiger à 12,5 % : ce sera son dernier prix (« Pourquoi pas 11,69 % ? » plaisantera le député UDR André Fanton, toujours farceur).

Alors, tout se précipite. Le 13 juillet, ayant convié à déjeuner les ministres et secrétaires d'État de l'UDR, comme Yvon Bourges, Robert Galley ou Olivier Stirn, il leur dit :

« Si j'avais à choisir entre le gaullisme et le président de la République, je choisirais sans hésiter le gaullisme. Je me demande si l'heure du choix n'est pas venue. » Pour ceux qui n'auraient pas compris, Chirac insiste : « Je ne sais pas où on va avec toutes ces réformes bidons ou mal ficelées. C'est le règne du laxisme et du n'importe quoi. Si on continue, on est foutus. »

— Tu exagères, proteste Olivier Stirn, le secrétaire d'État aux DOM-TOM.

— Tenez, répond méchamment Chirac, j'ai si peu d'autorité qu'on m'a imposé des ministres gaullistes, totalement incapables, qui ne songent qu'à faire plaisir au président, au lieu de lui dire la vérité. » Un silence. Puis : « Je suis sûr que l'Élysée aura un compte rendu détaillé de tout ce qui vient de se dire dans moins d'une heure. »

Il ne croit pas si bien dire. Lors du changement de gouvernement, Jean de Lipkowski, ministre de la Coopération, sera remercié pour s'être écrié avec ferveur, à la fin de la philippique de Chirac : « Si tu pars, je m'en vais. »

Après ce déjeuner, le Premier ministre est convaincu qu'il sera bientôt remercié. Le même jour, il dit, apaisé et avantageux, à Yves Guéna, le nouveau secrétaire général de l'UDR : « Maintenant, on va pouvoir faire un grand rassemblement et puis… reprendre le pouvoir. »

Le 15 juillet, au Conseil des ministres, Valéry Giscard d'Estaing fait un tour de table sur la question de l'élection du Parlement européen au suffrage universel. Le Premier ministre – c'est, décidément, une habitude – n'a pas été prévenu. Chaque membre du gouvernement donne son avis. Quand arrive le tour de Jacques

Chirac, il jette d'une voix de stentor qui glacera tout le monde, à commencer par le chef de l'État : « Vous me permettrez, monsieur le président, de m'étonner de cette procédure insolite et inhabituelle. »

À la sortie du Conseil, Chirac lâchera à plusieurs ministres, qui l'interrogent : « J'en ai assez. Je pars. »

Au cours d'un nouveau tête-à-tête, le 26 juillet, VGE paraît avoir accepté la démission de son Premier ministre. Le chef de l'État souhaite quand même que Jacques Chirac se rende en voyage officiel à Tokyo et qu'il réfléchisse encore un peu. Les deux hommes feront le point après les vacances. En attendant, il ne faut pas que la nouvelle s'ébruite.

Le même jour, le Premier ministre envoie une nouvelle lettre de démission à Valéry Giscard d'Estaing :

« Au cours de ces derniers mois, je me suis permis à plusieurs reprises de vous exposer les raisons politiques et économiques qui commandaient, selon moi, une reprise en main énergique du gouvernement, afin de donner à son action [...] une impulsion vigoureuse et coordonnée. Cela suppose évidemment un renforcement sans équivoque de l'autorité du Premier ministre. J'ai cru comprendre que ce n'était ni votre sentiment ni votre intention.

« Dans ces conditions, je ne puis continuer à accomplir la tâche que vous m'avez confiée et j'ai l'honneur de vous remettre aujourd'hui ma démission. »

Un texte ambigu, sans grandeur ni vision. On imagine tout le parti qu'un de Gaulle aurait tiré de pareille situation. À lire la lettre de démission de Jacques Chirac, il est malaisé de comprendre les motifs réels de sa séparation de corps avec Valéry Giscard d'Estaing. Il aurait voulu, en somme, « un renforcement sans équivoque de l'autorité du Premier ministre ». Maigre...

Mais il est vrai que le fossé qui s'est creusé entre Chirac et Giscard n'est pas, à proprement parler, politique. Il est culturel, psychologique, épidermique. Sur le fond, c'est-à-dire l'économie, la défense ou la stratégie, les deux hommes sont sur la même longueur d'onde. Ce qui les sépare, c'est que le président entend diriger le gouvernement. Et le Premier ministre, la France. Quand il y a sept timoniers sur huit marins, disent les Chinois, le navire sombre. Une équipe ministérielle qui a deux patrons, apprendront bientôt les Français, tombe.

Tout le reste est littérature politicienne. Ironie de l'Histoire : alors même que la procédure de divorce arrive à son terme, François Heilbronner, l'homme de confiance de Jacques Chirac en matière économique, pond, dans le secret de Matignon, des notes comminatoires à l'adresse du Premier ministre. Elles ont toutes le même objet : « l'urgence d'une action économique ». Et elles jettent les bases d'un plan d'austérité. « Il est urgent, écrit ainsi François Heilbronner dans une note datée du 11 juin, que le gouvernement réfléchisse sur sa politique économique et prenne les décisions nécessaires [...]. Je te signale la possibilité qui existe d'une action contre l'inflation – soit par blocage des prix et des salaires, plus engagement d'une procédure de politique des revenus, soit par l'engagement d'une campagne de stabilisation contractuelle des prix. » Le 28 juin, il propose, sur huit feuillets, tous les éléments d'un plan de rigueur. Du Barre sans Barre.

S'il était resté à Matignon, en somme, il est probable que, devant le redémarrage de l'inflation, Jacques Chirac, après avoir soutenu la relance, aurait proposé à Valéry Giscard d'Estaing un solide plan de rigueur. La chose politique a de ces retours.

Pour une fois, c'est la raison officielle qui est la bonne : la querelle entre les deux hommes concernait avant tout la répartition de leurs pouvoirs. Pour expliquer sa rupture avec VGE, Chirac donnera une clé précieuse dans *Les Mille Sources*[1] : Valéry Giscard d'Estaing, écrit-il, « est doté d'une tentation naturelle à diriger, lui-même, chaque chose qu'il tient pour importante. Son tempérament, pétri de sérieux et d'engagement affectif, l'entraîne à détenir la décision le plus loin possible, fût-ce sur le terrain et au dernier moment. Cette tendance se trouve fortement aggravée par son entourage ».

Quelques années plus tard, dans un entretien avec l'auteur, il chargera surtout ledit entourage :

« Sur le plan politique, Giscard a commis l'erreur de s'entourer de gens très intelligents, très cultivés, mais très sectaires aussi. Des gens comme "Ponia", un homme fin, qui semblait alors n'avoir comme seule ambition dans la vie que de marginaliser les gaullistes qu'il considérait tous comme des connards.

_____
1. *Op. cit.*

307

« Sur le reste, Giscard a commis une deuxième erreur en ne prenant, dans son cabinet, que des gens de première qualité : le quotient intellectuel moyen de l'Élysée était, à cette époque, largement supérieur à celui du gouvernement, ce qui n'est pas forcément une bonne chose. Ses conseillers, qui savaient imposer leur point de vue, ont ainsi réussi à édifier une espèce de mur entre le président et la réalité nationale. Je lui ai écrit à plusieurs reprises : "Ils cherchent à vous plaire et non pas à vous servir." Ils ont, en fait, exacerbé ses mauvaises tendances. »

Le 25 août 1976, il fait une chaleur torride à Paris. Les membres du gouvernement, retour de vacances, prennent le chemin de l'Élysée pour le premier Conseil des ministres de la rentrée. Ils sont d'humeur badine. Hâlés, imprégnés d'une bonne odeur de mer ou de montagne, ils ont l'air heureux de reprendre la routine ministérielle.

À 10 heures, le chef du gouvernement entre dans la salle du Conseil. Le président ne l'accompagne pas, contrairement à la coutume. Le Premier ministre a une tête de mauvais élève et un air plus emprunté que d'ordinaire. À cet instant, les ministres comprennent qu'il va se passer quelque chose. Jacques Chirac s'installe puis, d'une voix solennelle, annonce sa démission : « Pendant vingt-quatre mois, j'ai soutenu loyalement et fidèlement Valéry Giscard d'Estaing. Ces derniers temps, j'ai demandé à plusieurs reprises les moyens nécessaires pour affronter une situation que je jugeais difficile. Je persiste à penser que, dans notre Constitution, le Premier ministre doit disposer de l'autorité sur les ministres du gouvernement et d'une certaine autonomie. Devant le dynamisme de l'opposition, nous devons engager résolument le combat. Je n'ai pas obtenu les moyens et la liberté que je demandais. » Puis, tourné en direction de Michel Poniatowski et de Jean Lecanuet : « Certains d'entre vous ont compliqué ma tâche. En affaiblissant la cohésion gouvernementale, ils ont affaibli la majorité. »

Paraît Valéry Giscard d'Estaing. Il s'assoit tranquillement, ouvre la petite chemise placée devant lui et, ménageant ses effets, passe à l'ordre du jour du Conseil des ministres. On parle de tout, de la solde des élèves de l'École polytechnique comme des risques d'éruption du volcan de la Soufrière, à la Guadeloupe.

Une fois l'ordre du jour épuisé, VGE fait encore durer le plaisir en improvisant, avec un humour teinté de sadisme, un interminable éloge d'Omar Bongo, le président du Gabon qu'il vient de rencontrer. Les ministres commencent à s'impatienter quand, enfin, le président daigne s'adresser à Jacques Chirac : « Je crois, monsieur le Premier ministre, que vous avez quelque chose à nous dire ? »

Jacques Chirac annonce, une nouvelle fois, qu'il présente la démission de son gouvernement. Dans le salon « Murat » qui, pourtant, en a vu d'autres, la tension est à son paroxysme. Alors, VGE, toujours soucieux de prolonger le suspense, laisse passer un moment avant de répondre, du haut de sa cravate, sur un ton flegmatique, à son ancien Premier ministre : « J'ai accepté cette démission parce que, lorsque quelqu'un veut partir, il faut le laisser s'en aller. Ensuite, parce qu'une phase nouvelle de l'action gouvernementale va s'engager. Enfin, parce qu'il est vrai que le poids des partis politiques s'est trop fait sentir, ces derniers temps. Cela n'est plus possible. »

Propos perfides s'adressant à un homme dont la nature politique, voire politicienne, est notoire. VGE fera tout, désormais, pour l'enfermer dans son personnage de chef de parti. La guerre est déclarée.

Et la séance est levée. Les deux hommes se retrouvent quelques minutes, pour un ultime tête-à-tête, dans le bureau du président. Giscard est grave. Chirac, tendu. Il se tient debout, près de la cheminée, et paraît penser à autre chose. Un malaise court dans la pièce, comme un rat. « Sachez, finit par laisser tomber l'ancien Premier ministre, que je ne ferai rien, dans l'avenir, qui puisse gêner votre action. » Puis : « D'ailleurs, je crois que vous n'entendrez plus parler de moi en politique. »

Croit-il ce qu'il dit ? Possible. Mais sait-il ce qu'il dit ? C'est peu probable. Chirac est complètement stressé. Visiblement, il a « décroché ».

Quelques minutes plus tard, le Premier ministre démissionnaire entre dans le petit salon chinois de l'hôtel Matignon pour lire une déclaration devant les caméras de télévision. Le texte qu'il a préparé est, à dessein, d'une grande platitude : « Je ne dispose pas des moyens que j'estime nécessaires pour assumer efficacement les fonctions de Premier ministre et, dans ces conditions, j'ai décidé d'y mettre fin. »

Quelque chose dérape, pourtant, dans le scénario bien huilé qu'il a mis au point avec Pierre Juillet et Marie-France Garaud. Devant les caméras, il a brusquement dans les yeux les éclats d'une colère irrépressible, sa voix, suffocante, hésite puis devient cassante, fulminante. Ce devait être un avis de démission. Cela devient un acte d'accusation.

Il n'est pas recommandé de se présenter à la présidence de la République avec les mains qui tremblent. Mais est-il bien raisonnable de démissionner de Matignon avec les dents qui grincent ?

VGE n'est pas surpris par le contenu de la déclaration. La veille, Chirac lui a lu le texte qu'il avait rédigé à la main, sur le dos d'une enveloppe. Avant le Conseil des ministres, il le lui a relu.

Le président, pourtant, est choqué. Le surlendemain, ayant convoqué à déjeuner plusieurs journalistes comme Jean Ferniot et Xavier Marchetti, VGE s'indigne : « Ce ton ! Avez-vous remarqué ce ton ? » Puis, avec un brin de dédain : « Mais, après tout, quand on quitte une fonction comme celle-là, il est normal que l'on fasse preuve de quelque nervosité. »

Machiavel a dit : « On fait la guerre quand on veut, on la termine quand on peut. » À dater du jour de leur rupture officielle, le président et son ancien Premier ministre entrent dans un processus qu'ils ne contrôlent plus. « Au fond, ce n'est pas la moindre cruauté de la situation, note fort justement André Chambraud. Chirac ne peut désormais gagner son pari que si Giscard, un jour, perd le sien [1]. » Entre eux, en somme, c'est maintenant une question de vie ou de mort.

Alors, pendant des années, quand les deux hommes se retrouvent, au hasard de rencontres protocolaires ou de réceptions officielles, ils ne se disent rien, même s'ils parlent ensemble. « Tout le monde était gêné, se souviendra Giscard. Il y avait tant d'électricité entre nous. Tant de petites choses aussi... »

Il est vrai qu'ils ne s'épargnent rien, ni bassesse ni vilenie. Le sang appelant le sang, l'un alimente la campagne sur le style « monarchique » du président et l'autre se gausse du tempérament « agité » de son ancien Premier ministre. Il n'empêche qu'ils croisent le fer avec trop de passion, trop de fièvre aussi, pour se

_____

1. *Le Point*, 30 août 1976.

détester vraiment. Giscard ne peut abominer tout à fait ce hussard qu'il fascine. Chirac ne peut abhorrer complètement ce gentilhomme qu'il bluffe. Dans leur cas, exécrer l'autre sans réserve, ce serait se haïr un peu soi-même.

S'étonnant l'un l'autre, ils donnent ainsi le sentiment de suivre le précepte de Sophocle : « Il faut haïr son ennemi comme s'il pouvait un jour devenir un ami. »

On ne se réconcilie facilement qu'avec une mort ou une défaite, c'est selon. En l'occurrence, ce sera celle de la droite à l'élection présidentielle puis aux législatives de 1981. Lors de leur premier tête-à-tête de raccommodement, chez VGE, l'ex-président cherche à mettre à l'aise son ancien Premier ministre :

« Ne parlons pas du passé. Vous avez des torts importants. »

Alors, Chirac :

« Je suis tout à fait d'accord pour qu'on ne parle pas du passé mais je considère que les torts sont pour le moins partagés. »

Tel est le ton de leurs conversations à l'époque. Ils ne sont pas tendres. Mais après tant d'années de malentendus, de chicanes puis de corps à corps, ils commencent à se comprendre. « On se dit toujours tout », convient Giscard. Et Chirac confirme : « Avec Giscard, on peut avoir une vraie discussion. On peut même le faire changer d'avis. Avec Barre, le contact est toujours plus difficile. Au début de la conversation, tout se passe toujours très bien comme si nous étions les meilleurs amis du monde et puis il cite les critiques de tel ou tel élu de mon mouvement, comme si j'étais derrière. Je lui réponds : "De votre côté aussi, il y en a qui ne me ménagent pas. Les entourages, vous savez, ont une vocation naturelle à dresser les gens les uns contre les autres. Cela n'a rien de grave." Mais il n'a jamais l'air convaincu. Il est, en fait, très sensible à la critique. »

Entre Chirac et Barre, son successeur à Matignon, il est vrai qu'il s'est installé, d'entrée de jeu, quelque chose de lourd, d'incompressible, qui pèsera longtemps.

La raison du malaise originel est toute simple : dès son arrivée à Matignon, Barre a commencé à mettre en question, à coups de sous-entendus évocateurs, l'héritage laissé par son prédécesseur. De sa voix de violoncelle, il a insinué, devant les Français, qu'il n'avait rien trouvé ou presque dans les caisses de l'État. Très vite, Chirac a donc voué le nouveau Premier ministre aux gémonies (« Peu après le remaniement, se souvient Claude Labbé, j'avais expliqué à Chirac

311

qu'il fallait utiliser Barre contre Giscard et, donc, le faire adhérer au RPR. Qu'est-ce que je n'avais pas dit ? Cette idée l'avait rendu fou »).

Mais quel est donc ce bilan que Barre présentait alors comme si catastrophique ? Arrivé au pouvoir quelques mois seulement après le quadruplement du prix du pétrole, Chirac a-t-il échoué sur toute la ligne ? « En deux ans, note Christine Mital dans un portrait paru dans *L'Expansion*[1], l'inflation est tombée de 15 à 10 %. La production, après s'être effondrée de 6 points de septembre 1974 à avril 1975, s'est redressée d'autant en 1976 ; cependant, dans le même temps, le nombre des chômeurs passait de 435 000 à 962 000 et le déficit commercial se creusait. Voilà qui ne mérite peut-être pas louanges, mais sûrement pas non plus le blâme infamant. »

Un bilan qui, apparemment, vaut bien celui de Barre à Matignon (1976-1981)...

---

1. Le 4 avril 1986.

30

L'aiglon

« Je ne suis jamais moins seul que dans la solitude. »

Scipion l'Africain

Jacques Chirac a de la conviction. Mais il manque de convictions. À la longue, le pouvoir les use. Et, après les quatorze ans qu'il vient de passer sous les lambris des palais d'État, il est clair que l'ancien Premier ministre de Valéry Giscard d'Estaing ne sait plus très bien où il en est.

Où va-t-il ? Pour l'heure, sur un prie-Dieu. Après son départ de Matignon, il tentera en effet de se retrouver lui-même à l'abbaye de Solesmes, dans le silence et la prière. La France, cela va de soi, n'en saura rien. Si vous voulez garder un secret, il vaut mieux le garder vous-même. Chirac le garde donc jalousement pour lui : ce mystique qui croit à la colère des dieux n'aime pas étaler ses entrailles. Paillard, il est. Mais pas païen...

Il n'est cependant pas du genre à s'éterniser dans les exercices de piété. Le 29 août 1976, quatre jours après sa démission, l'ancien Premier ministre se retrouve chez Pierre Juillet, dans sa propriété de la Creuse, à Puy-Judeau, avec Marie-France Garaud, Jérôme Monod et Jacques Friedmann. Le ciel est bleu, les oiseaux chantent et la maîtresse de maison a fait une moisson miraculeuse de trèfles à quatre feuilles. Tous les invités en auront un.

C'est donc sous les meilleurs auspices que les cinq compères mettent au point ce qu'on appellera la stratégie de Puy-Judeau. Elle repose sur trois points forts. D'abord, Jacques Chirac prononcera dans les tréfonds de la France profonde – en Corrèze naturellement – un appel à la résistance, au redressement, à la confiance :

en un mot, un discours gaullien. Ensuite, il se fera réélire député du plateau de Millevaches. Enfin, il lancera un grand mouvement politique à la fin de l'année pour repartir à la conquête du pouvoir. Et le peuple, naturellement, applaudira à tout rompre.

C'est Pierre Juillet qui a mis sur pied le plan de bataille. Il est homme à jouir dans les tempêtes. Et il en attend une, précisément. Convaincu que les giscardo-centristes seront pulvérisés aux élections législatives de 1978, il croit que VGE ne finira pas son mandat. « L'État-Giscard », à ses yeux, c'est la IVe République. Il se délite, sur fond de soleil couchant. Il ne reste plus qu'à attendre 1958. De Gaulle est de toutes les époques : ces temps-ci, il s'appelle Chirac...

Mais l'Histoire repasse-t-elle les plats ? « Pierre Juillet voulait refaire l'aventure du général de Gaulle, dit Jérôme Monod. C'était la stratégie de la grotte. On y réunit d'abord, en peaux de mouton de préférence, les disciples les plus fidèles. On lance un appel au sursaut et puis on passe à l'attaque. »

Au départ, le scénario marche comme prévu ; Jacques Chirac prononce son discours d'Égletons, se fait réélire en Corrèze avant de rénover de fond en comble le mouvement gaulliste. « Chirac ou la fureur d'agir », comme l'écrit Xavier Marchetti dans *Le Figaro*...

Il réussit tout et tout lui réussit. La naissance, le 5 décembre 1976, du Rassemblement pour la République (RPR) est célébrée par cinquante mille militants à la porte de Versailles à Paris. Le spectacle est grandiose et la France est méduseée.

Dans *Pinarque*[1], un pamphlet délicieusement voltairien, Jean Manan – pseudonyme de Jean Clémentin, l'un des piliers du *Canard enchaîné* – ironise sur la folie des grandeurs et la symbolique primaire du nouveau président du RPR : « À midi trente, le redresseur du haut de son estrade fit un signal. La toile qui enveloppait l'échafaudage glissa jusqu'à terre, le chef-d'œuvre émergea : le Monument de la Redresse. C'est un pylône sculpté d'un seul tenant dans un bloc de béton extrait des abattoirs de la Villette. D'une délicate teinte rose tirant sur le violet, d'environ cent mètres de haut, il a pour sommet une demi-sphère qui représente, stylisés, les traits du Redresseur. Il plonge dans le sol entre deux monticules en forme d'œuf. Selon la symbolique statuaire, le mât représente

1. Lattès, 1977.

314

l'autorité, la force, l'action, en un mot le Redresseur ; le monticule de droite représente le Rassemblement ; celui de gauche le Peuple dans ses Profondeurs. »

Tel est le Chirac d'alors : pompeux, ostentatoire et péremptoire. La boursouflure est un rôle de composition : ça se travaille. Le président du RPR s'applique donc, comme s'il était convaincu qu'il allait faire son siècle.

On ne va jamais aussi loin que lorsqu'on ne sait pas où l'on va. Chez Jacques Chirac, la profondeur de la réflexion ne répond pas alors à l'énergie déployée ni à l'intuition électorale ni à l'esprit d'organisation. Il est plus occupé à sonner la charge qu'à se fabriquer un corps de doctrine. Idéologiquement, en somme, il tire à hue et à dia : le combat politique l'enchaîne ; il a les yeux rivés sur les élections.

Il se garde donc de trancher, parmi ses directeurs de conscience, entre les réformistes et les conservateurs. Il donne raison à tous ceux qui se disputent son esprit, son jugement, son cerveau. Il se laisse ballotter et baratter avec une espèce d'allégresse inconsciente. Il est normal qu'un homme politique, divisant pour régner, s'appuie sur deux ailes. Mais les siennes sont trop contradictoires. Résultat : social et réactionnaire, travailliste et bonapartiste, le RPR repose, d'entrée de jeu, sur une ambiguïté fondamentale.

Le tandem Juillet-Garaud n'est plus le seul, en effet, à tracer la ligne. Un homme s'est avancé, à rebours du conservatisme de terroir des anciens conseillers politiques de Georges Pompidou. Protestant, énarque, délégué à l'Aménagement du territoire pendant neuf ans, directeur de cabinet de Jacques Chirac à Matignon pendant un an, il s'appelle Jérôme Monod. Jacques Chirac en a fait le secrétaire général du RPR, c'est-à-dire le numéro deux du mouvement.

En quelques mois, Jérôme Monod a su se rendre indispensable à Jacques Chirac qui apprécie en lui sa virtuosité d'énarque, éplucheuse de dossiers et consommatrice d'idées, son alacrité de pessimiste actif, son anticonformisme aussi. Les deux hommes ont beaucoup de points communs, le moindre n'étant pas la même impatience convulsive. Ils en ont les stigmates sur le visage : cet œil étincelant, cette expression farouche et pressée.

La voix haletante, courant si vite qu'elle s'essouffle souvent, la démarche vive, adolescente, Jérôme Monod a toujours l'air pour-

315

suivi par quelque obscure démangeaison, par des dossiers en retard ou par le temps qui passe. Il fait partie, avec Jacques Chirac, du petit club des tapeurs du pied : du matin au soir, ses jambes sont prises d'un mouvement saccadé, comme si elles voulaient se débarrasser d'une armée de fourmis rouges. Il laisse rarement ses interlocuteurs terminer leurs phrases : au premier mot, il a déjà compris. Et il exaspère les journalistes. Quand il répond aux interviews, il est toujours en avance d'une question. « Avec Jacques Chirac, dit-il, on se comprend sans se parler. En me voyant entrer dans son bureau, il lui est souvent arrivé de rigoler comme un fou. Il savait exactement ce que j'allais dire. Je me marrais aussi. Je savais exactement ce qu'il allait me répondre. Vérifications faites, on ne s'était trompé ni l'un ni l'autre. »

Monod, c'est l'anti-Juillet. Le secrétaire général du RPR ne prend pas au sérieux le conseiller politique de Jacques Chirac, frotté d'histoire, artiste de la politique, toujours à la recherche d'un « Prince » et d'une nouvelle aventure. Il dénonce volontiers, en petit comité, sa « pauvreté intellectuelle », son « mépris des hommes » ou encore son « extrême susceptibilité ». Parlant de Juillet, Monod dit : « C'était un homme très intelligent mais, politiquement, il était complètement paumé. Il nous ramenait sans arrêt des types incroyables, réactionnaires comme il n'est pas permis. Et il fallait écouter ces connards nous parler de la défense de l'école libre, de la lutte contre l'avortement, des valeurs européennes ou encore de la morale française. Il n'avait pas de pensée forte, encore moins de doctrine. Il estimait qu'il fallait garder les mains libres pour suivre les courants d'opinion. Quand on disait : "On devrait faire un programme", il se foutait de nous. C'était un ultra-conservateur, en fait. Et il était en contradiction avec ce qu'on essayait de faire : un parti en mouvement. »

Alain Juppé, alors délégué aux études du RPR – c'est un ancien conseiller de Matignon que Monod a amené auprès de lui –, n'est pas moins braqué contre le tandem Juillet-Garaud. Et il est tout aussi cruel : « Le seul mot de réforme les rendait fous. Dès qu'on essayait de faire avancer une idée nouvelle, ils parlaient, avec mépris, de "salmigondis technocratiques". Sur l'actionnariat, sur l'intéressement, sur tous les thèmes sociaux, on se faisait rabrouer. Et ils ne m'ont jamais pardonné d'avoir dit que les droits de succession étaient plus faibles en France que dans beaucoup de pays étrangers. »

On voit le climat. C'est pourtant vers le techno-réformisme de Jérôme Monod que Jacques Chirac semble pencher, dans un premier temps. Le 3 octobre 1976, dans le gymnase tout neuf d'Égletons, la ville de Charles Spinasse, ex-ministre de Blum, l'ancien Premier ministre réclame, entre deux couplets contre les « collectivistes », un impôt sur la fortune.

Écoutons-le :

« Je crois profondément aux réformes et je continuerai pour ma part, et à ma place, dans cette voie. Il y a des domaines où l'on peut et où l'on doit apporter des améliorations progressives : la famille qu'il faut aider et protéger davantage ; la commune qui doit bénéficier d'une plus grande autonomie ; l'organisation de ce qui touche le cadre de vie ; l'emploi des deniers publics pour éliminer peu à peu le gaspillage ; enfin, la concertation indispensable avec les organisations syndicales et professionnelles. Un État sûr de son autorité ne craint pas en effet la concertation véritable. L'autoritarisme est le masque de la faiblesse.

« Il y a des domaines où il faut procéder à une refonte complète du système : c'est le cas de notre système fiscal, trop complexe, insuffisant et injuste. La fiscalité de demain devra être assise non seulement sur les dépenses et le revenu mais aussi sur le capital. »

Il est clair que ce programme pourrait avoir été conçu par Pierre Mendès France et quelque club de la gauche moderne. Tout y est : la politique de concertation comme la réforme fiscale. Mais Chirac ne se tient pas pour satisfait. Et c'est la péroraison finale de l'appel d'Égletons qui retiendra le plus l'attention : « Le grand rassemblement auquel je vous convie [...] devra allier la défense des valeurs essentielles du gaullisme aux aspirations d'un véritable travaillisme à la française. »

Travaillisme ? En découvrant la formule, l'état-major de Jacques Chirac a un haut-le-corps. Le mot ne figurait pas dans le discours écrit par Alain Juppé puis lu et relu par Jérôme Monod et Marie-France Garaud.

Chirac-le-travailliste... Racontant comment il a lâché le mot fatal, il fait la part belle à l'étourderie : « Avant la réunion qui avait lieu à 21 h 30, je suis allé, avec Charles Pasqua, dîner chez Charles Spinasse, le maire de la ville. Il est nerveux et inquiet. Il me dit : "Est-ce que je peux lire votre discours ?" Je le lui montre. Il fait trois ou quatre remarques, toutes astucieuses et de pure forme : c'était un type très cultivé, libraire de formation. Puis il me fait : "Vous devriez mettre encore un peu plus de sensibilité de gauche là-dedans. Pourquoi ne parleriez-vous pas, par exemple, d'un travaillisme à la française ?" Je lui réponds, dans un premier mouvement, que ça me paraît tout à fait bien. Pour moi, spontanément, ce mot veut dire : concertation et cogestion avec des organisations syndicales responsables. On termine le dessert en vitesse, il faut partir, on est pressé. Je n'y réfléchis pas davantage. Je ne remarque même pas qu'il a ajouté la formule dans mon discours. À la tribune, je l'ai lue tranquillement, sans y attacher plus d'importance : après mon plaidoyer pour la politique contractuelle, ça me paraissait aller de soi. »

Recentré ou repris en main, Jacques Chirac prononcera, le 5 décembre suivant, pour le lancement du RPR, un discours moins mendésiste et plus gaullien. Ce jour-là, il reprend les vieilles recettes du général de Gaulle du temps du RPF, sous la IVᵉ République – le même pathos épique, la même éloquence de croisade, le même catastrophisme sonore. Il désigne aussi clairement les deux ennemis de son nouveau parti : le « collectivisme » et le déclin de la France. La foule frissonne...

Autant dire que ce texte qui ne manque pas de ton porte la griffe de Pierre Juillet. Mais Jacques Chirac n'est pas stabilisé pour autant. Il se livrera, ensuite, à d'autres contorsions qui feront de lui, pendant plusieurs mois, le plus insaisissable et le plus imprévisible des hommes politiques français.

Est-il conservateur ou novateur ? Démagogue ou libéral ? Fascisant ou progressiste ? Il se prend pour le vent. Il n'est que la girouette. Alain Juppé, cet inspecteur des Finances si pénétrant qu'il couve déjà du regard, porte alors sur le député de la Corrèze un jugement sans pitié : « À cette époque, Jacques Chirac marchait un peu à côté de ses pompes. Il se laissait tellement materner qu'il n'avait plus guère de prise sur ses idées. Et, chaque fois qu'il prenait une initiative, on lui faisait comprendre qu'il n'y connaissait rien et ne disait que des conneries. »

Cravacheur et prophétique, plein de contradictions, le député de la Corrèze éblouit ou inquiète, c'est selon. Il trouble aussi, comme s'il était inachevé. Et il est vrai qu'il tarde à sortir de sa chrysalide. Dans une *Lettre ouverte à Jacques Chirac*[1], chaleureuse mais hon-

___
1. Albin Michel, 1977.

nête, François Nourissier pose le problème de fond, celui que le député de la Corrèze cherche à masquer, à coups de gueule et d'étrier : « Ou votre RPR tentera d'être ce grand centre travailliste et généreux qu'ont espéré successivement Mendès France, Chaban-Delmas et qu'un temps le Général a donné l'impression de réussir à former ; ou bien il sera une conjuration des blocages et des pétoches, une coalition de toutes les petites droites : celle des poujadistes, celle des nostalgiques de l'OAS, celle des paysans en colère, celle des rentiers sans rentes et des bagnoleurs sans essence, celle de la messe de saint Pie V et des pucelles sans pilule. »

Voilà résumé, abruptement, le débat Juillet-Monod. En conclusion de sa *Lettre ouverte à Jacques Chirac*, François Nourissier exhorte, paternel, le député de la Corrèze à prendre de « l'épaisseur » : « Il faudrait maintenant vous installer à votre table et y chercher un peu vos mots [...]. Les Français aiment qu'on les flatte d'un peu de musique, de poésie, de grandeur. Du général de Rivoli à celui de Colombey, notre goût n'a pas changé. Pensez-y. »

Le député de la Corrèze y pense. Il prépare justement, pour les éditions de la Table ronde, un livre de souvenirs. Le soir, avec Denis Baudouin, Marcel Jullian et Roland Laudenbach, il se raconte devant un magnétophone. Il en sortira un manuscrit de cent cinquante-quatre feuillets, touffu, étourdissant comme une rafale de flashes. Il s'intitulera *Les Mille Sources* [1] en référence au plateau de Millevaches dont c'est le nom d'origine. Et il mettra au jour un nouveau Chirac, humble devant les hommes et les idées, respectueux des grands acquis du Front populaire, admirateur d'André Malraux, attentif à la jeunesse contestataire. Quelques heures avant son impression, pourtant, Pierre Juillet et Marie-France Garaud décideront de le bloquer : « Ce n'est pas un livre digne d'un candidat à la présidence de la République. »

Il est vrai que *Les Mille Sources* ne sont pas *Le Fil de l'épée*. Chirac n'est pas non plus de Gaulle. Dans ce livre inédit, il se contente de raconter quelques-uns des grands moments de sa vie qu'il entrelarde de réflexions. Malhabile à manier les concepts, il se définit ainsi, par petites touches pointillistes.

Provincial : « La culture nationale constitue la synthèse de cultures locales ou régionales. Cela ne signifie pas qu'elle doit les

---

1. *Op. cit.*

étouffer. La langue, elle-même, doit être maintenue partout où elle est encore vivace. Le parler du vieux pays va piocher très profondément dans les racines. Il fait accéder à la lumière des vérités, des fantasmes, des désespoirs, des espérances qui, enfouis, risquent de devenir graines d'ortie. Personnellement, j'ai encouragé un certain nombre de poètes limousins qui s'exprimaient en langue d'oc [...]. Le terreau de la culture, ce sont les régions que l'on a désentravées et d'où montent les libertés créatrices. La France, vue d'en haut, ne donne d'elle qu'une image systématique, fausse, et finalement provocatrice de désordre et de tyrannie. »

Délégateur : « L'une des difficultés à exercer un commandement, c'est la répugnance naturelle que l'on éprouve à déléguer. Pour certains, déléguer est synonyme de délaisser. J'ai la chance d'être porté, *a priori*, à faire confiance, et mon raisonnement me conduit plutôt à négliger les détails pour me consacrer à l'essentiel. On le remarque très vite : si on a pris soin de bien s'entourer, le collaborateur responsable prend quatre-vingt-dix-neuf fois sur cent la décision que vous auriez souhaitée, voire, de temps à autre, une décision meilleure. Pour la centième décision, admettons qu'il se trompe et adopte une position diamétralement opposée à la vôtre. Il n'en demeure pas moins vrai que mieux vaut courir le risque de voir un collaborateur commettre une erreur sur cent, que d'assurer soi-même quatre-vingt-dix-neuf décisions de plus, dont la surabondance vous conduirait – par fatigue, surmenage ou la simple application de la loi des grands nombres – à commettre trois ou quatre erreurs supplémentaires. Le général de Gaulle y excellait. À un haut fonctionnaire venu lui exposer les tourments que lui infligeait la nécessité de trancher dans une affaire difficile, il s'est borné à répondre : "Vous êtes précisément là pour ça", sans y ajouter l'ombre d'un conseil ou d'un encouragement. »

Carré : « Au matin, je ne suis pas quelqu'un qui pense à la mort. Je suis conscient que j'ai été conçu et créé pour un temps plus ou moins long dont le terme est pourtant inéluctable. Métaphysique mise à part, je n'y peux rien. Il ne me reste donc qu'à vivre sans tenir compte de la brièveté certaine de l'aventure. On m'affirme que c'est là une preuve de bonne santé morale ou mentale. J'entends bien ce qu'il y a de malice à me définir comme sain et sensé. Cela sous-entend que je pense court et que j'ignore la déraison. L'irrationnel fait pourtant partie de mon héritage et je le sais nécessaire à l'action – tout étant affaire de dosage et de bon emploi. »

Dur : « La prise d'otage doit être combattue sans faiblesse [...]. Au moment de cette sinistre affaire de Hollande où j'ai passé quatre jours et quatre nuits sans dormir, le ministre de l'Intérieur nous a fait savoir que certains groupes terroristes, et notamment la Fraction armée rouge à Genève, préparaient l'enlèvement de membres de la famille de ministres français. J'ai fait connaître à tous les ministres ou secrétaires d'État que si, d'aventure, l'un d'entre eux ou l'un de leurs proches était pris en otage, nous n'accepterions aucun marché et ne procéderions pas à un échange. Tout serait entrepris pour la délivrance de la victime du rapt et la sauvegarde de son existence, mais pas au prix d'une démission du gouvernement de la France. J'ai ajouté que je prenais des mesures pour renforcer leur protection et celle des leurs, mais que la conjoncture pouvait conduire au sacrifice de la vie d'êtres qui leur étaient chers et à la leur. Je le leur ai dit, au Conseil des ministres, de la façon la plus formelle, et individuellement. J'ai précisé qu'en ce qui me concernait mes dispositions étaient prises. »

Pompidolien : « Richelieu avait cru devoir rappeler cela à Louis XIII : "Nous ne serions pas les rois si nous avions les sentiments des particuliers." À un moment donné, pour être des hommes d'État, les hommes politiques doivent tuer quelque chose en eux, se mutiler, s'amputer. Délibérément. Il le faut puisque vous vous engagez, d'avance, à assumer, sans rien ni personne au-dessus de vous, et si le destin vous y conduit, une responsabilité capitale. Nul doute que les événements de mai 68, par exemple, ont trouvé un Georges Pompidou préparé à faire face. »

Stoïque : « Lorsque le suffrage universel vous a confié les fonctions dominantes, et que vous n'avez plus rien au-dessus de vous, on ne peut plus avoir d'ami. C'est une des rançons du pouvoir véritable : il faut laisser le cœur au vestiaire. "Je vous étonnerai par mon ingratitude", avait répondu Georges Pompidou à Charles de Gaulle qui s'inquiétait de ce que, le cas échéant, la magistrature suprême ferait de lui. »

Cliquetant de ses faits d'armes en Algérie, résonnant du fracas de Mai 1968, imprégnées d'une candeur confondante, *Les Mille Sources* ne sont pas le livre d'un philosophe, encore moins d'un stratège. C'est celui d'un soldat. Mais qu'est-il d'autre, alors ?

31

Vol au-dessus d'un nid de coucous

« Dans un pari, il y a un sot et un voleur. »
Proverbe belge

La scène se passe à l'Élysée, le 2 novembre 1976. Le chef de l'État a convié à déjeuner les barons de l'État-Giscard : Michel Poniatowski, Jean-Pierre Fourcade, Michel d'Ornano, Christian Bonnet, Roger Chinaud et Jean Serisé. La conversation roule tout de suite sur les élections municipales. Le statut de Paris ayant été modifié, VGE veut que le premier maire de la capitale soit l'un des siens. Il en fait une question de principe. Il en a d'ailleurs parlé, au cours de l'été, avec le ministre de l'Intérieur. Il lui a même demandé d'être candidat.

Michel Poniatowski a alors un haut-le-corps :

« Tu as l'air d'oublier qu'on a déjà un candidat. Depuis un an, j'ai monté toute une opération avec Pierre-Christian Taittinger. On en a fait un secrétaire d'État aux Collectivités locales, c'est lui qui a géré le dossier de la réforme du statut, il est soutenu par Chirac et il est giscardien. On ne trouvera jamais mieux.

— Il n'est pas assez giscardien », objecte VGE.

Alors, « Ponia » :

« Si on soutient quelqu'un d'autre, l'UDR va considérer ça comme une provocation. Et il vaut toujours mieux une demi-victoire qu'une lourde défaite. »

En ce jour de novembre, le président, l'air facétieux, annonce, d'entrée de jeu, aux quatre ministres réunis à sa table :

« Messieurs, l'année prochaine, l'un de vous sera maire de Paris. »

« Ponia » feint la surprise :

322

« Et Taittinger ? Tu ne crois pas que c'est un bon candidat ?

— Je n'en veux pas, tranche Valéry Giscard d'Estaing. C'est un faible et c'est une blague.

— Il est pour nous et il a le soutien de l'UDR, insiste "Ponia". C'est quand même un sacré atout.

— Justement. Sa victoire n'apparaîtra pas vraiment comme celle du giscardisme. Or cette ville est giscardienne, comme elle l'a montré lors de l'élection présidentielle. Elle doit donc avoir un maire giscardien. » Le regard présidentiel balaye alors les quatre ministres. Puis : « Étant donné l'enjeu, notre candidat à la mairie ne peut être que l'un de vous quatre. Bien entendu, je récuse Christian Bonnet qui doit rester à Carnac et Jean-Pierre Fourcade qui ne peut quitter Saint-Cloud. Pour moi, ça se joue donc entre Michel Poniatowski et Michel d'Ornano. »

Rougissant, le nez dans son assiette, Michel Poniatowski se fait tout petit. Jean-Pierre Fourcade vient à sa rescousse avec son inimitable franc-parler :

« Vous ne pouvez pas vous donner le ridicule de faire voter une loi normalisant le statut de Paris et d'avoir comme candidat le ministre de l'Intérieur. C'est se foutre du monde ! »

Les yeux se tournent alors, tout naturellement, vers Michel d'Ornano. Le ministre de l'Industrie bafouille. Il n'est pas candidat mais, s'il le faut vraiment, il est prêt à se dévouer. Cet aristocrate a tout du féal serviteur et cet homme fin manque de flair. C'est la victime idéale. Il laissera sa mairie de Deauville à sa femme.

Le volontaire est ainsi désigné. Affaire jugée.

Le 12 novembre 1976, pour que le pays sache bien qui le lui a demandé, Michel d'Ornano annonce, sur le perron de l'Élysée, qu'il se porte candidat à la mairie de Paris. Il s'avance avec la mine de quelqu'un qui a déjà gagné la bataille. Il s'est fié à ce que le président lui a dit : que les listes sont prêtes ; que le programme n'attend plus que le bon à tirer ; que les gaullistes parisiens, déjà « couchés », se laisseront facilement plumer. Le préfet de Paris, Jean Paolini, plutôt proche des gaullistes, n'a-t-il pas dit à VGE que l'élection du ministre de l'Industrie ne ferait pas un pli ?

La nature, en ce morne automne, semble avoir ôté à Valéry Giscard d'Estaing et aux siens toute capacité de raisonner. Ils croient avoir la France sous leur pied mais ils perdent pied…

Pour le mouvement gaulliste, la candidature de Michel d'Ornano n'est rien de moins qu'une agression. Jacques Chirac était d'accord pour laisser le champ libre à Pierre-Christian Taittinger qui fut sénateur de la Seine avant de devenir secrétaire d'État aux Collectivités locales : c'est un grand bourgeois giscardien, un brin dilettante, qui a toujours entretenu les meilleures relations avec les gaullistes. Avec lui, l'UDR, alors majoritaire, était sûre d'avoir la moitié des sièges au conseil municipal. C'est tout ce qu'elle demandait, c'est-à-dire pas grand-chose.

Jacques Chirac se souvient avoir dit à VGE, au début de l'année, que la mairie de Paris devait revenir à un giscardien – en l'occurrence, Pierre-Christian Taittinger. Et il a le sentiment d'avoir conclu, ce jour-là, un pacte avec le chef de l'État. Fin octobre, retrouvant le président à l'occasion d'une réception donnée par un ambassadeur arabe, il a eu un aparté avec lui : le « contrat » parisien y a été reconfirmé. Si Giscard l'a rompu, ce ne peut donc être un malentendu : c'est un parjure, tout simplement. Le député de la Corrèze écume contre ce président « sans parole » pour qui les serments sont des mots et les mots du vent. Il laisse entendre qu'il consentirait à soutenir une candidature de compromis – celle de Simone Veil, par exemple – mais que jamais il ne laissera Michel d'Ornano et les hommes du président mettre la main sur la capitale. Il rumine sa colère et il cherche sa riposte.

Xavier Marchetti l'a trouvée. Dînant au restaurant le Tong Yen avec Marie-France Garaud et son mari, l'ancien conseiller de presse de Pompidou, devenu éditorialiste au *Figaro,* tire ainsi la conclusion de la candidature de Michel d'Ornano : « Vous verrez. Vous serez obligé de présenter Jacques Chirac contre lui. »

Chirac, maire de Paris ? Cet homme est à inventer chaque jour. Et la capitale est peut-être un meilleur tremplin pour l'Élysée que la troisième circonscription de la Corrèze. Le lendemain, Marie-France Garaud teste l'idée sur une partie de l'état-major du mouvement gaulliste. Elle fait un four. Tout le monde hausse les épaules ou secoue la tête, c'est selon : l'échec étant interdit, cette candidature serait un risque considérable. L'ancien Premier ministre ne saurait jouer son avenir à pile ou face.

Consulté dans sa retraite de la Creuse, Pierre Juillet laisse tomber sa sentence : « S'il veut un destin, Jacques ne doit pas se territorialiser à Paris. Il aurait trop de mal, en ce cas, à séduire la France. »

Quant au député de la Corrèze, il feint de ne pas prendre l'idée au sérieux. Mais, en petit comité, il joue avec et commence à dire, à la ronde et en rigolant, qu'il se présenterait bien.

Il y a de quoi. Électoralement, le mouvement gaulliste a clairement le vent en poupe. Aux élections partielles du 14 novembre 1976, deux jours après l'annonce de la candidature de Michel d'Ornano, quatre anciens membres du gouvernement retournent devant les urnes pour retrouver leur siège de député. Les deux candidats UDR, Jacques Chirac et Jean Tiberi, ex-secrétaire d'État aux Industries alimentaires, sont facilement réélus dès le premier tour. Les deux candidats giscardiens, Gérard Ducray et Bernard Destremeau, sont, eux, très sérieusement malmenés.

Le lendemain après-midi, gonflé à bloc, Pierre Bas, député gaulliste de Paris, éructe dans le bureau de Michel d'Ornano :

« Nous n'accepterons jamais votre désignation. Retirez-vous tout de suite. Sinon, nous vous briserons. »

Le ministre de l'Industrie rigole :

« Calmez-vous. »

Rien ni personne ne lui fera perdre son sang-froid « Michel d'Ornano, dira plus tard Alexandre Sanguinetti, se trouve dans la position bien connue dans l'armée qui est celle du "têtard", c'est-à-dire celle du soldat qui n'est pas au courant des conséquences des. choses et qui se fait piéger par ses supérieurs pour les corvées. »

Passent les semaines. Face à Michel d'Ornano, les gaullistes ont lancé Christian de La Malène, rapporteur général de la Ville de Paris depuis des années. C'est l'une des figures les plus connues de ce qu'on appelle alors le « gaullisme immobilier », variété parisienne plus proche des barons que de Jacques Chirac. « Là où il passe, dit-on, l'herbe ne repousse pas. » Triste et austère, il est plus à l'aise dans les dossiers municipaux que sur les plateaux télévisés. Médiatiquement, c'est un désastre. Et il est clair que le ministre de l'Industrie n'en fera qu'une bouchée.

À la mi-décembre, Michel d'Ornano est sûr qu'il sera élu maire de Paris au mois de mars suivant. Tous les sondages le lui disent. Le moral des gaullistes est, de toute évidence, à la baisse. Au point que Robert Hersant, le patron du *Figaro,* annonce un jour au ministre de l'Industrie que le RPR est prêt à pactiser : « Marie-France trouve que tout ça a assez duré. Chirac est disposé à vous soutenir si vous donnez à La Malène le poste de premier adjoint, chargé des Finances, et si vous laissez leurs sièges aux gaullistes sortants. » Le ministre de l'Industrie, bon prince, répond qu'il accepte les deux conditions. Hersant ajoute que la conseillère de Chirac est prête à le rencontrer quand il le voudra et où il le voudra pour mettre au point les termes de l'accord.

Michel d'Ornano n'aura plus, ensuite, de nouvelles de Marie-France Garaud. Quand, étonné, il cherche à reprendre contact avec elle, le 8 janvier 1977, l'égérie de Jacques Chirac lui fait dire : « Je ne suis prête à vous rencontrer que pour discuter des conditions de votre retrait. »

Le ministre de l'Industrie a tendance à trouver ça farce. Toutes les enquêtes d'opinion sont pour lui. Il n'aura peut-être pas les gaullistes mais il aura, il n'en doute pas, les Parisiens. Il ne sait pas que la capitale, déjà, ne lui appartient plus.

Tout s'est joué quelques jours plus tôt, au trente-deuxième étage de la tour Montparnasse, le nouveau siège du RPR. L'état-major chiraquien se réunit pour la première fois de l'année. Tout le monde a la même obsession : Paris. Avec son faux air de Candide, Charles Pasqua, le poisson pilote du tandem Juillet-Garaud, casse le morceau sans précaution :

« Bah, Jacques, si on veut éviter le désastre, y a pas trente-six solutions. Il va falloir que tu y ailles. »

Hochement de tête général. Jacques Chirac, le nez dans ses dossiers, ne dit rien. Mais il savoure avec délices cette unanimité. Pierre Juillet prend alors la parole :

« J'étais contre cette idée mais je reconnais qu'il n'y a pas d'autre solution si on ne veut pas laisser la capitale aux giscardiens. » Murmures approbateurs autour de la table. « Mais il ne faut pas que cette candidature apparaisse trop comme un acte d'agression contre le président, ajoute Juillet. Jacques ne doit pas se mettre dans son tort. Je suggère donc qu'on ne fasse rien avant la conférence de presse du chef d'État. »

Le 11 janvier, Jacques Chirac prévient quand même Christian de La Malène et Pierre Bas, les deux chefs de file des gaullistes parisiens. Il est prudent : « Je réfléchis à mon éventuelle candidature. » Et il. trouve les deux hommes étonnamment consentants.

Reste à trouver l'occasion d'annoncer la nouvelle. Le 17 janvier, tout l'état-major du RPR regarde, en direct, à la télévision, la conférence de presse du président. Serein et souverain, Giscard-ledécrispé calme le jeu. Il dédramatise tout, à commencer par les divisions de la majorité. « Il faut sortir, dit-il, de la conception d'une uniformité qui se déchire pour passer à une autre conception qui est celle d'un pluralisme qui s'organise. »

« Voilà la justification qu'il nous fallait ! s'écrie joyeusement Pierre Juillet, devant le téléviseur. Deux candidats à la mairie de Paris, c'est ça, le pluralisme. Personne ne pourra dire le contraire. » Rire de l'état-major chiraquien. Alors, Pierre Juillet dit au député de la Corrèze : « Vous pouvez dès maintenant demander un rendez-vous au Premier ministre et lui dire que vous vous présentez au nom du pluralisme ! »

C'est ce qui sera fait. Deux jours plus tard, après une entrevue d'un quart d'heure avec Raymond Barre qu'il laisse accablé et groggy, Jacques Chirac annonce sa candidature à la mairie de Paris. L'heure, dit-il, « n'est plus aux négociations de couloir ni aux compromis de parti ». Il faut faire en sorte, ajoute-t-il, que « la capitale de la France ne coure pas le risque de tomber entre les mains des socialo-communistes ».

À 20 heures, il déclare devant les caméras de télévision, avec ce mélange d'enflure et d'alacrité qu'il cultivera tout au long de la campagne : « Je viens dans la capitale de la France parce que, dans notre histoire, depuis la révolution de 1789, chaque fois que Paris est tombé, la France a été vaincue. »

Tel est le ton. Stigmatisant les « attitudes médiocres » et les « combinaisons florentines », l'ancien Premier ministre est parti en guerre. Contre les « collectivistes » de la gauche. Contre le chef de l'État aussi. Et il est clair qu'il ne s'arrêtera pas en route s'il conquiert Paris. Il a la véhémence et l'insolence du duc de Guise. VGE sera-t-il Henri III ?

Raymond Barre lui demande de se retirer. Jacques Chirac, non sans humour, fait le rodomont : « Je ne changerai pas d'avis sauf raisons graves et impérieuses, écrit-il au Premier ministre. Comme moi-même, vous savez que le président de la République peut avoir ces raisons. Étant donné un passé récent où, comme il a bien voulu le reconnaître, je l'ai servi avec loyauté, serait-ce trop demander qu'il me dise lui-même les raisons d'État qui amènent le gouvernement à vouloir s'opposer à ma candidature ? »

Le pari est osé et la mise considérable. Si le député de la Corrèze perd, il perd tout. C'est probablement ce qui fascine et déroute le plus, dans cette campagne de Paris : qu'un homme politique, arrivé au faîte, éprouve ainsi le besoin de tout remettre en question et de rejouer son destin à quitte ou double.

D'entrée de jeu, le député de la Corrèze a tout contre lui – les sondages, les bonnes manières et les médias d'État. Il n'en a cure. Si la montagne ne vient pas à lui, Chirac, comme Mahomet, va à la montagne. Il parle avec feu. Il serre des milliers de mains. Il est dans tous les arrondissements à la fois. Pontifiante et truculente, sa campagne sera l'une des plus étonnantes de ces dernières années.

Pour renverser le courant, il ne mégote pas. Parlant de la candidature de Michel d'Ornano, il déclare, par exemple : « Par le caractère un peu aristocratique de ses listes et de la famille qu'il représente, elle n'était pas de nature à rassembler les suffrages populaires. » Et la foule applaudit.

Dans *La Lettre de la Nation*, l'organe du RPR, Pierre Charpy écrit : « Jacques Chirac, à Paris comme partout en France, se bat pour l'essentiel. Tant pis si cela heurte des sensibilités trop personnalisées. Quand on ne veut faire de peine à personne, on choisit Vichy. » Et la foule frémit.

Tous les coups sont bons. Les chiraquiens n'hésiteront même pas à nourrir une méchante calomnie contre Françoise Giroud, secrétaire d'État à la Culture et candidate de la « majorité présidentielle » dans le XVe arrondissement de Paris[1]. C'est une campagne sans pitié où chacun est venu avec son venin, son roquet, sa ciguë. Les politiciens ne le font pas exprès.

Tout tendu vers son objectif, inusable et indestructible, Jacques Chirac s'affirmera, pendant cette campagne, comme l'un des grands professionnels de la politique avec François Mitterrand. Rien ne l'ébranle. Ni *L'Express*, qui se demande. « dans quel état se retrouvera, au lendemain des élections, celui qui se veut le nouveau "chef gaulliste" ». Ni Michel Poniatowski, qui déclare, l'air informé, qu'il a « bien peu de chance d'être élu ». Ni les instituts de sondage qui tous sauf un le donnent battu. Une anecdote, contée par Jérôme

---

1. Françoise Giroud avait dit, dans sa littérature électorale, qu'elle était « médaillée de la Résistance ». Si elle lui avait bien été décernée, cette décoration n'avait pas été enregistrée au *Journal officiel*. D'où la calomnie...

Monod, résume tout Chirac : « Un jour où plusieurs sondages le donnaient perdant, j'entre dans le bureau de Jacques, et le trouve effondré dans son fauteuil, les pieds sur la table, la tête dans les mains. Je m'inquiète, je redoute une crise d'abattement et m'enquiers timidement : "Jacques, cela ne va pas ?" et Chirac de me répondre : "Ça ne va pas du tout, je n'arrive pas à digérer les deux douzaines d'escargots que j'ai mangées à midi [1]" ».

Michel d'Ornano, le chouchou des sondages, flotte, lui, dans les nuages. Quelque chose s'est installé entre le peuple de Paris et lui, qui l'empêche de convaincre. Dans *Le Nouvel Observateur*, François Caviglioli rapporte l'avoir vu entrer dans une boulangerie la main tendue et clamant joyeusement :

« Je suis Michel d'Ornano. »

La patronne :

« Et alors ? Vous voulez une baguette ? »

Il aura une mauvaise surprise. Le soir du premier tour, le 13 mars 1977, Jacques Chirac peut dire, à bon droit, qu'il a gagné son pari. D'abord, il a dominé les giscardiens. Ensuite, il a empêché la gauche de progresser à Paris au moment où elle enregistrait une forte poussée dans toutes les grandes villes de France.

Le 20 mars, à l'heure des comptes du deuxième tour, les listes de Jacques Chirac obtiennent 54 sièges ; celles de Michel d'Ornano, 15 ; celles de la gauche, enfin, 44. Cinq jours plus tard, le député de la Corrèze est élu maire de Paris par 67 voix contre 40. On voulait « dégaulliser » la capitale ? Il a « chiraquisé » Paris.

L'État-Giscard, déjà, règle ses comptes comme il peut. Le matin où Jacques Chirac s'installe dans son bureau de maire, le plus vaste et le plus beau de la République, les services téléphoniques du ministère de l'Intérieur viennent retirer les fils de l'interministériel qui permet d'appeler directement, avec un numéro à trois chiffres, les ministres et quelques très hauts fonctionnaires. C'était le privilège du président du conseil de Paris. Ce ne sera pas celui du premier maire de Paris depuis des décennies...

VGE est humilié. Raymond Barre, ridiculisé. Les choses, pourtant, auraient pu se passer différemment. Dans *Le Figaro*, comme

---

1. Catherine Nay, *La Double Méprise, op. cit.*

il le rappelle dans ses *Mémoires*[1], Raymond Aron avait déconseillé au président de livrer bataille contre son ancien Premier ministre :

« L'effort du RPR de conserver sa position à Paris, pourquoi ne pas le comprendre ? Pourquoi le taxer de crime de lèse-majesté ?

« Si la candidature de Jacques Chirac s'en prend à l'autorité du président, pourquoi celui-ci ne réplique-t-il pas par une esquive ? »

Raymond Aron n'est pas le seul de cet avis. Quelques semaines après les élections municipales, VGE reçoit Pierre Juillet.

« J'ai eu de vos nouvelles, dit le président.

— Il y a pourtant longtemps que nous ne nous sommes vus...

— Je voulais parler de la campagne. J'ai reconnu votre main. »

Le président sourit, content de son effet. « Il faut reconnaître, ajoute Giscard, que cette candidature était imparable.

— Vous vous trompez. Elle n'était pas imparable.

— Quelle était la parade, alors ?

— De Gaulle n'aurait pas fait comme vous, monsieur le président. Il aurait convoqué Chirac et il lui aurait dit : "Vous voulez la mairie de Paris, mon vieux ? Qu'à cela ne tienne, vous êtes mon candidat." »

Valéry Giscard d'Estaing a, en somme, perdu sur tous les tableaux. Il a laissé sur le macadam parisien un peu de sa réputation, de son autorité, de son crédit.

En attendant, Jacques Chirac est devenu un personnage considérable. À la mairie de Paris, il dirige une armée de trente-six mille fonctionnaires et il dispose d'un budget de 7,2 milliards de francs. Il reçoit les chefs d'État étrangers en visite officielle. Protocolairement, il passe avant les ministres. Il ne se gêne d'ailleurs pas pour les convoquer dans son bureau. À René Haby, ministre de l'Éducation nationale, qui lui demande s'il doit se déplacer, Chirac répond : « Vous n'imaginez pas, René, que le maire de Paris ira faire la queue dans les ministères... »

Autour de lui, il a mis en place un vrai gouvernement avec deux ministres des Affaires étrangères (Maurice Couve de Murville et Pierre-Christian Taittinger), un ministre de la Culture (Marcel Landowski), un « médiateur » (Michel Junot) et un porte-parole (Denis Baudouin). Il a même un dessein : « Je ne vois aucune différence entre Paris et Ussel, voyez-vous. Il s'agit dans les deux cas d'une collection

---

1. *Op. cit.*

de villages. Paris est une ville latine – une ville de cafés, de places, de squares. Au lieu de les démolir, il faut les développer, comme il faut développer les activités industrielles et la vie culturelle de la capitale. »

Est-il apaisé pour autant ? S'il ne veut pas reculer, il lui faut maintenant repartir pour de nouvelles conquêtes. Derrière lui, la voix du temps s'écrie déjà, comme dans une page de Bossuet : « Marche ! Marche ! »

32

Croisade contre le libéralisme

> « La liberté, c'est comme la santé : dès que vous y pensez,
> vous n'en profitez plus. »
>
> *Dicton américain*

Où va-t-il ? En campagne, comme toujours. Il sillonne la France
en Mystère 20. Il traverse, extatique, des foules qui s'écrient sur son
passage : « Chirac à l'Élysée ! » Il met en garde contre les « socialo-
communistes », les « Tartarins de la lutte sociale », les « pharisiens
de la politique ». L'index pointé en direction de François Mitterrand, il s'époumone contre les « politiciens écartés de longues
années du pouvoir par leurs erreurs » et « prêts à toutes les contorsions pour y revenir ». Il réunit cent mille personnes à la porte de
Pantin. Pour garder la voix, il a réduit à sept cigarettes sa consommation quotidienne de Winston et il suce sans arrêt des pastilles
contre la toux. Il signe des autographes sur des billets de 100 francs.
Il chante *La Marseillaise* sur tous les tons. Et il ravit la vedette à
Raymond Barre que VGE a sacré, dans un entretien à *L'Express*[1],
« leader de la campagne majoritaire ».

Pour affronter les élections législatives des 12 et 19 mars 1978,
la gauche, n'ayant pu « réactualiser » le Programme commun, est
désunie. Mais la majorité ne l'est pas moins. Les giscardiens, les
centristes et les radicaux ont fini par échafauder leur front anti-
RPR. C'est l'UDF, aboutissement du projet politique de VGE. Elle
n'inspire que sarcasmes à Jacques Chirac qui se gausse des « partisans de la tiédeur et des fervents du compromis ». Ou encore de

---

1. 9 mai 1977.

« ceux qui parlent du changement comme les vieillards parlent des petites filles ».

Face à la menace giscardienne, il est condamné à se chercher une cohérence politique. Il la trouve sans avoir eu à battre la campagne. C'est celle du gaullisme nationaliste et social. Il se prononce ainsi pour « une Europe fondée sur le fait national en politique extérieure », célèbre « le progrès social » qui, « au lieu d'être conçu comme une charge de l'économie, peut accompagner tout naturellement le progrès de celle-ci », part en guerre contre « le libéralisme classique qui aurait tendance à attendre le retour spontané de l'économie à sa prospérité ancienne » [1].

Son discours commence à ressembler à quelque chose. Certes, le message passe mal sous l'enflure autoritaire et l'élocution militaire d'un homme qui, pour paraphraser Clemenceau parlant du général Boulanger, semble avoir décidé de vivre en sous-lieutenant. Mais, entendu de près, le fond de ses proclamations est beaucoup moins conservateur qu'il n'en a l'air. En ce temps-là, Jacques Chirac n'hésite même pas à ranger les gaullistes à gauche.

Écoutons-le : « Il y a la tradition d'une gauche nationale [...]. Elle est chez nous ; et chez nous seuls. Il y a dans notre histoire la tradition d'une gauche qui revendiquait avec fermeté l'autorité de l'État républicain contre toutes les formes d'anarchie, de désordre, d'incivisme, de délinquance [...]. Elle est chez nous. Je serais encore tenté de dire, sans excès de prétention : chez nous seuls. Il y avait une gauche qui tenait jalousement à rester l'interprète fidèle du sentiment populaire, qui refusait de laisser la politique dirigée par une douteuse aristocratie de petits comités et d'intellectuels phraseurs [...]. C'est nous qui représentons le sentiment populaire contre les préjugés idéologiques [2]. »

C'est l'époque où le président du RPR parle de « plumer la volaille socialiste ». Il faut donc faire la part, dans cette déclaration, de la tactique politicienne. Il reste que, par petites touches, l'ancien exalté du piton est en train de se fabriquer un socle idéologique. Un livre le montre avec éclat, qui sera publié en décembre 1978 : *La Lueur de l'espérance, réflexion du soir pour le matin* [3]. Un essai de

---

1. Entretien au *Monde*, 4 mars 1978.
2. *Ibid.*
3. *Op. cit.*

bonne facture, frémissant et pétillant, où l'on retrouve la trivialité sardonique de Chirac, son goût de la métaphore scabreuse, son humour aussi.

Chose étrange, *La Lueur de l'espérance* ne fait guère de bruit à sa sortie. Le livre révèle pourtant une nouvelle dimension du personnage, capable de penser et d'écrire. On comprend beaucoup mieux, en revanche, que Jacques Chirac n'ait jamais été tenté, depuis, de l'exhumer : c'est un pamphlet antilibéral.

Les temps changent et, bien sûr, Jacques Chirac change avec eux. Ils le « libéraliseront ». C'est pourquoi ce livre n'est pas à mettre entre toutes les mains.

Stupéfiant essai. Bien entendu, Jacques Chirac s'en prend, sur un ton de prédicateur, au PS qui « a trouvé un bon prétexte à la paresse intellectuelle dans l'inspiration marxiste, qui lui permet des couplets purement sentimentaux, sur le ton misérabiliste du XIXe siècle, assortis de solutions verbales ou puériles pour se débarrasser des problèmes véritables ». Mais ses flèches ne sont pas moins acérées contre le « libéralisme conservateur » et le « laisser-faire » du tandem Giscard-Barre. Quelqu'un de furibond s'exprime dans ces pages, qui sait se faire lire : « La politique du chien crevé fournit, depuis la IIIe République, une comparaison qui a beaucoup servi. Toutefois, le malheureux chien auquel on se réfère, outre l'excuse d'être mort, ne tenait pas de discours avantageux pour faire ressortir qu'il avançait indiscutablement. Il ne se flattait pas d'une attitude propre à faire surgir beaucoup de changement dans le paysage. Il ne prônait point la décrispation dont il fournissait le modèle et n'éprouvait pas davantage la tentation d'agiter inutilement les pattes, à droite et à gauche, pour faire croire qu'il engendrait le cours du fleuve. ».

Non content de stigmatiser la démarche politique de VGE et de son Premier ministre, il s'attaque à leur philosophie économique : « Le libéralisme économique rend aux dirigeants l'immense service de prendre en charge les responsabilités générales de l'évolution. Une fois admis que ses lois sont celles du progrès, tout ce qui arrive par le seul jeu des initiatives privées et de la concurrence devient un phénomène respectable et sain par nature. Si ce phénomène présente des aspects déplaisants, comme une récession ou le chômage, on lui attribuera des vertus lointaines pour préparer un avenir meilleur [...]. Il est donc clair que ce libéralisme économique correspond merveilleusement aux dispositions d'esprit des dirigeants conservateurs, puisqu'ils resteront dirigeants sans avoir trop à diriger : mieux, avec mission expresse de très peu diriger, afin de laisser faire les mécanismes naturels. »

Tout au long de *La Lueur de l'espérance*, Chirac tourne autour de l'idée libérale qu'il malmène à plaisir, avec des formules du genre : « S'abandonner au seul jeu de la liberté économique et de la concurrence internationale, c'est renoncer à contrôler l'avenir, c'est s'abandonner à l'imprévisible. Raymond Barre aime citer Frédéric Bastiat, comme s'en sont aperçus un soir les téléspectateurs. Je lui en ai été reconnaissant, sur le moment. Cet auteur est trop oublié. Il avait un vif talent, de clarté incisive, ce qui est rare parmi les économistes. Il a dit des choses fort justes. Mais il écrivait dans la première moitié du XIXe siècle et il accordait une confiance religieuse aux harmonies providentielles de la nature. Depuis lors, on est devenu beaucoup plus méfiant sur les conséquences du laisser-faire et du laisser-passer, qui ne sont pas toutes nécessairement favorables. »

L'auteur de *La Lueur de l'espérance* est obsédé par le déclin de la France « La patrie est en danger, aussi sûrement qu'en présence d'un envahisseur [...]. Je tiendrai comme un frère quiconque éprouverait comme moi [...] le besoin profond d'au moins casser une potiche. Mais sur la tête de qui ? » Pour en finir avec le marasme moral, économique, culturel et démographique de l'Hexagone, il réclame un renforcement de l'État. Ce qui n'a rien à voir, cela va de soi, avec « l'ultra-dirigisme sans direction » ou la « politique libéraliste » du tandem Giscard-Barre. Chirac écrit ainsi :

« L'État peut être paralysant, à coup sûr, il en a fourni d'innombrables preuves. Néanmoins, il n'est pas forcément synonyme de bureaucratie aveugle. Son rôle peut être d'impulsion, autant ou plus que de prohibition, et correspondre à la tâche du premier exécutant au service de la volonté collective [...].

« Aucune nation ne doit plus à l'État que la France. Aucune, par conséquent, n'est plus vulnérable aux défaillances de l'État. »

Trois mois après la parution de son livre, Jacques Chirac ira même jusqu'à faire l'éloge de la planification : « Ce qui manque, je ne cesse de le répéter, c'est une planification des efforts demandés aux Français, qui seule peut s'appuyer sur une volonté nationale. Sans cette volonté, la restructuration nécessaire de notre industrie se fera par à-coups et avec les contrecoups sociaux qui font payer cher les erreurs du libéralisme [...]. Je persiste à penser que le Plan peut être un outil de politique industrielle [1]. »

Chirac ou la planification démocratique... Cela ne s'invente pas. Depuis son entrée en politique, il n'a guère été qu'un zombie faisant oublier par l'éclat du geste sa vacance idéologique et sa disponibilité intellectuelle. Il est en train de se découvrir : cocardier, étatiste et populiste. Et il s'aime. Avec ses effets de maxillaires et sa fougueuse éloquence, il est en phase avec l'ancien sous-lieutenant en Algérie.

Faut-il le prendre au sérieux ? Le personnage est encore trop neuf. Comme il n'est pas, on l'a vu, à un avatar près, on ne peut être sûr qu'il soit définitif.

Ce Chirac en construction laisse en tout cas sceptique Raymond Aron, qui l'aime bien, le châtie tout autant. Dans ses *Mémoires*[2], l'auteur de *L'Opium des intellectuels* traduit un sentiment assez général quand il définit ainsi le personnage d'alors : « Quelque peu radical-socialiste par la manière dont il avait flatté les paysans, démagogue des grandes villes par son style battant et sa capacité presque infinie de serrer les mains, toujours en quête d'un slogan électoral qu'il abandonne quelques jours après l'avoir inventé. »

Dans un éditorial de *L'Express*[3], Raymond Aron, encore lui, pourtant peu suspect de sympathie pour Valéry Giscard d'Estaing, va plus loin : « La volonté, l'élan, l'enthousiasme, un plan national : une telle phraséologie vide de sens plaît à une catégorie de Français qui dénoncent l'abdication de l'État chaque fois que les pouvoirs publics ne se substituent pas. aux entreprises et aux Français. Desserrer le carcan bureaucratique, libérer l'économie, planification démocratique : tout ce discours témoigne des mêmes vertus incantatoires et de la même nullité intellectuelle que les discours dominicaux de sous-préfecture. » Après avoir rappelé que l'homme Chirac ne lui inspire aucune antipathie, « au contraire », il note cruellement : « Sous le règne de Jacques Chirac, le RPR se rapproche du populisme, hostile tout à la fois au socialisme et au "mercantilisme". Populisme qui ne se confond ni avec le fascisme ni avec le poujadisme, mais que l'on n'hésite pas à baptiser gaullisme. Cocardier

---

1. Entretien au *Nouvel Économiste*, 19 mars 1979.
2. *Op. cit.*
3. 10 mars 1979.

("La France est la plus grande de toutes les nations"), il flatte des préjugés, des ressentiments, des nostalgies, que la crise éveille ou avive. Mais il n'ouvre la voie ni à la conquête du pouvoir ni à l'exercice du pouvoir. »

Chirac pose, c'est vrai, à l'homme fort. Et il ne fait pas dans le raffinement. « Je sais que j'ai une gueule de droite, dit-il, mais on ne peut pas se refaire. » Le chiraquisme s'affirme dans la virilité. Le fantôme du général de Gaulle rôde. Celui du général Boulanger aussi. À propos de sa thématique, faite pour conquérir les classes moyennes, François Mitterrand parle de « poujadisme supérieur » ; Alexandre Sanguinetti, de « national-poujadisme ».

En attendant, Chirac fait des voix...

Aux élections législatives de mars 1978, la majorité résiste bien, contre toute attente, à la vague socialiste. Et, à la surprise générale, le RPR de Jacques Chirac caracole devant l'UDF de Valéry Giscard d'Estaing : 22,7 % contre 20,2 %. Le président a perdu son pari : le mouvement gaulliste reste le premier parti de sa coalition parlementaire.

En résumé, le RPR a survécu à l'assaut du giscardisme (« Le seul vainqueur de ces élections, dira avec emphase Jacques Chirac, c'est le général de Gaulle ») et la majorité à celui du PS.

Le 19 mars, la majorité obtient 290 sièges. La gauche, 201. Il faut toujours se méfier des morts annoncées.

Mais, comme Annibal, Chirac aura vaincu pour ne pas profiter de sa victoire. En cinq mois, pour porter la bonne parole, il a parcouru 80 départements, visité 453 villes, prononcé 413 discours, tenu 69 meetings, etc. Il considère que cette victoire surprise de la majorité est, en grande partie, la sienne. Et qu'il peut, à bon droit, revendiquer sa part de butin – et de pouvoir.

Erreur. Valéry Giscard d'Estaing n'a pas su se vaincre dans la victoire. Sitôt la campagne terminée et les élections gagnées, il a repris sa vendetta antichiraquienne. Il n'a pas ouvert son gouvernement aux proches du maire de Paris. Et s'il a fait des gestes, ce fut en direction de la gauche. « Je suis convaincu, déclare ainsi le président le 16 avril 1978, que l'effort pour organiser une cohabitation raisonnable [...] améliorera en profondeur notre vie démocratique. »

337

Chirac s'étrangle. « Il avait le sentiment d'avoir sauvé la majorité, se souvient Jacques Toubon qui est alors son conseiller politique. Il aurait aimé que Giscard en tirât les conséquences. Il a été traumatisé par la façon dont le président l'a traité. »

Et c'est ainsi que la guerre entre les deux hommes a repris de plus belle. Quand le combat cessera, ce sera faute de combattants...

33

Qui a cassé le vase de Soissons ?

« Aurais-tu soixante conseillers, consulte-toi toi-même. »
Adage hébreu

Au siège du RPR, l'air devient de plus en plus pestilentiel. Entre l'équipe de Jérôme Monod, secrétaire général du mouvement, et le tandem Juillet-Garaud, il n'est pas de jour sans chipotage ni accrochage. Mais si les portes claquent, ce n'est pas par pur plaisir de se chamailler. Politiquement, le fossé ne cesse de se creuser.

Pierre Juillet et Marie-France Garaud sont en position de force. Ils connaissent tous les élus. Ils n'ignorent rien des filières de financement. Et ils ont, comme dit Jérôme Monod, Charles Pasqua « dans la main ». Ce boucanier du gaullisme se languit, loin des palais du pouvoir, et il est prêt à presque tout pour retrouver un rôle, un titre, une situation. Il sait où sont les clés des souterrains du mouvement, ce qui n'est pas si fréquent, et c'est un étonnant boute-en-train, ce qui ne gâche rien.

Face à ces professionnels de la politique, Jérôme Monod n'est pas très armé, avec ses têtes d'œuf et ses hommes de dossiers. Le secrétaire général est peu à peu marginalisé et le programme du RPR, sa grande affaire, est même réduit en cendres. « On nous a fait bosser pendant des mois, rapporte Alain Juppé, l'inspecteur des Finances favori de Monod. Et puis un beau jour, patatras, on nous a dit qu'il fallait tout arrêter, que ça ne servait à rien, qu'on s'emmêlait les pieds en proposant une réforme fiscale, que les programmes, c'était rien que des bêtises. »

339

Au RPR, c'est le tandem Juillet-Garaud qui fait la loi. Apparemment, il a pris le contrôle de Chirac – de son emploi du temps, de son discours, de son cerveau.

Certes, le député de la Corrèze, conscient qu'on ne règne bien qu'en divisant, avait pris soin, pour conforter Jérôme Monod, de lui adjoindre Anne-Marie Dupuy[1], ex-ambulancière militaire, ancienne directrice de cabinet de Georges Pompidou, forte tête et vieille ennemie de Marie-France Garaud. Mais, apparemment, Chirac n'arrive pas à résister à l'ascendant du tandem le plus inspiré et le plus inventif de la Vᵉ République. Ils l'ont envahi ; ils l'ont investi ; ils ont fini par le posséder. Là-dessus, tout le monde est d'accord. Y compris les chiraquiens les plus orthodoxes.

Xavier Mardietti, éditorialiste au *Figaro*, ami de Chirac comme du tandem : « Ils le traitaient comme un gosse. »

Yves Guéna, à l'époque délégué politique du président du RPR : « Quand Jacques venait chez moi, en Dordogne, l'une de ses premières phrases, c'était : "Où est le téléphone ?" Et il appelait Marie-France. »

Denise Esnous, alors chef du secrétariat particulier du maire de Paris : « Marie-France s'asseyait dans le fauteuil de Jacques Chirac, à l'Hôtel de Ville. Alors, il se mettait en face, comme un visiteur. Très souvent, elle s'imposait à déjeuner. Il ne disait rien. Mais il n'en pensait pas moins. »

Jacques Friedmann : « C'était l'histoire de Pygmalion. Pierre et Marie-France n'arrivaient pas à comprendre que Jacques n'était plus le jeune homme qu'ils avaient formé. Il supportait mal d'être claquemuré. Il détestait que Marie-France dise devant tout le monde : "Voyons, Jacques, ce que vous dites est complètement idiot." »

Chirac est malheureux, en somme. Mais Monod ne l'est pas moins. Il n'est que l'ombre d'un secrétaire général (« Juillet et Garaud, se souvient Juppé, faisaient toujours en sorte qu'il ne soit pas associé aux grandes décisions »).

Contre les courts-circuitages et les torpillages, Monod se cabre. Cet homme n'est pas fait pour les seconds rôles. Il se moque, à voix haute, du « ringardisme » chauvin et populiste de Pierre Juillet. Il se gausse des méthodes de Marie-France Garaud qui ne s'entoure que de « gens vaniteux, pas intelligents et faciles à manœuvrer ».

---

1. Secrétaire générale adjointe, elle est chargée de l'administration générale.

« Quand on entre dans son bureau, ironise-t-il, il vaut mieux être armé. Sinon, quand on en sort, on n'a plus de respect pour quiconque, et *a fortiori* pour soi-même. »

Ne souffrant pas l'empire de Juillet, Garaud et Pasqua sur le RPR, Monod dit à Chirac qu'il ne restera pas au secrétariat général si les décisions continuent à être prises « à l'extérieur ». Il veut, lui aussi, « les moyens de sa politique ». L'autre hoche la tête mais ne fait rien.

Mais Monod est du genre à dire ce qu'il fait et à faire ce qu'il dit. Le 20 mars, lendemain du deuxième tour des élections législatives, il annonce au comité central du RPR qu'il démissionne – avec Anne-Marie Dupuy – du secrétariat général. Il part avec élégance et dans l'amitié. « Je suis assuré, dit-il, que sous la conduite de Jacques Chirac notre mouvement restera digne de ses plus hautes ambitions. » Puis : « Je resterai, nous resterons militants, comme tant d'autres. » « La décision de M. Monod, notera André Passeron dans *Le Monde*, a été accueillie dans le silence et avec une grande émotion. »

C'est ce jour-là que s'est insinuée la première fissure entre Jacques Chirac et le tandem Juillet-Garaud. Le député de la Corrèze ne pardonnera jamais à ses deux conseillers d'avoir fait partir Jérôme Monod, cet *alter ego*, ce miroir fidèle, ce franc camarade. Ils ont perdu d'avoir gagné...

Après les élections, le RPR est le premier parti de France. Il est celui qui a réuni sur son nom le plus grand nombre de suffrages exprimés. Il est aussi celui qui, à l'Assemblée nationale, compte le plus d'élus : 153 députés contre 135 à l'UDF et 103 au PS. Pour Jacques Chirac, c'est un formidable capital politique. En quelques jours, avec l'affaire du « perchoir », il va tout dilapider.

Résumons. Le 20 mars au soir, les chefs de file du chiraquo-gaullisme se retrouvent au siège du RPR, pour le conseil politique du mouvement. Edgar Faure soulève la question du « perchoir », c'est-à-dire la présidence de l'Assemblée nationale :

« Je me verrais bien reprendre un bail à l'hôtel de Lassay », zozote-t-il.

Alors, Jacques Chaban-Delmas hasarde, avec l'air de penser à autre chose :

« Moi aussi, ça pourrait bien m'intéresser. »

Quand le maire de Bordeaux sort de la réunion, Jacques Chirac le rattrape.

« Présentez-vous, lui dit-il. Tout le groupe sera derrière vous. »

Le lendemain matin, Jacques Chaban-Delmas part à Montbéliard, pour assister aux obsèques d'André Boulloche, le maire socialiste de la ville, décédé dans un accident d'avion. De retour à Paris, pour le comité central du RPR, il apprend que Jacques Chirac a décidé de soutenir Edgar Faure. Les deux hommes ont une explication dans un petit salon de l'hôtel Intercontinental où se tiennent les instances du mouvement. Elle est orageuse. « Je devais avoir le regard menaçant, raconte Chaban, parce que je me souviens que Chirac eut, d'entrée de jeu, un mouvement de recul. »

Chaban : « Alors, Chirac, hier soir, vous me demandez de proposer ma candidature à la présidence de l'Assemblée nationale et, aujourd'hui, à midi, vous annoncez que vous soutenez Edgar Faure. »

Chirac : « Je croyais vous l'avoir dit. »

Chaban : « Vous savez bien que vous ne me l'avez pas dit. Vous mentez, Chirac. Si vous voulez la guerre, vous l'aurez. Et vous la perdrez, mon vieux. »

Drôle de guerre, à fronts renversés. Edgar Faure est soutenu par les chiraquiens et les gaullistes ; Jacques Chaban-Delmas, par les giscardiens et les centristes. Le plus pathétique des deux est, sans doute aucun, le maire de Bordeaux : tout habité par l'instinct de vie, par le ressentiment aussi, il a entrepris, après le fiasco de la campagne présidentielle de 1974, de ressusciter.

Jacques Chirac mène ce nouveau combat contre Chaban sans ardeur ni conviction. Ce n'est pas le sien. C'est celui de Pierre Juillet et de Marie-France Garaud. Le maire de Paris, qui a fini par se persuader que le tandem diabolique a raison contre lui, se contente d'exécuter platement ses consignes. « Je ne sens pas ce truc », dit-il, tout en s'échinant à retourner les députés.

C'est Jacques Chaban-Delmas qui sera élu à la présidence de l'Assemblée nationale, avec l'appoint d'une quarantaine de députés gaullistes. D'un coup d'un seul, la victoire du RPR aux élections législatives aura ainsi été effacée. Chirac est furieux. Contre ses conseillers, contre lui-même : « En ne soutenant pas Chaban qui avait été, de 1958 à 1969, un très bon président de l'Assemblée nationale, dit Jacques Chirac, il est clair que j'ai fait une énorme connerie. Mais j'avais une excuse, sentimentale. J'étais très lié avec Lucie Faure [1]. C'était quelqu'un avec qui j'avais beaucoup d'affinités intellectuelles. Or, quelques jours avant de mourir d'un cancer, elle m'avait dit, dans leur maison de Ponthierry, en Seine-et-Marne, sur les bords de la Seine : "Jacques, promettez-moi de ne jamais laisser tomber Edgar. De faire en sorte qu'il soit de nouveau président de l'Assemblée nationale." J'avais promis, ma main dans la sienne. Ce n'était pas, je le reconnais, une attitude d'homme d'État. Mais il fallait bien, après cela, que je tienne parole. Quand mes conseillers m'ont engagé dans le soutien à Edgar Faure, je ne me suis pas dégagé en raison de l'engagement que j'avais pris avec Lucie Faure. »

Après le départ de Monod, c'est un deuxième différend entre Chirac et le tandem Juillet-Garaud : rien n'est encore rompu mais tout est déjà décousu. Si la brouille n'a pas eu lieu, c'est que les deux conseillers, sitôt après avoir fait chou blanc, s'en sont retournés dare-dare sur leurs terres – limousine ou poitevine. Ils attendront là-bas que Chirac les rappelle.

« Quand Jacques est vaincu ou contrarié, dit Claude Labbé, alors président du groupe RPR à l'Assemblée nationale, il lui faut toujours une victime expiatoire. » Après l'élection de Chaban au « perchoir », l'humiliation est si sévère qu'il lui en faut plusieurs : ce seront les dix ministres et secrétaires d'État membres du mouvement gaulliste. Ils seront écartés des instances dirigeantes. « J'ai reçu un coup de pied au cul, dira le maire de Paris à ses militants. Si je n'avais pas réagi, tout le monde aurait dit que je n'existais plus. » Puis, à l'adresse de Valéry Giscard d'Estaing : « Le rééquilibrage souhaité de la majorité n'ayant pu être effectué par la voie des urnes, il sera recherché, croyez-moi, par d'autres moyens moins avouables... »

L'absence de Pierre Juillet et de Marie-France Garaud n'aura duré qu'un été. À la rentrée, les deux conseillers, requinqués, s'affairent à nouveau autour de Jacques Chirac. Ils ont décidé de faire de l'élection du Parlement européen au suffrage universel, prévue pour l'année suivante, une machine de guerre contre VGE. Cela tombe

---

1. Romancière, directrice de la revue *La Nef*, Lucie Faure fut la femme d'Edgar Faure, son mentor et son complice.

bien : la construction européenne, le maire de Paris y va à reculons, avec méfiance. « Ceux, dit-il, qui laissent croire que, par une sorte d'abracadabra européen, tous nos problèmes seront résolus se trompent et trompent les Français [1]. »

Mais Pierre Juillet et Marie-France Garaud vont en rajouter. Pour eux, VGE est en train de faire glisser la France au fond du gouffre. L'heure est si grave qu'il ne saurait être question de finasser. « Le style, c'est l'exagération », a dit Daudet. Le maire de Paris aura du style...

Malgré les apparences, pourtant, il n'est pas toujours à l'aise dans l'exagération. En dépassant le but, il a le sentiment de le manquer. Et il n'aime pas le reflet qu'il donne de lui-même. Jacques Chirac et « Marie-la-France » ont souvent le même dialogue, sous des formes variées. « Vous me faites bien plus dur que je ne le suis, dit-il. Il faut que je me donne une image plus humaine, qui me ressemble davantage. » Garaud répond alors par une parabole du genre : « Il était une fois un monsieur qui fabriquait un dentifrice à la menthe. Il fit un sondage et découvrit que 30 % dès personnes interrogées n'aimaient pas qu'il y ait beaucoup de menthe dans le dentifrice. Il décida donc d'en mettre moins dans son dentifrice. Que croyez-vous qu'il arrivât ? Les gens qui aimaient bien la menthe cessaient d'acheter son dentifrice parce qu'il n'y en avait pas assez. Les gens qui n'aimaient pas la menthe ne l'achetaient toujours pas, parce qu'il y en avait trop. Et c'est ainsi que le monsieur fit faillite. »

Si Jacques Chirac tend une oreille complaisante aux conseils du tandem Juillet-Garaud, c'est parce qu'il est toujours démembré, comme inachevé, malgré ses titres ou ses mandats, et qu'il cherche, comme d'habitude, à se recentrer dans le défi. C'est aussi parce qu'il se remet mal d'un accident de la route dont il a réchappé par miracle. Et quand la chair est faible...

Le 26 novembre 1978, la voiture de Jacques Chirac dérape sur une route verglacée de Corrèze et s'écrase contre un arbre. Il s'en sort avec plusieurs fractures du fémur et surtout une fracture de la colonne vertébrale – il est passé tout près de la paraplégie (« Je ne savais pas qu'on pouvait souffrir autant », dira-t-il, après son opéra-

---

1. Entretien à *Paris-Match*, 13 octobre 1978.

tion, à sa femme et à Jean-Pierre Bechter, député RPR de la Corrèze).

Il est d'abord transporté à l'hôpital d'Ussel où Bernadette Chirac et Claude Pompidou, en visite en Corrèze, sont à ses petits soins. À l'heure du déjeuner, elles s'absentent un moment.

Arrive Juillet. Quand il entre dans la chambre, Chirac se tord, seul, sur son lit de douleur. Le soir même, Juillet, de retour à Paris, dira à l'état-major du RPR : « Quand je l'ai trouvé, il était abandonné. Sa femme n'est jamais là quand il a besoin d'elle. »

La légende raconte que le sévère jugement de Juillet est venu aux oreilles de Bernadette Chirac qui, désormais, n'aura de cesse d'obtenir la rupture entre son mari et ses deux conseillers. C'est une façon de minimiser, voire de ridiculiser, ses motivations profondes. Naturellement, elle dément avoir jamais eu vent des propos du « père Joseph » de son mari. Possible. Mais, quand bien même elle en aurait été informée, ils n'auraient probablement pas joué un rôle déterminant.

Tant il est vrai que l'inimitié qui l'oppose aux deux conseillers est avant tout politique : elle pense qu'ils sont en train de creuser la tombe de son mari. Très liée avec Mmes Poniatowski et Giscard d'Estaing, ce qui n'est quand même pas banal, elle est indisposée par l'antigiscardisme « primaire » qui habite Juillet et Garaud. Fondamentalement légitimiste, elle est choquée par leur systématisme contre la politique du gouvernement. Elle n'admet pas, enfin, l'ascendant qu'ils exercent sur le président du RPR (« N'est-il pas assez grand pour prendre ses décisions tout seul ? »). Comme Junon, elle a longtemps dissimulé sa colère. Mais elle va profiter de l'accident pour reprendre sa place auprès de Jacques Chirac et laisser libre cours à son courroux.

Pendant des semaines, au chevet de son convalescent, Mme Chirac instruira le procès du tandem. Un procès argumenté, passionné. « La faute de Marie-France, dit Denis Baudouin qui est alors patron du service de presse du maire de Paris, c'est d'avoir cru qu'elle récupérerait toujours Bernadette et qu'il lui suffirait d'un petit geste pour la retourner. Elle la sous-estimait. »

Sans doute sous-estimait-elle aussi la nature des relations entre les Chirac. Ils sortent rarement ensemble pour le plaisir. Même quand ils sont dans la même pièce, ils ont toujours l'air loin de l'autre. Mais ils se téléphonent sans arrêt dans la journée, pour des riens. Et un drame les unit. C'est la maladie de leur fille aînée, Laurence, docteur en médecine, qui souffre d'anorexie. Quand il était le Premier ministre de VGE, il lui arrivait de filer à l'anglaise pour la retrouver à l'heure du déjeuner. Sa fille malade l'obsède. Un fiasco politique le laisse froid. Il peut même en rire. Une visite à l'hôpital, après une rechute de Laurence, le déstabilise totalement.

Il y a encore autre chose entre Bernadette et Jacques Chirac. De toutes les femmes d'hommes publics, Bernadette Chirac est à coup sûr l'une des plus subtiles et des plus politiques. Ce n'est pas une propagandiste, encore moins une inconditionnelle, mais plutôt une associée qui accorde à son mari une sorte de soutien critique tout en s'impliquant totalement dans son combat.

Elle ne ménage pas sa peine. Quand la femme de Michel Jobert a des ennuis de santé, elle va la voir trois fois par semaine, parfois davantage. À Mme Jobert qui se demande si Mme Chirac ne vient pas en service commandé, son mari répondra : « Qu'importe, si le geste est beau ! »

Elle ne va pas seulement porter la bonne parole dans les appartements du XVIe arrondissement. Conseillère générale du canton de Corrèze, elle la porte aussi dans les cours de ferme de la région. À Noël, elle distribue trois mille colis et visite dix-sept maisons de retraite en quatre jours. Qu'il neige ou qu'il vente, elle sillonne son fief, fait les foires, serre les mains. Et c'est ainsi qu'avec 65 % des voix au premier tour elle est mieux élue que son mari.

Politiquement, elle cultive le réalisme précautionneux des élus cantonaux. En un mot, Bernadette Chirac n'est pas une boutefeu. De ce point de vue, c'est même le portrait inversé de son mari.

Ses convictions sont celles d'une droite tranquille, modérée, instinctivement orléaniste et viscéralement antibonapartiste. Mais, auprès de son mari, elle a rarement gain de cause. En 1981, elle fera tout pour dissuader le maire de Paris de se présenter contre Valéry Giscard d'Estaing à l'élection présidentielle : « Vous ne réussirez qu'à le faire battre. » En 1986, elle l'exhortera à ne pas jouer le jeu de la cohabitation en allant à Matignon : « Vous ne pouvez pas avoir confiance en Mitterrand, il vous mettra des bâtons dans les roues et, quand il vous aura fait tomber, tout le monde vous tirera dessus. » Il n'est pire sourd que celui qui n'est pas d'accord...

Bernadette Chirac ne se prive jamais de donner son avis – sur les hommes autant que sur la stratégie politique –, « même quand

346

c'est désagréable à entendre », précise-t-elle. Et elle ajoute : « Mais mon mari, hélas, n'est pas très influençable. »

Il suffit de bien s'y prendre. Pour en finir avec le tandem Juillet-Garaud, Bernadette Chirac saura, dès la fin d'année 1978, s'appuyer sur les trois meilleurs amis de son mari, ceux qu'il aime recevoir à la table dominicale : Jacques Friedmann, Jérôme Monod et Michel François-Poncet. Trois cosmopolites polyglottes. Ils sont révoltés par le chauvinisme thyroïdal qui est devenu, en politique étrangère, la ligne du RPR. Relayés par Mme Chirac, ils implorent tous le maire de Paris de se « débarrasser », d'urgence, de ses conseillers de malheur.

Mme Chirac saura aussi saisir l'occasion pour partir ouvertement en guerre contre le tandem infernal : ce sera « l'appel de Cochin », le 6 décembre 1978.

La veille de l'accident de voiture, Pierre Juillet et Jacques Chirac ont travaillé ensemble sur un texte qui doit donner le coup d'envoi de la campagne chiraquienne pour les élections européennes. Quelques jours plus tard, à l'hôpital Cochin, à Paris, où le président du RPR a été transféré pour être opéré, son conseiller lui fait lire la dernière mouture.

Mais Jacques Chirac l'a-t-il bien lu ? Pierre Juillet n'a-t-il pas cherché à profiter de son état pour lui arracher un accord qu'il n'aurait pas donné s'il avait été, alors, en possession de toutes ses facultés ? Là-dessus, tout le monde n'est pas d'accord.

Jacques Chirac : « Bien sûr, je l'ai lu. Et je le resignerais aujourd'hui. En enlevant simplement une phrase que j'ai bêtement laissé passer. »

Bernadette Chirac : « Quand Pierre Juillet est venu voir Jacques, j'étais dans sa chambre. Je me suis aussitôt retirée, ayant toujours considéré qu'il n'était pas dans mon rôle de me mêler de ce genre d'affaires. Mais ce que je sais, c'est que Jacques n'était pas capable, alors, de bien comprendre ce qu'on lui a donné à lire. Il venait d'être opéré. Il était encore tout fiévreux. On lui a forcé la main. »

Denise Esnous : « Il avait plus de trente-neuf de fièvre. Mais je crois qu'il savait quand même ce qu'il faisait car, quand Pierre Juillet est parti, il m'a dit : "Ils vont encore me faire faire un coup. Je ne sais pas si c'est bien." »

347

Comme tout ce qui porte la griffe de Pierre Juillet, l'appel de Cochin ne manque ni de souffle ni d'allure. Qu'on en juge :

« Il est des heures graves dans l'histoire d'un peuple où sa sauvegarde tient toute dans sa capacité de discerner les menaces qu'on lui cache. L'Europe que nous attendions et désirions, dans laquelle pourrait s'épanouir une France digne et forte, cette Europe, nous savons depuis hier qu'on ne veut pas la faire. Tout nous conduit à penser que, derrière le masque des mots et le jargon des technocrates, on prépare l'inféodation de la France, on consent à l'idée de son abaissement. En ce qui nous concerne, nous devons dire non [...].

« Favorables à l'organisation européenne, oui, nous le sommes pleinement. Nous voulons autant que d'autres que se fasse l'Europe. Mais une Europe européenne où la France conduise son destin de grande nation. Nous disons non à une France vassale dans un empire de marchands, non à une France qui démissionne aujourd'hui pour s'effacer demain. Puisqu'il s'agit de la France, de son indépendance et de son avenir, puisqu'il s'agit de l'Europe, de sa cohésion et de sa volonté, nous ne transigerons pas. Nous lutterons de toutes nos forces pour qu'après tant de sacrifices, tant d'épreuves et tant d'exemples notre génération ne signe pas, dans l'ignorance, le déclin de la patrie.

« Comme toujours, quand il s'agit de l'abaissement de la France, le parti de l'étranger est à l'œuvre avec sa voix paisible et rassurante. Français, ne l'écoutez pas. C'est l'engourdissement qui précède la paix de la mort. Mais, comme toujours quand il s'agit de l'honneur de la France, partout des hommes vont se lever pour combattre les partisans du renoncement et les auxiliaires de la décadence. Avec gravité et résolution, je vous appelle, dans un grand rassemblement de l'espérance, à un nouveau combat, celui pour la France de toujours dans l'Europe de demain. »

On affaiblit toujours ce qu'on exagère. Il arrive aussi qu'on le ridiculise. Qu'est-il donc arrivé à Jacques Chirac ? Il plaide coupable sans même revendiquer les circonstances atténuantes : « Naturellement, j'aurais dû faire comprendre qu'en parlant du parti de l'étranger je ne visais pas le gouvernement mais une vieille tendance historique qui, dans ce pays, fait passer les relations extérieures avant l'identité nationale. J'en ai pris plein la gueule parce qu'une fois encore j'avais été trop léger. »

Avec l'appel de Cochin, le ton de la campagne chiraquienne pour les élections européennes est en tout cas donné : boursouflé, cocardier et déclamatoire. Il rappelle irrésistiblement l'enflure gaullienne du temps du RPF. Mais, dans les années quarante, alors que la France était assaillie par mille périls, pareil discours pouvait être compris. À la fin des années soixante-dix, dans un Hexagone ouvert aux grands vents du monde, il ne passe plus.

Les effets de l'appel de Cochin sont si désastreux que Jacques Chirac est conduit à corriger le tir, le 19 décembre, en envoyant à Raymond Barre, Premier ministre, une « lettre ouverte » qu'il rend publique. Avant de renouveler ses « appréhensions extrêmement vives » à l'égard de la politique européenne du chef de l'État, il précise que son mouvement « ne prendra pas l'initiative de mettre en cause l'existence du gouvernement ».

Telle est en effet la nouvelle ligne du RPR. Sur le plan intérieur, il fait la paix avec le gouvernement. Mais, sur le plan extérieur, c'est la guerre...

Chirac ressemble désormais au pompier pyromane qui éteint les feux qu'il a allumés avant d'en provoquer d'autres. Jamais, comme le note André Chambraud dans *Le Point*[1], le paradoxe du RPR n'aura été aussi éclatant : « Bien qu'il soit le parti le plus nombreux de la majorité, il se trouve écarté des affaires ; bien qu'il n'approuve pas la politique économique de Raymond Barre, il ne le renverse pas ; bien qu'il s'apprête à combattre violemment les partisans du président de la République dans la campagne pour les élections européennes, il continue à professer son loyalisme à l'égard du chef de l'État. »

Étrange campagne. Chef de file de la liste RPR aux élections européennes, Jacques Chirac est flottant comme jamais. « Je ne sais pas où on va, répète-t-il en petit comité, mais on y va. » Disloqué et pirandellien, il semble ne plus croire du tout à son personnage qui tient, sur tous les tréteaux de France, le même discours fiévreusement anti-européen que Michel Debré – un discours de névropathe archaïque. Son procès contre Valéry Giscard d'Estaing relève d'ailleurs plus, à l'évidence, de la crispation spasmodique que de

---

1. 15 janvier 1979.

l'analyse politique. Parlant des membres du gouvernement, le maire de Paris ira jusqu'à dire, en privé, à son amie Simone Veil : « Vous devriez tous passer en Haute Cour. » Il se prend pour de Gaulle devant Pétain.

Mais l'Histoire ne repasse jamais les plats et Giscard n'est pas Pétain. Chirac le sait bien, au fond, qui n'est pas porté par la logomachie patriotarde qu'on lui a fournie. D'où ses inconséquences. D'où ses faux pas.

Il s'enfonce et il s'enfonce. D'après un sondage de l'Institut Louis-Harris pour *L'Express* [1], les Français le tiennent pour ambitieux (62 %) et autoritaire (49 %). Mais ils ne le trouvent ni compétent (15 %) et encore moins démocrate (4 %). Pire, 51 % pensent qu'il ne ferait pas un bon président de la République. Devant les mauvaises nouvelles qui l'assaillent, il hausse les épaules : « Les Français ont envie de dormir et ne supportent que les berceuses. Alors, ceux qui lancent des coups de clairon... »

Il y a, dans cette campagne, quelque chose de dérisoire et de pathétique. Chirac a perdu huit kilos après cinquante jours de lit puis de rééducation. Il avance sur des cannes anglaises. Il a dans les yeux la gravité de celui qui vient de découvrir, pour la première fois de sa vie, la souffrance physique – les infirmières devaient lui augmenter les doses de calmant. À peine remis de son accident, les traits tirés et le regard las, il sillonne la France pour mettre en garde toutes les corporations contre la construction européenne – les agriculteurs, les architectes, les médecins, etc. Tous, annonce-t-il d'une voix de Cassandre, seront concurrencés par leurs collègues européens. Et il connaît déjà la fin de l'histoire. « La France, dit-il, est trop faible aujourd'hui pour tout accepter de l'Europe. Quand on va chasser dans les grands fonds, on n'y va pas en maillot de bain. »

Telle est la thématique chiraquienne : frileuse et corporatiste. « On était parti d'un grand dessein de politique étrangère, dit Marie-France Garaud. On a fini par le prix des haricots. Ce n'était pas une campagne ; c'était une glissade. »

Ce cocardo-corporatisme, Chirac l'incarne mal. Il en est bien conscient. Quand il fait part de ses doutes à Marie-France Garaud, elle lui répond par une certitude électorale : « Ne vous inquiétez pas. On fera 24 %. » Ou bien par une métaphore paysanne : « Vous

_____

1. 26 mai 1979.

êtes seul, c'est vrai. Mais, en cas d'orage, vous savez bien qu'il faut toujours être seul. Dans le pré, les bêtes qui se regroupent sous le même arbre reçoivent la foudre. »

Parce qu'il n'a pas de stratégie de rechange, parce que, après des semaines d'hôpital, il n'a toujours pas pris la peine de se demander qui il était, Chirac se soumet, bon gré mal gré, aux exhortations de Juillet et de Garaud. Jamais il n'aura plus dépendu d'eux. Jamais aussi il n'aura été plus éloigné d'eux. Ils sont déjà en disgrâce mais ils font encore la loi...

En butte aux doutes de Jacques Chirac, ainsi qu'à l'animosité de son épouse et de ses amis, Juillet et Garaud ont, curieusement, la haute main sur la campagne. Personne ne le conteste.

Jacques Toubon : « La campagne européenne s'est faite dans les bureaux de Juillet et de Garaud, quai Anatole-France, tout près de l'Assemblée nationale. Avec Pasqua, j'étais tout le temps fourré là-bas. Les autres, c'est-à-dire les gens du RPR ou de l'Hôtel de Ville, n'étaient jamais associés aux grandes décisions. »

Jean de Lipkowski : « Juillet et Garaud ont réussi, en imposant leur ligne, à détruire notre victoire aux élections législatives de 1978. On était le plus grand parti de France. On est devenu le plus petit. »

Jacques Chirac : « Ils m'ont planté. »

Ce n'est pas un hasard si Juillet annonce aux instances du RPR, dès la veille du scrutin, qu'il va quitter le service de Jacques Chirac. Il a compris, dans les derniers jours de la campagne, que le fiasco était programmé, même s'il est toujours sûr d'avoir raison (« Combien de voix aurait eues de Gaulle en 1940 ? Et les anti-munichois au temps de Munich ? »). Le soir des élections, le « père Joseph » n'ira même pas au siège du RPR, redoutant le courroux de ce fils spirituel qu'il sent, depuis plusieurs mois, lointain et boudeur.

Le 10 juin au soir, quand Marie-France Garaud lui montre les premières estimations, Jacques Chirac n'en croit pas ses yeux.

« Ce n'est pas possible, dit-il d'une voix blanche et cassée.

— Vous avez bien vu », répond l'autre, froidement.

C'est un désastre. La liste UDF, conduite par Simone Veil, obtient 27,55 % des suffrages ; celle du PS, menée par François Mitterrand, 23,57 % ; celle du PC, avec Georges Marchais, 20,57 % ; celle du RPR, enfin, 16,25 %. Chirac fait à peine mieux que Chaban à l'élection présidentielle de 1974. Apparemment, l'Histoire l'a, lui aussi, laissé sur le bord de la route.

Il tire tout de suite les conclusions de la déroute. Cette fois, les conseilleurs seront les payeurs. À minuit, alors que les caciques chiraquiens gémissent autour de lui sur les résultats complets du scrutin, Jacques Chirac dit d'une voix glacée à Marie-France Garaud : « Venez me voir demain à 9 heures dans mon bureau. Il faut que nous parlions. » Tout le monde a compris, à cet instant, que la rupture était consommée. Tout le monde, à commencer par « Marie-la-France ».

Le lendemain matin, c'est donc elle qui prend les devants. « Je ne reviendrai plus, Jacques, dit Marie-France Garaud. On n'a pas la même appréciation de la ligne à suivre. Je pense qu'il faut maintenant que vous sachiez porter seul les décisions difficiles. C'est peut-être le dernier service que nous puissions vous rendre. » Elle a sa voix des mauvais jours, un feulement dans un masque de fer. Et elle dit ses quatre vérités au président du RPR. Elle lui susurre, notamment, qu'elle le voit mal en président de la République (« Vous déclareriez la guerre sans vous en rendre compte »). Cette rupture a quelque chose de shakespearien. Ils se disent des choses cruelles et définitives mais, avant de se séparer pour la vie, ils s'embrassent.

Si Marie-France Garaud sort à peu près intacte de cette rupture, Pierre Juillet, lui, en a le cœur brisé. La première n'était qu'une demi-sœur pour Jacques Chirac ; le second, un père. Le maire de Paris l'a tué.

Sur le coup, Juillet dit méchamment de Chirac : « On lui avait fait des vêtements trop grands pour lui. » Mais, le temps aidant, le jugement devient plus nuancé : « Je comprends finalement assez peu ce garçon, expliquera-t-il à Arthur Conte [1]. Il a des défaillances. Il ne saurait sans doute pas penser seul. Cependant, il peut être très fort. Avec les ans, il peut gagner le silex qui lui manque. Il peut nous surprendre. »

Même s'il est brouillé avec Jacques Chirac, il faut qu'il prenne soin de lui. Après sa démission du poste de conseiller du président du RPR, décision rendue officielle le 11 juin, Pierre Juillet

---

1. Arthur Conte, *Les Premiers Ministres de la Ve République*, Le Pré aux Clercs, 1986.

convoque Claude Labbé, président du groupe gaulliste au Palais-Bourbon, à son domicile de la rue Vaneau. Et il lui tient à peu près ce langage : « Je ne pouvais plus supporter Jacques. C'est un mauvais cheval. Il est très difficile de lui faire faire ce que l'on veut. Il a même une fâcheuse tendance à faire le contraire de ce qu'on lui demande. Mais je compte sur vous pour me remplacer à ses côtés. Il a besoin de quelqu'un comme vous. Prenez un bureau près de lui et ne le quittez plus d'une semelle. »

Si Juillet a proposé sa succession à Labbé, c'est que le député des Hauts-de-Seine, gorge profonde de la France profonde, est un moine-soldat du gaullisme qui n'a jamais connu le doute – bref, tout ce qu'il faut à Chirac. Il n'a pas l'imagination tactique de l'ancien conseiller politique de Pompidou, ni sa culture livresque. Il a au moins ses convictions.

Labbé sera intronisé conseiller politique du président du RPR, comme l'avait demandé Juillet, mais il ne parviendra pas à s'imposer. Le député de la Corrèze a compris qu'il fallait multiplier les conseillers et les jouer les uns contre les autres. Il installe des cloisons étanches entre ses entourages du mouvement gaulliste et de l'Hôtel de Ville qui eux-mêmes ne communiquent pas avec ses conseillers personnels, ceux qu'on appelle les amis de Bernadette : Jacques Friedmann, Jérôme Monod et Michel François-Poncet. Il ne laissera plus personne contrôler son agenda et son encéphale.

Et si Juillet revenait ? Il n'en est pas à son premier faux départ. En la matière, c'est même un expert. Pour provoquer l'irréparable entre le maire de Paris et le « couple infernal », pour empêcher d'avance toute réconciliation, Bernadette Chirac accorde à Christine Clerc pour l'hebdomadaire *Elle* un entretien d'une rare violence. On parlera à ce sujet de gaffe. La femme du président du RPR en est bien incapable. Chaque mot a été calculé.

Le soir des élections européennes, tout comme Friedmann et Monod, elle a supplié à nouveau son mari de limoger ses deux conseillers. Cette fois, elle a même poussé le bouchon très loin : « C'est eux ou moi. » Elle ne savait pas qu'il avait déjà pris sa décision. Mais, si elle a finalement gagné la partie, elle redoute qu'ils ne resurgissent bientôt de leur exil, comme d'habitude. Elle voudrait qu'ils aient été expédiés pour toujours à Sainte-Hélène ; elle se demande s'ils ne sont pas seulement partis pour l'île d'Elbe. Alors, à tout hasard, juste pour le plaisir d'envenimer les choses,

Bernadette Chirac vide son sac à Christine Clerc en disant de Marie-France Garaud, entre autres gracieusetés : « C'est une femme intelligente et pleine de charme mais elle a beaucoup de mépris pour les gens. Elle les utilise puis elle les jette. Moi, elle me prenait pour une parfaite imbécile [1]. »

L'entretien fait scandale. « Qu'est-ce que j'ai pu me faire attraper », se souvient Bernadette Chirac en rigolant. Mais elle ne regrette rien. Il fallait que son mari rompe avec « Marie-la-France » qui, comme la mante religieuse, était en train de le dévorer. Il fallait que son mari se retrouve. « Quand vous allez au bureau, lui répète-t-elle alors, allez-y tout seul. N'y allez plus à trois. »

Jacques Chirac a quand même la nostalgie des temps anciens. Il n'est pas le seul. Quelques mois après leur rupture officielle, Marie-France Garaud et lui feront une tentative de réconciliation. Elle tournera court. Son ancienne conseillère reproche au président du RPR de laisser accréditer l'idée, par le style de ses attaques, que son opposition à VGE est avant tout personnelle.

« Vous avez raison, convient Chirac, il faut rappeler que le fondement du RPR, c'est le rassemblement.

— Non, dit l'autre avec un brin d'agressivité, on n'est pas dans une cour de cavalerie où l'on sonne le rassemblement pour le principe. L'acte premier du RPR, c'est la définition d'un certain nombre d'objectifs sur lesquels on se rassemble ensuite. Ce n'est pas le rassemblement, d'abord, pour rechercher, après, des objectifs.

— Intéressant, dit Chirac, l'air distrait. Vous ne pourriez pas me rédiger quelques lignes là-dessus ? ».

Alors, Garaud :

« Vous avez bien des gens pour ça. »

Ils n'arriveront jamais à recoudre. Il y a entre Jacques Chirac et le « couple infernal » trop de passions, trop d'impatiences, trop d'ambitions partagées. Ils avaient vécu ensemble dans l'emphase et la grandiloquence comme dans une tragédie de Corneille. Ils finiront séparés dans l'exécration et dans la mortification comme dans une tragédie de Racine, disant les uns des autres la même chose que l'Hermione d'*Andromaque* : « Ah ! Je l'ai trop aimé pour ne le point haïr ! »

---

1. *Elle*, 17 septembre 1979.

Le tandem Juillet-Garaud a laissé Chirac pour mort – politiquement, s'entend. À la tête de son petit parti, passé de mode, assiégé, le maire de Paris n'effraye plus personne. Vaincu pour la première fois de sa vie, il apprend l'ingratitude et la solitude. Mais apprend-il à devenir lui-même ?

En un an, Chirac a réussi à faire du premier parti de France le dernier de ce qu'on appelle alors « la bande des quatre », c'est-à-dire le PS, l'UDF, le PC et le RPR. La France ne le considère déjà plus que comme un pantin déphasé qui a perdu son destin alors même que Giscard a retrouvé le sien. Au sein de son mouvement, quelques contestataires, émoustillés par Alain Peyrefitte, le garde des Sceaux, commencent même à crier au feu. Cette année-là, c'est l'homme sur lequel chacun y va de son bon mot, le meilleur étant, une fois encore, celui d'Alexandre Sanguinetti : « Quand on est dans une impasse, il y a trois attitudes possibles : on recule, on enfonce le mur, on s'élève. Or que fait Chirac ? Il tourne en rond dans l'impasse. »

Sur ce Chirac-qui-tourne-en-rond, les quolibets pleuvent. D'après Jacques Douffiagues, député UDF du Loiret, Chirac est « sujet aux convulsions des possédés ». À en croire Robert Poujade, député RPR de la Côte-d'Or, il est à la fois « impossible et indispensable ». Quant à Valéry Giscard d'Estaing, il le traite un jour, à la télévision, d'« agité » – un mot qui lui collera longtemps à la peau.

Le 20 juin 1979, au comité central du RPR, Jacques Chirac est contraint de mettre les choses au point, devant la contestation qui monte : « Je ne partirai pas. » Comme François Mitterrand, éprouvé par deux échecs successifs, aux législatives puis aux européennes, le député de la Corrèze s'accroche à son parti, attendant que les orages passent. Il a compris, lui aussi, que la politique était une longue patience...

34

Un dîner faustien

« Le chat et le rat font la paix sur une carcasse. »
Proverbe hébreu

En janvier 1981, Jacques Chirac et Valéry Giscard d'Estaing se retrouvent pour faire le point. Comme chaque fois que les deux hommes se rencontrent à cette époque, la conversation est tendue et l'ambiance électrique. VGE a son œil de fusil à lunette, glaçant et perçant. Le maire de Paris a, lui, le regard fuyant ou furibond, c'est selon.

À en croire les sondages, Giscard est alors au sommet de la gloire. Et il prend d'un peu haut, comme toujours, son ancien Premier ministre. Il se moque volontiers, en privé, de sa prétention à vouloir être traité comme le deuxième personnage de l'État. Ne badinant pas avec l'étiquette, il le remet toujours à sa place, c'est-à-dire à la mairie de Paris – ce qui, pour lui, n'est pas grand-chose. Ce jour-là, VGE cueille Chirac à froid, avec un mélange d'humour et de détachement :

« Alors, il paraît que vous vous présentez ?

— Moi ? Non. Je n'ai pas encore pris ma décision.

— Ne me racontez pas d'histoires. Vous avez déjà commandé vos affiches et réservé vos espaces.

— Pour le cas où. Je vous le répète, je n'ai pas encore pris ma décision. » Un silence et Chirac ajoute : « Cela dit, je suis sûr que vous serez battu.

— Si vous vous présentez, je le serai certainement.

— Cela ne changerait rien, monsieur le président.

— Vous serez obligé de dire que j'ai été un mauvais président. Vous finirez même peut-être par le croire. C'est le jeu. Mais vous aurez laissé du venin. Il me sera plus difficile, ensuite, de rassembler pour le second tour. »

VGE a lu, quelques semaines auparavant, un article du *Point* où Chirac disait que, si la majorité perdait l'élection présidentielle, elle prendrait sa revanche aux élections législatives. Il met le sujet sur le tapis.

« C'est un raisonnement très scabreux, reprend Giscard. Si la gauche gagne l'élection présidentielle, elle gagnera les élections législatives.

— Je n'en suis pas aussi sûr que vous.

— Il y a un fort courant en France pour que ce pays soit gouverné à gauche. Je suis le bouchon. S'il saute, la vague déferlera. »

Quand il explique à Valéry Giscard d'Estaing qu'il hésite, Jacques Chirac ment-il ? Pas sûr. Il pèse alors avec anxiété tous les risques d'une candidature. D'autant que tous ceux en qui il a confiance l'adjurent de ne pas se présenter. Denis Baudouin, son conseiller de presse, qui est aussi un fin politique, explique ainsi au maire de Paris qu'en ne se présentant pas il est sûr de gagner : si VGE est élu, ce sera grâce à lui ; s'il est battu, ce sera malgré lui. Bernadette Chirac, Jacques Friedmann et Alain Juppé tiennent le même raisonnement.

L'homme qui monte dans l'estime et dans l'équipe de Chirac ne dit pas autre chose. C'est un personnage étrange, impassible et pète-sec. Il s'appelle Édouard Balladur. Apparemment, il n'a pas d'os. Son menton est si affaissé, sa lèvre inférieure si protubérante, son visage si épanoui, comme poudré, son allure générale si flottante et empesée qu'on se dit d'abord qu'il n'y a, dans cet homme, que du mou. Mais il faut regarder son œil aigu, son sourire canaille de courtisan du Grand Siècle, l'aiguisé de ses doigts, l'onction florentine du moindre de ses gestes et alors tout s'éclaire : ce faux doux est un vrai tueur.

Ce fut un chassé-croisé. Il fallut que l'étoile de Pierre Juillet pâlisse pour qu'Édouard Balladur se fraye un chemin dans l'entourage du maire de Paris. Il y avait trop de mauvais souvenirs entre les deux hommes, trop de vieilles rancunes qui avaient ranci sous les toits de l'Élysée, pendant les années Pompidou.

Après la mort de Georges Pompidou, l'Histoire avait perdu de vue Édouard Balladur. Ou plus exactement elle l'avait laissé moisir à la tête de la Société d'exploitation du Mont-Blanc où Jacques Chirac, alors Premier ministre, l'avait promptement casé.

Survint le destin. Il avait, en l'espèce, le visage de Mme Pompidou. Elle prit en main les intérêts de ces « pauvres Balladur », comme elle disait. Elle les invitait en vacances à Cajarc. Et elle plaidait sans arrêt auprès de Jacques Chirac la cause de l'ancien secrétaire général de l'Élysée (« Faites quelque chose pour lui, je vous en prie ! »).

Ce n'est sans doute pas un hasard si Balladur s'approcha de Chirac alors même qu'il savait, par Mme Pompidou, que le maire de Paris commençait à nourrir de sérieux doutes sur la perspicacité du tandem Juillet-Garaud. L'ancien secrétaire général de l'Élysée avait été, naguère, l'un des pires ennemis du « couple infernal ». Il l'était resté. Ses retrouvailles avec Chirac ont très exactement coïncidé avec les désaccordailles du président du RPR et de ses conseillers...

Les retrouvailles ont lieu en décembre 1978 : Balladur rend une visite de courtoisie à Chirac qui se remet alors, dans un centre de rééducation, de son accident de voiture – et de l'appel de Cochin.

« Vous avez vu, hasarde le maire de Paris, que j'ai fait une déclaration qui a fait quelque bruit. »

Alors, Balladur :

« Vous savez bien que je ne peux en penser aucun bien. »

Les mois suivants, les deux hommes se revoient de plus en plus souvent. Aux yeux de Chirac, Balladur a un immense avantage sur Juillet : ce n'est pas un idéologue, pas même un pragmatique, mais un sceptique. Bref, un homme qui, comme lui, est du genre à penser que rien n'est plus dangereux qu'une idée, surtout quand elle a gagné : elle fait vite couler le sang. Alors, avant qu'elle ne perce, Balladur la tue toujours d'un sourire ou d'un bon mot.

Autant Juillet, tout enflé d'idéologie, était son contraire, autant Balladur ressemble, sur ce point, à Chirac. L'ancien secrétaire général de l'Élysée apporte son invincible sérénité au maire de Paris. Mais il flatte aussi son penchant à tout relativiser, à douter de la moindre idée, à se corseter contre les utopies. Comme Sextus Empiricus, ils sont tous deux convaincus qu'on ne peut affirmer une vérité sans en nier une autre et inversement.

Quand Juillet était son mentor, Chirac avait une ligne, une seule, celle que l'autre lui imposait : à l'évidence hasardeuse, elle avait au moins le mérite d'exister. Quand Balladur devient son confident, Chirac jette ses lignes dans toutes les directions : c'est la pêche au coup. Il se ressemble davantage. Il est devenu plus modéré mais aussi moins cohérent.

Chirac se sent tellement en phase avec Balladur qu'il lui demande, à la fin de 1980, de « penser » avec lui sa campagne présidentielle. L'autre fait la fine bouche, comme il le raconte : « Quand il m'a demandé si je voulais l'aider, rapporte Édouard Balladur, je lui ai dit : "Il faudrait savoir si vous devez être candidat. Moi, je ne le crois pas. Je suis convaincu que Giscard sera battu à cause du phénomène de rejet qui, depuis des mois, se développe dans le pays. Vous n'avez aucune chance d'être élu à sa place. Et, si vous vous présentez, je pense qu'on vous fera porter la responsabilité de la défaite." Il m'a expliqué que, s'il ne se présentait pas, Debré serait le candidat du RPR et qu'il ferait entre 8 et 12 %, ce qui, après la piètre performance des élections européennes, serait un véritable désastre. Alors, j'ai répondu : "Cela n'a aucune importance. C'est un raisonnement de parti. Ce n'est pas un raisonnement présidentiel." »

Si chacun l'en dissuade, tout, pourtant, pousse Chirac à se présenter, et d'abord l'acrimonie qu'il nourrit à l'encontre de Giscard, qui le lui rend bien. À cette époque, la chronique de leurs relations est ainsi truffée de menus outrages et d'obscures offenses qui, comme dans les cours du temps jadis, prennent des proportions cataclysmiques.

Écoutons Chirac :

« Un jour, je suis invité à Orly pour accueillir je ne sais plus quel chef d'État. J'apprends que le protocole a décidé de me faire passer après tout le monde. Alors, je décide de ne pas y aller et de ne même pas me faire représenter. Quelque temps plus tard, l'Élysée a fait faire une circulaire disant que le maire de la capitale ne serait plus invité, désormais, aux cérémonies d'accueil des personnalités étrangères, l'aéroport d'Orly ne se trouvant pas sur la commune de Paris. C'était le genre de vexations qu'on m'infligeait sans arrêt. À force de prendre des coups de pied, en douce, dans les tibias, je finissais par pousser une gueulante. On disait alors : "Ce pauvre

Chirac s'agite encore, c'est décidément un garçon irresponsable, il n'arrive pas à jouer le jeu de la majorité."

« Cent fois, quand je le rencontrais, j'ai sorti à Giscard des formules du genre : "Il ne faut pas blesser une bête. On la tue ou on la caresse." J'utilisais aussi un vieux proverbe arabe : "Ne poussez jamais le chat dans les recoins." Ces métaphores le faisaient sourire mais, moi, j'étais blessé et poussé dans les recoins. Alors, fatalement, j'étais condamné à réagir. »

Et c'est un réquisitoire flamboyant qu'il dresse, dans chacune de ses interventions publiques, contre la politique de l'équipe Giscard-Barre. Pierre Juillet l'a quitté mais Jacques Chirac a gardé sa colère. Qu'on en juge : « La préoccupation dominante des pouvoirs ordinaires, dit-il le 9 décembre 1979, est de plaire au peuple, c'est-à-dire de se conformer à son opinion, car elle leur permet de durer plutôt qu'elle les fait vivre. À preuve, la prudence qui les fait gouverner au centre où l'Histoire est en berne. »

Les semaines aidant, le ton monte. Le 24 février 1980, il éructe contre la « politique de complet laisser-aller » du pouvoir : « Il y a une espèce d'avachissement, d'affaiblissement général de notre économie. »

Ce n'est pas encore assez. Le 4 mars suivant, il annonce aux Français que l'état de leur pays est « triste » (« Et ça ne peut qu'aller de plus en plus mal ») avant de s'en prendre à VGE : « Si je faisais un bilan du septennat [...], je dirais que ce ne sera pas l'une des époques qui marquera notre histoire par une situation brillante pour notre pays. »

Son courroux devient paroxystique, le 14 mai : « La quête obstinée du juste milieu, le projet timide d'une croissance douce, le rappel morose de l'insignifiance numérique de la France et des Français dans le monde qui se construit sont autant de manières de démobiliser la conscience nationale, d'énerver l'esprit public, d'affaiblir la volonté de notre peuple [...]. Et pourtant ce peuple ne veut pas mourir et je sais qu'il est encore capable d'étonner l'univers. »

Il fulmine. Mais que propose-t-il ? Le 15 avril, dans un entretien qu'il accorde à Gilbert Mathieu pour Le Monde, Jacques Chirac dresse les grandes lignes d'un « plan de redressement ». Contre les peine-à-jouir de la rigueur et de la stagnation, il se fait le chantre de la « nouvelle croissance ». Et face à la relance par la « consommation populaire » échafaudée par les socialistes, il défend le principe d'une relance par l'investissement qui, seule, peut résorber le « cancer » du chômage. Sur le fond, il est convaincant. Dans le détail, il est moins éloquent.

Pour financer sa relance, il lui faut 30 milliards de francs. Il compte les trouver en limitant de moitié l'embauche des fonctionnaires, en réduisant de 10 % les subventions budgétaires d'intervention, en luttant sérieusement contre les fraudes sur la TVA et enfin en instaurant un impôt « exceptionnel » sur les grandes fortunes. On a beau remuer les chiffres dans tous les sens, on ne voit pas très bien comment Chirac dégagera les fonds nécessaires pour les investissements supplémentaires. Mais qu'importe la relative inconsistance de son programme économique s'il donne le sentiment de proposer une « autre politique »...

La boucle est bouclée quand il déclare, le 22 octobre, que « si l'on veut changer de politique, ou il faut changer de président, ou il faut que le président fasse l'effort de changer lui-même ». Et il prend soin de préciser, au passage, qu'il ne croit pas, naturellement, à la dernière hypothèse.

Politiquement, en somme, Chirac s'est condamné à provoquer Giscard. Pour lui, c'est une question d'honneur. Mais pour son parti, c'est probablement une affaire de vie ou de mort. C'est du moins ce que pensent les trois hommes clés du RPR : Bernard Pons, le secrétaire général, Claude Labbé, le président du groupe à l'Assemblée nationale, Charles Pasqua, l'homme de l'organisation. Ils expliquent à Chirac que l'avenir de son mouvement repose sur sa candidature à l'élection présidentielle. D'abord, tous les grands chefs de parti seront dans la course : Giscard, Mitterrand et Marchais ; celui qui préside le mouvement gaulliste ne peut se contenter de compter les points. Ensuite le RPR risque de s'atomiser entre les candidatures de VGE, Michel Debré ou Marie-France Garaud ; il lui faut un rassembleur. Enfin, l'Histoire a montré que l'élection présidentielle est un jeu où l'*outsider* gagne à tous les coups : Jean Lecanuet y a inventé son avenir en 1965 et Michel Rocard y a construit son destin en 1969. Et si Jacques Chirac y trouvait, enfin, sa personnalité ?

En attendant, il se contente surtout de chercher des alliés, objectifs ou pas. Il s'affaire. Il s'informe. Il prend langue.

Est-il allé jusqu'à dîner avec Mitterrand pour réfléchir, avec lui, sur son plan de campagne ? C'est l'un des grands mystères politiques des années quatre-vingt.

Les gazettes ont laissé entendre que les deux hommes se seraient rencontrés chez Jean de Lipkowski. Ou bien chez sa mère, Irène. Enquête faite, Valéry Giscard d'Estaing est convaincu que la rencontre a eu lieu : pour lui, c'est bien la preuve qu'il y a eu un complot, échafaudé par Chirac et Mitterrand, pour empêcher sa réélection.

Naturellement, les intéressés nient avec la dernière énergie s'être jamais rencontrés, en privé, pour parler politique. S'ils avaient eu des contacts, ç'aurait été au vu et au su de tout le monde, croix de bois, croix de fer. Jacques Chirac et François Mitterrand ne se souviennent que d'un seul et unique tête-à-tête, à l'Hôtel de Ville de Paris, le 22 novembre 1979 : le premier secrétaire du PS, qui rendait visite au groupe socialiste du conseil municipal, en avait profité pour saluer le maire de la capitale. La rencontre, fort brève, avait fait les gros titres des journaux.

Jean de Lipkowski s'inscrit également en faux contre les rumeurs de dîner. Il n'hésite pas à parler d'« affabulations grotesques ». Mais il reconnaît quand même qu'il souhaitait à cette époque que les deux hommes fassent connaissance.

Apparemment, ceux qui démentent ont convaincu tout le monde. À tort. La vérité, la voici : contrairement à ce qu'ils disent, Jacques Chirac et François Mitterrand ont dîné ensemble avant l'élection présidentielle. Et, malgré ses démentis, Jean de Lipkowski est bien placé pour le savoir. C'est lui qui, avec Édith Cresson, a organisé le face-à-face.

Pour cela, « Lip », comme on l'appelle, était l'homme idéal. Héros de la Résistance, le député-maire RPR de Royan est aussi un diplomate de formation. Il a le sens des nuances – et des convenances. Il a, de surcroît, beaucoup d'amis à gauche. Gaulliste historique et convaincu, il fut, sous la IVe République, député apparenté UDSR, ce petit groupe charnière de centre gauche que présidait alors François Mitterrand. Cela crée des liens. Ils n'ont jamais été rompus. (En mars 1986, Mitterrand proposera même à Chirac de nommer « Lip » au Quai d'Orsay : « Il vous est tout dévoué. Et j'ai confiance en lui. »)

Ce n'est pas tout. Jean de Lipkowski a également été fiancé naguère à Édith Cresson. Il y a eu des mois de vraie passion entre eux. Il en est resté quelque chose : un mélange de fidélité, de ferveur et de complicité.

En 1979, Jean de Lipkowski est élu au Parlement européen sur la liste RPR. Édith Cresson, sur la liste socialiste. Les ex-fiancés se retrouvent à Strasbourg. Ils n'arrivent pas à se faire la guerre, fût-elle civile et froide. Ils font donc de la cohabitation avant la lettre en mettant au point un grand projet : l'organisation d'une rencontre informelle entre Chirac et Mitterrand.

Tandis qu'Édith Cresson apprivoise Jacques Chirac, Jean de Lipkowski entreprend François Mitterrand. Au Palais-Bourbon, à l'automne 1980, « Lip » propose au premier secrétaire du PS de rencontrer le président du RPR. « Il ne s'agit pas de faire des combinaisons, dit-il en substance. Mais vous n'avez jamais eu de conversation de fond ensemble et c'est complètement idiot. Il faut que vous ayez des relations civilisées comme en ont, aux États-Unis ou en Grande-Bretagne, les principaux responsables politiques. » Des propos quasiment révolutionnaires pour l'époque...

François Mitterrand ne connaît pas Jacques Chirac. À l'évidence, le personnage l'intéresse – bien plus que Barre ou Giscard. Mais le premier secrétaire du PS se méfie. Il sait que les camarades du parti n'apprécieraient pas qu'il se « commette », en privé, avec l'un des chefs de file de la droite.

Et si c'était un piège ? Les deux ou trois proches qu'il consulte lui conseillent à peu près tous d'accepter la proposition de « Lip ». Mais après l'affaire des « fuites », sous la IV⁰ République, et celle de l'Observatoire, en 1959, François Mitterrand a la hantise du traquenard. Comme il redoute que le lieu de la rencontre soit truffé de micros, il le fixera lui-même : ce sera chez son amie Édith Cresson, 5, rue Clément-Marot, tout près des Champs-Élysées.

Jacques Chirac lui-même est réticent. Georges Pompidou lui a toujours dit que François Mitterrand était un « aventurier ». Il redoute un « coup tordu ». Mais la force de conviction de Lipkowski et de Cresson aura raison de ses préventions.

Les deux hommes se retrouvent donc à 20 h 15 précises, un des derniers jours d'octobre 1980, en compagnie d'Édith Cresson et de Jean de Lipkowski. Grâce aux – rares – confidences des uns et des autres, on peut à peu près reconstituer ce dîner faustien où chacun, apparemment, est arrivé muni d'une longue cuillère.

Chez les Cresson, il n'y a pas de personnel de maison ce soir-là. Pour plus de sécurité, Édith Cresson fait elle-même le service. Et elle a demandé à son mari, un cadre important du groupe Peugeot SA, de rester dans sa chambre.

Apparemment, M. Cresson n'apprécie pas.

Ces précautions ne suffisent pourtant pas à rassurer Chirac et Mitterrand. En s'installant à table, ils ont l'air à peu près aussi coincés l'un que l'autre. Ils ont les yeux fuyants. Mauvais signe. Histoire de dire quelque chose, Édith Cresson lance :

« Je n'ai pas besoin de faire les présentations. Vous vous connaissez, je pense.

— Non, fait l'un.

— Oui, mais de nom », corrige l'autre.

Des constellations d'anges passent. Chirac et Mitterrand piquent leur nez dans leur assiette d'œufs aux épinards. Cresson s'inquiète. Lipkowski fait une tentative pour détendre l'atmosphère. N'hésitant pas à en rajouter, « Lip » donne pompeusement du « président » à Mitterrand, qui ne préside guère, alors, que le conseil général de la Nièvre et, accessoirement, la table de famille, mais qui a toujours aimé qu'on l'appelle ainsi :

« Vous m'avez beaucoup appris, président, susurre "Lip". Je dois même dire que vous avez écrit une très belle page de l'histoire de l'Afrique. » Puis, s'adressant à Chirac : « Sais-tu, Jacques, que le président est l'homme qui a poussé Félix Houphouët-Boigny à larguer le communisme ?

— Non, je ne savais pas, dit Chirac, laconique.

— Quand je recevais Houphouët pour le convaincre de rompre avec le communisme, fait Mitterrand, pincé, il faut voir comme j'étais attaqué par la droite et par *Le Figaro*. »

La conversation retombe. Chirac et Mitterrand ne quittent plus leur assiette des yeux. Cresson et Lipkowski font des efforts désespérés pour trouver un sujet qui inspire les deux hommes.

Le dîner va-t-il tourner au désastre ? Non. Le climat se détendra soudain quand sera mise sur la table, en même temps que la viande en sauce, la question de l'Asie éternelle.

« Fascinant continent, murmure Mitterrand.

— Certainement », fait Chirac qui en profite pour étaler sa science.

Mitterrand découvre, ébahi, un Chirac esthète et cultivé.

« La Chine n'est pas expansionniste, dit Chirac, avec sa compétence de sinophile. À part l'affaire du Tibet, elle n'a jamais cherché à sortir de ses frontières, vous savez. Les cavaliers chinois, sous les ordres de Pan Tchao, ne sont jamais allés plus loin que les oasis du bassin de Tamir. »

Quand arrive la tarte aux pommes, les deux hommes commencent à parler politique.

« Nous incarnons des causes qui nous dépassent, hasarde Mitterrand.

— C'est vrai, embraye Chirac. Vous incarnez le socialisme. Moi, le gaullisme.

— Si je ne suis pas élu, cette fois, à la présidence de la République, ça sera un peu ennuyeux pour moi mais finalement pas trop grave. J'aurai été l'homme qui a amené le socialisme à 49 %. Ma place, dans l'Histoire, elle est faite. J'ai déjà laissé ma trace. Tandis que vous, si Giscard repasse, vous aurez du mal. Je n'aimerais pas être à votre place. Il ne vous fera pas de cadeaux, hein ? »

Édith Cresson demande alors à Chirac et Mitterrand s'ils veulent rester seuls. Ils hochent la tête. Avec Lipkowski, elle attendra, dans l'entrée de l'appartement, jusqu'à 1 h 30 du matin, qu'ils aient fini leur tête-à-tête.

Qu'est-il sorti du « sommet » de la rue Clément-Marot ? Il ne faut pas exagérer l'importance stratégique de ce dîner symbolique. À l'époque, ni Chirac ni Mitterrand ne savaient s'ils seraient vraiment candidats. Ils se sont beaucoup parlé mais ils ne se sont rien dit. Ils se sont simplement jaugés.

François Mitterrand s'est contenté de dire qu'il aimerait bien être président mais qu'il pouvait « vivre sans ça ». Il a aussi distillé quelques sournoiseries contre Giscard et laissé entendre, sans trop de subtilité, que la victoire de VGE serait catastrophique pour le RPR.

Jacques Chirac, pas dupe, a marmonné quelques banalités avec son sourire sinistre et officiel. Il s'est même payé le luxe de défendre Giscard : « Sur le plan économique, vous savez, il n'y a pas vraiment de marge de manœuvre. »

Ce n'était pas assez pour faire une conspiration. Mais c'était déjà l'ébauche de la cohabitation...

Le 3 février 1981, sans même avoir pris la peine d'en informer le président auparavant, Jacques Chirac annonce sa candidature sur le ton de lyrisme prophétique qu'il cultive depuis sa rupture avec VGE, en 1976 : la France « s'affaiblit. Son économie vacille, ses positions dans le monde s'effritent. La lassitude et le doute s'insinuent au cœur des Françaises et des Français. Il faut arrêter ce processus de dégradation. Aucune fatalité ne condamne notre pays au repliement ».

Chirac est lancé. Il frappe fort en dénonçant, le 24 février, à Marseille, « le collectivisme sournois qui s'est développé depuis sept ans ». « Si c'était cela qu'on voulait, ajoute-t-il, il fallait le dire : on aurait voté Mitterrand et ça n'aurait pas été pire. » Comme la France a atteint la cote d'alerte en matière de prélèvements obligatoires, le maire de Paris prend le contre-pied du giscardo-barrisme en proposant un grand programme de défiscalisation : la suppression de tout impôt sur le revenu pour tous ceux qui gagnent moins de 5 000 francs par mois et une baisse de 5 % pour tous les autres.

Peu de temps auparavant, il prônait le volontarisme et la planification. Désormais, il plaide pour l'initiative privée et le « moins d'État ». L'étatiste est devenu libéral.

Que s'est-il passé pour qu'il mette ainsi au rancart le Chirac des années soixante-dix ? Comme Zorro, Ronald Reagan est arrivé. Et, avec son verbe, il a tout changé. Le maire de Paris a tiré les conclusions du raz de marée électoral qui, l'année précédente, a déferlé sur les États-Unis. Il a compris que les solutions planificatrices étaient passées de mode ; il s'est donc empressé de célébrer les recettes libérales. Il a troqué les manuels de Keynes pour ceux de Frédéric Bastiat. Sa constitution supporte toutes les contorsions ; son estomac, tous les mélanges.

Son libéralisme est un rôle de composition mais il le tient comme s'il n'en avait jamais eu d'autres. Chassez le naturel, il se perd à jamais.

Le candidat du RPR cavale, il fume, il s'égosille, il mange, il ratisse. Bref, il revit. Et il plaît. On ne l'a pas aperçu qu'il a déjà disparu pour se plonger dans d'autres mains tendues. Il est partout. Aux quatre coins de la France qu'il arpente au pas de course. À quinze jours du premier tour de l'élection présidentielle, Robert Schneider, peu suspect de chiraquisme, note dans *L'Express*[1] : « C'est Chirac qui apparaît comme le vainqueur de la première étape [...]. Au début de sa campagne, lorsqu'il disait : "Je pars pour gagner", on souriait. Et les journalistes ne se bousculaient pas pour l'accompagner dans ses épuisantes tournées. Aujourd'hui, ils se battent pour monter dans son avion. »

Que peut-il espérer ? Depuis le premier jour de la campagne, Chirac caresse un rêve qui, il en est sûr, peut se réaliser. « Je serai présent au second tour, dit-il le 9 mars. J'en suis persuadé. » Le 22 avril, il lance un « appel solennel » aux Français pour « éliminer » François Mitterrand dès le premier tour. Et ses militants sont convaincus que rien n'est impossible : après ses meetings, ils fredonnent le même refrain, *De profundis Giscardibus*...

Comme Bernard Pons, Claude Labbé et Charles Pasqua, Jacques Toubon, alors secrétaire général adjoint du RPR, court derrière cette formidable chimère. Il résume ainsi l'état d'esprit de l'époque : « On était convaincu que Chirac pouvait arriver en deuxième position derrière Giscard au premier tour. C'était notre objectif. Mais je dois à la vérité de dire que l'on doutait tous un peu qu'il puisse sortir vainqueur d'un duel avec VGE au deuxième tour. Giscard aurait alors recueilli, forcément, les voix du centre gauche. »

Aveuglement ? Pas sûr. Jusqu'au premier tour, le chef du plus petit parti de France ne cesse de grimper dans les sondages. « Huit jours, il m'aurait fallu huit jours de plus », dit-il, la veille du scrutin, à Josette Alia du *Nouvel Observateur*[2]. De même qu'il gagne à être connu, comme disent les journalistes, il gagne aussi à faire campagne. Plus présent que ses rivaux sur le terrain, l'homme politique le moins médiatique des années soixante-dix fait, à la surprise générale, un tabac à la télévision. À en croire un sondage IFOP-*Le Point*[3], Chirac fait, sur les étranges lucarnes, mieux que VGE, Mitterrand et Marchais : 33 % des Français l'ont trouvé plus sympathique qu'avant ; 38 %, plus sérieux ; 25 %, plus sincère ; 41 %, plus apte qu'ils ne le pensaient à être président de la République.

---

1. 11 avril 1981.
2. 28 avril 1981.
3. 27 avril 1981.

La France, qui vivait d'habitudes, écoute avec attention cet homme apparemment neuf qui entonne un air qu'elle ne connaît pas encore. Une fois encore, Jacques Chirac est en train de prouver qu'il excelle dans l'art de la conquête du pouvoir – pour l'exercice, c'est une autre affaire, on le verra. Ne pouvant supporter l'inaction, il est toujours en mouvement, changeant souvent de disque pour ne pas lasser, attaquant ses adversaires là où ils ne l'attendent pas, prévenant les coups qu'il rend au centuple, tout à la fois pressé et pétulant, haletant et hâtif.

Chirac est, à l'évidence, un bon candidat. Mais serait-ce un bon président ? Les qualités qu'il déploie tout au long de la campagne ne sont pas forcément celles d'un homme de gouvernement. C'est peut-être pourquoi les Français ne l'ont pas laissé gagner son pari.

Apparemment, c'était un pari stupide. Le 26 avril 1981, Jacques Chirac obtient 17,99 % des voix derrière Valéry Giscard d'Estaing et François Mitterrand qui tous deux font moins qu'ils ne l'espéraient : respectivement 28,31 et 25,84 %. Les candidatures para- ou ultra-gaullistes de Marie-France Garaud et de Michel Debré obtiennent 1,33 et 1,65 %.

Ce n'est pas un échec pour autant. Quand elles commentent les résultats du premier tour, les éminences du chiraquisme sont convaincues que leur champion est passé tout près du but. Elles font à peu près toutes la même analyse, que Jacques Toubon rapporte ainsi : « S'il n'avait pas eu en face de lui Garaud et Debré qui, encouragés par l'Élysée, lui ont pris 3 %, Chirac n'aurait plus été qu'à cinq points de Mitterrand. Si les moyens d'information officiels ne l'avaient pas systématiquement désavantagé, il aurait peut-être rattrapé son retard. Mais Giscard, par vindicte personnelle, a tout fait pour détruire la candidature de Chirac. Dans les quinze derniers jours, il a même carrément fait campagne pour Mitterrand en le valorisant autant qu'il le pouvait. Il voulait absolument se retrouver en face du candidat socialiste au deuxième tour. Ce fut toute son erreur. »

Et sa perte...

35

Le baiser de la mort

> « Quand même la mort du Christ eût été inévitable, Judas n'en serait pas moins traître. »
>
> *Proverbe éthiopien*

Que peut faire Jacques Chirac, maintenant ? Le soir du premier tour, Édouard Balladur fait le point avec le maire de Paris. L'ancien secrétaire général de l'Élysée ne souffre pas la compagnie des patrons du RPR. Avec eux, il a toujours le sentiment de s'encanailler ou de perdre son temps, c'est selon. Avec son suzerain, ce vassal n'accepte que le tête-à-tête.

Chirac a donc écarté les intrus et fermé sa porte. Il s'entend alors dire le contraire de tout ce que l'état-major du RPR serine, depuis plusieurs heures, à ses oreilles. « Dès demain matin, dit Balladur, il faut que vous fassiez un appel à voter Giscard. » Le maire de Paris paraît en convenir. L'autre ne perçoit pas la moindre réticence dans ses propos ou sur les traits de son visage pour une fois apaisé.

On se quitte vite, Balladur aimant se coucher tôt. Dès le lendemain matin, après avoir dénoncé « les conséquences que comporterait pour la France la participation communiste », Chirac déclare benoîtement : « Il n'y a pas lieu à désistement. Le 10 mai, chacun devra voter selon sa conscience. » « À titre personnel, ajoutera-t-il toutefois du bout des lèvres, je ne puis que voter pour M. Giscard d'Estaing. »

C'est la grande faute d'une carrière qui compte tant de coups de tête et si peu de faux pas. Elle repose sur une incroyable erreur de calcul : persuadé que la droite prendra sa revanche aux élections législatives qui suivront l'accession au pouvoir de Mitterrand,

Chirac s'accommode volontiers, dès le lendemain du premier tour, de la défaite de VGE. Il n'a pas le sentiment d'avoir à le « tuer ». Il pense qu'il est déjà mort.

L'état-major du RPR est sur la même longueur d'onde. Au comité central du parti, réuni le 29 avril, Philippe Dechartre, ancien ministre de Pompidou, préconise le « vote à gauche » sans provoquer le moindre frisson. Bernard Pons, le secrétaire général du mouvement, se contente, lui, de faire le procès de VGE : « On ne voit pas par quel miracle l'homme qui a réalisé une politique désastreuse serait touché par la grâce et ferait demain une bonne politique. » Quant à Alain Juppé, il n'hésite pas à minimiser l'enjeu du deuxième tour : entre Mitterrand et Giscard, il ne s'agit pas, selon lui, d'un « choix de société » mais d'un « choix de politique ».

Tout l'appareil chiraquien table, en fait, sur la défaite de Giscard. Il l'attend comme le Messie. Il la prépare avec impatience. Autour de Chirac, Balladur est l'un des rares à dire que le RPR a tout intérêt à soutenir clairement VGE. La plupart des caciques du mouvement, à commencer par Pasqua, disent le contraire. « Je n'ai pas beaucoup de considération pour le sens politique de gens comme Pasqua, dira plus tard Édouard Balladur [1]. Il me semble même nul. Ils se sont imaginés qu'ils auraient la peau de Giscard et que les Français seraient tellement terrifiés d'avoir porté au pouvoir Mitterrand qu'ils se jetteraient ensuite, aux législatives, dans les bras de la droite. Ils n'avaient rien compris à nos institutions. »

À Balladur qui lui demande d'en faire plus pour Giscard, Chirac répond, non sans raison, que les militants ne l'accepteraient pas. Quand il fait sa déclaration « à titre personnel », le 27 avril, dans le QG de sa campagne, rue de Tilsitt, c'est tout juste si les militants ne le sifflent pas...

Mais les militants ne sont-ils pas faits pour être violés ? « Il y avait une césure entre ses partisans et lui, rapporte Balladur, sur un ton de regret. Chirac n'a donc pas cru pouvoir aller plus loin. Ce fut une grave erreur. »

Une erreur, cela va de soi. Mais une trahison ? Chirac est convaincu que personne ne l'accusera d'avoir trahi. Pour deux raisons.

---

1. Entretien avec l'auteur, 8 décembre 1984.

D'abord, on ne trahit pas quand on gagne : Chirac a pu le constater lors de l'élection présidentielle de 1974 après avoir déstabilisé Chaban, le candidat de son propre parti. S'il remporte, comme il le croit, les élections législatives, il est sûr que personne ne lui reprochera d'avoir fait perdre VGE.

Ensuite, on ne trahit pas ce qui n'existe plus : à ses yeux, l'échec de Giscard est programmé. La veille du premier tour, Chirac disait aux journalistes : « Je vais faire 18 %. Là-dessus, 12 % iront à Giscard au second tour, 3 % s'évanouiront dans la nature et 3 % iront à Mitterrand. » Puis il concluait, avec une sorte de jubilation : « Et Mitterrand sera élu. » Convaincu que tout est déjà joué, il n'est donc guère enclin à s'agiter. D'autant qu'il se souvient, comme d'une blessure, de l'ingratitude giscardienne après les élections législatives. Le président du RPR avait tout fait, cette année-là, pour assurer la victoire de la majorité. Giscard ne le laissa pas en partager les fruits. Il le traita, au contraire, comme un mauvais laquais. Alors, à quoi bon forcer le destin ?

Après avoir retourné dans tous les sens les chiffres du premier tour, VGE se sent vaincu. Arithmétiquement, en effet, il n'a plus aucune chance. Il ne désarme pas pour autant. Calomnié comme peu d'hommes d'État l'auront été, accusé un jour d'avoir « touché » des diamants de Bokassa, l'« empereur » de Centrafrique, une autre fois d'avoir laissé faire l'attentat contre une synagogue de la rue Copernic, traité tour à tour de monarque, d'affairiste ou d'agent d'influence soviétique, Giscard a le mépris de sa réputation, comme tous les impudents. Certes, les princes doivent supporter la haine. Mais il va plus loin. Il l'ignore. De même qu'il fait mine de n'être pas au courant de son mauvais sort…

Giscard croit même qu'un miracle est encore possible. La « divine surprise » pourrait se produire lors de son face-à-face télévisé avec Mitterrand ou bien, *in extremis*, dans la solitude des isoloirs.

En attendant, VGE a décidé de raccommoder les fils avec Chirac. Le 28 avril, c'est-à-dire au lendemain de la déclaration « à titre personnel » du candidat gaulliste, le président téléphone à son ancien Premier ministre :

« C'était bien, votre déclaration d'hier, dit Giscard, d'entrée de jeu, mais vous reconnaîtrez que ça n'est pas suffisant.

— Rassurez-vous. Je compte lancer un appel.

— Bien. Mais il faut que vous veniez au meeting que je vais organiser à Pantin. C'est très important pour moi.

— Je ne crois pas que mes militants comprendraient. Il faut que je réfléchisse. » VGE insiste. « Laissez-moi faire », finit par dire Chirac, apparemment consentant.

Il est convenu que Jacques Wahl, secrétaire général de l'Élysée, maintiendra le contact entre les deux hommes.

Le surlendemain, Wahl téléphone à Chirac pour avoir une réponse. Le président du RPR participera-t-il ou non au meeting de Pantin ? Le secrétaire général de l'Élysée n'obtient que des bonnes paroles. Pour l'Histoire, VGE décide donc d'écrire au maire de Paris la lettre que voici [1] :

Paris, le 1er mai 1981

Monsieur le maire,

J'organise le dimanche 3 mai à Paris la plus importante réunion de la campagne du second tour, qui m'oppose à M. François Mitterrand.

Je tiens à vous inviter, en raison de votre fonction de maire, mais aussi de la déclaration que vous avez faite, lundi dernier, sur le sens de votre vote.

Je serais heureux de vous y accueillir.

Veuillez agréer, mon cher maire, l'expression de ma cordiale considération.

Valéry Giscard d'Estaing

C'est le secrétaire général de l'Élysée qui ira porter en main propre la lettre présidentielle au maire de Paris.

« Pourquoi m'écrit-il ? » demande Chirac, étonné.

Alors, Wahl :

« Pour que ça reste... »

L'Élysée s'était gardé, jusqu'alors, de recevoir les caciques du chiraquisme. Quelques-uns, comme Bernard Pons, n'avaient même jamais rencontré VGE. En quelques jours, les giscardiens se rattrapent : ce n'est plus de l'amour, c'est de la rage.

_____

1. Stéphane Denis, *La Chute de la maison Giscard*, Lattès, 1981.

À chacun son chiraquien. Jacques Wahl se coltine Claude Labbé. Jean Serisé, le conseiller politique de VGE, s'occupe de Bernard Pons. Et Jean-François Deniau, l'étoile montante du giscardisme, fait des ronds de jambe à Charles Pasqua. Mais rien n'y fait : les hommes du RPR ne voient que des poignards dans les sourires des giscardiens.

Pour que leur candidat gagne, il faudrait, selon les stratèges de l'Élysée, que Giscard obtienne le ralliement d'au moins 88 % des 5 225 000 voix recueillies par Chirac. C'est pourquoi VGE reprend quelques-uns des thèmes de la campagne du maire de Paris et le félicite, par exemple, d'avoir su dénoncer la « bureaucratie ». Mais le président a une trop haute idée de lui-même pour s'abaisser à célébrer les vertus de son ancien Premier ministre ou même pour lui proposer de faire la paix. Les promesses sont des dettes. Et il a décidé de ne rien devoir au président du RPR.

Chirac, lui, se sent trop fragile, malgré ses 17,99 %, pour se mettre à la merci d'un homme qui, à l'en croire, l'a déjà trompé une fois. « Jamais je ne pardonnerai au président de m'avoir fait cocu en 1978 », dit-il un jour à Wahl après lui avoir montré le texte de l'appel qu'il lancera le 6 mai contre Mitterrand plutôt que pour Giscard.

Giscard-Chirac... Que serait l'histoire de l'après-gaullisme sans leurs querelles et leurs quiproquos ? Un manuel de droit constitutionnel, suintant l'ennui et la mélancolie : chaque chapitre en serait prévisible. Grâce à eux, c'est devenu tout le contraire : un guignol déroutant, bouffon et shakespearien.

Entre Chirac et Giscard, tout est compliqué, inattendu, frivole et psychologique. La gauche les menace. Mais ils n'ont pas décidé pour autant de mettre une croix sur cinq ans de vendetta politicienne pour corriger le destin qui, désormais, a le visage de Mitterrand.

Le maire de Paris laisse ainsi le RPR à ses démons antigiscardiens. Dans une missive adressée à une partie des militants du mouvement, Philippe Dechartre, l'un de ses responsables, appelle à voter Mitterrand. Il se fera sermonner par Chirac. Mais, à l'évidence, il est un cas isolé. Un jour, Jean-Philippe Lecat, l'un des hommes clés du dispositif giscardien, fait une expérience. Il appelle le QG du candidat du RPR, rue de Tilsitt :

« On est un groupe de militants de Carpentras, dit-il. Pour qui doit-on voter ? »

Alors, le permanencier :

« Ben voyons, y a pas de problèmes, il faut voter Mitterrand. »

Jacques Toubon résume ainsi l'attitude du maire de Paris : « Il n'a jamais songé lui-même qu'il valait mieux que Giscard perde les élections pour que la gauche au pouvoir "vaccine" le pays pour longtemps. Mais il a probablement laissé, autour de lui, des gens comme Charles Pasqua le penser. »

Est-ce grâce à Jacques Chirac que François Mitterrand a été élu, le 10 mai 1981, président de la République ? L'écart entre Valéry Giscard d'Estaing et le candidat socialiste est trop grand (1 066 811 voix) pour que la responsabilité de la défaite de VGE puisse clairement être imputée au maire de Paris. Mais il n'a, à l'évidence, rien fait pour l'empêcher.

Quelques jours après sa défaite historique, Valéry Giscard d'Estaing réunit à dîner quelques-uns de ses barons à son domicile de la rue de Bénouville, dans le XVIᵉ arrondissement de Paris. Il y a là Michel Poniatowski, avec son air de vieux grognard désabusé, qui a tant donné à son ex-meilleur ami – et si peu reçu ; Michel d'Ornano, ce Cassandre au visage épanoui, qui annonçait depuis des mois sa défaite à Giscard ; Jean Serisé, le stratège giscardien qui, lui, n'a rien vu venir ; Victor Chapot, le grand argentier. Ce souper n'est pas moins sinistre qu'une veillée funèbre. La défaite a enlevé toute trace d'humour aux convives ; elle leur a même coupé l'appétit.

Giscard prend la parole aux hors-d'œuvre. Il ne la perdra pas jusqu'au dessert. D'une voix lasse, il fait devant ses convives le procès de Chirac. « C'est lui qui m'a battu, dit le président sortant. Il s'est accroché à une thèse aussi ridicule qu'absurde : "Giscard va perdre l'élection présidentielle mais nous, au RPR, on va gagner les élections législatives." Il n'a rien compris. Il est évident que la dynamique de l'élection présidentielle va jouer pour les élections législatives. La gauche va l'emporter facilement, vous verrez. »

La vendetta va-t-elle continuer ? Ce soir-là, pourtant, les convives n'en ont pas l'impression. « On ne survivra que si on est rassemblé, dit Giscard. Il va falloir recoller les morceaux maintenant. C'est ce qui sera le plus dur. »

Au lendemain de l'élection de François Mitterrand, à 8 h 30 du matin, le maire de Paris appelle au téléphone Jean Lecanuet, le président de l'UDF. Il veut parler avec lui de la préparation des élections législatives que le nouveau président s'est engagé à provoquer. Le nom de Giscard vient dans la conversation. Alors, Chirac tranche sur un ton qui ne souffre aucune réplique : « Giscard, c'est fini, voyons. Il est mort. »

Mort, Giscard ? De l'Élysée, le président sortant fait tout pour que Chirac ne prenne pas la direction de l'opération « revanche ». Il a un plan qu'il laisse percer dans une déclaration que son porte-parole transmet, le même 11 mai, aux agences de presse. D'abord, il entend dénoncer sans relâche ceux qui ont commis des « trahisons préméditées », comme il dit. Ensuite, il prétend mettre sur pied un « rassemblement démocratique au centre de la politique française » pour contrecarrer la stratégie « rétrograde » de Chirac, celle d'un affrontement droite-gauche. Enfin, il veut faire de l'UDF un vrai parti libéral qui présente des candidats dans toutes les circonscriptions et qui, au premier tour, tienne tête au RPR.

Il n'y a qu'un problème. Les députés UDF refusent de mettre en joue l'ennemi que Giscard leur a désigné. Malgré les ordres qui pleuvent de l'Élysée, ils restent même fièrement crosses en l'air. Ils veulent faire la paix avec le RPR. Jean Lecanuet la leur donne. Le 14 mai, il signe un protocole d'accord avec Chirac. Les deux hommes s'engagent à mettre au point un pacte électoral pour les législatives.

Exit VGE Chirac fait figure, désormais, de chef de la droite. Il a atteint son objectif. Mais pour quelle stratégie ? Comme toujours, Chirac joue sur tous les tableaux. D'un côté, il se fait prophète de l'Apocalypse : la victoire de la gauche, dit-il, le 31 mai, « ce ne sera pas le changement mais le début d'un processus révolutionnaire. Nous serons alors plus près de la Pologne que de la France actuelle ». De l'autre, il se veut pré-cohabitationniste : « Si l'ex-majorité se retrouvait majoritaire, déclare-t-il au *Figaro Magazine* [1], il serait tout à fait possible de gouverner avec le président de la République. Contrairement à une idée très répandue mais néanmoins erronée, la Constitution organise l'équilibre des pouvoirs

---

1. 5 juin 1981.

[…]. Le président a ses pouvoirs, le gouvernement et le Parlement les leurs. »

Le 21 juin 1981, les Français ont donné à François Mitterrand la majorité qu'il voulait à l'Assemblée nationale : 269 députés socialistes. Le RPR est tombé de 153 élus à 83 et l'UDF de 116 à 61. La droite est à refaire : avant de songer à la restauration, il lui faut d'abord préparer la reconstruction…

La faute à qui ? C'est toujours le même nom qui bourdonne dans la tête de Valéry Giscard d'Estaing. Encore blessé au vif deux mois après son échec, mortifié par les lâchages des siens, souffrant le martyre des boucs émissaires, VGE met tout sur le dos de Chirac. Le 16 juillet 1981, il reçoit dans son salon, rue de Bénouville, Stéphane Denis, rédacteur en chef au *Quotidien de Paris*, qui prépare un livre sur cette période, *La Chute de la maison Giscard*[1]. Il reprend toujours le même chef d'accusation contre le maire de Paris : « Chirac a tout fait pour me faire battre. Il m'a manqué 800 000 voix du RPR. C'était mathématique. Je ne pouvais pas m'en sortir. »

Apparemment, il ne trouve pas à Chirac les qualités requises pour qu'il ait, après lui, un « destin national » : « Ce n'est pas un homme d'État mais un chef de parti. Quand il était Premier ministre et qu'il venait me voir pour une question urgente, ce n'était jamais pour parler des grandes affaires du monde. Jamais. Il m'ennuyait sans arrêt avec des histoires de nominations. C'est sa conception de la politique. Chirac, il faut que vous compreniez bien, c'est Tomasini. J'ai compris, le 2 mai, qu'il voulait mon échec quand j'ai vu un tract que Pasqua avait fait faire dans une de ses officines. D'ailleurs, je vais vous donner les preuves de ce que j'avance… »

Alors, Giscard se lève, va dans sa chambre toute proche et ouvre le tiroir de sa table de chevet, d'où il sort un tract et une brochure.

Il tend la brochure à Stéphane Denis. Intitulée *Giscard, candidat du Kremlin*, elle conclut : « Mettre fin à la "finlandisation" honteuse où se laisse conduire la France suppose […] que le candidat du Kremlin soit dessaisi des responsabilités qu'il occupe depuis sept ans. » L'ancien président montre ensuite à son interlocuteur un

1. *Op. cit.*

376

texte sur papier à en-tête du RPR dont voici un extrait : « En ce qui concerne le deuxième tour, Charles Pasqua nous a rappelé que Jacques Chirac s'est prononcé dès le lundi matin et que sa position reprise par le comité central est très claire : "Chacun doit voter selon sa conscience et ses convictions." Les positions prises par Jacques Chirac, Bernard Pons et nos parlementaires sont des positions personnelles qui n'engagent qu'eux, et en aucun cas notre mouvement. Charles Pasqua a rappelé qu'aucun des deux candidats ne peut nous satisfaire : François Mitterrand, pour des raisons évidentes, Valéry Giscard d'Estaing, car il ne changera ni de politique ni d'attitude vis-à-vis du RPR. »

Giscard, indigné, commente : « Cela, c'est Pasqua. Tout ce genre de littérature a été fait par des hommes du RPR, dans des imprimeries du RPR, avec de l'argent du RPR. Qu'on ne me dise pas que Chirac n'était pas au courant. »

La blessure mettra longtemps à guérir. Et la cicatrice restera…

36

La chevauchée du désert

« Le destin frappe parfois à la porte, mais la plupart du
temps, c'est juste un représentant de commerce. »

Adage américain

Il a quarante-huit ans. Giscard n'est plus sur son chemin. Chirac
a tout pour devenir, enfin, le vrai patron de la droite. Il n'aura
jamais été porteur de tant d'espoirs – de tant de rancunes aussi.
Va-t-il mettre à profit sa traversée du désert pour prendre de l'épaisseur et de la densité ? Non. Pendant les cinq ans de législature
socialiste, il s'ingénie, au contraire, à changer de personnage. Il
cherche en fait à se ressembler davantage et il court, pathétique,
derrière l'idée qu'il se fait de lui-même : celle d'un politicien « raisonnable ».

La métamorphose est saisissante dès le soir du deuxième tour des
élections législatives, quand Chirac déclare, sur le ton du parler
vrai, pour commenter la déroute de la droite : « Reconnaissons-le,
la majorité des Français s'est détournée des idées qui ont inspiré
durant vingt ans notre action pour la France [...]. Une autre
période commence mais, dans cette situation nouvelle, nous sau-
rons surmonter l'épreuve en demeurant soucieux, avant tout, du
bien de notre pays [...]. Nous devrons aussi tirer les leçons de
l'événement, nous en chercherons les causes en nous-mêmes et pas
ailleurs, comme certains pourraient être tentés de le faire. Nous
n'avons pas su convaincre les Français que nous étions en mesure
d'assurer le changement qu'ils espèrent. Tout nous incite donc à la
réflexion et aussi à un profond renouvellement. »

378

Autocritique ? Chirac est toujours chiraquien, cela va de soi. Mais, pour rassurer, il a cessé de galoper. Et il ne s'en prend qu'avec mesure au nouveau pouvoir socialiste.

Lors de sa conférence de presse de rentrée, le 5 octobre 1981, il déçoit, par sa retenue, une partie non négligeable de la droite. Certes, il trouve la politique du gouvernement Mauroy « démodée, inadaptée et imprégnée d'esprit doctrinaire ». Il manque de souffle, pourtant. Ou de conviction. Il cherche ses mots. Il parle lentement, d'une voix douce et onctueuse. « Mais où est passé Facho-Chirac ? » demande avec nostalgie Dominique Jamet dans *Le Quotidien de Paris* [1].

Étrange Chirac. Au lieu de partir sabre au clair à l'assaut du nouveau pouvoir socialiste, il se contente de jeter, de loin, quelques anathèmes moins sonores qu'à l'ordinaire. Pour affronter la gauche, le cavalier est descendu de cheval. Il n'a plus l'œil noir ni le poil hérissé ni le credo chagrin. Convaincu que l'expérience socialiste échouera, il pense qu'elle ira quand même jusqu'à son terme – la fin de la législature, en 1986.

Il haïssait Giscard. Il combat Mitterrand. Ce n'est pas tout à fait la même chose.

À deux reprises, lors de tête-à-tête officiels le 25 mai puis le 14 juillet, Jacques Chirac dit à François Mitterrand que son programme économique ne peut rien donner de bon : « Vous ne tiendrez pas les prix, et le pouvoir d'achat des Français diminuera. Dans deux ans, les communistes vous lâcheront. »

Mais il ne dramatise pas excessivement les choses. Giscard et Barre, eux, sont convaincus que l'échec aura les couleurs de l'Apocalypse. Dans son petit bureau de l'Assemblée nationale où il reçoit ses visiteurs, le député de Lyon tient toujours le même discours catastrophiste : « L'an prochain, le déficit du commerce extérieur s'élèvera à 100 milliards de francs. Je crains que tout cela ne finisse très mal. Ce pays est mûr pour une radicalisation politique. Dans le cas contraire, il lui faudra des années et des années pour s'en remettre [2]. »

Au même moment, non loin de là, Jacques Chirac développe la thèse inverse : « Pour foutre en l'air l'économie d'un pays comme

---

1. 6 octobre 1981.
2. Conversation avec l'auteur, 10 novembre 1981.

la France, il faudrait se donner du mal et y travailler d'arrache-pied pendant des années. Les socialistes ne font que des bêtises de débutants. Mais Mitterrand, on le connaît. C'est un socialiste en peau de lapin. Un vrai aventurier, en fait. Pour l'instant, il plane et il rêve. Aux premières difficultés, il retombera sur ses pattes. Et il durera sept ans, vous verrez [1]. »

Contrairement à Barre, Chirac pense – en privé – que rien, sur le plan économique, n'est irréversible : « Naturellement, je ne suis pas d'accord avec les nationalisations mais elles permettront de changer les équipes en place qui s'essoufflaient un peu. En fait, il y a surtout une chose, dans la politique socialiste, qui me paraît très grave : le gouvernement a décidé de faire payer ses réformes sociales par l'étranger. D'où l'augmentation de l'endettement extérieur. C'est un boulet qu'il faudra traîner longtemps encore. »

Décrispé, décrispateur, Chirac se refuse à parler désormais comme un politicien de guerre civile froide. En public, il n'hésite pas à approuver l'action gouvernementale en matière de recherche, de culture et surtout de défense. Il fait même preuve de compréhension envers la politique étrangère de Mitterrand – sur l'Est-Ouest comme sur le Proche-Orient. Et il joue les médiateurs.

Le 15 novembre 1981, au « Club de la presse » d'Europe 1, devant le déchaînement des passions politiques, Chirac plaide ainsi l'apaisement, sur le mode giscardien : « Le climat actuel est dangereux [...]. Dans une large mesure, je considère que les torts sont partagés. » Puis il ajoute, à l'intention de la droite comme de la gauche : « J'appelle tous les participants à la vie politique de notre pays à se reprendre un peu, à se souvenir qu'il n'y a pas de démocratie sans un minimum de tolérance et qu'il est indispensable, dans ce domaine, de faire un effort pour revenir à des pratiques plus normales. »

Chirac, en somme, est déjà dans une logique précohabitationniste. Contrairement à ses troupes, il est convaincu que les socialistes sont fréquentables. Il lui arrive même de les fréquenter...

Il rencontre de temps en temps à dîner André Rousselet, par exemple. C'est l'un des hommes clés du système Mitterrand. Alors directeur de cabinet du président de la République, ce mitterran-

---

1. Conversation avec l'auteur, 12 novembre 1981.

diste « historique » deviendra président d'Havas puis de Canal Plus. Il tient à peu près toujours le même discours au maire de Paris : « Il faut ménager l'avenir. Ne commettez pas l'irréparable. Vous le regretteriez. » Il est convaincu que Mitterrand et Chirac pourraient s'entendre, un jour. Il voit beaucoup de convergences entre eux. Et il rêve, à voix haute, d'un gouvernement d'union nationale.

André Rousselet décrit ainsi le Chirac de l'époque : « C'était tout le contraire d'un manichéen. Il était tout à la fois emporté, chaleureux et ironique. On s'engueulait sur le ton de la plaisanterie. Il disait : "Vous n'avez pratiquement que des incompétents à votre botte aux postes clés. On les virera." Alors, je rigolais : "Le temps que vous arriviez au pouvoir, ils seront tous à la retraite." Il souriait. C'est l'un des rares hommes politiques qui ne laisse pas ses convictions avoir toujours raison de son sens de l'humour et de la courtoisie. »

Avec les socialistes, Chirac est, d'entrée de jeu, très sociable. Il est de toutes les réceptions officielles à l'Élysée. Un jour, à la demande de Jean de Lipkowski, député RPR de Charente-Maritime, il va même jusqu'à dîner avec Édith Cresson, alors ministre socialiste de l'Agriculture, pour lui donner ses conseils d'expert. Le maire de Paris la connaît depuis longtemps. Et il l'aime bien. C'est, dit-il, « une femme intelligente, sympathique, dynamique ».

Jean de Lipkowski, vieil ami, on l'a vu, d'Édith Cresson, se fait du mauvais sang pour elle. Il a remarqué qu'elle a dressé contre elle, en quelques semaines, la très puissante FNSEA (Fédération nationale des syndicats d'exploitants agricoles). Il a donc demandé à Chirac, qui fut le ministre de l'Agriculture le plus populaire depuis la Libération, d'expliquer à Édith Cresson comment il faut s'y prendre avec les syndicats.

Chirac fait de son mieux. Après son traditionnel plaidoyer pour l'agriculture, il se livre à un vibrant éloge de la FNSEA. Cresson le coupe, agacée :

« Sa direction est contre nous. Mais j'aurai sa peau. »

Alors, Chirac :

« C'est une grande ambition, mais si l'un doit avoir la peau de l'autre, je ne miserais pas un kopeck sur vous. Les dirigeants des syndicats agricoles sont beaucoup plus forts que vous ne l'imaginez. Vous feriez mieux d'engager rapidement une conversation avec eux. »

Édith Cresson ne l'écoutera pas. Face à la FNSEA, elle continuera à se cambrer, non sans un certain cran, dans une ardente intransigeance. Et c'est ainsi qu'elle devra un jour céder la place à Michel Rocard au ministère de l'Agriculture.

À la fin du dîner, Chirac, qui ne perd jamais le nord, fait, en sortant un petit bout de papier :

« Vous savez que, selon l'usage, un ministre en exercice ne refuse jamais rien à un de ses prédécesseurs.

— Je n'avais pas entendu parler de cet usage », dit Cresson.

Sans se démonter, Chirac lit sa note. C'est une série de demandes de subventions émanant de plusieurs villages de Corrèze.

Alors, Cresson :

« Désolée. Je n'ai plus un rond au titre de l'aménagement rural.

— Ce n'est pas la tradition », maugrée Chirac.

Et il prend congé.

Mais Édith Cresson n'est pas la seule personnalité socialiste à bénéficier, pendant cette période, des conseils de Jacques Chirac. François Mitterrand aussi y a droit. À chacune de ses visites, il lui glisse un avertissement ou une suggestion, c'est selon. Un jour, il lui recommande ainsi de ne pas couper les ponts avec l'URSS.

Faisant campagne contre Valéry Giscard d'Estaing dont la *Pravda* avait célébré le « bilan globalement positif », François Mitterrand avait déclaré qu'il ne normaliserait pas les relations de la France avec l'Union soviétique tant que l'Armée rouge continuerait à occuper le territoire afghan. Jacques Chirac, qui approuve la fermeté mitterrandienne contre l'impérialisme soviétique, le presse quand même d'oublier sa promesse électorale. « Même si je passe pour un anti-communiste primaire, dit-il au chef de l'État, je crois à au moins une chose, en politique étrangère : il n'y a pas de bonne alliance avec Washington qui ne passe par Moscou. » Le président ne secoue pas la tête. De leurs ennemis, les sages apprennent bien des choses...

Chirac-le-conseilleur n'a pourtant perdu ni ses dents ni ses griffes. On l'entend, par exemple, déclarer, sibyllin, que « l'opposition risque d'être rappelée plus rapidement qu'on ne le pense à reprendre la responsabilité des affaires [1] ». Ou encore décréter que

---

1. 15 mars 1982.

la France est devenue « l'homme malade de l'Europe » par la seule faute de « l'idéologie socialo-communiste » [1]. Mais le maire de Paris prend toujours soin de se démarquer de ceux qui, comme Claude Labbé, président du groupe RPR à l'Assemblée nationale, mettent en question la légitimité du chef de l'État. « Dans un pays démocratique, leur répond-il le 10 mai 1982, une autorité légalement désignée est légitime, et aucune légitimité ne peut se réclamer d'une autre origine que du choix de la majorité du peuple. » Puis : « Il n'en résulte pas que l'autorité légale ne puisse être critiquée ni son action mise en cause. »

C'est alors l'opposant préféré des Français. D'après un sondage SOFRES-*Figaro* [2], 53 % d'entre eux considèrent que Chirac serait le meilleur candidat de l'opposition dans une éventuelle élection présidentielle – Giscard n'obtient que 21 % d'opinions favorables et Barre 7 %.

C'est alors aussi l'opposant préféré de François Mitterrand, qui souligne volontiers sa vitalité, sa vivacité, sa véracité aussi. « Un homme d'État », concède-t-il.

Mais la paix entre les ennemis ne dure jamais longtemps. Deux événements vont tout gâcher. Deux initiatives présidentielles que le maire de Paris considérera comme des agressions personnelles : la réforme du statut de Paris puis celle du mode de scrutin. La première découdra d'un coup tous les fils qu'ils avaient tissés entre eux. La deuxième consommera la rupture. Les deux fois, Chirac a estimé que le président s'attaquait directement à lui. D'abord, en réduisant les compétences du maire de la capitale. Ensuite, en cherchant à détruire, avec la représentation proportionnelle, le capital politique qu'il avait amassé au fil des ans.

Récapitulons. Le 30 juin 1982, Gaston Defferre, ministre de l'Intérieur, fait adopter en Conseil des ministres une réforme du statut de la capitale qui, au nom de la décentralisation, prévoit l'éclatement de Paris en « vingt communes de plein exercice ». Il s'agit ni plus ni moins de « déshabiller » Jacques Chirac qui devra désormais partager le pouvoir municipal avec les maires d'arrondissement. La gauche devrait ainsi s'assurer, en principe, le contrôle de quelques « morceaux » de la première ville de France.

---

1. 15 juin 1982.
2. 15 juin 1982.

C'est la guerre. Jacques Chirac est à table quand Robert Pandraud, alors directeur adjoint de son cabinet, lui tend une dépêche de l'AFP annonçant la nouvelle. En quelques secondes, il passe de l'étonnement à la colère. Pourquoi ne l'avoir pas prévenu ? Le 11 février, lors d'une de ses nombreuses visites à l'Élysée, Chirac avait mis en garde Mitterrand contre ce qu'il appelait une « opération de charcutage » de la capitale. Le président n'avait rien dit. Le maire de Paris en avait tiré la conclusion que le chef de l'État ne se prêterait pas à la manœuvre. Erreur. Entre les deux hommes, soudain, les paroles s'envolent, mais les coups restent...

Chirac est blessé. Il commente ainsi la réforme devant Jean Cau : « J'accepte qu'on me combatte, je n'accepte pas qu'on me mente, qu'on me trompe et qu'on triche ! [...]. Des vingt communes, quelle sera celle qui pourra s'appeler Paris [1] ? »

Contre le projet, Chirac joue sur tous les registres.

L'ironie : « Va-t-on élire vingt présidents de la République sous prétexte que le titulaire actuel concentre trop de pouvoirs entre ses mains ? »

L'indignation : « Ce projet viole les engagements officiellement pris à l'Assemblée nationale par le ministre de l'Intérieur [2]. »

L'enflure : « Le Paris de Villon, et celui de Hugo, le Paris conquérant du 14 Juillet et le Paris martyrisé de l'Occupation [en un mot, Paris] ne veut pas mourir. »

Au départ, la manœuvre mitterrandienne paraît réussir. C'est encore un cas où les conséquences de la colère sont plus graves que les causes : piqué au vif, Chirac redevient, par bouffées, l'« agité » qu'il fut sous Giscard. Boudant désormais ostensiblement les réceptions officielles à l'Élysée, il sombre volontiers dans l'antisocialisme primaire. Et, quelques semaines après l'annonce de la réforme, sa langue fourche, lors d'une tournée en Nouvelle-Calédonie : « L'expérience socialiste ne durera pas deux ans. »

Deux ans ? Le maire de Paris veut-il dire que la législature n'ira pas jusqu'à son terme – dans quatre ans ? Si oui, envisage-t-il d'organiser un coup d'État ? Ironiques ou non, les questions

---

1. *Paris-Match*, 16 juillet 1982.
2. Le 28 juillet 1981, Gaston Defferre déclarait à l'Assemblée nationale : « En matière d'arrondissement [...], je puis vous assurer que la capitale sera soumise au droit commun. »

tombent comme à Gravelotte. Les socialistes se demandent, non sans ravissement, si « Facho-Chirac » n'est pas revenu. Édouard Balladur, le nouveau mentor du maire de Paris, s'arrache les cheveux. Il s'était mis en tête de faire de Chirac un « rassembleur ». C'est manqué. « On m'a mis un frelon dans la culotte », rigole, avec raffinement, Jacques Chirac. Pendant des mois, il devra s'expliquer sur sa sottise néo-calédonienne. Il ne réussira pas à l'effacer.

Pour les socialistes, l'exaspération de Chirac est à peu près le seul effet positif de leur réforme du statut de Paris. Car, pour le reste, c'est un désastre. Aux élections municipales de mars 1983, Chirac ramasse la mise. En raflant la majorité dans tous les arrondissements, il obtient, comme disent les gazettes, « vingt sur vingt » : tous les maires seront de droite. La gauche, qui comptait 40 sièges sur 109 dans le conseil de Paris sortant, n'en a plus que 22 sur 163. La capitale, qui était, depuis 1981, l'un des hauts lieux de la résistance de la droite, est désormais le symbole de la reconquête.

C'est le sacre de Chirac : d'après un sondage SOFRES-*Le Nouvel Observateur*[1], il s'est imposé, dans la foulée des municipales, comme l'homme fort de la droite. Pour 49 % des sympathisants de l'opposition, ce serait le meilleur candidat de la droite face à la gauche. Barre et Giscard arrivent loin derrière, avec 25 et 20 %. Plus dure sera la chute...

En deux ans, Chirac va tout gâcher et prouver, une fois de plus, qu'il n'est bon que dans l'adversité. La faveur ne le rend pas heureux. D'une certaine façon, le bonheur l'affole. Au faîte de la gloire, quand tous les yeux sont braqués sur lui, il multiplie les poses et les contorsions. Il s'épuise dans la polémique. Il monte sur ses grands chevaux. Il galope en tous sens. Il n'aime pas qu'on le regarde. Mais il est vrai qu'on le regarde de moins en moins...

Deux personnages, en effet, ont fait leur entrée sur scène, avec la claire intention de lui faire de l'ombre. Ils ont la même corpulence, le même menton napoléonien, la même obsession stratégique : rafler le fonds de commerce de Chirac. L'un est lent, pataud et cosmopolite : c'est Raymond Barre qui, tout doucement, est en train de percer dans les sondages. L'autre est hâbleur, éructant et vantard : c'est Jean-Marie Le Pen qui a commencé à fédérer l'extrême droite. Avant les élections européennes de juin 1984, la

---

1. 24 juin 1983.

radio-télévision d'État lui a largement ouvert ses antennes : alors même qu'il ne représentait rien, il a été l'invité de la plupart des grandes émissions politiques. Le Front national, son parti, obtiendra, contre toute attente, 10,95 % des suffrages exprimés.

Chirac, en somme, est attaqué des deux côtés : sur sa gauche et sur sa droite. Il se débat. Et, de coups de sang en faux pas, il amorce sa dégringolade dans les sondages...

Le 3 avril 1985, Pierre Joxe, ministre de l'Intérieur, fait adopter une réforme du mode de scrutin : après vingt ans de système majoritaire à deux tours, la France reviendra, pour les élections législatives, à la représentation proportionnelle. C'était la proposition numéro quarante-sept du candidat Mitterrand en 1981.

Le soir même, Michel Rocard, ministre de l'Agriculture, démissionne du gouvernement. Il a toujours été contre la représentation proportionnelle. Mais, à l'heure de la montée du Front national, il trouve cette réforme carrément « anormale ».

Jacques Chirac aussi. D'après lui, François Mitterrand poursuit depuis plusieurs mois « un effort gigantesque pour favoriser l'extrême droite avec objectif de gêner l'opposition ». Le 26 février, prévoyant la décision présidentielle, il s'en était pris à « ceux qui n'ont pas hésité à se prostituer et à gouverner avec les communistes et qui font tout ce qu'il faut, avec la représentation proportionnelle, pour institutionnaliser l'extrême droite [1] ».

François Mitterrand peut avoir de bonnes raisons pour instaurer la représentation proportionnelle. Elle répartit équitablement le nombre de sièges en fonction du nombre de voix. Ne favorisant pas, comme le scrutin majoritaire, les grands courants d'opinion, elle ne peut qu'émousser la bipolarisation qui, depuis 1958, a transformé la France politique en champ de bataille idéologique. Avec ce système, comme l'écrit Jérôme Jaffré [2], « aucun parti ne peut espérer dominer à lui seul le jeu politique ». Aucun ne peut non plus craindre de disparaître. Les petites formations gardent même le droit à la vie : le nouveau mode de scrutin devrait ainsi faire entrer au Palais-Bourbon un commando de députés du Front national.

---

1. « Grand Jury RTL-*Le Monde* ».
2. *L'Express*, 9 août 1985.

On voit tout de suite les effets pervers de la proportionnelle : *combinazione*, morcellement de la vie politique, parlementarisme à la mode de la IVᵉ République, prime aux apparatchiks des partis, qui, en se plaçant en tête des listes, sont sûrs d'être élus.

Mais si François Mitterrand a décidé de changer le mode de scrutin, ce n'est ni pour ces bonnes ni pour ces mauvaises raisons. Il entend simplement calmer le jeu aux élections législatives de 1986 : la proportionnelle devrait éviter la déroute aux socialistes et interdire à la droite de l'emporter largement. Le chef de l'État compte même sur sa réforme électorale pour empêcher la victoire du RPR et de l'UDF, comme le note Olivier Duhamel [1], professeur de droit public : « Pour dire les choses crûment, la stratégie mitterrandiste ne permet aucune victoire de la gauche et repose sur la non-victoire du RPR et de l'UDF seuls, c'est-à-dire sur le nombre d'élus du Front national. "Pour Mitterrand, votez Le Pen", en quelque sorte. Voilà qui pousse le paradoxe aux confins du cynisme. »

L'affaire de la réforme du mode de scrutin achèvera d'envenimer les rapports entre Jacques Chirac et François. Mitterrand. Le maire de Paris devient désormais un opposant hargneux, voire haineux.

Il estime que le chef de l'État l'a trahi. En 1981, entre les deux tours de l'élection présidentielle, François de Grossouvre, le meilleur ami de Mitterrand, lui avait rendu une visite qui n'était pas seulement de courtoisie. Chirac avait tout de suite sympathisé avec ce marquis barbichu et distingué qui, entre deux missions secrètes, exploite un domaine dans l'Allier. Dûment mandaté, Grossouvre avait dit au maire de Paris que Mitterrand, s'il était élu, s'engageait à ne pas instaurer la représentation proportionnelle. Certes, entre renards, on renarde. Certes, « les promesses n'engagent que ceux qui les reçoivent ». Mais il en restera toujours un malaise entre Chirac et Mitterrand – quelque chose de lourd et d'indéfinissable...

Ce n'est pas le plus grave. Chirac estime aussi que Mitterrand l'a « cherché », comme il dit : à ses yeux, la proportionnelle n'a été instituée que pour réduire le RPR tout en favorisant le Front national.

---

1. *Le Monde*, 28 janvier 1986.

Le 22 juin 1985, encore scandalisé par la réforme électorale de Mitterrand, Chirac dit à l'auteur :

« Je croyais que Mitterrand était devenu un homme d'État. Mais c'est un politicien type IVe République qui n'a aucune idée générale et qui ne cherche qu'à sauver ses copains au prix de n'importe quelle combine. Un personnage irresponsable, en fait. Il est prêt à tout pour conserver le pouvoir. C'est tout le sens de sa réforme électorale. La France, il s'en fout. Pour mettre le bordel dans l'opposition, comme s'il n'y en avait déjà pas, il a décidé, avec la représentation proportionnelle, de donner une impulsion à l'extrême droite. Qu'un homme investi des fonctions suprêmes se laisse aller à ce genre de choses, ce n'est pas convenable. C'est même indigne et méprisable. En politique, il y a des trucs qu'on ne fait pas. Mais les socialistes sont cuits et la bête traquée montre son vrai visage : avec l'aide des naïfs de la presse de gauche, qui le valorisent autant qu'ils peuvent, Mitterrand est en train de gonfler froidement Le Pen.

« Pour le moment, tout ça n'est pas bien grave. Il y a un type, Le Pen, que je ne connais pas et qui n'est probablement pas si méchant qu'on le dit. Il répète certaines choses que nous pensons un peu plus fort et mieux que nous, en termes plus populaires. Autour de lui, il y a des tas de braves gens mais aussi une masse d'individus dangereux, fascistes et racistes. Le jour où il y aura en France un vrai parti d'extrême droite avec des députés, des moyens techniques et financiers, ce ne seront plus les aimables notables comme M. Olivier d'Ormesson qui tiendront les commandes ; ce seront les purs et les durs, tous ceux qui attendent leur revanche depuis 1945. Je sais qu'il n'y a pas de comparaison possible mais Hitler a commencé comme ça. Faut pas jouer au con. On est en pleine crise économique avec un taux de chômage effrayant et plusieurs millions d'immigrés. Un cocktail dangereux. C'est l'un des moments historiques où la petite graine de racisme qui existe dans le cœur des hommes peut prendre. Il ne faut pas l'arroser. Et il faut la couper dès qu'elle commence à germer. Au lieu de ça, on fait sans arrêt donner le Front national à la télévision.

« Il y a une chose qui me ferait prendre les armes et descendre dans la rue : c'est le racisme. Mitterrand a décidé de faire sa promotion, par pur calcul politique. Je n'ai plus rien à dire à cet homme. Je ne discuterai avec lui qu'en position de force. »

388

Même si l'extrême droite prolifère ces années-là, est-ce tout à fait la faute de Mitterrand ? D'abord, en recentrant son discours, Chirac a laissé un espace politique ouvert sur sa droite. Ensuite, en mettant sur pied une liste unique RPR-UDF pour les élections européennes de juin 1984, il a permis au Front national de prendre son envol. Enfin, il n'a pas su marquer, d'entrée de jeu, sa différence avec le parti de Jean-Marie Le Pen.

C'est à l'automne 1983 que le phénomène est apparu pour la première fois électoralement : au premier tour des élections municipales partielles de Dreux, en Eure-et-Loir, le Front national fait une percée. Pour gagner, la droite doit passer un accord avec lui. Compréhensif, le président du RPR laisse donc son candidat local conclure, pour le second tour, une alliance avec le parti de Jean-Marie Le Pen. Et c'est ainsi, en entrant dans un conseil municipal, que l'extrême droite va pénétrer dans la vie politique française. Peu après, pour expliquer sa faute, Chirac plaidera la distraction : « J'ai fermé les yeux, parce que je n'avais pas mesuré l'importance historique de la chose. Ce fut une erreur historique. »

Quand Chirac réagit, il est trop tard : le mal est fait. Quelques semaines après son « erreur historique », il jette sur une petite feuille de papier, comme il le fait souvent avant de se coucher, quelques lignes qui résument sa nouvelle stratégie face à Le Pen : « Il faut attaquer Le Pen de front. Souligner nos différences : "Nous ne voulons pas, nous, instaurer un climat de haine." Extrême droite, extrême gauche, même combat : c'est la même haine. »

Tel sera désormais le ton de Chirac contre le Front national. À l'approche des élections cantonales de mars 1985, il part en guerre : « Voter pour l'extrême droite, c'est renforcer la main de M. Mitterrand. » Il jure aussi, croix de bois, croix de fer, qu'il exclut toute alliance nationale avec le parti de Le Pen. « Et même toute alliance locale. »

Il n'y a qu'un problème. Dans le même temps, le RPR s'en remet officiellement aux instances départementales pour régler, cas par cas, la lancinante question des désistements entre les deux tours des cantonales.

Chirac est comme l'horloge qui indique une heure et en sonne une autre. Pris dans la tenaille Barre-Le Pen, toujours entre le zist et le zest, aussi équivoque qu'indécis, il s'effondre dans les sondages : en mars 1985, alors que son parti vient de rafler 180 sièges de conseillers généraux, le chef de file de l'opposition obtient, au baromètre mensuel IFOP-*Le Journal du dimanche*, 30 % de bonnes opinions et 46 % de mauvaises.

Mais il est vrai que Chirac n'est pas homme à prêter trop d'attention aux sondages. Tandis que sa cote de popularité fait la culbute et que ses ouailles commencent à douter de lui, le président du RPR prépare fiévreusement le rendez-vous des élections législatives de 1986. Ce sera la revanche des vaincus de 1981. Il faut que ce soit aussi la sienne...

37

Le cohabitateur

« Un compromis fait un bon parapluie, mais un pauvre toit. »

J.R. Lowell

Le 16 septembre 1983, paraît à la une du *Monde* un article apparemment anodin. Il amorce pourtant le formidable tournant qui, après les élections législatives, changera la politique française. Intitulé « Les deux tentations », il est ainsi présenté : « Selon Édouard Balladur, qui fut secrétaire général de l'Élysée au temps de Georges Pompidou, un président de gauche peut cohabiter avec une majorité de droite sans changer ni la Constitution ni la loi électorale. »

Dans cet article que Chirac a relu et corrigé avant sa publication, Édouard Balladur plaide pour une nouvelle lecture de la Constitution de 1958 : « Nos institutions n'ont jamais connu leur minute de vérité, celle où devraient cohabiter un président d'une tendance et une assemblée d'une autre. Si cela se produit un jour, il serait évident que le pouvoir présidentiel dispose d'une autorité variable selon qu'elle repose ou pas sur une majorité parlementaire. »

Pour Balladur, la cohabitation démontrerait les facultés d'adaptation des institutions de la Ve République : « Quasi présidentielle, et même davantage, quand le président dispose d'une majorité, plus parlementaire quand ce n'est pas le cas. » Et l'ancien secrétaire général de l'Élysée ajoute : « Qu'un tel équilibre entre les deux fonctions et les deux hommes soit délicat, que des conflits soient possibles, que le régime perde en efficacité, c'est évident. Mais ce serait le résultat de décisions populaires successives dont il faudrait bien tenir compte. »

Texte capital. Chaque adjectif est calculé. Chaque virgule, pesée. C'est avec la publication de cet article qu'Édouard Balladur entre vraiment dans le destin de Jacques Chirac.

Chirac était-il, d'entrée de jeu, favorable à la cohabitation ? Probablement. Elle correspond à son pragmatisme naturel. Mais ce n'est pas lui qui a inventé l'idée. C'est Balladur. Et, avant de s'engager, le maire de Paris, avisé, l'a laissé la tester.

Balladur, au contraire de Juillet, n'est pas du genre visionnaire. Mais il est convaincu que la cohabitation est une idée d'avenir. Il pense même que Chirac doit l'incarner. « Depuis deux siècles, répète-t-il alors au maire de Paris, notre pays a trop souffert de ses déchirures. Il faut montrer que, comme toute société civilisée, nous sommes capables de faire face à des situations nouvelles sans remettre en question les institutions. »

Le maire de Paris l'écoute. Il l'écoute même de plus en plus. Il a pris pour habitude de faire le point avec Balladur une fois par semaine, pendant deux heures et en tête à tête, cela va de soi. L'ancien secrétaire général de l'Élysée est très exclusif et il n'a que mépris pour les apparatchiks du RPR qu'il fuit comme la peste (« On ne peut pas parler sérieusement des dossiers qui comptent avec ces gens-là »).

Le plus étrange n'est pas que Chirac, avide de défi épique, soit si fasciné par Balladur, lourd de prudence et de prudhommerie. Il s'agit là de l'attirance des contraires. Ce qui étonne, en fait, c'est que le maire de Paris puisse rester des heures à deviser avec un homme qui est toute retenue et introspection. Originaire d'une des vieilles familles provençales établies au Moyen-Orient, cet énarque éminent et délicat n'a rien de méditerranéen. Et il fait irrésistiblement penser à ces *Caractères* de La Bruyère, qui « ne hasardent pas le moindre mot, quand ils devraient faire le plus bel effet du monde ; rien d'heureux ne leur échappe, rien ne coule de source et avec liberté : ils parlent proprement et ennuyeusement ». Balladur ou l'art de ne jamais dire des bêtises...

Chirac a décidé, dès ce mois de septembre 1983, d'en faire son connétable. Après avoir lu l'article de Balladur pour *Le Monde*, le maire de Paris lui dit :

« Il faut que ce soit vous qui alliez à Matignon, Édouard. Vous n'êtes pas un homme de parti. Pour Mitterrand, ça sera plus commode. Pour moi aussi…

— Vous savez bien que je n'ai rien de ce qu'il faut pour devenir Premier ministre. De toute façon, vous serez condamné à accepter Matignon.

— J'ai déjà donné, vous savez.

— Si celui que vous aurez mis à votre place à Matignon réussit, c'est lui qui aura réussi et pas vous. Si c'est lui qui échoue, en revanche, c'est vous qui aurez échoué avec lui. »

Le 17 mars 1986, après la victoire du RPR et de l'UDF aux élections législatives, Chirac renouvellera sa proposition à Balladur qui, une fois encore, la repoussera du doigt : « C'est une idée absurde. Je n'ai pas les qualités pour ça. » Puis : « Ou vous réussirez et vous serez, ensuite, élu président. Ou vous échouerez et vous ne le serez pas. Mais, dans la vie, on n'a jamais rien sans rien. »

Et c'est ainsi que Chirac deviendra Premier ministre de Mitterrand. Mais Balladur n'a pas eu, il est vrai, à insister beaucoup. Le maire de Paris est aussi légitimiste que lui. Il partage son goût du compromis, son empirisme fataliste, son scepticisme fondamental sur les idées. Il est fait pour cohabiter.

Balladur, lui, est viscéralement, pathologiquement cohabitateur. Il est convaincu, comme Goethe, qu'on ne vit bien qu'en laissant vivre.

En plaidant pour la cohabitation, Balladur a, en fait, théorisé un comportement. Cet homme ne supporte pas l'affrontement. C'est physique : tout haussement de voix lui soulève le cœur, la moindre colère le blesse au vif. Il ne peut demander lui-même à une locataire de quitter le logement qu'il possède à Aix-en-Provence. Il fait faire la chose. Il ne peut davantage exprimer un grave désaccord devant un groupe de plusieurs personnes. Il ne le fera qu'en tête à tête, et encore…

Lâcheté ? Pas sûr. À en croire Quinte-Curce, le chien, de nature couarde, aboie plutôt que de mordre. Balladur, lui, est du genre à mordre plutôt que d'aboyer. Et il lui arrive, s'il le faut, de tuer. Même s'ils sont toujours soignés, il a du sang aux ongles. Mais il s'applique à le dissimuler.

Pour Balladur, les conflits et les éclats de voix ne font que révéler la nature animale de l'homme. Si ce dernier veut être civilisé, il doit savoir dominer les situations. Donc, garder son sang-froid en toutes circonstances.

Balladur-le-refoulé et Chirac-l'extraverti sont donc tout à fait complémentaires. Psychologiquement du moins : l'un est toute componction ; l'autre tout énergie ; l'un est maladivement méfiant, l'autre spontanément confiant. Sur la chose politique, en revanche, il n'y a pas l'ombre d'une différence entre les deux hommes. C'est la force de cet assemblage ; c'est peut-être aussi sa fragilité…

Raymond Barre a compris les dangers que recèle, pour lui, la cohabitation. Sans parti, il ne pourra pas peser sur la formation du gouvernement si le RPR et l'UDF remportent les élections législatives. Il part donc en guerre, d'entrée de jeu, contre une éventuelle coexistence entre François Mitterrand et un Premier ministre de droite. Le 26 juin 1983, avant même qu'Édouard Balladur n'écrive son plaidoyer cohabitationniste pour *Le Monde*, le député de Lyon a déclaré, lors d'une « Fête de la liberté », à Bourg-en-Bresse : « Si la cohabitation est acceptée, c'est, quels que soient les arguments et les prétextes utilisés, le retour aux jeux, aux délices et aux poisons de la IVe République. Et la nouvelle majorité sera […] rapidement impuissante et rapidement discréditée. »

Répondant, le 27 septembre suivant, à l'article d'Édouard Balladur, Raymond Barre ira plus loin en déclarant que l'opposition « doit exclure à l'avance l'éventualité de se prêter à un quelconque "accord" avec le président de la République. Elle y perdrait à la fois son crédit, son efficacité et son âme ». Un jour, il finira même par annoncer aux Français qu'il ne votera pas la confiance à un gouvernement de cohabitation.

À l'aune des sondages, l'anticohabitationnisme semble réussir à Raymond Barre. Il n'a en tout cas pas freiné son envol : en quelques mois, le député de Lyon est devenu l'homme politique le plus populaire de l'opposition.

Pourquoi Jacques Chirac s'est-il fait subitement distancer ? D'abord, parce que la gauche, en adoptant deux plans de rigueur, en 1982 puis en 1983, a donné rétrospectivement raison à Raymond Barre : elle semblait, soudain, appliquer sa politique et entériner ses vieux sermons sur « le rétablissement des grands équilibres ». Ensuite, parce que le maire de Paris, en se convertissant au libéralisme économique qu'il pourfendait quelques années plus tôt, s'est mis à parler comme Barre : il n'y a pas si longtemps, Chirac raillait ceux qui se référaient à Frédéric Bastiat ; désormais, il célèbre cet économiste libéral du XIXe, auteur des *Harmonies économiques*.

À la gauche comme à Chirac, le député de Lyon pourrait, à juste titre, réclamer des droits d'auteur. Il se laisse plagier de bon gré mais il rappelle à chaque occasion que les autres ne sont que des pâles copies. Comme toujours, c'est l'original qui profite de la comparaison : contrairement au proverbe, Barre n'a pas eu tort d'avoir raison.

Il y a trouvé d'autant mieux son compte que Chirac, toujours en état de « déshabitation », ne cesse de multiplier les contorsions et les démentis. Le maire de Paris a plus que jamais l'air d'un pantin baudelairien, rongé par le doute. Sur ce qu'il fera lui-même en cas de cohabitation, par exemple, il n'est même pas capable d'être net. Le 5 mai 1985, au « Grand Jury RTL-*Le Monde* », il déclare : « Je n'ai aucune intention – cela doit être clair – d'assumer les fonctions de Premier ministre de M. Mitterrand et je n'ai aucune vocation à le faire. » Le 21 juillet suivant, changement de disque : le maire de Paris fait du chef du gouvernement de l'alternance un portrait-robot – « courageux, désintéressé, dynamique » – qui pourrait bien être un autoportrait...

Si Chirac hésite à jouer la carte de Matignon, c'est parce qu'il redoute le face-à-face avec Mitterrand (« Quand cet homme dit blanc, c'est noir, et il a prouvé qu'il n'avait pas plus de principes que de scrupules »). C'est aussi parce qu'il est convaincu qu'une droite victorieuse a toutes les chances, après les élections, de s'enliser dans la cohabitation : « Pour que ça marche, il faudrait que nous soyons unis. Or il y a un problème. C'est Barre. Il a décidé de faire l'impasse sur les élections législatives de 1986 et de jouer toute sa stratégie sur l'élection présidentielle de 1988. Si nous gagnons les législatives, il va se mettre dans un coin et ricaner contre les cohabitateurs. Il a tort. Je le lui ai dit : "Vous faites une erreur majeure. Vous voulez être un recours mais vous ne le serez jamais si vous ne vous intégrez pas à la majorité de demain. Si on se plante dans les grandes largeurs, ce n'est pas dans notre famille mais à gauche que la France ira chercher le recours [1]." »

_____

1. Entretien avec l'auteur, 22 février 1985.

395

En attendant, le recours se porte bien. Dans les enquêtes d'opinion, il bat même Chirac sur tous les tableaux. À trois mois des élections législatives, sa cote de sympathie est meilleure que celle du maire de Paris : 49 % contre 35 % selon l'IFOP pour *Le Journal du dimanche*. D'après le même institut, pour *Le Point* cette fois, il est aussi plus présidentiable : 23 % contre 20 %.

Que faire ? Chirac ne se laisse jamais impressionner par les sondages. Contre Barre, il sait qu'il dispose d'un allié en la personne de Giscard. En 1984, déjeunant avec l'état-major de *La Montagne*, le grand quotidien régional de Clermont-Ferrand, l'ancien président a laissé échapper une formule qui a aussitôt été rapportée au député de la Corrèze : « Chirac m'a trahi pour défendre son fonds de commerce. Barre, lui, m'a trahi pour me piquer mon fonds de commerce. »

Alors que Barre est au zénith, Giscard reste convaincu qu'il se retrouvera face à Chirac au premier tour de l'élection présidentielle de 1988. « Barre est un pleutre, dit un jour l'ancien président au maire de Paris. Vous et moi, nous avons fait la guerre. Nous sommes toujours prêts à tout risquer, y compris notre peau. Je ne crois pas que ce soit son cas. Il n'est même pas sûr qu'il ose se présenter contre nous. »

Le maire de Paris est convaincu que VGE est, de tous les hommes de l'opposition, le plus intelligent, le plus machiavélique, le plus stratège. Il regrette aussi, en son for intérieur, de n'avoir pas tout fait, en 1981, pour empêcher qu'il soit battu par Mitterrand. Devant lui, en somme, il n'a pas seulement un complexe mais aussi un remords. C'est sans doute pourquoi il lui a tendu la main alors que l'autre était à terre, dans son sang.

Quand on a tué un rival, ce n'est pas pour le ressusciter. Chirac, pourtant, n'a pu s'empêcher, dès qu'il l'eut terrassé, de s'afficher régulièrement avec VGE. D'une certaine façon, Giscard s'est remis à exister, parce qu'il l'avait rencontré.

Giscard n'a qu'un problème. C'est la France. Elle n'a pas, à cette époque, envie de lui donner une nouvelle chance. Et, à la fin de 1985, Chirac commence à se demander, non sans inquiétude, si Barre n'est pas « incontournable », comme on dit à l'époque. Devant la percée du député de Lyon dans l'opinion, il se sent de plus en plus condamné à jouer Matignon après les législatives. Et il utilise tous les moyens pour s'imposer comme le patron de l'opposition. Quitte à prendre le risque d'accepter un face-à-face télévisé avec le Premier ministre Laurent Fabius, le 27 octobre.

Pari dangereux. Chirac est, comme il le reconnaît volontiers, « catastrophique à la télévision ». « Plus j'y passe, dit-il en privé, plus je deviens impopulaire. » Et il ne blague pas. Fabius, lui, a su s'imposer comme l'un des animaux audiovisuels les plus talentueux de la classe politique.

Sur le petit écran, Chirac a l'air cassant, primaire et péremptoire. Fabius, ouvert, modeste et courtois.

Quand Chirac arrive à TF1, le 27 octobre 1985, pour y affronter Fabius, il est tout de suite introduit dans une petite pièce où il devra attendre qu'on le conduise sur le plateau. Il s'étonne. Il trouverait normal de saluer le Premier ministre avant l'émission. Mais Hervé Bourges, le patron de la première chaîne, lui explique avec une certaine gêne : « Il y a un petit problème. Le Premier ministre ne souhaite pas vous voir avant le débat. Il préfère que vous arriviez sur le plateau chacun de votre côté, que vous vous installiez tout de suite à vos places, que vous ne vous serriez pas la main, que vous ne vous disiez pas bonjour. »

Quelques minutes plus tard, quand il se retrouve sur le plateau, Chirac cherche fébrilement le regard de Fabius avant que l'émission ne commence : « Je veux au moins lui faire un signe de tête et un sourire. Mais je n'arrive pas à attraper son regard. Il est clair qu'il a décidé de ne pas me dire bonjour. Alors, je commence à m'inquiéter. Je me dis qu'il doit bien y avoir une raison, qu'il me prépare peut-être quelque chose, qu'il pourrait bien me sortir une affaire, qu'il va me déstabiliser. Là-dessus, c'est lui qui commence et, tac, il attaque très fort. Comme j'étais arrivé là-bas avec l'idée qu'il allait être doucereux et qu'il essaierait de m'engluer, j'étais complètement désarçonné. »

Pour Fabius, Chirac est un « agité ». Il a décidé de le faire craquer. Par des petits gestes que la caméra ne montre pas : le Premier ministre tape ainsi sans arrêt des doigts. Et par des interruptions incessantes du genre : « Vous dites vraiment n'importe quoi. » Ou bien : « Calmez-vous... Ne vous énervez pas. » Ou bien encore : « J'ai rencontré beaucoup de menteurs dans ma vie, mais alors là... »

La tactique du Premier ministre est d'abord payante. Le maire de Paris a un air traqué et un chat dans la gorge. Mais, au bout d'une vingtaine de minutes, le débat bascule quand, soudain, Chirac casse le morceau. L'échange restera célèbre :

Chirac : « La tactique qui consiste à vouloir en permanence, parce que cela vous gêne, interrompre pour essayer de déstabiliser l'adversaire, elle ne sert à rien, car ce n'est certainement pas vous, monsieur Fabius, qui allez me déstabiliser, vous l'imaginez bien ! »

Fabius : « Ne vous énervez pas, ne vous énervez pas ! »

Chirac : « J'ai de ce point de vue au moins autant d'expérience que vous et, par conséquent... »

Fabius : « Ça, je reconnais que vous avez plus d'expérience politique que moi. »

Chirac : « Soyez gentil de me laisser parler et de cesser d'intervenir incessamment – un peu comme un roquet... »

Fabius : « Écoutez, je vous en prie, vous parlez au Premier ministre de la France ! »

Le mot fera fortune. C'est à cet instant-là que « le-Premier-ministre-de-la-France » a perdu son débat. Mais il a peut-être perdu davantage encore. Tant il est vrai qu'il est resté, depuis lors, comme un malaise entre Fabius et les Français.

D'abord, Fabius avait sous-estimé l'adversaire. Ensuite, il est apparu, ce jour-là, comme un mauvais camarade (« Ce type est peut-être doué, dira Chirac en sortant du plateau de télévision, mais, quand il était petit, il devait arracher les ailes des mouches ! »). Le bon peuple se met à penser comme le vieux dicton : « Par eux-mêmes les méchants sont trahis. » Enfin, « le-Premier-ministre-de-la-France » a réussi, comme le note alors cruellement Serge July dans *Libération*[1], « à fusionner le mépris technocratique de Giscard et celui, mandarinal, de Barre ». « La gauche, ajoute July, vient d'achever sa décomposition morale et idéologique. L'implosion a eu lieu en direct. »

Résultat : Chirac a gagné par KO. Serge July, que personne n'accusera de chiraquisme, lui a trouvé du « coffre ». Alain Duhamel, aussi peu suspect de complaisance, parle de « force tranquillisée[2] ».

Tranquillisée ? Pas tranquille pour autant...

---

1. 29 octobre 1985.
2. *Le Nouvel Observateur*, 1er novembre 1985.

Chirac, soudain, est remis en selle. Barre, lui, commence à s'enfoncer : en quelques mois, il perd cinq points au baromètre SOFRES-*Figaro Magazine*. Telle est la politique : variable et changeante. C'est quand vous croyez tenir la rampe qu'elle vous échappe. Le maire de Paris le sait. Il cherche donc à pousser l'avantage.

Où va-t-il ? À Matignon, cela va de soi, désormais. Mais il s'y rend à petits pas. Avec des pauses plus ou moins longues. Et, apparemment, pas mal de réticences.

Toute sa tactique consiste à s'imposer comme chef de l'opposition pour, ensuite, avoir la direction des opérations si la droite l'emporte. Pour ce faire, il ne laisse rien au hasard.

Il passe son temps à rassurer l'UDF. Quand le loup lèche l'agneau, c'est rarement un bon présage. Mais, en l'espèce, l'agneau frémit d'aise. Et il en redemande.

Quelques mois plus tôt, pourtant, Chirac ne passait pas auprès de l'UDF pour un homme sociable, prévenant et délicat. Lors de la campagne des élections européennes, en 1984, François Léotard, secrétaire général du Parti républicain, s'est entendu dire : « Je veux une liste unique de l'opposition. Ce sera comme ça et pas autrement. Tous ceux qui se mettront sur mon chemin seront balayés. »

« À cette époque, rapporte Léotard, on avait toujours l'impression que Chirac avait deux Colt sur son bureau quand il nous parlait. Il disait d'ailleurs des choses du genre : "Si tu déconnes, je te flingue." » « Il n'avait pas beaucoup d'égards pour nous, se souvient Simone Veil, membre du bureau politique de l'UDF et tête de liste de la droite aux élections européennes. Un jour, parce qu'il n'était pas d'accord avec la façon dont je menais ma campagne, il s'est même mis à me traiter de tous les noms. »

Mais Chirac a fini par se persuader de l'importance de l'UDF. C'est elle qui détient les clés de Matignon. Il la courtise donc sans vergogne en jouant sur tous les registres :

La complaisance. Alors que le RPR n'aurait fait qu'une bouchée de l'UDF si des primaires avaient été organisées partout entre les deux composantes de l'opposition, Chirac, « unitaire pour deux », accepte que la moitié des départements soit dotée de listes d'union. Il veut que son parti domine la droite, il refuse qu'elle l'écrase.

Le copinage. À la fin de l'année 1985, le patron de presse Alain Lefebvre, qui fut directeur de l'éphémère *Magazine-Hebdo*, organise un dîner entre Jacques Chirac et ce qu'on appellera bientôt la « bande à Léo » – autrement dit, François Léotard, Alain Madelin et Gérard Longuet. Madelin met tout de suite de l'ambiance en posant cartes sur table : « Nous, en tout état de cause, on ne souhaite pas voir Giscard à Matignon. » « Chirac eut l'air complètement soufflé, rappelle Léotard. Jusqu'alors, il pensait qu'on était complètement sous la coupe de VGE. » Après cela, évidemment, la soirée s'est très bien passée. Chirac et Léotard se découvrent toutes sortes d'affinités. Ils prendront désormais l'habitude de se voir régulièrement.

L'alignement. Le président du RPR fait grand cas des avis de l'UDF quand il s'agit d'élaborer la plate-forme commune qui sera signée, le 16 janvier 1986, par les deux grands partis de droite. En avalisant ce texte, Chirac a mis beaucoup d'eau dans son whisky libéral. Certes, en matière de politique économique, le CNPF a obtenu à peu près tout ce qu'il réclamait. Mais, sur les acquis sociaux, le CDS a reçu toutes les assurances qu'il demandait. Pas question de restauration. Résultat : le programme commun de la droite est un catalogue sans relief dont la presse célèbre la prudence. « L'opposition rogne les angles », titre *Libération* [1], qui donne le ton.

Si elle cultive le flou, la plate-forme RPR-UDF avance quand même quelques projets précis, comme la dénationalisation des banques ou des grands groupes industriels, la suppression de l'impôt sur les grandes fortunes ou encore le désengagement de l'État de « deux grandes chaînes de télévision ». Elle prévoit la liberté des prix, des changes, du crédit et de la concurrence.

Il ne faut jamais ouvrir une porte que l'on ne pourra refermer. C'est pourquoi la plate-forme reste incertaine en matière de modalités ou de délais. Il s'agit d'une sorte de programme minimum, en somme.

Mais, après les déconvenues des socialistes avec les cent dix propositions de 1981, n'est-ce pas encore trop ? Sur le coup, Chirac ne mesure pas vraiment la portée de ses engagements. « Les promesses, dit-il volontiers, n'engagent que ceux qui les reçoivent. » « Ces histoires de programme, explique-t-il un jour à François Léotard, je n'en ai rien à foutre. Il y a toujours des événements inatten-

---

1. 17 janvier 1986.

dus qui font qu'on ne les applique pas. Ce qu'il faut à l'homme d'État, en fait, ce n'est pas une plate-forme de gouvernement mais une ou deux idées simples. Moi, par exemple, je crois qu'on perdra si on n'est pas foutus de baisser le taux des prélèvements obligatoires dans ce pays. »

Si Chirac s'est tant battu pour cette plate-forme, s'il a tout lâché à ses partenaires dans la négociation, c'est parce qu'elle permet de verrouiller « la majorité de gouvernement de demain » autour du RPR et de l'UDF. Le jour de la signature du programme commun de la droite, il prend en effet une sérieuse option pour Matignon.

Mais il entend bien pousser l'avantage. Après avoir arrimé l'UDF, il commence à envoyer des signaux à Mitterrand. Le 16 février 1986, au « Grand Jury RTL-*Le Monde* », Édouard Balladur déclare benoîtement : « Si M. Mitterrand demandait à Jacques Chirac de devenir Premier ministre, je lui dirais de répondre oui. » Et la foule frémit. Le 10 mars, au « Club de la presse » d'Europe 1, le maire de Paris déclare suavement qu'il n'a pas du tout « l'intention de faire manger son chapeau » à Mitterrand, le chapeau étant de toute façon, comme il l'ajoute finement, « une denrée non comestible ». Et la foule applaudit.

La France, soudain, a retrouvé le Chirac qu'elle aime : le hussard noir, boulimique et convivial, qui bat la campagne. Il fait des blagues : « Comme disait ma grand-mère, ironise-t-il à propos des sondages, il faut mépriser les hauts et repriser les bas. » Il embrasse les bébés, les fillettes, les centenaires. Il félicite, sur un ton important, les charcutiers, les épicières, les droguistes : « Continuez. Ce que vous faites est capital. » Il exsude la jouissance et la puissance de celui qui sait qu'il est en train de vaincre.

Naturellement, Jacques Chirac remonte dans les sondages alors que, selon le vieux principe des vases communicants, Raymond Barre coule.

Le pays n'écoute plus les sermons du député du Rhône. Gonflé d'air, il n'enfante plus que le vent.

Sur sa route vers Matignon, Jacques Chirac n'a plus qu'un obstacle, en fait. C'est Jacques Chaban-Delmas. Vieil ami du chef de l'État, le maire de Bordeaux a siégé à ses côtés dans les gouvernements Mendès France et Mollet, sous la IVᵉ République. Figure historique du mouvement gaulliste, il peut prétendre à bon droit devenir lui aussi Premier ministre de la cohabitation.

C'est, en fait, le rêve que caresse François Mitterrand : avec cet homme de compromis, l'entente serait parfaite. Mais le président sait bien que cette solution ne fait pas l'unanimité à droite, il s'en faut. Le 12 octobre 1984, lors d'une visite du président à Bordeaux, les deux hommes avaient eu cet échange, en tête à tête :

Mitterrand : « Je ne pourrai pas prendre le risque de choisir un Premier ministre qui n'aurait pas l'investiture de l'Assemblée nationale. »

Chaban : « Moi, je ne pourrai pas prendre le risque de diriger un gouvernement qui tombe au bout de huit jours. »

Le 13 mars 1986, soit trois jours avant les élections législatives, le maire de Bordeaux reçoit Chirac.

« Je ne vous cache pas que mon entourage me pousse à y aller, dit le président du RPR. Giscard lui-même m'a encouragé : "Allez-y ! Il n'y a que vous !" Mais s'il m'a poussé, c'est sûrement pour que je me casse la gueule.

— Vos relations n'ont probablement pas tant changé, fait Chaban, mi-figue, mi-raisin.

— Pour Matignon, en tout cas, ce sera vous ou moi. Et personne d'autre. Si vous êtes désigné comme Premier ministre, le RPR vous soutiendra. Si c'est moi qui le suis, j'espère que vous me soutiendrez.

— Bien entendu. »

Et Chirac passe le marché :

« De toute façon, c'est Mitterrand qui choisira le Premier ministre. On peut simplement décider entre nous que celui qu'il n'aura pas désigné prendra la présidence de l'Assemblée nationale. Évidemment, il y a une difficulté. C'est Giscard. Mais il m'a dit que le "perchoir" ne l'intéressait pas. Alors... »

Chaban hoche la tête. L'accord est conclu. Telle est la politique selon Chirac : triviale et rustique. C'est la poursuite des marchandages de foirail avec d'autres moyens. Dans ses rapports avec ses congénères, il ne s'embarrasse jamais de nuances. Il va toujours droit au fait. Les autres en restent souvent bouche bée...

Mitterrand, qui a vent de l'accord de Bordeaux, estime désormais qu'il est condamné à nommer Chirac à Matignon. La preuve en est que le 15 mars, la veille du scrutin, Jean-Louis Bianco, secrétaire général de l'Élysée, appelle Édouard Balladur dans son appartement proche du Trocadéro. À l'heure du déjeuner, il transmet au conseiller de Chirac ce message du chef de l'État : « Le président souhaiterait qu'il n'y ait aucune déclaration qui le mette devant le fait accompli. Pour Matignon, sa décision n'est pas encore prise mais il faut que vous sachiez qu'il entend avoir un droit de regard sur les titulaires des ministères de la Défense et des Affaires étrangères. »

Le lendemain, Chirac suit scrupuleusement la recommandation du président. Mais il est vrai qu'il ne se sent pas en position de force. Les résultats des élections législatives l'ont déçu : la victoire de la droite est trop courte.

Étrange nuit d'élections. La France vient de culbuter à droite toute et pourtant ce sont les socialistes qui, ce soir-là, ont des sourires dans la voix. C'est que Mitterrand a presque gagné son pari.

Certes, la gauche, avec 44 % des suffrages exprimés, retrouve son étiage le plus bas depuis les élections de la peur de juin 1968. Mais le développement de l'excroissance lepéniste a empêché la droite de s'assurer une nette majorité absolue. C'est pourquoi les vainqueurs ont l'air si tristes, le dimanche soir, en commentant les résultats. Ils ressemblent si fort à des vaincus qu'on finit par les prendre pour tels. On attendait la nuit des longs couteaux. C'est la nuit des longues figures.

La représentation proportionnelle a ouvert toutes grandes les portes du Palais-Bourbon au parti de Jean-Marie Le Pen : avec 10 % des voix, le Front national s'assure 33 sièges. Le RPR, l'UDF et les divers droite qui les soutiennent n'obtiennent que 291 députés – soit 3 sièges de plus que la majorité absolue.

Pour cohabiter, il vaut mieux s'armer d'un bon rapport de forces. Or, au vu des résultats, le Premier ministre ne disposera que d'une courte majorité à l'Assemblée nationale. Matignon vaut-il toujours bien la peine ?

38

La voie royale

« Être roi est idiot ; ce qui compte c'est de faire un royaume. »

André Malraux

Jacques Chirac hésite. On ne lui ôtera pas de l'idée que l'affaire est périlleuse. Les chefs de gouvernement de la Ve République doivent, par définition, braver l'impopularité. Mais au moins ont-ils eu, jusqu'à présent, la majorité de leur politique. Le futur Premier ministre sera, lui, coincé entre un président trop différent pour être honnête et une majorité trop fragile pour être loyale.

Le lendemain du scrutin, Jacques Chirac propose carrément à Édouard Balladur, on l'a vu, d'aller à sa place à Matignon. Se rendant le matin au domicile de Pierre Schiele, sénateur centriste, chez qui se tient une réunion au sommet du RPR et de l'UDF, il lâche à Charles Pasqua :

« Ils vont voir ce qu'ils vont voir. Je vais mettre la barre très haut. »

Inquiet, Pasqua le met en garde :

« Fais gaffe. Ils refuseront de te suivre.

— Eh bien, qu'ils refusent ! Comme ça, au moins, on ne parlera plus de cette histoire. »

Pourquoi, alors, Chirac a-t-il fini par se retrouver Premier ministre ? D'abord, cet homme a trop faim d'action pour ne pas payer de sa personne. Chez lui, la jambe pense, la tête suit. « Il ne peut pas voir passer une balle sans courir derrière », dit Marie-France Garaud. Ensuite, il se refuse à laisser à Matignon un ennemi invétéré, comme Chaban, une forte tête, comme Simone Veil, ou un concurrent potentiel pour l'Élysée, comme VGE. Enfin, à sa grande surprise, il est plébiscité par ses alliés de l'UDF. L'alliance stratégique avec Léotard fonctionne à merveille. La couardise existentielle des centristes fait le reste.

De la réunion chez Pierre Schiele se dégage une étonnante unanimité : les chefs de file de la droite sont convaincus que leur étroite majorité les condamne à une union serrée. Pas la moindre fausse note entre la direction du RPR – Chirac, Toubon, Labbé, Pasqua, Balladur – et l'état-major de l'UDF – Lecanuet, Gaudin, Léotard, Rossinot, Méhaignerie, Donnez. Divine surprise : tout le monde pense que Chirac, fort des 23 sièges d'avance du RPR sur l'UDF, doit devenir Premier ministre. Tout le monde, même les plus barristes des centristes.

Mais il est vrai que rien n'est moins sûr qu'un centriste. Il ne prend jamais le temps d'être heureux. Il se fait toujours du mauvais sang. Et un rien l'affole : une élection perdue comme un mauvais sondage. C'est ainsi que, le 17 mars, Barre s'est retrouvé si seul…

Épouvantés par le désastre électoral de Barre dans son fief du Rhône, les centristes se sont aussitôt donnés à Chirac sous l'œil sarcastique de Lecanuet, qui fut, naguère, leur saint patron. Avant les élections législatives, ils s'étaient prononcés, avec force, contre la cohabitation. Le 14 janvier 1986, Pierre Méhaignerie, président du CDS, avait même écrit dans *Le Monde* que son parti ne participerait pas, croix de bois, croix de fer, à un gouvernement de cohabitation.

Qui a dit que les écrits restent ? Quand Chirac dit qu'il n'acceptera le poste de Premier ministre qu'à condition que tous les chefs de parti, à commencer par Méhaignerie, entrent au gouvernement, le président du CDS n'hésite pas un instant. Naturellement, il participera à la prochaine équipe ministérielle. André Rossinot, secrétaire général du Parti radical, n'est pas en reste.

C'était la question de confiance. Chirac ayant obtenu la réponse qu'il souhaitait, il ne lui reste plus qu'à faire adopter un communiqué commun qui barre la route à tout autre « premier-ministrable » que lui : « Toute personnalité appartenant à la nouvelle majorité qui serait sollicitée par le président de la République pour assurer la fonction de Premier ministre s'assurera, avant d'accepter, que la mise en œuvre de la politique nouvelle voulue par le pays bénéficiera du soutien nécessaire de l'ensemble des forces politiques composant la majorité. »

Pour qui n'aurait pas compris, le communiqué ferme la porte à Simone Veil en excluant par avance « toute personnalité qui n'aurait pas été élue dimanche dernier ». Il proscrit également Chaban et Giscard en se prononçant contre « ceux qui n'ont pas participé à l'élaboration de la plate-forme UDF-RPR ».

Mitterrand, en somme, n'a plus qu'une carte en main : c'est Chirac. L'UDF et le RPR ont interdit par avance au président de choisir un autre Premier ministre.

Le président, pourtant, ne veut pas le savoir. Il ne désespère pas de nommer à Matignon son vieil ami Chaban. Le 17 mars, alors même que l'UDF et le RPR mettent au point leur contre-feu, Jean-Louis Bianco, secrétaire général de l'Élysée, reçoit en secret le maire de Bordeaux pour lui expliquer que le chef de l'État souhaite le désigner mais qu'il ne veut pas prendre le risque que son choix soit récusé par l'Assemblée nationale. « Consultez, dit Bianco. Explorez. »

Chaban explore. Mais il ne trouve rien. Il ne rencontre que des ombres fuyantes ou des mines compassées, « Méfie-toi, lui dit Alain Poher, président du Sénat. Je crois que tout est déjà réglé. »

À tout hasard, Jean-Louis Bianco téléphone, le même jour, à Édouard Balladur. Il lui dit sur un ton dégagé : « Le président n'a pas pris sa décision mais il voudrait savoir si M. Chirac a bien réfléchi sur le droit de regard demandé sur le choix des ministres de la Défense nationale et des Relations extérieures. » Balladur laisse tomber un silence, pour ménager ses effets, puis répond à son interlocuteur que Jacques Chirac est ouvert sur la question.

Tout est-il joué ? Pas encore. Le lendemain matin, dès potron-minet, Mitterrand, qui ne se résout toujours pas à Chirac, fait encore dire à Chaban qu'il veut le désigner. Le maire de Bordeaux convoque alors ses derniers fidèles comme Robert-André Vivien, député du Val-de-Marne. Il échafaude sa stratégie. Il tire des plans sur la comète. Il s'y voit déjà.

À 9 h 15, ce 18 mars, Chaban accourt chez Chirac. Quand il arrive à l'Hôtel de Ville, il est à la fois théâtral et pathétique parce qu'il sait bien qu'à son âge il tente là sa dernière chance.

« Mon cher Jacques, dit-il d'entrée de jeu à Chirac, Matignon est à ma portée. Avant d'accepter, je veux savoir si mes amis me soutiendront.

— Sans problème, fait Chirac. Vous aurez tout le RPR derrière vous, mais je crains qu'il ne vous manque un paquet de voix du côté de l'UDF.

— Je m'en doutais. C'est donc vous qui serez désigné.

— Si c'est vous que Mitterrand désigne, je vous répète qu'il ne vous manquera aucune voix du RPR. »

Chaban l'arrête d'un geste. Puis, d'une voix grave :

« Je dirai au président que je n'accepte pas. C'est vous qu'il doit désigner. ».

Chirac fait alors allusion au contrat de Bordeaux – si l'un décroche Matignon, la présidence de l'Assemblée nationale reviendra automatiquement à l'autre. Il dit à Chaban d'un air entendu :

« En ce cas, je tiendrai parole. »

Le maire de Bordeaux n'en est pas sûr. Il dit volontiers, en petit comité, que l'autre n'a pas de parole : lors de la campagne présidentielle de 1974, par exemple, Chirac n'avait pas respecté sa promesse de le soutenir contre Giscard.

Il est en tout cas sûr d'une chose, le maire de Bordeaux : grâce au renfort de François Léotard et des « sabras » du giscardisme, Jacques Chirac contrôle la situation. Et il a pris la décision d'aller à Matignon. Il est frappé par la confidence que lui fait l'autre, en guise de conclusion, et qui montre bien qu'il a décidé de jouer son va-tout :

« En acceptant de devenir Premier ministre, je prendrai sans doute plus de risques que je n'y trouverai d'avantages. »

À peine sorti de l'Hôtel de Ville, Chaban rend compte à l'Élysée. Jean-Louis Bianco téléphone alors, pour la troisième fois depuis le 15 mars, à Édouard Balladur : « La décision du président n'est pas encore prise mais il aimerait que M. Chirac passe le voir. »

À 17 h 30, donc, Chirac se rend à l'Élysée. Avant de partir, il a eu avec Édouard Balladur cet échange que Jean-Marie Colombani et Jean-Yves Lhomeau rapportent dans *Le Mariage blanc*[1] :

« Je vais voir le président, dit Chirac. Si je ne peux pas me mettre d'accord avec lui, je lui conseillerai de vous appeler.

---

1. Grasset, 1986.

— En somme, sourit l'autre, vous m'enverriez accepter ce que vous n'acceptez pas vous-même. »

Quand il gravit les marches de l'Élysée, ce jour-là, Chirac n'est plus tout à fait Chirac. Tous les connaisseurs de la chose politique le remarquent : sa démarche est lente ; son pas, lourd. Prémonition ?

Le face-à-face dure deux heures et quinze minutes. Il est ponctué par des silences mais aussi par des plaisanteries. C'est ce jour-là que Chirac et Mitterrand entrent dans la vie l'un de l'autre.

Chirac a souvent dit de Mitterrand : « Ce type cherche toujours à m'impressionner, avec ses grands airs. Mais il n'y arrivera jamais. » En pénétrant dans le bureau présidentiel, le maire de Paris est pourtant intimidé. Probablement parce qu'il se demande, pour la première fois, s'il n'est pas en train d'entrer dans l'Histoire.

En attendant, Mitterrand entre dans le vif du sujet :

« Après les élections, le RPR est devenu le premier groupe à l'Assemblée nationale. La tradition républicaine et, je dois vous le dire, mon sentiment m'obligent à vous demander de devenir Premier ministre. »

L'autre répond alors, dans un grand sourire solennel et coincé :

« Monsieur le président, je suis tout à fait prêt à accepter dans la mesure où vous êtes d'accord avec moi pour penser qu'il faut respecter la Constitution au pied de la lettre.

— Je le suis tout à fait. Le gouvernement gouvernera, comme le stipule l'article 20 de la Constitution. »

L'accord est scellé. Mais il reste encore des nuages dans leur ciel. Les deux hommes passent alors tous les problèmes en revue. Mitterrand pose trois conditions : que le nouveau gouvernement ne cherche pas à humilier le président ; qu'il ne prenne pas l'initiative de rétablir la peine de mort ; qu'il laisse au chef de l'État un droit de regard sur la Défense nationale et les Relations extérieures.

Aucune de ces conditions ne paraît inacceptable à Chirac qui a lui aussi les siennes. Il entend ainsi que le président s'engage à signer toutes les lois qui seront votées par l'Assemblée nationale : s'il s'y refusait, elles ne pourraient être promulguées. Le chef de l'État lui donne l'assurance qu'il les paraphera toutes.

« Y compris les ordonnances ? demande Chirac.

— Y compris les ordonnances », répond Mitterrand qui ajoute, sibyllin : « À condition toutefois qu'elles soient conformes à la légalité républicaine. »

Sur la formation du gouvernement, Chirac demande également des engagements :

« Naturellement, j'entends nommer moi-même tous mes ministres et je ne considère pas que vous soyez fondé à me faire la moindre observation sur la composition du gouvernement.

— Il faudra tout de même que les ministres de la Défense nationale et des Relations extérieures soient des gens avec lesquels je puisse parler en confiance.

— Bien entendu. J'y veillerai. »

Sur ce point, Chirac est – et il le lui dit – d'accord avec Mitterrand : selon la Constitution, le président est chef des armées (article 15) ; il négocie et ratifie les traités (article 52). Le maire de Paris ne conteste même pas vraiment la théorie du domaine réservé. Dès le début de la Vᵉ République, le général de Gaulle, alors chef de l'État, s'attribua la politique étrangère et la défense nationale. La pratique est restée. Chirac entend seulement cogérer ces deux secteurs avec Mitterrand.

Le président cherche alors à pousser son avantage :

« Tenez, vous me demanderiez de nommer Lecanuet aux Affaires étrangères et Léotard à la Défense nationale, comme je l'ai lu dans la presse de ce matin, je ferais les plus expresses réserves. »

Chirac rit – un peu jaune :

« Figurez-vous que je n'ai pas l'intention de nommer M. Lecanuet au Quai et M. Léotard à la Défense. J'ai d'autres idées et pour l'un et pour l'autre.

— Lecanuet, insiste Mitterrand, c'est une conception de la politique étrangère qui n'est pas du tout la mienne. Cela pourrait poser problème.

— Pour un gaulliste, cela pourrait aussi poser problème, malgré la grande estime que j'ai pour M. Lecanuet.

— Quant à Léotard, c'est un jeune homme qui n'a aucune expérience. Il serait capable de déclarer la guerre quelque part sans que l'on s'en aperçoive.

— Ne vous inquiétez pas. Je crois, comme vous, que le ministre de la Défense nationale doit avoir une certaine expérience. »

Pour l'Intérieur, Jacques Chirac envisage de nommer Charles Pasqua, son homme de main. Quand il l'apprend à François Mitterrand, l'autre se contente de rigoler :

« Je n'ai rien contre. Mais il va vous écouter et m'écouter vingt-quatre heures sur vingt-quatre. Moi, franchement, cela ne me dérangera pas beaucoup. Il y a trente ans que je ne dis plus rien au téléphone. Mais vous ? »

Quand les deux hommes se séparent, rien n'est encore tout à fait joué. Après le départ de Jacques Chirac, Jean-Louis Bianco apparaît sur le perron de l'Élysée pour lire un communiqué aussi laconique qu'ambigu : « Le président de la République a appelé M. Jacques Chirac pour procéder à un tour d'horizon au sujet de la formation du gouvernement. M. Jacques Chirac apportera sa réponse dans les meilleurs délais. »

De retour à l'Hôtel de Ville, Chirac retrouve tout de suite Balladur dans son bureau. Et il lui explique que ses doutes ont fondu : « Je ne peux pas refuser. Mitterrand m'a indiqué que j'aurais tous les moyens de gouverner. Tous. »

Commence l'échafaudage de la combinaison gouvernementale. L'opération tient de la guignolade autant que du marchandage de bestiaux. Après avoir rendu compte de son entretien aux caciques du RPR et de l'UDF, le maire de Paris cherche à mettre au point son équipe ministérielle. Mais la soirée n'y suffira pas...

Arrive Jean-Marie Daillet, l'aimable député (centriste) de la Manche. Il a l'air pressé et important. Il croit avoir un rendez-vous avec Jacques Chirac. Mais il est simplement la victime d'une mauvaise blague. Paraît Étienne Dailly, le vice-président du Sénat, qui, à ses heures, est aussi homme d'affaires. Cet homme a du bien, de l'entregent et des prétentions. Il veut la Justice. De quel droit ? Un jour de bonté, Jacques Chirac lui a promis le portefeuille. « Mitterrand a dit non », gémit, ficelle, le maire de Paris.

C'est la nuit des longs couteaux puis la journée des longs soupirs et, enfin, la soirée des longs sanglots. La négociation durera quarante et une heures.

À François Léotard, le maire de Paris tient à peu près ce langage : « Je sais que tu veux la Défense. Mais il y a un gros problème, figure-toi. C'est Mitterrand. Si tu insistes, y a pas de problème, je t'imposerai. On passera outre. Cela dit, si tu prends ce ministère, il faudra que tu fasses gaffe. Et tu finiras par avoir un pépin. Si un Jaguar pète, tu pourras compter sur lui pour te faire porter le chapeau. »

François Léotard n'insiste pas. Il sait qu'il y a une petite phrase entre le président et lui. Interrogé un jour sur le point de savoir s'il respectait Mitterrand, « Léo » répondit, avec un brin d'insolence : « Je respecte la fonction. » Comme on lui reposait la question, il répondit la même chose. Le chef de l'État n'a pas supporté l'affront. Le député-maire de Fréjus comprend qu'il lui faudra trouver un ministère qui ne soit pas en prise directe avec l'Élysée.

Chirac demande alors à « Léo », avec une distinction de maquignon : « Qu'est-ce que tu veux ? » Léotard demande à réfléchir.

Jacques Chirac a cru comprendre que le chef de l'État ne tient pas trop à ce que Valéry Giscard d'Estaing récupère le Quai d'Orsay (« Méfiez-vous, a dit Mitterrand au maire de Paris. Vous vous retrouverez coincé entre deux présidents »).

Il n'empêche. À VGE, Chirac propose tout, à commencer par les Affaires étrangères. Tout, sauf, à dire vrai, le seul ministère que l'ancien président juge à sa mesure : l'Économie et les Finances.

Après les refus répétés de Valéry Giscard d'Estaing, Jacques Chirac cherche à faire entrer Michel d'Ornano au gouvernement. Il propose au député du Calvados la Justice, que VGE vient de refuser. L'autre le prend de très haut : « Je ne veux pas servir d'alibi pour Giscard, dit Michel d'Ornano. Tu as tort de le laisser sur le bord de la route. »

Chirac a-t-il eu tort ? En politique, il vaut toujours mieux avoir ses ennemis chez soi, à sa portée, sous son contrôle. Barre ayant refusé par avance de jouer le jeu de la cohabitation, Chirac se devait d'y associer Giscard. S'il ne l'a pas fait, c'est sans doute parce qu'il redoutait d'avoir à supporter, en Conseil des ministres, le regard de VGE, ce regard de cobra qui le paralyse. Il savait aussi que Giscard se serait comporté en chef de gouvernement, donc en rival. Mais il l'a probablement exclu d'instinct et non après réflexion. « Entre ces deux hommes, dit Michel d'Ornano, il n'y a jamais de calcul. Il n'y a que de la passion. »

Bref, Chirac a refait à VGE le coup que l'autre lui avait fait après les élections législatives de 1978 : à l'instant de monter sur son trône, il a oublié celui qui l'avait fait roi. C'est bien la preuve qu'il ne se tient pas en petite estime : comme chacun sait, l'ingratitude est la fille de l'orgueil...

411

Le gouvernement de Jacques Chirac est d'inspiration très chiraquienne. Très mitterrandienne aussi. Très politicienne, en fait. Comme le chef de l'État, le maire de Paris ne fait confiance qu'aux professionnels de la politique, surtout quand ils lui sont tout dévoués. Et c'est ainsi qu'on ne trouvera, dans son cabinet, ni surprise ni « personnalité qualifiée », comme on dit.

Édouard Balladur devient ministre de l'Économie et des Finances, comme prévu depuis plusieurs mois. C'est le grand chambellan.

Alain Juppé est placé, comme son curriculum l'y condamnait, au Budget. Avec Jacques Toubon, il fait figure d'héritier présomptif. Mais ce ministère n'est pas tout à fait à la hauteur de ses ambitions (« Je veux vous râper » dira un jour Chirac à Juppé). C'est le crève-cœur.

Philippe Séguin arrive au ministère des Affaires sociales et de l'Emploi avec ses colères légendaires et son air de chien triste. Fatigué mais inlassable, c'est Droopy fait homme. Il se sent incompris. Mais il plaît à Chirac qui admire sa ténacité et son flair politique. C'est le dauphin secret.

Charles Pasqua débarque à l'Intérieur, flanqué de Robert Pandraud. Depuis que Chirac l'a expédié au Sénat où il présidait le groupe RPR, la rumeur disait que sa carrière était derrière lui. Mais sa résurrection avait été programmée. « Quand tout le monde m'aura lâché, dit souvent le maire de Paris, Pasqua sera toujours à mes côtés. » C'est le garde du corps.

Albin Chalandon atterrit à la Justice dont personne n'a voulu – ni Giscard ni d'Ornano ni Léotard ni Méhaignerie. Il ne connaît rien aux questions juridiques. « Et alors ? s'indignera Chirac. Il n'est pas obligatoire que le ministre de la Marine sache nager. » Cet homme a toujours la tête pleine de projets, de doutes, de réformes. C'est le prince de l'avatar.

René Monory déboule au ministère de l'Éducation nationale au nom du même principe d'incompétence. S'il n'a pas l'expérience requise en matière d'enseignement, l'ex-garagiste de Loudun est néanmoins pourvu d'un gros bon sens. C'est le raton laveur.

François Léotard s'arroge la Culture et la Communication. « Cela ne m'arrange pas, lui dira Chirac. J'avais promis ce poste à Toubon. » Il se contentera de survoler son ministère en préparant l'avenir. C'est l'albatros.

Pierre Méhaignerie, après avoir refusé tous les grands ministères, de la Défense aux Affaires étrangères, jette son dévolu sur l'Équipement et les Transports, plus pépère et moins risqué. C'est la marmotte.

Alain Madelin décide, lui, de prendre l'Industrie, qu'il a promis, dans d'abondants articles, de démanteler. C'est probablement le seul membre du gouvernement qui soit vraiment et sincèrement libéral. C'est le vilain canard.

Pour les deux ministères non pourvus, ceux de la cohabitation, Chirac se rabat *in extremis* sur deux hommes dont Balladur se porte garant : André Giraud, ancien ministre de l'Industrie de Barre, reçoit la Défense nationale et Jean-Bernard Raimond, ex-conseiller diplomatique de Pompidou, les Affaires étrangères.

À 17 h 40, Jean-Louis Bianco, secrétaire général de l'Élysée, annonce sur le perron de l'Élysée que Jacques Chirac est nommé Premier ministre. Peu après, à l'Hôtel de Ville, le nouveau Premier ministre lit une brève déclaration où il définit ainsi les règles de la coexistence entre l'Élysée et Matignon : « Les prérogatives et les compétences du président de la République, telles qu'elles sont définies par la Constitution, sont intangibles. Le gouvernement, dirigé par le Premier ministre, détermine et conduit la politique de la nation en vertu de l'article 20 de la Constitution. »

C'est la fin d'une époque, celle de la guerre civile froide, des affrontements classe contre classe, des projets de société, des programmes de rupture. La cohabitation est née. Chirac et Mitterrand l'ont inventée...

À peine arrivé à Matignon, Jacques Chirac voit déjà les nuages s'amasser dans son ciel. Les confidences qu'il fait à Michèle Cotta, alors présidente de la Haute Autorité de l'audiovisuel, permettent de bien comprendre son état d'esprit. La recevant quelques jours après avoir pris ses fonctions, il lui dit :

« J'ai vraiment tout à perdre. Mitterrand va sans arrêt me canarder, maintenant. Mais il fallait que j'y aille. L'Histoire ne repasse jamais deux fois les plats.

— Mitterrand aussi prend un risque, objecte Cotta. C'est de perdre son électorat sans gagner le vôtre.

— Détrompez-vous, dit Chirac. Comme il ne fera rien, il ne perdra pas un électeur. C'est moi qui aurai à braver l'impopularité. »

39

Mitterrand

« Si tu es enclume, supporte ;
si tu es marteau, cogne. »
Proverbe arabe

Va-t-il enfin entrer dans l'Histoire ? Jusqu'à présent, il s'est
contenté de gigoter autour. Mais, en acceptant d'être le Premier
ministre de la cohabitation, Jacques Chirac est devenu, avec François Mitterrand, le maître d'œuvre d'une formidable mutation politique qui est en train de transformer la France en démocratie
d'alternance. Et il s'est imposé dans le même temps comme le chef
incontesté de la droite avant l'élection présidentielle de 1988 – ou
d'avant.

Mitterrand-Chirac... Les voici face à face. Chaque semaine,
désormais, lors de leur tête-à-tête qui précède le Conseil des
ministres, ils vont se dévisager, se soupeser, s'estimer.

S'estiment-ils ? Chirac a toujours suspecté Mitterrand de duplicité : « Dire ce qu'il pense – une fois n'est pas coutume – serait
contraire à sa nature », a-t-il déclaré un jour. De Chirac, Mitterrand, qui n'était pas en reste, a écrit en janvier 1976 dans un bloc-
notes de *L'Unité*, l'hebdomadaire du PS : « Ce professionnel du mot
nu, qu'une image écorcherait, ce rhéteur du complément direct,
qui n'a jamais poussé ses études jusqu'au conditionnel, n'est à l'aise
que dans la simplicité des fausses évidences. » Six mois plus tard,
toutefois, Mitterrand corrigeait son trait : « Jacques Chirac qui
pense, et le dit, que je nourris pour lui de l'aversion ou que je le
mésestime (il se trompe) est au sein de la majorité le seul homme
de sa génération à posséder un style. Non par le verbe, qu'il a court

415

(c'est une école, je le sais, de parler comme on tape à la machine), mais dans l'action, qu'il maîtrise avec une sûreté trop rare pour que je lui refuse les qualités de fond, seules capables de l'expliquer. »

Face à face, ils font penser aux deux crocodiles du proverbe africain. Et, apparemment, ils ne sauraient vivre dans le même marigot. Regardons-les.

L'un est spontané et pressé. Dormant peu et travaillant beaucoup, il mène sa vie à pleins gaz. Il ne prend même pas la peine d'être heureux.

L'autre est introverti et calculateur. Donnant du temps au temps, il semble savourer avec délectation chaque goutte de vie.

L'un exècre la solitude (« Mettez Chirac tout seul dans une pièce et il mourra », dit drôlement Denis Baudouin, son porte-parole et ami).

L'autre n'aime guère la compagnie : pour lui, l'enfer, c'est les autres. Les réunions le rendent hypocondriaque, voire acariâtre.

L'un est grand, vorace, gesticulant et tabagique. Il brûle tous ses vaisseaux en même temps. Il croit à la fragilité et à la vanité des choses. Il entend donc en profiter pendant qu'il est encore temps. Et il est convaincu, comme Céline, qu'« invoquer la postérité, c'est faire un discours aux asticots ».

L'autre est petit, mesuré, tranquille, économe de ses gestes comme de ses propos. Il ne boit pas. Il ne fume pas. Il se ménage. Il veut durer. Il entend même se sculpter un profil pour l'Histoire. Il marche pour elle. Il parle pour elle. Il écrit pour elle. Pour mieux la séduire encore, il n'a pas hésité à s'entourer d'une noria d'archivistes, de chroniqueurs, d'historiographes officiels, comme Georgette Elgey.

Malgré les apparences, pourtant, les deux hommes sont faits pour se comprendre. Sinon pour s'entendre. L'un et l'autre sont des professionnels de la politique qui ont brûlé les étapes : François Mitterrand est devenu ministre des Anciens Combattants de Paul Ramadier à trente ans ; Jacques Chirac, Premier ministre de Valéry Giscard d'Estaing à quarante et un ans.

Ces deux politiciens précoces sont pourtant à rebours de la nouvelle vague d'hommes publics, fringants, décontractés, médiatisés. Ils sont du genre à préférer les tréteaux de campagne aux plateaux de télévision. Il est vrai que le président a mis des années avant d'être vraiment lui-même devant les caméras et que le maire de Paris, lui, n'y est toujours pas parvenu...

L'un et l'autre sont soucieux de sauvegarder l'image d'un métier tant décrié. Ils n'aiment pas étaler les scandales sur la place publique. Et ils ferment volontiers les yeux sur les activités des « ripoux » qui grenouillent autour d'eux. Ils ne goûtent guère non plus la polémique. Quand Jacques Toubon, secrétaire général du RPR, traite un jour de « guignols » les socialistes qui se chamaillent, le maire de Paris lui tape aussitôt sur les doigts : « À droite comme à gauche, les querelles de personnes discréditent la classe politique. » Mitterrand a les mêmes réflexes.

L'un et l'autre croient aux appareils verticaux, c'est-à-dire aux partis. La politique, pour eux, c'est d'abord le rapport de forces. Et il se construit avec des militants, des affiches, des caisses noires. Sans doute sont-ils conscients, comme Stendhal, que « dans tous les partis plus un homme a d'esprit, moins il est de son parti ». Mais ils n'ont que mépris pour ceux qui, comme Raymond Barre ou Michel Rocard, cherchent à transgresser les règles du jeu, en court-circuitant les appareils et en jouant la société civile contre la société politique.

L'un et l'autre, enfin, sont des convertis tardifs. Mitterrand a commencé à droite. Chirac, à gauche. Puis ils ont navigué, à vue, dans le social-étatisme qui fut l'idéologie dominante de la IVe comme de la Ve République. La légende dit que Mitterrand fut saisi par la foi socialiste en 1965, à Toulouse, alors qu'il faisait un discours devant une foule de vingt-cinq mille personnes en délire. Quant à Jacques Chirac, il aurait eu son illumination libérale en faisant campagne en 1981. Mais, malgré leur rhétorique, ces deux terriens connaissent trop les cuisines de la politique pour croire sur parole aux idéologies. Et ce n'est pas un hasard si l'on trouve le même homme à l'origine de leur carrière : le bon père Queuille qui fut président du Conseil (radical) sous la IVe République.

De Queuille, ils parlent tous deux avec la même affection, la même reconnaissance. C'est Henri Queuille qui, en 1946, conseilla à François Mitterrand de se présenter dans la Nièvre. C'est lui encore qui, en 1965, donna son onction à Jacques Chirac, candidat, deux ans plus tard, aux élections législatives dans son fief d'Ussel, en Corrèze.

Queuille-Mitterrand-Chirac... La filiation est évidente. C'est celle du radicalisme, cette école du doute méthodique et du jugement suspensif. Alain, le père de la pensée radicale, écrivait : « Une idée que j'ai, il faut que je la nie : c'est ma manière de l'essayer. » C'est ce que font sans arrêt Mitterrand et Chirac, même si, contrairement à Queuille, ils ont revêtu leurs convictions des habits des idéologies socialiste ou libérale.

Mitterrand est moins idéologue qu'il le dit et Chirac plus pragmatique qu'il veut bien l'admettre. En privé, le chef de l'État contredit toujours l'idée qu'il vient d'émettre avant de faire la synthèse. Le maire de Paris observe, lui aussi, la même démarche en trois temps – mais en public. Moins sûr encore de ses convictions, il a, par un phénomène classique de compensation, le verbe le plus tranchant. Mais à peine s'est-il entendu qu'il doit, lui aussi, se réfuter. Et c'est ainsi qu'il est devenu, pour les Français, le prince du démenti, avançant, reculant, toujours en train de rectifier ses propos de la veille et de corriger son destin.

Sont-ils faits pour s'entendre, alors, ces deux artistes de l'équivoque ? L'un comme l'autre se sont laissé enfermer dans des programmes : Mitterrand dans les cent dix propositions de Créteil, tirées du projet socialiste, et Chirac dans la plate-forme RPR-UDF. Mais le premier est, d'instinct, libéral. Il ne croit pas que l'État apporte la solution à tous les problèmes. L'autre est, lui, pathologiquement étatiste. Il est convaincu que le marché n'a pas réponse à tout. Bref, à force de mettre en question les Saintes Écritures de leur parti respectif, les deux hommes ne se retrouvent pas très loin l'un de l'autre.

Culturellement aussi, Mitterrand et Chirac peuvent se comprendre. Le président a une prédilection pour les romans, français de préférence. Il en emporte partout. Il pignoche quelques pages dans l'avion ou dans sa voiture, entre deux inaugurations. Le Premier ministre, lui, n'aime pas les romans. Il n'en a pas ouvert un depuis fort longtemps. Il se délecte surtout de livres d'art. Mais les deux hommes partagent la même passion pour la poésie. Qui a dit qu'elle est, avec la politique, une façon d'utiliser au mieux la folie ?

Ce sont ainsi les deux politiciens les plus frottés de poésie qui, avec la cohabitation, se retrouvent ensemble. Ils vénèrent tous deux Saint-John Perse qu'ils placent plus haut que tout et dont il leur arrive de se réciter intérieurement quelques vers, entre deux discours. Parce qu'ils ont tous deux un monde enfermé en eux, ils écrivent aussi des poèmes qu'ils gardent secrets. Ces rimailleurs sont convaincus que le monde est fait pour s'exprimer en de beaux vers. Ils les font. Imagine-t-on Rocard et Barre, rationalistes de la politique, courtisant les Muses ?

Les deux hommes ne parlent jamais poésie, pourtant. Il est vrai, comme dit Chirac, qu'ils ne discutent guère des choses importantes, c'est-à-dire de littérature, d'économie, de politique étrangère ou de défense nationale. Ils se contentent généralement d'ergoter sur des questions de nomination.

Leur tête-à-tête hebdomadaire est toujours placé sous le signe de l'urbanité.

« Bonjour, monsieur le président.

— Bonjour, monsieur le Premier ministre. »

Si Chirac tousse, Mitterrand s'enquiert de sa santé :

« La grippe, monsieur le Premier ministre ?

— Non, rassurez-vous. Un simple petit rhume. J'ai dû attraper froid en Corrèze.

— Peut-être aussi fumez-vous trop. »

Le président fait souvent allusion à la tabagie de son Premier ministre. Il y a, en plus du reste, beaucoup de nicotine entre eux. Chirac, qui ne fait jamais rien à moitié, fume à pleins poumons. Il n'exhale pas des volutes mais des nuages. Il n'aspire pas les bouffées de cigarette, il les dévore. Et Mitterrand est indisposé par les fumées de tabac. Naguère, quand il présidait les réunions du bureau exécutif du PS, il avait même interdit à ses camarades de fumer, mettant ainsi fin à une longue tradition de tabagie socialiste, de Léon Blum à Guy Mollet.

Malgré son nez si irritable, le chef de l'État n'a pas empêché son Premier ministre de fumer lors de leur tête-à-tête hebdomadaire. Le savoir-vivre vaut bien ce qu'il coûte...

La première fois, Chirac, après avoir demandé l'autorisation de fumer, est allé chercher un cendrier à pied. Depuis, avant chaque entretien du mercredi, ledit cendrier est délicatement posé à côté du fauteuil du Premier ministre. Mitterrand, qui a en horreur les mégots, le fait retirer dès que son hôte est parti.

Chirac arrive toujours sans fiches ni dossiers. La conversation se déroule généralement sur un ton badin. Sur les nominations qui nourrissent l'essentiel de la discussion, le président joue, selon l'humeur, sur plusieurs registres :

Peiné : « Cet homme est pourtant très bien. Il faudra lui trouver rapidement quelque chose. »

Furieux : « Je ne crois pas qu'il était utile de limoger cet excellent fonctionnaire. »

Ironique : « Pour ce poste, j'ai été très sollicité mais j'imagine que vous l'avez été davantage encore. »

Il arrive souvent à Mitterrand de faire de l'humour. À propos de la suppression de l'autorisation administrative de licenciement – loi que Chirac avait fait adopter sous Giscard –, le président s'amuse : « Voyez-vous, monsieur le Premier ministre, je me sens plus proche du Chirac de 1975 que du Chirac de 1986. »

Entre eux, il n'y a jamais un mot plus haut que l'autre. Chirac, qui peut être si querelleur, ne s'emporte jamais. Il cultive sa déférence. « Quand il sort du bureau présidentiel, remarque Jean-Louis Bianco, secrétaire général de l'Élysée, il a souvent l'air usé nerveusement, comme s'il venait d'accomplir un effort considérable. »

La cohabitation aidant, ces deux ennemis se font parfois complices. Après tout, ils rament sur le même bateau, celui de la décrispation idéologique. Ils se rendent des services. Ils se donnent des conseils. Le Premier ministre confirme et conforte André Rousselet, l'ami du président, à la tête de Canal Plus, la quatrième chaîne de télévision. Quand José Flèches, le conseiller en communication de Matignon, cherche à l'en déloger, il se fait – gentiment – rabrouer. De même, Chirac reconduit à la présidence de la Banque nationale de Paris (BNP) René Thomas, qui, depuis des années, est dans les petits papiers de l'Élysée.

Mitterrand, de son côté, se comporte parfois en père adoptif avec Chirac. Il ne lui marchande pas les avis, les recommandations, les avertissements. Lors de la formation du gouvernement, il lui dit : « Ne prenez pas trop de chefs de parti dans votre cabinet. Vous n'aurez que des ennuis avec eux. » À propos de la nomination de Jacques Maisonrouge à la tête d'une mission d'études sur l'industrie française, le président fait ainsi la leçon à son Premier ministre : « C'est un honnête homme, Maisonrouge. Mais on ne manquera pas de lui faire un procès d'intention. Comme il a été vice-président d'IBM aux États-Unis, on va parler de mainmise de l'étranger, vous allez voir. »

Tel est le climat, pendant les premières semaines : frivole, grave et caustique. Le président a la sensation, délicieuse, d'en imposer. Il aime qu'on lui montre des égards et l'autre n'en est pas avare. Le Premier ministre a, lui, le sentiment d'être respecté. « J'ai trop tendance à faire confiance, dit alors Chirac à l'auteur. Là, je suis méfiant sans avoir vraiment des raisons de l'être. »

Chirac est convaincu que le président joue le jeu. Il est vrai que, contrairement à ses proches, le président a tout de suite reconnu la défaite de la gauche, au lendemain du 16 mars. « C'est une absurdité de contester que la droite ait la majorité, soupire avec agacement le chef de l'État dans les jours qui suivent son échec électoral. J'ai tout de suite demandé aux dirigeants socialistes, à commencer par Jospin, d'arrêter de dire ces bêtises. »

Il ne s'habitue pas facilement, pourtant, à son statut de président vaincu. Lors du premier Conseil des ministres, Mitterrand fait triste figure devant les caméras de télévision. Après ses premiers tête-à-tête avec le Premier ministre, il téléphone à ses amis pour qu'ils l'accompagnent, de toute urgence, dans les longues promenades qu'il fait alors pour se détendre.

Désespéré, Mitterrand ? Pas vraiment. À l'époque, le président cite volontiers une formule qu'il attribue à Karen Blixen, l'auteur de *Out of Africa* (*La Ferme africaine*) : « Les lauriers des vainqueurs fanent plus vite que les roses... »

40

Balladur

« Il est très malaisé de parler beaucoup sans dire quelque chose de trop. »

Louis XIV

Pourquoi Jacques Chirac a-t-il fait d'Édouard Balladur son grand chambellan ? Parce que cet homme, s'il ne l'éblouit pas, le rassure. Rien n'ébranle jamais le ministre de l'Économie, des Finances et de la Privatisation. Il trône sur la planète des impavides, à côté du duc de Wellington, le vainqueur de Waterloo, que n'avait même pas troublé l'homme qui, un jour, lui annonça qu'il voulait le tuer : « Attendez un peu. Je suis occupé pour le moment. » Une histoire tout à fait balladurienne.

Le ministre de l'Économie est entré en 1981 dans la vie de Jacques Chirac. Auparavant, Édouard Balladur s'était contenté de le fréquenter, avec des gants, en éprouvant pour lui une cordialité amusée, fascinée et critique. Les deux hommes partagent beaucoup de souvenirs. Ils ont le même mépris pour la classe politique, appris en Mai 68, quand ils l'ont vue en débandade. Ils ont la même adoration pour Georges Pompidou – et pour sa veuve. Ils sont enfin tous deux des adeptes du social-colbertisme, même si, pour les besoins de la cause, ils cherchent à se faire passer pour des libéraux convaincus.

On ne peut manquer de s'étonner, pourtant, que des caractères aussi désaccordés aient fini par faire route ensemble. Mais ils sont, en fait, plus compères qu'amis.

Les deux hommes ont en commun de ne pas ressembler à leurs apparences. Chirac, au verbe si tranchant, est un esprit souple. Balladur, au parler si onctueux, est une tête de mule, cassante et despotique. Ranci de rancunes anciennes, le ministre de l'Économie se comporte volontiers en potentat. En juin 1986, alors qu'ils discutaient d'une nomination, le Premier ministre avait fini par lui dire :

« Vous êtes trop autoritaire. »

Alors, l'autre :

« Vous êtes trop conciliant. »

C'est, d'une certaine façon, l'anti-Chirac. Le teint rosé, l'air épanoui, la paupière nonchalante, toujours avare de ses gestes, Édouard Balladur reflète le contentement de soi. Il respire le raffinement. Il sent le parfum. Il semble toujours en repos, même quand les mauvaises nouvelles tombent sur lui. Et il parle lentement un langage très étudié, voire précieux, dont il sait corriger l'emphase par un sourire ou un clin d'œil brûlant d'ironie. Avec ses façons de noblesse de robe, ce tueur à la main cardinalice paraît sortir tout droit du *Prince* de Machiavel.

Balladur est un homme de cour, en fait. Comme le chambellan de Giraudoux, il sait tenir sous son contrôle les deux traîtres dont il ne peut se défaire : sa parole et son visage. Il se méfie de tout le monde. Y compris de Chirac. Y compris de lui-même.

Chirac-Balladur… Les deux associés sont différents mais ils sont égaux. C'est sans doute pourquoi ils ne se quittent plus. Mais prennent-ils bien le même chemin ?

Pour Chirac, Balladur n'est pas un mentor, comme Juillet, ni un exécuteur, comme Garaud, ni un frère, comme Friedmann, ni même un cousin, comme Monod. C'est un partenaire. Le 8 décembre 1984, pour expliquer ses relations avec le maire de Paris, Balladur disait ainsi à l'auteur : « Chirac est un homme de ma génération. Nous avons eu, à un certain moment, le même genre de carrière. Et je n'ai plus vingt ans. La vie a passé. Chaque âge a ses mérites. Je n'ai plus celui des aveuglements. »

Et c'est ainsi que Balladur porte sur Chirac un jugement plein d'une froide lucidité : « L'image de ce garçon souffre du tranchant de son expression, d'une certaine pauvreté de vocabulaire, de ses stéréotypes de langage. Mais il est très intelligent. Même s'il n'a pas l'air brillant, il assimile vite les dossiers. Sur le plan politique, il est très finaud. Je sais bien qu'il a la réputation d'être toujours de l'avis du dernier qui a parlé. Mais c'est quelqu'un qui sait compartimenter sa vie. Pour les choses importantes, il prend tous les risques.

Pour les autres, il peut changer d'opinion, il considère que ça n'a pas d'importance. Son problème, c'est aussi de vouloir décider trop vite. Il ne se retient pas. Il se laisse emporter dans le maelström. Et puis il fait trop de choses. Il se disperse. Il se détend rarement. Il est toujours survolté. Et pourtant, quand il est devant une échéance difficile ou qu'il a fait une grosse erreur et qu'il en subit les conséquences, je suis frappé par l'épaisseur de son épiderme. Pompidou était beaucoup plus sensible, notamment pour les affaires personnelles. Chirac, lui, prend les choses avec philosophie. Je crois qu'il est tout à fait capable de faire un bon président s'il se débarrasse de la tunique de Nessus du parti qu'il dirige. »

Il parle toujours ainsi de Chirac : avec un mélange d'émerveillement, de distance et de suffisance. Plus tard, toutefois, Balladur concédera à l'auteur : « Chirac au pouvoir, c'est un spectacle qui m'impressionne beaucoup. En une demi-heure, il peut traiter quatre problèmes différents puis donner des directives claires et précises [1]. »

Entre-temps, il est vrai, Chirac a fait de Balladur le numéro deux du gouvernement. Et, pendant les premiers mois de la cohabitation, il y a comme de l'amour fou entre les deux hommes. Ils se consultent sur tout. Ils devisent des heures ensemble. Lors des conseils interministériels, les ministres les surprennent en train d'échanger des petits papiers, des pouffements complices ou des clins d'œil de collégiens.

À la même époque, pourtant, Chirac ne nourrit aucune illusion sur son ministre de l'Économie. « Si je décide de sauter par la fenêtre, dit-il alors, je n'en vois que deux qui seront prêts à sauter tout de suite avec moi : Pasqua et Toubon. »

Pas Balladur ? Apparemment, Chirac est convaincu que la fidélité de Balladur est transitoire. Il ne le considère pas comme un homme de main. S'il en a fait son bras droit, c'est pour sa compétence plutôt que pour sa loyauté. Il est convaincu que cet esprit froid, mignard et cabochard est à la hauteur des tâches qui l'attendent.

Chirac n'a pas lésiné sur les moyens. Il a investi Balladur des pleins pouvoirs. Seul ministre d'État du nouveau gouvernement, l'ancien secrétaire général de l'Élysée est pourvu de quatre ministres

---

1. Entretien avec l'auteur, le 19 juillet 1986.

délégués : Alain Juppé au Budget, Michel Noir au Commerce extérieur, Camille Cabana à la Privatisation et Georges Chavanes au
Commerce et à l'Artisanat. Mais, dans les faits, il ne leur déléguera
rien ou presque...

Balladur est arrivé au ministère de l'Économie avec un projet
cohérent. D'abord, il entend libéraliser l'économie en entamant un
processus de dénationalisation et en supprimant, entre autres, les
contrôles des prix et des changes. Ensuite, il veut renforcer la compétitivité des entreprises en allégeant les charges fiscales, sociales et
financières qui pèsent sur elles. Enfin, il est décidé à détruire le
déficit budgétaire qui a quintuplé de 1980 à 1985, faisant passer
l'endettement intérieur de l'État de 418 milliards à 1 200 milliards
de francs. Un programme de bon sens, en somme. Il est, à peu de
chose près, dans la continuité de la politique de rigueur que la
gauche a mise en œuvre dès 1982 après un an de frasques budgétaires.

Et le souffle là-dedans ? À la faveur des dénationalisations, Balladur entend mettre en place un nouveau capitalisme populaire : les
actions des entreprises privatisées seront réparties entre le plus de
petits porteurs possible. C'est un vieux rêve pompidolien qu'il partage avec Chirac. Une utopie motrice, comme disent les marxistes.
Elle donne un peu de force à un projet aussi banal que consensuel.

Pour Chirac, il suffit, avec ce programme, de demander à la
confiance de venir. Et elle déboulera, entraînant la croissance,
l'abondance et le reste. Mais elle se fait prier

Que s'est-il passé ? Au lieu de donner des gages aux nouvelles
couches de cadres dirigeants, comme Reagan, le ministre d'État a,
comme Pinay, comblé les vœux des rentiers et prévenu les désirs
des spéculateurs. Il s'est trompé de classe sociale.

Les premières décisions de Balladur mettent au jour une conception du monde qui date, au mieux, des années soixante. Apparemment, le ministre d'État sort tout juste du congélateur et il a décidé
de faire remonter le temps à la France. Il décrète ainsi la suppression
de l'impôt sur les grandes fortunes, le retour à l'anonymat sur l'or,
l'amnistie fiscale et douanière pour les capitaux exportés illégale-
ment et le rétablissement de l'abattement de 25 % sur les dona-
tions-partages. Comme dit la Bible, en ce printemps béni, la
richesse a des ailes et elle s'envole vers les cieux.

Il flotte alors un air de restauration sur l'Hexagone. Et, un an plus tard, d'après un sondage de la SOFRES [1], 51 % des Français sont convaincus que l'action du gouvernement profite aux catégories privilégiées alors que 5 % disent qu'elle bénéficie aux catégories défavorisées.

Ce gouvernement est-il pour autant, comme le dit Pierre Mauroy, « le gouvernement le plus réactionnaire depuis Vichy » ? Pas sûr. Certes, dans sa première loi de finances, il s'est empressé de réduire, pour les plus hauts revenus, le taux maximal d'imposition qui est passé de 65 à 58 %. Mais il a également exonéré deux millions de petits contribuables de l'impôt sur le revenu et fait bénéficier deux autres millions d'entre eux d'un abattement de 30 %. Pour l'État, c'est une perte sèche de 4 milliards de francs. La suppression de l'impôt sur les grandes fortunes n'a pas coûté davantage...

Les classes moyennes n'ont pas été en reste. Elles ont eu droit à une réduction de 3 à 4 % de toutes les tranches de l'impôt sur le revenu. Ce qui a fait perdre à l'État 5 milliards de francs de recettes.

Bref, toutes les classes sociales ont profité de la baisse des impôts. Toutes, sans exception. Mais la France ne l'a pas su...

C'est, à coup sûr, l'une des plus grandes erreurs de communication de l'après-guerre. Chirac, en l'espèce, se reposait sur Balladur. Il était convaincu que ce virtuose de la litote malicieuse serait son meilleur propagandiste. Erreur. Le ministre de l'Économie n'a pas pris conscience de la révolution médiatique qui, depuis les années soixante, a changé les règles du jeu. Il n'accorde les entretiens à la presse qu'au compte-gouttes et du bout des lèvres. Il se gausse des ministres qui « se précipitent au-devant des caméras pour faire voir leur tête ». Il croit au savoir-faire plutôt qu'au faire-savoir. Et il est convaincu que sa politique sera seulement jugée sur pièces.

Incapable de communiquer, le ministre de l'Économie ne sait pas non plus déléguer. Pendant les premiers mois de la cohabitation, il s'obstine, non sans petitesse, à faire taire les autres ministres qui ont été placés sous sa férule – Juppé, Cabana, Noir et Chavanes –, laissant ainsi le champ libre à l'opposition qui est souvent la seule à s'exprimer sur les grandes décisions gouvernementales.

---

1. *Le Nouvel Observateur*, 6 mars 1987.

Le 6 avril 1986, par exemple, la dévaluation n'est pratiquement commentée que par les dirigeants socialistes. Généralement, l'orgueil est plein de silence. Le silence de Balladur est plein d'orgueil.

Il ne souffre pas que ses subordonnés se montrent. En avril, toujours, il demande à Juppé de retirer le long entretien qu'il a accordé à *L'Expansion* et qui est déjà sous presse. « On ne parle que de vous », dit-il, pour toute explication, à son ministre délégué au Budget.

Camille Cabana, ancien bras droit de Jacques Chirac à la mairie de Paris, ne supporte pas ce régime. Il finira par obtenir du chef du gouvernement qu'il le mute au ministère des Réformes administratives. Non content de l'avoir brisé, le ministre de l'Économie rêve déjà à sa prochaine victime. Au moment de se séparer de Cabana, Balladur lui dira : « Je ferai à Juppé ce que je vous ai fait. Je le réduirai au silence. »

Mais Juppé a du panache, le sang chaud et une haute idée de sa personne. Un jour, après avoir essuyé une nouvelle mesquinerie, il menacera carrément de démissionner du gouvernement. Chirac s'en inquiétera et demandera à son ministre de l'Économie de tenir la bride moins courte à son ministre délégué au Budget. Balladur ne relâchera pas pour autant sa surveillance.

La morale de ces histoires – dans l'histoire –, c'est que Balladur n'entend rien au commandement des hommes. Dans l'Antiquité, les sages disaient que l'aigle ne chasse pas les mouches. Il est vrai qu'il a généralement mieux à faire. Le ministre de l'État, lui, entend trancher de tout et sur tout. Y compris les vétilles.

Contrairement à l'usage, par exemple, les ministres délégués ou les secrétaires d'État qui lui sont rattachés doivent demander à Balladur une autorisation préalable pour utiliser les salles à manger du ministère des Finances. L'autre n'accepte que si les invités lui conviennent. Juppé, furieux, ira déjeuner au restaurant.

Lors de sa première rencontre avec les patrons du service public, Balladur-le-colbertiste dit : « Dans une entreprise, c'est l'actionnaire qui commande. Jusqu'à ce que vos sociétés soient privatisées, c'est donc moi qui commanderai. » Il ne blague pas. Avec son souci tatillon de tout contrôler, il n'hésite pas à visionner tous les messages publicitaires mis au point par Saint-Gobain pour sa campagne de privatisation. Et il récuse un clip qui ne lui convient pas. Tant il est vrai que sa compétence est universelle et son intervention-nisme illimité.

C'est un vrai faux libéral, en fait. Sans doute a-t-il le sens de l'État. Mais il a aussi le sens de la famille – au propre et au figuré. Lors du renouvellement des patrons des entreprises du service public, il nomme à la tête de la Société générale André Viénot, qui s'empresse de nommer Jean-Pierre Delacour à la direction générale. C'est le beau-frère du ministre d'État.

Et, lorsque Édouard Balladur donne à Simon Nora le mandat de conseil pour la privatisation de TF1, il lui glisse : « C'est pour vous remercier de votre attitude quand vous étiez à Matignon et que j'étais à l'Élysée. »

Mais son plus proche parent, c'est encore lui-même. Il s'aime. Et il se soigne...

Il trône. Il pontifie. Il habite au-dessus de lui-même. Apparemment, Edouard Balladur n'en revient pas d'être sous les lambris du pouvoir après douze ans d'exil. Il n'a pas vraiment perdu son humour. Mais il a acquis un goût démesuré pour l'étiquette, le protocole et l'apparat.

Plus on élève certains hommes, moins ils voient loin. Apparemment, c'est ce qui est arrivé à Édouard Balladur. On dit dans le Tout-État qu'il n'a plus besoin de ponts pour traverser les rivières. Et qu'il ne passe les portes qu'avec difficulté.

Pendant les premières semaines de son règne sur les Finances, il refuse de signer les documents, décrets ou arrêtés qui, dans l'intitulé de signature, ne reprennent pas la totalité de ses titres : « Ministre d'État, ministre de l'Économie, des Finances et de la Privatisation ». Il fait refaire le papier à en-tête. Il insiste pour que ses collègues, quand ils lui écrivent, n'oublient aucun de ses attributs.

Le ministre d'État aime aussi se faire précéder d'huissiers. Cette lubie a fait rire tout le monde quand après une conférence de Jacques Chirac, le 29 janvier 1987, il a attendu que trois huissiers à chaîne s'approchent de lui pour se lever et s'en aller, encadré par ses pages.

Aux Finances, les hauts fonctionnaires, qui en ont vu d'autres, se contentent de plaisanter des caprices de Balladur. Quand le ministre des Finances reçoit le prix Rueff, il demande aux membres de son cabinet ce qu'il pourrait bien faire du montant du prix.

Aussitôt, la rumeur court dans les couloirs du ministère qu'il va en profiter pour élargir l'entrée de son auguste bureau.

Sa suffisance est telle que, venant déjeuner, un dimanche de mars 1987, chez les Chirac, à l'Hôtel de Ville, il ne peut s'empêcher de faire des remontrances à ses hôtes sur la qualité de la cuisine. Il va même jusqu'à leur recommander de changer de cuisinier. « J'en connais d'excellents », dit-il, sous l'œil furibond de Bernadette Chirac. Le ministre d'État entend apprendre les bonnes manières au chef du gouvernement. Tout comme la mouche sur le timon gourmande la mule...

Il y a un monde, en fait, entre Chirac et Balladur. Mais le Premier ministre, qui est trop inquiet pour être fat, s'accommode fort bien de la vanité de son chambellan : en tout cas, elle ne blesse pas la sienne.

Avec Balladur, il est vrai, Chirac semble s'accommoder de tout. Y compris de ce qui a tout l'air d'une rupture de contrat.

Lors de la formation du gouvernement, les deux hommes étaient convenus de se répartir les rôles. Le Premier ministre allait prendre de la hauteur avant d'entamer la campagne présidentielle. Le ministre d'État allait, lui, prendre les coups, c'est-à-dire assurer les arbitrages, la gestion et l'impopularité.

Balladur n'en a rien fait ou presque. En décembre 1986, quand les lycéens et les étudiants manifestent contre le projet de loi d'Alain Devaquet de réforme de l'enseignement supérieur, le ministre d'État prend soin de ne pas se mettre en avant. En janvier 1987, alors qu'un mouvement de grève frappe le secteur public – à la SNCF, à EDF et à la RATP –, il refuse d'aller défendre la politique du gouvernement à la télévision. « C'est au Premier ministre de le faire », tranche-t-il.

Et c'est ainsi que les rôles ont fini par s'inverser. L'un est au charbon, l'autre au septième ciel. Chirac monte partout au créneau, comme tout Premier ministre qui se respecte, ébréchant son image et sa popularité. Balladur reste dans sa tour d'ivoire, comme un candidat à la présidence de la République, sculptant son profil et cultivant sa légende.

Pourquoi Chirac a-t-il continué, malgré tout, à s'appuyer sur Balladur ? D'abord, parce que, à ses yeux, le ministre d'État est « un homme qui creuse toujours le même sillon sans se laisser détourner par les vents ». Cet homme n'aime pas les zigzags et, de ce point de vue, il apporte un utile contrepoint au chef du gouvernement. Ensuite, parce que Balladur « a une grande hauteur de vue ». Il est vrai que, s'il s'abaisse souvent à traiter de détails minuscules, le ministre d'État voit loin, comme en témoignent les entretiens, jamais légers, qu'il daigne accorder de temps en temps aux médias. La superficialité n'est pas son fort.

Enfin, parce qu'il n'est pas un « magouilleur », comme dit Chirac. À l'évidence, ce ministre a le sens de l'État. C'est même, ce qui n'est pas si fréquent en politique, un homme droit. Une sorte de « bourgeois gentilhomme » fondamentalement honnête, bourrelé de scrupules et capable de dire : « Dans cette affaire, je me suis vraiment mal conduit. »

Malgré tous ses défauts, en somme, c'est un homme d'État comme la France en compte peu. Il a simplement le tort de s'imaginer parfois, après d'autres, que l'État, c'est lui...

En misant sur le secteur privé, Chirac et Balladur ont décidé de mettre la France à l'heure des grands pays industrialisés. Mais ils n'entendent pas pour autant rompre totalement avec le social-étatisme d'antan. « J'ai détruit le contrôle des prix, des changes et du crédit, dit, non sans fierté, le ministre d'État. En dénationalisant et en libéralisant l'économie, je suis à coup sûr l'un des hommes politiques qui se sera le plus privé de pouvoirs. Mais je ne suis pas partisan de la destruction de l'État, au contraire. »

Même s'ils ont réinventé le discours libéral, les deux hommes n'ont, en leur for intérieur, que le réalisme pour doctrine. Pendant les premiers mois de la cohabitation, ils ont ainsi balancé sans arrêt entre deux logiques, celle de leur programme et celle de leurs convictions. C'est pourquoi la France n'a pas compris le message.

Curieux libéraux. Ils n'ouvrent les portes que s'ils sont sûrs de pouvoir les refermer. Ils multiplient les gadgets idéologiques, comme la privatisation de TF1. Et ils se gardent bien de prendre les mesures, forcément conflictuelles, qu'on était en droit d'attendre d'un gouvernement dit libéral.

Prenons l'exemple du SMIC. Le salaire minimum est, à l'évidence, un grand acquis social. Mais c'est aussi une machine à fabriquer du chômage chez les jeunes. Tous les experts le disent : pour permettre aux nouvelles générations de s'introduire sur le marché du travail, il faut le casser en mettant au point de nouvelles règles du jeu pour les moins de vingt-cinq ans. Chirac et Balladur n'ont pas osé, sur ce point, attaquer de front les syndicats.

Au lieu de cela, pour donner des gages à leurs ultras, ils ont supprimé l'autorisation administrative pour les licenciements de moins de dix salariés : en rassurant les entreprises sur leur possibilité de réduire leurs effectifs en cas de besoin, cette mesure devait, selon le CNPF, créer des dizaines de milliers d'emplois. On a vu le résultat.

Autre exemple : l'affaire de la Sécurité sociale. En 1986, l'écart de croissance entre les cotisations reçues (+ 4,7 %) et les prestations versées (+ 5,9 %) commande une médecine de choc. Le gouvernement aurait pu prendre les Français à témoin, leur annoncer que leurs régimes de retraite étaient en faillite, qu'il fallait faire des économies.

Au lieu de cela, Chirac et Balladur décident d'établir un prélèvement de 0,4 % sur les revenus au début de 1987 et de 1988. Ce qui annule d'un coup les effets économiques – et politiques – des baisses d'impôt.

Entre le réalisme et le libéralisme, il fallait choisir. N'ayant su trancher, Chirac et Balladur n'ont pu provoquer le grand élan qui devait pousser les entreprises à investir, à produire et à embaucher. Les deux hommes rêvaient de refaire le coup du plan Rueff-Armand qui, en 1959, avait réveillé l'appareil industriel. Leurs illusions se sont fracassées sur le mur des pesanteurs.

Chirac et Balladur ont pu tirer profit des acquis de la gauche, le moindre n'étant pas la sagesse nouvelle des Français en matière de hausses de salaires – ce qui a stabilisé les coûts de production et ouvert la perspective d'une amélioration de la compétitivité des entreprises. Mais ils ont eu aussi à gérer les déficits de l'héritage socialiste.

Il faut se méfier des bons indices. Si, par exemple, les paiements extérieurs de la France ont été bénéficiaires en 1986, c'est à cause de la baisse des prix de l'énergie qui a permis au pays d'économiser 90 milliards de francs. Mais l'Hexagone n'a cessé, dans le même temps, de perdre des parts de marché. En matière de produits manufacturés, le solde (positif) de ses échanges a ainsi baissé de 56 milliards de francs en un an. C'est dire l'état de l'appareil productif français...

La plate-forme de gouvernement du RPR et de l'UDF annonçait que la crise mondiale était « finie » et que le pays attendait de « renouer avec la croissance pour retrouver l'emploi et le progrès social ». Un an plus tard, le pays attendait toujours...

41

Scènes de ménage

« Le couple, c'est autrui à bout portant. »

Jacques Chardonne

Va-t-il, enfin, choisir l'un des personnages de son répertoire et chercher à l'imposer ? Pas vraiment. Il a vaincu la gauche mais il ne s'est pas vaincu lui-même. Il ne s'est même pas trouvé, en fait. Et, pendant les premiers mois de la cohabitation, il va jouer, avec une conviction jamais entamée, plusieurs rôles à la suite. « Cet homme est un cavalier, commentera, en expert, François Mitterrand, médusé par autant de métamorphoses. Il colle au terrain. Il en épouse tous les plis. Mais il ne voit pas à plus de cinq cents mètres. »

En un an, les Français auront ainsi droit à trois avatars du Premier ministre : l'*Homo cohabitus*, l'*Homo liberalus*, l'*Homo radicalus*.

Récapitulons.

Sitôt arrivé à Matignon, Chirac commence *piano* en jouant la version radicale et consensuelle du chiraquisme. C'est l'*Homo cohabitus*. Libéral mais social, il n'hésite pas à annoncer à la télévision, le 23 avril 1986, une politique de réduction des inégalités. Il se porte garant, dans la foulée, du maintien de la protection sociale. Et il explique à qui de droit qu'il ne prendra jamais l'initiative d'une rupture de la cohabitation. « Le premier qui tirera sera mort », commente Balladur, d'une formule qui fera mouche.

Les « foldingues du libéralisme », comme dit Chirac, n'apprécient pas. Le 12 mai, dans *Le Figaro*, Alain Peyrefitte, homme pourtant modéré, sonne la charge : « On s'englue. » Le député RPR de Seine-et-Marne reproche au nouveau pouvoir de s'être enferré dans

433

les sables du statu quo. Louis Pauwels, dans *Le Figaro Magazine*, embraye aussitôt : à quand la révolution conservatrice ?

Ces diatribes seraient sans importance si elles ne trouvaient partout des relais. À l'intérieur du gouvernement, avec François Léotard. À l'extérieur, avec Valéry Giscard d'Estaing. L'ancien président joue les dévots. Il entend que le gouvernement applique, à la virgule près, tout le programme libéral. Sinon, il déclenchera ses foudres. Il le dit et il le répète. Chirac saisit tout de suite le danger. L'étroitesse de sa majorité parlementaire le condamne à se conformer à la lettre de la plate-forme UDF-RPR : c'est le prix qu'il doit payer s'il veut rester à Matignon.

Surgit alors un nouveau Chirac. Il change de partition et accélère la cadence. C'est l'*Homo liberalus*. Utilisant l'article 49 alinéa 3 de la Constitution, il fait déferler, en quelques jours, une avalanche de réformes sur la France : la dénationalisation de soixante-cinq entreprises ; la suppression de l'autorisation administrative de licenciement ; la privatisation de TF1 ; le retour au scrutin majoritaire ; une loi-programme pour la Nouvelle-Calédonie, etc.

S'il n'est de meilleure politique que celle de son propre camp, Chirac devrait avoir partie gagnée. Son horizon, pourtant, ne s'arrête pas à sa majorité. Il n'hésite pas à taquiner l'électeur du Front national. Pour l'appâter, il compte surtout sur Charles Pasqua, ministre de l'Intérieur, chargé, entre autres, de la réduction de l'immigration, de la délinquance et du lepénisme. Cet homme à poigne a déclaré d'entrée de jeu qu'il couvrait les bavures policières qui, désormais, font partie du service. Après avoir rétabli les contrôles d'identité, il a décrété que les frontières seront davantage surveillées ; que les cartes de résident ne seront plus attribuées qu'avec parcimonie ; que les procédures d'expulsion seront allégées.

Autant de mesures qui permettent aux barristes de se recentrer à bon compte. Edmond Alphandéry, député UDF du Maine-et-Loire, se gausse des « ringards ». Charles Millon, député UDF de l'Ain, des « réactionnaires ». Édouard Balladur lui-même n'est pas bien à l'aise. Avec son art inimitable de la litote, il déclare, le 21 juin, que « le sérieux doit tempérer le libéralisme ». Façon papelarde de reconnaître que le nouveau credo de la majorité est sujet à caution.

De quoi a-t-elle accouché, la montagne des réformes libérales ou sécuritaires ? D'une amélioration, très légère, de la cote de popularité du gouvernement. Et aussi d'une lame de fond...

Fonçant tête baissée dans le grand tohu-bohu législatif, Chirac ne l'avait pas vue monter. Quand les lycéens et les étudiants se dressent, à l'automne, contre le projet de loi d'Alain Devaquet, il amorce sans tergiverser un repli stratégique, remise ses grandes réformes de société au grenier et se jette à corps perdu dans la gestion. L'*Homo radicalus* est né.

Georges Clemenceau, un autre radical, a dit, un jour : « L'homme absurde est celui qui ne change jamais. » De ce point de vue, Jacques Chirac n'est pas absurde.

Comme Arlequin, il a couru, pendant un an, d'un bout à l'autre de la scène, rameutant les uns, flattant les autres. À force de se contorsionner, il a fini par donner le tournis. On lui reprochera donc tout et son contraire : d'avoir été trop lent et trop pressé, trop indécis et trop dogmatique, trop étatiste et trop libéral. Il n'empêche qu'il a survécu...

Cet homme est insaisissable. Et c'est précisément ce qui déroute le président, qui ne l'est pas moins. Entre quatre yeux, Chirac n'aime pas contredire. Il est coulant, cérémonieux, attentionné. Il élude le débat. Il fuit le conflit. Mitterrand ne se comporte pas autrement.

Naguère, avec Giscard, il arrivait à Chirac de laisser, après un plaisant tête-à-tête, une note au vinaigre. Mais il n'écrit guère à Mitterrand. Il préfère désormais garder son fiel pour lui. Le président fait de même.

Lors de leur rencontre du mercredi matin, avant le Conseil des ministres, les deux hommes se contentent donc de s'observer. Sans complaisance ni attirance. Ils ne sont pas subjugués l'un par l'autre. Ils ne s'aiment pas. Et s'ils se parlent, c'est pour traiter, sur un ton badin, de choses sans importance. Quand il a décidé de tuer, le lion en chasse ne rugit pas...

Chacun rend son silence à l'autre. Et son mépris.

Curieusement, les deux hommes se renvoient une image identique l'un de l'autre. Comme dans un jeu de miroirs, c'est le même personnage qu'ils décrivent – fourbe, opportuniste, sans scrupule.

Chirac n'hésite pas à accuser Mitterrand d'avoir manqué à sa parole en refusant de signer l'ordonnance sur les privatisations. À l'en croire, le président l'avait assuré, en lui proposant Matignon, qu'il parapherait sans discussion les textes législatifs qui lui seraient présentés.

Y a-t-il eu malentendu entre les deux hommes ? Le 26 mars 1986, lors du premier Conseil des ministres, François Mitterrand fait savoir qu'il n'acceptera des ordonnances qu'« en nombre limité » et qu'il ne signera, en matière sociale, que « des ordonnances qui représenteraient un progrès par rapport aux acquis ».

C'est le premier accroc. Le lendemain, Jacques Chirac réplique en annonçant, à la surprise du président, qu'il se rendra au sommet des pays industrialisés, à Tokyo. Un point partout.

La riposte du président se fait attendre plusieurs jours. Le 9 avril, enfin, le président demande, en Conseil des ministres, que soient rendus publics les avis de la commission consultative sur le découpage électoral que prépare Charles Pasqua. Et il prévient qu'il ne signera pas les ordonnances privatisant des entreprises nationalisées avant 1981. Il accepte, à la rigueur, que la droite dénationalise ce qu'il avait étatisé. Mais il ne supporte pas, Dieu sait pourquoi, qu'elle puisse remettre en question les nationalisations du général de Gaulle...

Mesure pour mesure, comme dit le Talmud : le 12 avril, Jacques Chirac rend visite à Félix Houphouët-Boigny en Côte-d'Ivoire qui, comme tous les pays africains, fait partie des chasses gardées de l'Élysée. Cinq jours plus tard, il reçoit le chancelier allemand Helmut Kohl à qui il dit : « Vos relations privilégiées avec Mitterrand, il faut maintenant y mettre fin. Le pouvoir, désormais, c'est moi. » L'autre s'empressera de rapporter les propos du Premier ministre au président français.

Ainsi va le feuilleton de la cohabitation : inattendu, épique et mesquin. Il finira tout de même par lasser les Français.

L'alternance douce qu'expérimente la France, pour la première fois depuis 1958, a tout d'une interminable scène de ménage. Comme l'amour et comme la haine, elle se nourrit de petites choses. Elle n'a aucune dimension tragique. Certes, à chaque haussement de ton, les médias annoncent, sur un ton informé, sa fin prochaine. Mais à peine l'ont-ils enterrée qu'elle est déjà ressuscitée.

Pourquoi la cohabitation a-t-elle la vie si dure ? Une grande aversion est souvent considérée comme le signe d'un grand amour passé. Apparemment, Chirac et Mitterrand n'ont jamais été assez épris l'un de l'autre pour laisser les passions commander leurs relations. Ils avalent froidement les calices. Ils digèrent tranquillement les affronts.

Ils se supportent. Chirac est plus patient avec Mitterrand qu'il ne l'avait été naguère avec Giscard. Mitterrand est moins agacé par Chirac qu'il ne l'était, il n'y a pas si longtemps, par Fabius, qu'il avait fait et qu'il suspectait de vouloir le défaire...

Et c'est ainsi que le couple Mitterrand-Chirac survit sans encombre, le 14 juillet 1986, à sa première crise grave. Ce jour-là, après avoir regardé, en compagnie du Premier ministre, l'armée française défiler sur les Champs-Élysées, le chef de l'État s'entretient, comme chaque année, avec Yves Mourousi sur TF1. L'interview ne se déroule pas, comme le veut la tradition, au milieu de la *garden-party* que donne l'Élysée pour la fête nationale. Elle a lieu dans le bureau présidentiel, cadre solennel qui s'accorde mieux à la gravité du message : Mitterrand demande à Chirac de refaire sa copie. Il annonce qu'il ne signera pas l'ordonnance sur les privatisations. Il en fait une affaire de « conscience ». Il redoute que les entreprises dénationalisées soient vendues « de telle sorte que, demain, alors qu'on fabrique des objets, des produits, des marchandises nécessaires à l'indépendance nationale, on puisse les retrouver dans les mains d'étrangers ».

Frissons. À 16 heures, Chirac, nerveux, convoque dans son bureau le ban et l'arrière-ban du chiraquisme pour visionner au magnétoscope la cassette de l'interview présidentielle. Il y a là Balladur, Pasqua, Toubon, Baudouin, Ulrich, etc. Après avoir vu l'entretien, tous tombent d'accord : « Il ne faut pas céder à la provocation. » Il n'empêche. Le Premier ministre dissimule mal sa colère : « On ne m'aura pas comme ça. Je vais lui dire ce que je pense, à celui-là. »

Lui dit-il ? Pas vraiment. Sur l'entretien téléphonique que les deux hommes ont eu, ce jour-là, il y a deux versions. La première, celle de Chirac, est laconique.

« Je n'ai pas l'intention d'ouvrir une crise mais je suis disposé à accepter toutes les conséquences de votre décision, c'est-à-dire une élection présidentielle », aurait dit le Premier ministre.

437

Alors, le président :

« Eh bien, moi aussi. »

L'autre version, celle de Mitterrand, est plus aigre. Jean-Marie Colombani et Jean-Yves Lhomeau la rapportent dans leur livre très informé, *Le Mariage blanc*[1]. C'est Chirac qui aurait entamé le dialogue – par un mensonge :

« Monsieur le président, la majorité de mes amis souhaitent la crise... Et je dois dire que moi-même, si je laissais aller mon tempérament...

— Une crise ? De quelle crise parlez-vous ? Songent-ils à une crise gouvernementale ?

— Je ne plaisante pas, monsieur le président. La plupart d'entre eux veulent une élection présidentielle anticipée.

— Ah, bon ! En seraient-ils maîtres ? Mais vous avez raison. Il y aura bien une élection présidentielle. En 1988.

— C'est plus grave que vous ne le pensez, monsieur le président. Mais l'intérêt du pays...

— Ah, vous avez dit "mais". Donc, il n'y a pas de crise. Parlons d'autre chose, si vous le voulez bien.

— Par tempérament, je souhaiterais la crise. Par raison, je pense qu'il faut l'éviter. Souhaitez-vous mettre fin à la cohabitation ?

— Je ne souhaite pas la crise, mais je suis prêt à assumer toutes les conséquences de ma décision [...]. Il est déjà miraculeux que notre cohabitation se soit déroulée sans heurt pendant quatre mois. Conjuguons nos efforts pour que ce miracle se poursuive. »

Chirac a-t-il commis une erreur en se refusant à décohabiter ? Pour riposter au président, il aurait pu prendre les Français à témoin et dire solennellement au chef de l'État : « Ou bien vous vous taisez ou bien vous nous changez mais vous ne pouvez pas nous garder et nous gêner en même temps. » Il aurait pu tout aussi bien décider de faire monter la pression, démissionner de Matignon en déclarant – air connu – qu'il n'avait pas les moyens de gouverner et contraindre Mitterrand à provoquer une élection présidentielle anticipée. C'était le moment : l'Élysée, à cette époque, était clairement à sa portée.

Au lieu de cela, le Premier ministre a refait sa copie comme le président le lui avait demandé. L'« agité », comme disait VGE, joue

---

1. *Op. cit.*

désormais à la force tranquille. Il dédramatise. « Je n'allais quand même pas provoquer une crise de régime pour essayer de devenir président de la République », dira-t-il plus tard[1]. Puis, dans un sourire : « Que j'accède à l'Élysée est sûrement une chose hautement souhaitable pour le pays mais ça ne vaut pas pour autant de prendre le risque de le foutre dans la merde. On ne joue pas avec les nerfs des Français. Moi, j'ai décidé depuis le début de respecter les institutions. Je ne prétends pas que c'est le pied mais elles sont là et il faut faire avec. Quant à Mitterrand, je ne sais si c'est pour des raisons d'intérêt personnel ou d'intérêt national, mais je constate que, depuis le premier jour, il fait la même analyse que moi. »

L'alternance douce exige des cohabitateurs patience et vigilance. Mitterrand et Chirac n'en sont pas avares. Sans arrêt sur le qui-vive, ils surveillent jalousement leur territoire contre toutes les tentatives d'intrusion.

Si les renards marquent leurs terres en urinant, Mitterrand et Chirac protègent leurs domaines respectifs en montrant les dents. « Il suffit que je fasse le méchant, dit le Premier ministre, et les choses finissent toujours par s'arranger. »

À ce jeu de grignotage, François Mitterrand n'est pas le plus malhabile. Durant l'été 1986, après le coup du 14 juillet, le président tente de pousser l'avantage. Et il multiplie les coups de sonde.

C'est dans ce climat qu'éclate l'affaire Paolini. Après avoir été prévenu par Matignon que Jacques Chirac avait décidé de nommer Jean Paolini préfet de police de Paris, Jean-Louis Bianco, secrétaire général de la présidence, téléphone à Maurice Ulrich, directeur de cabinet du Premier ministre : « C'est un poste qui concerne la sécurité, donc l'Élysée. Il faut que vous nous donniez trois noms. Le président choisira. »

Colère de Chirac. Il part pour l'aéroport de Roissy où il doit accueillir le président, retour d'un voyage officiel en URSS. Il tombe sur Bianco devant lequel il laisse aller son courroux : « Pour qui me prenez-vous, non mais sans blague ? Vous avez quelque chose à reprocher à Paolini ? C'est un truand ou quoi ? Dites-le-moi. Je ne vous proposerai pas d'autres noms. Et, si jamais le prési-

_____

1. Entretien avec l'auteur, 12 avril 1987.

439

dent refusait de signer sa nomination, je vous préviens que je ne nommerai pas de préfet de police, que j'en ferai un chargé de mission au cabinet de Robert Pandraud et que je lui déléguerai les pouvoirs qui lui permettront d'assurer la direction de la préfecture de police. »

Paraît Mitterrand. Il propose à Chirac de rentrer sur Paris dans la voiture présidentielle. L'autre refuse. Il a déjà prévu de revenir avec le ministre des Affaires étrangères. Le président emmène donc Bianco.

À son retour à Matignon, Chirac apprend que Bianco a téléphoné à Ulrich pour lui dire que le président acceptait la nomination Paolini. L'affaire est classée. Le président et le Premier ministre ne l'évoqueront même pas lors de leur tête-à-tête hebdomadaire.

Chirac n'est pas en reste. Lui aussi cherche à gagner du terrain. Sur le plan diplomatique, il n'a pas hésité à se pousser du col dès les premiers jours de la cohabitation. Sans grand succès.

Retour en arrière. Quand les États-Unis décident d'effectuer un raid contre Tripoli et qu'ils demandent à la France l'autorisation pour leurs bombardiers de survoler le territoire français, ils se font tout de suite rembarrer. Aussitôt, Chirac s'attribue froidement la paternité d'un refus qu'il a arrêté en commun accord avec le chef de l'État : « Sur le plan de la décision que j'ai prise, dit-il le 23 avril 1986 à "L'heure de vérité" sur Antenne 2, c'est vrai que le président de la République a eu la même réaction… »

Provocation ? Ce jour-là, Chirac se présente sans délicatesse comme le patron de la diplomatie française. C'est lui et lui seul qui aurait décrété que la France ne s'associerait en aucune façon aux opérations militaires décidées par Washington contre Kadhafi après que ses services spéciaux eurent perpétré plusieurs attentats antiaméricains. Devant son poste de télévision, Mitterrand fulmine. Et le lendemain, il n'a toujours pas décoléré : « C'est intolérable. Mais qu'attend donc le PS pour réagir ? »

Il va de soi que les deux hommes, toujours soucieux d'éviter les querelles frontales, n'auront jamais d'explication franche sur cette affaire, lors de leur tête-à-tête hebdomadaire. Mais aux journalistes, qu'ils recevront en grand nombre par la suite, ils feront des comptes rendus radicalement différents – chacun se donnant, bien entendu, le beau rôle. Le vaudeville qu'ils jouent alors, par article de presse interposé, aurait pu être écrit par un sous-Feydeau du microcosme.

Version de Jacques Chirac : c'est à lui que les Américains se sont d'abord adressés, par voie diplomatique, pour demander l'autorisation de survoler le territoire français, le vendredi 11 avril. Le chef de cabinet militaire de Matignon est venu précipitamment le voir, à 23 heures, à l'Hôtel de Ville, pour lui exposer les grandes lignes du dossier américain. Le Premier ministre a alors appelé le président de la République pour lui dire qu'il refusait la demande américaine. « Je suis de votre avis », a répondu Mitterrand.

Version de François Mitterrand : c'est l'Élysée que les Américains ont d'abord prévenu, ce même vendredi 11 avril. Le chef de l'État a alors convoqué le ministre de la Défense, André Giraud, pour l'informer de la demande de Washington.

« Je ne sens pas cela, a dit le président.

— Moi non plus », a répondu Giraud qui s'est empressé d'annoncer la nouvelle au Premier ministre.

Qui ment ? Sans doute les Américains, diplomates, voulaient-ils que Chirac et Mitterrand soient avertis en même temps. Mais, à tout seigneur, tout honneur, c'est le chef de l'État qui a été joint le premier. À quelques minutes près. Pour réparer l'affront fait à Matignon, quand Vernon Walters, ambassadeur aux Nations unies et envoyé spécial de Reagan, débarque à Paris, le dimanche 13 avril, afin de convaincre les Français de revenir sur leur refus, il rend d'abord visite au Premier ministre avant de prendre le chemin de l'Élysée. Geste sans effet. Le mal est fait.

Ce que l'affaire du raid libyen met en évidence, c'est qu'en matière diplomatique le Premier ministre peut espérer jouer, au mieux, les vedettes américaines. Lors du sommet des pays industrialisés de Tokyo, les 5 et 6 mai, il en fait, une fois encore, l'amère expérience. Après la conférence, devant les journalistes internationaux, c'est François Mitterrand qui tient le crachoir tandis que le chef du gouvernement, à ses côtés, fait de la figuration. « Il n'y a qu'une seule voix de la France », se rengorge le chef de l'État. La sienne, en effet…

Encore qu'il arrive parfois au Premier ministre de faire entendre sa voix dans les réunions internationales. Il y a alors du couac dans l'air. Comme ce 21 novembre 1986, lors d'un sommet franco-britannique qui se tient à l'Élysée, quand Jacques Chirac finit par prendre la parole que François Mitterrand lui refuse.

Ce jour-là, le président est d'assez méchante humeur : Margaret Thatcher a demandé à avoir un long tête-à-tête, le soir même, avec Jacques Chirac, l'entretien prévu par le protocole ne lui paraissant pas suffisant. François Mitterrand prend sa revanche en faisant parler tous les ministres, français et britanniques – sauf le chef du gouvernement français.

Arrive sur le tapis la question du budget européen de la recherche. Certains pays pensent qu'il devrait s'élever à 7,7 milliards d'écus. D'autres sont partisans de le limiter à 3,9 milliards. C'est naturellement le cas de la Grande-Bretagne. Margaret Thatcher défend, bec et ongles, son point de vue : le « toujours moins » européen.

« Pour ma part, objecte Mitterrand, je souhaite que l'on soit le plus près possible des 7,7 milliards. »

Alors, Chirac :

« Oui, mais nous serons beaucoup plus près, je le crains, des 3,9 milliards. Le gouvernement français prendra, en temps voulu, la décision qu'il croira devoir prendre. Mais il devra tenir compte des contraintes budgétaires. »

Jolie cacophonie.

Dans sa quête de respectabilité diplomatique, Jacques Chirac finira quand même, après bien des déboires, par avoir la main heureuse. Le 31 mars 1987, il signe avec Ronald Reagan un accord sur le sida qui met fin à la querelle scientifico-financière que se livrent l'Institut Pasteur et le département de la Santé aux États-Unis. Quelques heures avant que le Premier ministre paraphe le texte à la Maison-Blanche avec le président américain, Jean-Louis Bianco appelle à plusieurs reprises Maurice Ulrich, à Matignon, pour lui dire à peu près : « Comment ça ? Le chef du gouvernement signe un accord international et le président n'est pas au courant ? C'est inadmissible ! »

Le 8 avril suivant, lors de leur tête-à-tête hebdomadaire, François Mitterrand demande, d'une voix sèche, des comptes à Jacques Chirac :

« Qu'est-ce que c'est que cette histoire ? Vous passez des accords internationaux avec les États-Unis et vous ne m'en dites rien ? J'aurais dû être informé.

442

« — Vous faites erreur, monsieur le président. Ce n'est pas un accord international mais un accord entre l'Institut Pasteur et le département américain de la Santé. »

L'incident est clos.

C'est, en douze mois de coexistence, l'échange le plus tendu que les deux hommes aient eu. En public, ils ne s'épargnent ni les piques ni les sournoiseries. En privé, ils pratiquent la politique courtoise. Tant il est vrai que la cohabitation, malgré les apparences, adoucit les mœurs...

C'est André Fontaine qui a donné la meilleure définition de la cohabitation quand il a écrit dans *Le Monde*[1] qu'elle « ressemble à la coexistence entre l'Est et l'Ouest. Même détermination de ne pas créer l'irréparable, même alternance de crise et de détente, même absence de cette confiance sans laquelle il n'est pas d'accord durable ».

Il reste que la cohabitation est le résultat d'une connivence fondamentale entre Chirac et Mitterrand. Tant il est vrai que l'un et l'autre entendent développer et incarner le consensus qui, depuis le début des années quatre-vingt, a roulé son cylindre sur le pays.

En juin 1984, lors d'un voyage à Moscou, François Mitterrand disait, en confidence, à Jean Daniel : « Si j'ai une ambition, c'est qu'on ne parle plus d'"expérience" pour évoquer le gouvernement de la gauche. Je veux montrer que nous savons gérer, nous aussi, et faire entrer la France dans un système d'alternance régulière. »

Tel est le pari historique de Mitterrand. Apparemment, il l'a gagné.

En jouant la cohabitation, Chirac a fait un autre pari. Il entendait se mettre en harmonie avec les mutations sociologiques qui travaillent l'Hexagone tout en renforçant les convergences idéologiques entre la droite et la gauche. Il y a, d'une certaine façon, réussi. Sur la défense nationale, par exemple, le résultat est éclatant : les socialistes et les gaullistes sont, en la matière, sur la même longueur d'onde.

Deux exemples. D'abord, avant de prononcer un discours à l'Institut des hautes études de défense nationale, le 12 septembre 1986, pour présenter la politique militaire du gouvernement, Jacques Chirac envoie son texte au président de la République.

---

1. Le 18 juillet 1986.

N'ayant pas reçu de réponse de l'Élysée, il finit par appeler François Mitterrand, la veille de sa déclaration :

« Vous avez lu mon discours ? demande-t-il.

— Bien sûr, fait le chef de l'État. Je n'ai rien à redire. Rien, sauf, peut-être, sur un petit point : vous parlez d'avertissement. Pour ma part, j'ai toujours parlé d'ultime avertissement.

— Mais je crois bien avoir écrit : "ultime avertissement", dit Chirac.

— Non, répond Mitterrand. Le mot "ultime" a dû sauter à la frappe. Vérifiez. »

Vérification faite, le mot « ultime » avait effectivement sauté à la frappe.

Au Conseil des ministres du 4 mars 1987, quand François Mitterrand, prenant le contre-pied d'André Giraud, ministre de la Défense, définit la réponse plutôt positive qu'il convient, à ses yeux, d'apporter aux propositions de Moscou en matière de désarmement nucléaire en Europe, Jacques Chirac murmure : « Il a raison, il a raison. » Puis, commentant les propos présidentiels, il déclare : « Je suis d'accord avec ce que vient de dire le président. C'est d'ailleurs à lui qu'il incombe de fixer les grandes orientations en matière de défense nationale. »

La morale de tout cela, c'est que, après avoir bâti sa carrière sur le dissensus, Chirac entend la parachever dans le consensus. Il est devenu cohabitationniste de raison et de cœur.

Écoutons-le : « Aucun système n'est parfait. Mais, à l'expérience, la cohabitation a fait apparaître que les institutions, la politique étrangère et la défense nationale font l'objet d'un accord à peu près général. Dans ces trois domaines, on est dans le droit fil de la politique initiée par le général de Gaulle, et, quels que soient les avatars de l'alternance, on restera sur la même ligne. Si, demain, l'opposition arrivait au pouvoir en Allemagne fédérale ou en Grande-Bretagne, ça changerait tout ou presque, en matière de politique étrangère ou de défense nationale. En France, c'est à peine si on verrait la différence. Et ça, c'est un atout considérable pour un pays. »

Mais pour Chirac ?

42

« Septembre noir »

« On déjoue beaucoup de choses en feignant de ne pas
les voir. »

Napoléon Ier

Son règne est placé, d'entrée de jeu, sous le signe du terrorisme.
Le 20 mars 1986, alors que Jacques Chirac, qui vient d'être désigné
Premier ministre, fait une déclaration fixant les règles du jeu de la
cohabitation, une bombe explose à la galerie Point Show, aux
Champs-Élysées, à Paris. Bilan : deux morts et vingt-huit blessés.
L'attentat est revendiqué par une organisation obscure, le CSPPA
(Comité de solidarité avec les prisonniers politiques arabes et du
Proche-Orient).

C'est le premier dossier sur lequel se penche, ce soir-là, le nouveau chef du gouvernement. Le CSPPA réclame la libération de
trois terroristes détenus en France. Parmi eux : Georges Ibrahim
Abdallah, chef présumé des FARL (Fractions armées révolutionnaires libanaises), qui a été inculpé pour usage de faux ainsi que
pour détention d'armes et d'explosifs. Yves Bonnet, patron de la
DST (Direction de la surveillance du territoire) au moment de son
arrestation, avait promis sa libération à ses « parrains » des services
secrets algériens à qui, apparemment, il rendait des services – spéciaux, cela va de soi. Un arrangement destiné à faire libérer Abdallah avait donc été décidé en accord avec Roland Dumas, ministre
des Relations extérieures. Mais la police avait brusquement cassé ce
petit scénario en mettant la main, lors d'une perquisition, sur plusieurs pièces à conviction qui conduisaient à l'inculpation du
terroriste.

Bref, il flotte sur cette affaire un climat malsain, fait de compromis glauques, de manœuvres d'amateurs, de contrordres de dernière minute. Il y a aussi une parole non tenue.

Que faire ? Jacques Chirac est prêt à envisager la libération de Georges Ibrahim Abdallah. Il s'en ouvre à François Mitterrand qui refuse tout net : en matière d'antiterrorisme, pour le président, la raison du plus fort est toujours la meilleure.

Précisons tout de suite qu'il s'agit là de la version mitterrandienne. Chirac la conteste avec véhémence : « Je n'ai jamais songé un instant à faire libérer Abdallah, proteste-t-il. Faire courir cette rumeur est très désobligeant, voire dégueulasse. Pour moi, ce n'est pas un problème d'honneur, je m'en fous. C'est une question d'efficacité et de bon sens. Si vous négociez avec les terroristes, vous finirez toujours par leur lâcher quelque chose. Vous justifierez donc leur démarche. Et ça les encouragera à reprendre leurs actions en présentant de nouvelles revendications. »

Passons. La France laisse donc la justice suivre son cours. Face au terrorisme, elle imposera le droit, croix de fer, croix de bois.

La France, apparemment, est convaincue que la clémence vaut mieux que la justice. Le 10 juillet 1986, Georges Ibrahim Abdallah, soupçonné de l'assassinat du diplomate américain Charles Ray, est condamné à quatre ans de prison pour détention d'armes et d'explosifs. L'ambassade des États-Unis à Paris manifeste alors sa surprise indignée devant la « légèreté » de la peine, au grand dam du Quai d'Orsay.

Entre la libération d'Abdallah, c'est-à-dire le respect de la parole donnée, et la fermeté, c'est-à-dire la logique de la raison d'État, la France n'a pas su choisir. Elle a fait preuve de faiblesse.

Tout est en place pour la tragédie.

Le 1ᵉʳ septembre suivant, le CSPPA menace de reprendre les attentats si la France ne libère pas Georges Ibrahim Abdallah et deux autres terroristes.

« Septembre noir. » Du 4 au 17 septembre, six actions terroristes sont commises, à une cadence infernale, revendiquées à Paris ou à Beyrouth par le CSPPA ou par les Partisans du droit et de la liberté, organisation jusqu'alors inconnue au bataillon du terrorisme. Bilan général : dix morts et cent soixante et un blessés.

Est-ce parce qu'il est considéré comme le maillon faible ? Ou fort ? Chirac est, en tout cas, la cible des terroristes. Le 8, une bombe éclate au bureau de poste de l'Hôtel de Ville de Paris. Le 14, un attentat fait deux morts – deux gardiens de la paix – alors même que le Premier ministre annonce au « Grand Jury RTL-*Le Monde* » une batterie de mesures antiterroristes : le visa est rendu obligatoire pour les étrangers pendant six mois ; les militaires sont chargés de patrouiller aux frontières, etc.

C'est, depuis qu'il est entré en politique, sa première grande épreuve. Sera-t-il à la hauteur ?

La guerre... Contre le terrorisme, Jacques Chirac est entré en guerre. Il ne sait pourtant pas bien où il va. C'est normal. Il ne connaît pas son ennemi. Cruelle école de vérité. Face aux poseurs de bombes et à leurs « parrains » sans nom, il lui faut prendre des décisions, définir une stratégie, lever des troupes, trancher entre l'efficacité et la morale. Le temps est venu, enfin, de montrer son vrai visage.

En quelques semaines, Chirac révélera sa grandeur, sa petitesse, sa perversion aussi. Le meilleur de lui-même, c'est à coup sûr sa force de caractère. Alors que les attentats ensanglantent Paris, il reste inébranlable comme un roc. Il ne manque pas d'allure, alors, ce fataliste qui a la conviction que, comme dit le Coran, son destin est accroché à son cou. En plein septembre noir, alors que le Tout-État se crispe sur sa sécurité, il n'a pas de voiture blindée et peu de gardes. Le week-end, il lui arrive d'emprunter sans escorte la voiture de sa fille Claude. Et c'est lui-même qui ouvre à ses visiteurs la porte de son bureau de l'Hôtel de Ville, que ne protège aucun policier en faction. Bref, il taquine le destin. Quand on lui fait remarquer qu'il prend beaucoup de risques, il rigole : « *Fatum...* »

Le pire de lui-même qu'il laisse se déployer, pendant ces semaines sanglantes, c'est sa capacité à mentir et à démentir, à jouer tous les jeux à la fois, avec un mélange de rouerie et de bonne conscience. Jamais il ne se sera aussi souvent contredit en aussi peu de temps. Quand il bande ses muscles, c'est qu'il négocie. Quand il se fait coulant, c'est qu'il a décidé d'être ferme.

Légèreté ? Le 24 septembre, parlant à New York devant l'assemblée générale des Nations unies, il n'hésite pas à dénoncer « la complicité d'États qui acceptent de fermer les yeux sur les activités d'organisations terroristes ou n'hésitent pas à les utiliser à leur profit, quand ils ne les encouragent pas ». Quelques minutes plus tard, devant les journalistes qu'il a réunis, il explique qu'il ne visait, bien entendu, personne.

Irresponsabilité ? Mgr Capucci, vicaire patriarcal grec catholique de Jérusalem, proche de l'Iran et de la Syrie, obtient de Robert Pandraud, ministre délégué à la Sécurité, l'autorisation de rendre visite à Georges Ibrahim Abdallah dans sa cellule. Il est chargé d'une mission de « bons offices ». Là-dessus, sans crier gare, Albin Chalandon, garde des Sceaux, demande au parquet de diligentes procédures afin que le chef présumé des FARL puisse comparaître le plus vite possible devant les assises où il sera jugé pour l'assassinat de Charles Ray. Comprenne qui pourra.

Double jeu ? Jacques Chirac dépêche à Damas Michel Aurillac, ministre de la Coopération, pour demander aux Syriens d'aider la police française. Elle croit avoir identifié les responsables des attentats : ce seraient les frères de Georges Ibrahim Abdallah, qui habitent à Kobeyat, au Liban, où ils jouent les étudiants modèles. Mais ils n'auraient pu agir sans le soutien logistique d'un État. Et le gouvernement français aimerait que la Syrie éclaire sa lanterne sur son identité. Encore qu'Aurillac ait sa petite idée sur la question. De retour à Paris, il déclare négligemment au *Figaro* : « Nous savons avec certitude que les frères d'Ibrahim Abdallah ont été exfiltrés de France par des agents secrets professionnels. Nous avons constaté qu'ils avaient tenu une conférence de presse dans une région contrôlée par la Syrie. »

Apparemment, Chirac, disloqué comme jamais, se débat entre les malentendus et les quiproquos. Il accuse et disculpe à la fois. On dirait un pauvre hère sorti du théâtre de Shakespeare, ballotté par les circonstances, ballonné d'incompétence, maladroit d'impuissance.

Dépassé, Chirac ? Soufflant le chaud et le froid, prêchant le vrai et le faux, alternant le pardon et la menace, il croit savoir ce qu'il fait, comme les princes calculateurs, exaltés par Machiavel.

À manipulateur, manipulateur et demi.

Déroutés par tant de palinodies, les Français n'arrivent pas à comprendre Chirac. Mais les Arabes ?

Alors que le terrorisme proche-oriental met Paris à feu et à sang, le Premier ministre a une obsession : sauvegarder sa politique arabe. Si Mitterrand a une vision, à travers le prisme Est-Ouest, des relations extérieures de la France, Chirac en a, lui, une conception avant tout arabe.

Vieille histoire. Quand il était le Premier ministre de Giscard, Chirac n'avait cessé de jeter des ponts avec le monde arabe et notamment avec l'Irak. La légende fait de lui l'homme qui a découvert ce pays et scellé, pour le meilleur et pour le pire, l'alliance franco-irakienne. Mais, une fois de plus, la légende ment. De 1967 à 1970, c'est-à-dire avant son arrivée à Matignon, la France était déjà passée du vingt-troisième au troisième rang des fournisseurs de Bagdad. De Gaulle était passé par là...

Ce qui est sûr, en tout cas, c'est que, lors de son premier passage à Matignon, Chirac a joué à fond la carte irakienne. Il a même rendu irréversible – ou presque – l'association entre les deux pays en multipliant les gros contrats – édifications de barrages, livraisons d'armes, construction de l'aéroport de Bagdad. Mieux, ou pire, il a amorcé la coopération nucléaire qui devait conduire à la construction d'une centrale à eau légère avec une charge initiale de 12,9 kilos d'uranium enrichi à Osirak – « Ochirak », comme diront les Israéliens, qui ont rayé cette centrale de la carte lors d'un raid aérien, en 1981.

La mythologie irakienne l'embarrassant, Chirac a entrepris, un jour, de réécrire l'Histoire. Le 8 août 1986, recevant le journaliste israélien Ben Porat, il a tenté ainsi de dégager sa responsabilité dans l'affaire de la centrale nucléaire d'Osirak : « Je n'ai jamais évoqué la fourniture de ce réacteur dans mes entretiens avec le président Saddam Hussein. Cette affaire a été traitée par le ministre de l'Industrie, en étroite relation avec le président de la République, et s'est concrétisée après ma démission du poste de Premier ministre. » Puis : « Je ne condamne nullement ce contrat que j'aurais moi-même signé le cas échéant. »

Tollé général. Les menteurs doivent toujours avoir bonne mémoire. Apparemment, elle fait défaut à celui-là. Il est vrai que l'accord nucléaire avec l'Irak a été signé en 1975 par Michel d'Ornano, alors ministre de l'Industrie, puis ratifié en 1976 par Raymond Barre, alors Premier ministre. Il est vrai aussi que Valéry Giscard d'Estaing, alors président, a tout supervisé. Il n'empêche que c'est Jacques Chirac qui a bouclé l'affaire lors d'une visite officielle en France du numéro un irakien.

« Vous êtes mon ami personnel. Vous êtes assuré de mon estime, de ma considération et de mon affection. » C'est ainsi que Jacques Chirac avait accueilli à Orly Saddam Hussein, le 5 septembre 1975. Quelques jours plus tard, après avoir passé avec lui le week-end en copains – ils avaient joué aux cartes – dans une hôtellerie des Baux-de-Provence, le chef du gouvernement avait fait visiter à son hôte le centre de Cadarache pour lui montrer les réalisations françaises dans les techniques nucléaires de pointe.

À l'époque, dans un article qui, depuis, fait référence [1], le journaliste Jacques Mornand raconte par le menu comme le Premier ministre a dû ramer, pendant ce voyage, contre Michel d'Ornano et les services de l'Industrie qui étaient contre la livraison à l'Irak d'une centrale avec un réacteur à graphite-gaz. Pour faire capoter le projet, ils multipliaient la facture « par trois, par cinq ou par dix », au grand dam de Matignon. Ils expliquaient aussi en coulisses qu'elle permettait de produire facilement du plutonium, matière première de base de la bombe atomique. Michel d'Ornano aura finalement gain de cause : c'est une centrale à eau légère qui sera livrée aux Irakiens. Précisons qu'elle aussi permet de produire du plutonium.

Saddam Hussein ne s'y était pas trompé, qui déclarait à la *Semaine arabe* dès le 9 septembre 1975 : « L'accord avec la France est le premier pas concret vers la production de l'arme atomique arabe. »

Que Chirac ait voulu, onze ans plus tard, se laver du péché d'Osirak montre bien qu'il considère le contrat nucléaire passé avec l'Irak comme une faute politique de première grandeur. Dans cette affaire, pourtant, il ne fut pas un comparse mais un complice. En ce temps-là, il n'avait, il est vrai, rien à refuser aux Arabes.

Son arabophilie ne sonnait pas creux. Quand il rentrait de Ryad, c'était pour repartir pour Tripoli. Tout embué de désert, de souk, de hammam, il racontait à tout le monde, avec emphase, que *kiras* veut dire « chef » en arabe. Il commençait à apprendre la langue de Mahomet. Et il était du dernier bien – il l'est resté – avec la plupart des grands hommes d'État arabes.

---

1. *Le Nouvel Observateur*, 20 octobre 1975.

Quand il parle d'eux, il le fait avec un mélange de fraternité virile et de piété lyrique. Il ne faudrait pas le pousser beaucoup pour qu'il les décrive comme des personnages de l'Histoire sainte.

S'agissant de Hassan II, roi du Maroc, rien de plus normal puisque c'est un descendant de Mahomet. Mais le roi Fahd d'Arabie Saoudite a droit aux mêmes transports. Et le roi Hussein de Jordanie. Et Hosni Moubarak, le président égyptien (« Un type solide, intègre et intelligent »). Et Habib Bourguiba, le président tunisien, dont il dit : « Cet homme a été en prison en France, ça pourrait laisser des traces. Plus français que lui, y a pas. Quand il vous parle de la cuisine qu'on lui servait dans sa geôle, on dirait qu'il vous lit un recueil de recettes de Paul Bocuse. Et il peut vous réciter une heure de poésie française. »

Il les aime tous. Ils l'aiment tous. Il leur apporte le respect et la considération. Ils comblent sa faim d'aventures, son besoin de compagnonnage, son goût de l'exotisme.

Pour lui, il n'y a pas de « bons » et de « mauvais » Arabes. Il revendique bien haut la fascination qu'il éprouve pour son « vieil ami » Saddam Hussein, le numéro un irakien : « Il ne s'embarrasse pas de principes, c'est vrai, mais c'est un type d'un courage redoutable. Lors de la révolution communiste, il s'est enfui et il a marché des heures avec une balle dans la jambe. »

Même Mouammar Kadhafi a droit à son indulgence. George Bush, vice-président des États-Unis, se souvient l'avoir entendu – avec émoi – faire l'éloge du numéro un libyen, lors d'un voyage à Washington, en janvier 1983.

« Êtes-vous en train de me dire que ce type est fréquentable ? s'étrangla Bush.

— De deux choses l'une. Ou bien vous avez une politique tendant à le renverser et à le remplacer. Ou bien, si vous considérez que vous n'en avez pas les moyens, vous êtes condamné, en effet, à le fréquenter. »

Hafez el-Assad, le président syrien, lui paraît tout aussi « fréquentable » : « Je n'ai pas pour lui une sympathie naturelle et spontanée mais je suis soufflé que ce type réussisse à imposer sa volonté sur une nation où son ethnie ne représente que 8 % de la population. Je ne porte pas de jugement sur les moyens qu'il utilise pour rester au pouvoir. Il a sur ce point une réputation bien établie.

Mais, s'il tombait, je ne suis pas sûr que l'Occident gagnerait au change. »

Et les droits de l'homme là-dedans ? « Les dirigeants arabes, dit Chirac, ont parfois des méthodes qui ne sont pas les nôtres. Mais je me refuse à juger les régimes politiques à l'aune de nos traditions, au nom de je ne sais quel ethnocentrisme. D'ailleurs, je dois reconnaître que le multipartisme ne me paraît pas forcément souhaitable dans les pays en voie de développement. Car, alors, les partis se créent non pas en fonction de critères idéologiques, mais sur des bases ethniques. Ce qui a pour effet immédiat de mettre en danger l'unité nationale. »

À Omar Bongo, président du Gabon, qui lui fait part, en 1986, de son intention d'instituer le multipartisme dans son pays, Jacques Chirac répondra ainsi : « Qu'est-ce que tu as besoin de t'embêter dans cette histoire ? Tu as déjà assez d'ennuis comme ça avec ta dette extérieure et le FMI sur le dos. Tu fais ce que tu veux, mais je constate que personne ne conteste le caractère démocratique du Gabon, malgré ton parti unique. C'est normal : tous tes candidats se font ramasser aux élections. Si j'ai un conseil à te donner, c'est de continuer à développer la démocratie dans ton parti. »

Tel est Chirac en politique étrangère : empirique, turbulent, aventureux – kissingérien, en somme. Copinant avec les dictateurs aussi bien qu'avec les démocrates, entraîné par une sorte d'esthétisme de l'Histoire, il assume toutes les contradictions. Malgré les apparences et les gesticulations, il est pourtant guidé par une logique implacable. Les Français s'en rendront compte par hasard, à la faveur d'une bourde qui, en définitive, se révélera plutôt heureuse. C'est l'histoire d'un entretien qu'il n'a pas accordé et qui sera quand même publié par le *Washington Times*.

Le 4 novembre 1986, alors que les bombes se sont tues et que Paris n'en finit pas de ressasser les attentats du septembre noir, Jacques Chirac reçoit à Matignon le journaliste américain Arnaud de Borchgrave. Rédacteur en chef du *Washington Times*, quotidien ultra-conservateur financé par la secte Moon, c'est un ami personnel de Ronald Reagan. Et sa feuille passe dans la capitale américaine pour être le journal officieux, voire officiel, de la Maison-Blanche.

Mais ce n'est pour aucune de ces raisons que le Premier ministre lui a ouvert sa porte. Il a fait une confusion. Il est convaincu que Borchgrave est un journaliste du célèbre *Washington Post.*

Borchgrave arrive flanqué de François Bujon de L'Estang, conseiller diplomatique de Matignon, qui a organisé le rendez-vous. À peine assis, il sort un petit magnétophone de poche. Chirac se rembrunit :

« Soyons clairs. Je n'ai pas l'intention d'accorder d'interview.

— Comment ? proteste Borchgrave. On m'a fait venir tout spécialement de Washington DC pour ça.

— Je n'étais pas au courant », fait Chirac.

Bujon de L'Estang baisse les yeux :

« C'est vrai qu'il vient exprès.

— Bon. Je vais quand même vous parler mais je ne veux pas que vous me citiez. »

La conversation roule rapidement sur l'affaire de l'attentat – manqué – contre le Boeing El Al de Londres. Le Palestinien arrêté par la police britannique, un certain Hindawi, met en cause l'ambassadeur de Syrie en Grande-Bretagne et son équipe. Ce sont eux qui auraient monté l'opération. Du coup, Margaret Thatcher, Premier ministre britannique, a rompu les relations diplomatiques avec la Syrie. Et elle a fait adopter, dans la foulée, une déclaration des pays membres de la Communauté européenne condamnant Damas.

Jacques Chirac, qui ne se rend pas compte que le magnétophone de Borchgrave continue à tourner, fait état de ses doutes sur la version britannique de l'affaire : « J'en ai parlé à la fois à Kohl et à Gensher. Je ne vais pas aussi loin qu'eux mais la thèse est que le complot Hindawi était une provocation destinée à embarrasser la Syrie et à déstabiliser le régime d'Assad. Qui était derrière ? Probablement des gens liés au Mossad israélien, en conjonction avec certains éléments syriens proches d'Assad et cherchant à le renverser. Les choses de ce genre peuvent être infiniment complexes. »

Le 8 novembre, résumant ses propos en style indirect, Arnaud de Borchgrave rapporte, à la une du *Washington Times,* que Jacques Chirac met en cause les services secrets israéliens dans l'affaire du Boeing El Al de Londres. Pour faire sa manchette, le journaliste américain a, bien sûr, grossi le trait. Qu'importe. Le mal est fait.

Tempête internationale. Avec cette gaffe diplomatique, le Premier ministre semble être allé au bout du ridicule. « Chaque fois que j'ouvre la bouche, dit-il alors, mi-figue mi-raisin, dans une formule typiquement chiraquienne, c'est pour dire des conneries grosses comme moi. »

Matignon conteste « l'interprétation des propos de Jacques Chirac ». Mais ce démenti alambiqué n'arrange rien : le Premier ministre a beau se contorsionner, les Français sont consternés. C'est alors qu'Arnaud de Borchgrave, s'estimant outragé par les dénégations officielles, décide de publier la transcription intégrale de son entretien avec le chef du gouvernement.

Et c'est ainsi – divine surprise – que les Français apprennent que Jacques Chirac a une politique arabe. Pour la première fois, l'un des hommes politiques les plus menteurs et démenteurs du dernier quart de siècle a parlé vrai.

Dans son entretien au *Washington Times*, Chirac définit clairement ses objectifs : 1° la restauration de la paix au Liban dans ses frontières actuelles (« Si le reste du monde occidental se fout du Liban, ce n'est pas le cas de la France ») ; 2° la fin du conflit israélo-arabe (« Ce qui présuppose une solution pour les Palestiniens ») ; 3° la sauvegarde des régimes modérés du monde arabe (« Nous devrions nous mettre en quatre pour ne pas déstabiliser les chefs d'État arabes qui sont de notre côté »).

Tout au long de cet entretien, Chirac reproche aux États-Unis leurs « aboiements » contre la Syrie et la Libye. Les Occidentaux devraient se garder de ne songer qu'à flatter leurs opinions publiques : « Est-ce qu'ils pensent vraiment que les gens vont se dire : "Bravo, ils ont des couilles au cul !" ? » Mieux vaut se préoccuper, ajoute-t-il, de « la réaction dans les souks de Tunis ». Et faire en sorte que « l'homme du peuple là-bas » ne se sente pas solidaire des pays que l'Ouest menace de ses foudres. « Chaque action perçue comme une agression contre les Arabes, explique-t-il, contribue simplement à accumuler la pression pour l'explosion. »

L'explosion ? Celle que risquent de déclencher les « fondamentalismes musulmans ». C'est pourquoi l'objectif prioritaire de l'Ouest doit être d'« empêcher le fanatisme religieux anti-occidental d'engloutir la région entière ». « La grande bombe, dit-il, n'est pas celle qui explose rue de Rennes, mais celle qui pourrait exploser sur tout le monde arabe si l'opinion publique arabe est placée le dos au mur [...]. Même le terrorisme dont nous avons souffert en septembre est de la petite bière à côté. »

C'est, à l'évidence, la meilleure interview qu'il ait jamais accordée. Et sa publication efface les effets désastreux de sa mise en cause du Mossad israélien.

Dans *Le Point*[1], Denis Jeambar résume bien le sentiment général quand il écrit à propos de la politique esquissée par Chirac dans son entretien au *Washington Times* : « Ses racines, sa sève viennent directement de la tradition gaulliste qui a d'ailleurs inspiré toute la tradition de la Ve République, Claude Cheysson compris. » Et Jeambar de citer de Gaulle : « Tout nous commande de reparaître au Caire, à Damas, à Amman, à Bagdad, à Khartoum comme nous sommes restés à Beyrouth » (*Mémoire d'espoir*).

Curieusement, en Israël comme aux États-Unis, le discours de Chirac passe bien. Dans le *Los Angeles Times*, le journaliste William Pfaff ira jusqu'à dire qu'il est « intellectuellement sérieux et cohérent ».

Bigre ! Ce qu'on prenait pour une sorte de faiblesse pathologique n'était rien d'autre, en fait, qu'un subtil calcul stratégique. Il suffisait de l'expliquer, ce calcul. Et c'est ainsi que Chirac peut maintenant reprendre, en toute quiétude, ses affaires avec les deux États qui, après les attentats du septembre noir, sont dans la ligne de mire de la police française. Pour dîner avec Satan, cet homme n'est pas du genre à se munir d'une longue cuillère.

D'abord, Chirac s'efforce, non sans équivoque, de ne pas casser les fils avec Damas. Il annonce, en public, des « représailles terribles » si la police française découvrait une main syrienne dans les attentats. Mais, en privé, il doute que le régime d'Assad ait vraiment inspiré les actions terroristes de septembre. Et, dans la foulée, il relance l'aide économique de la France à la Syrie en décidant de livrer, dans un premier temps, cinq cent mille tonnes de farine.

Ensuite, il cherche obstinément, jusqu'à la fin de l'année 1986, à renouer avec Téhéran. Pour montrer sa bonne volonté, le gouvernement a même fait à l'Iran un chèque de 23 milliards de francs en acompte au remboursement d'un prêt que le shah avait naguère consenti à la France. Mais Chirac ne nourrit guère d'illusions sur l'avenir des relations franco-iraniennes (« Ces gens-là, dira-t-il,

---

1. 17 novembre 1986.

n'ont pas les mêmes modes de raisonnement que nous, on aura toujours du mal à se comprendre : vous croyez être arrivé à un accord avec eux et, boum, ils vous font reprendre la négociation à zéro avec une nouvelle équipe. Ils cherchent sans arrêt à vous mener en bateau »).

Chirac sait que l'Iran « satanisera » la France tant qu'elle soutiendra l'Irak. Et il a probablement été tout de suite convaincu, en son for intérieur, qu'il fallait aller chercher du côté des imams de Qom les instigateurs des attentats de septembre.

Mais ne faut-il pas toujours donner sa part à Messire le Diable ?

43

Monsieur Jadis

« Les charbons se moquent des cendres. »
Proverbe nigritien

Il a suffi que la France prenne un coup de jeune pour que Jacques Chirac prenne un coup de vieux. Comme d'habitude, l'Histoire étant perfide, les trébuchets avaient été placés là où personne ne les attendait. Et le Premier ministre est tombé dedans alors même que, s'envolant dans les sondages, il semblait être en veine...

Le scénario, qui allait se terminer par la déroute politique du Premier ministre, était d'une logique implacable. Il avait même déjà servi. Chercher à réformer l'école ou l'université, c'est, en France, la chose à ne pas faire. Mais le gouvernement avait décidé de s'y essayer. Il fallait bien respecter la plate-forme UDF-RPR.

C'est le ministère de la déconfiture. Rares sont ceux qui, comme Edgar Faure ou Jean-Pierre Chevènement, ont su tirer leur épingle du jeu. Il y a beaucoup de monde, et du beau monde, dans les cimetières de l'Éducation nationale : Christian Fouchet, Alain Peyrefitte ou Alain Savary. Mais, à l'évidence, Jacques Chirac n'a pas retenu la leçon.

Le piège s'est mis en place, le 11 juillet 1986, quand Alain Devaquet, ministre délégué aux Universités, fait adopter son projet de loi sur l'enseignement supérieur par le Conseil des ministres. L'événement passe pratiquement inaperçu. Le Premier ministre n'a jeté qu'un œil distrait sur le texte. Il n'a fait qu'un commentaire : « C'est un peu compliqué, tout ça. »

Mais il fait confiance à son ministre. Vosgien, gaulliste, humaniste et franc-maçon, Alain Devaquet n'est pas du genre à faire des vagues. Ni à mettre du sel sur les plaies. Agrégé de physique et docteur ès sciences, c'est un spécialiste international de la chimie théorique. « Un nobélisable », dit souvent, avec une pointe de fierté, Jacques Chirac.

Il y a du professeur Nimbus dans cet homme-là, sorti de ses calculs pour affronter la vie. Ne se pliant que de mauvaise grâce aux jeux de la politique politicienne, il avait pris l'engagement, quand il devint secrétaire général du RPR, en 1978, « de ne jamais mentir » ; il fut rapidement remplacé.

Autant dire qu'Alain Devaquet est à cent lieues des ultras de la majorité. Exécrant à peu près autant les spéculations idéologiques d'Alain Madelin que les obsessions sécuritaires de Charles Pasqua, c'est un modéré. Et, très vite, il s'est fait rappeler à l'ordre par Alain Griotteray, qui écrivait dans *Le Figaro Magazine*[1] : « Certains, tel M. Devaquet, dont nul ne conteste le talent, semblent oublier la plate-forme sur laquelle ils ont été élus. »

Dans son projet de loi, Devaquet a tout de même donné quelques gages aux ultras, qui, en matière universitaire, ont un porte-parole de choc en la personne d'Yves Durand, conseiller à l'Éducation de Matignon. Le texte renforce l'autonomie des universités, amorcée sous la gauche, tout en satisfaisant les appétits mandarinaux, exacerbés sous la droite. En voici les grandes lignes :

1° « Les établissements publics d'enseignement supérieur déterminent chaque année les conditions d'accès aux différentes formations en tenant compte des caractéristiques de celles-ci, des aptitudes requises des étudiants et des capacités d'accueil de l'établissement. » Bref, les universités pourront désormais accueillir – et refuser – qui elles voudront.

2° « Chaque diplôme porte désormais le nom de l'établissement dans lequel il a été délivré. » L'étudiant, en somme, n'obtiendra plus une licence de l'Université française mais une licence de Toulouse II ou de Paris VI.

3° Les droits d'inscription peuvent être modulés et augmentés par chaque université dans une proportion de un à deux.

4° Les professeurs en titre, c'est-à-dire ceux du corps A, sont les seuls autorisés à occuper les postes de responsabilité dans les universités.

_____

1. 24 mai 1986.

Alain Devaquet n'a-t-il rien vu venir ? Avant que son projet de loi ne soit examiné par les députés, il est aux cent coups. Il sait que sa copie ne satisfait pas pleinement Yves Durand et les ultras. Au RPR et à l'UDF, on lui prépare des amendements, des embûches, des torpilles. Raymond Barre et Jean-Claude Gaudin ont déjà déposé sur le bureau de l'Assemblée nationale un texte explosif qui, aux yeux du ministre délégué aux Universités, pourrait mettre les facultés à feu et à sang. « Mes problèmes ne viendront pas de la gauche mais de notre droite qui me trouve bien trop timoré », dit-il à cette époque [1].

Chirac, qui s'en remet totalement à Devaquet, ne voit pas plus clair. Et on sait, depuis la Bible, que si un aveugle conduit un autre aveugle ils tomberont dans le puits...

Le gouvernement allait à ses occupations. À défaut de terroriser les terroristes, Charles Pasqua, le ministre de l'Intérieur, donnait le frisson aux immigrés clandestins en décidant avec Robert Pandraud, son compère, d'expédier à Bamako un charter de cent un Maliens qui se trouvaient en situation irrégulière sur le territoire français. Albin Chalandon, le garde des Sceaux, déclarait ouverte la chasse aux drogués et mettait au point un Code de la nationalité qui stipulait que, pour être français, il faudrait désormais en manifester l'intention.

Étrange époque. Elle avait l'air de sortir d'un autre âge. Comme si les pasquinades et les chalandonneries ne suffisaient pas, quelques députés du RPR et de l'UDF s'activaient autour d'une proposition de loi supprimant le remboursement de l'IVG (interruption volontaire de grossesse). Bref, la majorité se shootait, jusqu'à l'overdose, à l'idéologie libéralo-sécuritaire.

Personne ne s'affolait, car tout le monde avait compris la manœuvre : pour être sûr d'arriver en tête des candidats de droite au premier tour de l'élection présidentielle, Chirac avait décidé d'éradiquer une fois pour toutes le Front national. D'où la thématique droitière de son gouvernement contre l'immigration, la drogue, le laxisme et le reste.

La France le regardait faire, avec un mélange de complaisance et de résignation, quand, dans la rue, la surprise arriva.

---

1. Entretien avec l'auteur, 10 novembre 1986.

Le dimanche 23 novembre 1986, deux cent mille personnes manifestent à Paris à l'appel de la FEN (Fédération de l'éducation nationale) « pour l'avenir de la jeunesse », ainsi que contre la politique scolaire et universitaire du gouvernement. Le lendemain, le défilé fait quelques gros titres mais personne n'en tire vraiment les leçons. Personne, sauf Charles Pasqua qui, avec son flair proverbial, dit à Jacques Chirac, dès le lundi matin : « Il va falloir retirer le projet Devaquet. J'ai des tas d'informations concordantes qui montrent que la mayonnaise est en train de prendre, contre cette réforme. On ne va pas pouvoir tenir. Crois-moi, vaut mieux lâcher tout de suite. »

Mais Chirac décide de ne pas lâcher. Il a le sentiment que Pasqua-le-Méridional en rajoute. C'est sa première erreur. Mais ce ne sera pas la dernière. En tardant à retirer le texte contre lequel se dresse la jeunesse, le Premier ministre se fourvoiera jusqu'au fiasco final, avec un affligeant manque d'acuité politique.

Les occasions de céder n'ont pas manqué, pourtant.

Le jeudi 27 novembre, une marée humaine déferle sur les grandes villes de France. Ils sont deux cent mille à Paris et trois cent mille en province. Bien plus que ne l'avaient prévu l'UNEF-ID et la coordination étudiante qui avaient appelé à la manifestation. Ils demandent le retrait du projet Devaquet. Au lieu de tirer les leçons du mouvement, Chirac se contente, alors, d'ergoter sur son ampleur.

Le vendredi 28 novembre, le Premier ministre réunit autour de lui Alain Devaquet, ministre délégué aux Universités, René Monory, ministre de l'Éducation nationale, et Maurice Ulrich, directeur du cabinet de Matignon. Pour Chirac qui a beaucoup consulté pendant les dernières heures, il y a trois solutions et elles ont toutes des inconvénients : le retrait sera considéré comme une reddition ; le maintien conduira à l'épreuve de force ; le compromis ne mettra sans doute pas fin à la contestation étudiante. Parce qu'il n'a jamais aimé les terrains minés, il penche, cela va de soi, pour la première solution. Ses deux ministres ne veulent rien entendre. Ils se détestent cordialement mais, sur cette affaire, ils font bloc. « Cette loi, c'est vous qui l'avez voulue, dit Monory à Chirac. Vous n'allez quand même pas capituler en rase campagne. »

Le samedi 29 novembre, le Premier ministre convoque une cellule de crise à Matignon. Au trio de la veille s'ajoutent Édouard

Balladur, Charles Pasqua et Robert Pandraud. Une fois encore, Pasqua plaide pour le retrait du projet Devaquet :

« C'est bien simple. Il y a énormément de lycéens dans ce mouvement. Des gosses. S'ils se mettent à occuper leurs établissements, vous me voyez envoyer les CRS pour les déloger ? Non mais franchement, c'est pas sérieux. »

Riposte de Monory, bougon :

« Si on retire ce projet, il n'y a plus de gouvernement. Je n'assumerai pas cette politique. »

Que Devaquet démissionne si son projet est retiré, passe encore. Mais Chirac ne peut accepter la perspective de se séparer de Monory. De tous les chefs de file du CDS (Centre des démocrates sociaux), c'est le seul qui ne roule pas pour Barre. C'est, en fait, l'une des pièces maîtresses du dispositif présidentiel du Premier ministre.

Bref, alors que c'est le social qui est en question, Chirac n'est toujours obsédé que par le politique, voire le politicien. C'est ce qui va le perdre. Pour n'avoir pas voulu, en retirant le projet Devaquet, sacrifier Monory, il finira par s'immoler lui-même…

Le dimanche 30 novembre, invité de « Questions à domicile » sur TF1, Chirac cherche donc à se montrer tout à la fois ferme et souple. Exercice auquel il excelle depuis son septembre noir. Il parle aux jeunes comme aux Syriens. « Il y a eu un certain nombre de malentendus, peut-être de maladresses, concède-t-il. Il y a contestation. Alors, discutons. » Tendu, fatigué, agité de tics, il ne convainc personne. Les étudiants sont persuadés qu'il attend les vacances de Noël, quand les facs seront désertes, pour faire passer la loi.

S'il n'a pas trouvé les mots pour rasseoir les esprits, c'est sans doute parce qu'il ne comprend pas cette génération dite morale qui est en train de lui creuser les rides de la vieillesse. Il n'a aucun point de repère. Il ne connaît ni ses chansons ni ses BD ni ses rites ni ses mythes. Il y a un monde entre eux.

Le jeudi 4 décembre, c'est une manifestation monstre qui submerge Paris, pour demander le retrait du projet Devaquet. Les jeunes sont deux cent mille d'après la police, un million d'après les organisateurs. Ils sont rieurs, chaleureux, légalistes. Quand ils sont perdus, ils demandent aux policiers le chemin du cortège. Mais la fête tournera mal. En fin de journée, des heurts opposent des éléments incontrôlés et les forces de l'ordre. Les CRS chargent. Un étudiant perdra une main. Un autre, un œil.

C'est une génération qui est descendue dans la rue. S'agit-il du retour du collectif dans une jeunesse que l'on disait individualiste, voire narcissique ? Plusieurs auteurs ont soutenu cette thèse [1]. Un sondage de la SOFRES, réalisé à cette époque, montre pourtant que, d'entrée de jeu, les jeunes se sont mobilisés contre le projet Devaquet. Pas contre la politique du gouvernement [2].

Apparemment, c'est avant tout la peur de l'après-bac et du chômage qui les a poussés dans la rue. Il y a de quoi : 40 % des étudiants sortent sans diplôme du système universitaire français. Certes, les jeunes sont scandalisés par le racisme et la faim dans le monde. Ni cyniques ni apathiques, ils croient aux grandes causes. Mais on a beau les retourner dans tous les sens, on ne trouve pas en eux des traces sérieuses de politisation au sens classique du terme. Ils sont « moraux ». Pas militants. Leur slogan les résume bien : « Mai 68, c'est trop vieux. Décembre 86, c'est bien mieux. »

Mais, s'ils ne s'occupent pas de la politique, elle commence à s'occuper d'eux.

Matraquée par la droite, la nouvelle génération n'est-elle pas en train de virer, pour de bon, à gauche ? Deux hommes ont perçu le danger : François Léotard et Alain Juppé. L'un est ondoyant ; l'autre, raide. Ce sont probablement, avec Philippe Séguin, les deux meilleurs « espoirs » de la majorité. Ils redoutent que le libéralisme ne se discrédite pour longtemps en se présentant à la jeunesse botté et casqué. Ils commencent donc à manœuvrer, chacun de son côté et à sa façon, pour faire retirer le projet Devaquet.

François Léotard attaque bille en tête. Depuis plusieurs mois, le ministre de la Culture et de la Communication ne se sent plus « en phase » avec la politique du gouvernement. Le 4 août 1986, dînant en tête à tête avec Jacques Chirac, il a vidé son sac :

« Cela commence à bien faire. On a gagné ensemble mais vous n'arrivez pas à vivre l'alliance. Vous autres, au RPR, vous vous comportez comme les Soviétiques qui aiment dire : "Tout ce qui est à nous est à nous et tout ce qui est à vous est négociable." Avec toi, on peut encore parler, mais tes copains, ce sont de vrais moines-

---

1. Laurent Joffrin, *Un coup de jeune*, Arléa, 1987.
2. *Le Nouvel Observateur*, 5 décembre 1986.

soldats. Ils ne songent qu'à placer leurs potes. On va gagner la bataille de la gestion mais on est en train de perdre celle du rêve. On aurait pourtant des idées en matière culturelle. Vous vous en foutez. Quand vous faites de la concertation avec nous, c'est sur des queues de cerise. Je suis ministre de la Culture, que je sache. Eh bien, on ne prend même plus la peine de me consulter dans ce domaine. Je te donne un exemple : sur la privatisation de Radio-Monte-Carlo qui, pourtant, couvre ma région, sais-tu que je n'ai été mis au courant de rien ? »

Alors, Chirac, sur le ton du maître qui jette son os :

« RMC, c'est ton affaire. Débrouille-toi. »

Il va de soi que cela n'a pas suffi à Léotard : l'os n'était pas à sa mesure. Le ministre de la Culture est furieux d'être mis devant le fait accompli pour tous les projets de société du gouvernement. Il se dit scandalisé par la répression des drogués, envisagée par Albin Chalandon. Il n'a pas de mots assez durs, en privé, pour dénoncer l'expulsion des cent un Maliens. Mais, avec la crise universitaire, la coupe est pleine.

Le vendredi 5 décembre, quand Chirac réunit les principaux ministres et responsables de la majorité, il flotte un climat surréaliste à Matignon. S'il paraît pencher pour la suppression dans le texte des points contestés, Balladur explique qu'il faut en garder le canevas :

« Il en va de l'autorité du gouvernement. »

Pasqua se contente de procéder par interrogations du genre :

« Vous croyez que ça vaut la peine de continuer à avoir des affrontements sur ce texte ? »

D'Ornano se fait plus normand que nature. Quant à Messmer, il dit carrément :

« Si on retire le projet de loi, je vous préviens qu'il n'y aura plus de gouvernement dans quinze jours. »

Alors, Léotard, qui se dit révolté par les violences policières de la veille, explose :

« Le gouvernement n'a pas un problème d'autorité. Il a un problème d'ouverture. Il y a un décalage terrible entre ce que nous disons et ce qu'il y a dans la tête des jeunes. Vous répondez par le langage de *Minute* à des gens qui lisent *Libération*. C'est la plus grande manif depuis la guerre, il ne s'agit plus de retirer un point ou deux du texte. Ce projet est un cancer. Ce n'est pas en enlevant la partie tuméfiée qu'on guérira le malade. »

Léotard paraît avoir emporté le morceau. Mais Chirac ne tranche pas vraiment. Il se lève à l'improviste :

« Excusez-moi. Je suis pressé. J'ai un rendez-vous avec la reine d'Angleterre. »

Il doit partir, avec Mitterrand, au sommet européen de Londres. Il laisse le dossier universitaire à Balladur, son vice-Premier ministre, qui va assurer l'intérim. Monory n'en fera qu'une bouchée.

Monory ne veut pas entendre parler de retrait. C'est ce qu'il confirme à Léotard et à Madelin qu'il a conviés à déjeuner au ministère de l'Éducation nationale. Il ne se laissera pas ébranler par les suppliques et les injonctions de ses deux collègues. Il est sûr de lui – et de son fait : « Je suis en train de prendre la responsabilité d'un dossier dont on m'a interdit l'accès pendant neuf mois, dit-il avec amertume. Ou bien je prends les choses en main. Ou bien je m'en vais. »

Balladur n'a plus qu'à bien se tenir.

Il est prévu que Monory enregistre à 19 heures une déclaration télévisée où il annoncera les concessions gouvernementales : tous les points contestés seront purement et simplement supprimés. Quand il montre à Balladur son projet de déclaration, l'autre lui demande d'ajouter le mot « retrait ».

« Je ne pourrai pas prononcer ce mot-là, répond le ministre de l'Éducation nationale.

— Il faut qu'il soit bien clair que vous supprimez plusieurs dispositions », insiste Balladur.

Mais Monory n'a pas le temps de discuter davantage. Il a un rendez-vous chez le coiffeur.

À 20 heures, sur les trois chaînes nationales, René Monory, regard droit et brushing flambant neuf, annonce que le Premier ministre lui a demandé de « prendre directement en main le dossier universitaire ». Sur un ton de garde champêtre, il avise les populations qu'il maintient son projet mais que les dispositions concernant les diplômes, les droits d'inscription et l'orientation des étudiants ne seront pas débattues « pour le moment » au Parlement. Bref, il bat la retraite. Il a simplement oublié de la sonner. Rares sont ceux qui, après l'avoir entendu, ont compris que le gouvernement a cédé sur toute la ligne.

Quelques étudiants ont même compris le contraire. Au Quartier latin, cette nuit-là, c'est le festival des casseurs : apparemment, Mai 68 est de retour. À un détail près : cette fois, il y aura un mort.

Vers 1 heure du matin, Malik Oussekine, de parents algériens, élève à l'École supérieure de l'immobilier, établissement privé du XVe arrondissement de Paris, meurt à la suite des coups que lui ont assénés trois policiers du peloton voltigeur motocycliste. Alors qu'il s'était réfugié dans le sas d'entrée de l'immeuble du 20, rue Monsieur-le-Prince, au Quartier latin, il a été sévèrement matraqué. Il souffrait d'une malformation des reins. Il n'a pas résisté.

Balladur réveille au petit matin Chirac, qui est encore à Londres, pour lui annoncer la nouvelle. La crise a basculé, soudain, dans la tragédie.

Chirac lanterne. Comme Mitterrand, comme Pompidou, comme de Gaulle, c'est un optimiste qui, dans les situations difficiles, a pour habitude d'attendre que les choses se retournent d'elles-mêmes. Mais il ne voit toujours rien venir. Fataliste, il semble avoir décidé d'aller jusqu'au bout de son destin.

Où va-t-il ? Là où, comme dit Napoléon, « la marche irrésistible des événements » le conduit.

En attendant, il rentre en France.

Le samedi 6 décembre, en fin de journée, alors que le Quartier latin recommence à flamber, il rend compte des derniers événements à Mitterrand, au palais de l'Élysée. Il lui annonce son intention de « désosser » le projet Devaquet. « C'est une sage décision, dit le président. Je ne peux que l'approuver. Comme vous savez, j'ai moi-même retiré un projet de loi sur l'enseignement. Vous n'ignorez pas que je m'en suis bien porté. » Chirac ne sort pas réconforté de cet entretien, pourtant. Il sait bien que le chef de l'État saisira la première occasion pour le déstabiliser.

Le dimanche 7 décembre, après les émeutes de la nuit, il reprend confiance en écoutant Charles Pasqua casser du casseur au palais du CNIT, à la Défense, devant un parterre de militants venus fêter les dix ans du RPR. Avec un rare cynisme, le ministre de l'Intérieur ressort les vieilles hydres, pour affoler la France profonde. Si Décembre 86 est une nouvelle version de Mai 68, il faut dès maintenant préparer la revanche et les élections. Telle est la stratégie du ministre de l'Intérieur qui tonne : « Tenez-vous prêts, si les événements le nécessitent, à défendre avec nous la démocratie et la République. »

Jacques Chirac est-il tenté, alors, de jouer la carte de la radicalisation ? Recevant dans l'après-midi François Léotard et Alain Madelin qui sont venus lui demander de retirer le projet Devaquet, il leur dit avec agacement :

« Vous n'avez pas assez d'expérience. J'ai vécu Mai 68, moi. Tous ceux qui cèdent sont balayés par la vague.

— S'il faut sombrer, répond tristement Léotard, on sombrera avec toi, mais notre devoir est de te dire que nous sommes dans une impasse. Je crois qu'on n'a jamais raison contre tout le monde. »

Dans la nuit, François Léotard, toujours pas résigné, téléphone à René Monory. Il le supplie, une dernière fois, de dire au Premier ministre qu'il n'est plus disposé à défendre ce qui reste du projet Devaquet. Pour maintenir la pression, il fait monter en ligne Alain Madelin qui accorde au *Matin* une interview fracassante où il dit tout le mal qu'il pense de ce texte qui « ne vaut pas la mort d'un homme ».

Paraît Alain Juppé. Depuis le vendredi, le ministre délégué au Budget remue ciel et terre, Ulrich et Baudouin, Balladur et Pasqua, etc. À tous, il tient le même discours : « Si on ne retire pas ce texte tout de suite, on sera obligés de le faire dans quelques jours quand le président nous le demandera en prenant le pays à témoin. On aura bonne mine. »

Le lundi 8 décembre, à 8 heures, Juppé se précipite dans le bureau de Balladur :

« Il faut retirer tout et tout de suite.

— On ne peut pas, vous le savez bien. Monory ne veut pas.

— Voyez Monory. Je suis sûr que vous arriverez à le convaincre. »

Quand Monory entre dans le bureau de Balladur, à 9 h 30, il est déjà à moitié convaincu. Léotard est passé par là. Méhaignerie aussi. Et lui-même est passé, pendant le week-end, à Loudun, son fief électoral, où il a remarqué que le projet Devaquet « ne passe vraiment pas bien », comme il dit.

À 10 h 30, Édouard Balladur et René Monory foncent à Matignon où le Premier ministre vient de recevoir Edmond Maire, secrétaire général de la CFDT, partisan du retrait. Les deux hommes se retrouvent, avec Charles Pasqua, dans le bureau de Jacques Chirac.

« Alors que fait-on ? demande Chirac à Monory.

— Ce que vous voulez, répond l'autre. Mais, si vous me demandez mon avis, je suis pour l'abandon du projet. »

Tout le monde est soulagé. Tout le monde, sauf Pasqua qui plaide pour le maintien du projet. Chirac s'étrangle :

« Je ne comprends pas. Tu changes tout le temps d'avis. Il y a quelques jours, tu étais pour le retrait. Et maintenant...

— Il y a quelques jours, retirer le projet, c'était comme retirer sa cravate. Maintenant, c'est retirer son pantalon. Et je n'ai jamais aimé me déculotter en public. »

À 11 heures, devant les ministres qu'il a convoqués en réunion de cabinet, Chirac dit, d'une voix brûlante de colère : « Il n'y aura pas de débat. Je vous fais part de ma décision : le projet Devaquet est retiré. Il y en a, ici, qui ont failli à la solidarité gouvernementale. C'est inadmissible. Et je peux vous dire que ça ne se reproduira plus. »

Madelin pique du nez dans ses dossiers. Quelques semaines plus tard, rassurant Léotard, Chirac dira du ministre de l'Industrie : « Ton Madelin est un type bien. Je ne lui en veux pas. Dans ce métier, de toute façon, il faut s'attendre à tout. J'en ai tellement vu : tout le monde trahit tout le monde. C'est la loi du genre. »

La défaite apprend toujours davantage que la victoire. En quelques jours, Chirac s'est retrouvé seul, usé, décrépit. Les médias le traitent sans ménagement. Il n'est même plus rare qu'ils parlent de lui au passé.

La crise étudiante est derrière lui, pourtant : le mouvement s'est dissous de lui-même. Le 11 décembre, au lendemain de la « marche civique » en mémoire de Malik Oussekine, les lycées et les universités se sont remis au travail. Ce n'est qu'un début, ne continuons pas le combat. Tel est, apparemment, le mot d'ordre de la génération « morale ».

Chirac est donc sorti du piège. Mais il est atteint.

Jusqu'à la fin, il a donné le sentiment d'avancer en aveugle vers ce qu'il redoutait. Entre la jeunesse et Monory, entre la France et son destin présidentiel, il a trop longtemps balancé. Et il a mis au jour, avec un mélange de patience crispée et de superbe frileuse, une vision archaïque des mentalités sociales. Il a même fini par se croire en mai 68. Bref, il a eu tout faux.

La génération « morale » ne voulait pas détruire l'université, encore moins la société. Elle ne songeait qu'à s'intégrer davantage. Elle attendait des assurances sur son avenir. Or le Premier ministre n'a pas cherché à dialoguer avec elle. Il n'a même pas tenté de parler de la crise universitaire avec une étudiante qu'il avait pourtant sous la main, le soir, en rentrant de Matignon : sa fille Claude.

Mais, comme tous ceux qui savent rebondir des enfers, Chirac reconnaît toujours ses erreurs. Après qu'il a annoncé le retrait du projet Devaquet, sa fille Claude lui dit :

« Papa, je ne te comprends pas. Tu m'as toujours dit qu'il ne fallait pas céder aux pressions et au chantage.

— Quand tu fais l'unanimité contre toi, la seule chose intelligente à faire, c'est de se demander si tu n'as pas eu tort et, s'il le faut, de reculer. »

Il ne tarde pas à tirer les leçons de la déroute. En deux temps trois mouvements, il se débarrasse de ses oripeaux libéraux, décrète la pause et ajourne ses projets de réforme de société, comme la refonte du Code de la nationalité et l'instauration des prisons privées. Il a fallu la mort de Malik Oussekine pour qu'il se décide, enfin, à devenir lui-même : l'*Homo radicalus*.

C'est la dernière métamorphose d'un homme qui n'en a pas été à une près : Chirac a fini par donner naissance à Chirac. Après avoir été à peu près tout et son contraire, anti-européen puis pro-européen, étatiseur puis privatiseur, socialiste rampant puis néo-libéral, il se met soudain à assumer, voire à revendiquer, cet empirisme radicalo-pathologique qu'il s'est employé, pendant si longtemps, à cacher aux Français derrière l'enflure de ses discours.

Bref, il commence à se ressembler. Il est aussi en phase, du même coup, avec le monde qui l'entoure, placé sous le signe du postmodernisme. Dans *L'Ère du vide* [1], le philosophe Gilles Lipovetsky a défini ainsi la société postmoderne : c'est « celle où règne l'indifférence de masse, où le sentiment de ressassement et de piétinement domine, où l'autonomie privée va de soi, où le nouveau est accueilli comme l'ancien, où l'innovation est banalisée, où le futur n'est plus assimilé à un progrès inéluctable ». « La société postmoderne, ajoute

_____

1. Gallimard, 1983.

Lipovetsky, n'a plus d'idole ni de tabou ni d'image glorieuse d'elle-même, plus de projet historique mobilisateur, c'est désormais le vide qui nous régit, un vide pourtant sans tragique ni apocalypse. »

Se targuant de sa vacuité idéologique et répugnant à l'abolition du statu quo, « Monsieur Jadis » est devenu postmoderne...

Les Français ont tout de suite mis le nouveau Chirac à l'épreuve. Une crise en cache souvent une autre : suivant l'exemple des étudiants, les conducteurs de train puis les cheminots de la SNCF lancent un mouvement de grève, en décembre, pour arracher des concessions salariales au gouvernement. Ils seront suivis par les agents de l'EDF et de la RATP. Le Premier ministre ne transigera pas. « Si je lâche, dit-il alors en privé, toutes les catégories sociales vont demander leur part et l'inflation déferlera. Plutôt démissionner que d'assumer ça. Si jamais Mitterrand a un mot de soutien pour les grèves, je quitte tout de suite le gouvernement. »

Mais Mitterrand ne prend pas Chirac de front. Comme toujours, il sophistique, il équivoque. À l'occasion du Nouvel An, il reçoit, au fort de Brégançon, une délégation de cheminots en grève à qui il déclare qu'il « comprend » leur mouvement. « Pas très élégant », proteste, sur le coup, Chirac. Le 7 janvier 1987, lors de leur tête-à-tête hebdomadaire, le président lui expliquera : « Ils sont arrivés si gentiment avec des fleurs, vous comprenez. Il y avait des femmes et des enfants. Je n'allais pas les laisser à la porte. Il fallait bien que je leur dise quelques mots. »

Le chef de l'État, ficelle, n'a pas rejoint pour autant le camp des grévistes. Il a même concédé, en public, qu'il approuvait la fermeté gouvernementale en soulignant « l'absolue priorité qui doit être reconnue à la lutte contre l'inflation ». Mais il a aussitôt ajouté : « S'il y a sacrifice, il doit être justement réparti. »

Le malheur, on le sait, arrive toujours accompagné. La grève du secteur public n'est pas encore terminée que survient une sévère vague de froid, le 10 janvier. Elle provoquera la mort d'une centaine de personnes, ainsi que des pannes d'électricité et des perturbations dans les transports.

Comme s'ils allaient lui permettre de donner le meilleur de lui-même, les embarras mettent souvent Jacques Chirac en état de jubilation. Il sait que l'Histoire est tragique – surtout en cet hiver 1987.

Mais il ne peut s'empêcher de la trouver aussi franchement comique.

Le 16 janvier, à Charles Pasqua qui lui téléphone, Jacques Chirac dit, de sa voix la plus sérieuse : « Bon. Il va falloir que tu prennes des dispositions, dès maintenant, pour les terribles inondations qui vont se produire à Chalon-sur-Saône, la semaine prochaine. Je te recommande aussi de commander d'urgence d'importantes quantités de vaccin pour lutter contre l'épouvantable épidémie de choléra qui, je le sais, va éclater, d'ici quinze jours, dans la région de Nice. » Le ministre de l'Intérieur n'a pas apprécié l'humour.

À l'Élysée, le président rigole, devant un groupe de journalistes : « Chirac est foutu. Ce n'est pas sa faute, le pauvre. Il a tout eu contre lui. Même le mauvais temps. »

Foutu, Chirac ? À Matignon, le Premier ministre blague tout autant : « Les sondages sont bien meilleurs qu'ils ne devraient l'être. Les Français ont bien du mérite à approuver notre politique avec tous les emmerdements qui leur tombent dessus : les attentats, les otages, les grèves, les manifs et le froid. »

Politiquement, Chirac est, depuis la crise étudiante, un homme mort. Mais, comme Mitterrand, comme Pompidou, comme de Gaulle, il a toujours suffi qu'il sombre pour qu'ensuite il refasse surface.

Il faut se méfier des hommes politiques. C'est quand on les croit finis qu'ils recommencent...

44

Le voyageur sans bagages

« La vie n'est pas le travail : travailler sans cesse rend fou. »

Charles de Gaulle

Est-ce parce qu'il a peur du reflet qu'il pourrait donner de lui-même ? Depuis vingt ans qu'il est entré en politique, Jacques Chirac ne s'est avancé que masqué. Il n'a porté que des faux nez. Il ne s'est jamais montré à découvert. C'est sans aucun doute l'un des plus curieux politiciens de l'après-guerre.

Rares sont les hommes publics qui auront été aussi étrangers à eux-mêmes. Chirac s'est inventé de toutes pièces. Ce mélange hybride de Sapeur Camember, de M. Homais, de Mère Mac Miche et de Gendarme de Guignol qu'il présente à la France, c'est une pure création personnelle.

Sans doute pense-t-il qu'il ne se suffit pas à lui-même. Pour l'imaginaire collectif, l'homme d'État est celui qui, tel Moïse, descend de son Sinaï, donne la bonne parole et bénit la foule. Ce n'est pas le genre de Chirac. Il ne prétend pas rouler sa meule sur la France. Il n'entend pas entrer dans l'Histoire, pas même au Panthéon. Il n'arrive pas à se prendre au sérieux. Il croit à la vanité des hommes et à l'inanité des choses terrestres. Pour lui, tout lasse, tout passe, tout casse.

Méthodique ou pas, son doute n'a pas vieilli. En 1987, Jacques Chirac a cinquante-cinq ans, c'est-à-dire l'âge de François Mitterrand quand il prit le contrôle du PS, en 1971, au congrès d'Épinay. Il ne s'aime toujours pas. Il se trouve « plutôt moche ». Il se juge « très moyennement intelligent ». Un jour, il se dit qu'il a raté sa

471

vocation et qu'il aurait dû faire du cinéma. Le lendemain, il rêve de tout recommencer à zéro en Polynésie.

Il n'a toujours pas rompu avec son adolescence, à vrai dire. Il est sans cesse agité par un mouvement perpétuel d'idées, de sensations, de désirs. Il n'avance que par grands bonds. Il a tout le temps un projet en cours. Il vient toujours d'avoir un coup de cœur. Il y a, chez lui, quelque chose d'impatient, d'impétueux, d'incompressible.

Même s'il faut soixante ans pour faire un homme, comme disait André Malraux, Jacques Chirac s'est alourdi et il a mûri. Comme le note Alain Duhamel, dans *Le Ve Président*[1] : « Dans le labyrinthe fragile de la cohabitation, il avance avec plus d'équilibre et de maîtrise qu'il n'en démontrait auparavant. » Alain Juppé, qui n'est pas, on l'a vu, un observateur complaisant, déclare : « Je l'ai connu ballotté et en état de déstabilisation. Aujourd'hui, il domine la situation et il a toujours du recul par rapport aux événements. »

Le mur de méfiance qui s'est installé entre les Français et lui tient bon, malgré tout. Le pays voit des failles là où il n'y a surtout que du faux.

Colonel de réserve, Chirac se donne volontiers, en public, un air d'officier. Il en a l'aplomb, la raideur, la solennité. C'est « Pardaillan », comme l'a joliment surnommé Alain Duhamel. L'image qu'il donne de lui-même à la télévision est aussi caricaturale que catastrophique. Il est péremptoire : « À cet égard, c'est tout à fait fondamental », dira-t-il à propos d'un nouveau système de ramassage des ordures ménagères. Ou bien acariâtre : « Vous dites n'importe quoi », jettera-t-il au journaliste qui s'est contenté de lui poser une question. Il a trop peu de certitudes pour ne pas les affirmer avec force.

Aussi rusée que malicieuse, l'Histoire a fait du moins dogmatique des politiciens le chef du parti le plus bonapartiste de France. Il n'a jamais, en privé, l'affectation empesée et dominatrice de ceux qu'on appelle les présidentiables. Il laisse Jean de Lipkowski l'appeler « ma poule ». Même s'il a de quoi ne pas l'être, cet homme reste curieusement modeste. La preuve en est qu'il sollicite la compagnie et les avis d'un homme comme Denis Baudouin, amical, loyal, mais

---

1. Gallimard, 1987.

impitoyable, du genre à lui dire après une prestation télévisée : « T'as été encore plus mauvais que d'habitude. »

Il est du genre coulant. S'il tyrannise ses collaborateurs, à coups de téléphone nocturnes, Chirac ne les brutalise que rarement. Il les tutoie souvent. Il leur délègue beaucoup. Et il répugne à se séparer d'eux, même quand ils ne sont pas méritants.

Dès qu'il s'agit de limoger un fidèle, le passage à l'acte devient si malaisé qu'il peut prendre neuf ans. En 1977, Jacques Chirac décide de retirer à Claude Labbé, qu'il aime bien mais qu'il juge trop gaffeur, la présidence du groupe parlementaire RPR à l'Assemblée nationale (« Ce type nous fait du tort, dit-il alors. À chaque fois qu'il parle, on perd des points dans les sondages »). Il faudra attendre 1986 pour qu'il se résigne, enfin, à évincer Labbé.

Comme Mitterrand, Chirac a même tendance à faire corps avec son fidèle dès lors qu'il est attaqué. Il passe ainsi tout à Charles Pasqua qui, au ministère de l'Intérieur, a commis, entre deux réussites antiterroristes, bourdes et balourdises.

Pourquoi cette indulgence ? D'abord, Charles Pasqua est l'archétype du militant RPR : quand le maire de Paris veut savoir ce que pense la base de son parti, il lui suffit de l'appeler au téléphone. Ensuite, avec son flair et son chien, Pasqua est toujours prêt à exécuter les basses œuvres pour son saint patron. Enfin, il lui est si fidèle que l'autre n'ose lui être infidèle.

Autoritaire, Chirac ? Convivial et tutoyeur, il ne met, contrairement à Mitterrand ou Giscard, aucune distance entre les autres et lui, ce qui le met parfois dans des situations délicates dont il se sort par un grand rire. Ainsi, en 1975, à Tulle, alors qu'il est Premier ministre, il demande au préfet de Corrèze, Charles Barbeau, des nouvelles d'une proposition de Légion d'honneur qu'il a formulée pour une Corrézienne. Il se fait rabrouer sans ménagement sous les yeux de Simone Veil, ministre de la Santé. « Jamais de la vie, dit le préfet. C'est une bêtise. Je préfère te filer ma démission tout de suite plutôt que de donner une décoration à cette dame. »

Et c'est ainsi que l'on parle au Premier-ministre-de-la-France. Quand on le connaît bien, cela va de soi...

Alors que la plupart des grands hommes politiques, ivres d'immortalité, rendent sans arrêt grâce à la postérité, Chirac cultive l'art de l'autodérision. Ce n'est pas un personnage pour Thucydide mais pour Céline.

Rien ou presque ne résiste à son humour. Dans l'avion qui le conduit à un sommet franco-britannique à Londres, il se coiffe à la punk. Puis, exhibant devant quelques proches ses cheveux dressés en hérisson à grands coups de gominá : « Qu'est-ce qu'elle dirait, Margaret Thatcher, si elle me voyait comme ça ? » En famille, il se livre aux imitations les plus cruelles et aux pitreries les plus facétieuses. Chez les Chirac, il y a même, parfois, des gobelets pleins d'eau au-dessus des portes.

Son mauvais esprit s'exerce aussi souvent à son propre détriment. « J'ai encore été plus con que d'habitude », dira-t-il après une nouvelle gaffe. Ou encore : « Il faudrait vraiment que j'apprenne à me taire. » Il excelle d'ailleurs dans l'autocritique. Pierre Messmer raconte : « Aux élections européennes de 1979, on avait présenté une brochette de socioprofessionnels sur la liste RPR. Une fois élus, ils se sont comportés en lobby. Alors, Chirac m'a dit : "Bon, j'ai encore fait une bêtise énorme. Il ne faudra pas recommencer." C'est quelqu'un qui reconnaît tout le temps ses erreurs et qui accepte les mouvements d'humeur des autres. »

Autre trait. François Léotard se souvient l'avoir entendu lui dire, en mars 1987 : « C'est fou ce que tu passes bien à la télé. Moi, c'est un désastre. Chaque fois que je m'y montre, je fais peur aux gens et je perds des points. » Peu d'hommes politiques peuvent parler d'eux avec autant de détachement et de cruauté.

Ce recul voltairien l'amène souvent à tout remettre en question. « Je suis obligé de dépenser une énergie terrible pour rester debout, dira-t-il à la même époque à sa fille Claude. Franchement, j'ai l'impression de me crever beaucoup pour pas grand-chose. » Il endure, avec une certaine philosophie, les grosses avanies mais il supporte mal les petites blessures. Ainsi, après s'être démené comme un diable avec son chef de cabinet, Michel Roussin, pour faire sortir les premiers otages du Liban, il a été meurtri qu'ils n'aient pas eu, à son égard, un seul mot, un seul geste de remerciement.

L'action politique ne lui a pas donné, à l'évidence, tout ce qu'il en attendait. Maintenant qu'elle l'a dévoré et cannibalisé, est-il capable de voir plus haut et plus loin ? Né dans la religion catholique, il a laissé languir sa foi jusqu'à l'agnosticisme. Puis il s'est remis à croire. Ce sceptique est avide de transcendance. Il est fasciné par la Trappe. Comme, chez lui, tout finit – ou commence – en Corrèze, il a fait installer sur ses terres un couvent de trappistines.

C'est l'une des facettes de son personnage, qu'il n'entend pas mettre au jour. Ce n'est pas la seule. Un jour, alors que l'auteur demandait à Chirac de bien vouloir lui montrer quelques-uns des poèmes qu'il avait écrits, il se leva, furieux, le regarda comme un voleur puis lui donna congé en jetant : « Cette partie de moi-même n'a aucun intérêt. Je n'ai jamais été capable d'écrire quelque chose d'intéressant. »

Poète, Chirac ? Il griffonne parfois des vers, le soir, pour se détendre. Il lui est même arrivé de mettre le Conseil des ministres en rimes. Mais sa capacité de dissimulation est telle que, pendant des années, il a réussi à cacher à ses proches sa fureur poétique. Seul son chauffeur était dans la confidence, qu'il envoyait chaque semaine chercher sa provision de OSS 117 et de René Char à la librairie Julliard du boulevard Saint-Germain, à Paris.

C'est en 1976 que fut découvert le pot aux roses. Jérôme Monod, alors directeur de cabinet à Matignon, avait remarqué que le Premier ministre avait, dans son bureau, une armoire qu'il fermait avec une clé qu'il gardait toujours jalousement avec lui. Monod en avait conclu que Chirac cachait là des « bouquins cochons ».

Au mois d'août, quand Chirac démissionna de Matignon, alors que les appariteurs commençaient à déménager les dossiers, Jérôme Monod fit irruption dans le bureau de l'ex-Premier ministre.

« Eh bien, ça y est, je vais enfin savoir ce que tu caches dans ton armoire.

— Si je veux, fit Chirac.

— Je sais ce que c'est, de toute façon. Y a un nom pour ça dans les bibliothèques des gens distingués. Ce sont des "bouquins cochons". »

Alors, Chirac, vexé :

« Mon pauvre Jérôme, parce que c'est toi, je vais te montrer que tu te trompes. Mais ne le répète pas. »

Chirac ouvrit son armoire et en montra le contenu à Monod. Il y avait des tas de livres, de notes, et même un début de manuscrit. Tout ce que Chirac avait amassé, depuis des mois, pour la grande anthologie de la poésie étrangère qu'il préparait.

Si Chirac est sans doute moins cultivé qu'il ne le croit, il l'est évidemment beaucoup plus qu'il veut bien le dire. Il joue volontiers au plouc. Avec Lucie Faure, naguère, il prétendait fonder une association des ennemis de la musique. Il a longtemps certifié qu'il n'aimait, en matière artistique, que les marches militaires et les romans policiers. Comme l'a dit Françoise Giroud, qui, quand elle était sa secrétaire d'État à la Condition féminine, l'a vu plongé dans des recueils de Patrice de La Tour du Pin pendant des débats à l'Assemblée nationale : « Cet homme est du genre à lire de la poésie en se camouflant derrière un *Play-Boy*. »

Il ne finira jamais sa partie de cache-cache avec lui-même.

Pierre Seghers, dont il a fait l'animateur de la Maison de la poésie à Paris, décrit ainsi Chirac-le-poète : « Il connaît Saint-John Perse sur le bout des doigts et à peu près aussi bien Apollinaire, Tardieu et toute la poésie contemporaine. J'ai écrit une anthologie de la poésie chinoise. Je me suis aperçu, en parlant avec lui, qu'il en savait plus long sur le sujet que moi. »

Jean-François Kahn, directeur de *L'Événement du jeudi*, n'est pas du genre à s'en laisser conter. Naguère secrétaire de la Maison de la poésie de Paris, il est l'une des rares personnes à avoir lu certains poèmes de Chirac. Et il confirme : « Pour lui, c'est une vraie passion, la poésie. Ce n'est pas un intellectuel, c'est un sensitif. Il a le sens du rythme des mots. Et il aime particulièrement les poètes de gauche, comme Prévert. »

Toujours fasciné par l'Asie, Chirac place plus haut que tout le poète chinois Tou Fou (712-770) qui a écrit son texte préféré : « En contemplant la montagne parfaite ».

Quel est le visage de la montagne parfaite ?
– Bleu du Nord et bleu du Sud s'y confondent.
Fleur des métamorphoses
Où yin et yang partagent soir et matin.

Le cœur s'anime en exhalant les nuages
L'œil s'écarquille aux oiseaux de retour
Comment gagner l'extrême cime ?
– Un seul regard, les autres monts s'évanouissent !

Faut-il faire pour autant de Jacques Chirac un puits de culture ? On s'en gardera bien. S'il se sent en confiance, il peut, après avoir prétendu qu'il n'entendait rien aux arts, tenter d'étourdir sa compagnie sous un flux impressionnant de connaissances et de références. Toujours prompt à brouiller les pistes, il n'hésite pas alors à en rajouter. Cet homme est toujours disponible pour de nouveaux rôles. Y compris celui de cuistre. Il peut dire : « Mon morceau de musique préféré, c'est *Le Marteau sans maître* de Pierre Boulez. » Mais tout le monde a envie de rire (encore que, comme le dit Jean-François Kahn, « cet homme n'ayant pas d'ouïe, la musique ne peut l'intéresser que si elle est dissonance »). Il peut aussi, à l'ambassade d'Espagne, s'extasier, devant des tapisseries de Bruxelles : « C'est du Bruges. » Mais le « Bruges » n'existe pas.

S'il n'est pas douteux que la vérité de l'homme c'est ce qu'il cache, celle de Chirac reste impénétrable. Il y a toujours un masque sous son masque. Rusant de tout, détruisant et recomposant sans arrêt son personnage à double fond, il ne cesse jamais de mélanger le vrai et le faux, l'imaginaire et le vécu, la réalité quotidienne et le songe poétique. C'est quand vous croyez l'avoir percé qu'il vous échappe le plus...

Il fuit. Se fuit-il ?

Apparemment, Chirac est du genre à préférer la connaissance d'autrui à la sienne. Il a faim de fraternité. « Son premier réflexe est toujours un réflexe de générosité », assure Denis Baudouin, son porte-parole. Puis : « Après, je ne dis pas. » C'est pourtant ce politicien, spontanément chevaleresque et instinctivement charitable, qui est devenu porteur du projet politique de l'autonomie privée et de l'égoïsme triomphant. Encore une narquoiserie de l'Histoire...

L'ex-enfant gâté a, comme le notaient, dans un remarquable portrait, deux journalistes du *Monde*[1], Laurent Greilsamer et Daniel Schneidermann, « un cœur gros comme ça ». Il se démène, on l'a vu, pour les handicapés mentaux dont il peuple la Corrèze. Il s'agite, en catimini, pour les grandes causes. Lorsque survient l'affaire des *boat people* par exemple, il n'est pas l'un des derniers à bouger.

C'était en 1977. Des milliers et des milliers de réfugiés vietnamiens submergeaient la Thaïlande après avoir bravé la mer, les pirates et les requins, pour fuir le régime de Hanoi. Chirac décide de faire quelque chose. Il ne le fera pas à moitié.

---

1. 19 décembre 1985.

Écoutons-le : « J'ai téléphoné à tous les maires des grandes villes des pays industrialisés. "Si on va pas chercher ces réfugiés, ai-je dit, ils viendront pas à la nage." Tout le monde s'y est mis. On a dû recevoir, tous ensemble, un contingent de près de cent mille personnes. J'ai été accueillir le premier avion à Roissy avec une trentaine de médecins vietnamiens, laotiens ou cambodgiens que j'avais récupérés. Sans parler des prêtres catholiques et des bonzes bouddhistes. Arrivent les passagers. Cinq cent cinquante personnes sans un bagage, sans rien. Pas même un sac à main. Ils avaient juste sur eux ce que je leur avais fait envoyer comme vêtements. Mais ils avaient tous un air très digne. Ces Asiatiques, c'est pas des pleurnichards. Ils n'avaient pas de papiers. On prenait les noms qu'ils déclaraient. Tout d'un coup, avec ma femme, je remarque une fille de dix-sept, dix-huit ans qui pleurait dans un coin. On fait venir un traducteur. Elle nous explique alors que ses parents sont restés au Viêt-nam et qu'ils sont dans un camp de redressement. Je l'ai amenée chez moi et je l'ai adoptée. Depuis, elle s'est mariée et elle a eu des enfants. L'aîné s'appelle Bernard-Jacques, en référence à Bernadette et à moi. On a réussi à garder longtemps notre fille à l'abri des regards indiscrets mais un jour, alors qu'on lui rendait visite, un charognard de journaliste a découvert le secret. »

La sagesse populaire et la psychanalyse de bazar disent depuis longtemps qu'il faut se méfier des grandes âmes. L'une d'elles, Léon Blum, écrivait naguère que « l'abnégation, la charité résultent le plus souvent d'un défaut de vie personnelle ». Il est vrai qu'il y a chez Chirac comme une frénésie philanthropique qui paraît, parfois, relever de la pathologie. Quand il se retrouve seul avec lui-même, certains dimanches, il peut passer la journée au téléphone à relever un moral défaillant, régler des affaires de mutations administratives, trouver des appartements ou du travail, expédier des malades dans tel ou tel service hospitalier.

À l'automne 1986, M. Sontag, un otage octogénaire, est finalement relâché après des mois de captivité – et de mauvais traitements – par ses ravisseurs libanais. Jacques Chirac organise alors le séjour à Paris de Mme Sontag, montée de province pour accueillir son mari à l'aéroport. « J'ai réservé moi-même une chambre pour elle à l'hôtel Hilton, dit-il. Je lui ai aussi fait envoyer des fleurs et une eau de toilette dont j'avais personnellement choisi la marque. » Est-ce vraiment là le rôle d'un Premier ministre ? « Cela m'a pris exactement dix minutes. Pour ce genre de choses, je crois qu'on peut et qu'on doit toujours trouver dix minutes. »

Il est tout à la fois un bureau de bienfaisance, une agence pour l'emploi et un centre de dispatching médical. En 1982, Jean-Pierre Bechter, alors ancien député RPR de Corrèze, rentre de Tulle par le train de nuit. Quand il arrive chez lui, à 7 h 10 du matin, le téléphone est en train de sonner. Il décroche. « Bonjour, fait Chirac. C'est la troisième fois que je téléphone. Le train a eu du retard ou quoi ? Alors, il paraît que vous avez un double décollement de la rétine. Sale truc. Faut faire attention. Je me suis occupé de tout. J'ai fait revenir le professeur Manin qui était à la campagne. Il vous reçoit à 9 heures. Je vous ai réservé une chambre aux Quinze-Vingts, l'hôpital des aveugles. » « Après, rapporte Bechter, il a pris de mes nouvelles tous les jours jusqu'à ma guérison. »

Des histoires comme celle-là, il y en a beaucoup d'autres. En juin 1986, Chirac se démène pour le comique Thierry Le Luron qui souffre d'un mal dont il ne veut pas dire le nom. Par l'entremise de George Bush, le vice-président des États-Unis, qu'il a réquisitionné pour l'occasion, il trouvera une chambre pour Le Luron dans les services du professeur Gallo, à l'hôpital de Bethesda, dans le Maryland. Les sans-grade ont droit aux mêmes égards. Le Premier ministre va se mettre également en quatre pour l'huissier cancéreux ou le paysan cardiaque.

Clientélisme ? Chirac-le-compatissant passe trop de temps et donne trop de lui-même dans ses activités de charité ou de placements hospitaliers pour que sa sollicitude soit seulement intéressée. « J'accepte très bien la mort, dit-il, mais je ne supporte pas la souffrance. » Il visite les hôpitaux. Pas les cimetières.

C'est ainsi que le personnage se disperse entre les bons offices et les bonnes œuvres. Galopant sans arrêt du four au moulin et du moulin au four, il n'est jamais en paix avec lui-même. Mais il n'en a cure puisque, comme on l'a dit, il a décidé, une fois pour toutes, de ne pas se statufier pour l'Histoire.

Il ne se construit pas. Il s'improvise.

Politiquement, cet état d'esprit n'est pas sans inconvénient. Il arrive ainsi assez souvent à Chirac, sans préméditation, de forcer la note. Ce qui le conduit ensuite aux plus extravagantes contorsions et aux démentis les moins crédibles. En matière de contrevérités, les flagrants délits ne se comptent plus. Cet échange avec Pierre

Viansson-Ponté qui fut l'une des grandes figures du *Monde,* au « Club de la presse » d'Europe 1, le 25 juin 1978, en dit long sur le toupet chiraquien :

Pierre Viansson-Ponté : « Lors de la campagne électorale, ici même, à ce micro, à plusieurs reprises, les 9 et 15 mars, vous n'aviez pas de mots assez durs pour les socialistes qui avaient un double visage, un double langage. "Des irresponsables, des imposteurs", disiez-vous... Il y a même eu un débat... »

Jacques Chirac : « Je n'ai jamais dit "des imposteurs". »

Pierre Viansson-Ponté : « Vous l'avez dit. J'ai relu tout à l'heure votre déclaration. »

Jacques Chirac : « Vous faites toujours état, autour de cette table, de citations incroyables dont on ne retrouve jamais la trace par la suite. J'ai dit "irresponsables", je n'ai certainement pas dit "imposteurs". »

Pierre Viansson-Ponté : « Si. Vous avez dit : "une imposture" et "des imposteurs". »

Jacques Chirac : « Si j'ai dit "une imposture", ce n'était pas "des imposteurs". Mais continuez, monsieur Viansson-Ponté. »

Pierre Viansson-Ponté : « Vous avez dit : "Les candidats socialistes sont des imposteurs." Ce sont vos propres termes, je les ai relus il y a une demi-heure. »

Menteur, Chirac ? Il fait partie de cette espèce, si bien décrite par Marcel Aymé, « dont chaque mensonge est un enchaînement d'authentiques accès de sincérité ». La falsification est, pour lui comme pour Mitterrand ou pour Giscard, autres grands mystificateurs devant l'Éternel, une forme de sociabilité.

Si quelqu'un doit briser le vieux concubinage entre la politique et le mensonge, ce ne sera certes pas lui. D'une certaine façon, il le reconnaît quand il ironise sur sa « langue de bois ».

« Aigle à deux têtes [1] », il n'ose jamais vraiment être lui-même. C'est sans doute pourquoi il donne souvent le sentiment de ne pas aller dans la même direction en même temps. L'historien Jacques Julliard assure ainsi, non sans raison, qu'il y a du Jules Simon dans ce Jacques Chirac qui cherche à « montrer à la partie dure de son

---

1. Titre d'un pénétrant portrait de Jacques Chirac par André Pautard, *L'Express,* 28 mars 1986.

électorat qu'il est ferme et à la partie molle qu'il est souple [1] ». En 1876, Jules Simon, qui devait lire la même déclaration ministérielle devant une Chambre de gauche et un Sénat de droite, avait déclaré à la première : « Je suis [*fortissimo*] profondément républicain et [*mezza voce*] profondément conservateur. » Puis au second : « Je suis [*mezza voce*] profondément républicain et [*fortissimo*] profondément conservateur. »

Duplicité ? Mais, s'il y avait une seule vérité, après tout, il n'y aurait pas autant de partis politiques.

Ni autant de Chirac...

---

1. *Le Nouvel Observateur*, 9 janvier 1987.

45

Le « ninisme », nouvelle idéologie française

> « Ne soyez ni obstinés dans le maintien de ce qui s'écroule,
> ni trop pressés dans l'établissement de ce qui semble
> s'annoncer. »
>
> Benjamin Constant

Il y a une malédiction Chirac. Une sorte d'inaptitude à gouverner qui l'amène tôt ou tard à dresser le pays contre lui. Un mélange de prudence, d'audace et de gaucherie qui lui permet de tenir le coup pendant six mois, rarement plus, avant de sombrer dans l'immobilisme, cette maladie française. Chaque fois qu'il arrive au pouvoir, c'est la même chose. Il a commencé en fanfare comme Bonaparte au pont d'Arcole avant de finir dans la camomille comme le bon président Coty, au crépuscule de la IVe République.

Un des vieux connaisseurs de la chose chiraquienne, Valéry Giscard d'Estaing, observe, non sans perfidie [1] : « Si vous regardez bien la vie de Chirac, c'est un homme d'un naturel gai et chaleureux, qui n'a connu que très peu de moments de bonheur. À la mairie de Paris, sans doute, dans les premières années. Au pouvoir aussi, mais jamais longtemps. Il n'est lui-même qu'en campagne électorale : on part tôt le matin et on rigole avant de s'écrouler de fatigue, tard dans la nuit, sur son lit. Il faut toujours qu'il coure, car il fuit quelque chose. Un vide, une angoisse, je ne sais quoi. Il est trop mal dans sa peau pour rester en place. »

Dire que le pouvoir ennuie Chirac serait exagéré. Mais il est à l'évidence plus doué pour sa conquête que pour sa gestion quoti-

---

1. Entretien avec l'auteur, le 16 juin 2005.

dienne. Entre deux campagnes, il se languit, seul en son palais, à signer des parapheurs, ou dans des réunions mortelles où son perfectionnisme de pinailleur byzantin a fini par lasser ses conseillers les mieux disposés. Gouverner semble souvent pour lui une sorte de punition. À son aise dans l'action et le torrent de la vie, il n'est finalement en paix avec lui-même que s'il a pu s'en retrancher.

À tous égards, Chirac fait penser au duc d'Orléans tel qu'il apparaît dans le portrait qu'en a dressé Saint-Simon : « Un des malheurs de ce prince était d'être incapable de suite dans rien, jusqu'à une espèce d'insensibilité qui le rendait sans fiel dans les plus mortelles offenses et les plus dangereuses [...]. Il était timide à l'excès, il le sentait et il en avait tant de honte qu'il affectait tout le contraire jusqu'à s'en piquer. Mais la vérité était [...] qu'on n'obtenait rien de lui, ni grâce ni justice, qu'en l'arrachant par crainte dont il était infiniment susceptible, ou par une extrême importunité. Il tâchait de s'en délivrer par des paroles, puis par des promesses, dont sa facilité le rendait prodigue, mais qui avait de meilleures serres le faisait tenir. De là tant de manquements de paroles [...]. Rien [...] ne lui nuisait davantage que cette opinion qu'il s'était faite de savoir tromper tout le monde. On ne le croyait plus lors même qu'il parlait de la meilleure foi [1]. »

Symétrie saisissante. Tout Chirac est là, dans cet amalgame d'inconstance, d'indifférence, de pudeurs et de rétractations. Sans doute n'était-il pas fait pour ce monde de brutes qu'est la politique. Il s'est donc protégé et, pour ce faire, a inventé un personnage derrière lequel il s'est réfugié, sinon enfermé. Cet homme-là a toujours répugné à se montrer sous son vrai jour.

On peut le comprendre. Avatar, en plus rustique et moins fidèle, de Mitterrand, Chirac est une imposture. De même que le premier était un homme de droite qui incarne la gauche, il est un homme de gauche qui incarne la droite, et c'est à peine une caricature. Mais, contrairement à son prédécesseur, il ne sait pas donner le change.

Jadis, « Facho-Chirac », décrit par de bons éditorialistes comme un bonapartiste autoritaire, partait, en privé, dans des envolées en faveur de l'autogestion : « Il y a quelque chose à tirer du modèle

1. « Caractère du duc d'Orléans », *Mémoires*, 1715, La Pléiade, tome V.

yougoslave de Tito », répétait-il ainsi, dans les années soixante-dix, avec la conviction du néophyte. Longtemps, il s'est bien gardé de laisser paraître, en public, la réalité de son tiers-mondisme ou de son antiaméricanisme. Depuis son accession à la présidence, il se lâche plus volontiers.

Qui n'a pas entendu, par exemple, Chirac évoquer le modèle américain en tête à tête, ne peut comprendre la vraie nature de l'homme qui, pendant plus de trente ans, aura roulé sa meule sur la France. Même s'il se contrôle, diplomatie oblige, l'Amérique lui donne des boutons. De retour d'un voyage outre-Atlantique, il dira un jour : « Plus satisfait et imbu de lui-même que ce pays, on ne fait pas. Pourtant, ça n'est pas joli joli ce qu'on voit quand on se promène dans les villes américaines. À une certaine heure du soir, des cartons se mettent en place partout sur les trottoirs : ce sont les pauvres qui se couchent. Pour moi, voyez-vous, c'est ça le libéralisme : des cartons pour les pauvres et rien d'autre [1]. »

Telle est la raison du malentendu entre Chirac et la France ou la droite : même s'il a fait longtemps semblant, avec plus ou moins de bonheur, cet homme est à rebours de Reagan, Thatcher et tous les ultralibéraux, auxquels on l'a souvent comparé.

Il faut des années pour changer une image. Chirac a beau en rabattre, il continue, peut-être à cause de son énergie pétaradante, à paraître comme un diviseur ou un empêcheur de tourner en rond. Et, pour la campagne présidentielle, le chef de l'État mettra au point une stratégie de haute volée, qui enfermera son Premier ministre dans le camp des réformateurs sectaires et des dérangeurs intolérants. Du grand art.

Le 22 mars 1988, quand Mitterrand annonce sa candidature à l'élection présidentielle, il se présente d'abord en homme de rassemblement, soucieux d'« éviter les germes de division » et de préserver « la paix civile ». Il annonce, dans la foulée, qu'il n'entend pas se lancer « dans une bataille sur de nouvelles nationalisations », mais qu'il souhaite en finir avec « la contagion des privatisations » : « Ni l'une ni l'autre de ces réformes ne peut être d'actualité. »

---

1. Entretien avec l'auteur, le 29 juin 1997.

C'est le moment, c'est l'instant. François Mitterrand vient d'inventer le « ninisme ».

Le programme de Mitterrand tient désormais en quelques mots : ni privatisations ni nationalisations. Ou bien, si l'on préfère : ni socialisme ni libéralisme. Dans sa *Lettre à tous les Français* qu'il publie quelques semaines avant le scrutin, le président sortant écrit :

« Le public et le privé ne peuvent être dissociés car l'économie française est mixte par nature. »

Il refuse donc d'opposer les deux secteurs comme le fait la droite, et prend de la hauteur par rapport aux débats idéologiques en cours, car tout est dans tout et réciproquement.

« Vous connaissez la querelle du "tout État" et du "moins d'État". Éloignons-nous des excès de langage habituels à ces sortes de controverses. Il y eut des périodes où il fallait lutter contre le "tout État" envahissant, ennemi des différences, ignorant l'âme des choses et des gens. Il est aussi des périodes – où nous sommes – où il convient de se méfier du "moins d'État" qui glisse au "pas d'État du tout", alibi des affaires qui ne supportent pas la lumière du jour, invitation aux razzias officielles sur le patrimoine national. »

Tel est le nouveau Mitterrand. Une sorte de Salomon bénisseur qui fait des réponses de Normand et tient un discours mi-chèvre mi-chou. Le prince de l'équivoque est devenu le roi du couci-couça. Avec ce pathos, il va faire un malheur.

Le moins ironique de cette histoire n'est pas que Chirac se soit approprié, une décennie plus tard, cette stratégie mitterrandienne, entre le zist et le zest, qui lui a permis de durer si longtemps, comme si elle correspondait au fond de l'air du pays. En attendant, cette année-là, il la combat, sabre au clair et jugulaire au menton.

Avec quelques arguments. En annonçant qu'il mettra fin au « ballet » des privatisations et des nationalisations s'il est élu, Mitterrand prétend figer pendant sept ans, le temps de son mandat présidentiel, la frontière entre les secteurs privé et public. Comme si l'on pouvait geler des structures économiques en mouvement sur le marché mondial. Cela ne tient pas et, bien sûr, une fois réélu, le président ne tiendra pas cet engagement.

Mais qu'importe. Il faut savoir tourner le feuillet. L'essentiel est d'être élu. Ensuite, comme d'habitude, il avisera...

46

Le roi des Aulnes

« L'homme qui mange son pain ne s'inquiète pas de la satisfaction qu'éprouve, ou n'éprouve pas, le pain d'être mangé. »

Michel Tournier

On a tout dit sur Chirac. À juste titre. Un coup travailliste, le lendemain bonapartiste avant de tourner libéral, puis social-modéré, il aura fait tout le spectre politique, et dans les deux sens. C'est Triplepatte. Jamais là où on l'attend, toujours en recherche, pas fini.

On a souvent mis cette propension herculéenne à virer de bord sur le compte d'une rouerie qui pourtant n'est pas son fort. Non, c'est l'instinct, plutôt que le cynisme, qui l'emmène d'un bout à l'autre du champ politique, au gré du vent qu'il vient de humer. Cet homme donne le tournis.

Après avoir été, dans les années soixante-dix, le chantre du travaillisme, à la Harold Wilson, qui a laissé le Royaume-Uni en ruines, il a défendu la cause du libéralisme façon Reagan, dans les années quatre-vingt, avant de militer pour un étatisme tempéré, dans les années quatre-vingt-dix, et de finir en avatar de Mitterrand comme petit père de la nation, à l'aube du nouveau siècle.

C'est beaucoup pour un seul homme. Mais celui-là est gargantuesque et protéiforme. Il ne sait pas toujours où il va, mais il y va, la narine palpitante, les bras en avant, l'œil à l'affût. Il fait penser à l'ogre de Charles Perrault qui « flairait à droite, à gauche, disant qu'il sentait la chair fraîche ».

Telle est la vraie nature de Jacques Chirac : c'est un ogre. Il engloutit tout avec la même gloutonnerie. Les hommes, les femmes, les idées, les kilomètres, les amours, les défaites ou les plats canailles. Tout, dans sa vie, est rythmé par le même cycle : ingestion, digestion, rejet. Il ne garde rien. Même pas ses amis. « La faim est un infidèle », dit un proverbe arabe.

Qui n'a pas vécu une journée avec lui passe à côté de la vraie nature de Chirac. Du matin au soir, il est tourmenté par un vertige compulsif qu'il comble en s'empiffrant, comme s'il avait à nourrir une armée de ténias. Jamais il ne semble repu.

Récapitulons. Après s'être levé, vers 7 heures du matin, il se gorge de tartines beurrées avec du miel ou de la confiture. De quoi soutenir un siège. Mais sur le coup de 10 h 30, il a toujours un petit creux. Alors, il remet ça et casse la croûte, comme les cantonniers de son enfance, avec des sandwichs au pâté et au saucisson. Sans oublier les cornichons.

À 13 heures, il a encore la dent. Le déjeuner sera complet ou ne sera pas. À sa panse qui crie famine, il ne fera grâce de rien. Ni de pain, ni de fromage, ni de dessert. « Il faut que ça me cale », dit ce grand gosier. C'est pourquoi il affectionne particulièrement les plats à l'ancienne comme la tête de veau ravigote.

À 16 h 30, il a de nouveau les crocs. C'est l'heure du goûter. Avec des sandwichs au pâté et au saucisson, comme d'habitude. Ainsi dévore-t-il, en plus des repas, l'équivalent de deux baguettes et demie. Sans parler des biscuits qu'il grignote entre-temps.

Après ça, on se dit qu'il devrait en avoir jusqu'au goulet, les dents de derrière baignant dans le beurre et la charcuterie. Mais non. Le dîner est aussi consistant que le déjeuner. Chirac nettoie les plats et ne saute ni le fromage ni le dessert. S'il rentre tard, il avalera encore une omelette d'au moins quatre œufs.

Le tout aura été arrosé de ses cinq ou six bières quotidiennes. Ne crachant pas non plus sur les punchs, il a parfois du vent dans les voiles. Mais quand il est pompette, il cuve toujours avec une grande dignité. N'était son visage tuméfié des lendemains de goguette, il pourrait faire illusion. Chirac est un phénomène sorti de l'œuvre de Rabelais qui écrivait, entre autres : « Le grand Dieu a fait les planètes et nous avons fait les plats nets. »

« Je n'ai pas le choix, constate Chirac. Je suis condamné à bouffer sans arrêt. Quand j'ai faim, ce qui m'arrive plusieurs fois par jour, je deviens agressif et même hargneux. Alors, j'essaie de fermer ma gueule le temps qu'il faut et puis je vais manger un morceau vite fait pour retrouver ma bonne humeur. »

« L'homme est ce qu'il mange », disait Feuerbach. La faim de Chirac est peut-être biologique. Elle est aussi existentielle, voire métaphysique. Elle entend dévorer le monde entier. Rares sont les personnages publics qui, dans l'histoire de France, auront fait une telle consommation de sandwichs, de concepts, de campagnes électorales ou de chargés de mission. Il les mastique, les digère et les évacue, tant il est vrai que tout s'en va toujours par le bas, sur cette terre.

En 1988, après vingt ans de carrière politique, Chirac a déjà laissé pas mal de monde sur le bas-côté. Des amis, des collègues, des conseillers, comme Pierre Juillet ou Marie-France Garaud. Il va trop vite pour s'arrêter. « C'est une bicyclette, a observé l'académicien Maurice Druon, qui fut un proche. Il ne tient debout que quand il roule. »

Il est pressé. Souvent, l'amitié est une perte de temps. Quand elle ne devient pas un boulet. Il faut donc qu'elle soit utile. C'est ainsi qu'elle se pratique, depuis la nuit des temps, dans les lieux de pouvoir. Contrairement à Mitterrand, Chirac a rarement dérogé à cette règle. Rien ne résume mieux sa conception des rapports humains que cette formule de Nicolas Sarkozy : « Avec lui, on n'est toujours qu'un ennemi ou un esclave. »

Il n'y a pas de troisième voie. C'est l'un ou l'autre. Le proche est corvéable à merci. Si Chirac a le moindre doute sur sa loyauté, il est mis à l'écart et, bientôt, effacé. Cette année-là et les suivantes, les rebuts et les cimetières du chiraquisme se rempliront, à la pelle, de ses fidèles déchus.

Explication de Jacques Toubon : « Chirac, quand il t'a trouvé la bête de somme, il te la pousse, il te la presse, jusqu'à l'épuisement total. Après, il passe à autre chose. C'est ainsi qu'il a fonctionné pendant cinquante ans et ça explique pourquoi il n'a pas conservé le même cercle d'amis, contrairement à Mitterrand ou à Giscard. Au contraire, il le renouvelle en permanence. »

Chirac est un phénix qui a besoin, pour renaître, de sang frais. Il en consomme beaucoup et la liste est longue des collaborateurs à qui il a demandé de se faire hara-kiri, en gardant le sourire, qui plus est, afin de laisser place nette pour les nouvelles générations ou ses dernières toquades.

Avant l'élection présidentielle de 1988, certains sont encore là, auprès de lui, mais leur compte est déjà bon. Après Alain Devaquet, ministre délégué à la Recherche et à l'Enseignement supérieur, en 1986, dont il a dit si longtemps qu'il était « nobélisable » et qui sera donné en pâture aux manifestants lycéens, viendra le tour de Denise Esnous, sa secrétaire particulière qui fut aussi celle de Georges Pompidou, un puits de secrets au caractère bien trempé.

Plus tard, Chirac en éliminera des tas d'autres qui avaient cru, les enfants, faire partie du saint des saints : Jean-Pierre Bechter, le condottiere de Corrèze, Denis Baudouin, son homme de communication, Camille Cabana, l'ancien ministre des Privatisations, ou encore Michèle Barzach, la madone de l'anti-lepénisme, dont il fut si proche. C'est qu'avec lui, tout est périssable. L'amitié. La reconnaissance. L'amour.

Il n'est pas du genre, par exemple, à garder le fil avec les anciennes femmes de sa vie. À une ou deux exceptions près, quand il a rompu, c'était pour toujours. Elles ont disparu à jamais de son champ de vision.

Il y a du Léviathan en lui. Du Barbe-Bleue aussi. C'est sur des générations enfouies et des visages recouverts par des pelletées de terre qu'il continue à tailler imperturbablement sa route. On aurait tort de voir de la cruauté dans son comportement. Non, il est juste fataliste et darwinien. Qu'on ne compte pas sur lui pour sauver un collaborateur dès lors qu'il est en train de couler politiquement. Si besoin, il lui donnera même le coup de grâce.

Mais si le même collaborateur tombe malade, il sera toujours là. « Quand quelqu'un est dans la détresse, il réagit toujours au quart de tour, dit son vieil ami François Pinault. Il va se démener, trouver le meilleur chirurgien dans le meilleur hôpital, et il prendra régulièrement de ses nouvelles. » Tout le monde a droit au même traitement, ses relations comme les gens de peu.

Un autre de ses vieux amis, qu'il a nommé à la présidence du Conseil constitutionnel, Pierre Mazeaud, abonde dans le même sens : « J'ai toujours considéré qu'il n'était pas un grand homme d'État. Je le lui ai souvent dit. Mais c'est un type qui a du cœur, chose excessivement rare en politique. Il a même un excès de gentillesse qui l'éloigne des contingences [1]. »

À la veille de sa deuxième campagne présidentielle, les Français n'ont pas encore vu le Chirac débonnaire et humain percer sous la brute. Il n'a pas assez souffert. Il ne s'est pas suffisamment dévoilé. Ce n'est pas encore son tour. Pour l'heure, ils ne voient avancer qu'un avatar du roi des Aulnes, un monstre ogresque, inassouvi de pouvoir et de gloire, auquel il faudra sans doute dire, comme dans les Évangiles, si jamais il l'emporte : « Malheur à vous qui êtes repus maintenant, car vous aurez faim ! »

---

1. Entretien avec l'auteur, le 17 janvier 2005.

47

Chute de cheval

Il court, il court, mais la France ne le sait pas. Elle le regarde d'un œil condescendant, le Premier ministre de François Mitterrand. Il a beau tout faire, il ne semble pas à la hauteur. Trop imprévisible. Trop agité aussi. Même quand il vient accueillir les otages du Liban à leur descente d'avion, il y a dans son visage quelque chose de fiévreux qui trouble le pays.

Cet homme est un remue-ménage ambulant. Les pieds lui démangent. Il a souvent ses nerfs comme on avait jadis ses vapeurs. Il n'inspire donc pas confiance. Ni aux médias mais, depuis le temps, il a l'habitude. Ni, surtout, aux Français qui se demandent, comme jadis Marie-France Garaud, si on ne lui a pas taillé « des habits trop grands pour lui ».

Le 24 avril 1988, son score au premier tour est calamiteux : 19,95 % des suffrages. Pour un Premier ministre, il est difficile de faire pire. « C'est normal, commente André Giraud, le ministre de la Défense. À chaque fois que le gouvernement faisait quelque chose de mal, c'était malgré Mitterrand. Et à chaque fois que cela se passait bien, c'était grâce à lui. »

Sans doute la cohabitation est-elle pour quelque chose dans la contre-performance du maire de Paris. Mais elle ne peut en être la seule cause. Le caractère « inachevé » de Chirac a joué et, plus encore, l'attrait du « ninisme » mitterrandien, assurance tout risque pour le maintien du statu quo. Surtout, que rien ne bouge. « La tranquillité est le lait de la vieillesse », disait Thomas Jefferson. Ce cher et vieux pays a décidé de le boire jusqu'à plus soif. Il entend rester à la coule, abrité des vents du monde.

Le « ninisme » de Mitterrand est apparu bien plus reposant pour les Français que la politique des coups de Chirac mâtinée d'un libéralisme qui fait peur, ou que la stratégie de vérité de Barre, une stratégie altière d'homme d'État, qui lui a interdit l'accès au second tour.

Le 8 mai, au second tour de l'élection présidentielle, Jacques Chirac n'est pas seulement battu. Il est ridiculisé. Avec 45,98 % des voix contre 54,02 % à François Mitterrand, il subit ce qui sera le pire camouflet de sa carrière.

« C'est terrible pour papa », commente Claude Chirac, éplorée. « Les Français n'aiment pas mon mari », constate Bernadette effondrée. Ce soir-là, auprès des siens ou de ses amis politiques, le Premier ministre ne laisse rien paraître de son désarroi. Pas l'ombre d'une larme dans sa voix. Il serre les dents. C'est un homme qui sait encaisser.

Le lendemain, Jacques Chirac invite Charles Pasqua à déjeuner et laisse tomber, avant le hors-d'œuvre :

« Il y a longtemps que tu me dis ça. Eh bien, je vais enfin t'écouter. Je vais quitter la présidence du RPR. À ma place, je voudrais qu'on mette Balladur avec deux vice-présidents, Messmer et toi.

— Ça ne me paraît pas possible, s'étrangle Pasqua. Tu ne peux pas faire élire Balladur par les militants.

— Toi, tu peux.

— Non. Le mouvement ne peut accepter qu'un chef charismatique. »

Édouard Balladur se joint aux deux hommes quand arrive le café et Charles Pasqua explique ses réticences au numéro deux du gouvernement sortant :

« Il faut dire les choses clairement : le mouvement a besoin de quelqu'un qui l'entraîne. Édouard, vous n'avez pas ce profil. »

Balladur se tourne alors vers Chirac et lui dit :

« En ce cas, vous n'avez qu'à mettre Charles à la présidence.

— C'est impossible, objecte Pasqua.

— Pourquoi ?

— Parce que je suis trop à droite, pardi ! »

Charles Pasqua reproche à Jacques Chirac la stratégie « centriste » qu'il a adoptée au lendemain des élections municipales de 1983. Il est convaincu qu'elle a ouvert un espace politique à Jean-Marie Le Pen. Si quelqu'un doit se dévouer pour porter haut le flambeau de la droite dure au sein du RPR, c'est bien lui. Il n'y a pas à tortiller, il a tout pour ça, Charles Pasqua. La crédibilité. Le talent. La faconde. Outre que son accession à la présidence du mouvement affolerait son aile gauche, au risque de provoquer une scission, elle ne lui permettrait plus de continuer à marauder dans les eaux sales du Front national. Il ne faut donc plus y penser.

« Soit », conclut Chirac.

Le Premier ministre sortant ne prolonge pas la conversation. Il n'a guère envie de parler, depuis la tragédie du second tour. Il se sent coupable de n'avoir pas trouvé les mots justes, pendant la campagne, mais il en veut aussi aux Français de s'être laissé endormir par la berceuse du « ninisme ».

Un éditorial cinglant et prophétique résume bien son état d'esprit. Un éditorial indémodable de Claude Imbert, qui pourra toujours resservir, car il vise le Mitterrand d'aujourd'hui aussi bien que le Chirac de demain, le vainqueur de l'élection présidentielle de 1995 ou de celle de 2002.

« Il est une réalité, écrit Imbert [1], que tous les somnifères, toutes les défausses détestables de la campagne ne peuvent dissimuler : "La France ne va pas bien. Notre pays est l'homme malade de l'Europe. Et malade de la maladie de l'époque, entendez : malade dans sa tête. Malade, d'abord, des mensonges par omission, malade d'ignorer la dégradation mesurable, patente, de sa puissance économique, malade de la clochardisation de son enseignement et de sa justice, malade de son vieillissement démographique, malade de ses dépenses sociales au point que l'accroissement récurrent des prélèvements obligatoires intervient chaque année comme le symptôme fatal d'une implacable paralysie." »

Il ne faudra pas compter sur Chirac pour guérir la France. Il a retenu du scrutin de 1988 que les recettes classiques de la démagogie électorale ne suffisent plus. Il s'attachera désormais à rassurer les Français et à ne pas troubler leur digestion. Il « ninisera ».

---

1. *Le Point*, le 9 mai 1988.

48

L'affront fait à Le Pen

« Il reste toujours assez de force à chacun pour accomplir
ce dont il est convaincu. »

Goethe

« Il faut que tu rencontres Le Pen. »

La suggestion a d'abord été soufflée *pianissimo* au Premier
ministre, puis *rinforzando* : elle est revenue si souvent à ses oreilles,
et de plus en plus fort, qu'il s'est décidé enfin. Pas le cœur léger,
bien sûr, parce qu'il a « ce type en horreur ». Mais s'il faut en passer
par là pour l'emporter le 8 mai, Chirac n'est pas du genre à faire
sa mijaurée.

Pendant quelques semaines, le Premier ministre a cru qu'il pouvait battre Mitterrand. À une condition : qu'au second tour, il
parvienne à rassembler toute la droite, Front national compris.
C'était aussi la thèse de Pasqua qui, à sa manière, tente, ces temps-
ci, de jeter des ponts avec l'extrême droite.

Quand Chirac l'accuse d'en faire trop pour séduire l'extrême
droite, il répond toujours, en haussant les épaules : « Arrête. Moi,
j'ai résisté contre les nazis avec les communistes. » Pasqua est
convaincu que la victoire de son champion passe par une droitisa-
tion de sa campagne et que le Premier ministre, en écoutant trop
Balladur, a fini par se couper du peuple. Il croit aussi qu'il est
possible de faire un accord avec Le Pen.

Écoutons-le : « À l'époque, je savais que Le Pen était un potache
attardé mais j'avais encore des illusions sur lui. Je ne le voyais pas
s'entêter pour toujours dans une opposition systématique. Je pen-

sais qu'il jouerait, un jour, le jeu. Je ne comprenais pas qu'il voulait juste des députés et le fric qui va avec [1]. »

Pierre Guillain de Bénouville se leurre autant que Charles Pasqua. Député RPR de Paris, cette grande figure de la Résistance est à la fois l'homme de confiance de l'avionneur Marcel Dassault, l'ami de François Mitterrand avec qui il a usé ses fonds de culotte sur les bancs du collège Saint-Paul d'Angoulême, et l'ange gardien de Jacques Chirac dont il ne doute pas du « destin national ». Esprit éclectique, il aime jouer les utilités et les entremetteurs. Il organise donc la première rencontre entre le Premier ministre et Jean-Marie Le Pen, une autre de ses vieilles relations.

Rendez-vous est pris chez lui, près des Champs-Élysées, un mois avant le premier tour [2]. Chirac et Le Pen ont un échange de vues courtois. Pas un mot plus haut que l'autre. Les deux hommes rivalisent même de politesses. S'il ne sort rien de cet entretien, on pourrait croire que tout est en place pour un accord avant le second tour.

Est-ce si absurde ? Après tout, Chirac avait défendu le principe d'une alliance avec le FN. C'était cinq ans auparavant, le 12 septembre 1983 exactement, au lendemain des élections municipales partielles de Dreux où la liste RPR l'avait emporté après avoir passé un accord avec le FN. « Ceux qui ont fait alliance avec les communistes, avait-il dit, sont définitivement disqualifiés pour donner des leçons en matière de droits de l'homme et de règles de démocratie. »

Le 18 septembre, Chirac avait même insisté : « Je n'aurais pas du tout été gêné de voter au second tour pour la liste RPR-FN. Cela n'a aucune espèce d'importance d'avoir quatre pèlerins du FN à Dreux, comparé aux quatre ministres communistes au Conseil des ministres. » Si des occasions de ce genre se présentaient de nouveau, ajoutait-il, il trouverait « tout à fait naturel » que fusionnent les listes RPR et FN.

Assurance renforcée par l'appui sans nuance que lui avait apporté Raymond Aron, le grand penseur de la droite, dans un article resté célèbre de *L'Express* [3], où il refusait de prendre au sérieux « la

---

1. Entretien avec l'auteur, le 10 juin 2003.
2. Cf. *L'Homme qui ne s'aimait pas*, d'Éric Zemmour, Balland, 2002.
3. Le 16 septembre 1983.

menace fasciste », brandie par la gauche : « La seule internationale de style fasciste, dans les années quatre-vingt, elle est rouge et non pas brune, ce qui ne rend pas innocents Doriot hier ou Le Pen aujourd'hui. »

Depuis l'épisode de Dreux, Chirac a pris ses distances avec le FN. Il l'a même frappé d'ostracisme. Jusqu'à désigner lui-même, après les élections législatives de 1986, les députés RPR qui, dans l'hémicycle du Palais-Bourbon, feraient tampon avec la trentaine d'élus de l'extrême droite. C'est ce qu'il appelait le « cordon sanitaire ».

Après le premier tour de l'élection présidentielle de 1988, Pasqua plaide de nouveau, avec force, pour la politique de la main tendue au FN. À ses yeux, c'est la seule chance de l'emporter pour Chirac qui n'a pas dépassé la barre des 20 % alors que Mitterrand caracole à 34 %. À son tour, il décide donc de monter une rencontre entre le Premier ministre et le président du Front national.

« Le Pen est un type de parole qui sait garder le silence, dit Pasqua. Je l'avais déjà rencontré deux fois, il n'en avait pas parlé. J'ai donc pris le risque. »

Cette rencontre s'est déroulée chez un ami de Charles Pasqua, un armateur, qui est domicilié avenue Foch. Elle se passe beaucoup moins bien que l'autre.

Cette fois, Jacques Chirac n'est pas à l'aise. Il bat tout le temps du pied et n'arrête pas de fumer. Il fait preuve, surtout, d'une inflexible intransigeance.

« Je ne pourrais vous donner satisfaction ni sur la politique d'immigration ni sur le reste, dit-il d'entrée de jeu.

— Si vous refusez de faire des concessions, comment voulez-vous que j'appelle à voter pour vous ? demande Le Pen.

— Je ne souhaite pas d'appel.

— Mais sans le moindre geste de votre part, je ne peux rien faire pour vous », insiste Le Pen.

Pas de réponse. Apparemment, Chirac se fiche pas mal d'obtenir le soutien du Front national. C'est en tout cas la version de Le Pen, mais on ne voit pas pourquoi on devrait la mettre en question.

À la sortie, le président du Front national est perplexe. Il est convaincu que Chirac a décidé de perdre. « Toute cette histoire est très étrange, dit Le Pen [1]. Alors que je ne lui avais rien demandé, il est venu me signifier une fin de non-recevoir. Il aurait pu me dire : "Monsieur Le Pen, on va s'arranger, faites-moi confiance, je suis un patriote, j'ai été, comme vous, officier en Algérie." Mais non. Au lieu de ça, il a tout de suite fermé la discussion en affirmant : "Il n'y a pas d'accord possible entre nous." Avec le temps, j'ai acquis la conviction qu'il s'était rendu à cette rencontre pour s'assurer que je ne ferais pas voter pour lui. Ou, si j'en avais eu l'intention, m'en dissuader. »

C'est ainsi que Le Pen croit que le président et son Premier ministre auraient passé un pacte en 1988. Il n'emploie même pas le conditionnel. « Un jour, assure-t-il, Mitterrand a dit à Chirac : "Vous savez que j'ai un cancer de la prostate, je suis très malade, je n'en ai plus que pour quelques mois. Laissez-moi me faire réélire. Après, je vous préparerai le terrain. De tous, vous êtes celui dont je suis le plus proche, vous pourrez compter sur moi." Ce n'est quand même pas un hasard si tous ses proches ont, ensuite, fait le jeu de Chirac. Là où le scénario a cloché, c'est que Mitterrand a tenu bien plus longtemps que prévu [2]. »

Scénario rocambolesque qui met au jour l'état d'incompréhension entre Chirac et Le Pen. Les deux hommes sont à mille lieues l'un de l'autre et le président du Front national ne peut concevoir que le Premier ministre ait décidé de couper tous les liens avec lui alors même que Charles Pasqua cherche à les renouer.

Le 1er mai 1988, une semaine avant le second tour, Jean-Marie Le Pen a tout de même indiqué sa préférence : « Non, non, non, pas une voix pour François Mitterrand. » Après quoi, il a ajouté : « Ceux pour qui le plus important, et c'est vrai que c'est ce qui compte, c'est d'éviter Mitterrand et le socialisme, ceux-là voteront pour le candidat résiduel. »

Le lendemain, dans *Valeurs actuelles*, Charles Pasqua a déclaré, comme en écho : « Sur l'essentiel, le Front national se réclame des mêmes préoccupations, des mêmes valeurs que la majorité. » Il assurera plus tard qu'il était « en service commandé ».

Soit. Mais le « candidat résiduel » n'a pas apprécié les appels du pied répétés de Charles Pasqua aux électeurs lepénistes. Rétrospecti-

---

1. Entretien avec l'auteur, le 14 octobre 2005.
2. Entretien avec l'auteur, le 14 octobre 2005.

vement du moins. Le soir du second tour, après avoir pris connaissance des résultats, dans l'hôtel particulier que son état-major a loué pour la campagne, dans le VIIᵉ arrondissement de Paris, près de Matignon, Jacques Chirac marmonne quelques propos insignifiants aux uns et aux autres avant de foncer vers Charles Pasqua et de lui jeter, avec un mauvais sourire : « Tu vois où tes conneries m'ont mené... »

49

Grosse fatigue

« L'enfer est tout entier dans ce mot : solitude. »

Victor Hugo

Malraux disait qu'il faut soixante ans pour faire un homme. Jacques Chirac a cinquante-sept ans et son personnage n'est toujours pas achevé. C'est sans doute pourquoi il n'arrive pas à s'aimer.

Il ne se déteste pas, non, il se méprise. Le maire de Paris a le sentiment d'avoir gâché sa vie et s'en ouvre volontiers à ses visiteurs avec une tristesse qui tourne souvent à l'autodénigrement.

« J'ai tout raté, dit-il un soir de déprime [1]. Professionnellement, mon échec est patent. Quant à ma vie personnelle, c'est un naufrage. Il y a trente ans que je sacrifie ma famille pour devenir président de la République. Eh bien, j'ai échoué sur les deux tableaux. Je ne suis pas président et j'ai perdu ma famille.

— Perdu ?

— Oui, perdu. Je ne crois pas que je la retrouverai jamais. Je l'ai toujours fait passer après ma carrière politique. »

Jacques Chirac a arrêté de fumer : ça ne lui remonte pas le moral. Pour mettre sa volonté à l'épreuve, il laisse toujours un paquet de cigarettes sur son bureau et un autre sur sa table de chevet. Il tient bon mais il prend du poids. Il a beau remonter ses pantalons et serrer sa ceinture, son ventre se déploie royalement dessous, une autre raison de s'apitoyer sur soi.

Il a envie de tout envoyer dinguer, même sa mairie de Paris. « Je me suis fait avoir comme un bleu par François Mitterrand, dit-il,

---

1. Entretien avec l'auteur, le 15 septembre 1988.

le même soir, à l'auteur. Je ne suis pas assez calculateur ni assez hypocrite pour devenir un homme politique de haut niveau. Il me manque quelque chose que je n'aurai jamais, ce mélange de vice et d'assurance qui fait les grands destins. Je crois que je vais entrer dans le privé. »

Il se verrait bien à la tête d'une banque ou d'une entreprise industrielle. « Motiver, mobiliser, développer, je sais faire, insiste-t-il. Je ne me débrouillerai pas plus mal que d'autres. » Il aimerait mieux travailler dans une société qui ait, d'une manière ou d'une autre, à faire avec les arts, une société de vente aux enchères, par exemple, mais bon, il ne fera pas la fine bouche.

En attendant, ses proches se font du mouron pour lui. Pierre Mazeaud, le compagnon des bons et des mauvais jours, se souvient l'avoir entendu répéter sans arrêt, avec un air de chien battu, au cours de l'été 1988 : « J'en ai marre, trop marre. » Mais si Jacques Chirac voulait abandonner la politique, ajoute son vieil ami, « il était bien obligé de reconnaître qu'il ne savait rien faire d'autre ».

Alain Juppé se rappelle pareillement que le maire de Paris était complètement désarçonné. « Il avait perdu son répondant, dit-il. Pendant plusieurs mois, il m'a semblé qu'il était prêt à se laisser manger vivant. La politique ayant, comme la nature, horreur du vide, les ambitions s'aiguisaient. En tant que secrétaire général du RPR, j'étais l'objet des premières attaques de ses ennemis. C'est à peine s'il me défendait [1]. »

Charles Pasqua l'entend souvent tenir des discours du genre : « On n'y arrivera jamais. Au train où vont les choses, Le Pen finira sans doute un jour par faire 30 % et, alors, la droite sera condamnée à rester l'opposition.

— Arrête ton char, coupe Pasqua. Regarde combien de fois Mitterrand s'est présenté avant d'être élu [2]. »

À cette époque, Jacques Chirac peut rester prostré des heures dans son bureau. Le reste du temps, l'habitude aidant, il continue de prodiguer, avec le même sourire commercial, les promesses, les poignées de main ou les baisers aux enfants. Mais il n'y croit plus. « Les Français ne m'aiment pas, observe-t-il. Je leur fais peur. Et puis ils ne me trouvent pas suffisamment humain. Je ne vois pas

---

1. Entretien avec l'auteur, le 4 avril 2005.
2. Entretien avec l'auteur, le 10 juin 2003.

pourquoi je devrais continuer à m'accrocher comme ça. Quand je pense à toutes ces heures perdues à courir partout en rabâchant les mêmes choses alors que j'aurais pu les passer à cultiver mes jardins secrets, ça me fiche le bourdon [1]. »

Quand on lui demande qui il voit pour le remplacer s'il décidait de prendre du champ, Jacques Chirac répond sans hésiter :

« Édouard Balladur. On peut raconter ce qu'on veut, c'est un homme d'État. Il fera très bien l'affaire, vous savez. La France ne perdra pas au change. »

A-t-il parlé de ses intentions au premier intéressé ? Évidemment. De temps en temps, il a glissé, en incidente, à son dauphin, des formules du genre : « Après moi, ce sera vous. » Ou encore : « S'il m'arrive quelque chose, vous serez tout désigné pour prendre la suite. » Autant dire que c'est Jacques Chirac qui lui a mis le vélo dans la tête.

Un vélo, le mot est faible. N'ayant jamais considéré que la défaite de Chirac était la sienne, Balladur ne se sent plus, depuis. D'autant qu'il est couvé par le maire de Paris qui est devenu à la fois son mentor politique et son attaché de presse, téléphonant, par exemple, aux directeurs de journaux pour que soit bien présenté, avec appel en première page, s'il vous plaît, le dernier article d'Édouard : « Ne le faites pas pour moi, s'excuse, grandiloquent, le maire de Paris. Faites-le pour la France. »

Sous la pluie des éloges, Édouard Balladur se rengorge, activité où il excelle et qui est sans doute celle qu'il préfère entre toutes. Il se rengorge, spécule, espère et conjecture.

S'il songe à Balladur pour lui succéder, c'est bien la preuve que Chirac a compris les leçons du scrutin. La France est fatiguée de tout. Des réformes, des débats, des polémiques. Après la fausse révolution de 1981 et la pseudo-restauration de 1986, elle n'aspire qu'à la tranquillité sous la houlette d'un rassembleur, pas d'un bretteur.

Il fallait au pays un père peinard, façon IIIᵉ République, et François Mitterrand s'est dévoué pour jouer le rôle. Robert Badinter, mitterrandiste historique, a tout dit quand il observe, à l'époque : « François Mitterrand a gagné parce qu'il a su, le mieux, exprimer

_____

1. Entretien avec l'auteur, le 15 septembre 1988.

501

la France peureuse et frileuse, celle qui a peur de l'avenir et de l'étranger [1]. »

Il s'agit, désormais, de ne pas faire de vagues. De ce point de vue, Balladur est l'homme de la situation. Il sait reposer son monde avec ses manières compassées et ses discours écrits à l'eau tiède. Sa placidité en impose. Avec lui, jamais de gaffes ni d'esclandres. Il a, de surcroît, de l'allure et de la culture. Toujours disponible, il passe mieux auprès des médias bien-pensants que son fougueux patron. Il sait les courtiser et les flatter comme ils aiment. Il devient rapidement leur coqueluche. Il est dans l'air du temps.

Chirac n'en prend pas ombrage. Il est convaincu que Balladur peut, le jour venu, prendre son relais mais que, d'ici là, il n'a rien à en craindre. Le saurait-il, il ne s'offusquerait pas que, derrière son dos, l'autre l'appelle « ce garçon » et, parfois même, « ce pauvre garçon » avec une moue apitoyée ou dédaigneuse. Il ne doute pas que son ancien ministre de l'Économie soit sous son charme, sinon son ascendant.

S'il est vrai qu'il faut beaucoup de naïveté pour faire de grandes choses, Chirac devrait être appelé à un immense destin. Il se prend pour le soleil. Il n'est que la planète, et encore. Il fait ainsi avec Balladur l'erreur qui vient de lui être fatale avec Mitterrand. Il croit ce que l'autre dit. Il est sûr de son emprise sur lui. Cet homme souffre, en vérité, d'une sorte d'inaptitude à voir le mal ou à imaginer qu'on puisse lui résister.

Avec Mitterrand, Chirac reconnaît être tombé de haut : « Je croyais avoir des relations confiantes avec lui jusqu'à notre accrochage à propos de l'affaire Gordji, lors du débat télévisé entre les deux tours de l'élection présidentielle. Ce jour-là, il m'a menti effrontément en me regardant, qui plus est, dans les yeux. Ce fut une révélation. Tout mon univers s'est effondré d'un coup. J'ai compris que j'avais été abusé pendant les deux années de cohabitation [2]. »

Avec Balladur, plus dure encore sera la chute...

---

1. Entretien avec l'auteur, le 30 mai 1988.
2. Entretien avec l'auteur, le 15 septembre 1988.

50

La jeune fille au masque de fer

> « On se suicide toujours contre quelqu'un et même quand
> ça n'est pas vrai, il le croit. »
>
> Jehan Dieu de la Viguerie

Certains jours, il règne un climat très lourd à l'Hôtel de Ville.
Parfois, Bernadette Chirac éclate en sanglots : « Je n'en peux plus. »
Ou bien son mari laisse tomber avec un voile de tristesse dans le
regard : « C'est trop dur. Je ne souhaite à personne de vivre ça. Pas
même à mon pire ennemi. »

Depuis des années, ils vivent un drame familial qui, en dépit des
écarts répétés du maire de Paris, a resserré leurs liens : Laurence,
leur fille aînée, souffre d'anorexie. Évidemment, comme toutes les
adolescentes ou jeunes femmes atteintes de cette maladie, elle est
plus vive et sensible que la moyenne. Le portrait craché de son père
avec les yeux de sa mère.

Définition de l'anorexie mentale selon le *Larousse* : « Affection
psychiatrique touchant surtout le nourrisson et l'adolescente, carac-
térisée par un refus plus ou moins systématique de s'alimenter. »
Laurence ne mange pas et ses parents ont tout tenté pour qu'elle
retrouve l'appétit. Les psychologues les plus renommés. Les établissements les plus cotés. Sans succès.

À en croire les Chirac, c'est une méningite qui a provoqué cette
anorexie mentale. Au début des années soixante-dix, tandis que
Bernadette passait les vacances avec ses deux filles en Corse, Laurence, alors âgée de quinze ans, s'est plaint de maux de tête. Après
que les médecins eurent diagnostiqué une méningite, elle fut rapa-

triée en avion sanitaire à l'hôpital de la Pitié-Salpêtrière où elle subit une ponction lombaire. Officiellement, tout a commencé là.

Selon les spécialistes, l'anorexique a un rapport particulier avec le père. Possessive, elle le tourmente, elle le persécute, elle le « sadise ». Jacques Chirac, qui a tôt fait de culpabiliser, se sent responsable et, comme d'habitude, prend l'affaire en charge. Il est conscient de n'avoir pas été assez présent, ce maître de maison dont la grande phrase fut si longtemps, d'après Bernadette : « Je file [1] ! »

Longtemps, Jacques Chirac s'imposera de venir déjeuner chaque jour avec Laurence, comme les médecins le lui ont recommandé. Tant pis pour les repas officiels. Il arrivera en retard et mangera une deuxième fois, ce qui n'est pas pour le gêner. Rien n'y fait. Les tentatives de suicide et les hospitalisations se succèdent.

« Au début de la maladie de Laurence, a dit un jour Bernadette Chirac [2], nous avons cherché des structures en France, en Europe et même aux États-Unis. Il n'y avait que des structures fermées dans lesquelles l'adolescent n'avait aucun contact avec sa famille ou ses amis. Nous-mêmes, nous pouvions téléphoner pour avoir des nouvelles mais nous ne pouvions pas parler avec notre fille. »

Entre deux rechutes, Laurence tente de revenir à la vie et au monde. Elle poursuit des études de médecine et, après l'avoir rencontré deux ou trois fois, entretient une correspondance nourrie avec le journaliste Patrick Poivre d'Arvor qui se dit frappé par son « mal-être » et son intelligence. Mais rien ne semble en mesure de l'empêcher de dévaler la pente qui l'emmène. Bernadette Chirac reconnaît ainsi avoir été, avec son mari, au cours des années quatre-vingt, « dans un terrible désert affectif et moral ».

À partir de 1987, alors que son père est Premier ministre, la rumeur commence à courir, dans Paris, que Laurence est morte et qu'elle a été enterrée dans la clandestinité. Les Chirac reçoivent même des lettres de condoléances. Ils sont meurtris, furieux et désemparés. « Je ne vois pas comment réagir, grogne Jacques Chirac. Je ne vais quand même pas faire un communiqué pour dire qu'elle est vivante ! » D'autant que le meilleur moyen d'accréditer la rumeur, en France, est de la démentir officiellement.

---

1. *Conversation*, de Bernadette Chirac, avec Patrick de Carolis, Plon, 2001.
2. Le 5 décembre 2004, dans un entretien télévisé avec Marc-Olivier Fogiel.

En attendant, Laurence continue de glisser. Certes, elle est suivie par l'un des plus grands psychiatres français, Louis Bertagna. Certes, son père lui a trouvé un stage dans le service du professeur Lejeune, une des grandes figures de la médecine française, spécialiste des trisomiques, ami de Jean-Paul II et adversaire de l'avortement. Mais le 13 avril, la maladie reprend le dessus : pendant que les Chirac sont en vacances en Thaïlande, leur fille aînée saute du quatrième étage de son appartement parisien pour s'écraser dans une cour intérieure. Bilan : les pieds éclatés et deux points de compression dans le cerveau.

Quelques heures plus tard, le téléphone sonne sur le bureau d'un des patrons de la communication de la mairie de Paris, Bernard Niquet. C'est Jacques Chirac, depuis la Thaïlande. « Laurence s'est jetée par la fenêtre, annonce-t-il à son collaborateur. On va l'opérer et elle va s'en sortir. Mais les journalistes vont vous appeler car l'affaire est devenue publique, et je voudrais que vous leur disiez la vérité : qu'elle souffre d'anorexie. »

Depuis, Laurence Chirac est sortie de la chaise roulante où sa défenestration l'avait condamnée à passer plusieurs mois. Après une quinzaine de tentatives de suicide, pour la plupart assez sérieuses, elle tente d'avoir une vie normale, dans son rez-de-chaussée de la rue Saint-Dominique. Elle reçoit souvent la visite de sa mère qui continue de la porter avec une obstination qui force le respect.

Rien ne peut ébranler cette cabocharde de Bernadette, si volontiers revêche. « En toutes circonstances, elle fait front, dit Bernard Niquet qui fut longtemps conseiller technique à l'Élysée auprès d'elle. C'est une guerrière [1]. »

Sans doute pour la protéger contre elle-même, Laurence a été effacée des photos de famille. Mis à part la cérémonie de la passation des pouvoirs et d'intronisation de Jacques Chirac à l'Élysée, le 17 mai 1995, elle n'est jamais apparue dans une manifestation officielle. C'est « l'absente ».

Nouvelle version du « masque de fer » que l'on éloigne des regards, Laurence est la mauvaise conscience d'un couple qui a tout sacrifié à la politique. C'est son martyre, son chagrin et puis aussi une autre raison de battre sa coulpe. Tant il est vrai que Jacques et

---

1. Entretien avec l'auteur, le 5 octobre 2005.

Bernadette Chirac sont des pénitents qui semblent toujours attendre la rémission d'un péché originel.

C'est la tragédie de Laurence qui explique la force du lien entre Claude et son père. Il a trop peur de faillir une deuxième fois...

51

Claude et Nicolas

> « La fille restée sous le toit paternel est cause d'insomnie pour son père. »
>
> Saint Jean Chrysostome

Ce n'est pas un hasard si, quelque temps après la défenestration de Laurence, le 13 avril 1990, Jacques Chirac annonce à Jean-Eudes Rabut, son chef de cabinet à la mairie de Paris, que Claude va rejoindre l'Hôtel de Ville : « Elle s'occupera de mes déplacements avec vous. »

Jean-Eudes Rabut fait tandem avec Michel Roussin, le directeur de cabinet du maire de Paris. Un tandem de joyeux lurons, efficaces et d'une loyauté à toute épreuve. Il demande donc à Jacques Chirac s'il a prévenu son alter ego. « Faites-le », répond l'autre qui n'a jamais aimé annoncer les mauvaises nouvelles.

Quand Rabut prévient Roussin, ce dernier laisse tomber : « Fils, on est morts ! » C'est en effet le début de la fin pour le duo de l'Hôtel de Ville. « Nos rapports avec Claude ont tout de suite été très cordiaux, se souvient Rabut. En apparence, tout allait bien. Sauf que chaque fois que j'entrais dans son bureau, elle était au téléphone en train de pester contre un "connard". Avec elle, on aurait dit que tout le monde était un "connard". J'en suis vite venu à penser que j'entrais dans cette catégorie [1]. »

Jacques Chirac est conscient des défauts de sa fille, trop possessive avec lui et trop cassante avec les autres, mais il prendra toujours son parti contre les conseillers qui s'opposeront à elle. À Pierre

---

1. Entretien avec l'auteur, le 18 octobre 2005.

Charon, son attaché de presse à la mairie, qui est venu lui dire : « C'est moi ou elle », il répondra sans hésiter : « J'ai besoin de ma fille. Ce n'est pas négociable. »

Il la surveille comme le lait sur le feu. Il lui arrive bien de la rabrouer en public ou de critiquer, en petit comité, ce qu'il appelle sa « rigidité ». Mais il est bien décidé à ne pas la laisser tomber. Il a, de surcroît, confiance en son instinct. Il lui a donné deux précepteurs : le publicitaire Jean-Michel Goudard pour la communication, et l'étoile montante du RPR, Nicolas Sarkozy, pour les questions politiques. Ils sont tous deux dithyrambiques sur ses capacités. Viendra plus tard le temps de Jacques Pilhan, un as dans son genre, que François Mitterrand laissera travailler pour Jacques Chirac, en secret, pendant la campagne présidentielle de 1995, et qui rejoindra officiellement la chiraquie après.

Claude est, comme Laurence au demeurant, très intelligente. Elle a tout de suite compris qu'il faut écarter de sa vue les courtisans qui se jettent à ses pieds en agitant leurs encensoirs : le flatteur est toujours un inutile qui prend des assurances. On ne perd rien à s'en séparer. On gagne même du temps.

Dans le flatteur, elle voit toujours, au surplus, un traître en puissance. Il est vrai que la lèche aigrit la langue. Il est vrai aussi que Claude voit des traîtres partout. Jusque parmi les vieux fidèles du maire de Paris. Le cardinal de Retz a dit un jour qu'« on est plus souvent dupé par la défiance que par la confiance ». Mais elle se fiche pas mal que ses soupçons la trompent. Pour protéger son père de lui-même, elle a pris son contre-pied sur à peu près tout. Il est crédule, elle sera suspicieuse. Il est coulant, elle sera raide. Il est ouvert, elle l'enfermera.

Elle obtient une victoire décisive quand est remerciée Denise Esnous, la secrétaire particulière de son père après avoir été celle de Georges Pompidou. Une grande dame et une forte tête. Après son départ, Claude aura l'œil et la main sur l'agenda de Jacques Chirac où elle biffera ou rajoutera des noms, au petit bonheur de ses foucades.

« Cette situation n'est pas saine, susurre Bernadette à qui veut l'entendre. Une fille ne doit pas travailler avec son père. » Sauf que Claude n'est pas une fille mais un fils, le fils que Jacques Chirac n'a pas eu. « Son petit homme », comme le dira Pierre Mazeaud [1], un ami de la famille. La preuve : elle lui a donné un descendant qui porte son nom, Martin Chirac, né le 22 mars 1996, d'une union éphémère avec l'ancien champion de judo Thierry Rey.

On ne saura jamais lequel des deux a le plus besoin de l'autre. Quand le père repêche Claude après le suicide manqué de l'aînée, elle est au plus bas. En manque d'affection, d'amour, de tout. Il y a des années qu'elle lui lance des appels au secours. Quelque temps après avoir annoncé à ses parents qu'elle renonçait à terminer Sciences-Po, elle écrit, à l'occasion de la fête des Pères, un article plein d'humour pour *Madame Figaro* [2] : « J'avais cinq ans quand papa s'est lancé dans la politique. Je ne me souviens pas d'avoir passé un dimanche entier en sa compagnie. »

Après une longue histoire à intermittences avec l'acteur Vincent Lindon, elle aura un mari qui se suicidera après moins d'un an de mariage, puis un géniteur qui prendra ses cliques et ses claques, trois mois seulement après la naissance de leur enfant. Plus tard, en 2011, elle épousera Frédéric Salat-Baroux, secrétaire général de l'Élysée de 2005 à 2007, sous Jacques Chirac.

Mais son père a toujours été son point fixe. Tout, en dernier ressort, l'a toujours ramenée à lui. Elle a besoin de lui, ça crève les yeux, mais il a aussi besoin d'elle. Il a trop peur que sa cadette flanche à son tour et puis, alors qu'il est si fourbu, après tant d'années à ramer, elle lui insuffle tout ce qui, souvent, lui manque. De l'énergie. De la volonté. De la confiance en soi. Qui n'a pas vu Jacques Chirac chercher le regard de sa fille, dans ses moments de doute ou d'abandon, n'a rien compris à leur relation. Elle est celle qui rallume le feu en lui chaque fois qu'il s'éteint. Elle croit en lui qui y croit si peu.

Nicolas Sarkozy n'a sans doute pas tout à fait tort quand il laisse tomber : « Il n'y a pas de mystère dans leur relation. C'est bien simple : elle n'aime que lui et il n'aime qu'elle [3]. » Il est d'autant plus fondé à le dire qu'il connaît aussi bien l'un que l'autre.

---

1. *Le Roman d'un président*, volume 2 : *Le Miraculé*, de Nicolas Domenach et Maurice Szafran, Plon, 2000.
2. Le 14 juin 1986.
3. *Chirac ou le démon du pouvoir*, de Raphaëlle Bacqué, Albin Michel, 2002.

Si Chirac avait eu un fils, ç'aurait dû être Sarkozy. Le petit Nicolas est entré dans la vie de Jacques Chirac à la fin des années soixante-dix. Le maire de Paris s'est de suite reconnu en ce jeune homme agité d'un désir de conquête et de pouvoir qu'il semblait incapable de satisfaire. Un coup de foudre. Il l'a tout de suite adopté, puis couvé.

Dans *Le Miraculé*[1] de Nicolas Domenach et Maurice Szafran, Nicolas Sarkozy déclare : « Je connais Chirac depuis juillet 1975 où, pour la première fois, il m'a reçu en tête à tête. Il m'a dit : "Tu es doué pour la politique. Viens avec moi." » Il est venu...

Un vieux connaisseur de la chose chiraquienne, Bernard Bled, secrétaire général du conseil de Paris de 1981 à 1995, est formel : « Toute sa vie, Chirac a recherché des fils. Chronologiquement, Sarkozy fut le premier. Après qu'il lui a tapé dans l'œil, en 1975, ils ne se sont plus quittés. On le voyait souvent, à l'Hôtel de Ville. On sentait bien qu'il n'était pas du genre à jouer les utilités. Ce n'était pas un collaborateur, non, mais quelqu'un qui existait par lui-même. Une sorte de fils de la famille qui gardait son quant-à-soi[2]. »

Nicolas Sarkozy dément : « Chirac n'est pas mon père. Je n'ai pas eu avec lui le plus petit commencement d'esquisse de lien filial. Il ne m'a jamais rien donné et, en retour, c'est vrai, je ne lui ai jamais rien donné non plus. J'ai tout conquis moi-même, quitte, parfois, à le trouver sur mon chemin. En 1983, quand je me suis présenté à la mairie de Neuilly, il m'a fait convoquer par Pons qui m'a demandé, de sa part, de laisser la place à Pasqua. Je lui ai fait un bras d'honneur avant de répondre : "Si Chirac a quelque chose à me dire, qu'il le fasse lui-même. Je serai candidat." Même chose aux législatives de 1988. Chirac a soutenu Florence d'Harcourt contre moi[3]. »

Soit. Mais il y a, encore aujourd'hui, trop de passion entre Chirac et Sarkozy pour que leurs relations aient été seulement formelles pendant la petite vingtaine d'années où ils se sont fréquentés. Quoi qu'ils en disent, ces deux-là se sont aimés. Ils se sont même trop aimés pour ne point se haïr quand l'amitié s'en est allée.

---

1. *Op. cit.*
2. Entretien avec l'auteur, le 30 septembre 2005.
3. Entretien avec l'auteur, le 4 octobre 2005.

En ce temps-là, Chirac avait deux fils. Le fils rêvé, avec Juppé : un profil d'homme d'État, toujours un peu distant, voire constipé. Le fils adopté, avec Sarkozy : une sorte de double, très politique, moins dénué de convictions que lui mais avec autant de culot. Entre les deux, son cœur balançait.

C'est pourquoi, comme le dit Bernard Bled, il a été « atteint au cœur » quand, quelques années plus tard, Nicolas Sarkozy a choisi Édouard Balladur contre lui. Pareillement pour Claude Chirac dont Nicolas Sarkozy fut longtemps l'ami intime. « Je n'ai jamais été sa maîtresse », a-t-elle dit, un jour, à la journaliste Béatrice Gurrey [1]. En tout cas, il fut son maître en politique.

Leur rupture sera d'une violence inouïe, digne des Atrides. Des années durant, elle parlera de lui sur le ton d'Atrée déblatérant contre son frère Thyeste, avec une haine obsessionnelle. Dans ce cas d'espèce, on n'est assurément plus dans le registre politique.

Le 4 septembre 1993, alors qu'Édouard Balladur est à son apogée, Nicolas Sarkozy, ministre du Budget, passera devant Claude Chirac sans la saluer à l'université d'été des jeunes du RPR organisée à Strasbourg. « Il ne m'a pas fait un signe, éructera-t-elle. Pas un sourire ou un petit geste de la main, rien. Alors qu'on a travaillé si longtemps ensemble ! »

Mais l'a-t-il seulement vue ? En dépit des apparences, Sarkozy reste un affectif. Il a préféré lâcher Chirac avant qu'il ne le lâche puisque, selon lui, « il lâche toujours tout le monde »...

---

1. *Le Rebelle et le Roi*, de Béatrice Gurrey, Albin Michel, 2004.

52

Les comploteurs de la pleine lune

« L'ambition individuelle est une passion enfantine. »
Charles de Gaulle

Il encaisse. Il a toujours su encaisser. Le 18 juin 1988, lors de la cérémonie traditionnelle du Mont-Valérien pour célébrer le discours du général de Gaulle, François Mitterrand passe devant Jacques Chirac sans s'arrêter. Détournant le regard, le chef de l'État ne salue pas, fût-ce d'un petit mouvement de tête, le maire de Paris qui ravale l'humiliation sans un mot, avec son habituel sourire faux. Il ne bronche ni ne cille.

Michel Rocard, le nouveau Premier ministre, arrive dans la foulée. Il serre, lui, chaleureusement la main de Jacques Chirac. Les deux hommes communient dans la même détestation du président. Lors de la passation des pouvoirs, le maire de Paris avait même donné ce conseil définitif à son successeur à Matignon : « Méfie-toi de Mitterrand quand il est gentil. C'est qu'il prépare un mauvais coup. » Depuis, ils se sont souvent téléphoné, notamment pour évoquer les manœuvres du « vieux ».

Jacques Chirac compatit : « Michel s'est fait avoir comme un enfant lors de la formation du gouvernement. Il ne tient pas les gens. Par exemple, Pierre Joxe, son ministre de l'Intérieur, a rayé d'un trait de plume un projet d'école de gendarmerie à Égletons, en Corrèze. Michel a essayé de m'arranger le coup. Eh bien, il n'a rien pu faire. Ces derniers temps, il a un peu les foies parce que le président est adorable avec lui. Il a bien raison de s'inquiéter, croyez-en mon expérience [1]. »

---

1. Entretien avec l'auteur, le 15 septembre 1988.

L'amitié entre les deux hommes sera toutefois ébranlée quelques mois plus tard, par une sortie de Michel Rocard, lors d'un débat parlementaire contre les « factieux » de l'opposition. Rien de grave. Il faisait juste un peu chaud dans l'hémicycle. Mais le maire de Paris est indigné et blessé : « Factieux, moi ? Après avoir fait un rempart de mon corps contre le Front national, cette invention des socialistes ! À l'heure qu'il est, je serais peut-être président si j'avais pactisé avec l'extrême droite. J'ai passé ma vie à la combattre. Jamais un compromis, rien. On ne peut pas en dire autant de Mitterrand. Je n'adresserai plus la parole à Michel tant qu'il ne m'aura pas présenté ses excuses [1]. »

Au lendemain de cette rupture, Chirac ne croise plus guère de regards amis au Palais-Bourbon. Sauf, bien sûr, ceux de sa garde rapprochée qui, ces temps-ci, se réduit comme peau de chagrin.

De ses affidés, Charles Pasqua est le premier à prendre le large. Il ne croit plus en Jacques Chirac. Il ne souffre plus, surtout, d'être toujours relégué au rang de soutier mal-aimé. De recruteur de « gros bras ». D'orateur amusant, juste bon à chauffer les salles. D'organisateur de la « claque » aux assises du parti gaulliste. De bouffon officiel, enfin, à qui le maire de Paris demande, en fin de dîner, de raconter des histoires drôles : « Allez Charles, encore une, avant qu'on parte se coucher... »

Il est à peu près convaincu que Chirac lui a « manqué » quand il a voulu prendre la mairie de Neuilly, après la mort de son maire, Achille Peretti, en 1983. On ne lui ôtera jamais de la tête que l'avocat de vingt-huit ans, Nicolas Sarkozy, qui la lui a soufflée, bénéficiait, en sous-main, du soutien chiraquien. Alors quoi, Pasqua n'était-il pas assez chic ou trop sulfureux pour la banlieue bourgeoise de Paris ?

Il ne pardonne pas davantage à Chirac de l'avoir fait doubler, à l'Intérieur, dans le gouvernement de cohabitation, par son ancien directeur de cabinet, Robert Pandraud, sacré ministre bis, officiellement chargé de la Sécurité mais en réalité appelé à le contrôler, sinon à le surveiller, comme si Pasqua n'était pas suffisamment fiable pour occuper, seul, le bureau de Cambacérès.

---

1. Entretien avec l'auteur, le 3 juin 1990.

513

Il est blessé, au surplus, de n'être pas consulté sur les grands dossiers. Ou bien à peine, juste pour la forme, avec une sorte de politesse condescendante. « Chirac, dit Pasqua, a fini par considérer que le RPR est sa chose. Nous, on reste accrochés à des idées gaullistes. C'est pour elles qu'on milite, pas pour lui. »

Charles Pasqua a donc décidé de jouer sa propre carte. Pour preuve, il cite souvent un propos que lui aurait tenu George Bush senior, le nouveau président des États-Unis, qui a succédé à Ronald Reagan dont il fut huit ans le vice-président : « En Amérique, vous pourriez être président. » Pourquoi pas en France ?

L'offensive de Pasqua prend Jacques Chirac par surprise.

« Je ne l'ai pas vue venir, commentera le maire de Paris. Peut-être parce que je n'ai pas voulu la voir venir. J'avais pour Charles un affection très ancienne. Je voyais bien qu'il grognait un peu, mais comme tous les grognards, ça n'avait pas l'air bien grave. Un matin, j'arrive au bureau et je trouve une lettre de lui m'expliquant pourquoi il va présenter une motion devant les militants. Je suis furieux. Il aurait quand même pu m'en parler avant. Il avait été associé à toutes les décisions du secrétaire général. Jamais Juppé qu'il conteste tant n'avait pris une initiative sans le consulter. En plus de ça, je comprends qu'il veut m'enfariner comme un bleu quand j'apprends qu'il s'est associé, pour ce texte, à Séguin, ce dont il s'était bien gardé de m'informer. Leur stratégie est limpide. Il s'agit de dégommer Juppé qui m'est fidèle et de me transformer en président potiche qui inaugurera les chrysanthèmes du RPR. Mille excuses, je ne serai pas Coty. Mais pour qui me prennent-ils, ces deux-là ? Croient-ils vraiment que je n'ai pas vu la ficelle ? Je n'ai pas maintenu si longtemps le parti gaulliste hors de l'eau pour me faire dépouiller comme ça, au coin d'un bois [1]. »

Maintenant que Pasqua et Séguin veulent lui retirer son plat, Chirac, d'un coup, a retrouvé la faim. Les deux hommes lui ont rendu, paradoxalement, un fier service. Ils l'ont sorti de la léthargie dans laquelle il s'enfonçait depuis le fiasco de l'élection présidentielle.

C'est un tandem redoutable qui, avec Pasqua, couvre la droite du parti gaulliste et, avec Séguin, sa gauche. Pour ne rien arranger, ce sont aussi, comme le note Chirac, « les deux meilleurs orateurs

---

1. Entretien avec l'auteur, le 3 juin 1990.

du RPR ». Les seuls que les militants viennent écouter alors qu'ils se contentent d'entendre les autres.

Dans leur déclaration commune, le 9 janvier 1990, Pasqua et Séguin appellent à un retour aux sources gaulliennes et préconisent un nouveau rassemblement d'une majorité de Français, « fiers des valeurs de la nation française, confiants dans sa pérennité et son destin, décidés à la rétablir dans sa mission européenne et universelle ».

« Ils ont mal mené leur affaire, observe Chirac. Ils ont bien essayé de m'endormir avec leurs lettres qui se terminaient par des formules du genre : "Très respectueusement et très fidèlement." Mais ils ne se sont pas donné assez de mal. Ils étaient trop pressés, que voulez-vous. J'ai tout de suite senti l'odeur de la poudre et c'est une odeur qui me revigore. Soudain, j'étais comme un cheval qu'on a cinglé. »

Il reprend la route et fait campagne dans le parti en tenant aux militants un discours qui n'est pas si différent de ceux du tandem Pasqua-Séguin. Mais il n'est pas question de débats d'idées. C'est une querelle d'hommes. De présidentiables plus précisément.

À droite, en ce temps-là, tout le monde ou presque se croit présidentiable. La nouvelle génération s'insurge et s'en prend aux anciens avec un programme que l'on peut résumer en une phrase : « Ôte-toi de là que je m'y mette. » C'est ce qu'on appelle le mouvement des « rénovateurs » où s'affichent tous les espoirs de l'opposition : Michel Barnier, député de la Savoie, Dominique Baudis, maire de Toulouse, Bernard Bosson, maire d'Annecy, ou encore François Fillon, député de la Sarthe. « Douze salopards », comme dans le film. Mais trop d'ambitions tuent l'ambition. À peine née, la révolte des jeunes vieux loups s'est perdue dans les sables.

Restent Charles Pasqua et Philippe Séguin qui, pour l'heure, se font la courte échelle avec, dans la tête, l'idée de s'entretuer, le jour venu. Michel Noir, le maire de Lyon, qui laisse tomber, depuis son mètre quatre-vingt-dix-sept, des oracles que la presse recueille dévotement. À l'UDF, enfin, Valéry Giscard d'Estaing et François Léotard qui s'activent. Partout, la « présidentialite » fait des ravages.

« C'est normal, commente Jacques Chirac, philosophe. La pleine lune est une période bizarre où tout le monde pète les plombs. Les commissariats se remplissent alors de dingues qui se prennent pour Jeanne d'Arc ou Napoléon Bonaparte. Y en a même qui prétendent marcher sur l'eau. L'opposition vit sa pleine lune. »

53

La révélation de Maastricht

« Rien n'est jamais perdu tant qu'il reste quelque chose à trouver. »

Pierre Dac

Européen, Chirac ? En petit comité, il l'a toujours été. N'était sa déplorable charge contre le « parti de l'étranger » et l'« inféodation de la France » en 1978, c'est même l'une des rares questions sur laquelle il n'aura jamais varié. Il n'a simplement pas le feu sacré, comme Mitterrand ou Giscard.

Il l'a d'ailleurs reconnu un jour quand il a dit : « Je ne suis pas un euromilitant, je suis un europragmatique [...]. Je ne fais pas de théorie sur l'Europe. Je ne dis pas : voilà ce qu'il faut qu'elle soit. Je dis : elle sera. Et il faut faire en sorte qu'elle soit le mieux possible [1]. »

Tel est le Chirac européen : flou, vaseux et fataliste. « Il ne connaît rien à l'Europe, constate Giscard. C'en est touchant. » Le plus souvent, c'est vrai, Chirac se contente de reprendre les imprécations du général de Gaulle contre la commission de Bruxelles : elles lui permettent de faire des numéros d'estrade très appréciés des militants souverainistes du RPR.

Mais il n'a jamais manqué aucun rendez-vous avec l'Europe. Aussi, quand François Mitterrand annonce, en juin 1992, qu'il demandera la ratification du traité de Maastricht par référendum, la position de Chirac ne fait aucun doute. Il dira oui à l'institution

---

1. Entretien au *New York Times*, le 22 septembre 2003.

de la monnaie unique, prévue par le texte, et l'annonce, d'entrée de jeu, à sa garde rapprochée.

« Bravo l'artiste ! » Comme après chaque initiative du président, le chœur des panégyristes salue son habileté manœuvrière. Mitterrand ne va-t-il pas, à l'occasion du débat européen, raviver les querelles de l'opposition et peut-être même provoquer son implosion ? Ce référendum n'est-il pas l'amorce d'une reconquête de l'opinion avant les élections législatives de l'année suivante ?

C'est bien joué, à en juger par l'ire de Chirac contre le chef d'État : « Mitterrand s'est lancé dans cette affaire avec des arrière-pensées politiciennes bien supérieures à la composante visionnaire. Maintenant, il va falloir faire avec ça [1]. » Sur le référendum, le président du RPR s'en tiendra à sa tactique habituelle dès que le ferment européen viendra mettre de la discorde dans son mouvement : laisser faire, laisser dire, avant de reprendre la main.

Alain Juppé, Bernard Pons ou Jacques Toubon, tous trois dans le saint des saints, ont droit au même discours. Il faut, surtout, ne pas polémiquer. Ne donner prise à rien. Laisser sonner les clairons du nationalisme. Garder ses nerfs sous les grêlons des souverainistes. C'est la stratégie de la tranchée : on s'enterre et on attend.

Pons se souvient : « Comme chaque fois qu'il était minoritaire dans le mouvement, et là, il était ultra-minoritaire, Chirac m'a dit : "Tu ne te dévoiles pas, tu ne fais pas de déclarations, rien. On donne la parole aux autres. Qu'ils se défoulent ! Qu'ils s'épuisent ! Nous, on n'interviendra qu'à la fin." Tout au long de cette affaire, il m'a donné le sentiment de savoir où il allait. Contrairement à ce qu'on croit, c'est quelqu'un qui sait jouer avec le temps. »

Il ne doute pas que Pasqua et Séguin vont se laisser porter par le vent qui monte contre le traité de Maastricht, au sein du RPR. Mais il est décidé à faire face. Un jour, il dit à son ancien ministre de l'Intérieur :

« Tu ne peux pas être contre Maastricht.

— Pourquoi ça ? demande Pasqua.

— Parce que tu es un homme d'État et que tu ne peux pas être contre les Allemands.

— Ça m'est déjà arrivé, figure-toi. Quand j'étais résistant, pendant l'Occupation. »

---

1. Entretien avec l'auteur, le 12 septembre 1992.

Le 4 juillet 1992, quelques heures avant de se déclarer officiellement pour le oui, Jacques Chirac reçoit un coup de téléphone de Marie-France Garaud avec qui il est fâché depuis si longtemps déjà. Elle lui annonce que Pierre Juillet veut le rencontrer de toute urgence. Le misanthrope de la Creuse, son ancien mentor, est un anti-européen fanatique.

« Je vous vois venir, répond Chirac. On a des positions diamétralement opposées. Ce n'est pas la peine qu'il perde son temps, ni moi le mien.

— Il est à côté de moi. Je vous le passe. »

Alors, Pierre Juillet se lance dans une de ces péroraisons solennelles dont il a le secret :

« Jacques, vous avez une responsabilité historique. Le résultat du référendum dépend de vous. De vous seul. Vous savez bien que tout se joue sur un fil. Si vous appelez à voter oui, et que ce mauvais traité est adopté, ce sera votre faute. De grâce, réfléchissez.

— C'est tout réfléchi, Pierre. Je voterai oui et le confirmerai ce soir. »

« Le soir, se souvient Chirac, quand j'ai annoncé à quelques centaines de cadres RPR venus m'applaudir que j'allais voter oui à Maastricht, j'ai été hué. C'était la première fois que ça m'arrivait. »

Dans les trois semaines qui précèdent le scrutin, Chirac prend fait et cause pour le oui, avec des arguments qu'il utilisera, treize ans plus tard, pendant la campagne du référendum sur la Constitution européenne. Plus l'issue semble incertaine, plus il se déchaîne.

Le 27 août 1992, il déclare : « Si le non l'emporte, l'Europe sera cassée [...]. Nous n'avons pas le droit de déstabiliser l'Europe, nous n'avons pas le droit d'isoler la France et d'en faire, en quelque sorte, le mouton noir de l'Europe [...]. Les Français ne doivent pas avoir peur et ceux qui défendent le non jouent essentiellement sur la peur. »

Le 11 septembre, il remet ça : « Si la France répond "non", c'est une interruption du processus de construction européenne qu'il faut attendre. Si nous disons "non", la France s'affaiblira définitivement. Dès que nous ouvrirons la bouche, on nous dira : "Vous avez dit 'non'. Taisez-vous." [...] Ne déstabilisons pas le choix qu'a fait l'Allemagne par un coup de tête des Français. »

De Chirac, on a dit souvent, non sans raison, qu'il se prenait pour le vent mais n'était que la girouette. Pour la première fois depuis longtemps, il n'est plus ce politicien à la vue basse qui court après ses électeurs. Au contraire, il les affronte et les raisonne. En se mettant au service de ses convictions, il a peut-être gagné là ses premiers galons de vrai présidentiable.

Le 20 septembre 1992, le « oui » l'emporte d'un cheveu. C'est une victoire de l'Europe et de l'axe franco-allemand qui a accouché de la monnaie unique. Mais c'est aussi une victoire de Chirac. Sur lui-même.

S'il est vrai, comme le dit Mitterrand, que tout candidat sérieux à la présidence doit embrasser la cause européenne, il vient de prendre une sérieuse option pour l'Élysée. Au demeurant, il ne pense plus qu'à ça. Quelques semaines après le référendum, Jacques Toubon vient lui faire part, en bon soldat, de ses inquiétudes sur Paris : « Il était de plus en plus éloigné de sa ville. Il ne la sentait pas. Je lui ai dit qu'on courait de gros risques avec l'arrivée de nouvelles populations et que, d'ailleurs, ça n'embrayait plus [1]. »

Alors, Chirac, pour s'excuser d'avoir la tête ailleurs : « N'importe comment, quoi qu'il arrive, je serai candidat à la présidence. Si je suis élu, tant mieux. Si je suis battu, tant pis, je resterai à la mairie de Paris et je ferai des voyages. »

---

1. Entretien avec l'auteur, le 25 août 2004.

54

Giscard, le retour

« Si vous voulez vivre longtemps, vivez vieux. »
Erik Satie

Giscard a soixante-quatre ans. Après être tombé de haut en 1981, il a grimpé à nouveau tous les échelons. Conseiller général du Puy-de-Dôme en 1982, député en 1984, président du conseil régional d'Auvergne en 1986, président de l'UDF en 1988. À la tête de la deuxième formation de la droite, tous les espoirs lui sont désormais permis.

Telle est la France : elle prend les mêmes et recommence. Avec Chirac dans le rôle de l'éternel rival, Giscard retrouve son costume dans la pièce tragi-comique interrompue par l'élection présidentielle de 1981. L'ancien président est, à l'évidence, un personnage de Corneille. Parfois, il paraphrase Chimène dans *Le Cid* : « Va, je ne te hais point. » Mais quelque chose dit qu'il tourne dans sa tête les paroles de Cléopâtre dans *Rodogune* : « Tombe sur moi le ciel, pourvu que je me venge ! »

On peut sourire de cette obstination giscardienne à reprendre son rang, le premier s'entend. La démarche de VGE peut aussi paraître pathétique, tant il revient de loin. Mais force est de constater que l'homme exerce encore son pouvoir de fascination. Il a toujours ce regard qui transperce et un ou deux coups d'avance.

On peut sourire aussi de ce remariage après divorce entre Chirac et Giscard. « Nous n'allons pas jouer Plic et Ploc », prévient le maire de Paris, tout fier d'étaler sa culture en bandes dessinées. Il jure qu'ils ne sont pas davantage Liz Taylor et Richard Burton, les acteurs mythiques de *Qui a peur de Virginia Woolf ?* qui se déchiraient entre deux retrouvailles. On le croit bien volontiers. Les deux hommes font davantage penser à deux éclopés qui marchent, bras dessus, bras dessous, pour ne pas tomber, en s'efforçant de ne pas emmêler leurs béquilles.

Politiquement, on ne voit pas bien ce qui les sépare. Giscard est peut-être plus libéral et Chirac moins européen. Et encore, le maire de Paris n'a plus grand-chose à voir avec le bonapartiste souverainiste qu'il fut, un moment, dans les années soixante-dix. C'était il y a si longtemps.

Entre ces deux chevaux de retour, les discussions portent avant tout sur la réorganisation de la droite dans une confédération qui regroupe l'UDF et le RPR : l'Union pour la France (UPF). Ils mettent sur pied un laborieux système de primaires pour aboutir à une candidature unique à la prochaine élection présidentielle. Ils préparent aussi avec soin les investitures pour les législatives à venir. Pour ce faire, ils se téléphonent et déjeunent souvent ensemble.

Le ridicule ne tuant pas, les deux hommes se portent comme des charmes, qui posent volontiers ensemble avec des sourires éclatants, devant les photographes. Pour un peu, on dirait des photos de mariage. Encore qu'ils se gardent bien de se donner l'accolade : ça réveillerait de vieilles blessures.

C'est sans doute en pensant à eux, entre autres, que Michel Charasse, conseiller politique à l'Élysée et l'un des hommes les plus proches de Mitterrand, raconte cette histoire, en se tenant les côtes :

« Un curé va à l'église. En chemin, il entend "cui-cui". Il se penche. C'est un oiseau qui a l'aile cassée. Comme il fait froid, le curé le pose au milieu d'une bouse chaude. L'oiseau continue quand même à faire "cui-cui". Un renard passe et le mange. Première morale de l'histoire : un mec qui te met dans la merde ne te veut pas forcément du mal. Deuxième morale : un mec qui te sort de la merde ne te veut pas forcément du bien. Troisième morale : quand tu es dans la merde, tais-toi. »

Mais Chirac et Giscard se gardent bien de suivre le précepte de Charasse. Ils causent, ils causent, c'est tout ce qu'ils savent faire. Ils accordent des interviews kilométriques au *Monde* ou au *Figaro*. Ils donnent leur avis sur n'importe quel sujet. Ils veillent, surtout, à ce que personne ne vienne troubler leur dernier face-à-face. Ni Noir, ni Léotard. Ni Séguin, ni Pasqua.

521

C'est Chirac qui a fait le premier pas et remis Giscard dans le jeu. Il aurait suffi que le maire de Paris s'y opposât et l'ancien président n'aurait jamais pu prendre la tête de liste de la droite aux élections européennes de 1989, qui l'ont remis en selle.

Là-dessus, ses amis se perdent en conjectures. Denis Baudouin, son conseiller de presse à l'époque, un homme d'une grande finesse, a sa théorie : « Jacques culpabilisait pour 1981. Même s'il prétendait le contraire, il s'en voulait, en son for intérieur, d'avoir contribué à faire battre Giscard. La tête de liste aux européennes qu'il lui a offerte sur un plateau, c'était, pour lui, le moyen de se racheter une conscience. »

Remonté sur scène avec l'aide de Chirac, Giscard s'y déploie avec un mélange d'aisance et d'alacrité jusqu'à redevenir, en 1990, un présidentiable crédible, au grand dam de Séguin qui ironise : « En 1974, les Français voulaient un jeune président, c'était Giscard. La prochaine fois, ils voudront un vieux, ce sera Giscard. »

L'ancien président a compris que le peuple de droite ne veut plus de guerre fratricide. Il prétend, pour reprendre sa formule, avoir « jeté la rancune à la rivière ». Depuis lors, il ne cessera de jurer, croix de bois, croix de fer, n'avoir jamais éprouvé de haine envers Chirac :

« C'est quelqu'un qui ne m'intéresse pas. De Gaulle m'a fasciné. Helmut Schmidt, je l'ai aimé. Chirac, il n'a jamais occupé mon esprit. Je n'y pense pas. Je sais bien que ça n'est pas ce que croit l'opinion mais elle a sur moi des idées toutes faites que la presse amplifie. Quand vous êtes un homme public, vous avez à côté de vous un être fabriqué qui n'est pas vous mais qu'on fait passer pour vous. Eh bien, désolé, ce personnage plein de ressentiment n'a rien à voir avec moi [1]. »

Chirac n'aime pas parler de Giscard. À l'époque, il veut faire croire, contre toute vraisemblance, que leurs relations sont dépassionnées, sinon adultes :

« On ne s'engueule jamais. Sur la forme, nos rapports sont même excellents. Je n'ai pas de problèmes avec lui, bien qu'il me semble qu'il a, lui, quelques problèmes avec moi.

— Pourquoi ?

---

1. Entretien avec l'auteur, le 16 juin 2005.

— Peut-être parce qu'il est plus susceptible, plus engagé. Moi, je prends toujours de la distance par rapport aux choses [1]. »

En prend-il encore quand il voit monter régulièrement la cote de Giscard dans les sondages ? On a peine à le croire, même s'il est vrai qu'il a, depuis peu, allumé un contre-feu : c'est Édouard Balladur.

Après que Raymond Barre a fait tant d'ombre à VGE pendant la première partie de l'ère mitterrandienne, voilà qu'un hors-venu, pur produit du parti gaulliste, occupe tout son espace politique, celui de la droite européenne, libérale et orléaniste. Giscard est dans la situation du commerçant à qui on veut voler pour la deuxième fois son fonds de commerce. D'où son ire.

En poussant Balladur à Matignon, Chirac a plusieurs objectifs dont le moindre n'est pas d'empêcher Giscard de se présenter à l'élection présidentielle. En l'asphyxiant. En lui confisquant ses thèmes. À l'époque, le maire de Paris s'en est ouvert à l'auteur, lors d'un entretien qui, à bien des égards, reste prophétique :

« Pourquoi Giscard fait-il une fixation contre Balladur ? Parce qu'il veut être Premier ministre, si nous gagnons, comme prévu, les législatives. Son plan est simple : installé à Matignon, il se fera élire président dans la foulée, parce qu'il est sûr de faire alors une bouchée des autres candidats, moi compris. Mais il se dit que si Balladur, très proche de l'UDF, devient Premier ministre, il lui sera plus difficile d'être candidat. En tout cas, plus difficile que pour moi. J'aurai une légitimité qu'il n'aura pas. Franchement, que nous soyons tous les deux candidats, ce serait le scénario de l'horreur. On atteindrait les sommets du ridicule, et je pèse mes mots : ça n'aurait pour résultat que de provoquer des candidatures supplémentaires et on se retrouverait à la fin avec Le Pen au second tour. Il faut tout faire pour empêcher ça. C'est toute l'utilité du scénario Balladur. »

Un scénario que refusent la plupart des caciques du RPR, comme Charles Pasqua qui lui répète : « Si tu ne vas pas à Matignon, c'est Balladur qui sera candidat à la présidence. » Ou bien comme Philippe Séguin qui lui dit un jour : « Si tu laisses Balladur y aller, il sera charmant au téléphone, le lendemain de sa nomination. La deuxième fois que tu l'appelleras, il te fera attendre avant de te prendre. La troisième fois, il te fera dire qu'il n'est pas là... »

---

1. Entretien avec l'auteur, le 6 juillet 1993.

55

L'escabeau de Balladur

> « La gratitude, comme le lait, tourne à l'aigre, si le vase
> qui le contient n'est pas scrupuleusement propre. »
>
> Remy de Gourmont

On le dirait sorti d'une page des *Mémoires* de Saint-Simon, tant il fait Grand Siècle. La plupart du temps, il traîne ce mélange d'ennui et de léger dépit, si bien porté par la France d'en haut, qui se traduit par un visage marmoréen, une bouche en cul de poule et des yeux éteints. Et puis, soudain, après un bon mot, la bouche s'étire entre ses joues rougissantes, tandis que son regard pétille et que son corps est traversé de secousses. Édouard Balladur rit volontiers, et de bon cœur.

On a beau avoir une haute idée de soi, on n'en est pas moins homme. Balladur aime les blagues et le bon vin, mais ce sont là sans doute ses seuls points communs avec Chirac. Ils déjeunent ou dînent souvent ensemble, en couple, bien que leurs femmes ne s'entendent pas, dans une ambiance guindée, au milieu des anges qui passent. On se demande ce qui peut bien les porter l'un vers l'autre.

L'intérêt, sans doute. Leur amitié est utilitariste, comme la plupart des amitiés politiques où l'on jette le vieux compère au rebut après qu'il a bien servi, quand il ne lui reste plus de jus. Chirac en sait quelque chose, qui a déjà expédié tant des siens dans les poubelles de l'Histoire. Les deux hommes vivent dans un univers où les individus sont des marchepieds grâce auxquels on finit par accéder, un jour, aux sommets. Ils sont l'instrument l'un de l'autre. Le levier, l'escabeau.

D'un naturel apparemment doux et affable, Balladur est pourvu d'une vanité dont il ne cesse de repousser les bornes. C'est son point faible. Chirac le sait. Voilà pourquoi il le flatte sans arrêt, avec une colossale finesse. Mais il a beau en faire des tonnes, ce n'est jamais assez, et il lui arrive parfois, de surcroît, de commettre des erreurs. Le maire de Paris reste pathologiquement rustique. Il n'a pas le sens de l'étiquette. Ce qu'on appelle, sous les lambris, de l'éducation.

Robert Hersant, le patron du *Figaro*, se souvient l'avoir vu demander un jour à Balladur d'aller chercher un dossier à son secrétariat. Tête de Balladur. Avant d'obtempérer, il fusilla du regard ce maître tyrannique et désinvolte qui, devant témoin, le traitait comme un laquais, un moins que rien, puisque c'est ainsi, étant donné son échelle de valeurs, qu'il ressentait la chose.

C'est avec des vétilles de ce genre que grandira le ressentiment de Balladur contre Chirac. Des rendez-vous annulés. Des petites humiliations sans importance qui lui sont restées en travers du gosier où elles ont ranci des mois durant. Le maire de Paris va trop vite. Il n'a pas le temps d'être toujours aux petits soins de son ami Édouard.

Chirac s'est bien rendu compte que quelque chose clochait quand Balladur a cessé de venir aux réunions de préparation des discours du président du RPR. Des réunions qui constituent une des grandes institutions du chiraquisme puisque s'y retrouvent toutes ses éminences. C'est aussi une corvée interminable où l'on coupe les cheveux en quatre au point de passer une heure, parfois, sur une formule, voire un mot. « Un cauchemar », dit Juppé. « Tout ce bavardage insignifiant m'accable, explique un jour Balladur à Chirac. Envoyez-moi vos discours et je vous dirai ce que j'en pense. »

Le maire de Paris s'est dit que Balladur boudait et que ça lui passerait avant que ça le reprenne. « Il n'a pas un caractère facile, commente-t-il à l'époque. Il est très susceptible mais il faut le comprendre, ça n'est pas n'importe qui non plus. »

Il ne doute pas que Balladur sera toujours confit de gratitude à son égard. N'a-t-il pas été le sortir du trou noir où il macérait, avec ses vieilles rancunes, pour en faire un ministre d'État en 1986 et, si les législatives sont gagnées, un Premier ministre en 1993 ? Ça ne s'oublie pas. L'ami Édouard saura s'en souvenir.

Édouard Balladur écrit pour les journaux de longs pensums sur la cohabitation. Il est devenu son théoricien, son idéologue aussi. Il a du style, des convictions et une pensée claire, même si elle sent souvent la verveine.

Contrairement à Chirac, il publie régulièrement des livres de bonne facture qu'il écrit lui-même, chose rare dans ce milieu, d'une plume académique qui coule de source : après *Passion et longueur de temps*, viendront *Douze lettres aux Français trop tranquilles*, *Des modes et des convictions* et *Dictionnaire de la réforme*. « Il fait les textes, ironise le maire de Paris, moi, je devrais faire les dessins. »

Il fréquente volontiers les grands patrons que Chirac ne peut pas supporter, qui dit d'eux, entre autres gracieusetés : « Ce sont des graines de pétainistes. Ils sont toujours pour l'abdication et la dévaluation. » Le bureau de Balladur, boulevard Saint-Germain, ressemble, certains jours, à une succursale du patronat français.

C'est l'anti-Chirac. Un conservateur bon teint, sûr de son importance, pour qui l'égalitarisme ambiant de la société est une forme de vulgarité et qui rassure tout le monde par sa grande retenue. À droite, au centre et même, parfois, à gauche.

Tel est le Premier ministre que le président du RPR entend donner à la France, si la droite l'emporte aux législatives de 1993. À tous ceux qui, dans son entourage, lui disent qu'il ne doit pas esquiver Matignon en cas de victoire, Chirac répond : « J'ai déjà donné. »

À Jérôme Monod, son vieux complice, il explique :

« J'ai déjà été deux fois à Matignon. Je n'y ai pas réussi.

— Mais c'est à toi d'y aller, proteste Monod. Tu ne peux pas faire confiance comme ça aux autres.

— J'ai décidé. Ce sera Balladur. Il n'y a que des mauvais coups à prendre à Matignon. »

Il est convaincu qu'un Premier ministre ne peut être élu président de la République et que, de surcroît, il n'a ni l'adresse ni la délicatesse nécessaire pour cohabiter une nouvelle fois avec François Mitterrand. Alors, va pour Balladur.

Chirac est sûr de son coup :

« Je ne vois pas comment ça ne pourrait pas marcher entre nous. On a des relations très anciennes et très solides : ça ne se balaye pas d'un revers de la main. En plus de ça, on s'est bien mis d'accord sur la répartition des tâches. Pas de mélange des genres ni de double commande. Je sais ce que c'est, le travail à Matignon. Je ne me mêlerai pas des affaires du gouvernement. Il ne saurait y avoir deux Premiers ministres car on ne prend pas les grandes décisions à deux. Je soutiendrai son action, sans mettre mon soutien sur un trébuchet. Et quand j'aurai quelque chose de désagréable sur le cœur, eh bien, j'irai le lui dire tête-à-tête [1]. »

C'est le discours que Chirac sert à tous ceux qui émettent des doutes sur sa stratégie. Rien ne le fera vaciller et il célèbre sans cesse la loyauté de son glorieux chambellan, qu'il connaît mieux que personne. Non, il ne s'est jamais laissé embobiner par ses manières de rat de cour. Il en convient bien volontiers, ce n'est pas ce qu'il préfère chez lui. Mais le maire de Paris « sent » les gens, que voulez-vous. Il lit même dans leurs pensées, à la façon des « sorciers de Corrèze ». Chez Balladur, il n'a jamais entrevu que de la tranquillité d'esprit et une allégeance totale, au demeurant bien naturelle. Comment pourrait-il lui résister, après tout ce qu'il a fait pour lui ?

Peu à peu, la solution Balladur s'impose. Jusque dans les esprits les plus rétifs. Même Pasqua qui lui était si hostile commence à se faire une raison. Il est vrai que l'ancien ministre d'État y a mis du sien. Il l'a respectueusement écouté et lui a proposé un grand ministère à sa mesure, la Défense ou l'Intérieur. La considération ne coûte pas cher et, parfois, peut rapporter gros.

Trois semaines avant les élections législatives, Balladur dit à Chirac : « J'aimerais que vous me disiez votre conception du rôle du Premier ministre parce qu'après votre élection à la présidence de la République, je compte bien que vous me gardiez à Matignon. »

Et Chirac de répondre en détail avant d'ajouter qu'il a bien l'intention de le conserver à son poste, s'il accède à l'Élysée.

Quelques jours plus tard, Chirac dit à Balladur :

« Vous savez, Édouard, il est tout à fait possible que vous deveniez très populaire, à Matignon. En ce cas, vous apparaîtrez comme le candidat naturel de la droite à l'élection présidentielle et je devrai m'incliner. »

Balladur le coupe :

« Retirez ce que vous venez de dire. »

Une pause, puis :

---

1. Entretien avec l'auteur, le 23 février 1993.

527

« Ne soyez pas insultant. Il y a un contrat entre nous. Je le respecterai. »

Tout, ensuite, découle sans doute de là. Nicolas Bazire en est en tout cas convaincu. Ancien élève de l'ENA recyclé dans l'industrie, c'est l'homme qui aura été le plus proche d'Édouard Balladur. Une tour de contrôle dotée d'un œil de laser. « On peut penser que c'étaient des propos en l'air, observe Bazire, et que Chirac les a tenus sans y prêter trop attention, presque par politesse, un peu comme on promet le mariage à une vieille maîtresse, mais ils ont fait leur travail et, à la longue, libéré Balladur... »

56

La fin d'une époque

« Quand le chêne est tombé, chacun se fait bûcheron. »

Ménandre

Et la France ? Raymond Barre a trouvé, comme souvent, le mot juste : « C'est une queue de comète. » Elle clignote encore dans le ciel du monde mais on a peur pour elle. On se dit qu'au train où vont les choses, elle finira par s'effacer pour de bon, tôt ou tard.

Une ombre crépusculaire recouvre le pays. La presse, qui aime les grands mots, parle de déclin, de dépression ou de crise de régime. C'est, au principal, une fin de règne. Le cancer du président est avancé et François Mitterrand a, de surcroît, perdu la main. Après avoir usé Michel Rocard puis Édith Cresson à Matignon, il s'est trouvé dans l'obligation de nommer Pierre Bérégovoy Premier ministre.

C'était le seul qui restait. Le plus mauvais à l'exception de tous les autres. La dernière carte. Mais il n'a rien d'un as. François Mitterrand ne l'aime pas. Pour preuve, le nouveau Premier ministre est l'une des rares personnalités socialistes à n'avoir jamais été invitée dans sa résidence secondaire de Latche, dans les Landes. Le chef de l'État lui reproche d'avoir porté les derniers coups contre Édith Cresson, sa favorite déchue. De n'avoir jamais cessé d'intriguer comme jadis Louvois, jusqu'à la chute programmée de sa Madame de Maintenon. D'avoir, enfin, trahi à peu près tout le monde avant de le servir. Mendès France, Savary, Mollet, Mauroy, la liste est longue des hommes qu'il a poignardés pour passer, ensuite, à l'ennemi. À quand son tour ?

C'est le Balladur du pauvre. Il en a le goitre, la pompe et les politesses. En fin de législature, il ne peut rien faire mais c'est encore ce qu'il fait de mieux. Après avoir joué la gauche de la gauche en 1981, Bérégovoy est devenu le socialiste préféré des chefs d'entreprise, au grand dam de Chirac. « Moralement, dit le maire de Paris [1], les patrons français sont vraiment des pauvres types. Ils me font pitié, avec leur sébile, toujours à mendier des subventions en rasant les murs. Ils ne veulent jamais d'ennui avec le gouvernement. Surtout quand il est socialiste. Observez-les avec ce malheureux Bérégovoy. Ils sont tous à plat ventre devant lui, les yeux enamourés, parce qu'il les invite à déjeuner. Je suis fier que le RPR soit le seul parti qu'ils ne financent pas. »

On se frotte les yeux, mais oui, Chirac joue, à cette époque, les vierges aux mains pures. C'est en effet sur les socialistes que tombent, en masse, les « affaires ». Un pilonnage permanent. Un jour, la justice épingle Henri Emmanuelli qui, en tant que trésorier du PS, aurait couvert un système de fausses factures et de racket des grandes surfaces. Une autre fois, elle s'en prend au Premier ministre lui-même, accusé d'avoir dissimulé au fisc un soi-disant prêt de Roger-Patrice Pelat, l'ami affairiste du président.

La décomposition qui affecte le pays n'est pas seulement politique, sociale ou économique. Elle est aussi morale. Laurent Joffrin, le directeur de la rédaction du *Nouvel Observateur*, a tout dit quand il dénonce, dans *La Régression française* [2], « une monarchie élective trop habile, entourée d'une cour étourdie d'intrigues et d'honneurs », sous laquelle prospèrent « la politique féodale », « le paradis des initiés » et « la société incivile ».

La droite peut-elle reprendre le monopole de la morale que la gauche s'était appropriée pendant la première cohabitation (1986-1988) ? Les Français savent bien que les socialistes ne sont pas plus corrompus que les autres. Même si, comme le prétendait Tocqueville, « dans les États aristocratiques, les gouvernants sont peu accessibles à la corruption et n'ont qu'un goût très modéré pour l'argent, tandis que le contraire arrive chez les peuples démocratiques [3]. »

---

1. Entretien avec l'auteur, le 30 mars 1991.
2. *La Régression française*, Le Seuil, 1992.
3. *De la démocratie en Amérique*, tome I, volume II, chapitre 5.

Une rumeur monte dans le pays, comme un vieil écho des heures noires de la IIIe République : « Tous pourris ! » Et c'est tout juste si la bonne presse ne répète pas, parfois, les affreux refrains d'antan contre la « démocrassouille » pour reprendre la formule de Charles Péguy.

Sale temps pour réformer. Avant Balladur et tant d'autres, Pierre Bérégovoy est donc devenu l'homme qui recule plus vite que son ombre. Du dernier Premier ministre de François Mitterrand, on peut dire comme jadis Aristide Briand de son collègue Louis Barthou : « Sa pensée est claire comme de l'eau de roche et, à son instar, elle épouse la forme de toutes les carafes. »

Édouard Balladur, son successeur annoncé si la droite gagne, est-il si différent ? Il ne se prépare pas pour Matignon avec l'idée de faire, dans les cent jours, les réformes qui s'imposent. On le comprend. En période de cohabitation, le Premier ministre est en danger permanent : au moindre faux pas, le chef de l'État peut dissoudre l'Assemblée nationale.

La jurisprudence de 1988 est sans appel : quand on cohabite, on ne gouverne pas, on gère, et encore. Sinon, c'est l'échec assuré aux élections suivantes.

Le Premier ministre que Chirac a décidé de donner à la France a donc le même programme que Bérégovoy : pas de vague. En attendant l'échéance présidentielle, il suivra le précepte de Georges Pompidou dont il fut l'un des conseillers les plus proches : « Il ne suffit pas de vivre, il faut naviguer. » Il naviguera, mais sans oublier de garder un œil sur les trois hommes qu'il juge à son niveau et qui peuvent mettre des obstacles sur sa route. Il les avait identifiés, lors d'une conversation avec l'auteur, dès le 18 juin 1991 :

« Ce pauvre Chirac, il a beaucoup de courage, mais, avec les Français, je crains que ça ne marche plus. Giscard, son problème à lui, c'est qu'il n'est pas intelligent. C'est ce que me disait Georges Pompidou. Il n'y a pas d'intelligence sans caractère et le sien ne vaut pas tripette. L'intelligence n'a pas de pires ennemis que l'avarice, l'égoïsme et la méchanceté. Quant à Mitterrand, il s'est trompé sur tout. Cet homme a beau lire des livres d'histoire, il n'a aucun sens de l'histoire. C'est pourquoi il s'est mépris sur la décolonisation, les institutions de la Ve République, la force de frappe, Mai 1968, l'avenir du socialisme, l'unité de l'Allemagne, et j'en passe. »

En somme, Balladur n'a pas de complexe. Il a même la conviction qu'il est le meilleur. Encore qu'il soit conscient que, dans la nouvelle configuration, Jacques Chirac, grand vainqueur des élections législatives, sera considéré comme le Commandeur avec lequel il lui faudra cohabiter. Enfin, pendant quelques semaines. Ou bien quelques jours. À lui de le faire oublier. Il s'y emploiera. Avec talent.

En attendant, Édouard Balladur redoute que Jacques Chirac ne change d'avis. Quelques jours avant les élections, il fait transmettre au chef de l'État, par l'entremise de René Monory, président du Sénat, le message suivant : « Attention si vous nommez Chirac à Matignon, avec l'espoir qu'il refusera. Il serait capable d'accepter. » François Mitterrand a déjà percé la duplicité d'Édouard Balladur et compris l'usage qu'il pouvait en tirer mais la frénésie balladurienne commence à l'agacer. « Ils m'embêtent, ces deux-là, dit-il à René Monory. Je vais finir par leur mettre Barre. »

Jusqu'au second tour des législatives, aucun signe public ne permet cependant de déceler les prémices de la bataille qui a déjà débuté, dans les coulisses. Sauf quand Chirac déclare, avant le scrutin, que l'intérêt de la France commande au président de démissionner. Balladur corrige alors le tir en rappelant que ses propos ne sont pas nouveaux. Mais ils sont tous deux dans leur logique. L'un continue la campagne en décourageant Mitterrand de l'appeler à Matignon. L'autre prépare la cohabitation en envoyant des signaux favorables à l'Élysée. À chacun sa partition.

Jusqu'à la sortie du maire de Paris, réclamant la démission du président, on ne pouvait exclure que Mitterrand appelle, malgré tout, Chirac à Matignon. À Pasqua qui, lors d'un déjeuner avec le chef de l'État, vantait les mérites de la solution Chirac, le président avait dit : « Je n'y vois aucun inconvénient. » Le lendemain de la déclaration de Chirac, il téléphone à Pasqua : « Vous comprendrez que je ne puisse pas l'appeler à Matignon. »

C'est précisément ce que voulait Chirac. Tout juste l'auteur entend-il un début de colère, vite réprimée, quand il demande au maire de Paris, peu avant le scrutin, si Juppé n'aurait pas été un meilleur choix que Balladur pour Matignon :

« Oui, peut-être... Mais Édouard n'a cessé de le persécuter et de le mettre sur la touche. Il l'a vraiment massacré, pendant la première cohabitation. Parfois, j'ai mis le holà. Souvent, j'ai laissé pisser. Je suis trop coulant, que voulez-vous. Si je l'avais plus mis en avant, Alain aurait pu être une solution, j'aurais au moins eu le choix. C'est sans doute ce qu'Édouard voulait éviter [1]. »

L'auteur se souvient aussi avoir entendu Chirac rapporter, le même jour, une phrase que Balladur a prononcée deux ou trois fois devant lui, au cours des derniers jours, et que l'intéressé, interrogé, assume totalement :

« Si vous voulez encore y aller, Jacques, ne vous gênez pas, mais ce sera sans moi. »

Malgré leurs petits agacements réciproques, on voit quand même encore mal, à l'époque, Chirac et Balladur reprendre le célèbre échange entre Hugues Capet et Adalbert de Périgord, en l'an 987 :

« Qui t'a fait comte ? demande le premier.

— Qui t'a fait roi ? » répliqua le second.

En attendant, ils illustrent parfaitement la formule d'Aristophane : « L'un sème, l'autre récolte. »

---

1. Entretien avec l'auteur, le 15 mars 1993.

57

Le premier accroc

« On devrait toujours être amoureux. C'est la raison pour laquelle on ne devrait jamais se marier. »

Oscar Wilde

Depuis l'arrivée de la gauche au pouvoir, le 10 mai 1981, les Français, longtemps privés d'alternance, ont décidé de se rattraper. À chaque scrutin, désormais, ils suivent le vieux slogan de la IVe République : « Sortez les sortants. » Mais aux législatives de 1993, ils se défoulent : l'UPF obtient 44 % des suffrages contre 17 % seulement au PS. Le RPR, l'UDF et les divers-droite totalisent 480 députés, soit 80 % de l'effectif de l'Assemblée nationale. Les socialistes n'ont plus que 57 élus et les communistes, 23.

C'est une bérézina pour la gauche et un triomphe pour Jacques Chirac qui a mené la campagne de la droite. Il a serré tant de mains que la sienne est toute gonflée. Il l'exhibe volontiers en rigolant : « Regardez-moi ça. Encore une semaine de campagne et elle aurait doublé de volume. En plus de ça, j'ai du mal à m'en servir. La série ininterrompue de traumatismes finit par détériorer les cartilages et les petits os du poignet. Beaucoup de gens ont la main agrippeuse et ils écrasent ou broient volontiers la vôtre avec les meilleures intentions du monde. Je ne parle pas des dames qui ont des diamants aux doigts. Elles peuvent vous blesser jusqu'au sang. Georges Pompidou mettait la sienne dans un seau à glace, entre ses bains de foule. Il faudra que j'y pense pour la prochaine campagne. »

Après un pareil score, François Mitterrand ne peut plus finasser. Il est condamné à confirmer la décision de Jacques Chirac : ce sera Édouard Balladur à Matignon. Le 29 mars, avant même que le chef

534

de l'État n'annonce son « choix », le futur Premier ministre prépare déjà son équipe gouvernementale en râlant contre l'« interventionnisme » du maire de Paris :

« Il me casse les pieds, Jacques. Figurez-vous qu'il n'arrête pas de me harceler pour que je fasse entrer Lucette Michaux-Chevry [1] au gouvernement. Mais je ne sais pas si je pourrai le faire. Et puis il m'a dit tout à l'heure, sur un ton que je n'ai pas aimé : "Si vous avez une idée pour le ministère de l'Agriculture, n'hésitez pas à m'en parler, ça pourrait m'intéresser." Quant à son humour, je commence à avoir du mal à le supporter. Ce matin, en m'accueillant à la réunion des éléphants du RPR, il n'a rien trouvé de mieux que de ricaner en me montrant sa place : "Ne vous asseyez pas là, Édouard. Pas encore. C'est mon siège." Vous trouvez ça drôle, vous ? Moi pas.

— Vous voyez, vous n'êtes pas encore à Matignon et, déjà, les problèmes commencent.

— Jamais je ne lui donnerai de coups de poignard dans le dos. Jamais. »

Sur quoi, le téléphone sonne. Édouard Balladur écoute avec une mimique agacée, puis lève les yeux au ciel avant de commenter, en raccrochant le combiné :

« C'était encore Chirac. Il insiste maintenant pour que je trouve quelque chose à Alain Mérieux [2] qui a été battu à Lyon. Ce garçon est vraiment incorrigible. »

Scène vécue, sur le vif, par l'auteur qui est alors en rendez-vous avec Édouard Balladur et qu'il faut mettre en parallèle avec la conversation qu'il a, le soir même, avec Jacques Chirac :

« Bon, moi, désormais, je vais me faire oublier, dit le maire de Paris. La formation du gouvernement, je ne m'en mêlerai pas. Ce n'est pas mon problème. C'est celui d'Édouard. Il m'a appelé plusieurs fois, au cours de la journée. Il est très nerveux, vous comprenez. Je lui réponds toujours la même chose : "Faites comme vous l'entendez. De toute façon, je vous soutiendrai." »

---

1. Député de la Guadeloupe, Lucette Michaux-Chevry avait été secrétaire d'État à la Francophonie dans le gouvernement de Jacques Chirac, en 1986.
2. Vice-président RPR du conseil régional de Rhône-Alpes, Alain Mérieux est PDG de l'Institut Mérieux.

La preuve est faite que Jacques Chirac joue double jeu. Il entend contrôler la formation d'un gouvernement qu'il n'entend pas assumer. Mais son ex-chambellan n'est pas un domestique. Il est affété, tâte-minette et jaloux de ses prérogatives. Entre les deux hommes, la rupture paraît ainsi consommée avant même qu'Édouard Balladur ait franchi le porche de Matignon.

« La formation du gouvernement, ce fut le commencement de la fin pour leur amitié de trente ans, commente Nicolas Bazire, directeur de cabinet d'Édouard Balladur dont il sera deux ans durant le confident, le bras armé et le grand stratège. On n'a pas soumis la liste complète à Jacques Chirac et il a appris sa composition à la télévision, comme tout le monde. On pouvait croire qu'il la connaissait, parce que les hommes s'étaient souvent téléphoné pendant qu'on mettait l'équipe sur pied, mais il y a eu beaucoup de changements de dernière minute. Par exemple, Charles Millon a finalement refusé l'Agriculture qu'on lui avait proposé le matin. C'est Jean Puech qui a été nommé. On a cherché à mettre la main sur le prix Nobel Pierre-Gilles de Gennes pour lui proposer le ministère de la Recherche. Introuvable. On s'est rabattu sur François Fillon. Il y a plusieurs cas, comme ça, qui ont dû blesser Jacques Chirac. »

Le président du RPR n'est pas seulement blessé. Il est furieux. Mais le nouveau Premier ministre n'en a cure. À Bazire qui évoque devant lui l'ire de Chirac, Balladur fait observer :

« Mais de quoi aurais-je eu l'air, cher Nicolas, si je lui avais soumis la liste pour approbation ? »

Balladur prend ses aises. Pour preuve, invité à dîner par les Chirac à l'Hôtel de Ville pour fêter sa nomination, le nouveau Premier ministre arrive avec sa femme... et son chien. Une première. Il ne se serait jamais permis cela auparavant.

Le Premier ministre entend d'abord exister. Il impose un style, une personnalité et une équipe. Avec lui, impossible de parler d'État RPR : son gouvernement penche au centre. Si l'on excepte Giscard, toutes les personnalités de l'UDF sont représentées. Les Méhaignerie, Bayrou, Léotard ou Bosson sont tous là pour se mettre, le jour venu, au service du candidat de la droite tranquille et modérée qui perce, soudain, sous Balladur.

En matière de chiraquiens, le Premier ministre charge bien la barque aussi. Il a décidé de les décrocher un à un de leur maître afin que le roi se retrouve, enfin, nu. Il lui prend ses bras, ses jambes, ses mains, tout. Sans lui en parler, il jette même son dévolu sur Michel Roussin, le directeur de cabinet du maire de Paris, l'homme des affaires secrètes, qui accepte le poste de ministre de la Coopération. Au grand dam de Jacques Chirac, désireux de le garder auprès de lui.

En somme, c'est un gouvernement conçu à la fois contre Valéry Giscard d'Estaing et Jacques Chirac que le Premier ministre entend isoler. Du grand art. Avec trois grands piliers qui s'équilibrent, quitte à s'opposer, parfois : Charles Pasqua à l'Intérieur, Simone Veil aux Affaires sociales, et Alain Juppé aux Affaires étrangères. Édouard Balladur a l'esprit assez chantourné pour savoir que la politique, c'est d'abord la gestion des contradictions.

Le 8 avril 1993, son discours de politique générale devant l'Assemblée nationale n'est pas un grand moment d'éloquence parlementaire. Mais le chef du gouvernement réussit quand même son examen de passage. Lorsqu'il descend de la tribune, nul ne peut lui reprocher de chercher à engager la Restauration ou à rétablir la chaise à porteurs sur laquelle les caricaturistes aimaient asseoir, naguère, le ministre d'État de la première cohabitation.

Depuis, il a su apprendre. Le journal *Le Monde* le crédite même d'un « sans-faute ». S'il joue les modestes, Balladur a néanmoins une haute ambition qu'il a définie ainsi dans son discours de politique générale : « Faire à nouveau de la France un exemple. » Un modèle, le modèle français, les grands mots sont lâchés. Vaste programme.

À la fin du gouvernement Bérégovoy, le pays compte au moins 5 millions de chômeurs : aux 3 millions « officiels », il faut ajouter 1,5 million de personnes en « traitement social » et 575 000 bénéficiaires du RMI. Le déficit de l'État a plus que triplé en trois ans et sa dette a augmenté de 40 % depuis la réélection de François Mitterrand.

L'« exception française » est en marche, rien ne l'arrêtera. Le principe : financer la politique sociale en empruntant à l'étranger. Aux générations futures de se débrouiller, le moment venu.

Contrairement à Mauroy que les déficits publics affolaient et qui l'ont amené à faire une politique de rigueur, Bérégovoy, le chou-chou du patronat français, n'a cessé de signer des traites sur l'avenir. Il appelait cela du « keynésianisme ». Ou de la « relance par la demande ». C'est ainsi que la France a pu vivre largement, et en toute bonne conscience, au-dessus de ses moyens.

Il paraît que le monde entier nous envie. Comment en serait-il autrement ? Le pays a le meilleur système de santé, la meilleure assurance-chômage, les meilleures prestations sociales. C'est du moins ce que croit une grande partie des Français. La classe politique se garde bien de les détromper, à l'heure où Helmut Kohl, le chancelier allemand, lance un cri d'alarme qui résonnera longtemps au-dessus du Vieux Monde :

« Une nation industrielle n'est pas un parc de loisirs où les retraités sont de plus en plus jeunes, les étudiants de plus en plus âgés, les horaires de travail de plus en plus réduits et les congés de plus en plus longs... »

Balladur aura-t-il le courage, lui aussi, de parler vrai ?

58

La mort mystérieuse de « Monsieur Gendre »

« En mariage souvent, l'amour passe et le mari reste. »
Alfred Capus

Il avait la mort en lui. C'est pourquoi le gendre de Chirac ne tenait pas en place. On aurait dit qu'il était monté sur des ressorts. Il ne marchait pas, il sautait, mais avec tant de gaucherie qu'on avait peur qu'il ne tombât.

Tout était démesure, chez Philippe Habert. Le rire, souvent pantagruélique. Les colères, toujours homériques et ne visant jamais que ses supérieurs. La force de travail, enfin, qu'il déployait surtout la nuit, à l'heure des chouettes, en grillant des cigarettes à la chaîne, avant de se coucher au petit jour.

C'était le genre de personnage dont on se dit, en apprenant la mort : « Cela devait arriver. » Il allait toujours trop vite et trop loin. Il était dévoré par des forces qu'il ne contrôlait pas. Il était au demeurant convaincu lui-même qu'il mourrait avant quarante ans et le répétait tout le temps.

Le 5 avril 1993, son corps a été retrouvé sans vie à son domicile du IIIe arrondissement, près de la place des Vosges, à Paris. Dans un premier temps, l'Agence France Presse a parlé, en annonçant la nouvelle, de suicide par balle. En fait, il n'y avait ni balle ni arme dans son appartement. Juste des boîtes de médicaments, tranquillisants, remontants ou somnifères, dont il était un consommateur compulsif.

Philippe Habert s'est-il suicidé ? A priori, tout permet de le penser. Les mobiles ne manquent pas. Il est en rupture avec Sciences-Po où il est maître de conférences. Il a aussi interrompu sa thèse de doctorat. Il a pris ses distances avec le *Figaro* où il avait créé, en 1987, le département de « politologie ». Il est enfin en instance de divorce avec Claude Chirac qu'il a épousée quelques mois plus tôt.

Mais il n'a pas laissé de lettre pour expliquer son geste. S'il s'était suicidé, il n'y aurait pas manqué, ce fils unique très attaché à sa mère, Jacqueline, une secrétaire administrative qui l'a élevé seule. L'autopsie décidée en accord avec Jacques et Bernadette Chirac, accourus sur les lieux, conclut à un « empoisonnement du sang ». Il a mélangé trop d'excitants et de narcotiques. Il a de surcroît dépassé les doses prescrites.

Une habitude chez lui. Philippe Habert engloutit au moins deux litres de café par jour. Il fume entre trois et quatre paquets de cigarettes quotidiens. Il roule toujours à fond la caisse sur son scooter. Il parle haut et fort, clamant sans crainte ses convictions, à la manière de Cyrano, son personnage préféré, qui disait :

« Je fais, en traversant les groupes et les ronds,

Sonner les vérités comme des éperons. »

Il est hors norme. Il est même inconvenant. Ignorant les bonnes manières, il est du genre à mettre le feu aux rideaux avec sa cigarette, écraser son mégot sur la moquette, renverser les tables ou faire la sieste, les chaussures sur le canapé. Jacques Chirac trouve ça farce. Pas Bernadette. Claude s'est vite lassée.

Philippe Habert a été introduit dans la famille Chirac par Pierre Charon, le conseiller en communication du maire de Paris. Il lui semblait judicieux que son patron entretienne des relations suivies avec celui qui apparaissait comme l'étoile montante de la politologie. C'est ainsi que Claude a fait la connaissance du volcanique directeur des études politiques au *Figaro*.

Coup de foudre. Le couple paraît bien assorti. La trentaine, les mêmes centres d'intérêt. Ce ne sont pas des poètes. Pour le mariage, ils ont choisi leurs témoins parmi leurs relations de travail. Philippe Habert a pris ses deux patrons : Alain Lancelot, son directeur de thèse, professeur à Sciences-Po, et Philippe Villin, vice-président du *Figaro*. Claude a opté pour deux collaborateurs de son père qui, après avoir été ses mentors, sont devenus de proches amis : le publicitaire Jean-Michel Goudard et le maire de Neuilly, Nicolas Sarkozy. Cette accordée et son futur, ce sont les mêmes, finalement,

et ils se sont reconnus, faisant leur le précepte de l'Ecclésiaste :
« Toute chair s'unit selon son espèce. »

Quelque chose chiffonne néanmoins Jacques Chirac quand il observe Philippe Habert. Son désir incroyable d'exister, sa boulimie de succès, son ego expansionniste, souvent au bord de l'hystérie. Certes, il aime tout le reste chez lui. Les provocations. Les enthousiasmes baroques. Les coups de sang, aussi imprévisibles qu'explosifs. Mais une semaine avant le mariage, le père de la promise ne peut s'empêcher de demander à l'auteur, avec une inquiétude dans les yeux [1] :

« Vous qui le connaissez bien, ce garçon a-t-il du cœur ?

— Il est très ambitieux. Il arrivera sûrement.

— Ce n'est pas ce que je vous demande. A-t-il du cœur ?

— Il est très intelligent et très sympathique.

— Répondez-moi : a-t-il du cœur ?

— Je ne sais pas. Mais le cœur ne se porte pas en bandoulière. »

Le 12 septembre 1992, après le mariage civil, à Paris, les Chirac ont invité tout le gratin dans les salons de l'Hôtel de Ville. N'étaient les quelques personnalités politiques qui participent au déjeuner, on se croirait dans un gala de bienfaisance, tant il y a d'argent sous les lambris. Des Vernes aux Bettencourt, tous les riches donateurs de la droite sont venus, les bras chargés de cadeaux.

Le 3 octobre, après le mariage religieux, à Sarran, en Corrèze, les mêmes se retrouvent, avec quelques autres, au château de Bity où les Chirac ont organisé un dîner royal. Il y a là toute la bande à Kersauson, le navigateur solitaire, et on rigole bien, le maire de Paris au premier chef, qui entonne des chants russes pour la plus grande joie des convives.

C'est là que Philippe Habert fait son premier esclandre public. Il proteste avec véhémence contre la présence de l'ambassadeur du Maroc et refuse le cadeau du roi Hassan II, un tapis, à cause des prisonniers politiques.

Tel est Habert : un jeune homme enfiévré et insomniaque, d'une indépendance d'esprit sans limites. Le maire de Paris l'a surnommé le « Pierreux » en hommage affectueux à son tranchant et à sa rugosité. Qui s'y frotte s'y pique ou s'y coupe.

---

1. Entretien avec l'auteur, le 5 septembre 1992.

Très vite, Claude ne supporte plus d'avoir à se frotter à lui. Au retour de leur voyage de noces à Venise, ils décident déjà de ne pas vivre ensemble. Il retournera dans son appartement du Marais et elle, chez ses parents. Pas vraiment une rupture, plutôt une prise de distance que rythment quelques retrouvailles, de temps en temps. C'est trop tôt pour divorcer. Ils se donnent encore une chance.

S'il faut marquer d'une date leur rupture, c'est le 4 janvier 1993, lorsque Philippe Habert déclare, sur France 3, qu'Édouard Balladur, l'alter ego de son beau-père, souffre de « non-représentativité sociale » et incarne la « République bourgeoise » : sa nomination à Matignon serait, à ses yeux, « la première victoire de la gauche depuis des années ».

Claude Chirac est consternée. Tout le monde a compris qu'il y a du divorce dans l'air quand elle répond à son mari, le 24 février, dans *Globe Hebdo*. Après avoir dit son soutien à Édouard Balladur (« Il ne portera jamais un coup dur à Chirac »), elle condamne avec une rare violence les propos de son mari : « Je ne pense pas que Balladur ait pensé un instant que cela puisse être prémédité. Pour ma part, j'ai trouvé cela déplacé et immature. »

La procédure est en marche, rien ne l'arrêtera. Leur mariage est à l'image des cadeaux, venus de France et du monde entier, que Michel Roussin, le directeur de cabinet du maire, a fait entreposer dans un salon de l'Hôtel de Ville, réservé à cet effet. Ils n'ont jamais été ouverts. Il faudra attendre la séparation, prélude au divorce, pour que, cinq mois plus tard, leurs avocats respectifs commencent à les partager entre eux.

Pauvre « Monsieur Gendre ». Il est dans le déni et tente de faire croire à la plupart de ses amis qu'il continue à vivre avec Claude. Ils l'écoutent poliment, mais ils savent. Tout le monde sait, à Paris, que leur mariage, à peine consommé, est déjà en voie de dissolution.

Habert devient de plus en plus pathétique alors que les échéances approchent. Jamais une seule allusion à la répudiation de Claude. Il parle même de leurs prochaines vacances. Pour un peu, il évoquerait les enfants à venir.

On peut imaginer qu'il se soit suicidé pour n'avoir pas à affronter l'atroce vérité du divorce annoncé. À moins qu'il ne s'agisse d'une sorte d'acte manqué. Mais rien ne serait plus vain que de chercher à percer les derniers secrets d'une autopsie qui a établi qu'il était mort dans son sommeil, vingt-quatre heures avant la découverte de son corps, après avoir absorbé une surdose de comprimés.

Veuve après huit mois de mariage, Claude se sent coupable, affreusement coupable, derrière les lunettes noires qu'elle ne quitte plus. C'est peut-être ce qui explique l'incroyable énergie qu'elle a mise au service de son père dont le destin semble flageoler, depuis l'accession de Balladur à Matignon. Ils formeront désormais un couple infernal que rien ni personne ne pourra briser, pas même Bernadette qui les surnommera longtemps, d'une voix sifflante : « Les Chirac... »

59

Le fantôme de Mazarin

« Bien des gens sont comme les horloges qui indiquent une
heure et en sonnent une autre. »

Proverbe danois

Du jour où il a franchi le seuil de l'hôtel Matignon, Balladur
n'use plus du même ton ni des mêmes mots pour parler de Chirac.
Il a fait preuve d'une longue patience, des années durant, toujours
en retrait, dans l'ombre honteuse du maire de Paris, où il se languis-
sait, blessé par ses victoires, humilié par sa gloire : on ne se méfie
jamais assez des majordomes. Désormais libéré du joug chiraquien,
il se lâche volontiers.

Tous ses visiteurs l'ont remarqué : à peine installé dans son
bureau où l'on entend rarement la sonnerie du téléphone, le Premier ministre a commencé à distiller des propos assassins contre
son ancien mentor et bienfaiteur dont il fut, à ses heures, le gourou.
Au lieu de savourer ses premiers succès, il laisse couler son fiel et
son ressentiment. Le 29 avril 1993, il rapporte ainsi à l'auteur que
Chirac lui a jeté la veille, « comme un crachat » : « Vous avez mangé
votre pain blanc. »

Balladur n'a pas aimé. « La vérité, commente-t-il, est que ce
garçon a toujours été jaloux de moi.

— Jaloux de quoi ?

— De ma position auprès de Georges Pompidou. Quand je suis
devenu secrétaire général de l'Élysée, je me souviens qu'il n'était
pas content. Il aurait bien aimé l'être. Il était certes ministre. Mais
il n'avait pas la proximité, la complicité... »

Le chef du gouvernement annonce déjà, comme pour soulager sa conscience, que Chirac ne le soutiendra pas. Il le sait, il le sent. D'ailleurs, Mitterrand le lui a dit, le mercredi précédent, avant le Conseil des ministres, en commentant la situation de la majorité :

« Monsieur le Premier ministre, vous dominerez la guerre mais vous n'aurez pas la paix. »

À quoi Balladur a répondu, content de sa formule :

« Monsieur le président, dominer la guerre, n'est-ce pas avoir la paix ? »

C'est ce jour-là que Balladur fait à l'auteur cette confidence qui en dit long sur la programmation de sa trahison :

« Avant le second tour, j'avais très peur que Mitterrand n'appelle Jacques à Matignon en se disant qu'il refuserait. Je n'étais pas sûr que Jacques dirait non. En son for intérieur, je suis même sûr qu'il flottait un peu. Alors, j'ai fait dire au président, par toutes sortes de canaux, qu'il accepterait. Comme Mitterrand n'avait pas envie de remettre ça avec Jacques, on n'a pas pris de risques, vous comprenez. »

Il y a du Mazarin dans cet homme-là. De même que le petit Romain, venu du bas peuple et formé par les Jésuites, réussit à devenir le maître du royaume de France, ce Turc élégant, né à Smyrne, mais qui, lui, parle sans accent, a rapidement mis le pays sous sa coupe en jouant avec aisance sur tous les registres. La séduction. La fourberie. L'intimidation.

Comme Mazarin, Balladur a des comptes à régler avec beaucoup de monde. Avec Chirac, bien sûr, mais aussi avec les puissants qu'il comble d'éloges pour mieux les contrôler. Il prend rarement les gens de front. Il leur fait le plus souvent miroiter un avenir radieux. Par exemple, un beau poste quand il sera président, ou même avant, si c'est possible. Il s'est aggloméré de la sorte une petite coterie à sa dévotion dans le monde de la politique, des médias, des affaires ou de la haute administration.

De Balladur, on ne peut dire ce que Saint-Simon écrivait de Mazarin : « Un étranger de la lie du peuple, qui ne tient à rien et qui n'a d'autre Dieu que sa grandeur et sa puissance, ne songe à l'État qu'il gouverne que par rapport à soi. Il en méprise les lois, le génie, les avantages ; il en ignore les règles et les formes, il ne pense qu'à tout subjuguer[1]. »

Il vaut mieux que ça. Mais il semble quand même suivre à la lettre les principes édictés par le *Bréviaire des politiciens*[2], un livre qui est attribué à Mazarin et qui, depuis sa première édition, en 1684, reste comme une tentative inégalée de théoriser l'intrigue, le soupçon et le mépris en politique. Sous le précepte « Simule et dissimule », on peut lire :

« Montre-toi l'ami de tout le monde, bavarde avec tout le monde, y compris avec ceux que tu hais, ils t'apprendront la circonspection. De toute façon, cache tes colères, un seul accès nuira plus à ta renommée que toutes les vertus ne pourront l'embellir. Préfère les entreprises faciles pour être plus facilement obéi et quand tu as à choisir entre les deux voies d'actions, préfère la facilité à la grandeur avec tous les ennuis qu'elle comporte. »

Balladur est, sur ce plan, un bon élève de Mazarin. Mais il est un autre précepte qu'il n'arrive pas à observer : « Dis du bien de tout le monde. » À propos de Chirac, non, c'est plus fort que lui, les amabilités lui arracheraient la bouche.

Dès les premières semaines, il accuse Chirac de ne pas l'appuyer contre les tenants de l'« autre politique », qui prônent la dévaluation du franc pour relancer l'économie. Il met sans cesse en doute sa loyauté, comme s'il voulait se libérer du contrat moral qui les lie.

Plus le temps passe, plus Balladur devient sévère. Le 4 octobre 1993, alors que les sondages semblent l'avoir mis en état de lévitation, il dit à l'auteur :

« Chirac est victime de son association avec Giscard. Moi, j'apparais comme un homme neuf. Ça n'est pas forcément destiné à durer. Mais même si je m'affaiblis, je ne suis pas sûr que ça le renforce, ce pauvre Jacques. »

Après quoi, Balladur énumère ses griefs contre Chirac :

« Je n'ai pas apprécié son silence, quand j'ai été attaqué sur la politique monétaire. Je ne supporte pas non plus qu'il me relègue, comme il le fait, dans le rôle d'expéditeur des affaires courantes. Il

---

1. *Mémoires*, de Saint-Simon, tome V de la Pléiade, 1715, « Réflexions sur le gouvernement ».
2. *Bréviaire des politiciens*, Arléa, 1996.

a peut-être mal vécu ces derniers mois, avec tous les succès que j'ai engrangés, mais quand même, il pourrait être beau joueur. »

Pourquoi leurs relations se sont-elles dégradées si vite ?

« Mais ça fait longtemps qu'elles sont compliquées, observe Balladur. Après l'élection présidentielle de 1988, j'étais le bouc émissaire de la défaite, au RPR. Je n'ai pas eu le sentiment d'avoir été justement traité. Au moment du débat sur le traité de Maastricht, en 1992, j'ai eu l'impression qu'il se servait de moi pour faire contrepoids à Pasqua. Je n'ai pas aimé. Et je lui ai dit : "Je ne suis pas une potiche que vous pouvez mettre sur une cheminée pour équilibrer les autres." »

Ce n'est pas tout. Pour expliquer leur mésentente, Balladur voit aussi des raisons de fond :

« Je suis très exclusif. Il est, lui, très possessif. Il tient la Corrèze, la mairie de Paris et le RPR. Il subordonne tout le reste à ses trois possessions qu'il veut défendre envers et contre tout. Mais est-ce que c'est la France, ça, je vous demande un peu ? »

Les lèvres de Balladur se gonflent de mépris et ses joues rougissent de fureur contenue quand il laisse enfin tomber :

« Si Jacques veut vraiment être candidat, il doit imaginer un message qui ne soit pas le calque de la politique que je mène. Pour ça, il faudrait qu'il songe à penser un peu. Mais dès qu'il dit qu'il va se mettre à penser, ce garçon, c'est vrai que tout le monde rit. »

Sur quoi, il rit.

Au RPR, rares sont ceux qui, après six mois de gouvernement Balladur, croient que Chirac peut encore faire confiance au Premier ministre. Mais le maire de Paris ne veut rien entendre. S'il se pose des questions et laisse, parfois, percer une certaine irritation, il est convaincu que son ex-chambellan n'osera jamais aller jusqu'à l'affrontement. Enfin, il fait semblant de le croire. On peut le comprendre. Une trahison du Premier ministre serait la preuve par quatre de sa légèreté, cette légèreté enfantine qui faisait dire à Homère : « Le sot ne s'instruit que par les événements. »

60

Le tango d'Édouard

« L'avare se dit économe, le poltron se dit prudent. »
Publius Syrus

Édouard Balladur est un grand Premier ministre. Il habite si haut au-dessus de lui-même qu'il semble, parfois, en proie au vertige. Qu'on l'aime ou pas, il faut bien reconnaître qu'il a de l'allure. Contrairement à la plupart des sexagénaires de la politique, Jacques Chirac compris, il n'a pas de ventre, par exemple. Il le porte dans le cou. C'est plus élégant. Serait-il tout crotté, pas rasé et mal fagoté, il garderait toujours ce raffinement plein de malice qui lui est congénital.

Il a un don tout particulier pour le gouvernement. Il garde l'équilibre sur les sables mouvants aussi bien que sur les bords escarpés. Sa Sérénité ne perd jamais ni le nord, ni son sang-froid, ni le sens de ses intérêts. Il ne connaît pas la maladresse. On dirait que cet Ottoman est tombé dans le pouvoir quand il était tout petit pour se nourrir ensuite de son lait dont ses lèvres dodues semblent encore toutes badigeonnées. Rien de gauche chez ce conservateur éclairé. C'est, de ce point de vue, l'anti-Chirac.

Le Premier ministre a tiré les leçons des défaites passées de Chirac. Le moulinet ou la rodomontade n'est pas son fort. Il ne fonce pas sur l'obstacle. Il le contourne ou, s'il le faut, s'arrête in extremis devant. Il cale souvent, Balladur. Il a compris que la France n'a pas envie qu'on la dérange. Elle aime bien qu'on lui parle réformes mais pendant les campagnes électorales seulement, pas après. Ça trouble sa digestion. Donc, il avance en suivant la ligne du « ni ni » fixée par le Mitterrand de 1988, à la godille.

548

Faut-il lui jeter la pierre ? Il n'y a pas, en France, d'autres moyens pour survivre quand on est aux commandes. À moins de s'appeler Barre et de bénéficier du soutien indéfectible de VGE au-dessus de soi. À moins de penser, comme Mauroy au moment du tournant de la rigueur, à l'intérêt supérieur de la nation. Balladur est arrivé à Matignon pour devenir président.

Il y est arrivé dans les plus mauvaises conditions, celles de la cohabitation, qui lui commandent la plus extrême prudence. En conséquence de quoi, il ne prendra aucun risque. Il ne fait aucune confiance à Mitterrand qui, pendant les premières semaines, a entrepris de le séduire.

Le 30 juin 1993, le chef de l'État lui dit tout à trac : « Je n'ai pas l'intention d'entraver votre tâche et je souhaite la réussite de l'emprunt que vous avez lancé. Je compte le déclarer bientôt publiquement. Vous avez la confiance des Français, vous savez, même si elle est retenue. »

Quelques jours plus tard, avant de partir au sommet de Tokyo, Mitterrand demande à son Premier ministre :

« Est-ce que vous avez acheté de l'emprunt Balladur ?

— Non, répond Balladur. Comme c'est moi qui l'ai lancé, ce ne serait pas convenable.

— Donc, je peux en acheter, en ce cas, fait Mitterrand. Je vais en prendre, si j'ai le temps. »

Balladur a su redonner confiance au pays. Quand il entre en fonction, la France est en récession : le PIB (produit intérieur brut) baisse de 1,4 % en 1993, l'année de l'alternance. Pour inverser la tendance, le Premier ministre utilise les grands moyens. Un grand emprunt qui sera un succès, et des mesures en tout genre comme le triplement de l'allocation de rentrée scolaire ou la prime à la casse des voitures d'occasion.

En 1995, quand Balladur quitte Matignon, la croissance a retrouvé un rythme de 3,3 %. Mais les finances publiques sont à peu près dans l'état où il les avait trouvées. Certes, il fait mieux, encore heureux, que Bérégovoy qui avait laissé filer les déficits de 6,14 % du PIB. Deux ans plus tard, malgré l'embellie économique, ils s'élèvent quand même à 4,9 %. Sous son règne, la France aura donc continué à vivre au-dessus de ses moyens. Le pli est pris.

Pour preuve, si Balladur privatise les entreprises publiques – la BNP, Rhône-Poulenc, Elf-Aquitaine ou encore une partie du capital de Renault –, l'essentiel des recettes ne va pas au désendettement de l'État, comme la rigueur le commanderait, mais aux dépenses courantes. Il laisse, au surplus, une bombe à retardement pour son successeur : l'équilibre de la loi de finances de 1995 repose sur des recettes de privatisations qui semblent plus qu'hypothétiques.

Balladur et Bérégovoy sont-ils les deux faces d'une même politique ? Que l'un soit ou non moins laxiste que l'autre ne change rien au résultat : la France continue de s'endetter et de faire payer par l'étranger ses prétendues réformes et son glorieux système social.

Tant que la politique, en France, se résumera à tout faire pour remporter l'élection suivante, en arrosant les électeurs, comme dans une campagne de conseil général, on n'aura pas grand-chose à attendre d'elle. Balladur fait du Chirac sans Chirac, l'habileté en plus. Ou du Mitterrand sans Mitterrand, le talent en moins.

Au moindre mouvement de rue, le Premier ministre rétropédale à grande vitesse. Comme Mitterrand, comme Chirac. Balladur aime rappeler qu'il travaille sur le bureau de Turgot, « le réformateur qui est tombé pour avoir trop réformé, un exemple dont il ne faut jamais oublier de se souvenir ».

En la matière, Balladur ne court aucun danger. On ne s'arrêtera pas sur la liste de ses reculs, tant elle serait fastidieuse, de la révision de la loi Falloux sur l'enseignement privé aux mesures de lutte contre le tabagisme ou l'alcoolisme. On s'arrêtera juste sur l'édifiante histoire des CIP (contrats d'insertion professionnelle), un cas d'école à étudier dans les universités, qui en dit long sur l'immobilisme français.

Voilà, enfin, une réforme qui s'attaque au chômage des jeunes (22,6 % des moins de vingt-cinq ans). Elle doit leur permettre d'accéder plus facilement au marché du travail, en baissant la barrière du premier salaire qui s'élèvera désormais à 80 % du Smic. Elle est inspirée par la logique, le bon sens et les recommandations de l'OCDE.

Pour cet organisme international, le coût du travail peu qualifié, trop élevé en France, constitue un obstacle à l'emploi. Total, « au lieu d'être des travailleurs pauvres, les travailleurs non qualifiés deviennent des chômeurs ». Les CIP doivent casser la machine infernale qui, dans les cités notamment, pousse les jeunes dans le chômage puis la marginalisation, voire l'exclusion.

Une réforme réactionnaire ? C'est ce que prétendent, en chœur, les chantres du statu quo, les tartuffes à sornettes, les marchands de bonne conscience sociale et tous les syndicats, de la CGT à la CGC qui, soit dit en passant, réclamait cette mesure. À gauche, il n'est guère que Dominique Strauss-Kahn qui n'ait pas mêlé sa voix au concert des protestations. La plupart de ses pairs sont certes d'accord avec lui, mais en privé seulement. En public, ils font campagne contre les CIP en utilisant des grands mots qu'on ne citera pas, par bonté.

Comme souvent en France, le Premier ministre défend sa réforme sabre au clair, mais à reculons, en répétant haut et fort qu'elle n'institue pas un Smic-jeunes alors qu'il ne s'agit que de cela. Il part battu. Il n'en sera que plus aisé pour lui de battre en retraite devant une manifestation qui ne regroupait guère plus de 15 000 personnes, et encore, en comptant large.

Au même moment, le gouvernement socialiste de Felipe González mettait en place un système du même genre, en Espagne, et maintenait le cap après des manifestations qui avaient réuni des centaines de milliers de personnes. Mais González est un homme qui dit ce qu'il fait et fait ce qu'il dit. Pas Balladur qui décanille au premier vent.

Après avoir renoncé aux CIP, le Premier ministre fait savoir, dans un communiqué [1], qu'il entend répondre « à ce qui est un appel de la jeunesse », avant d'annoncer la tenue d'un comité interministériel sur la jeunesse. On croit rêver, mais non, c'est ainsi que meurent en France toutes les réformes. Avec un comité, une commission, un rapport ou un observatoire.

« On ne peut pas réformer en France, commente Balladur avec l'autorité de la compétence [2]. Ma méthode est donc simple. Deux pas en avant, un pas en arrière. C'est ma façon de danser le tango. »

« Cet homme a beaucoup de qualités, observe, en écho, le maire de Paris [3]. Mais il en est une dont il a toujours manqué : c'est le courage. »

---

1. Le 27 mars 1994.
2. Entretien avec l'auteur, le 30 mars 1994.
3. Entretien avec l'auteur, le 1er avril 1994.

61

La complainte des faux amis

« On n'est jamais trompé, on se trompe soi-même. »
Goethe

À l'avènement d'Édouard Balladur, Jacques Chirac avait droit, comme tous les membres du gouvernement, à l'interministériel. Un téléphone qui permet d'appeler directement les ministres et le premier d'entre eux. Le maire de Paris étant atteint depuis longtemps d'une téléphonite aiguë, doublée d'une interventionnite chronique, son appareil ne chôme pas. Il appelle sans arrêt les uns et les autres, donnant son avis sur tout, notamment sur les nominations en cours.

Quelques jours après son arrivée à Matignon, Édouard Balladur se demande à haute voix, devant Jérôme Monod, s'il est judicieux de laisser l'interministériel à Jacques Chirac : « Il en use et en abuse. Par exemple, il n'arrête pas de me harceler à propos du futur chef d'état-major. J'ai une idée. Il en a une autre. Eh bien, je vais nommer celui que je crois être le meilleur, un point c'est tout. »

Qu'Édouard Balladur veuille être un Premier ministre à part entière, Jacques Chirac ne le supporte pas. Mais qu'il ait décidé, en plus, de couper les ponts avec lui, ça le met hors de lui. Sa Sérénité l'appelait régulièrement, jadis. Au moins une fois par jour, vers 8 h 30, pour commenter l'actualité. Et voilà, soudain, qu'il ne lui téléphone pratiquement plus jamais, et encore prend-il le soin, s'il le fait, de ne pas composer le numéro lui-même.

« Édouard est très intelligent, plus que moi, note Chirac [1]. Mais il a deux gros défauts. Il est d'une susceptibilité maladive et il a la

---

1. Entretien avec l'auteur, le 24 décembre 1993.

grosse tête. Une fois, dans les premières semaines, au lieu de composer lui-même mon numéro sur l'interministériel, il me fait appeler par sa secrétaire particulière, mais bon, je n'ai pas percuté. Une autre fois, je décroche et j'entends son chauffeur me dire : "Je vous passe le Premier ministre." Alors là, mon sang n'a fait qu'un tour et j'ai prévenu : "Ne refaites plus ça, Édouard. Sinon, je ne vous prendrai plus au téléphone." »

La menace ne fait pas peur au Premier ministre. Pour preuve, Édouard Balladur finira par lui retirer son interministériel. C'est ainsi que le président du RPR sera, pour reprendre la formule de Gérard Longuet, ministre des Télécommunications, « déconnecté à tous points de vue ».

Mais le maire de Paris sait à quoi s'en tenir depuis que le Premier ministre lui a dit, un jour, en le raccompagnant jusqu'au perron de Matignon : « Jacques, je ne serai jamais votre Premier ministre. Jamais. »

« Cette phrase, dira Chirac onze ans plus tard [1], je l'ai encore dans l'oreille. » Elle lui a permis de comprendre enfin le jeu du Premier ministre après qu'il s'est si longtemps voilé la face, comme s'il redoutait de reconnaître son erreur de jugement.

Quelque temps plus tard, Chirac croira avoir une nouvelle preuve de la duplicité de Balladur quand, après lui avoir reproché de ne jamais le citer dans ses discours, il laisse tomber :

« N'oubliez pas le contrat qui nous lie. »

Alors, Balladur :

« Lequel ? »

Entre les deux amis d'hier, le ton a tôt fait de s'aigrir. Édouard Balladur est du genre à mettre du poison dans sa camomille. Un soupçon, jamais plus. Mais quand il parle du maire de Paris, désormais, il ne se retient plus. Il crache son venin avec l'air de boire du vinaigre :

« Chirac prétend, commente Balladur, qu'il est derrière moi. Mais il fait dire par ses sbires que je suis un affreux immobiliste qui cède tout. Et de Gaulle, alors ? Après sa victoire de 1958, il a lâché sur la retraite aux anciens combattants. En 1962, après le triomphe de son référendum, il s'est incliné devant les mineurs en grève. En 1968, on a vu comment il a fui ses responsabilités. Moi,

---

1. Entretien avec l'auteur, le 15 octobre 2004.

553

je ne me suis jamais laissé prendre, comme d'autres, par le calme trompeur du pays. J'anticipe les difficultés. Je reste prudent[1]. »

Quelques jours plus tard, le Premier ministre enfonce la dague avec une expression de dégoût absolu :

« Un ami de trente ans, Chirac ? C'est ce qu'il dit que nous sommes. Mais entre 1974 et 1976, quand il était Premier ministre, il ne m'a pas invité une seule fois à venir le voir, ni à Matignon ni ailleurs. Je suppose que ça aurait fait de la peine à Giscard. Et puis, il faut savoir que, jusqu'en 1980, nous n'avons pas déjeuné une seule fois ensemble[2]. »

Un gloussement, puis :

« C'est vous dire si notre amitié était pudique. »

Quand Simone Veil et François Léotard, respectivement ses ministres des Affaires sociales et de la Défense, se prononcent pour la candidature d'Édouard Balladur à l'élection présidentielle, le maire de Paris ne doute plus que la guerre est déclarée. Il s'y prépare désormais, en donnant le change et arborant une confiance de façade qui fait sourire. Même s'il en abuse, la langue de bois n'a jamais été son fort. Elle sonne particulièrement faux.

Par exemple, quand on lui demande comment il voit son avenir dans les prochains mois, il fait toujours la même réponse mécanique qui ne convainc personne : « Écoutez, moi, je suis déjà au lendemain du second tour de l'élection présidentielle. »

Mais l'amour-propre ne pardonne pas. Chirac est un homme blessé. D'avoir galvaudé sa confiance. De s'être laissé si aisément berner. À la fin de l'année 1993, il laisse percer à son tour une espèce de rage froide lorsqu'il parle de celui qu'il a couvé, promu et installé à Matignon :

« Quand il était ministre des Finances, pendant la première cohabitation, je disais souvent à Édouard : "Faites attention. Ça vous monte à la tête." C'est ce qui se passe aujourd'hui et, franchement, je trouve ça un peu triste. Cinq ans de projets communs et d'engagements ne peuvent pas partir en poussière comme ça, balayés d'un revers de main, sous prétexte qu'il ne se sent plus pisser. Récemment, je ne me suis pas gêné, je lui ai lâché le paquet : "Je vous mets en garde, Édouard. Vous prenez la grosse tête." Je sais que ça

---

1. Entretien avec l'auteur, le 15 novembre 1993.
2. Entretien avec l'auteur, le 29 novembre 1993.

l'agace, mais il faut bien que quelqu'un se dévoue pour lui dire la vérité. Je vois clair dans son jeu, maintenant. Il essaie de me pousser à la faute. Il veut me faire sortir de mes gonds pour pouvoir, ensuite, se libérer de son contrat. Je ne tomberai pas dans ce piège. D'abord, parce que je ne suis pas assez bête. Ensuite, parce que je sais me contrôler. Enfin, parce que je suis, figurez-vous, dans un état de grande sérénité. Tôt ou tard, Édouard finira par comprendre que je suis au moins aussi déterminé que lui et qu'il a lui-même quelques handicaps à surmonter. Vous savez, c'est rude, une campagne électorale. Il n'en a jamais fait. Il dira qu'il a été élu député du XVe arrondissement de Paris. Non, mille excuses, il a été nommé. Par moi. À ça, il faut ajouter qu'il doit être bien embêté de se présenter contre moi à la présidentielle. Moralement, ça ne sera pas facile. On lui dira : "Qui t'a fait roi ?" Certains soirs, il aura du mal à se regarder dans la glace. Il lui restera bien un petit fond d'éthique, même si je ne me fais plus trop d'illusions, désormais. Je viens d'apprendre à mes dépens qu'il faut s'attendre à tout, des gens. À tout. »

Jacques Chirac fait pitié, désormais. Il est devenu l'incarnation vivante d'un vieux proverbe turc : « Qui tombe n'a pas d'amis. Trébuchez seulement, et regardez. » Ses proches, ses obligés, ses amis de trente ans, tous ou presque se sont esbignés comme une volée d'étourneaux, pour se mettre à l'abri d'un arbre plus prospère. C'est la cruelle loi de la vie, politique s'entend : « Chacun pour soi. » Le maire de Paris a de plus en plus de mal à cacher sa peine et son désarroi.

Un jour de doute, il dit à l'auteur, avec une expression pathétique :

« C'est dur, toutes ces trahisons, très dur. Je garde bien quelques fidèles mais je vois bien que ça se "clairsème" autour de moi. Tout ça, à cause de ces fichus sondages. Les lâcheurs sont tous à l'image de Sarkozy. Ils sont à leur affaire, le nez sur le guidon, sans imaginer que les vents tourneront un jour, parce qu'ils finissent toujours par tourner, c'est aussi vrai en politique qu'en météorologie. Vous allez me dire que je suis paranoïaque, mais ils m'ont même mis sur table d'écoute, vous savez. J'en ai la preuve [1]. »

Un gros soupir et il ajoute :

---

1. Entretien avec l'auteur, le 23 juin 1994.

« Je suis trop naïf. C'est ça, mon problème. Je n'avais pas prévu tout ça. »

On n'est pourtant qu'au début de l'histoire.

62

L'effeuillage de l'artichaut

> « Le pain de la fourberie est doux à l'homme mais à la fin,
> sa bouche est remplie de gravier. »
>
> Livre des Proverbes

« Balladur aime le gigot de 7 heures. C'est comme ça qu'il aime Chirac : à la cuillère. » Telle est la dernière blague qui court dans Paris. L'auteur : Marie-France Garaud, que le maire de Paris a congédiée sans ménagement quinze ans plus tôt.

Le Premier ministre a une si haute idée de son intelligence que ça lui donne du caractère. Mais du courage, non. Il est trop calculateur pour en faire preuve. Et puis sa fausse modestie, fille de la vanité, lui bouche la vue. Il ne voit pas les nuages qui s'amoncellent à l'horizon. À la recherche exclusive de motifs de satisfaction, il n'a d'ouïe que pour les louanges ou les propos mielleux. Notamment ceux de François Mitterrand qui, du moins devant lui, n'en est pas avare. Le 23 février 1994, par exemple, le président lui a dit : « Laissez s'entretuer vos rivaux de la majorité. De tous, c'est vous que je préfère. » Il répète cette confidence à l'envi. Faites passer.

Pauvre Balladur. Il ne lui viendrait pas à l'idée, tant il est rengorgé de contentement, que François Mitterrand puisse penser le contraire. C'est pourtant le cas. Quelques jours plus tard [1], le chef de l'État dira à son vieil ami Roland Dumas : « Si Balladur continue à céder comme ça sur tout, il aura du mal à tenir jusqu'à l'été. Je pense que la descente va être rude pour lui. Je ne me plaindrai pas.

---

1. Le 4 mars 1994.

Ça me permettra de changer de Premier ministre. Je nommerai Barre à l'automne. Ça les embêtera bien. »

Il faudra attendre plusieurs semaines encore pour que le chef de l'État balance sa première vanne à Édouard Balladur. Cela se passe pendant l'un de leurs entretiens du mercredi, avant le Conseil des ministres. « Tout le monde s'agite en même temps, observe le président. Ça me rappelle 1815, quand ils étaient trois à guigner le pouvoir, le duc d'Orléans, Bernadotte et Louis XVIII.

— Louis XVIII, ça sera qui ? demande Balladur.

— Vous », répond Mitterrand.

Commentaire de Balladur, après qu'il a raconté cet échange à l'auteur : « C'est vraiment une vieille frappe, ce Mitterrand. » Le Premier ministre a perçu la malignité du faux compliment présidentiel. Mais il n'a pas compris qu'un nouveau front vient de s'ouvrir contre lui : pour la prochaine élection présidentielle, le chef de l'État est désormais sur la ligne TSB (« Tout sauf Balladur »).

Les deux hommes étaient pourtant faits pour s'entendre. Ils ont la même culture, le même cynisme tranquille, la même passion pour la littérature française. L'un et l'autre peuvent soutenir pendant des heures une conversation sur Voltaire, Rousseau ou Diderot qu'ils connaissent sur le bout des doigts. Comme Mitterrand, Balladur aura passé une bonne partie de sa vie un livre à la main. Rien à voir avec Chirac.

Pourquoi, alors, ce courroux présidentiel contre Balladur ? D'abord, Mitterrand, affecté du complexe de Volpone, ne souffre pas que son Premier ministre se préoccupe tant de sa santé. Surtout à l'heure où il sait qu'il est en train de perdre sa guerre contre le cancer de la prostate et des os qui le ronge depuis plus de dix ans déjà. Il n'aime pas ses regards, pendant les conseils. Il prétend qu'ils cherchent la mort en lui.

Ensuite, il ne supporte pas les incursions répétées du ministre dans son domaine réservé, la politique étrangère. Même s'il apprécie le ministre en charge, Alain Juppé, dont il ne perd jamais une occasion de dire grand bien, il se sent agressé par les déclarations d'Édouard Balladur qui ira un jour jusqu'à affirmer, ultime provocation : « Mon gouvernement, en accord avec le président de la République, conduit les relations extérieures de la France. »

Enfin, il prétend connaître la vérité d'Édouard Balladur qu'il décrit ainsi, entre autres : « Un personnage de Molière. C'est Tartuffe sous des airs de Bourgeois gentilhomme. » Ou bien : « Une outre pleine de fiel. Percez et vous verrez, il n'en sortira que du fiel. » Ou encore : « Un modèle d'hypocrisie comme on n'en a pas vu beaucoup dans l'histoire de France. C'est d'abord ce qui restera de lui. »

Apparemment, la stratégie de Balladur est imparable. Les yeux rivés sur l'élection présidentielle de 1995, il revêt les habits d'un personnage étrange, une sorte de rareté politique : candidat sans l'être, naturel et incontournable. Une évidence, qui n'aura même pas besoin de faire campagne ou à peine. Il a déjà un style présidentiel. Il ne lui reste plus qu'à s'installer dans les meubles. L'élection ne sera qu'une formalité.

C'est la stratégie du favori. Sur le papier, elle fonctionne bien. Dans la réalité, elle a presque toujours échoué. Elle n'a réussi qu'à de Gaulle, en 1965, mais elle a perdu Alain Poher en 1969, Jacques Chaban-Delmas en 1974, Valéry Giscard d'Estaing en 1981, Raymond Barre en 1988 comme elle perdra, ensuite, Édouard Balladur en 1995 ou Lionel Jospin en 2002.

En attendant, Édouard Balladur la suit. Avec l'aisance des connaisseurs de la chose politique. À Matignon, il donne déjà le ton de sa présidence. Avec lui, pas de précipitation. D'un naturel poli, il traite ses visiteurs avec égard et patience en se gardant bien de leur montrer, contrairement à Chirac, qu'ils lui font perdre son temps auquel, toujours contrairement à Chirac, il donne du temps.

Il n'est pas pressé. Surtout quand il s'agit de circonvenir les proches de Chirac qu'il effeuille comme un artichaut. Pour les désarmer, puis les suborner, il les couvre d'éloges quand il ne leur offre pas un poste ou une Légion d'honneur. Il a réussi une prise de choix : Jacques Friedmann. C'est le meilleur ami du maire de Paris, un vieux complice, un homme subtil et chaleureux, qui fait partie de ses intimes depuis l'ENA. Inspecteur des Finances, il fut, dans les années soixante, chargé de mission au cabinet de Valéry Giscard d'Estaing, ministre des Finances. Le chef du gouvernement en a fait le président de l'UAP (Union des assurances de Paris). Depuis, Friedmann se sent déchiré entre deux loyautés et, tel l'âne de Buridan, refuse de choisir.

Ce n'est pas le cas de Jérôme Monod, ancien secrétaire du RPR devenu patron de la Lyonnaise des eaux. Lui a choisi. Il est vrai qu'il n'a jamais éprouvé de tendresse particulière pour Édouard Balladur qu'il connaît depuis l'ENA et qui le surnomme « Jerry », surnom dont il a écopé au retour d'un séjour aux États-Unis, après ses études. En retour, « Jerry » appelle le Premier ministre « Eddy », ce qu'il déteste. Monod persiste quand même. Il aime agacer le chef du gouvernement dont il moque volontiers les ambitions politiques : « Il ne saura jamais y faire. Il restera toujours un avatar du comte de Paris. »

Un jour, Édouard Balladur jette ses filets sur Jérôme Monod. « Reconnaissons-le, dit-il à son ami "Jerry" sur un mode faussement contrit, ce pauvre Jacques a échoué partout. Qu'il s'agisse de sa vie de famille ou de ses deux passages à Matignon, il n'a fait que se planter. Il faut expliquer à ce garçon qu'il ne doit pas se présenter à la présidence et diviser ainsi la majorité. Ce serait encore une erreur dans une carrière qui en compte tant. »

Sans trahir la conversation, Jérôme Monod s'en va derechef prévenir le maire de Paris :

« Méfie-toi. "Eddy" prépare quelque chose.

— Laisse tomber, répond Chirac. C'est du bluff. Il ne fera rien. Il n'a pas assez de coffre. »

Même si sa rupture avec Balladur est consommée, Chirac a du mal à croire à sa candidature. « Je suis très calme et très serein, dit-il un jour à l'auteur. L'actualité ne m'intéresse pas. Je lis à peine les journaux. J'écoute juste les gens. Dans ma tête, je suis déjà au lendemain du scrutin [1]. » Une autre fois, il observe : « Si je vais encore au déjeuner de la majorité, le mardi, à Matignon, ça n'est plus que pour chercher le regard d'Édouard. C'est étrange, je ne le trouve jamais. Même quand il me serre la main, il s'arrange pour ne pas me regarder. Maintenant, il en vient à tout faire pour n'avoir pas à me la serrer. Des détours pas possibles ou des fuites par des portes dérobées. C'est peut-être le signe qu'il lui reste encore un fond de morale. Mais ça ne suffira jamais à compenser le courage dont il manquera toujours [2]. »

La formule qui revient le plus souvent dans sa bouche, à cette époque : « Je vais gagner. » Mais tout son visage dit le contraire. Ses traits défaits, ses muscles relâchés, la tristesse de ses yeux. On dirait un décapité qui, après son exécution, aurait remis sa tête sur son cou pour faire croire qu'il est vivant.

---

1. Entretien avec l'auteur, le 1er avril 1994.
2. Entretien avec l'auteur, le 3 mai 1994.

63

La botte secrète de Monte-Cristo

« Pour savoir se venger, il faut savoir souffrir. »
Voltaire

Il a perdu son sourire commercial. Il regarde moins souvent ses interlocuteurs dans les yeux et se laisse aller à proférer des propos de plus en plus désabusés sur l'humanité en général et Balladur en particulier. Assistant, impuissant, à l'agonie de son système, Chirac continue néanmoins de faire semblant. Il s'est mis en pilotage automatique. En ce qui concerne les accolades, les poignées de main, les manifestations officielles ou les signatures de parapheurs, il arrive encore à assurer. Mais pour le reste, il ne trompe plus son monde.

Chirac suit la tactique de la poule d'eau qui, devant le danger, s'immerge, ne laissant plus dépasser que son bec à la surface. Il y a quelques mois, il répétait : « Édouard a décidé de m'effacer. » Apparemment le Premier ministre a réussi. S'il n'a pas disparu du paysage, le président du RPR n'est plus qu'un cadavre qui bouge encore.

« Je me suis enfoui, dit-il à l'auteur, le 23 août 1994. Mais vous verrez, je l'aurai, Édouard.

— Comment allez-vous faire ?

— J'ai une botte secrète.

— Quelle est-elle ?

— Je veux qu'elle reste secrète encore quelque temps. »

Quand l'auteur lui dit que Mitterrand est « furieux » contre lui, Chirac secoue la tête :

« Vous n'y êtes pas. Nos relations sont excellentes.

— Il trouve que vous vous débrouillez très mal avec Balladur.

— Ah ? Je vais lui en parler. Je le vois dans trois jours.

— Il vous dira sûrement que vous avez commis beaucoup d'erreurs, ces temps-ci.

— Lesquelles ?

— Il pense que vous êtes trop absent. »

Chirac baisse les yeux puis note quelque chose sur un carnet. Quand l'auteur lui demande ce qu'il a écrit, il lui tend son calepin : « Trop absent. »

C'est dire si, malgré ses fanfaronnades, le maire de Paris ne sait plus à quel saint se vouer. Il n'ignore pas que la machine balladurienne est entrée dans la dernière phase, à son égard : la vitrification totale. Pour faire front, il prendra ses alliés où il les trouvera. Si le président a envie de l'aider, alors, va pour Mitterrand.

Le pouvoir balladurien est éminemment français : à la fois faible et despotique. Souvent apeuré par les sautes d'humeur du bas peuple, il n'a pas son pareil pour imposer sa loi sur l'appareil d'État ou les partis de la majorité. Que le Premier ministre soit apparemment un homme doux et affable n'empêche pas les siens d'utiliser tous les moyens, à commencer par l'intimidation, pour amener de nouveaux soutiers à leur maître.

Il importe, par exemple, de mettre au pas *Le Figaro* qui se pique d'indépendance. C'est même devenu obsessionnel, dans les hautes sphères balladuriennes. Son propriétaire, Robert Hersant, a décidé que son journal ne soutiendrait aucun candidat. Mal lui en a pris.

« Depuis que je suis dans la presse, observe Robert Hersant, je n'ai jamais eu de plus mauvais rapports avec un gouvernement. Je reçois sans arrêt des menaces. Pas des propos en l'air, non, des menaces très précises proférées par des gens très importants. Ils me promettent le pire sur le plan bancaire. Pour l'instant, j'évite de prendre ces connards au téléphone mais je ne sais pas si je pourrai tenir longtemps : ça tombe mal, j'ai une échéance bancaire très difficile [1]. »

Robert Hersant feindra de s'incliner. Pour donner le change, il se rend, fait exceptionnel, à la cérémonie des vœux du Premier ministre et nomme Yves de Chaisemartin auprès de lui à la direc-

---

1. Entretien avec l'auteur, le 22 décembre 1994.

tion politique du *Figaro*. « C'est un balladurien, jure-t-il à ses maîtres chanteurs. Vous pouvez être tranquilles. » Ils ne le seront jamais.

Quelque temps plus tard, blessé dans son orgueil, Robert Hersant écumera devant l'auteur : « J'ai dit à Balladur qu'un journal, ça ne peut pas être à la botte, mais il ne comprend pas, il ne comprendra jamais. Avec les personnages de ce genre, on n'en fait jamais assez. Ils n'acceptent la presse que couchée, pour s'essuyer les pieds dessus. Même de Gaulle et Mitterrand, que j'ai pourtant combattus, eux, étaient plus ouverts que ce type [1]. »

Jérôme Monod, lui, fait de la résistance. Le patron de la Lyonnaise des eaux a décidé d'accorder des stock-options aux dirigeants d'une de ses filiales, Degrémont, après qu'ils ont administré à l'entreprise un traitement de cheval, qui l'a remise sur pied. Mais la direction du Trésor bloque. L'ami de Chirac demande donc à Nicolas Sarkozy, ministre du Budget, de lui arranger son affaire.

Une réunion est organisée pour que les dirigeants de Degrémont puissent défendre leur cause devant le ministre du Budget. Avant qu'elle ne commence, Nicolas Sarkozy prend Jérôme Monod à part :

« Alors, vous êtes pour ou contre nous ?

— Que voulez-vous dire ?

— Allons, ne faites pas le naïf. Vous allez soutenir Chirac ou Balladur ?

— Je ne répondrai pas à cette question. »

Au cours de cette réunion, dans un nouvel aparté, Sarkozy souffle à Monod, sur un ton ironique : « Une fois pour toutes, qui sera votre candidat ? »

Alors, Monod : « Cette question n'a rien à voir avec le sujet que l'on traite. »

Tout cela s'est dit entre deux sourires. Mais ça en dit long sur le climat qui règne aux sommets. Rares sont ceux qui, comme Jérôme Monod, osent tenir tête au rouleau compresseur de l'État-Balladur. Quelques amis, comme François Pinault ou Bernard Brochand. Mais au RPR, on peut les compter sur les doigts d'une seule main : dans l'ordre alphabétique, Jean-Louis Debré, Alain Juppé, Bernard Pons, Philippe Séguin et Jacques Toubon.

---

1. Entretien avec l'auteur, le 23 janvier 1995.

Tous n'ont pas, avec le maire de Paris, le même rapport d'intimité ou de soumission. Jacques Toubon et Jean-Louis Debré montent sans cesse au front pour leur héros, la loyauté chevillée au corps. « Je préfère qu'ils soient avec Chirac plutôt qu'avec moi, s'amuse Balladur. Ces gens-là n'auraient même pas pu inventer l'eau chaude. » Bernard Pons et Philippe Séguin préparent les munitions, à l'arrière. Quant à Alain Juppé, dauphin officiel depuis que le président du RPR l'a appelé le « meilleur d'entre nous », il est en train de s'affranchir. Il a décidé de quitter la capitale pour prendre la succession de Jacques Chaban-Delmas à la mairie de Bordeaux.

Jacques Chirac ne devrait pas oublier de s'en souvenir : aucun de ces cinq hommes ne lui a manqué, dans ces heures difficiles. Force est de constater que, par la suite, il a manqué à presque tous. Dix ans plus tard, la plupart auront été laminés ou mis en pièces. C'est à peine si, parfois, il aura levé le petit doigt pour eux, comme si, à ses yeux, la loyauté était toujours à sens unique. Comme disait Alexandre Dumas : « Il y a des services si grands qu'on ne peut les payer que par l'ingratitude. »

Un nouveau Chirac est né sous Balladur : ingrat, rugueux et anti-élitiste. Un soir, au cours d'un débat informel avec plusieurs intellectuels comme Régis Debray, Jean-Claude Guillebaud ou Denis Tillinac, sous l'égide de leur association « Phares et balises », le maire de Paris entend parler d'une note de l'ethno-sociologue Emmanuel Todd, souverainiste de gauche, pour la Fondation Saint-Simon [1]. Il y est présenté comme « homme de gauche, par la force des choses ». N'est-ce pas là, en effet, le créneau le plus judicieux pour l'élection présidentielle ?

Balladur occupe le terrain de la droite modérée. Qu'à cela ne tienne, tout en gardant la droite populiste, Chirac ira braconner à gauche. Après avoir lu la note d'Emmanuel Todd, le maire de Paris en commandera deux cent cinquante exemplaires qu'il enverra aux députés RPR. Sa campagne est toute trouvée : dépasser le clivage droite-gauche, en parlant au nom du peuple, coupé, selon lui, de ses classes dirigeantes.

Rien à voir avec la campagne très libérale de 1988, mais qu'importe. Chirac n'en est pas à un changement de cap près et cette nouvelle ligne lui ressemble bien. Dans sa note, une brochure très sérieuse

---

1. En novembre 1994.

de quarante pages, intitulée « Aux origines du malaise politique français », Emmanuel Todd écrit notamment : « Jacques Chirac, sans l'avoir beaucoup cherché, est virtuellement de gauche. » Il le voit « plus proche d'un idéal de type populaire et démocratique ». Il en fait le « candidat de ceux qui ont intérêt au changement – les pauvres, les jeunes, les actifs, les emprunteurs », alors qu'Édouard Balladur est, selon lui, le « chef du parti des nantis – les riches, les vieux, les retraités, les rentiers, tous les amateurs du franc fort ».

Emmanuel Todd a-t-il été le mentor de Jacques Chirac ? L'ethnosociologue s'en défend avec drôlerie : « Comme la presse écrivait que j'étais son gourou, tout le monde était convaincu de mon importance. Plus je démentais, plus on était sûr de mon pouvoir. J'étais convoqué par des ambassadeurs ou par George Soros qui me demandait si on allait dévaluer. C'était d'autant plus comique que je n'ai rencontré Chirac que trois ou quatre fois, pas plus, et jamais en tête à tête. »

N'empêche que la note d'Emmanuel Todd a permis à Jacques Chirac de théoriser ce que lui disait son instinct. « La première fois que je l'ai vu, dit-il, et alors qu'il n'avait pas encore lu ma note, il parlait déjà gauchiste », observe celui qui a fini par passer pour son idéologue.

« Il s'est rejoint », confirme Claude Chirac, sacrée, à l'occasion de la campagne, conseillère en tout, politique, loisirs ou communication. « Il exprime enfin ce qu'il est. »

64

Le dauphin de Mitterrand

> « Quand le vieux lion se meurt, même les chiens ont du
> courage et lui arrachent les poils de sa moustache. »
>
> Proverbe syrien

Tartuffe est un personnage de toutes les époques. Il célèbre les puissants dès lors qu'ils sont au sommet et les traîne dans la boue à l'instant où le sol se dérobe sous leurs pieds. Après des années de courbettes et de ronds-de-jambe, il a donc abandonné François Mitterrand dont le règne touche à sa fin et qui n'est plus en mesure de les allécher avec l'argument massue : « Par ici la bonne soupe. » Quelques-uns de ses anciens courtisans croient même pouvoir se refaire une virginité à ses dépens et commentent avec effroi les dernières révélations sur son passé vichyste.

Ils savaient, pourtant. Nul ne pouvait ignorer que François Mitterrand avait joué double jeu pendant plusieurs mois, de 1942 à 1943. Qu'il ne fut jamais le résistant de la première heure décrit par son histoire officielle. Qu'il a signé quelques textes d'inspiration pétainiste. Ses obligés ont pris prétexte de la publication du livre de Pierre Péan, *Une jeunesse française* [1], un remarquable travail d'historien, pour découvrir la lune et se lamenter avec des airs éplorés d'avoir été blousés.

Oui, ils auraient été trompés, les pauvres chats. C'est la même colère qui monte de l'ancienne cour du président comme du monde des médias, naguère si complaisant à son égard. Le « microcosme », pour reprendre la formule définitive de Raymond Barre,

---

1. *Une jeunesse française. François Mitterrand, 1934-1947*, Fayard, 1994.

est frappé du syndrome de la fin de règne quand les carpettes se redressent, soudain, pour se venger des bienfaits et des prébendes, qui, après les avoir comblées hier, les humilient aujourd'hui.

Pourquoi les anciens thuriféraires de Mitterrand feignent-ils d'apprendre, dans la dernière ligne droite, ce qui était public depuis des lustres ? Parce que les vendanges sont faites. Il faut les comprendre. Il n'y a plus rien à grappiller. Ni à boire. En plus, les soleils couchants ont toujours moins de charme que les soleils levants.

Jacques Chirac éprouve une espèce de compassion pour le vieux président abandonné. En cet automne 1994, les deux hommes sont, d'une certaine façon, dans la même situation. Seuls, lâchés, trahis. Ni l'un ni l'autre ne sont des enfants de chœur. Politiquement parlant, ils ont même les mains sales, sinon rouges, à force d'avoir excellé dans le mensonge ou vécu en basses intrigues. Mais ils ont toujours respecté l'homme à terre.

On ne les respecte pas, eux. Ainsi naît entre le président et le maire de Paris une complicité qui aura tôt fait de grandir puis de tourner à la collusion. C'est François Mitterrand qui a fait le premier pas. Un jour de novembre, il a soufflé à Michel Charasse, devenu son conseiller préféré : « Si vous avez l'occasion de parler à Jacques Chirac, dites-lui que je ne suis pas son ennemi. »

Après que Charasse lui eut transmis le message présidentiel, Chirac a laissé tomber : « Vous lui direz que j'avais cru m'en rendre compte. »

Le 26 août 1994, déjà, lors des cérémonies commémorant le cinquantième anniversaire de la libération de Paris, le président avait délaissé le Premier ministre pour passer un long moment, en tête à tête, avec le maire de la capitale, dans son bureau. Ils ne s'étaient rien dit de fondamental. Ils avaient juste échangé quelques amabilités.

« Le motif officiel, raconte Chirac, c'est qu'il devait prendre un soin. Mais en fait, il voulait surtout parler. Il m'a dit : "Vous avez raison d'être candidat." Il m'a même encouragé et assuré que j'avais toutes les chances de gagner. Et ça durait, ça durait. Je me suis demandé si son intention n'était pas de faire attendre Balladur en bas, mais je suis peut-être mauvaise langue [1]... »

---

1. Entretien avec l'auteur, le 16 juin 2005.

Depuis, Mitterrand n'a pas cessé de plaindre son rival de 1988. Un jour, il dit à l'auteur qu'il trouve « injuste » le traitement infligé au maire de Paris. « Ses amis se comportent très mal avec lui. Il y a dans leur attitude quelque chose d'odieux et de répugnant. Il doit beaucoup souffrir [1]. » Une autre fois, il confie avec une mine de commisération : « C'est une des personnes les plus sympathiques et les plus chaleureuses qui soient. Il ne doit pas comprendre ce qui lui arrive. Il ne méritait pas ça [2]. »

S'il se rapproche de Chirac, Mitterrand ne croit pas à ses chances : « C'est quelqu'un qui, au premier tour, ne peut pas dépasser les 20 %. Pour quelle raison cela changerait-il maintenant ? Humainement, c'est peut-être le mieux de tous. Mais il y a quelque chose d'irrationnel en lui. C'est pour ça qu'il inquiète les Français [3]. »

Chirac n'est donc pas son candidat favori, pas encore. De tous, c'est Barre, et de loin, qu'il préfère. Sans doute regrette-t-il même parfois, en son for intérieur, de l'avoir battu parce qu'il dit volontiers : « La France l'a raté. »

Elle l'a en effet raté parce que Mitterrand qui, en 1988, s'était positionné au centre, lui avait confisqué tous ses thèmes de campagne. Ses amis politiques ont fait le reste. Le chef de l'État voit en Barre « un homme d'État qui a une vision pour la France et pour l'Europe. On n'en a pas d'autres comme ça en magasin, ajoute-t-il. Mais il a trop d'ennemis dans son camp. C'est pourquoi il n'est plus dans la course. Quel gâchis ! ».

Alors, qui ? À gauche, le président ne voit personne. Ni Mauroy : « C'est un roc. Le monument des socialistes. Il serait le meilleur candidat de la gauche. Lui croit le contraire. » Ni Delors : « Il ne veut pas être élu, il veut bien être nommé. Il rêve d'hommage sans bataille, comme si tout lui était dû. C'est pour ça qu'il ne supporte pas la critique. Ce serait un mauvais candidat et si, par miracle, il était élu, un président plus mauvais encore. »

Rocard n'a plus aucune chance, depuis qu'il a perdu la direction du PS, après son échec aux européennes : « C'est un brave garçon. Je pense simplement qu'il n'était pas qualifié. Il était tout juste bon

1. Entretien avec l'auteur, le 3 septembre 1994.
2. Entretien avec l'auteur, le 17 octobre 1994.
3. Entretien avec l'auteur, le 3 septembre 1994.

pour un secrétariat d'État aux PTT ou quelque chose de ce genre. Rien de plus. Est-ce que les événements ne m'ont pas donné raison ? »

Dans la génération suivante, nul ne trouve vraiment grâce à ses yeux, à l'exception de Fabius : « Une merveilleuse mécanique, dit-il. Il a tout. Mais il a un problème de caractère. Je ne comprends pas que cette affreuse affaire de sang contaminé l'ait entamé à ce point. Souvent, il vient se plaindre de tout le mal qu'on lui fait, à lui et à ses enfants. Croyez-vous que c'était facile, pour les miens, après l'affaire de l'Observatoire ? Il devrait être candidat pour laver l'affront, comme je l'ai été moi-même en 1965. Je le lui ai dit. Il ne veut pas m'entendre. »

Un soupir, puis :

« Quel dommage qu'il n'ait pas le caractère de Jospin ! Quelle carrière il aurait faite ! »

Sur Jospin, Mitterrand est d'une grande sévérité. Avant que son ancien ministre de l'Éducation nationale ne prenne ses distances avec lui, en quelques phrases bien senties, dans un entretien au *Point*, à propos de ses accointances vichystes, le chef de l'État en parlait avec la bienveillance de la culpabilité. En 1992, ne l'avait-il pas limogé sans préavis, comme un domestique de surcroît, sous prétexte qu'il lui tenait tête ?

Après ce qu'il considère comme un « manquement » de son ex-dauphin, le président utilise à son égard le mode de l'insinuation :

« Ah ! ce pauvre Lionel ! Vous connaissez son problème... »

Comprenne qui pourra. Si on lui demande des précisions, le chef de l'État hausse les épaules, l'air irrité :

« Allons, vous savez bien. »

En ce qui concerne les étoiles de demain du PS, Mitterrand ne voit rien venir. En tout cas, pas Strauss-Kahn : « Ce sera toujours le candidat des patrons. » Ni Aubry : « C'est un produit pour les médias qui en reviendront comme ils reviennent de tout. Elle est trop méchante pour réussir. »

Parmi les derniers-nés, Mitterrand ne se dit impressionné que par Juppé, le ministre des Affaires étrangères : « Un homme d'État, comme Barre. Avec un sens de l'intérêt général comme j'ai rarement vu. S'il ne fait pas trop de bêtises et prend un peu d'épaisseur humaine, il devrait occuper le terrain, à droite, pour les dix ou vingt années à venir. Mais il n'est pas encore en situation. »

À la fin des fins, il ne restera plus à Mitterrand qu'à se rallier, en douce et par défaut, à la candidature de Chirac. Ses dernières préventions contre le maire de Paris sauteront quand le PS désignera Jospin.

Michel Charasse, le fidèle des fidèles, ne l'a jamais entendu dire un mot contre ceux des siens qui, comme Pierre Bergé ou Frédéric Mitterrand, son neveu, s'étaient rapprochés de Jacques Chirac par anti-balladurisme : « Il ne commentait pas. Il respectait leur choix. »

Entre Balladur et Jospin, il a donc choisi Chirac qui, à tant d'égards, lui ressemble. La même persévérance infatigable. La même connaissance de la géographie électorale. La même fibre radicale-socialiste. Le même parrainage aussi. Celui du bon père Queuille, président du Conseil sous la IVe République, qui trouva un point de chute électoral pour Mitterrand, à la Libération, et dont Chirac a repris la circonscription corrézienne, en 1967.

Mitterrand est décidé à tout faire pour que Balladur n'accède pas à l'Élysée : « Il a trop l'âme d'un traître, vous comprenez. Il est prêt à tout. Pour que je parte. Pour être élu. Je suis sûr qu'il va bientôt balancer des affaires contre Chirac, vous verrez. J'ai rarement vu des types pires que moi, en politique. Là, j'ai vu [1]. »

---

1. Entretien avec l'auteur, le 17 octobre 1994.

65

L'œil dans la tombe

« L'insecte humain ne se décourage jamais et recommence de grimper. »

François Mauriac

Puisqu'il n'en aura plus l'usage, François Mitterrand a donné Jacques Pilhan, son grand stratège, au maire de Paris. C'est le plus beau cadeau qu'il pouvait lui faire. Un petit génie de la communication, décrassé des prurits égotiques de son métier, où il surmonte tout le monde de plusieurs têtes.

« Je suis allé travailler avec Chirac en plein accord avec Mitterrand, insiste Pilhan. Il m'a même donné sa bénédiction. »

Il est arrivé à l'Élysée dès 1981 dans les bagages du publicitaire Jacques Séguéla, qui avait conçu la campagne de François Mitterrand à l'élection présidentielle. C'est un homme de gauche, mitterrandien plus que socialiste. Il s'éprend tout de suite de Jacques Chirac et l'encourage à gauchir son discours.

Jacques Pilhan aime les causes perdues. Il y a du d'Artagnan en lui, un d'Artagnan de poche qui a tôt fait de se dresser sur ses ergots. Il voue une sorte de culte au chef de l'État à son couchant, miné par son cancer autant que par les trahisons de la onzième heure. S'il n'en reste qu'un, auprès de François Mitterrand, ce sera lui. Avec Michel Charasse, Jack Lang et Anne Lauvergeon, directrice adjointe du cabinet présidentiel et future patronne d'Areva. Sans oublier Hubert Védrine et Jean-Louis Bianco.

Ce Chirac, seul comme jamais, au bord du précipice où ses propres créatures ont décidé de le faire tomber, Pilhan en parle avec une affection non dénuée de fascination : « C'est quelqu'un qui peut tout affronter, tant est grande sa force intérieure. Rien ne lui fait peur. On se dit que même mort, il continuera à se battre. » Il hausse les épaules, puis : « Quel malheur que ce soit une bourrique ! »

Chez Mitterrand, Pilhan appréciait l'aptitude à changer d'avis, au gré des saisons. C'était un esprit libre, capable de tous les retournements. Rien de tel avec Chirac. Il semble souvent imperméable au raisonnement et sourd à la dialectique qui a toujours été le mode de fonctionnement du président. « Quand il s'est mis une idée dans la tête, se plaint Pilhan, on ne peut plus la lui retirer. »

Au contraire, Mitterrand est un disciple d'Émile Chartier dit Alain, le philosophe du radicalisme, qui écrivait : « Une idée que j'ai, il faut que je la nie : c'est ma manière de l'essayer [1]. » Ou bien : « Réfléchir, c'est nier ce que l'on croit [2]. » Ou encore : « Rien n'est plus dangereux qu'une idée quand on n'a qu'une idée [3]. »

Chirac n'a qu'une idée, en cet automne 1994 : faire campagne à gauche contre le statu quo social et la pensée unique incarnée, selon lui, par Balladur. Cela tombe bien, c'est une bonne idée, et Pilhan y souscrit sans réserve. Ce sera l'axe de la meilleure campagne électorale du maire de Paris.

Dans l'art de la guerre, la surprise est la clé de tout. Chirac entend prendre tout le monde de court, à commencer par Balladur, quand il annonce sa candidature, le 4 novembre 1994, jour de la Saint-Charles, dans un entretien à *La Voix du Nord*, la veille d'un voyage à Lille, ville natale du général de Gaulle.

Mais le « microcosme » s'en fiche. La France aussi. Sa troisième candidature à l'élection présidentielle ne suscite que des commentaires faussement apitoyés ou franchement rigolards. Passons. Les médias ne l'ont jamais aimé et la réciproque est vraie. Pour l'heure, ils ont les yeux rivés sur Balladur, déjà sacré président avant même que la campagne n'ait commencé.

Son entrée dans la course est donc un fiasco. Mais comment pourrait-il en être autrement ? Chirac fait penser à l'épicier qui prétend maintenir coûte que coûte son fonds de commerce face à

---

1. *Histoire de mes pensées*, Gallimard, 1936.
2. *Propos sur l'éducation*, Presses universitaires de France, 1932.
3. *Propos sur la religion*, Presses universitaires de France, 1938.

la nouvelle grande surface qui attire sa clientèle. Il est pathétique et le reconnaît sans ambages : « Je vous le concède bien volontiers, je dois être à peu près le seul à croire à mon étoile. »

C'est l'époque où, hormis Jacques Toubon, ministre de la Culture, et Roger Romani, chargé des Relations avec le Sénat, aucun membre du gouvernement ne s'est prononcé en sa faveur, la plupart militant déjà pour la candidature d'Édouard Balladur.

C'est l'époque où Philippe Séguin, pourtant anti-balladurien frénétique, refuse de participer, le 12 novembre, à la « réunion exceptionnelle » du RPR sur la pelouse de Reuilly, à Paris, où les militants témoignent leur « reconnaissance » et leur « confiance » à Jacques Chirac. Absence qui laissera une blessure qui n'en finira pas de couler.

C'est l'époque où Jacques Friedmann, son meilleur ami, devenu président de l'Union des assurances de Paris (UAP) par la grâce du Premier ministre, dit à qui veut l'entendre : « Il faut décourager Chirac de se présenter. Sinon, il perdra et Balladur l'empêchera, dans la foulée, d'être réélu à la mairie de Paris. »

C'est l'époque où un soir, alors que Jacques Chirac devise avec Bernard Pons, dans son bureau de l'Hôtel de Ville, Charles Pasqua l'appelle pour l'informer qu'un sondage à paraître lui donne seulement 11 % des voix au premier tour.

« Retire-toi, Jacques », commente le ministre de l'Intérieur. Après avoir raccroché, Chirac dit à Pons, les mâchoires serrées : « Quoi qu'il arrive, j'irai jusqu'au bout. »

Il est en effet prêt à tout braver. Les cabales. Le dédain. Le ridicule. Une rage sans bornes bout en lui, la rage d'en découdre avec ce Premier ministre parjure.

Ce n'est pas un hasard s'il a choisi, parmi ses axes de campagne, la dérive monarchique de la Ve République : malgré ses efforts, Édouard Balladur a toujours de grands airs et même quand il vous demande de lui passer le sel, à table, son ton n'est jamais dépourvu d'une solennité naturelle. Quoi qu'il fasse, il reste une poule de cour qu'on verrait bien poudrée et perruquée, une grosse poule qui se prend pour un renard.

Sur les délires de l'État-roi, Chirac est alors intarissable. C'est pourtant Mitterrand qui, après Giscard, est le grand fautif. Balladur n'a fait que suivre le mouvement. « Non mais vous avez vu ça ? ironise Chirac. Le moindre secrétaire d'État aux Choux farcis a droit à deux motards avec sirène et tout le toutim. Il n'y a qu'en France qu'on voit ça. Moi, je serai le premier président modeste [1]. »

Il aime raconter une histoire qui lui est arrivée en Corrèze, au début de la première cohabitation : « Quand j'arrive à Brive-la-Gaillarde, après ma nomination à Matignon, je trouve, pour m'accueillir, le préfet du département, ce qui est normal, et puis aussi, ce qui l'est moins, une collection de onze ou douze voitures. Deux voitures pour la police, deux pour les RG, deux pour la gendarmerie, et j'en passe. Je m'écrie : "C'est de la folie !" Mais je ne suis pas au bout de mes surprises. Après ça, on traverse la ville à cent cinquante kilomètres par heure. Tous les feux ont été bloqués et il y a des policiers à chaque carrefour. Quand j'arrive à destination, au conseil général de Tulle, j'engueule le préfet et il répond : "Mais c'est la circulaire Joxe qui prévoit tout ça. Je n'ai fait que m'y conformer." Il avait raison. J'ai tout de suite aboli ce texte stupide pour me contenter d'une seule bagnole, celle du conseil général ou celle d'un vieux copain du coin. »

Quand on le lance sur le sujet, Chirac est intarissable : « Ce n'est pas avec ce genre de comportement mégalomane que l'État se réconciliera avec les Français. Une fois, en arrivant à un sommet européen, je me souviens avoir vu des tas de gens, sept ou huit personnes au moins, s'affairer dans une pièce bourrée de matériel électronique à côté de ma chambre.

"Qu'est-ce que c'est que ce bordel ?, je demande.

— Ce sont les télécommunications, me répond-on.

— Mais quelles télécommunications ?

— Pour que vous puissiez communiquer avec Paris.

— Je ne comprends pas, ai-je fait. Il y a un téléphone sur la table de nuit. Ça me suffit. Ça me suffisait quand j'étais Premier ministre de Giscard."

J'ai fait mettre un terme à tout ça, quand j'étais chef du gouvernement. On s'est beaucoup moqué de l'étiquette sous Giscard. C'était un peu ridicule, parfois, mais ça ne coûtait pas les sommes astronomiques qu'il faut, maintenant, pour entretenir les avions du GLAM que les ministres utilisent pour un oui ou pour un non. Sans parler des ministères transformés en palais où les membres de

_____

1. Entretien avec l'auteur, le 23 août 1994.

cabinet se goinfrent de homard à l'américaine aux frais du contribuable. »

Face à Balladur, incarnation de l'État-roi, Chirac laisse libre cours à sa fibre populiste. Il nourrit de surcroît son discours d'une vraie critique sociale. « Il n'avait plus rien à voir avec Paris, se souvient Toubon. Il parlait, d'ailleurs, contre les pouvoirs établis. » Il passe son temps en province et n'accorde ses grands entretiens qu'à la presse quotidienne régionale. (« Les journalistes, dit-il, y sont plus sérieux, plus travailleurs, plus modestes aussi. Donc moins balladuriens. ») Il s'amourache même de certaines personnalités socialistes comme Martine Aubry dont il prétend apprécier le discours. Il demande à l'homme d'affaires Marc Ladreit de Lacharrière de la lui faire rencontrer et dîne deux fois avec elle au siège de son entreprise, Fimalac, pour parler de la « refondation sociale ».

Aujourd'hui, Philippe Séguin n'hésite pas à dire que c'est le Premier ministre qui, paradoxalement, a fait élire Jacques Chirac : « Édouard Balladur l'a obligé à aller là où il y avait un espace politique, à un moment où tout le monde était en déshérence. Il a ainsi été l'artisan involontaire de sa victoire [1]. »

Le 19 janvier 1995, quand enfin il apporte son soutien à Jacques Chirac, Philippe Séguin a déjà donné une clé, dans un discours prophétique : « Au risque de paraître cruel ou cynique, je vous avoue que j'en arrive à ne pas regretter les épreuves que Jacques Chirac aurait eu à vivre et à surmonter tous ces derniers temps. Je crois qu'au terme de la période de réflexion, de recul, de retour sur lui-même qu'il s'est volontairement imposée, ces épreuves l'auront définitivement forgé. Comme cet acier que notre Lorraine a si longtemps trempé. Il sait désormais qu'il doit accomplir son destin sans se faire aucune illusion sur les hommes. [...] Il sait que, désormais, il lui revient de vivre en permanence ce paradoxe qui est le propre de l'homme d'État : demeurer sensible, attentif, ouvert aux autres, et être inflexible, inébranlable, intraitable lorsque l'intérêt général est en jeu. Oui, désormais il est prêt. Je le sais. Et les Français vont le savoir. »

En attendant que son heure sonne, Chirac est l'œil qui, comme disait Hugo, « était dans la tombe et regardait Caïn ».

---

1. Entretien avec l'auteur, le 11 avril 2005.

66

La pêche miraculeuse

« Le succès efface tout, les bêtises comme les mensonges. »
Angelus Merindolus

C'est quand on les croit finis que les hommes politiques renaissent de leurs cendres. Il ne fallait pas enterrer Chirac. Il ne faut au demeurant jamais l'enterrer. Au terme d'un spectaculaire retournement, le maire de Paris revêt, à deux mois du scrutin, les habits du favori.

Mitterrand n'en revient pas. « Je crois, dit-il, que j'avais à peu près tout prévu dans cette campagne, sauf ça : la résurrection électorale de Chirac. Mais il n'y a pas de secret, vous savez. Il a fait tout ce que j'ai fait. Il a travaillé le terrain. Il a pris la France à bras-le-corps. Il n'est pas de village ni de hameau reculé où il ne se soit rendu un jour. On peut raconter ce que l'on veut, il n'y a que ça qui paie [1]. »

Jospin, le candidat socialiste, se fiche pas mal de savoir qui, de Chirac ou Balladur, prendra l'avantage. Sa candidature est une candidature de témoignage comme celle de Mitterrand contre de Gaulle, en 1965. Il n'a qu'une obsession : être présent au second tour. Et mène, pour ce faire, une campagne qui lui ressemble : honnête et austère. En attendant, il semble avoir du mal à exister entre les ex-amis de trente ans, faisant parfois penser à Clemenceau qui disait : « Que voulez-vous que je fasse entre Caillaux qui se prend pour Napoléon et Briand pour Jésus-Christ ? »

---

1. Entretien avec l'auteur, le 12 mars 1995.

Balladur n'arrive pas à croire au retour de Chirac. Il est toujours tel qu'en lui-même la fatuité le fige, et il respire par tous les pores le bonheur de gouverner. Il reçoit beaucoup, à sa table de Matignon, et enfile les perles devant des parterres ébahis : « Pour moi, réfléchir, ça ne consiste pas à tout arrêter pour se mettre à penser. Je réfléchis tout le temps. » Avis à Chirac. Et chacun de glousser, comme des oies devant le jars.

On l'avait comparé à Louis XV, à cause de son aspect poudré. Mais c'est un avatar de Louis XVI. Il a la même inaptitude à saisir la réalité des choses. Surtout quand elle ne lui convient pas. Le Premier ministre semble ne se rendre compte de rien. Inquiets, les siens ont vite fait d'expliquer les mauvaises performances de leur champion dans les sondages par sa déclaration de candidature, en grande pompe, sous les lambris de son bureau de Matignon. Ou par une obscure affaire d'écoutes téléphoniques dans le cadre d'une « provocation » contre le juge Halphen, à l'instigation de Pasqua, devenu son homme lige.

La vérité est que Chirac fait une bien meilleure campagne. De ce renversement de situation, on peut tirer plusieurs leçons.

D'abord, le petit monde politico-médiatique qu'on appelle, c'est selon, le « microcosme » ou le Tout-État, ne fait pas les élections. Il se trompe même souvent. C'est une constante en France et dans la plupart des démocraties que Balladur, enivré d'éloges, a eu tort d'oublier. Sinon, Chaban aurait été président, Barre aussi. Sinon, Reagan n'aurait jamais été élu. Ni, des années plus tard, Bush junior. Un candidat doit d'abord labourer le pays profond au lieu de courtiser l'*establishment*.

Secundo, les ralliements de personnalités, fussent-ils ministres, ne rapportent pas une voix dans une élection présidentielle. Balladur a fait le plein. Même une proche de Chirac comme Alliot-Marie a préféré ne pas choisir. Pour le reste, tous les rats du RPR ou presque ont quitté la galère du président pour rejoindre le vaisseau de Balladur qui, selon les bonnes vieilles méthodes chiraquiennes, promet les mêmes portefeuilles à plusieurs personnes en même temps. Avec ces deux-là, la droite regorge de futurs ministres, ces jours-ci.

Tertio, une campagne présidentielle ne s'improvise pas. Comme l'a dit un jour Mitterrand, « il faut vingt ans pour faire un candidat, vingt ans de souffrances, d'échecs, de malheurs et d'obsessions. On a une chance de devenir président un jour, ajoutait-il, quand on y pense sans arrêt, y compris le matin en mettant ses chaussettes ». Chirac a beaucoup ramé. Face à l'adversité et aux trahisons de toutes sortes dont il a été l'objet, il a prouvé qu'il avait du caractère. Maintenant qu'il se présente à nouveau devant le peuple après avoir soigné ses plaies saignantes et ses bleus à l'âme, la France a la tentation de se dire : « C'est son tour. »

Enfin, contrairement à ce que croit Balladur, une campagne ne se conduit jamais sur un bilan, si excellent soit-il. Il faut parler au peuple, lui donner des perspectives et célébrer les réformes qui s'imposent, mais en se gardant de trop les préciser, afin de ne pas effaroucher l'électeur. Face au candidat d'Auteuil-Neuilly-Passy, Chirac entend rassembler Argenteuil-Montfermeil-Mantes-la-Jolie et fait un discours de rupture qui rappelle, à bien des égards, celui de Mitterrand en 1981. Se présentant comme l'homme du changement, celui qui combat « la passivité résignée des conservateurs de droite ou de gauche », il entend faire rêver les Français : « On ne bâtit pas une réussite économique sur les décombres d'une collectivité socialement éclatée, déclare-t-il ainsi dans une réunion publique à Nantes. Qu'avons-nous vu grandir sous nos yeux depuis quinze ans ? Une France des inégalités. »

L'inégalité, voilà l'ennemie. Chirac n'a pas réfléchi plus que ça aux moyens de l'éradiquer, mais il a trouvé le mot de code qui va lui ouvrir les portes de l'Élysée. Il le ressasse, la voix rauque, l'air révulsé, en prétendant que pour réduire ce fléau à néant, il ne s'y prendra pas comme les autres. Les Jospin ou Balladur qu'il renvoie dos à dos, ne s'accrochent-ils pas aux remèdes du passé ? Ne sont-ils pas à la remorque de la pensée unique ?

Chirac prétend avoir été le premier, en France, à parler de pensée unique, ce qui est faux, bien sûr. « Avant ça, dit-il, je dénonçais le "politiquement correct", mais personne ne comprenait ce que ça signifiait. La pensée unique, précise-t-il, c'est ce que raconte un petit cercle de gens pour qui on ne peut rien changer dans la société. Ils se serrent les coudes, resservent sans arrêt les mêmes solutions, n'ont qu'une vision comptable de la société, ne songent qu'à augmenter les impôts pour faire face au chômage, dialoguent tout le temps entre eux à la télévision et se sont toujours trompés. Toujours et sur tout [1]. »

---

1. Entretien avec l'auteur, le 18 avril 1995.

Ce discours lui ressemble. Il y a toujours eu un rebelle en lui et ce rebelle parle plus fort aujourd'hui au nom des faibles et des gens de peu. Il en fait même trop en prenant, comme à son habitude, des engagements qu'il ne tiendra pas. Dans la série : « Les promesses n'engagent que ceux qui les reçoivent », citons celle-ci, par exemple, qui prête à sourire, dix ans plus tard :

« Si je suis élu, il n'y aura que dix à quinze personnes à l'Élysée et les ministres n'auront pas plus de trois ou quatre collaborateurs directs, comme dans la plupart des démocraties [1]. »

Mais Chirac, parce qu'il n'avait pas le choix, est sorti du personnage mécanique et récitatif où l'avaient enfermé ses conseillers, ses ambitions et ses complexes. Il ne se lâche pas tout à fait, non, mais il laisse apparaître des versants de lui-même que bien des Français n'avaient pas encore perçus. Il a soif de revanche, sinon de vengeance. Encore que, l'âge aidant, il n'a plus cette faim de pouvoir qui le tenaillait naguère. Cela tombe bien. La France aime donner la présidence à l'ancienneté, voire à l'usure, quand les impétrants en ont moins envie. Mitterrand en sait quelque chose.

Si elle ne fut pas subjuguée, loin de là, la France a aimé Chirac, en ce printemps 1995. Un beau portrait de Jérôme Garcin résume bien l'état d'esprit général quand il décrit « cette saine et forte nature, pleine de jurons, de ripailles, de colères et de bourdes diplomatiques ». Cette nature qui l'amène à « dévorer dès potron-minet d'enfantins biscuits au chocolat, faire la bise à tout le monde, boire de la bière plutôt que du champagne, engloutir dans un même repas du cassoulet et du chou farci, écouter les complaintes agricoles d'Yves Duteil, regarder Patrick Sébastien l'imiter à la télévision, écrire comme feu Marcel Dassault et parler comme un charretier lâchant sous les lambris : "C'est à se les mordre" ou "Je ne bande que d'une seule" ».

Et Garcin d'imaginer Chirac, le matin, en train d'épier sur son visage avant rasage « tous les signes ostentatoires de faiblesse : il est généreux, franc, vigoureux, incapable de rancune, gai, gaffeur, piètre stratège [...], versatile, amateur de poésie, toujours prêt à aider ».

Après quoi, Garcin écrit que « même ses ennemis lui reconnaissent une prédisposition à l'assistanat social, une propension

---

1. *Le Figaro*, le 21 avril 1995.

schweitzérienne à "prendre un enfant par la main", à héberger l'orphelin, à morigéner le mari volage. Humain, trop humain. Le cœur sur la main, et la main sur le ventre. Pas assez président, en somme [1] ».

C'est sans doute pour cela, précisément, qu'il a, cette année-là, séduit les Français.

1. *L'Express*, le 11 mai 1995.

67

Le sacre du printemps

« On gagne et puis on voit. »
Napoléon

Il a soixante-deux ans et tout pour être heureux. Désormais en tête des sondages, il voit fondre de nouveau sur lui, le succès appelant le succès, des nuées de journalistes louangeurs, de politiciens flagorneurs et d'encenseurs de toutes sortes. Après le temps des faux derches, voici celui des lèche-culs. Belle revanche après des mois de solitude.

Chirac ne savoure pas cette revanche. Il a tendance à serrer les mâchoires et son regard, souvent, se ferme. Il est coincé, nerveux et même agressif. Peut-être à cause de l'angoisse qui le noue : il a bien trop promis et sait qu'il tiendra peu. Sans doute à cause de toutes les désertions et félonies des derniers mois qui, malgré les retournements, lui restent sur l'estomac.

Quand l'auteur lui demande, à cette époque, s'il éprouve le moindre ressentiment à l'égard de Balladur, Chirac dément bien sûr, avec la fermeté de la langue de bois :

« Je devrais, au contraire, lui être reconnaissant. S'il avait respecté nos accords et si j'avais été élu à la présidence, je l'aurais confirmé à Matignon comme nous en étions convenus ensemble avant mars 1993. Et qu'est-ce qui se serait passé dans le pays ? Rien. On n'aurait rien fait du tout. Nous nous serions plantés.

— Allons, vous lui en voulez quand même un peu, de n'avoir pas tenu parole ?

— Mais comment pourrais-je lui en vouloir ? La démocratie exige la compétition et la compétition entre nous m'a obligé à approfondir ma réflexion. J'ai été à la rencontre des Français. Finalement, ç'aura été excellent pour moi, sa candidature. Si je suis élu, ce sera grâce à lui...

— ... Mais contre lui.

— Et comment ! Comme je connaissais bien Édouard Balladur et son équipe, je savais bien qu'ils sauraient utiliser, dès qu'il se déclarerait, tous les leviers de l'État contre moi. L'argent, la justice, la police. Sans parler des médias qui auront été contrôlés comme jamais, ni de la campagne du *Monde* en sa faveur. Pour résister à Radio-Balladur, à Télé-Balladur et à tout le reste, il fallait que je passe en force, en prenant mon élan depuis les tréfonds du pays. C'est pourquoi je me suis présenté si tôt en travaillant tout de suite le terrain, pour essayer de comprendre ce qui se passait dans le fin fond de nos régions [1]. »

C'est à peine si Chirac supporte encore l'approbation. En tout cas, il ne souffre pas la contradiction. Ne lui demandez surtout pas comment il compte satisfaire les espérances qu'il a soulevées pendant la campagne. Il prend tout de suite la mouche :

« Il faut quitter Paris, mon vieux. Vous vivez sur une autre planète, dans un monde virtuel. Avec ce genre de questions, vous me faites penser à un archéologue chinois que m'avaient envoyé les autorités de Pékin pour évoquer des recherches que je faisais. On aurait dit qu'il était sourd et aveugle à tout ce qui se passait autour de lui. Une momie. Je ne comprenais rien de ce qu'il me disait. Finalement, le gouvernement chinois m'en a envoyé un autre. »

N'insistez surtout pas. Si vous parlez à Chirac des foules qui viennent à ses réunions publiques, un mélange improbable de jeunes, de bourgeois et d'ouvriers, comme celles de Mitterrand en 1981, et que vous osez le questionner sur ce qu'il a prévu pour les garder tous ensemble, avec lui, une fois qu'il sera au pouvoir, le feu lui monte au visage :

« Vous ne comprenez rien, vous n'avez jamais rien compris. Je ferai ce que j'ai prévu de faire. Je mettrai en œuvre le changement, un changement dont on n'a pas idée. Tout le reste, c'est du ratiocinage et du saucissonnage de cheveux. Bref, de la connerie de journaliste [2]. »

---

1. Entretien avec l'auteur, le 18 avril 1995.
2. Entretien avec l'auteur, le 18 avril 1995.

L'auteur aura droit à une autre colère de ce genre quand il dira au chef de l'État, l'avant-veille du second tour, que la logique politique devrait le conduire à nommer Philippe Séguin à Matignon. N'est-ce pas le président de l'Assemblée nationale qui lui a fourni ses principaux thèmes de campagne ? N'incarne-t-il pas mieux que personne le nouveau chiraquisme ? « Je n'ai encore jamais entendu une connerie pareille, s'étrangle Jacques Chirac. Je savais bien que le parisianisme est une maladie qui permet de raconter n'importe quoi avec l'autorité de la suffisance, mais à ce point [1]... »

Le nouveau Chirac est cassant. Il est aussi à cran. Il y a de quoi. Il n'ignore pas que son positionnement social-républicain est aussi culotté que problématique pour l'avenir de sa présidence. Il a conscience, de surcroît, d'avoir rompu avec une partie de la droite. Pour preuve, son score du premier tour, assez maigrelet : à peine plus de 20 % contre 18,5 % à Balladur et 23,3 % à Jospin, qui a créé la surprise.

« C'est la malédiction de Jacques Chirac, commente avec bienveillance François Mitterrand. Il aura toujours du mal à passer la barre des 20 %. Mais il l'emportera quand même, vous verrez. Je crois que ça fera 53/47 [2]. »

Ça les fera, ou à peu près. Entre les deux tours, Jacques Chirac opère un virage stratégique à droite et recolle les morceaux avec Édouard Balladur. « La seule chose que je vous demande, dit le Premier ministre battu, c'est de traiter correctement ceux qui ont été mes partisans.

— Mais, Édouard, proteste Chirac, vous me connaissez...

— Justement, Jacques, c'est parce que je vous connais que je vous le demande... »

Si elle n'est pas toujours la plus bête du monde, la droite française est, à coup sûr, l'une des plus divisées. Elle est ainsi capable – et l'a montré – de perdre les élections où elle a obtenu la majorité. Après le duel Chirac-Balladur, il n'y a pas seulement des caisses entières de porcelaine à réparer mais aussi beaucoup de sang à laver sur les murs.

Jospin s'est révélé, de surcroît, un candidat coriace. Comme la plupart des connaisseurs de la chose politique, le président du RPR

1. Entretien avec l'auteur, le 5 mai 1995.
2. Entretien avec l'auteur, le 25 avril 1995.

a d'abord cru que l'ancien ministre de l'Éducation nationale s'était présenté pour prendre le contrôle du PS. Il a fait mieux. Il a créé la surprise et redonné de l'espoir à la gauche. L'Élysée semble à sa portée. C'est en tout cas ce que croit Chirac. Superstition ou pas, il ne cesse de pronostiquer son échec, notamment dans les trois ou quatre jours qui précèdent le second tour.

« Je crois que c'est fichu, dit Jacques Chirac à l'auteur, dans un moment d'abandon, le 5 mai 1995, alors qu'il rentre d'une tournée dans la région Rhône-Alpes qui s'est terminée en apothéose à Lyon, avec une réunion publique où Raymond Barre et lui ont fait un tabac. À l'heure qu'il est, j'ai plus de chance d'être battu que d'être élu : je le sens, ça fout le camp de tous les côtés. »

Il faut se méfier de ce genre de propos. Chirac est comme les femmes orientales qui disent, devant un nouveau-né, pour éloigner les mauvais esprits : « Oh qu'il est affreux ! Comme il a l'air bête ! » Il est si près du but qu'il a peur, soudain, de tout perdre. C'est pourquoi il sonne le tocsin contre Jospin et le « danger socialiste ».

À tort. Le 7 mai, Jacques Chirac est élu président par 52,7 % des suffrages exprimés contre 47,3 % à Lionel Jospin. Un score confortable. Une vague de joie dévale alors sur Paris que l'heureux élu parcourt dans sa vieille Citroën CX. Pour un peu, on se croirait en mai 1981. À ceci près : la grande fête se déroule place de la Concorde et non place de la Bastille.

Chirac va faire la sienne chez François et Maryvonne Pinault, dans leur hôtel particulier de la rue de Tournon, avant de disparaître Dieu sait où avec sa dernière conquête. Quand il a appris qu'il était élu, il s'est métamorphosé. Bernard Bled, administrateur à la mairie de Paris, qui était avec lui, se souvient : « On aurait dit qu'il était en lévitation. C'était le roi qui revenait du sacre de Reims. J'ai eu un choc physique. » Mais Chirac se reprend vite. Il sait bien que les « ennuis commencent », comme l'avait dit Mitterrand après sa première élection : plus l'espérance est grande, plus la déception est violente.

Il n'y a plus aucune jubilation sur son visage ni dans sa voix quand le vingt-deuxième président de la République française se prononce, dans sa première déclaration officielle, pour un État « vigoureux, impartial, exigeant pour lui-même et soucieux de la bonne utilisation des fonds publics, un État qui n'isole pas ceux qui gouvernent du peuple qui les a choisis ».

Une profession de foi qu'il est cruel de rappeler, des années plus tard, tant il est vrai que Chirac aura laissé l'État dans la situation où il l'avait trouvé, après quatorze ans de présidence mitterrandienne : ni vigoureux ni impartial, ni exigeant pour lui-même.

Avec les hommes politiques en général et Chirac en particulier, l'avenir n'est souvent que du passé qui recommence...

68

Les canards de l'Élysée

« La mort, c'est tellement obligatoire que c'est presque devenu une formalité. »

Marcel Pagnol

Le lendemain de son élection, l'Élysée fait savoir au nouvel élu que le président sortant souhaiterait rester encore quelques jours dans son palais avant de déménager. Mitterrand est fatigué, il ne faut pas le bousculer. « Naturellement, dit Chirac, j'ai répondu qu'il pouvait prendre son temps et que je n'étais pas à huit jours près. Je lui ai même donné deux semaines [1]... »

Et puis un beau jour, Mitterrand fait dire à Chirac qu'il partira le surlendemain. Quand le nouvel élu est introduit par l'huissier dans le bureau présidentiel, pour la passation des pouvoirs, il roule de gros yeux étonnés :

« Mais qu'est-ce qui se passe ? demande Chirac en jetant un regard circulaire. Vous avez tout changé.

— J'ai remis le bureau dans l'état où il était quand le général de Gaulle l'a quitté. »

Après avoir consulté les photos d'époque, Mitterrand a fait disposer aux mêmes places toutes les pièces du mobilier national de l'ère gaullienne. Une délicate attention qui émeut le président élu. « Il était très content de son coup, se souvient Chirac. Je le voyais dans son œil... »

Pour commencer, les deux hommes parlent des modalités techniques d'une éventuelle riposte nucléaire. Puis la conversation roule

---

1. Entretien avec l'auteur, le 14 octobre 2004.

sur des sujets plus anodins. D'abord, le « testament » de Mitterrand, c'est-à-dire la liste des quelques collaborateurs qu'il faudra reclasser, « une liste très courte, rien à voir avec celle que m'a, ensuite, laissée Jospin ». Le président sortant s'intéresse surtout au cas du préfet Chassigneux, son directeur de cabinet. Il souhaite qu'il prenne la tête des Aéroports de Paris dès que la place sera libre. La promesse sera tenue... sept ans plus tard. Entre-temps, Lionel Jospin, Premier ministre, se sera opposé à sa nomination, Jacques Chirac s'entendant dire : « Je ne suis pas tenu par les engagements que vous avez pris envers votre prédécesseur. »

Dernière question à l'ordre du jour : les canards de l'Élysée. Leur sort inquiète François Mitterrand qui avait introduit dans le parc de la présidence cinq ou six canards dont les petits étaient sans cesse attaqués par les pies des Champs-Élysées. Elles leur perçaient le crâne à coups de bec avant de leur ouvrir le ventre. Les corbeaux n'étaient pas en reste. Cela désolait le président sortant qui avait demandé qu'ils soient abrités sous un grillage. Ce n'était certes pas joli, mais bon, il s'agissait d'une question de vie ou de mort...

Quelque temps plus tard, Chirac téléphonera à Mitterrand pour lui annoncer que ses canards vont bien et que toutes les précautions ont été prises. C'est dire s'il sera aux petits soins, jusqu'au bout.

Pourquoi les deux hommes ne se sont-ils pratiquement rien dit pendant cette passation de pouvoir qui a duré une petite heure ? Ils se connaissent trop. « Mitterrand partait avec sérénité, dit Chirac [1]. Nous avions de surcroît des relations très cordiales, même si elles n'étaient pas intimes, et je ne me souviens pas que nous ayons eu un mot plus haut que l'autre lors de nos nombreux tête-à-tête, avant la cohabitation, pendant ou après. Si, une fois, au début des années quatre-vingt, quand il m'avait montré ses maquettes des Grands Travaux, à l'Élysée. Je n'avais pas pu me retenir. Je lui avais dit : "Sur le plan culturel, je suis satisfait. En tant que maire de Paris, je suis aux anges. En tant que député de Corrèze, je suis terrifié : ça veut dire que la totalité des moyens disponibles à la Culture sera dévolue à la capitale. En tant que contribuable, enfin, je suis horrifié : tout ça va nous coûter excessivement cher." Il n'avait pas bien pris cette sortie. Mais nous

_____

1. Entretien avec l'auteur, le 29 novembre 2002.

sommes toujours restés dans les limites de la courtoisie. En plus de ça, il savait ce que je pensais sur tous ces sujets.

— Ce jour-là, vous n'avez même pas parlé de l'Europe ?

— Non. Juste avant la campagne, alors que nous avions une conversation de fond sur l'Europe, il m'avait dit combien étaient essentiels à ses yeux les liens entre la France et l'Allemagne. Ça correspondait tout à fait à ma vision des choses. Il avait aussi insisté sur la relation de confiance qui doit s'instituer entre le président français et le chancelier allemand, comme Giscard avait su le faire avec Schmidt, lui-même avec Kohl et moi-même, plus tard, avec Schröder. Une relation sans commune mesure avec celle que l'on peut avoir avec un autre dirigeant étranger, une relation consubstantielle à la bonne marche de l'Europe. »

Mitterrand est un Européen de cœur, et Chirac, de raison, mais c'est assez pour rassurer le président sortant. Retiré dans un appartement de la rue Frédéric-Leplay, près de l'École militaire, à Paris, pour son dernier face-à-face avec la mort, il ne distillera jamais de venin contre son successeur. Il lui arrivera, au contraire, de célébrer ses mérites avant de s'apitoyer sur le sort qui lui est fait par *Le Monde*, journal que les deux hommes vouent aux mêmes gémonies.

Tout juste Mitterrand recevra-t-il Giscard pour lui raconter par le menu son dîner avec Chirac, en 1981. Et lui apprendre, par exemple, que le maire de Paris, complotant contre lui, avait laissé tomber : « Il faut se débarrasser de Giscard. » Mais c'est pour l'Histoire. Ou plus précisément pour les mémoires que prépare VGE.

Quand Mitterrand s'éteint, le 8 janvier 1996, vers 6 heures du matin, Chirac est la première personnalité à se rendre, alors que la nouvelle n'est pas encore publique, dans la petite chambre monacale de la rue Frédéric-Leplay où repose le corps amaigri de son prédécesseur. Il est très ému. Le soir, dans une allocution à la télévision, où l'on sent sa patte, il évoque son « respect pour l'homme d'État » et son « admiration pour l'homme privé qui s'est battu contre la maladie avec un courage remarquable, la toisant en quelque sorte. »

Chirac s'incline aussi devant ce qui fut le message et reste l'héritage de Mitterrand : « L'Europe, une Europe dans laquelle la France réconciliée avec l'Allemagne et travaillant avec elle occuperait une place de premier rang. Mais aussi une façon de vivre notre démocratie. Une démocratie moderne, apaisée, grâce notamment à l'alternance maîtrisée, qui a montré que changement de majorité ne signifie pas crise politique. »

Enfin, il se livre à une sorte d'autoportrait. Quand il dit, par exemple, que Mitterrand « débordait sa vie » et « connaissait notre pays jusque dans ses villages ». « Partout, ajoute-t-il, il avait une relation, un ami. » Si Chirac n'est pas son héritier, il est au moins un cousin...

69

Le syndrome Balladur

« La rancune est à la colère ce que le vinaigre est au vin. »
Aristide Galupeau

Pas un instant, Jacques Chirac n'a envisagé de nommer Philippe Séguin à Matignon. Certes, ce personnage grognon en forme de menhir le fascine depuis longtemps. Il a tous les dons ou presque. Une vraie culture. Une grande capacité d'analyse. Une éloquence fabuleuse, servie par la plus belle voix de la classe politique.

Mais quelque chose le chiffonne, chez Séguin. Qu'il ait tenté un putsch contre lui, avec Pasqua qui plus est, voilà déjà un mauvais point. C'était en 1990, il y a seulement cinq ans : ça n'est donc pas encore prescrit. D'autant que le nouveau Chirac, s'il fait mine de pardonner, n'oublie plus rien.

Après la victoire, Chirac n'est pas sorti du bunker où les traîtrises en tout genre l'avaient emmuré avec sa femme et sa fille Claude. Il n'a plus confiance en personne et sa défiance, entretenue par les siens, est si grande qu'elle en deviendrait, pour un peu, une invitation à la déloyauté.

Frappé par ce qu'il faut bien appeler le syndrome Balladur, Chirac ne voit partout que des « faux-culs », expression qu'on entend de plus en plus souvent dans sa bouche, ces derniers temps. Jusqu'à présent, il semblait un adepte du vieux proverbe arabe : « Quand un serpent te voue de l'affection, fais-en un collier et porte-le autour du cou. » Désormais, il entend se tenir à distance des serpents, des rats, des renards et de tous les animaux nuisibles du bestiaire politique. Il ne veut plus s'entourer que de gens fidèles, constants et dévoués.

590

Séguin n'entre pas dans cette catégorie. C'est, au surplus, un colérique, rabat-joie, lanceur de cendriers, casseur de chaises ou de vitres. Quand il perd la boule, on ne peut plus rien en sortir. « Je l'aime bien, dit Chirac. Mais si je le nommais, je prendrais un risque énorme. Pensez ! Je me retrouverais avec un Premier ministre qui, pour une raison ou une autre, pourrait refuser de me prendre au téléphone pendant une semaine ou poser un lapin de dernière minute à la personnalité étrangère qu'il était censé accueillir à l'aéroport, au nom de la France. On ne peut pas travailler comme ça [1] ! »

Alors, va pour Juppé. Il a, lui aussi, un caractère particulier. C'est un écorché vif. Avec un complexe de mal-aimé, mais il a des relations de confiance absolue avec Chirac dont il est le dauphin, depuis l'abjuration de Balladur. Sa loyauté a toujours été indéfectible. Encore qu'il ne soit pas du genre à sauter par la fenêtre, comme Toubon, si son père spirituel le lui demandait.

Certes, il a décidé de se libérer de la tutelle de Jacques Chirac en quittant la mairie de Paris où il était adjoint aux Finances, pour la mairie de Bordeaux que Jacques Chaban-Delmas lui a laissée en héritage. Il entend exister par lui-même et n'être plus l'un des « esclaves » de l'Hôtel de Ville.

Certes, Dominique de Villepin, directeur de cabinet d'Alain Juppé au Quai d'Orsay, aime dire, comme d'autres chiraquiens, qu'il a dû, souvent, « remonter les pendules » de son patron quand Jacques Chirac était dans les basses eaux. Qu'il soit permis d'en douter : cet homme n'est jamais dans l'enflure ni la précipitation. Il attendait juste son heure pour se déclarer.

Nicolas Bazire, directeur de cabinet d'Édouard Balladur à Matignon, témoigne en sa faveur quand il rapporte : « En novembre 1994, j'ai petit-déjeuné avec lui, en service commandé, et lui ai tenu à peu près ce discours : "Idéologiquement, vous êtes plus proche du Premier ministre que de Jacques Chirac. L'autre politique, ça n'est pas votre tasse de thé, pas plus que le franc faible, les dévaluations à répétition, le souverainisme rampant, le laxisme à tous les étages ou la démagogie comme mode de gouvernement. Vous devriez nous rejoindre." Alors, Juppé m'a répondu : "Peut-

---

1. Entretien avec l'auteur, le 5 mai 1995.

être que je fais une bêtise mais je suis fidèle à Jacques Chirac et le resterai." C'était clair, net et sans appel. »

Bernard Pons, président du groupe parlementaire du RPR à l'Assemblée nationale, a une autre version qui n'est pas contradictoire. Il se souvient s'être indigné, en ce même mois de novembre 1994, devant Jacques Chirac de l'assourdissant silence d'Alain Juppé après que deux autres ministres d'Édouard Balladur, Jacques Toubon et Roger Romani, se furent prononcés en faveur du maire de Paris. « Ne t'inquiète pas, lui répond l'autre. Je n'ai aucun doute sur Alain. Je le vois bientôt, je te raconterai. »

Après la rencontre, Chirac fait, comme prévu, son rapport : « Tout s'est bien passé. Alain est un homme d'une fidélité incroyable, il n'y a pas mieux. On s'est mis d'accord. Il va d'abord faire un communiqué à l'AFP, puis une télé et des radios. Tu vas voir, il sera parfait. »

Alors, Pons : « Et ça t'a coûté combien ? »

Sur quoi, relate Pons, « Chirac a explosé en me traitant de tous les noms et en m'accusant de ne rien respecter ». Le président du groupe parlementaire du RPR à l'Assemblée nationale est conscient d'avoir touché juste. « Alain ne donne rien sans rien, commente-t-il. En échange de son soutien, il a reçu Matignon et la présidence du RPR. Les deux pour le prix d'un. Matignon, ça peut se comprendre. Mais la présidence du RPR, c'était une faute de Chirac, la grande faute de son premier mandat, qui a transformé le chef de l'État en fusible du Premier ministre. À la fin du gouvernement Juppé, Chirac passait son temps à le défendre. Il n'avait pas le choix. Aurait-il voulu le congédier, il n'aurait pas pu. Sinon, il aurait retrouvé Alain comme président du premier parti de la majorité et on serait allé vers la crise de régime. »

Ce que Pons refuse de voir, c'est que Juppé n'a pas forcément eu à monnayer son soutien, tant est grand l'attrait qu'il exerce sur Chirac. Il est le fils que le nouveau président n'a pas eu. Un fils orgueilleux, un peu rebelle, dont tout le monde ou presque, à commencer par Mitterrand, a célébré le parcours au ministère des Affaires étrangères.

Mitterrand est convaincu que l'horizon des prochaines années est bouché par cet homme vif à l'œil de laser et à la démarche souple de coureur à pied. « Que Chirac l'emporte ou non, pronostique-t-il plusieurs semaines avant le scrutin, la vie politique sera dominée par le combat sans merci que vont se livrer Séguin et Juppé. Séguin est un politique doué et manœuvrier dans la bonne tradition française. Mais c'est Juppé qui l'emportera. Il a la grâce [1]. »

Sans doute le président sortant a-t-il tenu ce type de propos devant Jacques Chirac qui, en ce cas, a dû se rengorger. Le nouvel élu a reporté sur Alain Juppé toute la confiance qu'il avait, à tort, accordée à Édouard Balladur. Après la victoire de la droite aux législatives de 1993, le « meilleur d'entre nous » n'était qu'un chambellan bis qui manquait encore d'expérience et le président du RPR s'en était voulu de ne l'avoir pas mis en tête de liste, sous prétexte qu'il était « trop tendre ». Avec celui-là, si franc et si sincère, les choses auraient été tellement plus simples...

Juppé à Matignon, c'est aussi le meilleur moyen d'effacer Balladur. Il est sur le même positionnement politique, libéral et européen. Il va donc l'asphyxier. Avec ses blazers et ses chemises façon XVIe arrondissement, il rassure, au surplus, le bourgeois que Séguin n'aurait pas manqué d'effaroucher.

De même que Chirac avait utilisé Balladur pour en finir avec Giscard, il utilise maintenant Juppé pour carboniser les derniers restes de Balladur. Bien sûr, il dit à tout bout de champ qu'il n'en veut pas à son ancien chambellan. Mais il le répète trop souvent pour que ce soit vrai. Bien qu'il s'en défende, les deux années écoulées lui ont appris la rancune, une rancune qui n'en finira plus de macérer et de rancir. En somme, il s'est mitterrandisé.

Mitterrand savoure mêmement sa vengeance. Le 11 mai, après avoir reçu Balladur qui vient de démissionner de ses fonctions de Premier ministre, le président sortant raconte à l'auteur : « Je l'ai gardé aussi longtemps que j'ai pu. Trente-cinq minutes. Ce fut un vrai supplice pour lui, car il vit très mal son échec. C'est la première fois qu'il n'a pas croisé ses jambes pendant un entretien avec moi. »

La pire vengeance, n'est-ce pas le pardon ? Chirac feindra d'avoir absous Balladur. Jamais un mot contre lui, ni en public ni en privé. Il l'a juste biffé de sa mémoire, biffé et gratté. « Je ne suis pas rancunier pour deux sous, insiste-t-il pourtant. Ma femme me le reproche assez souvent. Quand on fait de la politique depuis longtemps, on sait bien qu'il faut être vigilant, avec toutes ces dagues

---

1. Entretien avec l'auteur, le 12 mars 1995.

dissimulées sous les plis des manches de ceux que vous croyez être vos amis. Si on prend parfois un coup, on se dit que c'est la vie ou que c'est le métier qui veut ça, on n'en fait pas une histoire. Je reconnais qu'il y a aussi en moi une certaine indifférence. J'en ai tellement vu et tellement entendu, vous comprenez. Un homme m'a appris beaucoup à ce propos. C'est Chaban. Comme j'ai soutenu Giscard contre lui, il aurait pu décider que je l'avais trahi et m'en vouloir pour la vie. Eh bien, non. Il m'a donné une belle leçon en passant l'éponge [1]. »

Soit. N'empêche que Jacques Chirac a donné comme consigne à Alain Juppé de ne nommer aucun ex-ministre du balladurisme dans son équipe. Une vraie fatwa. Le nouveau Premier ministre n'aura donc pas le droit de recycler Nicolas Sarkozy pour lequel il a toujours éprouvé une sorte de faible, bien qu'il s'en méfie. Même veto présidentiel contre François Léotard, Gérard Longuet, Pierre Méhaignerie ou Bernard Bosson.

François Bayrou, miraculé du balladurisme et maintenu ministre de l'Éducation nationale, sera désormais l'objet de l'ire présidentielle. De même que Jean-Claude Trichet, gouverneur de la Banque de France et stratège de la politique du franc fort, dont le crime est d'avoir été directeur de cabinet d'Édouard Balladur en 1986. Autant de « connards » accusés de conservatisme, d'ineptie ou de poltronnerie, c'est selon.

Quand Pasqua lui dit, la veille de sa prise de fonction, qu'il devrait laisser à Balladur la mairie de Paris qui serait ainsi bien tenue, Chirac répond : « C'est impossible. Édouard s'était vraiment engagé à ne jamais être candidat. Il a manqué à sa parole.

— Quelle importance, soupire Pasqua. Tu t'en fous, tu as gagné. »

Il ne pardonnera pas. Le traumatisme est tel après la trahison de Balladur que Chirac est déjà tout claquemuré de l'intérieur avant même d'entrer dans la cour de l'Élysée, pour prendre possession des lieux. Cet homme est un blockhaus, désormais, et beaucoup de ses ennuis viendront de là.

---

1. Entretien avec l'auteur, le 4 août 1995.

70

Les cimetières parisiens

« Je suis un cimetière abhorré de la lune
Où comme des remords se traînent de longs vers. »

Charles Baudelaire

Il a toujours mené grand train. À la mairie de Paris, dans son appartement de mille mètres carrés, Chirac avait à son service un maître d'hôtel à l'allure d'un grand d'Espagne, trois cuisiniers et deux femmes de ménage. Sans parler du reste. À l'Élysée, ce sera encore mieux : le voici passé du stade artisanal à la phase industrielle. Impossible de faire un pas sans qu'un huissier accoure, aux petits soins.

S'il célèbre l'« État modeste », Chirac ne le mettra pas plus en œuvre à l'Élysée qu'ailleurs. Il faut ce qu'il faut et, pour lui, ce sera toujours le meilleur vin ou le meilleur champagne. En dix ans, les crédits de la présidence de la République passeront, sous son règne, de 3,3 millions à 31,9 millions d'euros, soit une hausse de 867 % [1].

Sans doute faut-il imputer une partie de cette augmentation à la suppression par le gouvernement Jospin des « fonds spéciaux » que versaient naguère les ministres à l'Élysée. Désormais, c'est la présidence de la République qui assure elle-même ces dépenses. Mais à lui seul, ce changement de règles ne suffit pas à expliquer la dérive. C'est que Jacques Chirac, pour ses palais comme pour le reste, n'a jamais répugné à débourser l'argent des autres.

Il vit depuis trop longtemps dans un monde virtuel, loin des réalités. Depuis 1977, date de son accession à la mairie de Paris, il

---

1. *Le Grand Gaspillage*, de Jacques Marseille, Plon, 2002.

a toujours été nourri et logé aux frais de la princesse. Enfin, logé. Tous les soirs ou presque, vers 20 heures, son chauffeur, Jean-Claude Laumond, l'attendait dans sa CX, dans la cour de l'Hôtel de Ville, pour l'emmener Dieu sait où.

Pour joindre Chirac, à partir de cette heure-là, il fallait passer par Laumond. Un joyeux drille qui incarnait, avec son grand rire franc, la célèbre formule d'Alphonse Allais : « Ne nous prenons pas au sérieux, il n'y aura aucun survivant. » Un as du volant qui roulait à tombeau ouvert dans Paris et s'entraînait, pendant ses congés, sur les circuits professionnels. C'était la tête de Turc de Bernadette.

On pouvait la comprendre. Ils faisaient une drôle de paire, son mari et lui. Avec leurs airs de conspirateurs, on voyait bien, quand ils partaient pour leur tournée nocturne, qu'ils allaient se donner du bon temps. Chacun de son côté, bien entendu. Sauf que le chauffeur tenait souvent le chandelier tout seul dans la voiture. Sitôt Jacques Chirac élu, Bernadette est entrée en campagne contre Laumond.

Elle avait longtemps fait chambre à part. Elle faisait désormais domicile à part. Dans l'année qui a suivi l'élection de son époux à la présidence, elle a souvent dormi toute seule dans l'appartement de l'Hôtel de Ville, en attendant que soient achevés les travaux d'aménagement à l'Élysée. Pendant ce temps, son ire se concentrait sur Laumond.

Sans succès. Du moins pendant deux ans. En 1997, la nuit de l'accident de voiture de Lady Di dans le tunnel de l'Alma, le ministre de l'Intérieur ne put avoir le président au téléphone : Bernadette chargea Laumond qui, dans un livre [1], assurera qu'« elle se garda bien » de le faire appeler. C'est à la suite de cet incident et de quelques autres que Bernadette, enfin soutenue par Claude, obtint la tête de celui que l'on surnommait le « chauffeur des plaisirs ».

Jean-Claude Laumond fut destitué ou plus précisément banni, sans ménagement aucun. Jacques Chirac n'a même pas assisté à son « pot » de départ. Trop à faire. Parti de l'Élysée avec un briquet et une photo dédicacée, en guise de remerciements pour ses bons et loyaux services, l'ex-chauffeur s'est retrouvé en Nouvelle-Calédonie avec une fausse promesse de travail auprès de Jacques Lafleur,

---

1. *Vingt-cinq ans avec lui*, de Jean-Claude Laumond, Ramsay, 2001.

naguère maître après Dieu de l'île. Les yeux embués de nostalgie, il fait alors la tournée des bars où il raconte ses souvenirs, tandis que sa femme est au bord de la dépression.

« Humainement, ça n'était pas terrible, résume Bernard Bled, l'homme-orchestre de la ville de Paris. Politiquement, c'était très dangereux. » Il lui a donc trouvé un emploi : inspecteur des cimetières parisiens.

Les cimetières se remplissent vite, après l'arrivée de Jacques Chirac à l'Élysée. Certains de ses proches ont la sensation que doit éprouver le marchepied quand la semelle chérie les a quittés pour sa destination finale : une sensation de vide, sinon de trahison. Ils découvrent enfin la vraie nature de cet homme qui prend plus qu'il ne donne. Sauf quand on est dans la peine.

Nicolas Sarkozy, bon connaisseur du chiraquisme, a dit un jour : « On croit que Jacques Chirac est très con et très gentil. En fait, il est très intelligent et très méchant. » Depuis, le propos, tenu à Jean-Luc Lagardère, a fait florès. Pour caricatural qu'il soit, il en dit long sur l'aptitude au camouflage du chef de l'État.

« Avec lui, ajoutera Jacques Toubon, on finit toujours par se sentir un peu blousé quand on a cru avoir une grande proximité. » Lorsqu'il les reçoit, il a en effet la capacité de faire croire à ses visiteurs qu'ils sont, pour lui, les êtres les plus importants au monde avant de les oublier sitôt qu'ils auront franchi la porte de son bureau. Stratagème dont il use plus que la moyenne des politiciens.

C'est pourquoi les cocus du chiraquisme proliféreront, après son accession à l'Élysée. Bernard Murat, le maire de Brive-la-Gaillarde, s'étonnera, comme beaucoup de Corréziens, que Jacques Chirac ne mette pratiquement plus les pieds dans ce département où il prétendait naguère se ressourcer. Il leur faisait même croire qu'il était l'un des leurs. Les aurait-il abusés pendant les trois décennies où il les représenta à l'Assemblée nationale ? C'est ce qu'ils semblent penser, à en juger par les revers électoraux de la droite dans son ex-fief.

Jean Tiberi, qu'il a choisi contre Jacques Toubon, le mal-aimé, pour sa succession à la mairie de Paris, aura lui aussi le sentiment d'avoir été lâché par le chef de l'État. Surtout lorsque les « affaires » ont commencé à pleuvoir sur lui. « Quand Claude et Villepin ont pensé que son intérêt était de me transformer en bouc émissaire, il les a laissés faire », dira plus tard Tiberi. Il se sentira d'autant plus floué qu'il refuse la paternité de l'idée saugrenue du faux rapport commandé à sa femme Xavière, avec espèces sonnantes et trébuchantes à la clé, par le conseil général de l'Essonne. Un rapport qui a mis au jour les mœurs détestables de la classe politique et coûté sa réélection à Tiberi : ç'aurait été, selon lui, une trouvaille de Chirac...

Les Parisiens eux-mêmes ont fini par rompre avec le chiraquisme en donnant, en 2001, la mairie aux socialistes. Jacques Chirac leur a laissé un héritage qui n'est pas négligeable, loin de là. Des finances gérées au carré. La belle machine du Samu social. Une vie commerçante très active grâce à l'interdiction des grandes surfaces, maintenue envers et contre toutes les pressions ou tentatives de subornation. Comptant dix-huit ans de règne sans partage où, après les « grands chelems » de 1983 et 1989, il avait tous les arrondissements à sa main, il n'a, en revanche, rien laissé pour l'Histoire.

Pas un monument, rien. C'est tout lui. Tant il est vrai qu'à ses yeux, pour reprendre la formule de Céline, « invoquer la postérité, c'est faire un discours aux asticots ». Même si Paris continue de nous parler du baron Haussmann...

71

Tir au pigeon

« Le gibier peut oublier les chasseurs, mais les chasseurs n'oublient pas le gibier. »

Proverbe africain

C'est l'un des assassinats politiques les plus rondement menés de ces dernières années. Tout le monde s'y est mis. La presse, toujours en manque de sang frais. Les syndicats, bien décidés à en découdre. La France d'en haut et la France d'en bas. L'intéressé lui-même, enfin.

Alain Juppé reconnaît avoir eu tout faux, d'entrée de jeu : « Je n'étais pas préparé. Déjà, quand je suis arrivé à Matignon, je n'avais pas ma liste de ministres en tête. Ensuite, mon discours de politique générale était très mauvais. Trop long et sans âme. Pendant que je le prononçais, tout le monde dormait dans l'hémicycle du Palais-Bourbon. Sauf Franck Borotra [1] sur les bancs du gouvernement, dont je me souviens encore de l'air rigolard [2]. »

Le gouvernement est mal fichu. Politiquement, il est, à quelques exceptions près, chiraquien pur jus. Géographiquement, Chirac et Juppé ont fait l'impasse sur le Midi qui, pour la première fois depuis longtemps dans l'histoire de la République, n'est pas représenté. On se pince, on se frotte les yeux, on ouvre grandes ses oreilles, mais non, pas l'ombre d'un accent de Marseille autour de la table du Conseil des ministres.

---

1. Ministre de l'Industrie du gouvernement Juppé, Franck Borotra est un proche de Charles Pasqua.
2. Entretien avec l'auteur, le 4 avril 2005.

Au surplus, l'équipe n'est composée que de ministres inexpérimentés. Quand il ne s'agit pas de cinquièmes couteaux dont le QI est largement en dessous de la ligne de flottaison. Juppé prend tout sur lui : « Chirac m'a laissé former le gouvernement. Je n'aurais pas imaginé qu'il me laisserait une telle liberté de manœuvre [1]. »

On peut feindre de le croire et dire à son propos, comme Charles Pasqua : « Comment voulez-vous diriger un pays quand vous n'avez confiance en personne ? Ce type n'est entouré que d'ectoplasmes. » Mais Jacques Chirac est l'interventionnisme incarné et on voit clairement sa main dans la composition du premier gouvernement Juppé.

Passons sur les remerciements pour services rendus pendant la campagne, qui ont porté Charles Millon à la Défense, Jean-Louis Debré à l'Intérieur, Alain Madelin à l'Économie ou Hervé de Charette aux Affaires étrangères. Pour les nominations, il n'y a pas à tortiller, le critère qui prévaut est moins la compétence que la loyauté.

On notera seulement que Jacques Chirac, après avoir longtemps daubé sur les pratiques mitterrandiennes du même ordre, a truffé le gouvernement d'anciennes ou nouvelles proches amies dont la moindre n'est pas Margie Sudre, bombardée secrétaire d'État à la Francophonie. Pour embrouiller tout le monde, le président a pris soin, bien sûr, de les noyer au milieu d'autres femmes. Elles recevront toutes le sobriquet de « juppettes ».

Elles sont jetables, cela va de soi. Le Premier ministre se débarrassera de la plupart des « juppettes » à la première occasion. Le féminisme chiraquien n'aura duré qu'une saison.

Alain Juppé est tout de suite aux cent coups. Il y a de quoi : aucune fée ne s'est penchée sur son gouvernement, après sa venue au monde. Sur le plan des finances publiques notamment, il hérite d'une situation calamiteuse. Comme tout politicien français qui se respecte, Édouard Balladur, après Jacques Chirac ou Pierre Bérégovoy, a tenté de se faire élire en signant des chèques. Il n'a pas mégoté. Résultat : malgré la reprise économique dont il a bénéficié, il laisse la France dans l'état où il l'avait trouvée. Dans le rouge.

---

1. Entretien avec l'auteur, le 4 avril 2005.

L'audit des finances publiques demandé par Édouard Balladur après son arrivée à Matignon, en 1993, chiffrait le déficit budgétaire imputable aux socialistes à plus de 300 milliards de francs. Deux ans plus tard, malgré la reprise économique, le déficit est égal, sinon supérieur. Tel est le mal français : ni de droite ni de gauche, entretenu par des politiciens à courte vue qui ont le nez collé sur la prochaine échéance électorale.

Balladur et Bérégovoy, c'est, pour reprendre un vieux slogan communiste, blanc bonnet et bonnet blanc. Juppé a décidé qu'il serait, lui, différent. Une sorte de Mendès France gaulliste ou, si l'on préfère, de Churchill à la française, promettant au pays le sang et les larmes que l'heure impose. Il peut compter sur le soutien inconditionnel ou presque du chef de l'État. Apparemment sur la même ligne, Chirac déclare ainsi, le 23 août 1995 : « Les Français sont prêts à partager les efforts et à accepter des contraintes pour peu qu'on leur propose des réformes simples, efficaces, justes et renforçant la cohésion nationale. »

Les Français sont-ils prêts ? C'est là précisément que le bât blesse. Sans doute Juppé n'a-t-il pas la manière. La pédagogie n'est pas son fort. Ni le doigté. Encore moins la diplomatie, qu'il a dû apprendre en regardant la série des *Terminator*. Mais aurait-il toutes les qualités requises, on voit mal comment il pourrait réussir. À peine est-il arrivé à Matignon qu'il a déjà les ailes coupées.

L'affaire de son appartement, survenue à point, l'a décrédibilisé d'entrée de jeu. Comment demander des sacrifices aux autres quand on bénéficie soi-même de prébendes ? Il y a là quelque chose qui cloche et que ne comprennent pas les Français, émus par les révélations de la presse sur les conditions avantageuses dont bénéficient les petits malins qui habitent des logements du domaine privé de la ville de Paris.

Parmi ces privilégiés, Alain Juppé qui, pour comble, a aussi fait profiter les siens. Son ex-épouse, ses deux enfants et son demi-frère. *Le Canard enchaîné* a même publié une note qui prouve que le Premier ministre, quand il était adjoint aux Finances de la ville de Paris, a arrondi de sa main à 6 000 francs, au lieu des 6 913 francs envisagés par les services de la ville, le loyer d'un appartement de 88 mètres carrés attribué à son fils Laurent.

Tollé général. Comment Alain Juppé a-t-il pu commettre une telle erreur ? Un homme indépendant d'esprit comme Bernard

Bled, administrateur à la mairie de Paris au moment des faits, est convaincu de son innocence : « Ma tête à couper qu'il a signé sans regarder. Quand on connaît Juppé, c'est un type trop rigoureux et trop coincé pour décider lui-même d'accorder une faveur à son fils. Tout le contraire d'un charlot. Il travaille seize heures par jour sans s'attarder sur les détails. Lui, c'est vraiment : *"De minimis non curat pretor."* Autrement dit : *"Le chef ne s'occupe pas des détails."* À l'époque, on baissait systématiquement le prix des appartements et les dossiers étaient anonymes. Il a appliqué la même règle à tout le monde. »

Témoignage d'autant plus crédible qu'il émane d'un homme qui n'a jamais été de ses amis, loin s'en faut. Mais il est contredit par Jean-Eudes Rabut, alors chef de cabinet du maire de Paris, qui se souvient avoir fixé lui-même le rabais : « Alain Juppé savait ce qu'il signait mais ce n'est pas lui qui l'a demandé. C'est moi, après avoir visité l'appartement, qui était en très mauvais état. »

N'importe comment, le coup est terrible. Alain Juppé mettra des mois à s'en relever. Mais jamais il ne daignera s'expliquer. Jamais non plus il ne cherchera à savoir qui l'a balancé. Il est vrai qu'il a l'embarras du choix. Il s'est fait beaucoup d'ennemis, à la mairie de Paris. Des jaloux ou des combinards qui grenouillent autour des marchés publics. C'est sans doute l'un d'eux qui a frappé. Pour montrer au pays la vérité de l'homme qui, à l'Hôtel de Ville, jouait les Saint-Just.

« C'était une affaire très bien préparée, notera Juppé dix ans plus tard. Après ça, j'étais cuit. J'avais les jarrets coupés pour longtemps [1]. »

Il continue néanmoins à avancer. Même mort, il continuerait à avancer. Mais ses orbites se creusent, son teint devient cireux, et un mauvais rictus lui tord continuellement les lèvres, comme s'il venait de sucer un citron. Il semble ne pas bien comprendre ce qui lui arrive. Notamment quand il s'indigne en petit comité : « Pourquoi toute cette histoire ? Je n'ai volé personne ! »

Certes. Mais qu'Alain Juppé soit l'intégrité et l'honnêteté faites homme ne change rien à l'affaire. En louant pour lui-même, à des conditions défiant toute concurrence, un appartement de la ville et en décidant de son propre chef d'une ristourne – signée de sa main,

---

1. Entretien avec l'auteur, le 4 avril 2005.

qui plus est – pour le logement de son fils, il a commis une faute inouïe qui fait de lui une caricature de privilégié. Un personnage arrogant, coupé du peuple et engoncé dans une culture gaulliste de l'État régalien, qui croit que tout lui est dû.

Il vaut mieux que cela, mais qu'importe, la curée a commencé, rien ne peut l'arrêter. Après les révélations du *Canard enchaîné*, *Le Monde* tire tous les jours ou presque un nouveau boulet contre le Premier ministre que le chef de l'État materne comme jamais.

« Pour lui, c'est le baptême du feu, observe Chirac. Il n'avait pas encore l'habitude des déchaînements médiatiques. Il trouve ça injuste et disproportionné mais ils le sont toujours. Les journalistes prennent un petit fait et puis le montent en épingle jusqu'à ce qu'il occupe tout l'écran de télé. Mais on ne peut pas réduire toute une vie à une boulette ! Alain est très affecté, le pauvre. Sous des apparences un peu rogues, c'est un garçon très sensible, vous savez. Je lui téléphone souvent, sans raison, juste pour qu'il comprenne que je ne le laisserai pas tomber. Il faut que ces messieurs du *Monde* le sachent : ce ne sont pas eux qui font ou défont les Premiers ministres de la France. Jamais je ne leur donnerai Alain en pâture [1]. »

Les câlins du président n'y feront rien. Pas plus que les décisions de justice. Alain Juppé est déjà un chef de gouvernement en sursis, cinq mois après sa nomination, quand Bruno Cotte, le procureur de la République de Paris, fait tomber son jugement de Salomon à propos de l'affaire de son appartement : tout en estimant « caractérisé » le délit de prise et de conservation illégales d'intérêts, il juge inopportunes les poursuites contre le Premier ministre, dès lors qu'il s'est engagé à quitter son logement.

L'honneur est sauf. Mais le Premier ministre ?

---

1. Entretien avec l'auteur, le 6 septembre 1995.

72

Juppé, le Terminator mendésiste

« Le succès est toujours un enfant de l'audace. L'échec aussi. »

Jehan Dieu de la Viguerie

On dirait une blague. Une blague française, bien entendu. Il n'y a qu'en France, mère patrie de l'État-roi, qu'une telle chose est possible. Le 22 mai 1995, le nouveau président de la République a convoqué en grande pompe les préfets à Paris pour leur annoncer qu'ils seraient le « fer de lance » de la bataille pour l'emploi et que leur « réussite » en la matière serait le « critère essentiel d'appréciation » de leur mérite.

On croit rêver. Mais non. Jacques Chirac, qui réclame une « révolution culturelle » dans la lutte contre le chômage, n'a rien trouvé de mieux que de commencer par mobiliser... les préfets. L'initiative aurait dû provoquer un grand éclat de rire dans le pays mais on n'a entendu que quelques toussotements, du côté du patronat. Tant il est vrai que la France est toujours jacobine ou napoléonienne, comme on voudra.

Aux yeux du président, c'est donc l'État qui détient les clés en matière de chômage. Il décrète et les entreprises suivent. C'est pourquoi Chirac a décidé que seraient nommés, dans chaque département, des commissaires à l'emploi. Qu'ils fassent la chasse aux complications administratives, sport national français, on ne peut que s'en féliciter. Mais qu'ils soient officiellement chargés de relancer l'emploi, on ne peut qu'en rire ou en pleurer.

Jacques Chirac ne connaît pas le monde de l'entreprise. Il ne le fréquente pas, ou peu. En tout cas, beaucoup moins que la plupart des personnalités politiques, à droite ou à gauche. Rares sont ses amis patrons autorisés à lui donner, de temps en temps, un conseil : François Pinault, Jérôme Monod ou Jean-François Dehecq, et encore. Il commet la même erreur, mais infiniment moins coûteuse dans son cas, que François Mitterrand qui, en 1981, croyait résoudre le chômage en embauchant des fonctionnaires. Il ne comprend pas que la solution tienne en un seul mot, tabou en France, même s'il a fait ses preuves partout : la flexibilité.

En attendant, Alain Juppé travaille. Le 2 juin, il réunit le premier comité interministériel pour l'emploi en présence de dix-sept ministres, sous la houlette d'Anne-Marie Couderc, secrétaire d'État, chargée de coordonner cette nouvelle structure. Vingt jours plus tard, le chef du gouvernement présente son « plan d'urgence » qui doit créer 700 000 emplois en dix-huit mois.

Au vu de l'état misérable des finances publiques, Alain Juppé avait décidé que le plan ne coûterait que 15 milliards de francs. Mais il lui a fallu revoir sa copie. Sur intervention du chef de l'État qui veut un électrochoc, il frappera plus fort : ce seront finalement 50 milliards en année pleine. Jacques Chirac ne veut pas qu'il soit dit que, comme à son habitude, il s'est assis sur ses engagements après son élection. Il entend, de surcroît, rompre avec le balladurisme qu'il comparait en privé, il n'y a pas si longtemps, à la « politique du chien crevé au fil de l'eau ».

Après le temps de l'homéopathie balladurienne, voici donc venu le temps du traitement de cheval à la Juppé. Contre le chômage, plus question de lésiner : le gouvernement lance le contrat initiative emploi (CIE) qui prévoit, pour toute embauche d'un chômeur, une prime de 2 000 francs mensuels pendant deux ans pour l'employeur, ainsi que des exonérations de charges sociales. Les jeunes, les bas salaires, personne n'est oublié. Sans parler des petites et moyennes entreprises qui bénéficieront de simplifications administratives : les « déclarations d'embauche unique » remplaceront les dix formulaires qu'il fallait jusqu'à présent remplir. Il suffisait d'y penser.

Pour financer son plan, Alain Juppé n'a pas le choix. Il augmente les impôts : le taux de TVA passe de 18,6 % à 20,6 %, tandis que l'impôt sur les sociétés comme l'impôt de solidarité sur la fortune ont droit à une surtaxe.

Tout s'est noué lors d'une réunion à l'Élysée où se sont retrouvés, autour de Jacques Chirac, Alain Juppé, Dominique de Villepin et Maurice Gourdault-Montagne, le directeur de cabinet du Premier ministre.

On est en juin, le gouvernement n'a que quelques semaines, mais Alain Juppé a déjà les traits tirés et cet air funèbre qui, désormais, ne le quittera plus. « On est dans une situation très grave, dit-il au chef de l'État. Si on continue comme ça, le déficit dépassera la barre des 3 % du PIB que nous impose le traité de Maastricht. On n'a pas trente-six solutions. Soit on trichote et, en oubliant un certain nombre de dépenses, on peut afficher un déficit de 322 milliards. Soit on dit la vérité et, alors, il faudra annoncer 356 milliards.

— Même si c'est embêtant, tranche Chirac, il faut dire la vérité et tout faire pour résorber ce déficit.

— Donc, nous devrons augmenter les impôts.

— On n'a pas le choix. Si on décide de sortir de Maastricht et de rompre nos engagements européens, on entrera dans une aventure que je ne pourrai pas maîtriser. »

Bref, la conviction européenne a tout de suite prévalu, chez Chirac comme chez Juppé. Résultat : un coup de bambou fiscal. C'est ainsi que le Premier ministre dresse contre lui, dès le 22 juin 1995, les riches, les patrons, les petits commerçants et les professions libérales.

Enfin, un homme politique français qui ne suit pas le peuple mais lui demande, au contraire, de le suivre. Depuis Raymond Barre ou Pierre Mauroy, dans la phase de la rigueur, il y a longtemps qu'on n'avait pas vu en France quelqu'un décider et trancher, y compris contre son propre camp, avec le seul intérêt général en ligne de mire.

Un homme d'État est-il né ? Sans doute, mais à peine le temps d'une saison, puisqu'il sera tout de suite fauché par les révélations du *Canard enchaîné* sur son appartement avant d'être neutralisé par la rue, quand il s'attaquera à la réforme des retraites, donnant ainsi raison à Louis XVIII qui disait : « Le privilège des grands hommes est de donner des secousses à leur siècle. La secousse terminée, sauve qui peut ! »

C'est sans doute l'un des grands gâchis du dernier quart de siècle. Une occasion manquée que la France n'a pas fini de payer. Voilà, en effet, l'une des rares personnalités capables de procéder aux grandes réformes auxquelles le pays devait se résoudre, pour ne pas tomber dans la spirale du déclin. Il a presque tout pour lui. L'autorité, la compétence, la confiance du président et, disons-le, le courage qui a manqué à tant de ses prédécesseurs.

Certes, cet homme éternellement mal rasé est aimable comme une porte de prison et, même sur ses nouvelles terres bordelaises, il ne perd jamais de temps avec les gens de peu. Ni avec personne, en vérité. Il y a quelque chose de sombre en lui qu'il semble fuir à grandes enjambées. Il n'est pas électoral et serait capable de faire passer Barre pour un affreux démagogue. Mais il a des convictions et une colonne vertébrale. C'est un ordinateur, comme l'écrivent ses portraitistes, mais sans électricité. Il lui manque cet esprit de famille qui caractérise les grands politiques. Pour devenir homme d'État, il faut d'abord être chef de bande. Il n'est encore que chef de bureau.

Bien sûr, il fait des efforts. « Je sais ce que dit Chirac de moi, dira-t-il un jour à l'auteur [1]. Que je suis trop susceptible et qu'il me manque quinze kilos. Mais je mange, contrairement à ce qu'il croit. L'autre jour, j'étais dans une palombière, dans les Landes. Eh bien, j'ai pris de la soupe, du foie gras, des palombes, des alouettes, des ortolans et plein d'autres choses. Je suis sorti de table à 18 heures. Moi aussi, je peux faire ça. »

Mais il a beau faire, il n'a pas l'estomac du président ni son coffre, ni, surtout, son cynisme et son culot.

C'est l'anti-Chirac. C'est aussi l'anti-Bérégovoy ou l'anti-Balladur. Un extraterrestre dans le monde politique français qui a décidé, le téméraire, que deux et deux font quatre alors que, depuis des lustres, ils faisaient le double, sinon plus, dans notre cher et vieux pays.

Bien que Juppé fût en tout ou presque son contraire, Chirac l'a soutenu jusqu'aux limites du raisonnable, parce qu'il approuvait sa politique, avant de le laisser partir là où son destin l'attendait, ce cimetière des illusions que Chateaubriand a si bien décrit :

« Là dorment dans l'oubli des poètes sans gloire,
Des orateurs sans voix, des héros sans victoire. »

---

1. Entretien avec l'auteur, le 18 novembre 1996.

73

La comédie française

« L'autruche française a le cou si long qu'il lui arrive parfois, quand elle enfouit sa tête, de trouver du pétrole. »

Commissaire Sastre

L'été aura été meurtrier pour le gouvernement Juppé. Un seul mort, c'est vrai, mais de poids : Alain Madelin, ministre de l'Économie, qu'Alain Juppé a « démissionné » sans ménagement après qu'il a ouvert un beau matin, au micro de Jean-Pierre Elkabbach, sur Europe 1, le débat sur les acquis sociaux des fonctionnaires.

Ce limogeage à la hussarde est une erreur politique. Certes, Alain Madelin est trop impulsif, trop balourd, trop « personnel ». Un turlupin, doublé d'un malappris. Chaque fois qu'il serre une main, il perd un électeur, car il est rare qu'il le regarde. Surtout pas dans les yeux. Il a beau se prendre pour un intellectuel, citer Frédéric Bastiat et se piquer d'idéologie, il y a chez lui une grossièreté et un sans-gêne qui font de son compagnonnage une épreuve redoutable.

Le ministre de l'Économie ajoutait néanmoins à l'orchestre gouvernemental une petite musique libérale et anti-étatiste qui n'était pas de trop dans ce cabinet ultra-chiraquien. Elle n'était certes pas raffinée, loin s'en faut, mais elle donnait au moins un peu d'air, même s'il n'était pas frais. C'était la seule ouverture d'une équipe fermée à double tour. Après son départ, le gouvernement ne parlera plus que d'une seule voix, celle de Juppé.

Il y a deux manières de gouverner. Ou bien avec un râteau, en ratissant large : c'est parfois malaisé, on l'a vu dans le passé, et il faut une grande habileté où Mitterrand, notamment, excella. Ou bien avec une épée pour frapper profond, sans perdre de temps :

ça requiert de la précision et une main dont Juppé, pour l'heure, paraît dépourvu.

Depuis le perchoir de l'Assemblée nationale, Séguin, qui est pourtant un anti-Madelin convaincu, rigole et se désole en même temps. « Juppé, dit-il, a tout : Matignon, la mairie de Bordeaux, désormais le ministère des Finances, demain le RPR qu'il va présider. Tout, il a tout. »

Le Premier ministre est donc seul : en politique, c'est quand on croit tout avoir qu'on n'a plus rien. Une règle que Juppé va pouvoir vérifier à ses dépens, les mois suivants. Sans doute n'a-t-il pas encore compris la vérité du pouvoir, avatar de cette « lumière verte », de cet « avenir orgastique », décrit par Francis Scott Fitzgerald dans la dernière page de *Gatsby le Magnifique*, qui sans cesse « recule devant nous : pour le moment, il nous échappe. Mais c'est sans importance. Demain, nous courrons plus vite... ».

En ce qui concerne Madelin, Juppé prétend qu'il n'avait pas le choix : « La veille de sa déclaration, j'avais réuni tous les poids lourds du gouvernement pour mettre au point la stratégie de septembre. On a parlé très librement et il était entendu que rien, de nos débats, ne devait filtrer à l'extérieur. Pas question de mettre le feu aux poudres. Ni de provoquer les syndicats de fonctionnaires. Quelle n'est pas ma stupéfaction quand, le lendemain, j'entends Madelin reprendre mot pour mot nos propos ! C'était un cas d'école de parole non tenue. D'irresponsabilité aussi. Quand j'ai vidé Madelin, je lui ai dit exactement ça : "Je ne peux pas garder dans mon gouvernement quelqu'un qui ne joue pas le jeu." [1] »

L'éviction de la tête de linotte du néo-thatchérisme à la française va-t-elle rassurer un pays d'humeur bien ronchonne, en cette rentrée 1995 ? Pas sûr. En attendant, le chef de l'État maintient le cap, avec l'autorité de la conviction, dans un long entretien à Catherine Pégard pour *Le Point*, la première interview qu'il accorde à la presse écrite depuis son arrivée à l'Élysée : « Les Français, c'est vrai, sont inquiets, et l'inquiétude renforce toujours le poids des conservatismes et avive la crainte du changement. Mais il n'y a pas de perspective dans les solutions traditionnelles [2]. »

1. Entretien avec l'auteur, le 4 avril 2005.
2. *Le Point*, le 2 septembre 1995.

À Catherine Pégard qui lui demande d'expliquer le « scepticisme croissant » des Français, Jacques Chirac répond notamment qu'« ils ont le sentiment que tout a été essayé, et sans résultat. Je suis persuadé, ajoute-t-il, qu'avec les premiers changements perceptibles, ils retrouveront confiance ».

Le président se dit ensuite « profondément attristé » du départ d'Alain Madelin dont il n'oubliera jamais, jure-t-il, qu'il lui a été « fidèle dans des circonstances difficiles ». « Mais, observe-t-il, il faut comprendre que rien n'est plus préjudiciable à la réforme que les effets d'annonce intempestifs. On ne réforme pas en opposant les actifs aux inactifs, les salariés aux fonctionnaires, les patrons aux syndicats, les jeunes aux vieux, les villes aux campagnes... »

Catherine Pégard insiste en citant le *Wall Street Journal* : « Sans Madelin, adieu les réformes. »

Alors, Chirac : « Je vous rassure tout net. L'ardeur pour la réforme reste intacte. Mais pour réformer, il faut changer les mentalités, notamment au niveau de l'État [...]. La volonté de réformer, seule, ne suffit pas : le gouvernement doit aussi se donner la capacité de le faire et, pour cela, une certaine pédagogie des réformes est nécessaire. »

En somme, le chef de l'État semble tenté de rétropédaler quelque peu avant les grandes épreuves qui s'annoncent. Les cent jours sont passés, mais tout reste à faire, et son flair de vieux politicien corrézien lui dit qu'il est urgent de se hâter lentement, comme le prouvent les aphorismes prudhommesques qu'il enfile dans l'interview, du genre : « Le changement en profondeur n'est pas le changement précipité. »

Son nez ne l'a pas trompé. Deux jours après la parution de l'interview, un sondage et un article prophétique montrent, dans le quotidien *La Tribune*, que les Français sont rétifs à tout changement. Refusant les augmentations d'impôts aussi bien que les restrictions sur la protection sociale, ils ne sont qu'un sur quatre à souscrire à l'objectif d'assainissement des finances publiques fixé par Alain Juppé. Dans son commentaire, Jean-François Couvrat prédit même une « résistance opiniâtre » du pays aux réformes.

C'est que les Français ont pris Jacques Chirac au mot. Il ne récolte que ce qu'il a semé pendant la campagne électorale. De l'anti-pédagogie, pour ne pas dire de la démagogie. Il a fait croire au pays qu'il suffisait d'en finir avec la croissance molle pour relancer l'emploi, réduire les déficits et mettre un terme à la « fracture sociale ». C'était gros, simple et carré. Du Mitterrand sans Mitterrand.

On ne peut accuser Juppé de ne pas avoir préparé l'opinion. Après s'être fait une tête d'enterrement ou d'annonciateur de mauvaises nouvelles, il s'en est allé déclarer partout que la France vit à crédit, l'État comme la protection sociale, et qu'il va prendre incessamment sous peu les mesures qui s'imposent. Mais il a beau ressasser son pessimisme sur tous les tons, avec une mine de croquemort, il a du mal à se faire entendre.

Le 15 novembre 1995, quand le Premier ministre annonce ses décisions pour redresser les comptes sociaux, il n'a donc pas pris les Français par surprise. Les syndicats non plus, qu'il a reçus et entendus. Certes, Marc Blondel, le secrétaire général de Force ouvrière, lui a enjoint de ne pas toucher aux avantages des fonctionnaires. Et notamment, à ceux de son syndicat. Certes, Nicole Notat, la secrétaire générale de la CFDT, lui a conseillé de ne pas s'attaquer aux « régimes spéciaux » des retraites à cinquante ans, à la SNCF ou ailleurs. « Sinon, ce sera l'explosion », a-t-elle prévenu.

Jacques Chirac est sur la même ligne que Nicole Notat. La veille de l'annonce officielle, Alain Juppé est allé lui présenter la réforme avec une note manuscrite de cinquante pages qu'il a écrite pendant la nuit. « C'est bien », laisse tomber le chef de l'État à la fin de son exposé.

« Je vais rajouter quelque chose sur les régimes spéciaux de retraite, fait le Premier ministre. On a beaucoup plus de bénéficiaires que de cotisants : ça coûte trop cher à l'État, notamment à la SNCF.

— Attention, dit Chirac. C'est un terrain miné.

— Rassurez-vous. Je vais y aller en douceur. Sur dix ans.

— Ne chargez pas trop la barque. Réfléchissez bien. »

Alain Juppé a décidé de passer en force. Foin des compromis et des faux-fuyants ! Il entend remettre de l'ordre dans l'État-providence et faire respecter une certaine équité entre le secteur public et le secteur privé.

Pour sauver la Sécurité sociale, en état de quasi-faillite, avec 180 milliards de francs de déficit en trois ans, Alain Juppé a prévu l'augmentation des cotisations, l'encadrement des dépenses de santé, le contrôle des caisses d'assurance-maladie par le Parlement et... l'allongement de la durée de cotisations des fonctionnaires aux régimes de retraite (de 37,5 à 40 ans) après négociation avec les partenaires sociaux.

N'était la mise en question des « régimes spéciaux » des retraites, Nicole Notat aurait de quoi se féliciter. Sur l'assurance-maladie, Alain Juppé a repris toutes les propositions qu'elle avait défendues avec son énergie habituelle, auprès de Jacques Chirac et de lui-même. Le plan Juppé est un plan Notat. La « Tsarine », comme on l'appelle, déclare donc que le gouvernement « va dans le bon sens », tandis que le bureau national de la CFDT annonce son refus de « rejoindre le camp de l'immobilisme », pierre dans le jardin de la CGT et de FO, surtout, qui se sent, à juste titre, agressée.

Le plan Juppé-Notat met en effet fin au monopole de Force ouvrière sur la protection sociale à la française. Le Premier ministre n'a pas hésité à retirer à ce syndicat, traditionnellement ami de la droite, la gestion, il est vrai déplorable, des caisses-maladie, et notamment de la Caisse nationale qui lui permet d'entretenir, aux frais de l'assuré social, des centaines et des centaines de permanents. « C'est le plus grand rapt que je connaisse dans l'histoire de la République », s'insurge Marc Blondel en tripotant ses bretelles et en tirant sur ses gros cigares. Il ne cessera plus de s'insurger. Jusqu'à devenir l'incarnation de cette « comédie française » qui, les semaines suivantes, bloquera la France, sur fond de crédulité, d'infantilisme et de nostalgie archaïques. Une dépression nerveuse sublimée par la grève. Une mystification.

74

Le bouc émissaire

> « Il en est qui, pour avoir vu à découvert les parties secrètes
> de l'objet aimé, ont été pris d'hésitation au moment le plus
> vif de leurs transports. »
>
> Ovide

Tout était-il perdu d'avance ? Peut-être son plan aurait-il été
adopté si Alain Juppé avait suivi, jusqu'au bout, les prescriptions
de la « Tsarine ». Mais il a décidé d'en finir avec les « régimes spéciaux » des retraites dont il dénonce à tout bout de champ l'injus-
tice. En petit comité, bien sûr, pas en public. Soucieux de ne pas
dresser une France contre l'autre, il se gardera jusqu'à la fin du
conflit de mettre cette carte sur la table, se privant ainsi d'un
atout maître.

En 1993, Édouard Balladur a fait passer de 37,5 à 40 ans le
nombre d'années de cotisations nécessaires aux salariés du privé
pour prendre leur retraite. Deux ans plus tard, aucun effort n'a
encore été demandé aux salariés du public. Surtout, leurs « régimes
spéciaux » bénéficient souvent de privilèges exorbitants. Les agents
roulants de la SNCF, par exemple, qui prennent leur retraite à
cinquante ans. Alain Juppé estime qu'ils devraient travailler, eux
aussi, deux ans et demi de plus, sinon davantage.

C'est le bon sens. Mais tout, ensuite, découle de là. La grève des
transports publics, à la RATP et à la SNCF. La paralysie de Paris,
transformé en gigantesque embouteillage. La généralisation des
manifestations pour la défense des services publics, qui seraient
menacés par la mondialisation, le monétarisme et la construction
européenne. Le confusionnisme qui s'empare d'une partie du pays

et qu'alimentent des politiciens dénués de scrupules, comme une intelligentsia qui n'a pas pris la peine d'étudier ses dossiers.

Les usagers se font une raison, qui se recyclent dans le vélo, les rollers ou l'auto-stop. Même s'il en rajoute, le journaliste François Caviglioli restitue assez bien l'état d'esprit de l'époque quand il écrit, non sans humour : « On entend peu de vitupérations [...]. Des automobiles BCBG prennent des loubs à bord. La méfiance tombe quand les grilles du métro se ferment. On se rend compte à quel point le métro est un moyen de transport anti-naturel. Les Parisiens ne s'adressaient plus la parole depuis l'ouverture, il y a cent ans, de la première ligne de métro Vincennes-Neuilly. Ils refont connaissance [1]. »

Et Caviglioli de s'extasier : « Paris n'est plus cette solitude peuplée dont parlait Mauriac. Paris est devenue une foule où bat un cœur gros comme ça. »

Il est vrai que, dans un premier temps, les Français approuvent, à une large majorité, la grève des agents roulants qui paralyse le pays pour garder leur retraite à cinquante ans. Ce ne sont pas les marchands d'illusions qui les en dissuaderont. Ils empruntent le cortège en marche, comme à leur habitude, et se répandent en propos lénifiants. Tandis que Lionel Jospin affiche sa « solidarité » avec les grévistes, Jean-Pierre Chevènement salue ce « mouvement anti-Maastricht » qu'il compare, excusez du peu, à Mai 1968. À la faveur de cette crise sociale, la gauche fait de la régression. Quitte, parfois, à retomber en enfance.

Pas toute la gauche. Une partie d'entre elle a pris fait et cause pour Nicole Notat, voire pour le plan Juppé. Jean Daniel écrit ainsi dans Le Nouvel Observateur : « Rarement on aura vu un homme comme Alain Juppé se fabriquer lui-même et avec autant de soin un personnage de bouc émissaire alors qu'il propose des réformes inspirées naguère par la gauche moderne. [...] Le plan de sauvetage de la Sécurité sociale, ajoute-t-il, a frappé par son ambition et sa cohérence [2]. »

Olivier Mongin et Joël Roman, les directeurs de la revue Esprit, point de ralliement d'une gauche moderne et chrétienne, s'indignent : « On s'attendait à la lâcheté des socialistes mais pas

---

1. Le Nouvel Observateur, le 7 décembre 1995.
2. Ibid.

à celle de Delors!» Avec Pierre Rosanvallon, ils décident de se désolidariser de leur champion parce qu'ils sont convaincus, comme Nicole Notat, que le plan Juppé sauvera les meubles de l'État-providence. Ils écriront une pétition qui sera signée par des intellectuels comme le philosophe Paul Ricœur, le sociologue Alain Touraine ou l'historien Jacques Julliard.

Mais ce ne sont pas un article et une pétition qui peuvent changer la donne. Le Premier ministre doit se rendre, il est cerné. Le 5 décembre, il fait un premier pas en annonçant qu'il n'est pas question d'aligner les régimes spéciaux sur le régime général. Le 10, il capitule enfin en promettant que le personnel roulant de la SNCF bénéficiera, comme par le passé, de la retraite à cinquante ans, tandis que le montant de retraites à la SNCF et à la RATP sera calculé sur les six derniers mois d'activité. L'État paiera.

Ainsi s'achève ce conflit saugrenu, moitié farce, moitié psychodrame, où les Français ont pris des vessies pour des lanternes en faisant des grévistes du service public, accrochés à leurs privilèges des « régimes spéciaux », les interprètes de leur peur ou de leur désespoir. C'est dire si le pays va mal. Sans doute faut-il parler, comme le sociologue Edgar Morin, de « mal de civilisation [1] », un mal provoqué par la nécessaire adaptation, en période de quasi-récession, à un marché mondial qui effraie le pays.

Tous les ferments sont là, qui ont empoisonné ou empoisonneront la société française pendant longtemps encore. Sa crainte du monde extérieur. Sa tentation du repli, voire du protectionnisme. Sa volonté de revenir en arrière. Sa conviction, non fondée, que son « modèle social » est supérieur et qu'il faut le protéger à tout prix.

Telle est la société française en cet automne 1995 : casanière, podagre et passablement revêche. Bloquée de partout, et d'abord dans la tête. Pas réformable.

Même s'il a flanché sur un point important, Alain Juppé a tenu sur l'essentiel de sa réforme et prouvé qu'il avait du coffre. De cette crise, il ressort néanmoins tout nu ou à peu près. Dans la majorité, il ne suscite plus que la risée ou l'affliction, au choix. Charles Pasqua le compare à un « chef de bureau » qui ne saurait pas « parler d'amour », tandis que Philippe Séguin, plus nuancé, le ser-

---

1. Cf. son interview au *Figaro*, le 7 décembre 1995.

615

monne : « Les Français ont besoin de considération, qu'on leur parle, qu'on les consulte. »

Il y a quelque temps, Marie-Thérèse Boisseau, député apparenté UDF d'Ille-et-Vilaine, résumait bien le sentiment général à l'égard de son Premier ministre quand, dans une question écrite qu'elle posait au ministre de l'Éducation nationale, à la séance du mercredi, elle reprenait les mots d'une chanson de Renaud :
« Si je dois avaler tout ça
Alors, je dis : halte à tout
Explique-moi papa
C'est quand qu'on va où ? »

Marie-Thérèse Boisseau aurait pu poser la même question à Jacques Chirac qui, pendant le conflit, a conseillé, épaulé et défendu son Premier ministre, tout en prenant soin de rester toujours en seconde ligne. Bien que la crise sociale ne l'ait pas frappé de plein fouet, il en est l'autre victime, après Alain Juppé. Pas une victime politique, le chef du gouvernement ayant tout pris sur lui, mais une victime psychologique. Son tempérament de bon vivant ne le portait déjà pas à prendre de décisions impopulaires. Il est désormais traumatisé pour longtemps par les résistances qu'il a vu monter de tous les coins du pays contre des mesures auxquelles, a-t-il sans cessé répété, « il n'y a pas d'alternative ».

C'est une leçon de choses qu'il n'a pas fini de méditer et qui explique la pusillanimité, pour ne pas dire pire, des années suivantes. Mais au lieu de l'éloigner de Juppé, la crise l'en a, au contraire, rapproché. Sans doute s'est-il pris, en ce décembre noir, pour de Gaulle affrontant, derrière Pompidou, la grève des mineurs de 1962.

Chirac n'a de cesse, depuis lors, de comparer Juppé à Pompidou : « Observez-les bien. Ce sont les mêmes. Avec les mêmes origines modestes et provinciales. Donc, le même besoin de revanche. La même force de caractère devant l'obstacle. Le même gros bon sens, malgré une grande culture. La même sensibilité à fleur de peau, malgré des airs de durs à cuire. Avec ça, rancuniers, susceptibles et chatouilleux, comme tous les vrais sentimentaux [1]. »

« Louer son fils, c'est se vanter », dit le proverbe. Chirac se vante beaucoup, ces temps-ci. Il est sûr d'avoir trouvé un fils en Juppé et

---

1. Entretien avec l'auteur, le 3 juillet 1996.

parle de lui avec fierté. Non, ce n'est pas le Premier ministre qui lui a manqué. C'est la France qui a, décidément, une petite nature.

C'est l'époque aussi qui l'afflige, « une époque épouvantable où la rage de détruire domine tout ». « Les médias minent les institutions, s'indigne-t-il. Ils tirent sur tout ce qui bouge et répandent des horreurs sur tout le monde. Le pire, c'est que les gens les croient. Quand la télé annonce une émission avec Charette ou Jospin, elle reçoit des lettres d'injures et des coups de fil scandalisés, comme si elle allait donner la parole à des tueurs d'enfants [1]. »

---

1. Entretien avec l'auteur, le 30 octobre 1996.

75

La stratégie du mort-vivant

« Une fois nos passions satisfaites, nous comptons pour
rien nos promesses et nos errements. »

Catulle

Chirac peut-il remonter en selle, après cette crise d'épilepsie
sociale qui a coûté à la France au moins un quart de point de
son PIB[1] pour assurer la survie de quelques avantages acquis mais
injustes ? Avant la grève, la popularité du président était au plus
bas : en octobre, 14 % seulement des Français étaient satisfaits de
son action contre 74 % qui se disaient déçus[2].

Jamais, depuis le début de la Ve République, un président n'avait
atteint un tel niveau d'impopularité, après cinq mois de mandat.
En matière de mécontentement, Chirac caracole loin devant ses
deux prédécesseurs, Giscard et Mitterrand. Avec une particularité
qui, désormais, sera souvent la sienne : le nouveau président déçoit
son propre camp.

Après la grève, la cote du président est toujours à son plancher :
en décembre, 22 % des Français sont satisfaits de lui contre 69 %
de mécontents. Cette légère amélioration est la conséquence de la
crise sociale qui a quelque peu, mais si peu, resserré les rangs de la
droite autour du chef de l'État et de son Premier ministre.

Qu'importe. La stratégie présidentielle ne changera pas. Le
21 décembre 1995, le sommet social de Matignon a permis à Alain
Juppé de sauver la face en lui permettant de renouer le dialogue

1. Source OCDE.
2. Baromètre IPSOS-Le Point, *Le Point*, le 28 octobre 1995.

avec les syndicats après qu'il a sauvé l'essentiel de son plan, adopté, la veille, par le Parlement.

Le 31 décembre, lors de son premier message de vœux aux Français, Chirac n'est pas sur la défensive. Au contraire, il persiste et signe : « Nous sommes au début du chemin, mais nous sommes sur le bon chemin. »

Il faut s'arrêter un moment sur ce texte fondamental si l'on veut comprendre la vraie nature du chiraquisme. La plupart de ses discours sont des chefs-d'œuvre de platitude où les aspérités sont gommées, les saillies interdites et les virgules pesées, jusqu'à donner un brouet sans sel ni saveur qui semble l'endormir lui-même, quand il le fait couler de sa voix monotone. Son eau est si tiède, parfois, qu'elle ferait passer, en comparaison, Marc Lévy pour un artiste.

On ne compte plus ses prudhommeries, comme celle-ci : « La lutte contre le terrorisme est un combat [1]. » Ou encore : « On ne peut rester sans bouger dans un système qui bouge énormément [2]. »

Ceux qui écrivent ses discours ne sont pas en cause. Ses principales plumes, Christine Albanel, conseillère culturelle, puis Roch-Olivier Maistre, son successeur, ont un esprit vif, doublé d'une culture éclectique. Leur malheur est que le président passe leurs textes à la moulinette de ces réunions préparatoires, moud les phrases, les pile et les concasse, et en fait de la bouillie pour les chats.

Ce message de vœux tranche avec les autres discours de Chirac. Il dit sa philosophie. On y retrouve ce mélange de lucidité et de prudence, qui fait sa force autant que sa faiblesse. Cette volonté de plaire à tous. Cette obsession de tout lisser et de retirer les arêtes.

D'abord, Chirac dit avoir compris que décembre 1995 a mis en lumière « des inquiétudes, des angoisses face au chômage ». Sans oublier « un manque de confiance dans les pouvoirs qui sont parfois ressentis comme éloignés des réalités quotidiennes et qui n'auraient d'autres réponses aux problèmes de l'heure que l'accroissement de la contribution de chacun ».

Après quoi, tirant les leçons du conflit, il sert aux Français un discours mendéso-barriste qui aurait pu être écrit par Juppé : « Il n'est plus possible de gouverner aujourd'hui comme on l'a fait au

---

1. Déclaration télévisée, le 18 septembre 1986.
2. À Arras, le 30 septembre 1996.

cours des vingt dernières années. Esquiver les vrais problèmes, poser des pansements sur des blessures qu'on ne soigne jamais, remettre à demain ce qu'il faut faire sans délai. Eh bien, nous étions au bout de ce système. Il faut le comprendre : si nous voulons être un pays en paix avec lui-même, un pays qui compte dans le monde, nous devons bouger, nous devons nous adapter. »

Ensuite, il parle comme Séguin dont il reprend l'analyse sur la demande de « considération », qui a tant agacé Juppé : « On ne changera pas la France sans les Français. Chacun de nous a soif de considération, d'explications. Et c'est vrai que nous avons moins que d'autres l'habitude de la concertation. C'est tous ensemble que nous devons retrouver les voies du dialogue. Le progrès social en dépend. »

Enfin, il fait l'éloge des Français : « Pendant ces semaines si difficiles, [...] vous avez montré, jour après jour, un esprit de responsabilité, un esprit de solidarité exemplaires. Des millions d'entre vous se sont levés très tôt le matin, déployant imagination et volonté simplement pour arriver à l'heure au travail. » Dans la foulée, il célèbre « la sérénité et la force d'âme » dont le pays a fait preuve au moment des attentats islamistes qui, à l'automne, ont ensanglanté Paris : « Vous avez ainsi donné au monde l'image d'un grand peuple dont je suis fier. »

Récapitulons. Primo, il faut réformer. Secundo, pas question de réformer si l'on n'a pas convaincu le pays. Tertio, les Français sont formidables. Impossible de se tromper si on les suit.

Tout Chirac président est là : conscient des enjeux mais toujours entre deux eaux, sur ses gardes, prenant des gants, du champ, du temps. Le hussard un peu bravache des années soixante-dix puis quatre-vingt s'est mué, l'âge venant, en un personnage apaisé qui n'a apparemment plus d'autre ambition que d'être aimé, sinon d'être populaire.

Le chef de l'État ne changera plus de cette ligne-là, celle du social-conservatisme pépère et paternel. Quand on lui dit qu'on ne résoudra la question du chômage qu'en introduisant plus de flexibilité dans le marché du travail, et notamment dans les petites et moyennes entreprises, comme en Grande-Bretagne, en Allemagne, au Japon ou aux États-Unis, Chirac lève les yeux au ciel, comme si on venait de proférer une énormité, avant de répondre avec un air de grande lassitude : « Vous savez bien que c'est une question explosive. Si je fais un pas en avant, je risque de tout faire péter et de me retrouver avec un million de personnes dans la rue.

— Et alors ? Il y a cinq millions de personnes exclues du travail. Moralement, elles devraient peser plus lourd.

— Sans doute, répond Chirac. Mais s'il y avait un million de personnes dans la rue, je serais obligé de payer très cher leur retour au travail et le pays se retrouverait deux pas en arrière[1]. »

De même que les grèves de 1986 contre la loi Devaquet l'avaient neutralisé, décembre 1995 l'a transfiguré. Il s'est balladurisé ou, si l'on préfère, mitterrandisé. Encore quelques mois et il sera devenu un calque de Mitterrand, celui du deuxième septennat, que la religion du « ni ni » avait réduit à l'ombre de lui-même. Un radical-socialiste, dans la lignée du docteur Queuille, sur les dents devant le moindre rassemblement de rue. Un père de la nation, bien décidé à ne déranger personne.

Tout est en place pour ce qu'il faut bien appeler la tragédie de sa présidence, prise deux fois de suite, après avoir reçu le sacre du suffrage universel, dans les filets du statu quo.

---

1. Entretien avec l'auteur, le 6 novembre 1996.

76
« L'embêteuse du monde »

« On est toujours le fils de ses œuvres. »

Cervantès

Ironie de l'Histoire : en ce décembre noir, alors même que la France fulmine contre lui et son Premier ministre, Jacques Chirac remporte une grande victoire internationale. Quatre ans et demi après le début des combats qui ont dévasté l'ex-Yougoslavie, l'accord de paix sur la Bosnie-Herzégovine est signé, le 14 décembre 1995, au palais de l'Élysée, par les présidents de la Bosnie, de la Croatie et de la Serbie, respectivement Alija Izetbegovic, Franjo Tudjman et Slobodan Milosevic.

Pour cet heureux événement, ils sont venus, ils sont tous là : le président américain Bill Clinton et la plupart des grands dirigeants du moment, l'Espagnol Felipe González, l'Allemand Helmut Kohl ou le Britannique John Major. Une cinquantaine de pays ou d'organisations internationales sont représentés pour ce qui est, à bien des égards, une consécration de la ligne imposée par Jacques Chirac, depuis son arrivée à l'Élysée.

L'accord de paix, un document de cent soixante-cinq pages accompagné de cent deux cartes détaillées, prévoit que la Bosnie, après son long martyre, sera composée de deux entités : d'un côté, une fédération croato-musulmane ; de l'autre, une république serbe. Ce traité ne règle pas tout et la chose a été opportunément rappelée par des obus, apparemment serbes, qui sont tombés sur le centre de Sarajevo au moment précis où le texte était paraphé. Mais qu'importe : c'est le début de la fin pour cette guerre qui a fait plus de 200 000 morts entre des peuples dévorés par leurs prurits nationalistes et séparés de surcroît, comme la Croatie et la Serbie, par... une même langue.

Pour faire respecter l'accord, la communauté internationale ne lésinera pas. Elle dépêchera sur place une force d'interposition de 60 000 soldats qui prendra le relais des casques bleus de l'ONU. De la sorte, elle aura tiré un trait sur la stratégie humanitaire consistant à envoyer dans les Balkans des armées de paix, chargées de protéger les populations civiles et qui n'avaient qu'un seul droit, celui de se faire tuer comme des lapins. Résultat : grâce à Chirac qui a fait adopter la stratégie militaire, c'en est fini, pour elle, du ridicule et du déshonneur.

Retour en arrière. À peine s'est-il installé à l'Élysée que les connaisseurs de la chose diplomatique annoncent un « changement complet » de la politique française en ex-Yougoslavie [1]. Il a été décidé, le 26 mai 1995, lors d'un conseil restreint auquel participaient notamment, autour du président, le chef du gouvernement, les ministres concernés et le chef d'état-major des armées, l'amiral Lanxade.

Ce jour-là, Jacques Chirac dénonce avec virulence le comportement des autorités militaires françaises : « On ne peut plus laisser nos soldats de la Forpronu comme des piquets qui servent de cibles aux terroristes serbes. Nous devons résister. Rendre coup pour coup. Nous faire respecter. Cessons de tendre l'autre joue, après chaque humiliation. Si c'est la guerre, eh bien tant pis, il faut la faire. »

À ceux qui s'inquiètent des représailles serbes et, du coup, d'une escalade du conflit, Chirac répond qu'il assume. Il faut tirer un trait sur cette politique de faux-semblants. Si elles soulagent la conscience, les bonnes paroles et les postures morales ont fait leur temps. Le mythe du « zéro mort », la nouvelle idéologie occidentale, a déjà tué beaucoup de soldats de la paix sous le feu des Serbo-Bosniaques, et la France lui a payé un lourd tribut. Deux morts encore, au lendemain du conseil restreint : le caporal Marcel Amaru et le marsouin Jacky Humblot.

Sur le dossier de l'ex-Yougoslavie, Jacques Chirac parlera désormais haut et fort, en appelant les grandes démocraties à se « ressai-

---

1. Cf. l'article de Jacques Amalric dans *Libération*, le 30 mai 1995.

sir » devant « l'inacceptable », le 14 juillet, ou en dénonçant la « barbarie serbe », le 23 juillet, après les attaques d'un convoi humanitaire et de deux postes de commandement où des officiers français ont trouvé la mort. Il a placé la France dans la posture gaullienne d'« embêteuse du monde » pour mettre le holà au projet ethnicide des dirigeants serbo-bosniaques, ces maniaques de la « race pure ».

« La Bosnie, dit-il, est une affaire qui a été mal emmanchée dès le premier jour. On a demandé aux militaires de s'acquitter d'une mission qu'ils ne pouvaient pas remplir. Les soldats sont faits pour faire la guerre. Pas la paix. À chacun son métier. On a confondu le militaire et l'humanitaire, au point de demander aux Nations unies d'exercer un commandement militaire. Vous avez vu le résultat... Quant à nos généraux, ils ont joué le jeu onusien. C'est normal. Les généraux sont toujours pacifistes. Ils ne veulent pas qu'on touche à leurs jouets, vous comprenez. Ils ont trop peur qu'on les leur casse. Mettez-vous à leur place. Il leur a fallu tellement de temps pour les fignoler. Quand on leur demande de faire la guerre, ils perdent, bien sûr, leurs réticences. Mais ils auront tout fait pour retarder cet instant [1]. »

La Grande-Bretagne et les États-Unis font preuve, dans un premier temps, d'un grand scepticisme. Ils se rallient peu à peu à la stratégie de rupture du président français, changeant, du coup, la donne sur le terrain.

« Vous reconnaîtrez, se rengorge Chirac, que tout a basculé là-bas quand j'ai dit qu'il fallait rendre coup pour coup. Les Bosniaques ne s'y sont pas trompés. L'autre jour, sur CNN, j'ai vu un reportage où ils criaient : "Vive Chirac !" Pendant ce temps, en France, on me critique, on m'accuse de prêcher dans le désert, on me traite de va-t-en-guerre, sous prétexte que je ne veux pas que l'on soit complice des massacres perpétrés là-bas. Mais c'est toujours comme ça. Ici, c'est un réflexe, on a besoin de se tirer dans les pieds. Notre pays ne s'aime pas [2]. »

Soudain Chirac est interrompu. Une secrétaire lui apporte un papier pour lui apprendre que Bill Clinton l'appellera vers 23 heures. Le président sourit, puis :

---

1. Entretien avec l'auteur, le 4 août 1995.
2. Entretien avec l'auteur, le 31 août 1995.

« Il est marrant, ce Clinton. Il appelle à l'heure qui lui convient. Il va me sonner à minuit et ça va durer une heure. Je n'ai pas envie. Qu'il m'appelle demain ou en début d'après-midi. »

En attendant, c'est le président américain qui, en adepte de la technique du coucou, raflera la mise, médiatiquement parlant, après les accords de New York puis de Dayton. Beau joueur, il laissera tout de même la signature du traité de paix s'effectuer à Paris.

L'Europe aura ainsi été la grande perdante, dans cette affaire. Elle aura tout laissé faire : la guerre, puis la paix. Mais Jacques Chirac aura démontré que la France peut encore faire l'Histoire, sinon du monde, en tout cas du Vieux Monde.

On peut juste regretter qu'il n'ait pas mis la même fougue don-quichottesque à résoudre le conflit qui, en cette fin d'année, avait paralysé la France.

77

Pour solde de tout compte

« À qui dit la vérité, donnez un cheval. »
Proverbe arménien

Le pouvoir n'a pas encore posé ses marques sur son visage ni provoqué d'affaissement sous le menton. Il n'y a guère que le ventre qui ne tient plus et flageole mollement sous la chemise, mais les abdominaux n'ont jamais été son fort. On le dirait dans la fleur de sa jeunesse, tant il est svelte, rayonnant et rigolard. Qu'importent les sondages. Des semaines après son intronisation, Jacques Chirac est encore tout à sa joie d'avoir été élu président.

Mais pour quoi faire ? On verra plus tard, quand aura sonné l'heure du jugement. En attendant, il profite. Il fait la vie et n'a pas changé, par exemple, ses habitudes alimentaires. L'Élysée sert désormais des bières ou des punchs et on y voit rarement l'ombre d'une feuille de salade. Le chef de l'État a un estomac d'autruche qu'il remplit à se faire crever la panse de plats roboratifs, comme ces cœurs de canard confits aux pommes de terre, servis en entrée, que l'auteur lui a vu avaler un jour de canicule avant de l'entendre en redemander.

Le soir, après le travail, il s'en va toujours conter fleurette. Quand il n'est pas de « corvée », c'est-à-dire puissance invitante d'une de ces réceptions ou dîners d'État qui lui « cassent les burnes », il s'engouffre discrètement dans sa voiture pour filer vers une destination inconnue. Et féminine, cela va de soi.

En somme, Chirac est resté lui-même : stoïque, rustique et bambochard. Les lambris qui lui sont tombés dessus ne lui ont pas monté à la tête. Encore qu'il s'accommode moins qu'auparavant de la critique ou de l'admonestation, fussent-elles tutoyantes et conviviales. S'il n'a pas mis de distance avec ses vieux amis, comme François Pinault ou Jérôme Monod, il aime que les nouvelles générations lui marquent leur respect. Lui qui était naguère si familier avec les siens adore qu'on l'appelle, avec la pompe afférente, « Monsieur le président ». Si féru soit-il de culture chinoise, il n'est pas du genre à croire, comme Lao-Tseu, que « celui qui excelle à employer les hommes se met au-dessous d'eux ».

Voilà pour les plaisirs. Et le destin ? Au cours de l'été 1995, alors que l'auteur lui demande comment il voit son avenir de président, Chirac lui répond tout à trac : « J'ai une grande force par rapport à mes prédécesseurs. J'ai décidé de ne faire qu'un mandat.

— Allons, on dit toujours ça...

— Non, vous verrez, je n'en ferai qu'un. À la fin de celui-là, je serai vieux. Ça me fera combien ?

Il réfléchit, puis :

— Je suis né en 1932. Ça fera donc soixante-dix ans en 2002. Franchement, à moins d'être de Gaulle, on ne se présente pas à soixante-dix ans. En plus, je serai mort.

— Pourquoi ?

— J'ai toujours pensé que je mourrais à soixante-dix ans.

— Mais si vous passez ce cap, vous trouverez toujours de bonnes raisons de vous présenter.

— Eh bien, c'est une erreur. Quand on reste trop longtemps au pouvoir, dans nos démocraties, on finit toujours par être dégagé par un grand coup de pied au cul, sans parler de toutes les avanies qu'on vous aura fait subir avant. Voyez François Mitterrand ou Felipe González. Ils ne méritaient pas le traitement qu'ils ont subi sur la fin. Il faut savoir tirer la révérence avant la curée. Ça me sera d'autant plus facile que je voudrais profiter un peu de la vie, après l'Élysée [1]. »

Encore une parole non tenue. Inutile de gloser dessus. Henry Kissinger, l'ancien secrétaire d'État américain, prétendait, en orfèvre, que le pouvoir est un aphrodisiaque. C'est aussi un élixir de jouvence capable de maintenir debout des vieillards qui, sans lui, mangeraient depuis longtemps les pissenlits par la racine. Ils ont besoin de lui pour respirer, espérer et, enfin, vivre. Voilà sans

---

1. Entretien avec l'auteur, le 4 août 1995.

doute une des raisons qui a poussé Chirac à se représenter, sept ans plus tard.

Mais si Chirac n'a pas respecté cet engagement prononcé d'une voix sans appel, devant une assiette pleine de grosses tranches de thon graisseuses, c'est sans doute parce qu'il aura conscience, à l'heure des comptes, de n'avoir rien fait ou presque pendant son premier mandat. Il lui fallait réparer ça et montrer ce dont il était capable.

Pour l'heure, son début de règne est tristounet. N'étaient les étincelles qu'il fait sur le dossier de l'ex-Yougoslavie, le bilan serait même franchement négatif. Rien de calamiteux, non, une gestion tranquille et pépère. Une sorte de service minimum. Avec quelques points forts.

D'abord, Chirac renoue, c'est bien le moins, les fils coupés avec Kohl qui, pendant la campagne présidentielle, avait joué ouvertement la carte Balladur, n'hésitant pas à rendre une visite privée à l'ancien Premier ministre dans sa résidence de Chamonix, le 5 janvier 1995.

Le chancelier allemand était horripilé par le flou artistique qu'entretenait le candidat RPR sur les affaires européennes, et notamment sur les questions monétaires. Si le premier sommet franco-allemand du nouveau président, au lendemain même de son installation à l'Élysée, est une « réussite », comme l'écrit Michel Colomès [1], c'est parce que Jacques Chirac a levé la plupart des ambiguïtés. Il entend bien rester dans l'Histoire comme l'un de ceux qui auront porté l'union monétaire sur les fonts baptismaux.

Ensuite, il chausse les bottes du général de Gaulle quand il annonce, le 13 juin 1995, la reprise des essais nucléaires français dans le Pacifique, réclamée par les militaires, afin, notamment, d'effectuer des tests de qualification et de préparer la miniaturisation des engins du futur. Il respecte là un engagement de campagne en montrant que la France reste une grande puissance qui entend tenir son rang.

La reprise des tirs à Mururoa provoque une tempête de protestations, et d'abord en Australie. « Ces Australiens sont vraiment des va-de-la-gueule, proteste Chirac. Ils n'ont jamais accepté notre présence dans le Pacifique sud. Ils ne supportent pas l'attrait

_____

1. *Le Point*, le 27 mai 1995.

628

qu'exercent, dans la région, la Nouvelle-Calédonie et la Polynésie dont le revenu par tête est, vous ne me croirez pas, deux fois plus élevé que chez eux. D'où les frustrations contre nous de ce pays bizarre où l'on chasse le cheval en hélicoptère, après avoir chassé l'aborigène en Jeep. Cela, les médias français ne le disent pas, bien entendu. Ils crient tous : "Haro sur le baudet !" Autrement dit, moi, le baudet. Je m'en fous. Je suis payé pour entendre ça. Mais c'est bien la preuve que la France est un pays masochiste où on adore prêter la main aux étrangers quand ils vous flagellent [1]. »

Sur ce dossier, on peut penser ce que l'on veut, mais au moins Chirac tient bon, contrairement à son habitude. Il fait même face, avec un certain cran, à la terre entière, convaincu que la France ne peut, sur ce plan, se laisser dicter sa loi par quiconque.

Enfin, Chirac annonce, le 22 février 1996, la suppression du service militaire. La seule grande réforme de fond de son premier mandat, qui doit doter le pays, dans les six ans, d'une armée professionnelle, comme aux États-Unis ou en Grande-Bretagne. Il a tranché d'un coup, à la manière d'un autocrate, après avoir consulté les principales autorités des armées, souvent très hostiles à la professionnalisation.

Là encore, il se fiche pas mal d'avoir à affronter des oppositions. Notamment dans les villes de province où il faudra fermer des casernes. Il est sûr de son fait : moins coûteuse, une armée de métier devrait permettre d'envoyer 60 000 hommes hors de nos frontières et non pas 10 000 comme lors de la première guerre du Golfe, en 1991. Cette réforme s'impose donc comme une évidence si la France veut continuer à peser, dans les années à venir.

Pour parler de ce dossier qu'il prend « personnellement en charge », Chirac retrouve la même fibre nationaliste que pour défendre, quelques mois plus tôt, la reprise des essais nucléaires. Comme s'il avait besoin de compenser moralement son engagement pour la cause européenne.

C'est une constante que l'on retrouvera, désormais, tout au long de son mandat, marqué au sceau du gaullo-mitterrandisme. Chirac, l'homme qui ne pouvait penser ni faire deux choses à la fois, ne ménage jamais sa peine pour concilier ses élans patriotiques et son credo européen.

---

1. Entretien avec l'auteur, le 4 août 1995.

Que reste-t-il des deux premières années de son premier mandat présidentiel, hormis la création de l'armée de métier et ses succès dans le dossier de l'ex-Yougoslavie ? Pas grand-chose, sinon quelques paroles fondamentales. Le jour où les historiens du futur se pencheront sur son bilan, ils ne retiendront peut-être, au milieu de tant de décombres et de cacophonies, que l'allocution qu'il a prononcée, le 16 juillet 1995, sur les lieux de l'ancien vélodrome d'Hiver, à l'occasion du cinquante-troisième anniversaire de la rafle du Vél'd'Hiv, où 4 500 fonctionnaires de police français procédèrent à l'arrestation de 12 884 juifs parmi lesquels 4 051 enfants. Ce jour-là, à la surprise générale, le chef de l'État a rompu avec le dogme gaullien, repris par Mitterrand, qui voulait que le régime de Vichy fût totalement illégitime. Chirac a fait l'Histoire ou, plutôt, l'a refaite.

Jusqu'alors, il fallait mettre le régime de Vichy entre parenthèses, dans les livres d'histoire : c'est à peine si avait existé « l'État français » du maréchal Pétain. Tandis que les Allemands reconnaissaient leur faute collective dans l'accession à la chancellerie, par les urnes, d'Adolf Hitler, les Français niaient l'évidence en refusant de se souvenir que Philippe Pétain avait été porté au pouvoir par la Chambre du Front populaire. Falsification historique qui leur avait permis de figurer parmi les vainqueurs de la Seconde Guerre mondiale.

Chirac tourne, enfin, la page de cette fable et reconnaît la responsabilité de l'État français dans la rafle du Vél'd'Hiv. Écoutons-le :

« Il est, dans la vie d'une nation, des moments qui blessent la mémoire et l'idée que l'on se fait de son pays [...]. Il est difficile de les évoquer [...] parce que ces heures noires souillent à jamais notre histoire, et sont une injure à notre passé et à nos traditions. Oui, la folie criminelle de l'occupant a été secondée par des Français, par l'État français. »

Évoquant la rafle, il ajoute :

« La France, patrie des Lumières et des droits de l'homme, terre d'accueil et d'asile, la France, ce jour-là, accomplissait l'irréparable. Manquant à sa parole, elle livrait ses protégés à leurs bourreaux. » À propos des 76 000 déportés juifs de France qui ne reviendront pas des camps, il déclare : « Nous conservons à leur égard une dette imprescriptible. »

L'Histoire, la vraie, n'a-t-elle pas aussi une dette imprescriptible à l'égard de Chirac qui l'a débarrassée, ce 16 juillet 1995, de ses impostures et sornettes officielles ?

78

Villepin, le Capitan matamore

« Pour devenir le maître, il faut agir en esclave. »

Tacite

C'est toujours le même rituel, entre 8 heures et 8 h 30 du matin : Dominique de Villepin se ronge les sangs, l'œil aux aguets, l'air impatient. À ce moment-là, généralement, il partage son petit-déjeuner avec un visiteur, un grand journaliste ou un homme d'affaires, tant il est vrai que les médias et le monde de l'argent sont les deux soleils autour desquels il fait tourner sa vie.

Pas les seuls soleils. Ce serait trop simple. À lui tout seul, Villepin est une planète voyageuse qui change d'astre au gré des heures et de ses humeurs. Un coup, c'est la poésie. Une autre fois, l'art africain. Après ça, le cinéma. Ou bien encore la littérature, l'histoire napoléonienne, ses trois enfants, le président et sans doute aussi, même s'il prend soin de ne jamais l'évoquer, son propre destin politique. C'est un homme qui vit de passions et ses passions le transportent. Mais quand on en a tant, c'est qu'on n'en a pas. Il ne le sait pas. Même s'il souffre d'un gros complexe de supériorité, il y a beaucoup de choses qu'il ne sait pas. Il est trop égocentrique, par exemple, pour se rendre compte que tous ses visiteurs le regardent comme un personnage anachronique. Un rodomont de passage en politique.

Chaque fois que le téléphone sonne sur son bureau, à quatre ou cinq mètres de la table où il prend son petit-déjeuner, Villepin bondit de sa chaise et se précipite pour répondre à la vitesse du chien qui s'en va retrouver son maître. Mais non, ce n'est pas lui. Quand il tombe enfin sur l'appel qu'il attendait, son grand corps se rétracte : c'est le chef de l'État. Le secrétaire général lui fait d'une voix saccadée, celle de l'émotion, une revue de presse express. Elle ne doit pas durer plus d'une minute et demie. Pourquoi faudrait-il passer plus de temps sur les journaux ? « Ces torche-culs ne racontent que des conneries », pour parler comme le Tartarin de l'Élysée.

C'est le surnom que lui ont donné les chiraquiens historiques. Ils ne supportent pas que Villepin soit devenu aussi vite l'autre chouchou, après Juppé, du chef de l'État. À peine est-il entré dans son orbite que Chirac, déjà, le traitait comme un fils, le fils cadet. Il est vrai que le secrétaire général de l'Élysée a beaucoup de points communs avec lui. Une boulimie d'action. Le même halètement dans la gorge. Un vocabulaire de corps de garde. Un caractère fantasque et imprévisible. Une faim jamais assouvie, à avaler la mer et les poissons.

Il est vrai aussi que Villepin est pourvu de qualités que Chirac n'a pas. Une confiance absolue en soi, doublée d'une capacité d'improvisation peu commune. Une écriture baroque qui peut prêter à sourire, avec ses enfilades d'adjectifs ampoulés, mais qui a au moins le mérite de n'être ni plate ni banale. Un vernis culturel, enfin, qui lui permet de musarder de l'art indien à Julien Clerc en passant par Saint-John Perse ou le dernier film de Danièle Thompson, l'une de ses meilleures amies.

C'est un ogre, comme Chirac. Il avale tout. Pas les dossiers, contrairement à son patron, mais les collaborateurs, les amis, les idées, les passions, les livres, les relations qu'il évacue sitôt qu'elles ont fini de lui être utiles. Outre la faim qui le tenaille, il est habité par les convictions que la gloire l'attend et que son heure viendra. C'est pourquoi il faut que le monde entier soit à son service. La fausse noblesse d'Empire dont il est l'héritier l'a convaincu que l'époque n'était pas à la hauteur. Il n'est fait que pour les temps mauvais, quand tombera sur la France une de ces nuits décrites par Schiller[1] : « Le ciel est orageux et troublé, le vent agite l'étendard placé sur la tour ; les nuages passent rapidement sur le croissant de la lune qui jette à travers la nuit une lumière vacillante et incertaine. »

---

1. *La Mort de Wallenstein*.

Ce sera le moment. Pour l'heure, Villepin est embusqué et se fabrique, en douce, un réseau. On y trouve de tout. Ce qui compte à Paris. Ce qui brille aussi. Mais très peu de personnalités politiques. Ce diplomate les méprise et le clame à tout bout de champ. Les journaux sont pleins de gracieusetés qu'il répète à leur endroit, du genre : « Ces messieurs ont tous le cul sale. » Ou bien : « Le seul organe qui est développé chez eux, c'est le trouillomètre. » Ou encore : « Ces connards sont incapables d'avoir une seule idée en même temps. Dans leur vie privée, ils ont une maîtresse à Paris et une femme en province. En politique, c'est la même chose. Il ne faut pas leur faire confiance. »

À tous ceux qu'il a blessés ou humiliés et qui viennent se plaindre de lui auprès de Chirac, ce dernier répond : « La cavalerie cavale et celui-là est toujours sur la ligne de front. C'est mon meilleur dragon... »

Fils de Xavier Galouzeau de Villepin, un industriel qui représente la société Pont-à-Mousson à l'étranger, le petit Dominique a vécu loin de son pays, dans le culte de la France, comme beaucoup d'expatriés. Encore que le Maroc où il a résidé soit, pour lui, comme une seconde patrie qui lui a inculqué son engouement pour la culture arabe.

Après sa sortie de l'ENA, il rédige quelques notes diplomatiques pour Jacques Chirac à qui il a été présenté en 1980. Il fait ensuite une carrière traditionnelle au Quai d'Orsay. D'abord à l'ambassade de France à Washington, puis à New Delhi, avant d'être nommé par Alain Juppé, en 1993, directeur de son cabinet au ministère des Affaires étrangères.

C'est là qu'il fait des étincelles, sous la houlette d'un homme qui est alors la coqueluche de Chirac, de Mitterrand et d'à peu près tous les spécialistes de la chose politique. Sur tous les fronts en même temps, Alain Juppé réveille une diplomatie qui somnolait depuis des années. Dominique de Villepin n'est pas pour rien dans cette réussite.

Si Jacques Chirac le repère, c'est pour cela mais aussi parce qu'il se révèle tout de suite comme l'un des rares opposants, dans l'appareil d'État, à Édouard Balladur. Dominique de Villepin ne cesse de fustiger sa « mollesse » et son « immobilisme », devenant ainsi, avec Jean-Louis Debré, l'une des cibles favorites du Premier ministre.

« Ce pauvre garçon, aime dire Édouard Balladur, ce n'est vraiment pas une lumière. Un excité qui fait son faraud et ne se mouche pas du coude. Avec ça, pas un grain de bon sens. Quand je pense que Chirac en est réduit à utiliser des gens comme ça, franchement, j'ai de la peine pour lui[1]. »

Si Balladur avait été élu en 1995, Villepin aurait sans doute été banni au fin fond de l'Afrique, tant il était devenu sa fixette. Après ça, Chirac ne pouvait qu'en faire, dès son installation à l'Élysée, le secrétaire général de la présidence.

Dominique de Villepin fait-il, depuis, merveille à l'Élysée ? Ce n'est pas la question. Il rassure le président. Il rassure aussi sa fille Claude. Toujours à leurs petits soins, il suit les vents et les amplifie. Qu'importe s'il cherche à isoler le président et à le couper de ses anciens relais. Qu'importe s'il en rajoute, au lieu de le calmer, quand le président a ses foucades. Qu'importe, enfin, s'il ne sait pas diriger une équipe et prend soin de ne laisser personne exister, fors lui, comme on l'apprend à l'ENA.

Pour asseoir son autorité auprès du président, il use, comme tout conseiller ambitieux, de la tactique du pompier pyromane. Analyse de Jean-Eudes Rabut, chef de cabinet de Jacques Chirac à la mairie de Paris de 1986 à 1995 : « À l'Hôtel de Ville, Michel Roussin et moi gérions les emmerdements avant de rendre compte. Dominique de Villepin, lui, fait monter les crises en neige avant de demander les pleins pouvoirs pour les gérer. Il cherche sans cesse à accroître son emprise. » Ce n'est pas un exécutant, c'est un conquérant.

L'aristocratie est le respect de soi pour Nietzsche, et Villepin, particule ou pas, est un aristocrate qui ne réserve son respect qu'à lui-même ou à sa famille. Il a donc tendance à diviser ses subordonnés de l'Élysée, autant que le reste du monde, entre « petits connards » et « gros cons ». Ils n'auront pas droit au moindre signe de déférence et, le jour de leur réunion hebdomadaire, devront attendre, tous ensemble devant sa porte, parfois plus de vingt minutes, le temps qu'il en ait fini avec le visiteur qu'il recevait à petit-déjeuner. Après quoi, il leur faudra tous rester debout, y compris les plus anciens, dans le bureau du secrétaire général qui leur

---

1. Entretien avec l'auteur, le 13 février 1995.

passera ses instructions. Quelques années plus tard, quand il entrera dans l'équipe présidentielle, Jérôme Monod jettera un froid en prenant un fauteuil.

Malgré tous ses défauts qu'il a bien notés, le président passe tout à ce double ébouriffant : c'est un guerrier et la politique, n'est-ce pas le commencement de la guerre par d'autres moyens ? Villepin est toujours au combat. Il a trouvé un nouveau cheval de bataille, ces derniers temps : la dissolution de l'Assemblée nationale.

79

Poisson d'avril

> « La ruse la mieux ourdie peut nuire à son inventeur. »
>
> La Fontaine

Il ne faut jamais être le premier de la classe. Enfin, en France. On se retrouve couvert de diplômes autant que d'horions : Giscard et Fabius en savent quelque chose. Énarque, normalien, dauphin, chef du gouvernement et homme-orchestre du président, Juppé n'a jamais eu la vocation au martyre. Trop sûr de lui, il est aussi trop coincé, trop maigre, trop technocrate, trop intelligent, trop cumulard. Il n'a pas non plus la manière.

Au fil des mois, Juppé est devenu un archétype nouveau dans l'histoire politique. Un mélange de bouc émissaire, de croquemitaine et d'ordonnateur des pompes funèbres. Qu'importe s'il reçoit, le 12 septembre 1996, un satisfecit de Raymond Barre : « Nous sommes en cure, en train de remettre de l'ordre dans nos affaires, et nous en avons grand besoin. » Les Français sont convaincus, dans leur majorité, que si tout va mal, c'est la faute du Premier ministre, du « franc fort » et de l'Europe qui impose les critères de Maastricht sur notre politique budgétaire.

Lui-même n'est pas loin de penser que si tout va mal, c'est la faute aux Français. Un jour de découragement, Juppé confie ainsi à l'auteur : « On ne peut rien faire avec ce pays. Il se gargarise de réformisme, mais il ne supporte pas le changement, même quand il est nécessaire. C'est un peuple conservateur et frileux, crispé sur son passé. Il se met à hurler dès que je fais un geste. Maintenant, il faudrait un miracle pour que je réussisse [1]. »

---

1. Entretien avec l'auteur, le 25 septembre 1996.

On pourrait reprocher à Juppé de ne pas procéder assez vite à l'assainissement des finances publiques et de l'État-providence : de ce point de vue, la France prend du retard par rapport aux grands pays industrialisés. Mais les Français estiment déjà que le Premier ministre en fait trop. Ils ne se rendent pas compte qu'ils dégringolent une pente que le monde entier, au même moment, est en train de remonter.

Si un particulier s'inspirait de la gestion de la France pour celle de ses finances personnelles, il finirait en prison. Le pays n'est pas à découvert ; il est en quasi-faillite. Sa dette, qui représentait moins d'un quart du PIB il y a dix ans, culmine alors à 42 %. L'intérêt de cette dette, qui représentait 5 % du produit des impôts en 1980, s'élève désormais à 20 %. La Grèce ou l'Italie font pire mais ce n'est pas une excuse. Comme elles, nous vivons en plein délire, comptant sur les générations futures pour régler nos ardoises.

Le « modèle français » est en marche : une société à irresponsabilité illimitée qui bat des records en matière de prélèvements obligatoires (45 % du PIB) et où la part de l'emploi public dans l'emploi total (24 %) est l'une des plus élevées du monde industrialisé, loin devant les États-Unis (15,4 %), l'Allemagne (16 %), le Royaume-Uni (14,9 %) ou même l'Italie (17,9 %).

C'est bien à ce « modèle français » que Juppé entend s'attaquer pour donner tort à l'homme qui écrivait à propos de ses contemporains : « Je tremble, je le confesse, qu'ils ne se laissent enfin si bien posséder par un lâche amour des jouissances présentes, que l'intérêt de leur propre avenir et celui de leurs descendants disparaissent et qu'ils aiment rien mieux que suivre mollement le cours de leur destinée que de faire au besoin un soudain et énergique effort pour le redresser [1]. »

Mais pour gouverner et réformer, il faut être suivi par son pays. Le chef du gouvernement a fini par le dresser contre lui. Pour un peu, le Premier ministre donnerait raison au député-maire UDF d'Issy-les-Moulineaux, André Santini, qui en raconte une bien bonne, ces jours-ci : « Si Alain Juppé continue à baisser comme ça dans les sondages, il va finir par trouver du pétrole. »

---

1. Alexis de Tocqueville, en 1840.

Alain Juppé avait tout pour réussir. Il ne lui a manqué que la réussite. Il fait donc du surplace, tandis que Jacques Chirac, lui, fait le mort.

Pendant les derniers mois de l'année 1996, le chef de l'État s'est mis en immersion profonde. Il a, pour ainsi dire, disparu et n'est réapparu que le 12 décembre à la télévision, pour annoncer une grande réforme de la justice, alors que le déballage d'« affaires » à répétition transforme le débat politique en poubelle puante. Une société qui cède au vertige de la « traque médiatique » est une société qui ne se respecte pas. La France ne se respecte pas, ces temps-ci. Pour preuve, le procès honteux qui est alors fait à Laurent Fabius à propos du sang contaminé. Son crime : avoir été Premier ministre au moment de l'apparition du sida en France. Il est donc responsable de tout. Et, cela va de soi, coupable. Condamné même avant d'être jugé. Chirac déclare, ce jour-là, qu'il entend faire respecter la présomption d'innocence et qu'il envisage de rendre le parquet indépendant du ministère de la Justice, afin d'en finir avec les « soupçons » sur les interventions du pouvoir.

En petit comité, le chef de l'État est déchaîné contre les juges qui, depuis quelque temps, lui cherchent des noises sur plusieurs affaires concernant la mairie de Paris. « Ils veulent ma peau, éructe-t-il. Ils veulent la peau de tous les hommes politiques. Je ne sais s'ils veulent foutre en l'air la société ou simplement s'attaquer à tout ce qui brille dans le pays et aux têtes qui dépassent. En tout cas, le résultat est le même. Ces olibrius, prêts à tout pour avoir leur photo dans le journal, créent un climat détestable en filant tous leurs dossiers à la presse, au mépris de la présomption d'innocence. Ils ne font pas le jeu de la gauche, contrairement à ce qu'on raconte. Ils font le jeu de Le Pen [1]. »

Sans doute une réforme de la justice s'impose-t-elle, mais on ne voit pas comment le président pourrait la mener à bien. Son gouvernement a les pieds dans le béton et le béton est sec. Chirac a juste parlé pour parler. Pour montrer qu'il pouvait encore garder l'initiative. Pour se rappeler au souvenir des Français qui ne croient plus en lui. Mais il a la tête ailleurs. Juppé aussi.

Selon les experts du ministère des Finances, il manque plus de 50 milliards pour boucler le prochain budget et le Premier ministre

---

1. Entretien avec l'auteur, le 3 juillet 1996.

n'entend pas procéder à de nouveaux prélèvements fiscaux. Que faire ? Eh bien, réduire les dépenses publiques. Par exemple, en ne renouvelant pas tous les départs à la retraite dans la fonction publique. Mais ce sera encore une épreuve de force.

Quelques semaines plus tôt, lors de leur traditionnelle rencontre du mercredi, avant le Conseil des ministres, le Premier ministre a tenu à peu près ce discours devant le chef de l'État :

« La situation économique ne se redresse pas. Sur le plan politique, c'est encore pire. Ma popularité atteint des fonds abyssaux. Il me semble que vous devez en tirer les conséquences et rechercher un autre cheval pour mener la campagne des législatives de 1998.

— Non, a répondu Chirac. Le Premier ministre doit rester tout au long du mandat du président. C'est ma conception. J'entends l'appliquer avec vous. »

Alors, Juppé :

« En ce cas, il faudra trouver un moyen de remonter sur notre cheval. »

Il a bien dit « notre cheval », tant il est vrai que les deux hommes jouent collectif. Jamais, dans l'histoire de la Ve République, ne se sont déroulés autant de petits-déjeuners à quatre plus ou moins informels, entre le président, son secrétaire général, le Premier ministre et son directeur de cabinet. C'est là, entre la brioche et le croissant, dans le bureau du secrétaire général de l'Élysée, que Jacques Chirac, Alain Juppé, Dominique de Villepin et Maurice Gourdault-Montagne refont le monde et la France. C'est là aussi qu'a mûri l'incroyable idée de la dissolution.

« À la fin de 1996, se souvient Juppé, j'étais laminé. Déjà, l'affaire de l'appartement m'avait terrassé. Le limogeage de Madelin n'avait rien arrangé. Ni l'éviction des "juppettes". Après le débat sur les régimes sociaux des retraites et la réforme de l'assurance-maladie, avec la colère des médecins, mon compte était bon. On pouvait dire que j'avais coulé. Je désespérais de refaire surface. Je me disais que je ne me remettrais jamais de tout ça [1]. »

À moins d'un électrochoc. Alain Juppé envisage un remaniement du gouvernement pour intégrer dans son équipe deux ex-balladuriens : François Léotard et, surtout, Nicolas Sarkozy qu'il considère comme le meilleur de la nouvelle génération. Un professionnel qui

---

1. Entretien avec l'auteur, le 22 juin 2005.

ne laisse rien au hasard. Avec ça, un brin populiste et très pédago-gique. En somme, l'anti-Juppé. À un poste bien en vue et à sa mesure, comme l'Économie et les Finances, il le rééquilibrerait avantageusement à droite en rabibochant, dans la foulée, le pouvoir et les chefs d'entreprise.

Quand Alain Juppé parle de son projet au président, l'autre se fait une tête de sphinx, puis, après un instant de réflexion, laisse tomber :

« Oui, c'est une bonne idée. Mais ne vaudrait-il pas mieux dissoudre ? »

Qu'on ne croie pas que Jacques Chirac veuille dissoudre afin d'éviter Nicolas Sarkozy à Bercy, même si cette perspective ne l'enchante pas. La dissolution est, chez lui, une sorte de réflexe pavlovien. Vingt ans plus tôt, alors qu'il était Premier ministre de Valéry Giscard d'Estaing, il réclamait des élections législatives anti-cipées sous prétexte que « s'accréditait petit à petit l'idée que la majorité ne représentait plus la majorité des électeurs du pays ». C'est le refus présidentiel de dissoudre qui avait motivé, du moins officiellement, sa décision de démissionner, à grand fracas, de Matignon.

Faut-il, alors, accabler Chirac, seul, pour la dissolution de l'Assemblée nationale, le 21 avril 1997 ? L'idée était dans l'air depuis longtemps déjà. Pendant sa campagne présidentielle, Jacques Chirac s'était engagé à ne pas dissoudre l'Assemblée nationale et ç'avait été l'une des rares promesses qu'il avait jusqu'à présent tenues. Mais le 3 décembre 1995, déjà, alors que le plan Juppé paralysait la France, François Bayrou et Charles Millon, deux membres du gouvernement, avaient avancé publiquement la menace d'une dissolution. Et le 21 juin 1996, *Le Figaro* évoquait, dans un article prophétique [1], cette « hypothèse à risques pour la majorité » : « Malgré les démentis de l'Élysée et de Matignon, les propagateurs de rumeurs sur un possible bouleversement du calen-drier électoral ne désarment pas. »

Avant de réapparaître dans *Libération*, le 3 avril 1997, l'idée avait beaucoup de partisans dans la majorité. Notamment chez les balla-duriens qui voyaient là l'occasion de revenir aux affaires, après un changement de donne. Le chef de l'État n'a donc pas inventé tout

---

1. Une analyse de la politologue Colette Ysmal.

seul ce « poisson d'avril ». Ses parents ont même été nombreux. Aujourd'hui, le président entend assumer seul sa « connerie ». Juppé aussi prend tout sur lui, avant d'ajouter : « En fait, on s'est mis à quatre pour accoucher de ça, Chirac, Villepin, Gourdault-Montagne et moi. »

Ce sera l'un des plus grands fiascos politiques des dernières décennies. Un cas d'école. « La moindre de nos erreurs, observe Juppé, n'est pas d'avoir été incapables de donner un sens à la dissolution. On aurait dû dire plus clairement la vérité, à savoir qu'on voulait à tout prix participer à l'Europe monétaire, ce qui exigeait de respecter les critères de Maastricht. Donc de ramener le déficit budgétaire à 3 % du PIB après que je l'eus ramené de 5,6 %, quand je suis arrivé à Matignon, à 3,6 % cette année-là. L'effort n'était pas si considérable, mais une politique de rigueur était indispensable si l'on voulait respecter notre engagement européen. On voulait un mandat pour ça, c'est-à-dire pour l'Europe. Mais on n'a pas été fichus de l'expliquer et les Français n'ont rien compris à ce qu'on faisait. Ils ont cru que cette dissolution était une manœuvre politicienne [1]. »

Mais n'était-ce pas cela aussi ?

---

1. Entretien avec l'auteur, le 22 juin 2005.

80

Crise de nerfs

« Les trois quarts des folies ne sont que des sottises. »

Chamfort

La meilleure façon de paraître génial est d'être inintelligible. Ce vieil adage est encore confirmé par l'affaire de la dissolution. La décision du chef de l'État est si absurde qu'elle semble clairvoyante pour une grande partie de la classe politique. Les bons éditorialistes ont applaudi et rares sont les fortes têtes qui, dans le premier cercle de Chirac, se sont élevés contre cette extravagance.

D'abord, Jacques Pilhan. Le petit homme, miné par son cancer, n'a plus la même témérité. Il ne s'oppose pas de front au président. Le contournant pour mieux le retourner, il a plusieurs altercations vives avec Dominique de Villepin, après que le secrétaire général de l'Élysée eut appris que le conseiller en communication du président ne défendait pas la dissolution auprès des journalistes. Pour un peu, il se ferait accuser de forfaiture. En attendant, il a droit à quelques noms d'oiseaux.

Dominique de Villepin a beau dire que Jacques Pilhan, mort depuis, était le grand stratège de la dissolution, l'auteur peut témoigner du contraire, qui l'a entendu formuler son désaccord sans équivoque aucune. Écoutons Pilhan [1] : « C'est vrai qu'en l'état actuel des choses, il y a gros à parier que les élections législatives de 1998 auraient été perdues par la droite. Mais elle gardait une chance. Maintenant, elle n'en a aucune. Bien sûr, le président reprend l'initiative et crée la surprise mais il va rapidement s'aperce-

---

1. Entretien avec l'auteur, le 16 mai 1997.

voir que le rapport de forces n'est pas en sa faveur. Qu'il n'a pas de thème de campagne. Que le Premier ministre, qu'il veut confirmer, est très impopulaire.

— Comment, alors, en est-on arrivé là ?

— Parce qu'on ne peut pas discuter avec Chirac. Il est sympathique, intelligent, travailleur, chaleureux, tout ce qu'on veut, mais rien ni personne ne peut le faire changer d'avis. Une tête de lard. Et pour ne rien arranger, il vit en vase clos. »

Bernard Pons est aussi l'un de ceux qui se sont opposés à la dissolution. Quand Alain Juppé le sonde en février, le ministre de l'Équipement explose : « Vous n'allez pas faire cette folie ! C'est une arme que le président utilise en cas de crise grave, pas un instrument pour faire des opérations politiques ! »

Sur quoi, Bernard Pons va voir le chef de l'État pour le convaincre qu'il ferait une erreur. Mais il a affaire, lui aussi, à la « tête de lard ». Intraitable et cabocharde. Quelques semaines plus tard, alors que la décision a été prise, il boit du petit-lait, lors d'une visite officielle en Chine quand, au cours d'un repas en l'honneur de Jacques Chirac, le Premier ministre Li Peng s'étonne de la dissolution auprès du président.

Chirac répond : « Mon gouvernement a bien travaillé pendant un an mais depuis plusieurs mois, il se heurte à un mur, il fait du surplace. J'ai besoin qu'il soit en phase avec l'opinion publique et la société civile.

— Il y a un risque, observe Li Peng.

— Je l'assume. »

Dans l'avion du retour, Bernard Pons fait du mauvais esprit. « La sagesse chinoise a du bon. C'est vrai que tu as pris un risque. Et tu vas voir le résultat, tu ne seras pas déçu.

— Mais je ne pouvais pas faire autrement, proteste le chef de l'État. Jean-Pierre Denis et toutes les personnes en qui j'ai confiance me disent qu'on ne pourra pas boucler le budget en 1998.

— Qu'est-ce que c'est que cette histoire ? As-tu déjà vu un gouvernement qui n'arrive pas à boucler son budget ? Ridicule ! »

En colère aussi, François Fillon. Ministre de la Poste et des Télécommunications, il était prévu dans ce même voyage en Chine. Après lui avoir dit que sa place était dans sa circonscription, le chef de l'État a haussé les épaules : « Allons, tu seras élu au premier tour et on aura cent sièges d'avance. »

Pierre Mazeaud est également furieux. Quelques jours avant d'annoncer sa décision, le président le convoque et le député de Haute-Savoie ne peut cacher sa fureur. De juriste, d'abord : « C'est une dissolution de convenance. Selon l'article 5 de la Constitution, le président est un arbitre. Il règle les problèmes et les conflits. En 1968, de Gaulle pouvait dissoudre. Il avait la rue contre lui. En 1981 et en 1988, Mitterrand pouvait aussi dissoudre. Il avait l'Assemblée nationale contre lui. Toi, tu n'as pas le droit. »

Après ce cours express du professeur Mazeaud, c'est l'ami et le politique qui parle et prend le président par la veste, tant il a du mal à se contrôler : « Tu commets une faute, Jacques, une lourde faute. Je devrais te mettre mon poing dans la gueule. »

Deux ou trois autres grandes figures du RPR sont déchaînées contre cette dissolution. Notamment, Philippe Séguin ou Pierre Messmer. François Bayrou aussi ne comprend pas. Mais dans l'ensemble, tout le monde, à droite, estime que le chef de l'État a bien joué. Y compris Valéry Giscard d'Estaing qui, trois semaines avant le scrutin, fait le pari devant Alain Juppé, venu lui rendre visite, que la droite l'emportera avec « cinquante députés d'avance ».

À gauche, on est souvent sur la même ligne que le « microcosme ». Qu'importe s'il se trompe tout le temps, ses prédictions consistant toujours à répéter les sondages du jour. Pour un peu, on dirait : « Chirac a bien joué. Bravo l'artiste ! » Quelques exceptions toutefois. D'abord, Laurent Fabius qui fait part de sa « stupéfaction » à Philippe Séguin. Ensuite, Laurent Joffrin aussi, qui écrit dans *Libération* : « Rarement dans son histoire la gauche avait trouvé devant elle un terrain électoral aussi favorable [1]. »

La petite embellie des sondages, qui avait précipité la décision de Chirac, ne dure pas. Le chef de l'État voulait croire que la gauche était « à ramasser, idéologiquement par terre » mais après quinze jours de campagne, elle talonne la droite. Lionel Jospin, son chef de file, fait une campagne pugnace avec des formules qui font mouche, du genre : « Je lance un avis de recherche. Où est le programme RPR-UDF ? »

Les résultats du premier tour, le 25 mai, constituent un désaveu sans appel pour la majorité : avec 36 % des suffrages, elle est

1. Le 22 avril 1997.

tombée à son niveau le plus bas depuis le début de la Vᵉ République, tandis que la gauche recueille 42 % et le Front national près de 15 %.

Que faire pour empêcher le naufrage de la droite qui s'annonce au second tour ? La politique et la navigation obéissent aux mêmes règles. Il faut, d'abord, se délester des poids morts, et puis changer de cap. Jacques Chirac n'hésite pas une seconde. Comme dit le proverbe auvergnat, « il faut savoir sacrifier son chien pour sauver sa tête ».

Ces dernières semaines, le chef de l'État appelait Alain Juppé jusqu'à quatre fois par jour pour le câliner, le bichonner et lui tenir à peu près ce langage : « Tenez bon, Alain. Ne vous en faites pas, ça passera. En politique, on finit toujours par l'emporter quand on ne se laisse pas déstabiliser. N'écoutez personne, continuez à avancer et vous verrez, ça s'arrangera. » Parfois, il avait l'impression de porter le squelette du Premier ministre en faisant croire qu'il était vivant.

Au lendemain du premier tour, plus question de faire du sentiment. Il convoque Alain Juppé à l'Élysée pour l'exécuter. La scène ne dure que cinq minutes. Jacques Chirac a tenu à ce qu'un témoin soit là, pour cette séparation qu'il a retardée jusqu'aux limites du possible : Dominique de Villepin qui, en principe, a deux loyautés, s'il n'a pas oublié que le maire de Bordeaux lui a mis le pied à l'étrier.

Jacques Chirac fait tout à trac un petit discours qu'il semble avoir appris par cœur : « Alain, ce n'est plus possible, vous voyez bien. On va dans le mur. Il va falloir faire autrement. »

Alain Juppé réagit avec dignité en répondant qu'il lui avait déjà proposé, à plusieurs reprises, de « rendre son tablier ».

Après quoi, de retour à Matignon, le Premier ministre annonce qu'il quittera ses fonctions au lendemain du second tour. Même s'il continue de s'afficher comme « chef de la droite », il doit s'éclipser pour laisser la place à Philippe Séguin, devenu l'homme providentiel de la majorité sortante.

L'humiliation suprême. « Séguin, dira Juppé des années plus tard, a sans doute été à l'origine de mes seules occasions de friction avec

Chirac qui voulait toujours lui donner des gages, comme s'il en avait peur [1]. »

Après cette rupture du 26 mai, il n'y aura pourtant pas l'ombre d'une brouille entre les deux hommes. Au contraire, l'échec de ce début de mandat présidentiel semble avoir resserré leurs liens.

Écoutons encore Juppé : « Chirac aime se dévaloriser. Quand on parle, il dit souvent : "Vous qui êtes plus intelligent que moi..." Mais j'ai beaucoup d'admiration pour lui. D'abord, à cause de sa mécanique intellectuelle qui lui permet d'assimiler tout très vite. Ensuite, à cause de son attention à autrui, de sa vraie générosité et de ses qualités de cœur. Enfin, à cause de son goût du métier politique et toute l'énergie qu'il met pour l'exercer. Il se meut avec tellement d'allant. »

Il ne se reconnaît qu'une seule divergence politique avec Chirac : « Je n'ai pas digéré son discours de la campagne de 1995, sur les élites coupées du peuple. S'il y a un clivage dans ce pays, un vrai, c'est entre les riches et les pauvres [2]. »

Juppé avoue qu'il ne fait pas partie des intimes de Chirac : « Nous ne sommes jamais allés très loin dans le domaine extra-politique. » Mais il y a quelque chose de fusionnel entre eux, que rien ne peut briser. Ni le temps ni même l'exercice du pouvoir.

---

1. Entretien avec l'auteur, le 4 avril 2005.
2. Entretien avec l'auteur, le 18 novembre 1996.

81

Les malheurs de Gribouille

« Un cheval ! un cheval ! mon royaume pour un cheval ! »
Shakespeare

En mai 1981, François Mitterrand disait aux siens : « Profitez-en. Vous ne reverrez jamais cela. » Le 1ᵉʳ juin 1997, Lionel Jospin serait en droit de répéter la même chose. La vague rose qui a déferlé sur la France donne, au soir du second tour, 320 députés à la gauche contre 256 pour la droite et 1 au Front national.

Le PS ne peut cependant pas gouverner seul. Certes, il compte 246 députés, 190 de plus qu'en 1993. Mais pour atteindre la majorité absolue à l'Assemblée nationale, soit 289 voix, il lui faudra l'appoint de plus de quarante élus, communistes et écologistes.

C'est à peu près la seule bonne nouvelle pour la droite, après ce désastre programmé qui a balayé pas moins de sept ministres, à commencer par Jacques Toubon, le garde des Sceaux, à Paris, ou Alain Lamassoure, le ministre du Budget, dans les Pyrénées-Atlantiques.

Sans doute ce camouflet est-il imputable, en partie, au Front national qui s'est maintenu au second tour dans 78 triangulaires afin de faire battre la droite, ce qui sera chose faite dans 49 cas. Il permettra à Jean-Claude Gaudin de déclarer que « Jean-Marie Le Pen a nommé de facto Lionel Jospin Premier ministre ».

Mais la droite a montré, au cours de cette campagne, qu'elle n'avait plus de ressort ni de projet, tout juste bonne qu'elle était à rabâcher des vieux slogans contre « les socialistes d'hier ». Elle est KO, et pour longtemps. En attendant, elle aimerait bien se payer une tête.

Pas celle de Juppé, non, il l'a déjà offerte et elle a roulé dans la sciure dès la semaine précédente. Pas celle de Chirac, encore que ce n'est pas l'envie qui lui manque, mais le président, dans sa stature un peu ridicule d'arroseur arrosé, reste encore son dernier recours, même s'il a rapetissé sa fonction. Toutes les fourches de la « jacquerie » de la droite se tournent contre le grand chambellan : Dominique de Villepin.

Tout le monde ou presque pousse le chef de l'État à se débarrasser du secrétaire général de l'Élysée, si abrupt et si emphatique, d'où serait venu tout le mal. D'abord, Bernadette Chirac qui, à juste titre, reproche à « Néron » d'isoler son mari. Elle l'accuse, surtout, d'avoir mis dans la tête présidentielle cette absurde idée de la dissolution et d'avoir ensuite empêché tout débat avec ces formules à l'emporte-pièce dont il a le secret. Pour la conseillère générale du canton de Meymac, Corrèze, l'esbroufe et la boursouflure ne sauraient, de surcroît, tenir lieu de ligne politique.

Les vieux grognards du chiraquisme ne disent pas autre chose. Outre son « hystérie » ou son « exaltation », ils mettent aussi en question la « courtisanerie » de Villepin qui, selon le mode de fonctionnement du flagorneur professionnel, diabolise le reste du monde, comme si le chef de l'État n'avait que des ennemis partout et que son secrétaire général était là, le brave soldat, pour le sauver de tous les affreux complots ourdis, jour et nuit, contre lui. Passe encore qu'en prince de la métaphore, « Néron » parle de l'aventure chiraquienne avec les mêmes mots sonores qu'on emploierait pour l'épopée de Napoléon ou d'Alexandre le Grand. Il est avant tout coupable d'avoir fait le vide autour du président.

Quand il entend ce discours, Jacques Chirac hoche la tête. Il n'est pas dupe. Enfin, pas toujours. Il sait bien que Dominique de Villepin l'étouffe. De compliments, de lyrisme, de dévouement, de preuves d'amour. L'épisode Balladur lui a appris la méfiance. Il a, au surplus, envie d'air et de rebattre les cartes. Avant les vacances, le président annonce donc à plusieurs de ses proches que sa décision est prise : à son retour, il annoncera à son secrétaire général qu'il se sépare de lui. Pour respecter les formes, il lui donnera deux ou trois mois de préavis avant de vider les lieux. Il lui trouvera le point de chute qu'il mérite pour ses bons et loyaux services. Une belle ambassade. Washington, par exemple. Il en parlera bientôt à Lionel Jospin, le nouveau Premier ministre, qui n'y fera pas obstacle.

En bon limier de cour, Dominique de Villepin suit le chef de l'État à la trace. Il sait qui il voit et ce qu'il dit. Même s'il a vent des rumeurs sur sa « démission » à venir, le secrétaire général est convaincu qu'il restera à son poste : « Le président ne peut pas me virer. Il ne pourra jamais. Il m'a introduit dans le saint des saints. Je sais beaucoup trop de choses. À l'extérieur de son système, je deviendrais une bombe à retardement [1]. »

Forfanterie ? Tout Villepin est là. À peine l'a-t-on pris pour un hussard romantique, prêt à se faire massacrer pour son dieu vivant, que perce soudain chez lui un gros cynisme de maquignon. Rien ne permet de penser que Chirac ait à céder à un éventuel chantage personnel : ce n'est pas son genre. Mais quand il rentre de vacances, cet été-là, le président est bien décidé à garder son secrétaire général et le dit sans ambiguïté à l'auteur : « Quel homme serais-je si je faisais payer à un subordonné une décision que j'ai prise moi-même, en conscience ? J'exige la loyauté de mes collaborateurs. Je leur suis toujours loyal en retour. C'est la moindre des choses. Rien ne m'est plus étranger que la culture du bouc émissaire. »

Jacques Chirac meurt souvent. Déjà, il avait failli mourir en 1981 quand l'échec de la droite lui fut imputé, non sans raison, après la victoire de la gauche. Mais il est vraiment mort pour la première fois après sa défaite historique contre François Mitterrand en 1988. À peine ressuscité en 1993, avec le triomphe de son camp aux législatives, il mourait une deuxième fois en 1994, assassiné par son ex-dauphin, Édouard Balladur, avant de renaître à l'élection présidentielle de 1995.

Après la dissolution de 1997, il vit donc sa troisième mort. Il a fini par prendre l'habitude. Sa vie est devenue un rêve dont la mort le réveille de temps en temps, pour lui remettre les idées en place. L'expérience aidant, il ne s'inquiète pas et travaille tranquillement à sa résurrection, qu'il juge inéluctable. Il laisse donc courir le vent par-dessus les tuiles et suit le précepte du Nouveau Testament que ce catholique de convenance ne lit jamais, pas plus que l'Ancien : « Celui qui, ayant la main à la charrue, regarde en arrière n'est pas propre au royaume de Dieu. »

---

1. Entretien avec l'auteur, le 28 août 1997.

Déjà, les rivaux s'avancent, le couteau à la main, pour l'échéance présidentielle de 2002. Jacques Chirac aime bien Alain Madelin, moins que sa fille Claude qui a longtemps roulé et roucoulé pour lui, mais il sait bien que cet homme est une blague, une vieille blague. Il a beau déambuler et gesticuler, il est tout sauf électoral, avec sa voix de scie et ses lubies idéologiques.

Jacques Chirac ne supporte pas Nicolas Sarkozy qu'il accuse, en petit comité, d'avoir balancé des affaires contre lui pendant la campagne présidentielle de 1995. Mais il pense qu'il est encore trop tendre pour devenir menaçant. « C'est vrai qu'il les a longues, a-t-il dit un jour, mais il faut qu'il se fasse encore les dents. »

Comme il est convaincu que Valéry Giscard d'Estaing et Raymond Barre sont hors jeu, le président estime que Philippe Séguin est le seul qui, le jour venu, peut le défier et, dans la foulée, le supplanter. N'était son « caractère impossible », il partagerait l'analyse de François Mitterrand qui disait du député-maire d'Épinal : « C'est ce qu'il y a de mieux sur le marché aujourd'hui. Après Alain Juppé... »

Philippe Séguin est sûr que son heure a sonné et se pose déjà en successeur d'Alain Juppé à la présidence du RPR. Il parle comme un présidentiable, se disant prêt à « rassembler » tous ceux qui partagent sa « conception de la France ». Jacques Chirac, désormais, ne le quitte plus des yeux.

82

Le roi nu en son palais vide

« Je vais donc enfin vivre seul. Et déjà, je me demande
avec qui. »

Sacha Guitry

Les voici face à face, pour la première fois, dans le bureau du
président à l'Élysée. L'un, légèrement couperosé et miraculeusement
hâlé, qu'il vente ou qu'il pleuve : Jacques Chirac. L'autre, tout en
muscles, ramassé sur lui-même, absorbé par ses introspections :
Lionel Jospin.

Entre le président et son nouveau Premier ministre qui, grande
première, a annoncé lui-même sa nomination, le contact paraît
facile. Qu'importe si Jospin n'aime pas Chirac et s'avance vers lui,
les poils hérissés. Chirac, lui, aime bien Jospin et mettra toujours
du liant.

Le président se dit que c'est un adversaire à sa mesure. Comme
lui, Jospin est un peu gauche et vite crispé sur ses positions. « C'est
un homme d'une grande intelligence politique, dit-il, avec une
pointe de condescendance. Dommage qu'il gâche ça par un tro-
pisme idéologique un peu excessif. »

Beau joueur, il reconnaît que le PS a pris, grâce à Jospin, plusieurs longueurs d'avance en matière de modernité. D'abord, avec
la règle du non-cumul des mandats qu'il reprendra, plus tard, à
son compte ; ensuite, avec l'initiative d'un tiers féminin pour les
candidatures de son parti aux élections : « De la sorte, les socialistes
ont éliminé les vieux pour mettre les femmes en avant. D'une pierre
deux coups. Génial [1] ! »

---

1. Entretien avec l'auteur, le 21 octobre 1998.

Lors de son premier entretien avec Lionel Jospin, Jacques Chirac explique au nouveau chef du gouvernement que l'Europe peut constituer un *casus belli*. La France, dit-il, devra respecter ses engagements européens, et notamment le traité de Maastricht. Il en sera le garant. « Pendant la campagne, Jospin avait été assez flou sur Maastricht et la monnaie unique, dit Chirac. J'ai voulu qu'il s'aligne. » Il est vrai qu'avant le premier tour, le numéro un du PS avait pu paraître moins maastrichtien que Juppé. Il est vrai aussi qu'il est à la tête d'une coalition hétéroclite qui compte beaucoup d'anti-européens professionnels, de Jean-Pierre Chevènement à la plupart des communistes.

Jospin a rassuré Chirac. Il n'en faut pas plus au président pour célébrer, pendant les mois qui suivent, l'ingénieuse stratégie de la divine dissolution. À l'en croire, c'est elle, finalement, qui devrait permettre à la France de faire l'euro et d'entrer dans le XXIe siècle.

Écoutons Chirac [1] : « L'essentiel, pour nous autres Français, c'est de franchir la prochaine étape de la construction européenne dans les conditions fixées par Maastricht. Nous avons pris de mauvaises habitudes depuis le début des années quatre-vingt : nous dépensons plus que nous ne produisons. L'euro nous imposera des critères de bonne gestion et nous obligera à gérer, enfin, nos affaires sérieusement. Il correspond donc à notre intérêt. Lionel Jospin est un homme sérieux. Il sait tout ça et, j'en suis maintenant convaincu, ne prendra jamais la responsabilité de faire rater à la France son rendez-vous avec l'euro. Avec l'Histoire aussi. En conséquence de quoi, il poursuivra notre politique. Il n'a pas le choix, il n'y a pas de politique de rechange.

— Si la droite était si sûre de son fait, pourquoi n'a-t-elle pas tenté de continuer elle-même cette politique au lieu d'aller à l'abattoir avec cette dissolution ?

— Parce que tout ça aurait fini dans la rue. Il fallait faire la purge. Nous n'étions plus en mesure de gouverner. Tout aurait sauté. Nous étions dans un système où les Français refusaient toutes les contraintes. Ils ne pouvaient plus nous voir en peinture. Ils ne croyaient pas un mot de ce qu'on leur racontait. Si j'avais laissé filer les choses sans dissoudre l'Assemblée nationale, je n'ose imaginer ce qui se serait passé. N'importe comment, en 1997 ou en 1998,

---

1. Entretien avec l'auteur, le 29 juin 1997.

ça ne changeait rien, le résultait aurait été le même : la victoire de la gauche était inéluctable.

— En somme, vous auriez dissous pour donner à la gauche les clés du pouvoir !

— Ce n'est pas exactement ce que j'ai voulu dire. Mais, dans ma conception, le président de la République doit agir dans l'intérêt de la nation tel qu'il le conçoit avant de se préoccuper du sort de sa majorité. L'Europe est un enjeu considérable. Économiquement, elle pèse déjà plus lourd que les États-Unis. Il faut la faire exister sur le plan monétaire avant de passer, le jour venu, à la construction militaire. Ça me paraît plus important que les petits calculs d'arrière-boutique auxquels on réduit trop souvent la politique. »

Une moue de lassitude, puis :

« La France est un pays ingouvernable. Elle ne voulait plus de nous, ni de nos réformes. J'en ai tiré les conséquences. »

Réécriture de l'histoire ? Puisque la catastrophe est si grande, feignons d'en être l'organisateur : en la matière, Jacques Chirac n'a jamais été manchot. À en juger par sa mine, il ne semble pourtant pas si fier de son coup, après le raz-de-marée socialiste. Il se console au punch ou à la bière, le soir, en regardant la télévision et présente, le matin, le visage tuméfié et boursouflé des lendemains de cuite. Il a l'air triste et fatigué. Il y a de quoi.

Après le séisme du 1er juin 1997, Jacques Chirac a décidé de recevoir tous les députés battus de l'ancienne majorité. Difficile de tenir parole. Ils sont 222. « Parfois, dit-il, il y a des cas très douloureux. Je mets un point d'honneur à régler leurs problèmes. Avant d'être élu député, par exemple, Jean-Jacques de Peretti [1] avait une belle situation dans une entreprise. Il n'a plus rien. J'essaie de lui trouver quelque chose [2]. »

Quand il ne s'occupe pas des anciens députés qui sont sur le sable, le chef de l'État bétonne encore un peu plus son bunker. Dominique de Villepin excelle à l'ouvrage. Claude Chirac aussi. Le palais de l'Élysée ressemble à Fort-Alamo, désormais. Sauf qu'il est vide. Le président a connu des jours meilleurs qui, pour un peu,

---

1. Maire de Sarlat, ancien ministre des DOM-TOM.
2. Entretien avec l'auteur, le 29 juin 1997.

pourrait paraphraser Hamlet : « Combien le train du monde me semble lassant, insipide, banal et stérile ! »

Qu'importe l'état dans lequel macère aujourd'hui la droite. Chirac entend juste régner sur ses débris. Certes, il garde toujours un œil sur Philippe Séguin, Nicolas Sarkozy ou François Bayrou qui se sont détachés. Mais ils font des vagues, pas d'étincelles. « Tous ces types qui veulent devenir président, dit-il avec ironie [1], je les plains bien sincèrement. On vit une époque impossible, à vous décourager de faire de la politique. À la limite, on prendrait le premier clampin venu dans la rue et on lui dirait : "Allez, c'est vous le nouveau chef de la droite", les gens applaudiraient. C'est ce qu'ils veulent. De nouvelles gueules, plus de combines ni de vieux barbons. L'opposition est devenue un vieil organe fatigué qui ne sert plus à rien et n'inspire que de l'indifférence. Que voulez-vous que je fasse ? Que je sonne la mobilisation générale pour partir à la bataille ? Il faudrait être fou ou inconscient. Non, si je veux espérer revenir un jour en grâce, je dois me faire oublier et me planquer avec un casque de maçon sur la tête, à cause des jets de boulons des petits copains, en attendant des jours meilleurs. Alors, je me planque ! »

---

1. Entretien avec l'auteur, le 28 octobre 1998.

83

Jospin sans peur ni reproche

« L'homme n'est pas ce qu'il cache, il est ce qu'il fait. »
André Malraux

En apparence, les deux hommes sont le contraire l'un de l'autre. Ils aiment le faire croire et la presse, souvent, se laisse berner, qui pointe leurs différences à longueur de colonnes. En réalité, Chirac et Jospin se ressemblent beaucoup. La même incapacité à se lâcher qui confine à l'autisme et en fait deux grands « culs cousus », comme on disait jadis. La même absence totale de talent oratoire avec la même propension à lire d'une voix monocorde des discours vespéraux à pleurer d'ennui. Le même manque de confiance en soi, qui les pousse à travailler plus que de raison pour rattraper leur retard, avec un esprit de sérieux qui, parfois, prête à sourire.

Ce sont deux complexés laborieux et introvertis. Ils reviennent de loin. On les a même donnés pour morts, il n'y a pas si longtemps, mais ils ont trop de choses à prouver et trop de comptes à régler. Avec eux-mêmes, pour commencer. Ils sont deux incarnations vivantes de l'axiome de François Mitterrand : « Tout échec qui ne vous abat pas vous renforce. » Ils seraient très forts, n'était ce doute en eux-mêmes qui les incite à la pusillanimité. De Lionel Jospin, François Hollande a dit un jour, ce qui pourrait aussi s'appliquer à Jacques Chirac : « Il est prudent parce qu'il se méfie de ses impulsions premières. Son maître mot, c'est "se contrôler" [1]. »

---

1. *Libération*, le 21 février 2001.

Comme le président et son Premier ministre se contrôlent, il y a rarement un mot plus haut que l'autre, lors de leur rencontre hebdomadaire du mercredi, avant le Conseil des ministres. Pendant les premiers mois de leur cohabitation, Chirac se paie même le luxe de faire l'éloge de son chef de gouvernement : « C'est un homme d'une grande habileté politique qui mène très bien sa barque et qui a eu l'intelligence de laisser de l'espace à des gens comme Strauss-Kahn, qui est aussi socialiste que je suis archevêque et que le Tout-Paris adore. Mais Jospin a un défaut terrible qui, je crois, lui coûtera cher : c'est un idéologue qui a les tics et les réflexes des vieux militants. Je ne sais s'il est marxiste ou pas mais chez lui, l'idéologie prend, parfois, le pas sur son intelligence politique et alors, il est en danger [1]. »

Chirac étant totalement dépourvu d'idéologie, il a du mal à comprendre son Premier ministre qui fait toujours passer la politique avant le reste. Le président avait naguère des amis communistes en Corrèze. Il a beaucoup fréquenté Édith Cresson. Il considère Rocard comme un frère, malgré une brouille de plusieurs mois. Bref, il refuse de se laisser enfermer par des clivages qu'il juge archaïques.

Jospin, lui, est incapable de fraterniser avec un adversaire. Pour Villepin, c'est le signe d'une absence totale de recul. Donc, d'un manque d'intelligence. Le secrétaire général de l'Élysée assure, dès le premier jour de la cohabitation, que le Premier ministre n'est pas au niveau. Avec son sens de la mesure, il s'en faut de peu qu'il ne le traite d'imbécile.

Le chef de l'État ne va pas jusque-là, loin s'en faut. Mais il semble convaincu, d'entrée de jeu, qu'il en fera son affaire : « C'est un homme très dissimulé mais quand on gouverne, votre vérité apparaît toujours, tôt ou tard. À la fin des fins, quand on en vient à la moelle de la quintessence, ça reste un manœuvrier trotskiste. Pas un gauchiste, non, une sorte de machiniste qui ne croit qu'aux appareils et ne peut s'empêcher d'être un peu sectaire [2]. »

Certes, il arrive à Jospin d'avoir des attentions comme cette boîte à musique ancienne jouant une valse de Strauss, qu'il a offerte au chef de l'État pour ses soixante-neuf ans avant de recevoir, en

1. Entretien avec l'auteur, le 29 juin 1997.
2. Idem.

657

retour, Noël approchant, une édition originale des deux premiers tomes de *La Légende des siècles* de Victor Hugo. Mais quand il a un geste envers le président, ça n'est jamais gratuit ni naturel : le cœur n'y est pas vraiment. Il le fait par devoir. C'est un homme bien élevé, très formaliste de surcroît.

Apparemment, sa courtoisie suffit à Bernadette Chirac qui dira un jour à Claude Allègre, meilleur ami et ministre de l'Éducation nationale de Lionel Jospin : « Le Premier ministre est un homme civilisé, très poli et sympathique qui fait attention à moi. Figurez-vous que ça me change. Ce n'était pas du tout le cas de son prédécesseur. » Avis à Alain Juppé. Le chef du gouvernement ne souffre cependant pas les accointances qu'il voit naître entre le chef de l'État et plusieurs ministres socialistes.

Le moindre n'est pas Claude Allègre que le président donne souvent en exemple, du moins pendant les premiers mois de la cohabitation, à ses visiteurs de droite : « En voilà un qui a le courage de ses opinions ! C'est quand même autre chose que François Bayrou qui a passé cinq ans rue de Grenelle, à ne strictement rien faire ! » Chaque fois que les deux hommes se retrouvent ensemble en voyage officiel, c'est la fête. L'alter ego de Lionel Jospin est sous le charme présidentiel.

Claude Allègre ne s'en cache pas, il aime le président : « Jacques Chirac est un tueur, il n'y a pas de doute là-dessus, mais il a le contact et on ne peut pas ne pas l'aimer. » À un dîner d'État, au Kremlin, il a vu le chef de l'État pompette porter un toast « en l'honneur de l'URSS », morte depuis quelques années déjà, devant Boris Eltsine hilare et lui-même bien beurré. En Guyane, il a été fasciné par sa connaissance du personnel politique local. Il n'est pas d'obscur conseiller général qu'il n'appelle par son prénom. À New Delhi, il s'amuse de l'observer célébrer les mérites des Mirage, des chars de combat et des vedettes lance-missiles *made in France* devant un Premier ministre indien que son expertise assomme. Avant quoi, le président avait proposé un maillot de corps à Dominique Strauss-Kahn qui se plaignait du froid. « J'emporte toujours deux ou trois Damart quand je pars en voyage. Je vais vous en passer un. » L'autre avait refusé.

Les journaux racontant que son ami s'entend très bien avec le chef de l'État, Jospin a, un jour, une explication de gravure avec le ministre de l'Éducation nationale : « J'ai pris une avoinée terrible, se souvient Allègre Il me répétait tout le temps : "Mais non, Chirac n'est pas sympathique !" » Pierre Moscovici, ministre des Affaires européennes, aura droit aussi, une autre fois, à une colère de ce genre. Même chose pour Dominique Strauss-Kahn.

Le Premier ministre ne supporte pas que l'on puisse passer du bon temps avec le président. Il accuse de chiracomanie des ministres qui, somme toute, sont à l'image des Français, consultés par la Sofres : une large majorité d'entre eux préférerait passer une bonne soirée au restaurant avec Chirac qu'avec Jospin. Pour un peu, le chef du gouvernement parlerait de collusion ou d'intelligence avec l'ennemi.

Car il est en guerre, Jospin. Et, de surcroît, dans un état de fulmination permanente contre Chirac. C'est ce qui a frappé Jack Lang quand il a rejoint le gouvernement, au portefeuille de l'Éducation nationale. « Au Conseil des ministres, se souvient-il, Jospin voulait sans cesse avoir le dernier mot. J'ai souvent vu, chose inimaginable sous la présidence de Mitterrand, le Premier ministre reprendre la parole après le chef de l'État. »

Après la mise en place de l'euro qui se passe beaucoup mieux que prévu, le président commente : « C'est un beau succès. » Jospin le coupe : « C'est un grand succès du gouvernement. Le ministre de l'Économie va nous dire pourquoi.

— Soit, embraye Chirac. Ce succès est l'œuvre du gouvernement. Il est aussi l'œuvre du pays. »

« Autour de la table du conseil, raconte Lang, il y avait un drôle de climat. Jospin se comportait en président et Chirac laissait courir avec une longue patience et, dans les yeux, une lueur d'ironie qui disait : "Cause toujours." »

Au fil des ans, il apparaît que Lionel Jospin n'a aucun respect pour le chef de l'État dont il dira un jour à François Hollande, le premier secrétaire du PS : « Le peuple ne peut pas redonner sa chance à Chirac. C'est impossible. Si c'était le cas, ça voudrait dire qu'il ne me mérite pas. »

Aveu stupéfiant. Les deux hommes se méprisent l'un l'autre. Mais Jospin s'estime trop. Il est vrai que Chirac ne donne pas le meilleur de lui-même, ces temps-ci : « J'en prends tellement plein la gueule que je me suis mis aux abris, dit-il [1]. Quand il y a une

---

1. Entretien avec l'auteur, le 20 avril 1998.

tempête, il n'y a pas cent solutions, il faut se retirer dans sa grotte et attendre des jours meilleurs. Actuellement, la droite n'a pas les forces nécessaires pour se redresser. Les vents soufflent à cent dix kilomètres par heure. Ce n'est pas le moment de sortir dehors avec son chapeau de paille... »

84

La marche des moutons

« Le monde n'est que franche moutonnaille. »

La Fontaine

Sous la Ve République, rien ne vaut une petite cohabitation pour permettre au chef de l'État de redorer son blason. Dès lors que son parti n'est plus au pouvoir, il cumule tous les avantages. Le prestige de la fonction, le poids institutionnel et la possibilité de se démarquer autant qu'il veut de l'action gouvernementale.

C'est une particularité française : le président d'opposition. Il règne et il fustige. Les deux en un. La première cohabitation avait profité à Mitterrand, aux dépens de Chirac. La troisième profitera à Chirac, aux dépens de Jospin. Les éditorialistes répètent souvent la formule de Balladur : « C'est le premier qui dégaine qui perd. » Ils ont tort : c'est toujours le chef du gouvernement qui perd. Il est pour ainsi dire condamné d'avance. Le président a bien appris les leçons mitterrandiennes. Après s'être enterré pour plusieurs mois, il ne sortira qu'à bon escient de son trou élyséen pour jeter ses pétards.

Au début de la cohabitation, la droite doute de lui. Il est vrai que Jacques Chirac semble s'accommoder de la situation, au point de fraterniser sans retenue avec plusieurs ministres. Il est de surcroît souvent pris de revers. Même trois ans plus tard, à la croisée des siècles, quand il s'est refait une belle popularité, il lui faut encore encaisser des coups. Il encaisse bien. L'affaire du quinquennat, par exemple. Comme François Mitterrand, il a souvent changé d'avis sur la question. Le 2 décembre 1994, il déclarait : « Je suis plutôt favorable au quinquennat. » Le 2 mai 1995, il rétropédalait : « Je

661

considère que le quinquennat n'est pas d'actualité. » Et maintenant qu'il est à l'Élysée, il a bien compris que la réduction du mandat présidentiel de sept à cinq ans, si elle va dans le sens de l'Histoire, rapetissera la fonction.

Ce n'est pas un hasard si les deux grands défenseurs du quinquennat sont ses deux principaux ennemis : Lionel Jospin et Valéry Giscard d'Estaing. Sans parler de Philippe Séguin. Ils entendent bien le diminuer et peut-être même le pousser à démissionner avant l'échéance de 2002.

Quelque temps après la dissolution, lors d'une manifestation officielle, le chef de l'État prend vivement à partie son ami Pierre Mazeaud, gardien du temple constitutionnel, qui s'est prononcé pour le quinquennat dans un article publié par *Le Monde* : « C'est inadmissible ! Comment peux-tu faire ça, toi le gaulliste ? » Rendez-vous est pris pour une explication, quarante-huit heures plus tard. Ce jour-là, le député de Haute-Savoie dit au chef de l'État : « Tu es au plus bas. Sur le principe, je suis contre le mandat de cinq ans mais je ne vois pas comment tu peux rebondir autrement qu'en le faisant adopter. Dans la foulée, tu démissionnes et tu te représentes. Comme ça, tu auras repris l'initiative. »

Chirac enregistre. Peu après, il revoit Mazeaud et lui dit : « J'ai retenu ton idée du quinquennat et je la sortirai dès que je sentirai que c'est mûr. Il ne me semble pas que ce soit encore le cas. »

Il attendra trop. Ce sont Jospin et Giscard qui, finalement, lui imposeront le quinquennat. Le président n'aura plus qu'à feindre, mais sans tromper personne, d'en être l'instigateur. Une fois encore, il n'aura fait que suivre le mouvement. Tout Chirac est là : indécis, pusillanime et récupérateur.

De Chirac, Jospin a dit un jour à Hollande : « Il est comme Mitterrand. C'est une éponge. Il absorbe et utilise tout ce qu'on dit, sans respect pour les droits d'auteur. » Ces temps-ci, l'éponge ne cesse de gonfler.

C'est sur les 35 heures que Jacques Chirac et Lionel Jospin ont leur première passe d'armes. Le 22 septembre 1997, déjà, le président avait qualifié de « fallacieux » les emplois publics et parapublics dits « emplois-jeunes » décrétés par Jospin. Le 20 novembre, au sommet des chefs d'État et de gouvernement sur l'emploi, il fait distribuer à la presse un document où il souligne que « sans un large accord du corps social, l'instabilité des dispositifs de la politique de l'emploi et le mirage d'expérimentations hasardeuses peuvent affecter gravement l'efficacité de la lutte contre le chômage ».

Chirac a-t-il pris la mesure du caractère néfaste des 35 heures (payées 39) pour l'économie française ? Il est permis d'en douter. Certes, il critique cette mesure mais avec une certaine retenue, sans prendre date. Il fait le service minimum.

C'est que la France est pour les 35 heures et que Chirac ne va jamais à rebours. Les médias sont en transe devant cette réforme et les sondages suivent. Le pays a le sentiment d'avoir ajouté une nouvelle pierre à ce modèle-social-que-le-monde-entier-nous-envie.

Cette réforme est censée créer des emplois, au nom d'une vision totalement administrative de l'économie. Pour ses concepteurs, les choses sont simples : le marché du travail est un gâteau à partager et si on supprime des heures ici, elles seront recréées là. Il suffisait d'y penser.

À leurs yeux, l'emploi est un monde statique qui répond à des critères arithmétiques. Ils ne savent pas qu'il ne sert à rien de déshabiller Paul pour habiller Pierre : l'économie, science inexacte par excellence, est dominée par une dynamique, et non par les lois de la mécanique.

Les 35 heures divisent les socialistes. Elles ont figuré jadis dans leur programme mais certains d'entre eux, et non des moindres, ont toujours pris soin de mettre un mouchoir dessus : ainsi Laurent Fabius. Il est piquant d'observer que c'est Dominique Strauss-Kahn qui les a réintroduites dans la plate-forme du PS pour les élections législatives de 1997. Sans doute celui qui passe pour le plus libéral des socialistes entendait-il donner un gage à gauche : ça ne fait jamais de mal, dans le parti. En petit comité, il assura plus tard, le farceur, qu'il n'aurait jamais commis cet impair s'il avait prévu la victoire de la gauche.

L'erreur de Lionel Jospin aura été de confier le dossier des 35 heures à Martine Aubry qui, malgré ses qualités, est totalement dépourvue d'esprit de finesse, au lieu de laisser à Dominique Strauss-Kahn, héritier d'Edgar Faure et professionnel de l'enfumage, le soin de s'occuper de son enfant. Avec le talent qu'on lui connaît, les idéologues du PS n'auraient plus retrouvé leur petit au bout de quelques semaines. Mais Martine Aubry est passée en force, à l'Assemblée nationale, sans prendre la peine de discuter avec les syndicats qui auraient sans doute apporté quelques utiles corrections à son projet.

Si le gouvernement Jospin avait institué les 35 heures pour soulager tous ceux qui font des métiers pénibles, ce n'aurait été que justice. Mais ses expérimentateurs de bureau en ont fait la panacée contre le chômage, appelée à créer incessamment sous peu 500 000 emplois, pas moins. C'est là que le bât blesse : avec ses effets pervers, la réforme va miner, et pour longtemps, l'économie française en détruisant plus d'emplois qu'elle n'en a sauvés.

Elle a fait de la France un pays où travailler trop devient un délit. Où les inspecteurs du travail vérifient que les lumières ne restent pas ouvertes, dans les entreprises, après l'extinction officielle des feux. Où les salariés doivent pointer ou remplir de la paperasse afin de justifier qu'ils ne font pas d'heures supplémentaires. Où l'on invente de nouveaux formulaires afin que la France reste, avec la Belgique et la Grèce, l'un des pays les plus bureaucratisés du monde [1].

Dès lors qu'ils ne travaillent pas dans les petites et moyennes entreprises, principales créatrices d'emploi et premières victimes de cette réforme, les cadres et les classes moyennes se félicitent des 35 heures. Les pauvres, eux, ont perdu dans l'affaire : les heures supplémentaires leur sont désormais interdites. Mais qu'importe si leur fiche de paie se réduit : on leur donne des loisirs. De quoi se plaignent-ils ?

Les noces du malthusianisme et de l'esprit bureaucratique, les deux travers de la gauche scolastique, ont ainsi donné naissance à une réduction du temps de travail qui réussit le tour de force d'être à la fois anti-économique et anti-sociale. Les Français, dans leur majorité, ne s'en rendent pas compte. Ils sont trop occupés à s'admirer et à glorifier la lune des 35 heures qui, déjà, éclaire le monde. Charles Péguy avait bien résumé leur complexe de supériorité quand il faisait dire à Dieu : « C'est embêtant. Quand il n'y aura plus ces Français, il y a des choses que je fais, il n'y aura plus personne pour les comprendre. »

Après avoir lancé sa première salve contre la réduction du temps de travail, Chirac ne reviendra plus guère, les années suivantes, sur cette réforme. Quand on lui dit que son silence devient assourdis-

1. Source OCDE.

664

sant, il répond, laconique : « À quoi bon faire le procès des 35 heures ? Les Français n'accepteront jamais qu'on leur retire un acquis social. » Des années plus tard, il ira jusqu'à déclarer que la réduction du temps de travail est « un progrès social qui ne peut être remis en cause sous prétexte d'idéologie [1] ».

Si on insiste, le président reprend sa litanie sur le conservatisme de ce pays où la fonction publique a pris le contrôle de tout, et d'abord des esprits. Il est vrai que la France détient le pompon en matière d'emplois publics [2] : 24,7 %, loin devant l'Italie (17,8 %), l'Allemagne (15,7 %), les États-Unis (15,4 %), l'Espagne (14,8 %), le Royaume-Uni (14,4 %) ou le Japon (8,3 %).

En somme, la France reste le pays de Rabelais. Le grand homme avait tout dit quand il dénonçait le panurgisme qui conduit le mouton à « toujours suivre le premier, quelque part qu'il aille ». Inutile de réfléchir. Il faut emboîter le pas.

C'est ce que fait Chirac. Quand ses analyses ne sont pas dans l'air du temps, il les garde pour lui. Il élude, il évacue, il consensue.

Il ferme la marche. Il est le berger de derrière. L'Histoire est faite par des gens qui ne descendent pas la pente, mais osent dire non, contre les commandements de l'époque.

Chirac n'en a cure. Il a décidé depuis longtemps qu'il ne ferait pas l'Histoire mais que c'est elle qui le ferait.

---

1. Le 15 octobre 2003.
2. Source OCDE.

85

Le saucisson de Séguin

« Si vous voulez que la vie vous sourie, apportez-lui
d'abord votre bonne humeur. »

Spinoza

La droite peut-elle suppléer ce président altier qui répugne à
descendre de ses limbes ? Apparemment pas. Elle a trop à faire,
encalminée qu'elle est dans l'entrelacs de ses querelles intestines.

« La droite, c'est la haine », a dit un jour Simone Veil et elle en
sait quelque chose. Soit. Mais la gauche aussi. C'est l'ambition pour
les places qui dresse les politiques les uns contre les autres, avec
un objectif tout bête que les plus doués excellent à habiller de
considérations idéologiques : « Donne-moi ta place et dégage. »

Quand aucune autorité n'est parvenue à imposer sa loi dessus, le
moindre parti politique se transforme en chaudron où bouillonnent
les appétits, les vanités et les rancunes. Inutile de mettre un cou-
vercle. Le miroton en fusion débordera toujours en attendant le
chef.

C'est ce qui arrive à la droite, ces temps-ci. « Ces gens-là sont
pathétiques, note Chirac, depuis son Aventin élyséen. Des lillipu-
tiens, des fourmis, des morpions de l'ambition. Ils se tirent tous
dessus à vue sans comprendre que l'opinion se fout et se contrefout
de savoir qui va gagner, si seulement il en reste un vivant après la
fusillade générale [1]. »

Après la dissolution, c'est Philippe Séguin qui a remplacé Alain
Juppé à la tête du RPR en passant un accord de fortune avec Nico-

---

1. Entretien avec l'auteur, le 28 octobre 1998.

las Sarkozy. Le chef de l'État observe Séguin avec un mélange de compassion, d'agacement et d'amusement. « S'il y a un métier pour lequel il n'est pas fait, celui-là, c'est chef de parti, ironise encore Chirac. Il est tellement solitaire qu'il sera incapable de se faire adopter par les militants ou par les élus. Il restera toujours un baryton sans orchestre. »

C'est ainsi que Philippe Séguin n'a même pas pu prendre le contrôle du groupe RPR à l'Assemblée nationale. Un jour, il vient demander à Jacques Chirac de pousser Jean-Louis Debré à se retirer de la compétition pour la présidence du groupe. Ce dernier étant l'homme lige du chef de l'État, plaide-t-il, son échec serait interprété comme un camouflet pour lui. L'effet serait désastreux pour tout le monde.

« Il faut vraiment que tu l'empêches de faire cette bêtise, insiste Séguin. Il ne fera que dix-huit voix, le pauvre, et encore...

— Tu rigoles ? fait Chirac. Il aura cent voix. »

À l'arrivée, Jean-Louis Debré l'emportera haut la main.

Quand il prend la présidence du RPR, le 7 juillet 1997, sur les décombres laissés par la dissolution, Philippe Séguin a beaucoup d'atouts. Jacques Chirac est discrédité et Alain Juppé, vitrifié. Quant aux autres, les Bayrou, les Sarkozy ou les Madelin, ils ne sauraient constituer une menace. En somme, il a le champ libre.

François Fillon, son porte-parole, ne doute pas de son avenir : « Il a la force d'Obélix, l'astuce d'Astérix et la sagesse de Panoramix. » Une réserve, néanmoins : « Parfois, on peut se demander s'il n'a pas perdu la recette de la potion magique. » C'est que Philippe Séguin ne sait pas déléguer, mobiliser ou entraîner.

Tout est hypertrophié chez lui. Le coffre. Le caractère. L'ego. Cet esprit chagrin a une si haute idée de lui-même qu'il a fini par la perdre de vue. Au lieu de chercher à ménager Chirac, il a tout de suite voulu rompre avec lui. Les militants l'ont rappelé à l'ordre. Le 31 janvier 1998, aux assises du RPR qui devaient tout chambouler, le projet et même le sigle à trois lettres, le nom du président a été ovationné pendant douze minutes.

Séguin n'a pas compris le message. Cet imperator entend incarner, seul, le RPR et même l'union de l'opposition.

À la fin, il se retrouvera tout seul.

Il est vrai que l'Élysée ne le ménage pas, qui fait régulièrement donner les chiraquiens contre lui. Pour le neutraliser, Dominique de Villepin a même esquissé un rapprochement tactique avec Nicolas Sarkozy, secrétaire général du RPR et bras droit de Philippe Séguin. Ce n'est pas un retour en grâce. Juste une alliance de circonstance. Elle en dit long sur l'exaspération du président qui ne supporte pas, notamment, les dérives nationalistes de son mouvement.

L'opposition Chirac-Séguin n'est pas seulement épidermique. Elle est politique. Philippe Séguin appartient à la tradition du gaullisme prophétique et atrabilaire qu'incarnait si bien Michel Debré ou Marie-France Garaud. Tout le contraire de Jacques Chirac qui entend éviter à tout prix les dérapages anti-européens : ainsi un vote hostile à l'euro du groupe RPR à l'Assemblée nationale, vote auquel le président parvient à échapper in extremis grâce à Alain Juppé, en avril 1998.

Étrange attelage. Les deux hommes se respectent et se méprisent en même temps. Chirac est subjugué par l'éloquence et les tripes de Séguin mais il est convaincu qu'il a un grain. Séguin est fasciné par l'habileté et la persévérance de Chirac mais il a la conviction qu'il n'est pas au niveau. Derrière son dos, il l'appelle « le grand con ». Il fulmine contre sa « mollesse » face aux socialistes, répète qu'il a fait son temps et refuse, certains jours, de le prendre au téléphone.

Chirac entend le dégager de la présidence du RPR avant la campagne de 2002. S'il n'y arrive pas, il est prêt à toutes les extrémités. Leurs tête-à-tête sont parfois si tendus qu'il arrive au chef de l'État de proférer des menaces de ce genre : « Si tu continues comme ça, je vais être obligé de faire un parti du président. »

Entre Chirac et Séguin, la rupture est consommée après l'affaire de la présidence du conseil régional de Rhône-Alpes, quand, dans la nuit du 9 au 10 janvier 1999, le RPR et les « libéraux » de Madelin ont fait bloc contre la candidate UDF que soutenaient les socialistes.

Un vaudeville ridicule, qui illustre bien l'état lamentable de la droite. La présidence du conseil régional devait normalement revenir à Anne-Marie Comparini, la candidate UDF, une protégée de Raymond Barre dont elle fut longtemps l'attachée parlementaire. Le RPR la soutient comme prévu au premier tour, éliminant Charles Millon, le ludion de l'hyperdroite, puis au second tour, écartant l'extrême droite. Après quoi, le parti de Séguin décide de jouer la carte du doyen d'âge, un proche de Madelin, tandis que les socialistes se rallient à l'UDF qui sera élue.

Alors que Sarkozy se demande si Bayrou, le président de l'UDF, n'est pas tenté de rejoindre la gauche, le chef de l'État écume contre les dirigeants du RPR : « Que croient-ils, ces traîne-patins ? Que l'on pourra gagner l'élection présidentielle sans l'UDF ? Ils sont en train de gâcher toutes nos chances. » Chirac raconte volontiers, dans la foulée, l'histoire du saucisson de Séguin. C'est peut-être à cause d'un saucisson, en effet, que l'affaire a mal tourné.

Le soir de l'élection du président du conseil régional de Rhône-Alpes, Séguin a envoyé son chauffeur lui acheter un saucisson. L'autre revient, suprême sacrilège, avec un saucisson coupé. Le sang du président du RPR ne fait qu'un tour. Il pique une de ces colères dont il a le secret et qui fait trembler les vitres aussi bien que le petit personnel. « Un saucisson, éructe-t-il, ça se coupe soi-même. » Mandat est donné au chauffeur de trouver coûte que coûte un saucisson intact. Il en va de l'avenir du RPR et, peut-être, de la France. Il est tard et c'est dans un restaurant que sera finalement déniché le précieux produit. Quand il lui sera remis, Séguin fermera sa porte avec un air de conspirateur, puis tournera la clé, avant de passer la soirée en tête à tête avec le saucisson devant son poste de télévision.

On ne saura jamais si c'est à cause de la contrariété du début de soirée ou du ravissement de la dégustation charcutière devant un programme télévisé passionnant, toujours est-il que Séguin a laissé commettre la faute qui allait déchirer, et pour longtemps, la droite française : l'UDF prendra prétexte de l'incident pour adopter une stratégie d'autonomie et présenter une liste aux élections européennes, quelques mois plus tard.

Séguin le sait. La preuve : le 10 janvier, il est injoignable. Il a été hospitalisé pour une bronchite aiguë et une immense déprime.

Après ça, Chirac cherche en vain à ramener Bayrou dans le giron de l'union. Depuis que le président de l'UDF lui a annoncé qu'il ferait sa propre liste aux élections européennes, le chef de l'État l'a reçu trois fois, au grand dam de Séguin qui ne supporte plus la stratégie « centriste » de l'Élysée.

Le 15 avril 1999, Philippe Séguin pique une nouvelle rogne après avoir pris connaissance d'une interview à *Valeurs actuelles* de Bernard Pons, président de l'Association des amis de Jacques Chirac. Un texte consensuel et bénisseur où Pons déclare que Pasqua et Villiers font partie de la majorité présidentielle, tout comme l'UDF de Bayrou « qui en est une composante essentielle ».

Séguin appelle aussitôt Chirac et lui lance un ultimatum : « Si demain, à 10 heures, aucun message de clarification n'est venu de l'Élysée, je démissionne. » Le lendemain, à 10 h 30, l'imperator annonce sa démission dans une lettre manuscrite à l'AFP où il reproche notamment au président « les tentations d'une cohabitation émolliente » et « les nouvelles stratégies suicidaires [...] inspirées par des sondages de popularité trompeurs » qui l'empêchent de mener contre le gouvernement Jospin une opposition digne de ce nom.

Jean-Michel Thénard exprime bien le sentiment général quand il écrit dans *Libération*[1] : « Le séguinisme, un nombrilisme ? Si le député d'Épinal avait souhaité apparaître pire que sa caricature, c'est réussi [...]. S'il avait voulu donner une image grotesque d'une certaine politique "politicienne", plus préoccupée par les querelles de boutique et les conflits de personnes que par l'intérêt général, c'est gagné. »

Cet homme qui avait tout pour réussir, n'était son caractère, a finalement tout raté, même sa sortie. Il s'est détruit lui-même. Il en restera bien quelque chose, comme un souvenir, qui vivotera jusqu'à l'explosion finale, lors de sa campagne suicidaire pour la mairie de Paris, en 2001, avant sa mort en 2010, d'une crise cardiaque.

Quant à Chirac qui vient d'ajouter un nouveau trophée à son tableau de chasse, on l'imagine bien s'écrier maintenant, en attendant le successeur de Séguin : « Au suivant ! »

---

1. Le 18 avril 1999.

86

Le trampoline de Sarkozy

« Hercule ne s'est pas fait en une seule nuit. »

Ménandre

Le suivant est un avatar de Jacques Chirac. En plus jeune et avec moins de complexes. Boulimique, increvable, toujours pressé, la voix haletante, Nicolas Sarkozy est aussi un *homo politicus*. Un professionnel de la politique, comme il aime le dire. « Mon problème, s'amuse-t-il, c'est que j'ai une tête de candidat à tout. » Il sait y faire, avec les militants, les électeurs ou les journalistes. Il a la bise et le tutoiement faciles. C'est aussi le roi de la tape dans le dos. Avec lui, de surcroît, tout le monde a droit au même traitement, fait de brutalité gouailleuse et affectueuse, le patron, le cul-terreux ou le moins que rien. Il ne se la joue pas.

Secrétaire général du RPR depuis 1998, Nicolas Sarkozy devient tout naturellement président du mouvement par intérim après la démission de Philippe Séguin. Né en 1955, il a quarante-quatre ans, toutes ses dents, un petit paquet de fidèles et toujours de grandes espérances. Il ne lui manque que la longue patience qui fait les grands hommes. Pour preuve, il a le même tic que Jacques Chirac, naguère : dans la position assise, il tape sans arrêt du pied. Il a toutefois appris à en rabattre et se compare volontiers, avec une autodérision toute chiraquienne, à « ces chandails qui rétrécissent au premier passage en machine à laver ».

Bien sûr, il feint d'être marri de la démission de Séguin qui n'avait pas cru bon de l'en informer. « Il me laisse tout sur les bras, soupire-t-il, le parti, la liste européenne et même une émission sur TF1. Dire que je devais partir à La Baule avec ma femme et mes enfants ! » Mais il sait qu'il a changé, enfin, de catégorie. Il est entré dans la cour des grands. Il ne lui reste plus qu'à amadouer Chirac.

Vaste programme. Deux ans plus tôt, après la bérézina de la dissolution, le chef de l'État avait refusé que Juppé, alors président, nomme « le petit Nicolas » secrétaire général du RPR. Quelque temps plus tard, Séguin qui succédait à Juppé avait passé outre. Mais Sarkozy n'était pas parvenu à remonter la pente auprès de Chirac qui a souvent dit à propos des balladuriens : « Ils ont le gène de la trahison. »

Le député-maire de Neuilly semble prêt à tout pour arriver à ses fins. Son destin est en marche, rien ne l'arrêtera. Un jour, Paul Sarközy de Nagy-Bocsa, aristocrate hongrois émigré, publicitaire reconnu et grand séducteur devant l'Éternel, a dit à ses trois fils : « Jamais, dans ce pays, un Sarközy ne sera président de la République. Pour cela, il faut aller aux États-Unis. » Nicolas Sarkozy a décidé de faire mentir son père et, contrairement à d'autres, ne cache pas ses intentions derrière ses airs entendus. Il ne pense même qu'à ça et s'en vante crânement.

Ce n'est pas une raison suffisante pour expliquer la sourde méfiance qu'il inspire à Jacques Chirac et qui tourne, parfois, à la haine froide. En fait, même s'il s'en défend, le chef de l'État le soupçonne toujours d'avoir lancé, quand il était ministre du Budget d'Édouard Balladur, toutes les affaires qui lui empoisonnent la vie, et notamment celle des HLM de la région parisienne, quand son parti rançonnait les entreprises de travaux publics. « Je n'ai pas de preuves, insiste Chirac, et je ne crois pas aux accusations sans preuves. » Soit. Mais on ne voit pas quelle autre cause pourrait motiver son anti-sarkozysme total et frénétique.

Bien sûr, Sarkozy dément : « C'est un mauvais procès. Les amis de Chirac ont eu tout le loisir de faire parler les gens. Ils n'ont rien trouvé. S'il y avait eu des preuves, croyez-moi, elles seraient sorties. » Une pause, puis : « Le président et moi, on n'a jamais parlé de tout ça. Parce qu'il sait que c'est faux [1]. »

Pour rétablir la confiance avec Chirac, Sarkozy ne lésine pas. Mais il a beau faire, le président n'est pas dupe. Même quand ils se rapprochent l'un de l'autre, les deux hommes restent dans la situation des vieux couples qui se sont trop déchirés pour se rabibo-

---

1. Entretien avec l'auteur, le 4 octobre 2005.

cher : rien ne sert de remettre le couvert, la vaisselle est toujours cassée. La meilleure volonté du monde n'y changera rien. Sarkozy perd son temps quand, par exemple, il passe serrer des mains au dîner de l'Association des amis de Jacques Chirac qui, le 7 mai 1999, célèbre le quatrième anniversaire de l'accession de son champion à la présidence. « En 1995, blague-t-il, j'étais balladurien. C'est pour ça que, chaque 7 mai, je suis comme le padre Pio : "Les stigmates, dans mes mains, se remettent à saigner." »

La stratégie de Sarkozy est toute simple : s'imposer comme patron du mouvement derrière Chirac, candidat naturel à la prochaine élection présidentielle, en 2002. Il connaît les réticences du chef de l'État. Il entend lui forcer la main et, pour ce faire, s'imposer aux élections européennes de juin 1999. C'est pourquoi il se dépense sans compter dans cette campagne où il a remplacé Séguin au pied levé à la tête de la liste RPR, contre celles de Bayrou et de Pasqua. Rude tâche. « On a été si gentils avec moi, dit-il, le 8 juin, en meeting à Carpentras, que non seulement on m'a laissé la place, mais on a veillé à ce qu'il n'y ait surtout personne à mes côtés. » Enfilant les réunions publiques et les débats télévisés, il se prononce pour un service minimum dans les transports, la suppression du revenu minimum d'insertion (RMI) en cas de refus d'un emploi ou d'une formation, la baisse de la TVA, etc.

Sa campagne est à droite toute et il flingue sans sommation, comme en attestent ces propos rassemblés par Carole Barjon dans *Le Nouvel Observateur* [1]. Sur les 35 heures : « Pourquoi pas trente, ou vingt-cinq, ou dix, ou deux ? Deux, ce serait parfait. Mais à une condition, c'est qu'elles soient facultatives. » Sur l'insécurité : « La différence entre la gauche et la droite, c'est que quand un autobus est attaqué, la gauche organise un colloque avec trois philosophes, quatre sociologues et deux journalistes où elle pose la question : pourquoi l'autobus ? » Sur la droite : « On a compris une chose : quand on fait la politique de ses adversaires, on perd ses électeurs et on ne gagne pas un seul de ses adversaires. »

Il se sera démené pour rien, ou pas grand-chose. Au scrutin du 13 juin 1999, la liste Sarkozy n'obtient que 12,82 %, derrière la liste Pasqua-Villiers (13,05 %) Quant à Bayrou, il sauve l'honneur de l'UDF avec 9,25 % des voix.

---

1. Le 3 juin 1999.

C'est un fiasco. C'est aussi le plus mauvais score de l'histoire du parti gaulliste. « J'assume la responsabilité de cet échec », déclare Sarkozy qui parle aussi d'« électrochoc » et dit redouter, dans la foulée, la « dispersion complète » de la droite. Le lendemain, après s'être entretenu avec Chirac, il annonce qu'il abandonne la présidence par intérim du RPR et qu'« en toute hypothèse », il ne sera pas candidat à sa succession.

Même s'il se sent bien seul, Sarkozy tient le coup. Il a même trouvé dans cette déroute des raisons d'espérer : « Ceux qui ne peuvent supporter d'être haï ne doivent pas faire de la politique. Il n'y a pas de destin sans haine. » De ce point de vue, il est servi. Encore que, contrairement à ce qu'il pourrait craindre, Chirac n'est pas dans le camp de ceux qui sonnent l'hallali contre lui. Bien au contraire, il cherche à calmer le jeu.

Le président répète à la ronde ce qu'il a dit à Sarkozy : « Des défaites électorales, j'en ai connu beaucoup, le tout est de savoir les surmonter. » Chirac s'attendait à un mauvais score. S'il l'impute d'abord à Séguin qui a « quitté le navire à la première bourrasque », il pense que le RPR doit « retravailler » son projet. Quelques jours avant les élections, alors que le député-maire de Neuilly se sentait des semelles de vent, il s'inquiétait de sa ligne politique, trop droitière à ses yeux. « La France, grommelait-il, ça n'est pas seulement Auteuil-Neuilly-Passy. Elle se méfie toujours des types en blazer qui ont l'air de sortir du Racing Club. » À quoi Sarkozy répondait par avance : « Ce que la gauche britannique met en pratique, il serait temps que la droite française ait le courage de le proposer. »

Tout le débat Chirac-Sarkozy est là. Le chef de l'État entend ramener son parti au centre, ce qu'il n'a cessé de faire depuis les années quatre-vingt, mais sans se priver pour autant du concours du député-maire de Neuilly dont il lui arrive – très rarement il est vrai – de célébrer les talents. Il aimerait juste que « le petit Nicolas » se contente de rester secrétaire général derrière un nouveau président moins libéral que lui, « ce qui ne sera pas difficile à trouver ».

Mais Sarkozy ne l'entend pas de cette oreille. Sitôt tombé, il remonte sur son cheval. Question de réflexe. « Il y en a pas mal qui vont attraper un torticolis à force de me voir rebondir sur le trampoline », rigole-t-il. Après une déprime de quelques jours, le député-maire de Neuilly décide de briguer, contrairement à son engagement, la présidence du RPR.

Bien entendu, il n'est pas question pour lui d'entrer en conflit avec Jacques Chirac. Son jeu, il l'a clairement expliqué au journaliste du *Monde* Jean-Louis Saux : « Se rapprocher, étouffer l'autre et s'installer, voilà ma technique. Mais ça, vous ne le mettez pas. On est *off*, non [1] ? »

La dernière semaine de juillet, il prend rendez-vous avec Chirac et lui annonce qu'il a passé un pacte avec Séguin. En échange du soutien de l'imperator, Sarkozy appuiera sa candidature à la mairie de Paris, nommera son lieutenant François Fillon au secrétariat général et confiera aux séguinistes la direction de la revue du mouvement. « On verra ça après les vacances », dit le président, en s'efforçant de garder son sang-froid.

C'est tout vu. De retour de l'île Maurice, Jacques Chirac presse Nicolas Sarkozy de ne pas se présenter. Le 13 septembre, il remet ça, pour la quatrième fois en quinze jours, en jouant la flatterie et la séduction : « Tu es un des seuls sur lesquels je puisse compter. Ne t'abîme pas dans une histoire de parti. J'ai d'autres projets pour toi. »

C'est ce jour-là que Sarkozy commence à rêver de Matignon qui, désormais, semble à sa portée. De plus, Chirac lui parle d'égal à égal, comme s'il avait affaire à un futur présidentiable.

« Ni toi ni moi, poursuit le président, ne sommes intéressés par le parti. Nous, c'est la France qui nous concerne, n'est-ce pas ? Tu dois te préserver, Nicolas. »

Est-ce, enfin, le signe qu'il attendait ? Sarkozy ne sait pas trop comment prendre le conseil présidentiel qui, malgré tout, sonne doux à ses oreilles. Même s'il en est bien incapable, il choisira, à tout hasard, de se « préserver ».

---

1. Article de Jean-Louis Saux, « Sarkozy, off the record », le 1er juillet 1999.

87

À gauche toute

« Il y a peu à choisir entre des pommes pourries. »
Shakespeare

Le 15 juin 1999, deux jours après la déroute des européennes, un homme fait sensation lors de la réunion du groupe RPR du Sénat. Une armoire à glace (110 kg pour 1,93 mètre) qui semble sorti des années soixante, avec son brushing nickel et son blazer bleu à boutons dorés. On dirait Elvis Presley, mais sans banane et avec un embonpoint de notable.

C'est Jean-Paul Delevoye, sénateur du Pas-de-Calais et maire de Bapaume, capitale de l'endive. Président de l'Association des maires de France (AMF) qui regroupe 34 000 adhérents sur les 36 600 communes du pays, il est réputé pour son bon sens et son esprit consensuel. Ce jour-là, pourtant, devant ses collègues du Sénat, il n'arrive pas à réprimer sa colère.

Si le RPR est tombé si bas, tonne-t-il, c'est à cause de « l'opportunisme » des « apparatchiks » du mouvement et de leur « libéralisme fou ». Il est urgent, ajoute-t-il, de réconcilier le parti avec le peuple, et cela passe par un discours moins droitier et moins élitiste : Jean-Paul Delevoye est convaincu que la thèse de la « fracture sociale » reste toujours actuelle et qu'il faut la remettre en avant.

Dans l'assistance, il y a deux sénateurs qui sont aussi conseillers de l'Élysée : Maurice Ulrich et Roger Romani. Deux vieux fidèles de Jacques Chirac. Dès qu'ils ont été au rapport, le chef de l'État appelle Jean-Paul Delevoye. Il connaît mal le sénateur du Pas-de-Calais mais il a décidé d'en faire le prochain président du RPR. À ses yeux, cet homme cumule tous les avantages. Il est neuf, compétent et social. Politiquement, le chef de l'État se sent, de surcroît, totalement en phase avec lui. Il ne reste plus qu'à l'imposer au mouvement.

Ce n'est pas joué. Il faudrait que Jean-Paul Delevoye y mette du sien. Mais c'est une mule qui n'en fait qu'à sa tête. Quand les conseillers en communication que l'Élysée a mis à son service lui demandent de changer de coiffure, de lunettes ou de marque de costume, il ne veut rien entendre. De la même façon, il refuse de se laisser cornaquer par Dominique Perben et Hervé Gaymard qui, tout de suite, ont pris parti pour lui. Brut de décoffrage, il tient donc devant les militants, et sans précaution, le discours social qui plaît tant à Jacques Chirac.

C'est l'erreur. Comme l'a noté Nicolas Sarkozy, « le PS se prend à gauche et le RPR, à droite ». Philippe Séguin fut l'exception qui confirmait la règle. Encore que son nationalisme droitier compensait ses pulsions sociales. Jean-Paul Delevoye, lui, se présente avec un programme à gauche toute, et s'en va répétant dans toutes les fédérations du parti : « Le mouvement gaulliste doit retrouver ses assises populaires et humanistes. »

Ce n'est pas un hasard si Jean-Paul Delevoye est si apprécié des socialistes du Pas-de-Calais. Ou bien s'il est réélu, chaque fois, au premier tour à la présidence de l'Association des maires de France. Cet ancien grainetier est fondamentalement social-démocrate.

À l'heure où les socialistes gouvernent le pays, c'est évidemment un handicap. Jean-Paul Delevoye en a un autre. Il est le candidat officiel, celui que les Chirac, Jacques, Bernadette et Claude, surveillent comme le lait sur le feu. Or, les cicatrices de la dissolution ne se sont pas encore toutes refermées. À l'égard du chef de l'État, les sentiments des militants sont ambivalents. C'est le père putatif et le chef naturel du mouvement. Mais ils s'en méfient. Ils pensent qu'il faut le protéger contre ses lubies et ses conseillers fantasques.

C'est pourquoi ils se tournent tout naturellement vers Michèle Alliot-Marie. Une chiraco-balladurienne bon chic bon genre, qui porte, avec énergie et méthode, le flambeau du centre droit. Député-maire de Saint-Jean-de-Luz, elle s'est imposée devant le parti avec un discours libéral sans aspérité. Du Balladur sans Balladur. Le 4 décembre 1999, elle accède à la présidence du RPR avec 63 % des voix contre 37 % à Jean-Paul Delevoye, après avoir bénéficié du désistement des candidats séguiniste (François Fillon) et sarkozyste (Patrick Devedjian).

Le chef de l'État doit-il considérer ce résultat comme un camouflet ? Sans doute est-ce pire que cela. Un constat de divorce pour incompatibilité d'humeur et divergences politiques. Le RPR entend désormais vivre sa propre vie pour servir Chirac et l'aider, si besoin, contre lui-même.

Même si Jacques Chirac reste son candidat pour 2002, le mouvement a décidé de couper le cordon avec lui, à en juger par le score sans appel qu'obtient Michèle Alliot-Marie. Le RPR refuse de se laisser déporter plus encore à gauche et entend reprendre sa thématique libérale d'antan. En somme, c'est la victoire idéologique de Nicolas Sarkozy.

Le président de la République accepte d'autant plus volontiers sa défaite que Michèle Alliot-Marie s'est tout de suite rangée sous sa bannière. Sitôt élue, elle a en effet déclaré : « Ensemble, dans le cadre d'une opposition unie, avec et pour Jacques Chirac, nous préparerons les prochaines échéances. »

Chirac peut faire contre mauvaise fortune bon cœur. S'il n'a pu imprimer sa marque sur la ligne du parti, il a au moins la chance d'avoir désormais un petit soldat à sa tête. Une dame de fer-blanc, facilement ployable, qu'il ne faudra certes pas quitter des yeux : si elle fut jadis sa « créature », elle a en effet joué un jeu trouble avec Balladur, lors de la dernière élection présidentielle. Mais elle a au moins le mérite de n'avoir aucune ambition élyséenne. Enfin, pour le moment.

Il peut donc préparer tranquillement sa prochaine campagne. Il reçoit les élus par-ci, grappille des idées par-là. Il s'est aussi mis en quête d'un Premier ministre, pour le cas où il serait élu. À en croire les oracles de l'Élysée, il l'aurait même trouvé : Nicolas Sarkozy. C'est le candidat déclaré de Dominique de Villepin qui ne cesse de chanter ses louanges.

Sarkozy frétille. Il n'oublie pas que, le 14 septembre 1999, après qu'il se fut retiré de la course à la présidence du RPR, le chef de l'État l'a accueilli, dans son bureau de l'Élysée, en lui disant :

« Je salue le nouveau Nicolas Sarkozy qui ne sera plus le collaborateur de quiconque ni de moi-même, ce que je regrette, mais qui a pris une nouvelle dimension. Tu es passé au stade supérieur, Nicolas. Franchement, tu m'as épaté. »

Le député-maire de Neuilly a bu ces paroles. Il les tourne et les retourne dans sa tête : Matignon n'est plus un rêve impossible. Mais une petite voix en lui dit que rien n'est joué et qu'il lui faut se méfier. Il sait que Jacques Chirac a toujours suivi à la lettre l'adage de Louis XI : « En politique, il faut donner ce qu'on n'a pas et promettre ce qu'on ne peut donner. »

Mais s'il le pouvait, en l'espèce, Chirac le voudrait-il seulement ?

88

Mélange des genres

« La vérité n'est jamais amusante. Sans cela, tout le monde
la dirait. »

Michel Audiard

La scène se passe en 1969 au début de la campagne présidentielle
de Georges Pompidou, dans un des bureaux du QG du candidat,
avenue de La Tour-Maubourg, à Paris. Un des grands barons du
gaullisme est venu rendre visite à Jacques Chirac. Ce n'est pas vraiment une conscience mais au moins un des compagnons de la
première heure du Général. Une figure, comme on dit.

Jacques Chirac est trésorier de la campagne. À trente-six ans, le
secrétaire d'État à l'Économie et aux Finances du gouvernement
sortant est l'un des hommes clés du staff de Georges Pompidou. Il
a la haute main sur les caisses qui sont aussi vides que les sondages
sont bas. Au QG, il règne une ambiance de mort.

Georges Pompidou prend ça à la blague. Quand il boit son petit
noir à la terrasse des cafés, il s'amuse de ne pas faire un tabac auprès
des clients : « Offrons-leur un verre. Ça me fera au moins quelques
électeurs. » La France est convaincue qu'elle élira Alain Poher, le
président du Sénat qui assure l'intérim du général de Gaulle à
l'Élysée. Pompidou est, lui, convaincu du contraire.

Chirac se fait du mauvais sang. Aussi, quand le baron du gaullisme lui annonce qu'il a trouvé de l'argent, le trésorier de Pompidou retrouve le sourire. Voilà exactement ce qu'il lui fallait. Une
somme immense. Elle sera en liquide et arrivera par valises dans les
prochains jours. Origine : la monarchie saoudienne. Le secrétaire
d'État n'hésite pas une seconde.

Quand Chirac annonce la bonne nouvelle à Pompidou, il se prend une avoinée dont il se souviendra longtemps : « Vous êtes fou, mon vieux, un irresponsable doublé d'un incapable ! Je ne veux pas d'argent étranger dans cette campagne ! Pas un centime d'argent étranger ! » Le trésorier transmet aussitôt le message au baron du gaullisme.

Quelques mois passent et, un jour, à l'occasion d'un débat un peu vif avec l'un des membres de la monarchie d'Arabie saoudite, Georges Pompidou s'entend dire : « Comment pouvez-vous être si peu conciliant après tout ce qu'on a fait pour vous ?

— À quoi faites-vous allusion ?

— À tous ces millions qu'on a versés pour votre campagne. »

C'est une histoire que Jacques Chirac raconte volontiers. Façon de célébrer la rigueur morale de Georges Pompidou, tout en reconnaissant qu'il avait lui-même peu d'illusions sur la classe politique, avec tous ces intermédiaires, glorieux ou véreux, qui se remplissent les poches au passage, entre deux livraisons de valises.

Mais a-t-il bien reçu la leçon de Pompidou ? Ce n'est pas sûr.

Comme Mitterrand, Chirac n'est pas entré en politique pour faire fortune. Il n'a rien amassé, ce grand seigneur, pas chipoteur ni avaricieux, qui use ses chemises jusqu'à la corde avant de faire ourler le bout des manches. Mais il a toujours tendance à confondre ses poches et les caisses de l'État. Il n'a pas eu peur non plus de filouter le fisc quand c'était possible. Avec lui, pas de petits profits.

On se souvient de l'affaire du château de Bity, en Corrèze, qui avait été miraculeusement classé « monument historique » peu après qu'il l'eut racheté, lui permettant, alors qu'il était secrétaire d'État à l'Économie et aux Finances, de déduire de ses revenus les frais de restauration de sa propriété, donc de ne pas payer d'impôts. Cette affaire n'est rien en comparaison d'une autre, révélée trente ans plus tard, par le même *Canard enchaîné*[1]. En 1978, Jacques Chirac, alors trésorier de la Fondation Claude Pompidou, obtient qu'elle achète à prix d'or une parcelle de cinq hectares, proche du château de Bity. Elle était à vendre et il était question d'y construire une microcentrale électrique, pour profiter d'une petite chute d'eau, et puis aussi un centre de colonie de vacances pour des

---

1. Le 1er août 2001.

enfants de la Seine-Saint-Denis. Pensez ! Ça aurait troublé la tranquillité des Chirac qui, au demeurant, ne viennent pas souvent à Sarran. Mais bon, ils ne supportent pas l'idée que le chemin de terre qui mène à leur propriété soit emprunté par d'autres qu'eux ou leur personnel de maison.

Il n'y avait aucune raison que la Fondation Claude Pompidou « pour les personnes âgées et handicapées » acquière ce terrain qui, depuis, est resté en friche. D'autant que le prix était très au-dessus de ses moyens et qu'elle semblait condamnée à emprunter pour régler la transaction. Au conseil d'administration qui a entériné la décision, Jacques Chirac a évoqué, pour faire passer la pilule, un « don » qui assurerait « entièrement » le financement, et qui, bien sûr, ne viendra jamais. Il a prétendu, de surcroît, que son achat pourrait être « utilisé ultérieurement pour l'implantation d'un centre de vacances pour personnes âgées ». Il va de soi qu'aucune étude n'a été lancée par la suite.

Mais le pire n'est pas là. Après cette petite truanderie, le pire est dans le mélange des genres qui a conduit Jacques Chirac à faire payer la transaction par la ville de Paris. Le 17 mars 1978, la vente du terrain était signée devant notaire. Deux semaines plus tard, le 31 mars, le conseil de Paris allouait une confortable subvention à la Fondation Claude Pompidou, une subvention qui augmenterait encore à partir de 1980. C'était certes moins visible et plus habile que de faire acheter directement les cinq hectares par la mairie de la capitale. Mais le résultat est le même. Légal, sans doute. Pas moral, c'est l'évidence.

La carrière politique de Chirac est émaillée d'embrouilles de ce genre. « Je ne suis pas un homme d'argent », a-t-il protesté un jour [1]. Soit. Mais il sait en faire avec celui des autres. À force de vivre et de travailler sous les lambris des palais de la République, tous ses privilèges lui ont paru naturels et, si nécessaire, il s'en arroge d'autres. Il n'a cessé de trichoter, comme n'importe quel notable de province, en prenant toutefois soin de ne jamais sortir des clous de la légalité.

L'exemple du pavillon de la rue du Bac symbolise tout à fait cet état d'esprit. C'est un rez-de-chaussée de rêve blotti au fond d'une cour. 189 mètres carrés avec un jardin privatif de 500 mètres carrés

---

1. Le 14 décembre 2000, sur TF1.

que les Chirac louent depuis 1977 pour une somme qui, en 1995, s'élève à 11 000 francs par mois. L'une des meilleures affaires de la capitale. À l'origine de ce miracle : une société immobilière, apparemment créée pour l'occasion, la SFIR, qui a acheté, en 1989, cet appartement désormais habité par Claude Chirac. Il se trouve, par un pur hasard, que la SFIR est une filiale de la SGIM, société détenue à 39,6 % par la ville de Paris et qui, jusqu'alors, ne possédait pas de logement en propre. Là encore, Jacques Chirac a confondu l'argent public et le sien.

Que l'affaire soit opportunément sortie pendant la campagne présidentielle de 1995, que Jacques Chirac ait soupçonné Nicolas Sarkozy, qui fut un familier des lieux, d'avoir vendu la mèche, tout cela ne change rien au constat qui s'impose : si ce n'est pas de la prise illégale d'intérêt, c'est au moins de l'abus de pouvoir. En somme, une faute. Ce sont là des mœurs de république bananière.

Depuis longtemps, une littérature de gare décrit Jacques Chirac comme un grand corrompu. Un spécialiste de l'extorsion de fonds qui n'aurait passé son temps qu'à ramasser de l'argent pour se constituer, comme Talleyrand à son couchant, une « immense fortune ».

De Mitterrand, la même littérature prétendait la même chose, avec aussi peu de preuves. On sait ce qui est arrivé ensuite. Le fils aîné de l'ancien président a fini à la ramasse, en faillite personnelle, tandis que Danielle, sa veuve officielle, en était réduite à vendre le mobilier familial pour assurer ses fins de mois. Feu son mari ne leur avait laissé aucun des châteaux ni des comptes en banque suisse qu'une certaine presse lui prêtait.

Même chose pour Chirac. Tout l'argent qu'il a fait engranger, il l'a toujours remis aussitôt dans le circuit, pour les affiches, les obligés ou les campagnes électorales. Les poches de la veste pleines de liasses de fonds secrets, il est juste un politicien d'autrefois qui, comme Mitterrand, vit sur la bête et pour qui la fin justifie toujours les moyens. Un « parrain » de la République.

89

La boîte de Pandore

« Le scandale du monde est ce qui fait l'offense.
Et ce n'est pas pécher que pécher en silence. »

Molière

Chirac n'avait pas vu le coup venir. Le 4 août 1994, quand Francis Poullain, PDG de la SAR (Société d'application et de revêtements), a été écroué, il ne s'est pas tout de suite mis martel en tête. Poullain est un patron chiraquien qui, dix jours plus tôt, avait invité le Tout-RPR pour son mariage qu'il fêtait au restaurant du Pré Catelan, dans le bois de Boulogne. Le maire de Paris, qui ne supporte pas les mondanités, avait délégué aux festivités sa préposée à la bonne société, Bernadette en personne. Il devait bien ça à ce bienfaiteur du parti, un ancien garde du corps d'André Malraux reconverti dans la rénovation d'immeubles.

Il faut quelques jours pour que les langues se délient. D'abord, c'est une petite rumeur qui court dans les vapeurs de l'été, puis elle monte et enfle en rongeant d'inquiétude tout l'appareil RPR. Le 14 septembre, *Le Canard enchaîné*, encore lui, révèle ce nouveau scandale avec ce sous-titre prophétique : « Les clans Chirac et Balladur s'affolent à l'idée de se voir dans le même pétrin que le PS dans l'affaire Urba ». En quelques mots, tout est dit : la droite vient de se tirer une balle dans le pied, comme la gauche, cinq ans plus tôt.

À l'époque, François Mitterrand avait décidé d'abattre Michel Pezet, l'un des espoirs du PS qui venait de prendre le contrôle de la fédération des Bouches-du-Rhône, l'une des plus importantes du parti. Cet avocat subtil et cultivé avait toutes les qualités. Sauf qu'il était rocardien. Un crime, sous Mitterrand. D'autant qu'il était capable, avec son abattage et sa force de conviction, d'ouvrir à Michel Rocard, alors Premier ministre, les portes de la direction.

Pierre Joxe, ministre de l'Intérieur et, à l'occasion, exécuteur des basses œuvres mitterrandiennes, se chargea de « coller » une affaire à Michel Pezet. C'était facile. L'honnêteté personnelle du député des Bouches-du-Rhône ne faisait aucun doute. Mais pour le financement du parti, il n'avait jamais mégoté. Son nom fut donc cité dans l'affaire de fausses factures de l'entreprise de travaux publics de la SORMAE. À partir de là, tout s'enchaîna. Pour liquider un rocardien, Pierre Joxe avait donné à la justice un fil qui lui permit de remonter très haut, jusqu'à la direction du PS, et de mettre au jour, à travers l'affaire Urba, le système de rançonnement mis en place par le parti pour les marchés publics, afin de financer sa campagne.

Sitôt après son inculpation, Michel Pezet avait prévenu Pierre Joxe : « Si tu crois que ça va s'arrêter au petit père Pezet, tu te trompes. Tu viens d'ouvrir la boîte de Pandore. » De la même façon, le gouvernement Balladur vient aussi d'ouvrir la boîte de Pandore.

Après Francis Poullain, le rançonné, c'est au tour de Jean-Claude Méry, le rançonneur, de tomber. Un personnage vantard et fantasque qui a siégé plusieurs années au comité central du RPR. La caricature de l'entremetteur, expert en commissions, ronds de jambes et promesses de Gascon. Avec ça, un culot d'enfer. Il dirige plus d'une quinzaine de sociétés immobilières et financières, à Paris et en province. Sans parler des bureaux d'études qui lui permettent de facturer plus aisément des prestations fictives.

C'est l'homme par qui il faut passer pour obtenir les marchés de l'office HLM de Paris. Il suffit d'être compréhensif en payant son dû et il vous ouvre toutes les portes. Il a ses entrées là-bas. Il les a aussi à l'Hôtel de Ville. Il lui est souvent arrivé de croiser Jacques Chirac qui a été bien mal inspiré de publier un communiqué, sitôt son incarcération, pour affirmer, contre toute évidence, que l'homme d'affaires n'avait « jamais été un proche de Jacques Chirac » qui, au demeurant, « ne connaît pas Jean-Claude Méry ».

Il est vrai qu'Alain Juppé, jugeant le personnage trop sulfureux, l'avait mis sur la touche dès 1992. Alors secrétaire général du RPR et adjoint aux Finances à la mairie de Paris, il l'a même déclaré *persona non grata*. Trop tard. L'homme d'affaires a laissé partout ses traces de doigts et le juge Halphen, en charge de l'instruction, n'aura aucun mal à remonter jusqu'à l'entourage de Jacques Chirac. Et, d'abord, jusqu'à Michel Roussin, son ancien directeur de cabinet devenu le ministre de la Coopération d'Édouard Balladur. Sans parler de Didier Schuller, ancien directeur de l'office HLM des Hauts-de-Seine, un proche de Charles Pasqua et d'Édouard Balladur.

C'est tout le RPR qui est menacé par cette affaire. Dieu le père, ses apôtres et ses Judas. La maison mère, les succursales et les canaux de dérivation.

Chirac, d'entrée de jeu, accuse Sarkozy. Avant l'élection présidentielle de 1995, il voit la main du ministre du Budget d'Édouard Balladur derrière toutes les « affaires » qui tombent sur lui, à un rythme soutenu, comme les obus à la bataille de Gravelotte. À cette époque, l'auteur l'a souvent entendu tenir des propos du genre :

« Il a dépassé la ligne jaune, Sarkozy. Je ne suis pas un type rancunier. Je lui avais déjà pardonné de m'avoir manqué et même trahi. Mais là, il en fait trop. Il prend tellement d'excitants, vous savez. Il perd ses nerfs. Il me cherche des poux dans la tête, lance le fisc à mes trousses et arrose les journaux de dossiers contre moi [1]. »

C'était dit sous le coup de la colère et Sarkozy, depuis, n'a cessé de clamer sa bonne foi : « Ce n'est pas ma conception de la politique et puis, au départ, ça semblait être une petite affaire de rien du tout. Comment pouvait-on savoir tout ce qu'il y avait derrière ? En plus de ça, si on avait monté tout ça, les chiraquiens l'auraient établi et ne se seraient pas gênés pour me demander des comptes [2]. »

Dans le cas de l'affaire des HLM de Paris, c'est cependant du ministère du Budget qu'est venu le coup. Quand, après avoir enquêté deux ans sur la SAR, les agents du fisc ont rendu leur rapport, Sarkozy et son cabinet avaient le choix entre deux solutions. Ou bien négocier un arrangement à l'amiable avec le groupe Poullain. Ou bien saisir le parquet qui, alors, ouvrait une information judiciaire. Ils ont opté pour la seconde voie.

Sans doute peuvent-ils arguer qu'ils n'ont pas lancé eux-mêmes l'enquête, autorisée par Michel Charasse, le prédécesseur de Nicolas

---

1. Entretien avec l'auteur, le 31 mars 1995.
2. Entretien avec l'auteur, le 4 octobre 2005.

Sarkozy au ministère du Budget. Sans doute sont-ils en droit d'ajouter que la voie de l'information judiciaire était inéluctable, vu ce que le fisc avait découvert dans les comptes de la SAR.

Mais le mal est fait. Jacques Chirac considère que Nicolas Sarkozy est au moins à l'origine d'une « affaire », celle qui, avec quelques autres scandales, lui pourrira son premier septennat. Il note aussi que sous Méhaignerie, le garde des Sceaux, et Balladur, le juge Halphen a obtenu une vingtaine de réquisitoires supplétifs. De là à imaginer un complot qui portait la marque de l'ami Édouard, il n'y a qu'un pas, vite franchi, et qui explique en partie la suite.

On n'est jamais trop prudent. Jacques Chirac a toujours géré de loin le financement occulte du RPR. Il a mêmement suivi à distance le déroulement des batailles judiciaires entre les juges et les siens. Quand son ancien directeur de cabinet Michel Roussin vient le voir, après avoir démissionné du gouvernement Balladur pour cause de mise en examen, il est surpris par sa méconnaissance des dossiers.

« Méfiez-vous, dit-il au chef de l'État. Après cette affaire, vous aurez le scandale des marchés truqués des lycées d'Île-de-France. »

Sur quoi, Chirac ouvre de grands yeux : « Mais qu'est-ce que c'est que cette histoire ? »

Il ne joue pas la comédie, pour une fois. En la matière, il a toujours voulu ne pas savoir, avant comme après. Il suit avec soin la politique de l'autruche et se gardera donc d'avoir, dans l'avenir, des relations trop fréquentes avec Michel Roussin.

Il considère de surcroît que son ancien directeur de cabinet lui a manqué. Quelques semaines avant sa démission du gouvernement Balladur, il avait convoqué Michel Roussin pour lui demander de se prononcer publiquement en sa faveur à l'élection présidentielle. Devant le refus du ministre de la Coopération, Chirac s'était emporté : « Vous n'avez jamais eu de colonne vertébrale. Sortez ! »

Roussin est un déçu du chiraquisme. Docteur ès lettres et diplômé de l'École nationale des langues orientales, cet officier de gendarmerie à l'œil malicieux fut directeur de cabinet d'Alexandre de Marenches, chef mythique des services secrets français pendant les années Giscard. Il ne se sentait pas traité à sa juste valeur par Jacques Chirac qui, à l'Hôtel de Ville, en avait fait un mélange de majordome, de chargé de mission et d'homme de confiance qui, entre deux dossiers, devait, à l'en croire, faire pisser le chien ou chercher des médicaments pour Claude. Il ne se sentira pas mieux traité, ensuite, quand il fera face aux juges sans jamais desserrer les dents, avec cette loyauté jubilatoire qui, chez lui, va de pair avec un sens de l'honneur peu commun.

Pour Chirac, la loyauté n'engage que ceux qui en font preuve. Il ne lui donne donc pas un signe de vie et le fait recevoir par sa femme. Avec son avocat, Pierre Haïk, il aura, à la demande de la première dame de France, plusieurs réunions de deux ou trois heures où, consciente des dangers encourus, elle tentera d'aller au fond des dossiers. À travers Roussin, n'est-ce pas Chirac que les juges veulent atteindre ?

Dans les moments difficiles, c'est toujours Bernadette Chirac et elle seule qui appelle pour prendre des nouvelles ou redire son soutien. Sur le répondeur de Roussin, elle laisse souvent des messages, du genre : « Ici Bernadette C. J'espère que tout va bien. »

Quand Michel Roussin est mis en examen, avec Alain Juppé, dans l'affaire des emplois fictifs de la ville de Paris, Jacques Chirac le convoque mais son directeur de cabinet lui demande d'entrer par la Lanterne, c'est-à-dire de passer par le parc. Blessé, Roussin dira au président :

« Désormais, je rentrerai par la grande porte ou je ne viendrai plus. »

Alors, Chirac : « Désolé. Ça ne se reproduira plus. C'était un malentendu. »

On a peine à croire que soit un malentendu l'étrange coup de téléphone que passe Dominique de Villepin, en charge des « affaires » à l'Élysée, à Michel Roussin, une quinzaine de jours avant son incarcération dans l'affaire des emplois fictifs :

« Il faut que tu voies d'urgence notre ami commun, le tout-petit. Il va t'appeler dans un instant. Il a quelque chose d'important à te dire. »

Michel Roussin comprend tout de suite. Le « tout-petit », c'est l'avocat Francis Szpiner qui mène, avec Dominique de Villepin, la stratégie de l'Élysée concernant les « affaires ». Rendez-vous est pris avec lui près de la fontaine Saint-Sulpice, comme dans un roman de John Le Carré.

« Il faut que tu partes tout de suite, dit Szpiner à Roussin. Sinon, tu vas finir en prison. On s'est occupé de tout. Il y a un avion qui part pour Casablanca à 23 h 50. Tu connais des gens au Maroc. Après, tu te débrouilleras. »

Roussin refuse la proposition sans hésiter. Il est choqué qu'on la lui fasse. On ne lui enlèvera pas de la tête que l'Élysée a voulu le piéger : sans doute redoutait-on en haut lieu qu'il ne supporte pas la prison et finisse par parler. C'était mal le connaître. Mais Chirac et Villepin ne connaissent pas les leurs dès lors qu'ils sont dans la tourmente.

90

« L'homme qui ne s'aimait pas »

> « Il y a des moments où tout réussit. Il ne faut pas
> s'effrayer. Ça passe. »
>
> Jules Renard

Il a maigri d'une dizaine de kilos. Très vite, en quelques semaines. C'est sans doute pourquoi son regard est si souvent nimbé de tristesse et son sourire, un peu cassé. Avant la campagne présidentielle, il s'est mis au régime pour retrouver son éclat d'antan. N'était cette mélancolie qui l'imprègne, ce serait tout à fait réussi. Mais elle lui donne un charme nouveau.

L'âge est venu et son exubérance s'en est allée. Il est désormais capable de rester en place sans taper tout le temps du pied. Il prétend même avoir abandonné depuis longtemps les plaisirs de la chair et paraphrase volontiers Alfred Capus qui disait : « Vieux, moi ? Je peux encore faire l'amour deux fois de suite. Une fois l'hiver, une fois l'été. »

S'est-il enfin trouvé ? Encore faudrait-il qu'il se fût cherché. Il a toujours donné le sentiment de ne pas s'intéresser à lui-même. Éric Zemmour, journaliste au *Figaro* et auteur d'un livre excellent mais féroce qui connaît alors un grand succès, a trouvé, pour son titre, la formule qui, sans doute, le résume le mieux : *L'Homme qui ne s'aimait pas* [1].

Voilà sans doute pourquoi il est encore aimé par beaucoup de Français au terme d'un septennat raté, avant d'engager ce qui semble, de l'avis à peu près général, son combat de trop. Cet

---

1. *L'homme qui ne s'aimait pas*, Balland, 2002.

homme incarne un curieux mélange d'égotisme, de lucidité et d'auto-dénigrement. Il ne cultive pas la haine de soi, non, mais il est convaincu de n'avoir pas été à la hauteur. Sa présidence ne l'a pas décomplexé. Au contraire, elle l'a blessé. S'il a décidé de se représenter, c'est justement pour se laver de ses défaites et de ses affronts, notamment des échecs du gouvernement Juppé et de la dissolution.

En somme, il est dans une position qui ressemble à celle de la campagne de 1995. Mais en pire. Comme Balladur à l'époque. Jospin est la coqueluche des sondages et des médias. À la différence de son ex-ami de trente ans, le Premier ministre a toutefois du coffre, de l'expérience et une bonne connaissance du jeu politique. Il est le grand favori de l'élection présidentielle. Pour preuve, il ne se déplace plus sans une cour de journalistes énamourés qui, comme au temps de Louis XIV, font la roue autour de lui.

L'*homo politicus* en général et Jacques Chirac en particulier refont toujours ce qui leur a réussi une fois. Comme pour l'élection précédente, il prend tout le monde, y compris les siens, par surprise, quand il annonce sa candidature en Avignon, le 11 février 2002, au hasard d'un déplacement consacré aux initiatives et créations d'entreprise.

« En politique, dira quelques jours plus tard Chirac à l'auteur, on a souvent l'avantage quand on agit par surprise. Mais pour ça, il faut savoir cultiver le secret. Je crois beaucoup au secret. Ça peut être un atout considérable dans notre monde hypermédiatisé qui a l'obsession de la transparence. Quand j'ai reçu l'invitation de la maire d'Avignon pour une réunion de chefs d'entreprise, je me suis tout de suite dit que c'était ça, la bonne idée. Je voulais me déclarer en province et, en plus, j'ai toujours eu beaucoup d'amitié pour Marie-Josée Roig, un petit bout de femme qui a la passion de sa ville, le modèle de l'élue désintéressée : ça me réjouissait d'avance de lui faire ce plaisir. J'ai gardé mon petit projet dans un coin de ma tête et, jusqu'au dernier moment, je n'ai rien dit à personne. Ni à Claude ni à Dominique [1]. J'avais trop peur qu'ils vendent la mèche. Vous savez, parfois, il suffit d'un petit sourire ou d'un air entendu pour qu'une rumeur parte. Sans compter que les gens ont

---

1. Claude Chirac et Dominique de Villepin.

parfois besoin de se rendre importants : Dominique aurait été capable d'expliquer, avant, qu'il avait tout imaginé lui-même ! »

L'annonce de sa candidature, sobre et sans mise en scène, est une réussite totale. Il y a notamment tout ce qu'il faut d'émotion dans sa voix rauque quand il répond à une question de Marie-Josée Roig, mise dans la confidence peu auparavant : « Oui, je suis candidat. » C'est le soir, sur TF1, face au journaliste Patrick Poivre d'Arvor, que les choses se gâtent.

« J'ai fait une bêtise d'aller sur TF1, dira plus tard Chirac [1]. J'étais fatigué. Déjà que je ne suis pas un animal de télévision. Je me suis laissé trimbaler. »

Patrick Poivre d'Arvor ne cherche pas à le mettre mal à l'aise. Il l'interroge simplement sur les sujets qui s'imposent. Les « affaires ». Son bilan. La dissolution de 1997. C'est un homme las et sans ressort qui lui donne la réplique en ânonnant des réponses toutes faites. Passe encore, quand il reprend ses tirades habituelles contre les socialistes : « Nous sommes dans un pays où toutes les décisions, même les plus modestes, sont prises dans un bureau parisien, en fonction d'une idéologie. » Ou quand il s'auto-célèbre : « Personne ne conteste que j'ai donné à la France une image forte dans le monde. »

Ce qui frappe, c'est la pauvreté de son discours dès lors qu'il parle de ses motivations : « Ce qui me guide, c'est la passion de la France. J'aime la France, j'aime les Français [...]. La passion, ça ne se décrète pas, ça se renforce avec l'expérience. Je ne suis pas, je ne suis plus un homme de parti. Je veux être non pas le candidat d'une idéologie, non pas de la nostalgie, mais de la passion. »

Après le parler faux, voici le parler creux. En plus, il donne le sentiment de ne même pas y croire. À quelques semaines du scrutin, il n'a apparemment pas encore trouvé la botte secrète. Ni même les deux ou trois formules choc qui mobiliseront les foules. « J'ai une chance sur deux, dit-il à l'auteur. Non, moins que ça. Ce sera dur, très dur. J'ai beaucoup de monde contre moi. Les médias, la justice, l'establishment. Je n'arriverai à renverser la tendance que si je trouve le truc qui déclenchera tout. Le déclic. »

En attendant, le candidat patine et Antoine Rufenacht, son directeur de campagne, s'inquiète. Désigné à ce poste parce que,

---

1. Entretien avec l'auteur, le 29 novembre 2002.

selon le président sortant, il est « unanimement respecté », le député-maire du Havre n'est pas du genre à mâcher ses mots : « Chirac avait beaucoup de mal à quitter ses parapheurs pour se jeter à l'eau et entrer en campagne. Quand je lui disais : "Faut que tu bouges", il était très réticent. Il fallait toujours le violenter. »

Vision opposée à celle de Villepin qui assure que tout était programmé : « La chance de Chirac, c'était de vivre hors du système. Il se considérait comme prédestiné. Il savait où il allait. »

Réécriture de l'histoire ? Mis à part Villepin, tout le monde l'a vu tâtonner ou patauger pendant plusieurs jours. L'horizon commence à s'éclaircir après son premier déplacement de candidat, à Garges-lès-Gonesse, dans le Val-d'Oise, le 19 février 2002. Il est venu tester là son nouveau discours sécuritaire, avec des propos du genre : « Plus personne n'est à l'abri [...]. À la violence d'appropriation qui ne cesse de s'étendre, s'ajoute la violence d'agression, sans bornes, dont le but est de terroriser, de blesser, d'humilier ou de détruire. » Ou encore : « Le sentiment d'insécurité qui se propage finit par imprimer sa marque à toute la vie en société. Et, bientôt, c'est la crainte de l'autre qui en vient à chasser le besoin de l'autre. »

Comme le remarque Gilles Bresson qui est venu écouter pour *Libération* [1] son premier discours de campagne, lu au prompteur, devant un public trié sur le volet, Jacques Chirac, fine mouche, « s'est refusé à hausser le ton pour éviter de tomber dans le tout-sécuritaire et de se droitiser ». Ainsi déclare-t-il que, pour répondre à l'insécurité, « il faudra une volonté politique » et « une autorité sans faiblesse mais aussi beaucoup d'humanité et de force d'âme ». Tout est dit : l'apôtre de l'« impunité zéro » n'oublie jamais la prévention, qu'on se le dise.

Sitôt plantées, ses premières graines ont commencé à germer. Il le sent au retentissement de ses propos parmi les siens et dans l'opinion. A-t-il déjà trouvé le « truc » ? Le 4 mars, il remet ça au Val-Fourré, un quartier réputé difficile de Mantes-la-Jolie, dans les Yvelines. « On a laissé s'effacer les repères, les règles, les références », dénonce-t-il avant cette péroraison : « Depuis "il est interdit d'interdire" jusqu'à "c'est la société qui est violente", on a imprimé dans l'esprit des gens que c'était comme ça et qu'on n'y pouvait

---

1. *Libération*, le 20 février 2002.

pas grand-chose. C'est ça qui doit changer. Il n'y a pas de fatalité à ce que les gens soient agressés. »

Qu'importe si, au moment où il rejoint sa voiture pour retourner à Paris, des gamins s'écrient : « Supermenteur ! » Ou bien : « Chirac, voleur ! » Qu'importe s'il reçoit des crachats sur son grand manteau bleu marine. En dénonçant la « culture du laxisme et de la permissivité », il a marqué ses premiers points contre Jospin qui, un an plus tôt, déclarait benoîtement, comme s'il exonérait les délinquants : « C'est la société qui est violente. »

Jospin n'a pas pris la mesure du mécontentement qui monte dans le pays, contre sa politique de sécurité. Au lieu de ça, le Premier ministre s'arc-boute sur son bilan, pas particulièrement flambant en la matière. Après avoir baissé de 11,5 % sous Juppé, l'insécurité n'a-t-elle pas augmenté de 16 % pendant les trois premières années du gouvernement et de la « gauche plurielle » ? Sur cette question comme sur d'autres, il semble frappé du syndrome du sortant qui, enfermé sous ses lambris, nie tous les problèmes en célébrant son glorieux passé.

La sécurité permet aussi au président de ressusciter le clivage droite-gauche. Sur le reste, il ne parvient pas à accuser la différence avec le Premier ministre. Au point qu'un sondage Louis Harris-AOL pour *Libération* [1] a révélé que, pour 74 % des Français, Chirac et Jospin, c'est, pour reprendre une vieille formule communiste, « bonnet blanc et blanc bonnet ».

Certes, Lionel Jospin suit, sur le plan social, une ligne à gauche toute : des 35 heures à la loi de modernisation sociale qui freine les procédures de licenciement, il a même fait très fort. Mais dans le domaine économique, il apparaît aussi libéral qu'Alain Juppé. Il a même privatisé davantage que lui.

Quant à Jacques Chirac, il s'en tient, sur la plupart des sujets, au brouet radical-socialiste qui a fait sa fortune électorale pendant la campagne de 1995. Les siens ont tôt fait d'accuser sa fille Claude de le tirer à gauche par snobisme. À tort. C'est la pente du président et il ne craint plus, désormais, de se montrer à visage découvert.

N'était la politique de sécurité, Chirac peinerait à trouver des angles d'attaque contre Jospin. Son discours économique, notam-

---

1. *Libération*, le 25 février 2002.

ment, n'accroche pas. Les Français ont compris qu'avec lui, les promesses n'engagent jamais que ceux qui les reçoivent.

Toujours aussi prompt à donner sa parole qu'à la reprendre ensuite, le président annonce ainsi un assouplissement des 35 heures, un « Grenelle des simplifications administratives » et une baisse de 33 % de l'impôt sur le revenu en cinq ans. En matière de promesses, rien n'arrête jamais « Monsieur toujours plus ». Il est vrai que Jospin n'est pas en reste, qui, dans cette campagne, a gagné le prix du slogan le plus démagogique : « Zéro SDF. »

Chirac ose tout, lui aussi. Avec un stupéfiant toupet, il n'hésite même pas à déclarer, alors que tant de magistrats aimeraient pouvoir frapper à sa porte : « Moi, je ne suis pas du tout contre l'idée qu'on modifie la Constitution et qu'on dise : "Le président de la République peut être entendu par un juge" [...]. Mais alors, qu'on le fasse sérieusement [1]. » Ce sera encore une nouvelle occasion de se dédire.

Même s'il fait tourner à plein régime la machine à faire des promesses, sa campagne tarde à prendre son envol. Il n'a plus l'allant de 1995. Ni même la foi. Sept ans plus tard, il se contente de lire d'une voix monotone des discours lisses sur le prompteur placé devant lui, qu'il ne quitte pas des yeux. Il est en pilotage automatique.

Si ses propos de campagne sont si mortels, c'est aussi parce qu'il ne laisse aucune place à l'improvisation. La préparation des discours est devenue, pour son état-major, une épreuve plus redoutable que jamais. « C'est inouï, le temps qu'on a pu y passer, se souvient Antoine Rufenacht, le patron du staff. Il avait un canevas qu'il corrigeait mot après mot et appelait sans arrêt sa secrétaire qui retapait les paragraphes au fur et à mesure. Parfois, on passait un quart d'heure sur un adjectif. »

Tout Chirac est là, dans ce mélange de perfectionnisme masochiste et d'anxiété vétilleuse qui l'amène à tout polir et polisser. S'il parle en candidat de la droite réunifiée, il penche, si l'on ose dire, au centre. D'autant que François Bayrou, le candidat de l'UDF qui a refusé de rejoindre le giron du parti unique en cours de formation (l'Union en mouvement), mène une bonne campagne.

---

1. Entretien accordé à neuf lecteurs sélectionnés par quatre quotidiens du sud de la France, le 14 mars 2002.

Au fil des réunions publiques, Chirac reprend toutefois vie et confiance en lui-même. C'est ainsi que, le 3 avril, lors de son meeting de Bordeaux, le fief d'Alain Juppé, Raphaëlle Bacqué, l'envoyée spéciale du *Monde* [1], l'a vu « réagir à la salle, malgré la présence d'un prompteur, lever les bras, bouger les mains et sortir, en somme, de cette allure figée de chef d'État qui lit son discours ». Le titre de son article est prophétique : « Jacques Chirac retrouve les accents de sa campagne victorieuse de 1995 ».

1. *Le Monde*, le 5 avril 2002.

91
La vraie nature de Bernadette

> « La maison n'est pas fondée sur le sol, mais sur la femme. »
>
> Proverbe albanais

À peine nommé à la tête de l'état-major de campagne du président, Antoine Rufenacht annonce à qui veut l'entendre qu'il souhaite mettre en avant Bernadette, « carte maîtresse » de Jacques Chirac. Souvent, son idée jette un froid. Surtout à l'Élysée. Est-il sûr que le chef de l'État le souhaite lui-même ? On peut en douter. Mais le candidat se fait violence. À en juger par les sondages qui donnent tous Lionel Jospin vainqueur, il n'a pas le choix. Il faut tout essayer.

Bernadette est désormais *persona grata*. Ce sera la revanche de la présidente. Depuis un an déjà, elle est sortie du placard en publiant *Conversation* [1], un livre d'entretiens avec Patrick de Carolis, qui s'est vendu à plus de 300 000 exemplaires. Il est vrai que les lecteurs en ont eu pour leur argent. Ils ont découvert une femme rosse, crue et batailleuse, à rebours de l'image compassée qu'elle peut donner sur les photos officielles. Elle ne cache rien, même pas les frasques de son époux.

En 1998, après qu'eut couru dans le Tout-État la rumeur d'une liaison entre son mari et l'actrice Claudia Cardinale, elle a dit aux journalistes et photographes qui l'accompagnaient pendant une tournée électorale en Corrèze : « Pourquoi toute cette presse ? Je ne suis pas Claudia Cardinale ! »

---

1. *Conversation*, Plon, 2001.

Avec le temps, elle s'est fait une raison. Jacques Chirac, rapporte-t-elle dans son livre, « avait un succès formidable. Bel homme, et puis très enjôleur, très gai. Alors, les filles, ça galopait ». Elle reconnaît qu'elle fut « très » jalouse : « Il y avait de quoi, écoutez ! La chance de mon mari, c'est que j'ai été une fille très raisonnable, je crois. » Elle avoue même, à demi-mots, avoir « hésité » à le quitter. Mais bon, si elle a tenu, c'est parce qu'elle avait « une bonne dose de volonté, de ténacité et de persévérance ».

Sans doute lui aussi a-t-il « hésité » à la quitter. Souvent, très souvent, il est rentré à plus d'heure, chargé de parfums qui n'étaient pas les siens. Quand il ne s'est pas fait la malle en fin de semaine, sous des prétextes variés. Ou quand il n'a pas profité d'un sommet européen pour passer la soirée avec Silvio Berlusconi, en galante compagnie. N'empêche qu'il n'a jamais fugué longtemps. Sauf une fois quand il était à Matignon et qu'il avait pris un appartement avec une journaliste dont il fut éperdument amoureux. Jusqu'à ce qu'il rompe, à sa façon, du jour au lendemain, avec une brutalité inouïe.

Écoutons Bernadette Chirac : « Mon père m'avait dit : "Vous êtes son point fixe." La suite lui a donné raison. Mon mari est toujours revenu au point fixe. De toute façon, je l'ai plusieurs fois mis en garde : le jour où Napoléon a abandonné Joséphine, il a tout perdu. »

Jacques Chirac confirme volontiers la thèse du « point fixe » : « Nous autres les hommes, nous sommes comme les Cromagnon de la préhistoire, confie-t-il un jour à l'auteur [1]. Toujours à chasser et à courir la gueuse. Mais à la fin des fins, il nous faut retourner dans notre grotte. Moi, j'ai besoin de cette grotte pour me retrouver. Sans elle, je serais malheureux comme les pierres. »

Il ne peut pas se passer de Bernadette. Enfin, au téléphone. Quand il n'arrive pas à la joindre tout de suite, il demande de ses nouvelles à la secrétaire, au chauffeur ou à l'officier de police, avant de la faire chercher : où qu'elle soit, sa femme doit lui répondre.

Possessif, Jacques Chirac ? « C'est un fils unique, ironise son épouse [2]. Il n'est pas égoïste. Il est prêt à partager. Mais il faut toujours que les choses tournent autour de lui. » Pour preuve,

---

1. Entretien avec l'auteur, le 4 août 1995.
2. Entretien avec l'auteur, le 24 septembre 2003.

quand il lui demande de l'accompagner à une réception ou dans un voyage impromptu, elle doit obtempérer toutes affaires cessantes. Même si elle a des engagements importants. Sinon, elle s'entendra dire : « Vous êtes la femme du chef de l'État et tout ce que je vous demande passe avant le reste. »

A priori, elle a tout de la femme-potiche. Elle est du dernier bien avec toutes les princesses et sous-baronnes de Paris. Elle est de la plupart des grandes soirées mondaines que son mari a toujours ostensiblement boudées. Elle n'hésite pas non plus à jouer, à l'occasion, les représentantes de commerce de LVMH dont elle arbore la plupart des marques, de la tête aux pieds, avec des airs de reine d'un jour.

Mais ce n'est pas seulement une plante d'ornement. Elle parle beaucoup, sans afféterie, avec une sorte d'alacrité assassine. C'est pourquoi elle exaspère si souvent son mari qui, alors, la rudoie. Elle a tout entendu, y compris des accusations du genre : « Vous ratez tout et vous faites tout rater aux autres [1]. » Mais les colères de son mari ne durent jamais longtemps. « Il tourne très vite la page, note-t-elle [2]. Un soir, il vous dit des choses épouvantables et puis le lendemain matin, il est gai comme un pinson, sautant de branche en branche. Alors, ça donne ce dialogue entre nous. Lui : "Vous n'avez pas l'air en forme, on dirait." Moi : "Après ce que j'ai entendu hier soir, c'est normal." Lui : "Mais je n'ai rien dit !" Moi : "Eh bien, retirez-le !" »

Bernadette Chirac raconte ça en riant. Il est vrai qu'elle rit souvent, d'un rire un peu dur, parfois même méchant. Elle a subi trop d'avanies. Depuis des années, elle a eu à supporter, souvent seule, la tragédie de l'anorexie de Laurence. Pour la plupart des questions, elle n'a cessé de prendre sur elle, sans jamais laisser échapper une plainte ni une larme, se souvenant toujours d'une des phrases favorites de sa mère, qu'elle aime citer : « Vous pleurerez un autre jour. » La vie ne l'a pas aimée. Et son mari ?

Jacques Chirac l'aime, il n'y a pas l'ombre d'un doute. Mais il ne supporte pas de l'avoir trop longtemps dans son champ de vision. Un jour d'été, à Brégançon, en 2005, elle a lâché, sur ce ton grinçant qu'elle affectionne, à l'intention de son époux : « Non,

---

1. Cf. *Conversation, op. cit.*
2. Entretien avec l'auteur, le 24 septembre 2003.

mais vous vous voyez, une fois sorti de l'Élysée, prendre tous les matins votre petit-déjeuner en tête à tête avec moi ? »

Un observateur extérieur, Jean-Pierre Elkabbach, les a surpris un jour en vacances à l'île Maurice. Des vacances à la Chirac. Transat et soleil. Lui, faisant des fiches sur le Japon, entre deux roupillons. Elle, lisant en cachette un livre de Marie-France Garaud sur l'Europe, qui reprenait le chemin du sac à main chaque fois qu'il se réveillait. « Ils étaient comme chien et chat, se souvient Elkabbach, mais il y avait une grande tendresse entre eux. Pour l'épater, elle avait décidé de faire un long parcours à la nage, entre deux lagons. "Mais ma pauvre amie, s'était-il exclamé, vous allez couler comme un fer à repasser !" Avec son endurance, elle avait quand même fait l'aller et le retour. Hélas, il ne l'a pas vue revenir. Il ronflait. »

Il y a toujours entre eux un mélange de complicité et de rancœur. Ils s'insupportent mais ne peuvent se passer l'un de l'autre. En somme, un vieux couple. C'est toujours quand elle n'est pas là que Chirac l'aime le plus.

Elle le fascine aussi. Comme lui, Bernadette est une bête de terrain, toujours en action et à l'aise dans tous les milieux. Pas du genre à faire la pimbêche ou la renchérie. Quand elle a fini d'écumer les soirées chics du XVIᵉ arrondissement de Paris, elle patauge, en bottes, dans les cours de ferme de Haute-Corrèze. Élue et réélue conseillère générale du canton de Meymac depuis 1978, elle mène campagne, toute seule, dans une petite voiture rouge et obtient, à chaque scrutin, des scores qui impressionnent son mari. Tous ceux qui l'ont côtoyée, à la mairie de Paris puis au palais de l'Élysée, la voient de la même façon. Une dame de fer qui garde toujours les pieds sur terre. Le préfet Bernard Niquet, qui fut longtemps son plus proche collaborateur, n'hésite pas à dire : « Jamais, je ne l'ai surprise en train de flancher ou de défaillir. Jamais. » Elle sait faire semblant et sauver les apparences.

Comme elle ne se prend pas au sérieux, elle adore blaguer, pour détendre l'atmosphère. À cette époque, quand elle tourne en province, par exemple, elle dit souvent aux élus : « Mon collaborateur Bernard Niquet ferait un très bon candidat dans cette circonscription. D'ailleurs, il y pense. En plus de ça, il a des racines dans votre région. » Tête du notable local. De la même façon, elle a fait courir le bruit qu'elle envisage de se présenter à la mairie de Paris en 2001.

Encore un canular. Même s'il n'y a pas seulement de l'ironie quand elle laisse tomber une de ses phrases rituelles, d'une voix faussement plaintive : « Et moi, pourquoi je n'ai rien eu ? »

Il lui a fallu tailler sa route. À la mairie de Paris, c'était tout naturellement la maîtresse de maison. À la fois hôtesse, dame d'œuvres et mouche du coche politique. Au palais de l'Élysée, elle a dû se faire elle-même une place. À la force du poignet. Rien n'était joué d'avance. Même si elle a su donner le change, elle s'est sentie humiliée et bafouée pendant ses premières années de présidente : en 1995, à l'aube du règne, tout avait été mis en place pour la marginaliser, avec l'accord plus ou moins tacite de Jacques Chirac.

Cette année-là, Mme Chirac, c'était Claude. La fille avait une position statutaire. Membre du cabinet présidentiel, donc rémunérée par l'Élysée, elle était l'un des trois piliers de l'équipe, avec Jacques Pilhan et Dominique de Villepin. Du petit personnel aux conseillers techniques, tout le monde se tournait vers elle. Pour la communication, bien sûr, mais aussi pour l'intendance.

L'arrivée de Jacques Chirac à l'Élysée se traduisit donc par une mise à l'écart de Bernadette. Il n'y en avait plus que pour Claude qui faisait la pluie et le beau temps. C'est ainsi que la fille décida, avec Pilhan et Villepin, que sa mère ne participerait pas au déjeuner du chef de l'État avec les jeunes, le 14 juillet 1995. Elle aurait fait tache. Trop vieille, trop cruche, trop ringarde. Jacques Pilhan avait été chargé de lui annoncer la nouvelle en termes galants : « Si vous y allez, comprenez-vous, ça fera papa, maman et les enfants. »

Elle en avait été mortifiée. Elle n'a cessé d'essuyer, ensuite, des offenses de ce genre. Il lui faudra des mois et des mois pour remonter la pente. Notamment contre Dominique de Villepin qu'elle exècre et affuble de sobriquets de toutes sortes : « Néron », le « Grand Stratège », le « Monsieur assis dans son fauteuil Louis XV » ou encore le « Poète de mon mari ».

Lontemps elle s'est insurgée contre la place qu'avait prise Claude auprès de son mari. Elle la poussait à vivre une vie à elle. En Californie, par exemple, où sa fille prétendait avoir des projets, selon les jours, dans la publicité ou l'habillement. Mais Chirac n'imaginait pas la vie sans Claude. Il s'est rendu à elle.

Elle est revenue au premier rang grâce à un labeur acharné. « Fondamentalement, dit-elle à l'auteur [1], mon mari est un homme très positif et très optimiste qui pense toujours qu'il gagnera. Moi, je suis la porteuse de mauvaises nouvelles. Je sais que c'est assommant. Alors, je fais un tri. J'essaie de ne pas trop charger la barque. D'y aller par petites doses. Mais je lui dis tout, les loupés de ses amis, ses propres erreurs, les colères des gens du peuple. Je suis la voix de la base, de la France d'en bas. »

Ainsi est-elle redevenue une utilité pour Chirac. En labourant le pays et en lui rapportant tout ce qu'elle a entendu dans les provinces. « Il est si seul, ajoute-t-elle. Et ça ne s'arrange pas. Le pouvoir suprême isole affreusement. Il ne se partage pas, comprenez-vous. L'Élysée a tôt fait de se transformer en tour d'ivoire. C'est pourquoi mon mari a tellement besoin de gens comme moi, qui ne lui cachent pas la vérité. En plus de ça, je sais comment le prendre. Si on a des choses désagréables à lui dire, il faut toujours lui parler le matin. Jamais le soir, où il n'entend rien. »

La campagne présidentielle de 2002 aura été son apothéose. « J'ai circulé un maximum, dit-elle fièrement. Et j'ai écouté, parce que je suis une modeste femme de terrain. J'ai entendu le ras-le-bol des gens sur l'insécurité. Même des communistes m'ont dit qu'ils allaient voter Le Pen. Ils n'en pouvaient plus, que voulez-vous. Ils avaient le sentiment que ces questions ne pouvaient être traitées ni par la droite ni par la gauche. » Elle a donc pronostiqué un gros score pour le candidat du Front national. Elle a même dit à qui voulait l'entendre qu'il serait au second tour.

Moyennant quoi, le soir du premier tour sera une sorte de consécration pour Bernadette. En apprenant que Jean-Marie Le Pen devance Lionel Jospin qui, du coup, est éliminé pour le second tour, Jacques Chirac laisse tomber devant les siens : « Il n'y a qu'une seule personne qui avait prévu ça. C'est Bernadette. »

Alors, Bernadette : « Mais je ne le souhaitais pas, Jacques ! »

Les jours suivants, le président ne ratera jamais une occasion de saluer la perspicacité de son épouse. Désormais, elle n'est plus la dernière roue du carrosse. Elle est même davantage que la première dame de France. Une partenaire. Une sorte d'alter ego. Enfin, une femme, sa femme.

---

1. Entretien avec l'auteur, le 24 septembre 2003.

92

La stratégie de Louvois

« Amitié de cour, foi de renards, société de loups. »
Chamfort

Souvent, quand elle croise Dominique de Villepin dans les couloirs de l'Élysée ou dans le grand escalier qui mène au premier étage, Bernadette Chirac lui balance une vacherie. Elle tient le secrétaire général pour responsable de la dissolution de 1997. Des années après, elle ne lui a toujours pas pardonné.

Pour elle, Villepin est le mauvais génie du chef de l'État. Sans doute lui en veut-elle d'avoir longtemps œuvré à sa marginalisation. Mais elle lui reproche, surtout, de se comporter en homme de cour, exagérant au lieu de les contredire les lubies ou les mauvais penchants de son mari.

À la cour comme à la mer, il faut sentir le vent. Villepin le sait. Certes, il n'a rien du courtisan mielleux et collant qui s'aplatit devant son prince. Il met les formes. Il est, en vérité, trop bravache pour se courber trop bas, du moins devant témoin. Mais il n'est jamais en retard d'une flatterie et donne du « Monsieur le président » bien sonore à chaque phrase ou presque.

Sa grande réussite est d'être parvenu, en sept ans, à faire le vide autour de lui, à l'Élysée. À la fin du septennat de Chirac, plus une tête ne dépasse. Il est vrai qu'au début, il avait écarté toutes celles qui auraient pu lui faire de l'ombre. D'où la mésaventure qui est survenue à Jean-Eudes Rabut.

Un homme de confiance rayé, du jour au lendemain, de l'épopée chiraquienne. Né en 1954, il a d'abord travaillé à la préfecture de Paris avant d'entrer dans l'état-major de la mairie, en 1984, et de

703

devenir chef de cabinet de Jacques Chirac, de 1986 à 1995. Quand tout le monde ou presque avait lâché le député de Corrèze en faveur d'Édouard Balladur, il tenait bon. S'il n'en était resté qu'un, ç'aurait pu être celui-là.

Sa proximité est si grande avec Chirac qu'il est seul avec lui dans les grandes occasions, comme l'annonce de la liste du gouvernement Balladur, en direct, à la télévision. Historiquement, c'est lui aussi qui a appris au maire de Paris, le 7 mai 1995, à 18 h 29, qu'il était élu président de la République. Il est de surcroît du dernier bien avec Bernadette, avec qui il déjeune de temps en temps. Elle n'a jamais cessé de lui tresser des lauriers.

Le lendemain de l'élection, Jean-Eudes Rabut demande à Jacques Chirac : « Comment fait-on ? » Alors, l'autre, un peu gêné : « Allez voir Villepin. »

Rabut va donc voir Villepin qui lui dit sans ambages : « On n'a pas besoin de vous à l'Élysée. »

Le chef de cabinet n'en croit pas ses oreilles. Après onze ans de bons et loyaux services, on ne peut pas le traiter comme ça, ce doit être une erreur. Il se précipite donc dans le bureau de Jacques Chirac pour lui faire le compte rendu de sa conversation avec Dominique de Villepin, le futur secrétaire général de l'Élysée.

Le président se défausse : « Je ne me mêle pas de la composition de l'équipe de l'Élysée. » Il lui a dit ça les yeux dans les yeux, comme chaque fois qu'il profère un gros mensonge. Pas d'autre explication. « Bien entendu, ajoute-t-il, je ne vous laisserai pas tomber. Réfléchissez à ce que vous avez envie de faire. »

Jean-Eudes Rabut ne sera même pas invité à la passation de pouvoir. Oublié, jeté, effacé. Tant il est vrai que le système chiraquien est sans pitié. Le chef de cabinet est si blessé qu'il ne laisse pas au président élu le soin de s'occuper de son reclassement. Il se trouvera lui-même un point de chute en appelant son ami Christian Blanc, président d'Air France, qui le nommera à la tête d'une de ses filiales. Après quoi, il mènera une belle carrière dans le privé.

Il n'est certes pas proscrit. Bernadette Chirac l'invite toujours à déjeuner et lui dit même une fois : « S'il n'avait tenu qu'à moi, vous seriez à la place qui vous revient dans cette maison qui est si mal tenue. » Quand il a le temps, ce qui n'est pas fréquent, le président lui-même reçoit son ancien collaborateur pour lui confirmer son affection. Un jour, il a même tancé Villepin qui, croisant Rabut dans la salle d'attente, l'avait traité d'un nom d'oiseau, sans doute pour lui couper l'envie de revenir à l'Élysée. « Je vous interdis de lui parler comme ça, avait dit le chef de l'État au secrétaire général. Jean-Eudes est un homme d'une honnêteté scrupuleuse qui mérite le respect et la considération. »

De la même façon, Dominique de Villepin est parvenu à régler son compte à Jean-Pierre Denis, secrétaire général adjoint à la présidence de 1995 à 1997. Un ancien de la mairie de Paris, lui aussi. Un inspecteur des Finances qui a le défaut d'avoir un gros carnet d'adresses, qu'il entretient avec soin. Il est notamment très proche de Jean-Marie Messier. Ancien conseiller technique d'Édouard Balladur, dont il est resté un fidèle, Messier s'est recyclé depuis dans la finance puis l'industrie. Mais il est devenu aussi l'une des bêtes noires du chef de l'État.

Villepin n'a pas supporté que Denis lui soit imposé comme bras droit. Après l'avoir accusé de tout ou presque, il finira par obtenir sa tête. Dès lors, il aura un cabinet à sa main : tous les collaborateurs de l'Élysée ont compris que le secrétaire général finit toujours par avoir gain de cause. Le chef de l'État n'a plus la force de lui résister.

Pour se donner un peu d'air, Jacques Chirac a fait entrer dans le staff présidentiel Jérôme Monod, qui a pris sa retraite de la présidence du conseil de surveillance de Suez-Lyonnaise des eaux. Ce ne fut pas sans peine. Quand le chef de l'État lui a proposé de le rejoindre, Monod a laissé tomber : « Trouves-en un autre. Je suis trop vieux.

— J'ai besoin de quelqu'un qui s'occupe des politiques à l'Élysée. Je n'ai personne pour ça.

— Je ne connais que les grands-pères. Pas les types d'aujourd'hui.

— Ils te connaissent. Tu as réussi. Ils n'ont plus confiance, tu peux les ramener vers nous et les conduire à s'unir. Devant ses tribus, Gengis Khan disait que la flèche seule se brise. Il faut mettre toutes les flèches ensemble, l'une contre l'autre, pour en faire un bouclier. »

Depuis, Monod, l'anti-Villepin, s'est attelé à deux tâches : dénicher les nouveaux talents de la droite et créer son grand parti unique. Deux tâches qui, pour l'heure, laissent froid Villepin. Il a d'autres priorités.

Si Villepin a pris le contrôle du cerveau présidentiel, ce n'est pas seulement parce qu'il a su amadouer Claude, asphyxier l'entourage, éliminer les rivaux, promouvoir les nigauds, ou fermer la porte de l'Élysée aux nouveaux talents de la droite, qu'il couvre de sarcasmes. C'est surtout parce qu'il a su se rendre indispensable.

Pour ce faire, Villepin utilise une méthode vieille comme le monde qui, dans l'Histoire, a souvent réussi aux courtisans. Rien de plus transparent que son jeu : provoquer les crises ou les exagérer pour mieux les régler ensuite. C'est ainsi qu'il a pris le pouvoir. À l'Élysée et jusque dans le cortex du chef de l'État.

Il ne fait que dans le grandiose et la démesure. Il boit et mange comme quatre. Il prétend écrire tout seul, et sans l'aide du moindre « nègre », *Une histoire de France* de plusieurs milliers de pages qui damera le pion à Tocqueville, Quinet, Michelet, Bainville et aux autres. Il parle de la France avec ce langage de charretier qu'on attribuait à de Gaulle : « La France a l'air à la ramasse. Mais observez-la de près. Elle a les jambes écartées. Elle attend désespérément qu'on la baise : ça fait trop longtemps que personne ne l'a honorée. » Il dit pis que pendre du malheureux député qui vient de quitter son bureau : « Comment faire confiance à un type qui a commencé comme conseiller général ? »

À la fin du premier septennat, Villepin ne sait toujours pas où il trouvera la gloire qui se fait tant attendre. Il se voit tour à tour, dans une même journée, scénariste à Hollywood, grand patron d'un groupe de presse, président de la République, essayiste à succès ou PDG d'une société de ventes aux enchères, mais les années passent et il semble de plus en plus souvent rongé par un mélange d'aigreur et d'avidité forcenée. Cet homme est en guerre perpétuelle.

C'est Louvois ressuscité, avec le même mélange de « hardiesse » et de « présomption ». Louvois qui, à en croire Saint-Simon [1], « abattit tous les autres, sut mener le roi où et comment il voulut, et devint en effet le maître ». Louvois qui, un jour, se jeta à genoux devant Louis XIV en lui demandant de le tuer s'il ne faisait pas la guerre contre toute l'Europe. Villepin aussi a besoin d'être sans cesse en campagne. Contre les moulins à vent, contre ses rivaux en

---

1. « Terrible conduite de Louvois pour embarquer la guerre générale de 1688 », *Mémoires*, 1715, La Pléiade, tome V.

puissance et contre les ennemis du président qui, au crépuscule de son mandat, se déchaînent.

Il est ainsi devenu auprès de Chirac le chef du « cabinet noir », selon *Le Monde*. En fait, l'homme en charge des « affaires ». Il a beaucoup de travail, sur ce plan. C'est pratiquement devenu un plein-temps. Il faut anticiper les coups, menacer les directeurs de journaux ou préparer les contre-feux. Il hurle et tonne comme l'officier qui défend son piton, avec un pathos où éclate cette virilité infantile qui est sa marque de fabrique et qui prête tant à sourire.

Le président observe de loin cette marée des « affaires » qui monte tous les jours davantage. Mais il sait gré à son secrétaire général de s'être emparé du dossier et de défendre sa cause avec une telle vigueur. C'est peut-être pourquoi il a mis son nom, avec celui de Raffarin, Sarkozy, Fillon et Douste-Blazy, dans la liste des « Premier-ministrables » qui trotte dans sa tête et qu'il donne parfois à ses visiteurs pour voir leurs réactions.

Le moins que l'on puisse dire est que Villepin ne fait pas un tabac.

93

Le vice et la vertu

« J'aime mieux un vice commode qu'une fatigante vertu. »
Molière

Chirac n'est plus Chirac. Tout au long de cette campagne, il y a quelque chose de cassé en lui. Dans la voix, sur le visage, jusque dans son maintien, un peu courbé, parfois. Même quand les sondages remontent, il imagine la perspective de la défaite et en parle volontiers, avec un mélange d'ironie et de tristesse : « Je ferai des voyages et cultiverai mes jardins secrets. J'irai faire des fouilles archéologiques en Chine, je remonterai le temps pour vivre dans ces civilisations disparues sur lesquelles nous marchons. »

Et les juges ? Il sourit et change de sujet. Il ne semble pas tracassé plus que ça par la perspective de les voir débouler à sa porte sitôt qu'il sera redevenu un citoyen ordinaire. Non, ce qui le chiffonne le plus, c'est cette détestation qu'il sent monter contre lui, dans le pays.

« Pourquoi tant de haine ? demande-t-il à haute voix, devant l'auteur, quelques jours après sa déclaration de candidature, en roulant de gros yeux étonnés. Les bras m'en tombent. Il y a certes l'usure du pouvoir. Je suis dans le paysage depuis si longtemps que les Français en ont soupé de moi, beaucoup ne peuvent plus me voir en peinture. C'est un peu normal. Mais avez-vous vu tous ces livres, tous ces articles, toutes ces émissions qui me présentent comme un personnage maléfique, un affairiste de la pire espèce, une vieille crapule dépassée par les événements ? Je ne les lis pas, je ne les regarde pas, mais on me les résume. C'est du délire ! Que puis-je faire contre ça ? Rien. »

Un silence, puis : « Mais ce n'est que de la pluie, ça finira par glisser. »

En attendant, ça tombe dru. En 2002, l'anti-chiraquisme, primaire ou pas, est devenu l'idéologie dominante de l'édition et des médias. Les titres des livres donnent le ton : *Noir Chirac*, *Zéro politique*, *La Machine à trahir*... Quant à la presse, elle réserve au président le même traitement qu'à Mitterrand à son couchant.

La curée a commencé longtemps avant la campagne. Il a tout subi. Le persiflage et les ricanements habituels mais aussi des accusations terribles de concussion ou de corruption. Parmi tous les coups qu'il a reçus, l'un des moindres n'a pas été le reportage de Claudine Vernier-Palliez paru dans *Paris-Match*[1] sur ses fastueuses vacances dans l'un des plus beaux palaces du monde, le Royal Palm, fréquenté par la jet-set internationale.

Où est passé le président-citoyen qui, en 1995, prétendait en finir avec les dérives monarchiques ? Qu'est devenu celui qui déclarait lors du premier Conseil des ministres de son septennat que l'« exemple doit venir d'en haut » et que « l'État doit afficher sa modestie » en réduisant « son train de vie » ? Il passe des vacances à plus de 20 000 francs la nuit, tarif hors saison, dans un lieu fréquenté par le roi Carl Gustav et la reine Silvia de Suède, Boris Becker ou Catherine Deneuve.

Des vacances de nabab, décrites par le menu et avec une ironie corrosive par Claudine Vernier-Palliez qui fait parler tout le monde. La masseuse : « Le président n'est pas un angoissé. On voit qu'il a l'habitude de se faire masser. » Les marchands de la plage, aux pieds nus : « Le président est riche. Il a plein de gros billets de banque dans sa poche et sa femme ne marchande jamais. »

À la lecture de cet article, Jacques Chirac, alors au Royal Palm, pique une grosse colère dont les échos retentissent jusqu'au siège de *Paris-Match* qui lui présentera ses « excuses » pour avoir publié « en légende » des informations « inexactes » comme l'achat d'un tapis de soie qu'il n'aurait, en fait, jamais effectué. Mais bon, le mal est fait.

Un mois plus tard, nouvelle avanie, la presse fait état d'une rumeur qui court depuis le début de l'été, aux sommets de l'État. Le président a beaucoup grossi, ces temps-ci. De la tête, surtout. Il

---

1. Le 10 août 2000.

709

est désormais pourvu d'un double menton proéminent. Les pommettes et les paupières ont suivi le mouvement. N'était sa démarche encore assurée, on dirait Georges Pompidou à son couchant. C'est pourquoi les médecins interrogés par les gazettes [1] diagnostiquent tous un œdème facial, provoqué par un traitement prolongé à la cortisone.

De quoi souffre-t-il ? D'un cancer, pardi. Sa voix, de plus en plus éraillée, renforce les soupçons. Si certains médecins parlent d'une pathologie du larynx, beaucoup n'hésitent pas à évoquer un polype malin, planté dans ses cordes vocales, ou un cancer de la gorge, ce qui ne serait pas vraiment étonnant pour le grand fumeur qu'il a été.

Claude Chirac dément ces racontars avec humour : « Que voulez-vous, on ne peut pas l'empêcher de manger. » Le président lui-même répète à la cantonade : « C'est vrai que j'ai un peu forci. Mais je bois trop de bières et je n'arrive jamais à résister à un bon plat. On ne se refait pas. »

Ces dénégations ne convainquent personne. La rumeur durera le temps d'une saison avant de s'étioler, quand, après un régime minceur, le chef de l'État retrouvera sa ligne d'antan. Entre-temps, la diffusion et la publication du « testament » de Jean-Claude Méry, l'homme-orchestre de l'affaire des HLM de la capitale, auront contribué à ternir davantage encore l'image présidentielle. Il n'est plus que l'ombre de lui-même quand *L'Express* révèle que le parquet de Paris a découvert un *nouveau scandale*, le 22 juin 2001 : Jacques Chirac aurait fait régler, en espèces, pour lui-même et son entourage, quelque 2,4 millions de francs de billets d'avion et de frais de voyage, entre 1992 et 1995. Encore une affaire de corne-cul qui met au jour le grand train mené par le président-citoyen aux poches pleines.

Il est comme Mitterrand. Il n'aime que le liquide, en grosses coupures qui plus est. Au point qu'à la messe, il lui faut souvent racketter ses voisins, pour la quête. Le montant des billets tout neufs, en liasses, dans sa poche de veste, ferait mauvais genre auprès du bedeau.

Ce sont les juges en charge du dossier HLM de Paris qui ont épinglé le chef de l'État, prétextant que ces voyages auraient pu

---

1. *VSD*, le 27 septembre 2000.

être payés avec de l'argent issu de commissions occultes. Ils en ont profité pour demander l'audition du président. Mais l'Élysée a tout de suite trouvé la parade : bon sang, mais bien sûr, le liquide provenait des fonds secrets ou, pour reprendre la terminologie officielle, de « primes perçues par Jacques Chirac en sa qualité de Premier ministre ».

On croit rêver. Jacques Chirac aurait quitté les palais officiels, en 1988, avec assez de fonds secrets pour continuer à les dépenser des années plus tard ? Rares sont ceux qui croient à ces billevesées. Mais enfin, le président a réussi à faire diversion en déportant le débat sur les fonds occultes de la République, dont ses serviteurs patentés, à droite comme à gauche, remplissent leurs valises à tout-va, sans contrôle aucun. Bien joué.

Le 14 juillet 2001, Jacques Chirac met un terme à l'affaire avec une grande désinvolture, en contestant les sommes évoquées : « Ce n'est pas qu'elles se dégonflent, c'est qu'elles font "pschitt", si vous me permettez l'expression. » Après l'adjectif « abracadabrantesque » qui avait servi à commenter le « testament » de Jean-Claude Méry, voici une autre formule qui fera florès. C'est désormais la méthode Chirac face aux « affaires » : trouver le mot qui frappe pour retourner la situation.

Après l'affaire des billets d'avion, les relations entre l'Élysée et Matignon deviennent très tendues. Un jour, lors d'une rencontre du mercredi, avant le Conseil des ministres, le président demande à Lionel Jospin des comptes à propos d'une enquête commandée aux services secrets (la DGSE) sur la nature de ses voyages répétés au Japon. Une quarantaine de visites au moins.

C'est un officier de la DGSE qui est venu vendre la mèche à l'Élysée : les services secrets ont appris que le chef de l'État détenait un compte bancaire au Japon et en ont tiré toutes sortes de conclusions.

La première est que Chirac dépose sur ce compte l'argent de la corruption – il s'agit, en fait, de sommes versées par une fondation pour ses voyages [1]. La deuxième est qu'il a une autre vie au Japon

---

1. Étant l'un des six conseillers internationaux du prix Impérial, décerné à un artiste de renommée mondiale par le groupe de presse Fuji-Sankei, Jacques Chirac reçoit, à ce titre, une indemnité annuelle de 100 000 dollars, officiellement pour couvrir ses frais de séjour.

– mais il en a tant. La troisième est qu'il a, de surcroît, un enfant naturel japonais.

Une fille. Enfin, une jeune fille, pour être précis : elle aurait dans les vingt ans. Sa mère serait proche de la famille impériale. De la même façon, on prête au chef de l'État un fils marocain de quelques années. Sa mère serait proche, elle aussi, de la famille royale. Mais on ne prête qu'aux riches...

Le chef de l'État est bien décidé à ne pas laisser passer cela. Le général Rondot, l'homme des affaires secrètes sous la droite comme sous la gauche, est aussitôt mis au parfum. Il informe alors Alain Richard, le ministre socialiste de la Défense, qui lui demande d'enquêter. À peu près au même moment, le président le convoque parce qu'il veut, lui aussi, savoir qui, au sommet de l'État, a lancé les investigations.

Philippe Rondot dépose rapidement ses conclusions : plusieurs agents de liaison de la DGSE ont en effet commencé à enquêter sur la nature des liens du chef de l'État avec le Japon. S'agit-il d'un complot fomenté depuis Matignon par Alain Christnacht, en charge des services secrets auprès de Lionel Jospin ? Même si le général ne le dit pas, l'Élysée en est convaincu. D'autant que Jean-Claude Cousseran, le patron de la DGSE, l'un des meilleurs diplomates français, est un homme de gauche convaincu.

À quoi Matignon répondra que l'enquête du général Rondot a été menée à la requête d'Alain Richard qui avait prévenu Lionel Jospin. Mais Jacques Chirac croit à la bonne foi d'Alain Richard, un « homme d'une grande loyauté ». Pas à celle du chef du gouvernement.

À en croire Chirac, c'est la seule fois qu'il a élevé le ton contre son Premier ministre, lors d'un tête-à-tête. Il l'a accusé d'avoir lui-même fait rechercher des informations au Japon sur le prétendu enfant illégitime qui expliquerait sa fièvre japonaise. Pour l'histoire, il lui a adressé, dans la foulée, une lettre où il détaille les résultats de la contre-enquête, lettre à laquelle Jospin répondra sur le même ton offensé.

« Ce n'est pas convenable », dit, outragé, Chirac à Jospin. Formule benoîte qui signifie, dans sa bouche, que les bornes ont été dépassées.

« Des gens de la DGSE, dira-t-il [1], avaient été envoyés au Japon par l'État français pour y identifier mon soi-disant enfant naturel et mes prétendus comptes bancaires. J'ai prévenu très clairement Jospin que si ce type d'opérations était poursuivi, je ferais un scandale public. Pour moi, ce comportement relevait de ce dont de Gaulle avait accusé Monnerville : de forfaiture. C'est pour ça que j'ai tout de suite viré le patron des services secrets après ma réélection. Pas rancunier, j'en ai quand même fait un ambassadeur en Égypte. »

Est-il sûr de l'implication de Jospin dans ce complot avorté ? « Jospin est un homme très intelligent, répondra Chirac. Mais il est aussi très dissimulé.

— Fourbe ?

— Non, ce n'est pas le mot approprié. Mais le fait est que je n'étais pas en confiance. »

Jospin non plus. Il est lui-même l'objet d'une campagne sur son passé trotskiste qu'il niait effrontément en 1995 (« Je n'ai jamais été trotskiste »), mais qu'il est obligé de reconnaître aujourd'hui, à la suite de révélations à répétition. Il est désormais établi qu'il a fait partie, au début des années soixante, de l'Organisation communiste internationaliste (OCI) et qu'après son adhésion au PS, en 1971, il a maintenu le contact avec elle jusqu'en 1987.

Il a beau répéter : « Il s'agit là d'un itinéraire personnel, intellectuel et politique dont je n'ai eu en rien à rougir », il a du mal à convaincre. On le sent à la peine quand, pour expliquer qu'il cachait cet engagement, il dit sans rire : « Je crois que cela n'intéressait personne [2]. »

N'était ce mensonge, nul ne songerait à mettre en question l'intégrité de Lionel Jospin. C'est la vertu faite homme. Jamais, contrairement à tant d'autres, il n'a confondu son portefeuille et les caisses de l'État. Chez lui, pas l'ombre d'une trace d'enrichissement personnel. Il est l'incarnation vivante de la République modeste, propre et irréprochable.

Mais la statue est ébréchée et les chiraquiens tapent comme des malades sur l'échancrure. Jean-Pierre Raffarin, ancien ministre d'Alain Juppé, sénateur et président du conseil régional de Poitou-

---

1. Entretien avec l'auteur, le 29 novembre 2002.
2. Devant l'Assemblée nationale, le 5 juin 2001.

Charentes, met les rieurs de son côté quand il dénonce une « campagne de déstabilisation » contre le chef de l'État, animé par une « sorte de réseau SOS-trotskiste ». « Tout cela est pitoyable », commente-t-il dans un entretien au *Parisien*[1] avant de laisser tomber : « Si la campagne présidentielle devient une bataille de nerfs, je crois que Chirac est le plus solide. »

Faut-il voir la main de Jospin derrière les « affaires » qui empoisonnent la campagne du président ? Pas sûr. Mais les partisans du Premier ministre ne restent pas inactifs. Jusqu'aux dernières semaines, ils balanceront des bouteillons dans les pattes du chef de l'État. Ainsi ce rapport provisoire de l'inspection générale de la ville de Paris publié par le *Canard enchaîné*, selon lequel les dépenses d'alimentation et de tabac du couple Chirac à la mairie se seraient élevées, de 1987 à 1995, à près de 14,5 millions de francs (2,21 millions d'euros), dépenses souvent réglées, de surcroît, en espèces.

C'est ce qu'on appellera, dans un langage qui évoque celui de 1789, l'affaire des « frais de bouche ». La publication de ce rapport commandé par Bertrand Delanoë, le nouveau maire socialiste de Paris, tombe à pic, à moins de trois semaines du premier tour, le 3 avril très exactement. Elle est censée écorner encore un peu plus l'image du président qui, apparemment, ne se serrait pas la ceinture, bien au contraire, quand il était le premier magistrat de la capitale.

On en apprend de belles, dans ce rapport. Par exemple, que les Chirac dépensaient cinquante-six euros par jour en thé, infusions et confitures. « Soyons sérieux, s'insurge Chirac avec aplomb, le 4 avril, naturellement que nous n'avons pas reçu cet argent. Pour le tabac, ajoute-t-il avec un sourire, au moins, je ne fume pas. »

Dans les cuisines de l'Hôtel de Ville, il y a du coulage, du carottage ou, à tout le moins, du laisser-aller. Mais l'opération de Bertrand Delanoë fera chou blanc. Non que les Français aient gobé les démentis de Jacques Chirac. À tort ou à raison, ils le trouvent simplement plus sympathique que Lionel Jospin. Pour le reste, ils ne se font aucune illusion, la messe est dite depuis longtemps. Une affaire de plus ou de moins ne changera pas leur jugement.

Une campagne présidentielle n'est pas un concours de vertu. C'est le grand tort de Lionel Jospin d'avoir cru que Jacques Chirac

---

1. Le 27 juillet 2001.

n'était pas « qualifié moralement » pour faire un nouveau mandat. La France n'est pas la Scandinavie et la politique n'y a rien d'une science morale. Sinon, le candidat socialiste aurait fait un tabac.

94

La résurrection du « Vieux »

« On ne frappe pas un homme à terre, il risque de se relever. »

André Roussin

Ce n'est pas Jacques Chirac qui a gagné l'élection présidentielle de 2002, mais Lionel Jospin qui l'a perdue. Le 10 mars très précisément, dans l'avion qui le ramenait de la Réunion à Paris. Pour son voyage, le Premier ministre était accompagné d'une quinzaine de journalistes. Sur le chemin du retour, il a accepté de parler à bâtons rompus avec eux. Et c'est là que tout s'est noué.

Pour commencer, il profère, à propos du président, quelques banalités, du genre : « Sa réélection ne serait pas une bonne chose pour le pays. » Puis le ton se durcit et les journalistes n'en croient pas leurs oreilles. Voilà que le Premier ministre déclare, entre autres gracieusetés : « Chirac a perdu beaucoup de son énergie et de sa force. Il est fatigué, vieilli, victime d'une certaine usure du pouvoir. Il est marqué par une certaine passivité. »

Tollé à droite et malaise à gauche. En se laissant ainsi aller, Lionel Jospin a permis au chef de l'État de se poser en victime et de prendre, dans le même temps, de la hauteur. Surtout, il l'a réveillé. « Quand il a appris le dévissage du chef du gouvernement, il a été transformé, rapporte Antoine Rufenacht, le patron de sa campagne. C'était comme si ça lui avait donné la motivation qui lui manquait. » À peine a-t-il vent de l'impair de son Premier ministre qu'il rajoute quelques phrases dans un entretien à paraître dans Le Figaro : « On voit utiliser toute la gamme des rumeurs et des pseudo-affaires et on constate que certains candidats privilégient l'agressivité, l'arrogance et le mépris sur la proposition et la réflexion. J'invite chacun à garder son sang-froid. »

« Vieilli », Chirac ? Il partait battu. Piqué au vif, il retrouve, soudain, sa combativité. D'abord, le 11 mars, lors d'un entretien télévisé sur France 2, où il répond à Jospin, sur un ton grinçant : « Dans un premier temps, cela m'a fait sourire et, je vais vous dire la vérité, dans un deuxième temps, je n'ai pas souri, pas du tout. Pas pour moi, naturellement, mais pour les Français. J'ai engagé la campagne, il y a un mois. J'ai fait des propositions que je croyais utiles. Et qu'est-ce que j'entends ? Des propos sur le physique, le mental, la santé... C'est tout de même un peu curieux, c'est une technique qui s'apparente un peu au délit d'opinion, même presque au délit de sale gueule ! »

Il pète le feu, tout d'un coup. Il accuse la gauche d'avoir « engagé une stratégie » pour l'« abattre, et ceci par tous les moyens ». Dans la foulée, il s'en prend avec virulence au bilan de Jospin : « Les statistiques de l'Union européenne montrent que nous sommes le douzième pays pour ce qui concerne la richesse par habitant. Nous étions, il y a encore quelques années, le troisième ou le quatrième. Nous avons décroché parce que nous travaillons de moins en moins. »

Chirac, enfin, est de retour : Jospin l'a regonflé à bloc. Le 12 mars, pour son premier meeting de campagne, à Marseille, il fait un tabac, après que Jean-Claude Gaudin, le maire de la ville, a enfoncé le clou jospinien : « Nous ne voulons pas d'un homme méprisant, arrogant, nous ne voulons pas de l'homme qui s'aimait trop. » Le président cogne dur. Contre l'idéologie socialiste : « La France est son dernier refuge dans l'Europe d'aujourd'hui. » Contre les 35 heures : « Ce qui est absurde et pervers, c'est la volonté de tout régenter, de manière autoritaire, autiste et uniforme. » Contre la politique de sécurité du gouvernement : « Une certaine naïveté, un certain angélisme [ont] prévalu. »

Quelques jours plus tard, les vents ont tourné : la cote de Jospin se tasse dans les sondages. Au point que le Premier ministre décide de faire sa repentance. Le 19 mars, il déclare à la journaliste Élise Lucet, sur France 3, qu'il est « désolé » d'avoir tenu des propos sur l'âge du président, avant d'ajouter, ce qui l'exonère de présenter ses excuses : « Ce n'est pas moi, ça ne me ressemble pas. »

Phrase qui révèle une si haute idée de soi qu'elle ne lave pas l'affront et ne répare pas la faute du Premier ministre aux yeux des Français. Elle correspond pourtant à la vérité : Jospin n'est pas un spécialiste de l'attaque personnelle. Des années après, on ne lui fera toujours rien dire contre Chirac, qu'il admet ne pas avoir compris ni vraiment connu, malgré leurs deux cents et quelques tête-à-tête, avant le conseil du mercredi.

Qu'importe si, pendant la campagne présidentielle de 1988, Chirac ne s'était pas privé d'évoquer l'âge de Mitterrand : personne ne lui avait demandé de comptes. Après l'agression verbale de Jospin, il peut jouer, sinon les victimes, du moins les bons garçons. Comme en 1995.

L'homme politique a toujours tendance à reproduire les schémas qui lui ont réussi. Chirac a donc ressorti toute la panoplie de 1995. Telle quelle ou à peu près. S'il n'a pas repris, par décence, la formule de « fracture sociale », toujours béante sept ans après, il veille à ne pas se laisser déporter à droite, comme l'y pousse une partie des siens.

Il s'agit d'abord d'être sympathique et social. Pour plaire à tout le monde, il donne donc à nouveau dans le « ninisme ». Pas question de prendre le moindre risque. Sauf vis-à-vis de son électorat traditionnel qui lui semble, de toute façon, acquis. Le 14 mars, il laisse ainsi tomber sur les antennes de RTL : « Je ne suis pas de droite. » Il se garde aussi d'utiliser, encore moins de revendiquer, le mot « libéral ». Ce n'est pas encore devenu une insulte dans sa bouche mais on sent bien que ça le deviendra sous peu.

Jacques Chirac prend soin de se démarquer du discours de Nicolas Sarkozy. « La droite libérale, répète-t-il à son intention, ne sera jamais majoritaire dans le pays, jamais. Elle ne fera toujours qu'un quart des votants, et encore. » C'est pourquoi il s'inscrit en faux contre les déclarations d'un des hommes clés de son état-major de campagne, Jean-François Copé, secrétaire général adjoint du RPR, coupable d'avoir évoqué la suppression de la tranche supérieure de l'impôt de solidarité sur la fortune (ISF) et des coupes claires dans la fonction publique. « Les départs en retraite des fonctionnaires ne seront pas remplacés », a dit Copé, aussitôt démenti par le QG du président sortant.

Après s'être défait, il y a des années, de ses habits d'homme de droite qui lui allaient si mal, il n'a pas l'intention de les enfiler de nouveau, le temps d'une campagne électorale, pour les beaux yeux des siens. Il restera lui-même. Autrement dit, un social-conservateur à la Mitterrand. Un enfant de Queuille, le pape du radicalisme corrézien, qui disait : « Il n'y a pas de problème si complexe qu'une absence de solution ne finisse par régler. »

Qu'importe si les libéraux de son camp sont accablés. Ils n'ont pas le choix. L'habitude aidant, il est devenu le porte-drapeau d'une droite qu'il n'aime pas et qui, souvent, le lui rend bien. Elle n'a pas le choix, cette année-là : elle n'est représentée, si l'on ose dire, que par Alain Madelin et Christine Boutin. C'est-à-dire pas grand-chose : un olibrius et une dame d'œuvres. Encore que cette dernière ait, sur des dossiers comme celui des prisons, de réelles compétences et d'authentiques convictions.

Charles Pasqua aurait pu remplir ce vide. Il l'a prouvé aux dernières élections européennes où il a obtenu un bon score contre le RPR. Mais l'ancien homme fort du RPR, sous le coup de nombreuses mises en examen, n'est plus que l'ombre de lui-même. Il a perdu son grand rire tonitruant et ses yeux se sont éteints. Il a déclaré forfait.

C'est sans doute à cause de ce déficit à droite que Jean-Marie Le Pen fera sa percée du premier tour, une percée à laquelle Jacques Chirac se refusera longtemps de croire, le soir du 21 avril. Pour écouter les résultats, il y a autour de lui tous ceux qui le représenteront sur les plateaux de télévision : Nicolas Sarkozy, François Fillon, Jean-Pierre Raffarin, Philippe Douste-Blazy, les quatre Premier-ministrables, ainsi qu'Antoine Rufenacht, Roselyne Bachelot, Jean-François Copé et Pierre Bédier. « Je vous demande à tous d'être offensifs, leur dit Chirac. Offensifs sur notre projet, offensifs contre les socialistes quand ils vous parleront des "affaires". De grâce, ne vous laissez pas intimider. »

À 19 h 05, Dominique de Villepin pointe une tête et laisse tomber : « Monsieur le président, les douze premiers bureaux de vote tests de la Sofres donnent Le Pen deuxième derrière vous. »

Le président sortant marque un temps, puis : « Écoutez, Dominique, on a du travail. Ce ne sont que des estimations d'instituts de sondage, pas des résultats. Laissez-nous tranquilles, s'il vous plaît. »

Dix minutes plus tard, Villepin fait une nouvelle apparition : « Monsieur le président, ça se confirme, ce sont maintenant vingt bureaux de vote tests qui placent Le Pen en deuxième position. »

Alors, Chirac, exaspéré : « Je vous en prie, Dominique. Je vous répète qu'on a du travail. »

Quelques minutes plus tard, Dominique de Villepin, las de se faire rabrouer, envoie au feu Patrick Stefanini, l'homme des élections au RPR. Après qu'il a confirmé les indications du secrétaire général de l'Élysée, Jacques Chirac semble très absorbé, tout d'un coup.

À Roselyne Bachelot qui, toute effusante, le félicite, le chef de l'État répond, le visage tendu : « Ce qui se passe est très grave. Personne ne peut s'en réjouir. »

Jérôme Monod lui trouvera un air étrange tout au long de la soirée : « On aurait dit un type qui avait avalé un gros morceau de fromage et que ça étouffait. »

Le chef de l'État est, comme une grande partie de la France, sous le choc devant les résultats du premier tour. Il obtient 19,88 % des suffrages, Jean-Marie Le Pen, 16,86 %, Lionel Jospin, 16,18 %, François Bayrou, 6,84 %, Jean-Pierre Chevènement, 5,33 %, Arlette Laguiller, 5,7 %, Noël Mamère, 5,25 %, Olivier Besancenot, 4,25 %. C'est un séisme de grosse magnitude. Il révèle au grand jour les crises qui accablent la France. Crises politique, économique et sociale. Crise des valeurs aussi.

Qu'on ne compte pas sur Jacques Chirac pour analyser le phénomène. Pour l'heure, il s'agit d'abord de gagner et le chef de l'État tente de tirer tout le parti qu'il peut du score de Jean-Marie Le Pen.

Le lendemain, Chirac déclare donc sur un ton gaullien à son état-major réuni au complet : « L'heure est grave. Nous avons, aujourd'hui, une responsabilité historique : nous devons faire le grand parti de droite et du centre que les Français attendent. »

Mais un nouveau sigle pour le parti chiraquien et ses alliés est-il la meilleure réponse au poison qui ronge le pays et se traduit par une montée des extrêmes ?

95

La jouvence de Le Pen

> « À force d'aller au fond de tout, on y reste. »
>
> Hippolyte Taine

Il avait commencé sa carrière politique en « Facho-Chirac », la bave aux lèvres, stigmatisé par les bien-pensants. Le chef de l'État finit en rempart de la démocratie contre l'homme qu'il considère depuis longtemps comme son pire ennemi : Jean-Marie Le Pen.

Certes, Chirac accuse le coup : « La France est blessée, confie-t-il aux siens, après le premier tour. Je le suis aussi. C'est une tache et c'est dramatique pour l'image de la France dans le monde [1]. » Mais il a compris qu'il est l'unique rescapé du désastre du 21 avril, seul au milieu des décombres, comme de Gaulle en 1958. C'est une chance historique. Il ne lui reste plus qu'à être à la hauteur de sa tâche.

Il ne le sera pas. Il ne pouvait pas l'être. À moins de se remettre totalement en cause et de rompre avec le radical-socialiste, toujours branlant au manche, qu'il n'a jamais cessé d'être sous des déguisements variés. C'est plus de vingt ans de « ninisme » qui ont conduit la France dans cette sorte d'apocalypse. Vingt ans de mitterrandisme, de chiraquisme et de jospinisme, trois variantes d'une même politique où l'on traite le peuple comme un grand malade à qui l'on ne doit pas dire la vérité et qu'il faut, surtout, ne pas déranger.

C'est ainsi que près d'un tiers des suffrages exprimés du premier tour se sont portés sur les extrêmes, de droite ou de gauche. La France est le seul des pays développés où les trotskistes font toujours

---

1. Cf. l'article de Catherine Pégard, *Le Point*, le 25 avril 2002.

un score : près de 10 % des voix. Encore une « exception française ». Pourquoi le peuple aurait-il le sens des réalités quand ses dirigeants ne prennent même pas la peine de lui parler vrai ? Chirac ne fut pas le dernier à l'entretenir dans ses chimères et le voici, ironie de l'Histoire, grandi par une situation qu'il a lui-même contribué, avec d'autres, à créer.

À travers ce vote, les Français ont dit qu'ils en avaient assez du parler mou de leur classe politique. Aux yeux du pays, l'insécurité, le chômage et leurs conséquences dramatiques méritent mieux que les baveries de conteurs de fagot qui occupent alternativement les palais nationaux. Il y a, dans ces résultats, un appel au secours qui, bien sûr, ne sera pas entendu.

Jacques Chirac n'a jamais partagé l'analyse de François Mitterrand qui considérait que Jean-Marie Le Pen était un homme de droite comme un autre, un matamore nationaliste et rien de plus. « C'est la droite à visage découvert, disait Mitterrand. L'autre droite avance masquée, comprenez-vous. Bien entendu, il s'appuie sur des forces maléfiques et flatte les sentiments xénophobes mais il n'est pas nazi ni fasciste pour deux sous. Je l'ai bien connu sous la IVe République. C'était un parlementaire très doué, président de groupe à vingt-sept ans, toujours assoiffé de reconnaissance. Observez comme il est ému quand on lui serre la main. Un homme comme ça, on le calme avec un maroquin. »

C'est pourquoi Mitterrand a joué avec tant de bonne conscience la carte Le Pen contre la droite. Convaincu du contraire, Chirac a, lui, tout fait pour ostraciser le président du Front national. Après une période de flottement au début des années quatre-vingt, il s'est battu pied à pied, tout au long des années quatre-vingt-dix, contre tous ceux qui, dans son camp, étaient prêts à transiger avec le FN : Valéry Giscard d'Estaing, Édouard Balladur ou Alain Peyrefitte. Sur cette question, cet artiste du faux-fuyant n'a jamais tergiversé.

Pour des raisons morales, sans doute : on peut lui faire au moins ce crédit. Mais pour des raisons prosaïquement politiques aussi. Il les a explicitées ainsi, un jour, devant l'auteur : « Le symptôme de la déchéance de la droite, c'est cette campagne permanente en faveur de l'alliance avec le FN. Même si on évacue les objections morales, c'est idiot. Examinez les chiffres. Électoralement, la France est composée d'une droite et d'une gauche qui sont au même niveau, à 35 %. L'extrême gauche fait en moyenne 5 % et l'extrême droite, 15 %. Alors, évidemment, sur le papier, 35 % + 15 %, ça nous fait 50 %. Sauf qu'une moitié de l'électorat lepéniste est viscéralement protestataire et ne peut être récupérée par personne, sinon par le PC ou l'extrême gauche. L'autre moitié comprend une minorité de 2 à 3 % d'authentiques fascistes, et 3 à 4 % de gens de droite excédés qui votent pour le Front parce qu'ils nous jugent mollassons et qu'ils en ont marre de nous. Bref, si on s'alliait au FN, on empocherait au mieux 4 % de son électorat pour en perdre aussitôt 5 à 6 % au centre. On obtiendrait donc, dans la meilleure hypothèse, 35 % de suffrages. Total, on serait condamné à l'échec à perpétuité. Quand je traite le Front de parti "raciste et xénophobe", je sais que ça ne passe pas toujours bien chez mes amis. Mais mon devoir est de mettre des barrières. La politique, ça ne consiste pas à suivre le courant, mais à indiquer le cap [1]. »

Il l'a indiqué crânement contre les vents qui soufflaient dans son propre camp. C'est parce qu'il a refusé de se résoudre à tout compromis avec le FN que la droite a été battue à plate couture aux élections législatives de 1997. Aux régionales suivantes, il n'a pas non plus accepté que s'échangent, comme beaucoup des siens l'y pressaient, la présidence de la région Provence-Alpes-Côte d'Azur (au FN) et la présidence d'Île de France (au RPR en général, et à Édouard Balladur en particulier). Il n'a jamais fait le moindre signe à Jean-Marie Le Pen. Ce n'est sans doute pas un hasard s'il a confié la direction de sa dernière campagne présidentielle à un homme qui a tenu tête au Front national : Antoine Rufenacht. Pour n'avoir rien voulu négocier, le maire du Havre a perdu la présidence de la région Haute-Normandie. Un petit geste aurait suffi. Ce protestant rigoureux a préféré l'échec dans la dignité.

Contre Le Pen, Chirac a essayé toutes les stratégies. L'ignorance. La condamnation morale. L'invective sonore. Le cordon sanitaire. Toujours, il a échoué. Il admet volontiers n'avoir jamais mesuré vraiment l'ampleur du phénomène. « Depuis des années, confiera-t-il à l'auteur [2], j'annonce la fin du Front national. Il faut bien convenir que les faits ne m'ont pas donné raison. »

---

1. Entretien avec l'auteur, le 20 avril 1998.
2. Entretien avec l'auteur, le 25 septembre 1996.

Et quand on lui demande s'il pense que la France en sera débarrassée un jour, il répondra sans hésiter : « Oui, à la mort de Le Pen. Après lui, il n'y a plus rien. »

Il n'a jamais cru que l'extrême droite s'installerait durablement dans le paysage politique français. Longtemps, il s'est imaginé qu'il serait facile de lui régler son compte, citant une conversation avec Helmut Kohl : « Quand les néo-nazis ont commencé à faire des voix en Allemagne, m'a raconté le chancelier, il a convoqué tout le monde. La droite, la gauche, les médias. "On ne doit pas parler de ces gens-là, leur a-t-il déclaré. On doit faire comme s'ils n'existaient pas." Résultat : leur extrême droite a disparu. Je n'ai jamais été capable d'imposer ça en France [1]. »

Tactique désormais absurde. Le Pen est bel et bien là. Il faut le prendre de front, si l'on ose dire. Le 22 avril 2002, en meeting à Rennes, Chirac utilise les grands mots contre le président du FN : « Ce combat est le combat de toute ma vie. C'est un combat moral. Je ne peux pas accepter la banalisation de l'intolérance et de la haine. Face à l'intolérance et à la haine, il n'y a pas de transaction possible, pas de compromission possible, pas de débat possible. »

Retournement saisissant : voici la tête de Turc des médias, promise aux tribunaux après son échec annoncé, métamorphosée, soudain, en chef de file du front républicain. Chirac est désormais, excusez du peu, le père de la nation et le rempart de la démocratie. Le rêve...

Quand elle ne se terre pas de honte, comme la plupart de ses dirigeants, la gauche défile contre Le Pen avant d'appeler à voter Chirac, la mort dans l'âme. Encore sonnée par ses résultats du 21 avril, elle vit l'une des pires humiliations de son histoire.

Chirac, lui, engrange. Dans un entretien au quotidien *Ouest-France* [2], il déclare : « À un électeur de gauche, je dis que je le respecte et que je le comprends mais qu'aujourd'hui, il s'agit de défendre le socle commun de nos valeurs républicaines. Et je lui demande d'aller jusqu'au bout de ses convictions en faisant barrage à l'extrême droite. »

Il est désormais le candidat de tous les Français ou presque. Des gaullistes et des communistes, des libéraux et des socialistes, des

---

1. Entretien avec l'auteur, le 29 juin 1997.
2. Le 3 mai 2002.

anti-chiraquiens et des démocrates-chrétiens. Il prétend même, sur le mode gaullien, les avoir tous « compris ». Il jure aussi que « l'élan démocratique » apparu après le 21 avril « ne restera pas sans lendemain ». « Il nous oblige tous », promet-il.

Le 5 mai 2002, il recueille 82,21 % des suffrages contre 17,79 % à Jean-Marie Le Pen. Sitôt le résultat tombé, il embrasse Bernadette : « Merci pour le demi-point que vous m'avez fait gagner.

— Vous devriez remercier aussi Jérôme Monod.

— C'est déjà fait. »

Bien sûr, il ment. Mais il se sent trop seul, soudain, pour congratuler les siens. C'est un formidable défi qui lui est lancé. Après avoir été leur candidat, pourra-t-il rester longtemps le président de tous les Français ou presque ?

96

Monsieur Raffarin

« Il ne suffit pas de dire : "Untel est arrivé." Il faut encore
voir dans quel état ! »

Alfred Capus

Jamais aucun président n'a été élu avec un tel score. Jamais aucun
n'a bénéficié d'un pareil prestige au début de son mandat. Chirac
a tout pour lui. L'onction du peuple. L'attente de l'opinion. L'autorité de l'expérience.

L'Histoire est là, enfin. Contrairement à Mitterrand et à tant
d'autres, Chirac ne l'a pas cherchée. Elle ne l'a même jamais fasciné : pour lui, tant qu'on n'est pas de Gaulle, elle reste le refuge
des vaniteux et la gloriole n'a jamais été son fort.

S'il va laisser passer l'Histoire, c'est sans doute parce que, comme
le dit sa fille Claude, « cet homme n'a pas d'ego et ne songe jamais
à sa trace ». Mais c'est aussi à cause de cette lassitude qui, à
soixante-neuf ans, l'habite, et qu'a si bien définie Chateaubriand :
« Quiconque prolonge sa carrière sent se refroidir ses heures : il ne
retrouve plus le lendemain l'intérêt qu'il portait à la veille [1]. »

Il a un programme, mitonné par les siens, mais ne sait pas par
quel bout le prendre. Il n'a pas trop réfléchi à sa stratégie. Il est
juste convaincu qu'il ne faut pas bousculer ce vieux peuple de
France, toujours enclin à préférer les révolutions qui n'auront pas
lieu aux réformes qui s'imposent. C'est pourquoi il lui a trouvé un
Premier ministre rassurant et pépère, avec une bonne tête d'électeur : Jean-Pierre Raffarin.

---

1. *Mémoires d'outre-tombe*, livre 13ᵉ, chapitre 2.

Il a fait son choix depuis plusieurs semaines mais n'en a rien dit à personne, même pas au premier concerné. « Le secret, dit Chirac [1], c'est la meilleure et la pire des choses. La pire si l'on se referme sur soi. La meilleure quand on veut jouer l'effet de surprise. Lorsque je me suis présenté, j'avais plusieurs noms en tête pour Matignon. Raffarin figurait dans ma liste. Je l'ai observé pendant la campagne. Une chose est le comportement des gens à l'arrière. Une autre, leur attitude au combat. Avant le premier tour, mon opinion était faite, ça serait Raffarin. D'abord, parce qu'il a du bon sens. On peut discuter avec lui. C'est quelqu'un qui n'a pas de vérité révélée. Ensuite, parce qu'il sait ce qu'il veut et va toujours au bout de ce qu'il décide. Un homme carré dans un corps rond. »

C'était la définition de Barre et il est vrai qu'il y a du Barre dans cet homme-là. Ou bien du Mauroy. Il lui manque juste le caractère. Il est trop matois et prend sans cesse des chemins détournés, au point qu'il donne parfois le sentiment de revenir sur ses pas. Il se perd, il s'emmêle, il s'embrouille, mais sans jamais oublier la petite idée qu'il suit avec une obstination de campagnard. Le cinéaste Claude Chabrol l'a décrit ainsi, avec bonheur : « Le physique de Raffarin est formidable, il a un côté maquignon, la tête coincée dans les épaules. Il a une bonne tête de face, mais il est inquiétant de profil. Il a intérêt à ne pas trop se montrer de profil. Il a une vraie gueule, mais on ne sait pas une gueule de quoi [2]. »

Chirac le couve depuis longtemps. Quand Raffarin était ministre des Petites et Moyennes Entreprises, du Commerce et de l'Artisanat dans le gouvernement Juppé, le président ne tarissait pas d'éloges sur lui. Voilà quelqu'un qui faisait de la politique comme il aime : à l'ancienne, sur le terrain, avec un mélange d'humilité, de passion et de pragmatisme. Sans oublier l'humour. Cet ex-pilier de la direction du marketing des Cafés Jacques Vabre, grand expert ès communication, est avant tout un terrien. Qu'il ait été un fidèle de Valéry Giscard d'Estaing, élevé au sein de Michel d'Ornano, ne l'a jamais éloigné de ses racines, à Chasseneuil-du-Poitou. Même s'il a hérité sa position locale d'un père qui fut longtemps député de la Vienne et aussi secrétaire d'État à l'Agriculture sous la IVᵉ Répu-

---

1. Entretien avec l'auteur, le 25 mars 2003.
2. Entretien à *Libération*, le 3 mars 2003.

blique, dans le gouvernement Mendès France, il est l'incarnation de la « France d'en bas », formule dont il fera son slogan.

Il en rajoute. Perpétuellement mal fagoté, le costume chiffonné, les chaussures pas cirées, le col de chemise souvent déboutonné, il semble débraillé plus par relâchement que par affectation. Ce n'est pas un homme qui s'aime ni se bichonne, comme le prouvent ses cheveux gras, coiffés avec les pieds du réveil. Pas le genre à s'attarder devant la glace ni sous la douche. Il n'a même pas pris la peine de se faire enlever le kyste, de la grosseur d'un œuf, qui lui a poussé sur la nuque et l'amène à pencher la tête, lui donnant la démarche des vieux paysans bossus. Il ne manque pas de charme, pourtant. Il a les yeux pétillants, toujours la blague aux lèvres et un visage bonhomme où se lisent la volonté et la loyauté, les deux qualités que recherchait d'abord Chirac.

Le 6 mai 2002, lendemain de son triomphe électoral, Chirac convoque Raffarin et lui annonce tout à trac : « C'est toi que j'ai choisi. Je te demande d'assurer la formation du nouveau gouvernement. » Le temps pour l'heureux élu d'accuser le coup et de bafouiller quelques remerciements, puis le président reprend : « Bon, allez, maintenant, on va appeler ta mère pour lui annoncer la bonne nouvelle. »

En le nommant à Matignon, Chirac a suivi sa pente. Raffarin est, comme lui, un radical-socialiste. Quand il parlait des « Premier-ministrables », il ne citait que par politesse les noms de Nicolas Sarkozy ou de Philippe Douste-Blazy. Il laissait même entendre, comme s'il attendait d'être convaincu du contraire, qu'il ne les « sentait » pas. Il est à peu près certain, en revanche, qu'il a envisagé un moment de désigner François Fillon.

Jérôme Monod, qui est alors le conseiller le plus écouté du président, plaide en faveur de Jean-Pierre Raffarin. Mais il reconnaît aussi les qualités de François Fillon. Son esprit de sérieux. Sa connaissance des dossiers. Son caractère qui l'a souvent amené, dans le passé, à s'opposer à Jacques Chirac.

La veille, alors que la France votait, François Fillon était à la messe, dans son fief de Sablé-sur-Sarthe, quand son portable a vibré dans la poche de sa veste. C'était l'Élysée. Autrement dit, Chirac. En bon chrétien, il n'a rappelé qu'après l'office. Trop tard : le président n'était plus joignable. Fillon laisse un message mais le chef de l'État ne le rappellera pas. Pourquoi ce coup de téléphone sans suite, le jour du second tour et donc la veille de la nomination du nouveau Premier ministre ? Mystère.

L'énigme ne sera jamais éclaircie mais on n'ôtera pas de la tête du député de la Sarthe que le président a pu avoir des doutes sur son choix de Raffarin, le temps d'une messe, avant de se décider pour de bon.

C'est finalement Juppé qui appellera Fillon, quelques jours plus tard, pour lui annoncer qu'il sera nommé ministre des Affaires sociales, du Travail et de la Solidarité. Fillon était annoncé à Bercy. Il fait part de sa déception à l'ancien chef du gouvernement.

Quelque temps plus tard, Chirac le rappelle : « On m'a dit que tu n'étais pas content de te retrouver au Travail.

— Non, ce n'est pas ça. Je ne me suis simplement pas préparé.

— Si tu voulais être ministre de la Défense, ça ne valait pas la peine. En l'espèce, c'est moi, le ministre. Si tu veux réussir pour la suite, il faut que tu aies un dossier à régler. Là, tu l'as, avec les retraites. »

Si Fillon a été écarté pour Matignon, c'est d'abord parce qu'il est RPR et que Chirac préfère, en guise d'ouverture, avant la mise en place de son nouveau parti présidentiel, un Premier ministre de l'autre droite, en l'occurrence celle du centre giscardien. Mais c'est sans doute aussi parce que le député de la Sarthe n'est pas, à ses yeux, un homme « fiable », mot que le président emploie souvent à propos des uns ou des autres.

« Pour lui, rapporte Jean-Pierre Raffarin [1], il y a les gens fiables et les autres. Il a eu trop de responsabilités tout le temps pour avoir de vrais amis. C'est un grand déçu de la nature humaine. Un jour, il m'a même dit : "La fidélité, ça n'existe pas." »

Chirac en est une preuve éclatante. Sur tous les plans, et notamment en politique. Mais s'il n'est pas fidèle, c'est parce qu'on ne l'a pas été avec lui. Sept ans après le choc émotionnel que fut la trahison de son « ami de trente ans », il souffre toujours du « syndrome Balladur » qui le dresse contre tous ceux dont il n'est pas sûr, les Sarkozy ou les Fillon.

Il n'hésite pas non plus à couper les branches mortes. « On avait toujours été comme deux frères, raconte Bernard Pons. J'étais avec

---

1. Entretien avec l'auteur, le 8 juillet 2004.

lui depuis si longtemps. Secrétaire général du parti pendant cinq ans, président du groupe pendant sept ans et ministre pendant huit ans. Eh bien, il m'a excommunié du jour au lendemain. Parce que j'avais eu le tort, dans la griserie de 2002, de me prononcer contre le parti unique de la droite, l'UMP. Je pensais que le bipolarisme n'existerait jamais en France, le pays des trois cent cinquante fromages, et qu'il ne fallait donc pas diaboliser l'UDF. J'avais écrit ça dans un article que j'étais venu lui montrer, dans son bureau. Après l'avoir lu, il m'a dit : "Que vas-tu faire avec ce papier ?

— Eh bien, le publier, pardi, ai-je répondu.

— Tu aurais tort", a-t-il conclu.

C'est à cet instant que j'ai été rayé pour toujours de la chiraquie. »

Au seuil de son nouveau septennat, après avoir été, pendant quelques semaines, à la rencontre des Français, Chirac s'en est retourné dans son bunker. Hormis sa fille Claude et Dominique de Villepin, il n'a laissé entrer que Jean-Pierre Raffarin. À l'essai ou en sursis, c'est selon, comme tout Premier ministre.

97

Le panache blanc de Bayrou

> « La gloire se donne seulement à ceux qui l'ont toujours
> rêvée. »
>
> Charles de Gaulle

Il ne faut pas se laisser abuser par son discours, une eau tiède
qu'il égoutte de sa voix suave, un mélange de généralités humanistes
et de bons sentiments. François Bayrou a l'un des caractères les
mieux trempés de la classe politique. Un dur à cuire.

Seul contre tous, il a obtenu à chaque élection un score honorable : 9,3 % aux européennes de 1999 ou 6,7 % à la présidentielle
de 2002, après une campagne où, à Strasbourg, il a giflé un gamin
qui tentait de lui faire les poches. C'est tout lui et les Français
ont apprécié.

Jean Lecanuet, son prédécesseur à la tête des centristes qui fut
aussi l'un de ses pères spirituels, disait volontiers : « J'ai raté ma
carrière politique. J'aurais dû être gaulliste ou socialiste. Je n'aurais
pas passé ma vie à courir après des élus qui, chez nous, suivent les
vents et ne songent qu'à aller à la soupe. »

Il n'a pas les doutes de Jean Lecanuet. Ce fils de paysan des
Basses-Pyrénées, agrégé de lettres classiques, n'a qu'une ambition :
devenir président de la République. Et il est convaincu qu'il le sera
un jour. Comme Sarkozy ou Villepin, il se sent prédestiné, avec la
même idée fixe dans la tête, matin, midi et soir. Il ne pouvait donc
pas se rallier au parti unique de la droite dont Chirac a jeté les
fondements, au lendemain du premier tour. Il aurait été laminé. Il
n'est pas de la famille.

En plus, il n'aime pas Chirac. Ministre de l'Éducation nationale dans le gouvernement Juppé, il a souvent été brocardé par le chef de l'État qui l'accusait de ne pas aller assez loin dans les réformes. Quand il ne débinait pas sa politique. Chaque fois que Bayrou lui a demandé des comptes, le président a démenti : « Allons, ne crois pas ce qu'on raconte. Ce sont des histoires de journalistes. » « J'ai été assez con pour gober ça », dira plus tard Bayrou.

Après quoi, leurs relations se sont encore dégradées. Avant les élections européennes de 1999, le chef de l'État a commis l'erreur de le menacer : « Philippe Séguin se retire. Notre candidat sera Nicolas Sarkozy qui est bien plus européen. Alors, fini, les conneries. Tu vas rentrer dans le rang, François. Sinon, je te casse et tu peux considérer que ta carrière est derrière toi. »

La légende dit que Bayrou a éclaté de rire. C'est son genre. Cet homme n'a peur de rien. Pas plus des menaces que des traversées du désert. Il a cette espèce d'inconscience tranquille qui mène les pas des grands ambitieux, au point qu'ils paraissent souvent sourds et aveugles au monde.

Contrairement à Chirac, Bayrou a une haute idée de lui-même et du métier politique. Le 25 mai 2000, les deux hommes ont eu l'occasion de s'en expliquer. « Un moment de sincérité et de vérité », dit le président de l'UDF qui venait d'apprendre que sa fille anorexique avait été hospitalisée. Après avoir parlé longuement de l'anorexie, leur calvaire commun, ils en viennent à la politique, leur passion partagée. Résumons leur conversation.

Chirac : « Qu'est-ce que tu as toujours à nous faire chier avec les idées ? »

Bayrou : « La politique, c'est fait pour donner aux gens des raisons de vivre. »

Chirac : « Tu exagères. La politique, ce n'est pas des idées. Le Premier ministre est là pour que ça ne se passe pas trop mal en France. Et le président de la République, pour représenter le pays à l'étranger. »

Bayrou : « Ce n'est pas ma conception. »

Après quelques digressions, ils en viennent au mode de scrutin proportionnel, favorable aux centristes, que soutient Bayrou.

Commence alors, entre les deux hommes, un débat hallucinant où le chef de l'État laisse libre cours, avec aplomb, à toute sa mauvaise foi.

« Aucun pays européen n'a jamais adopté la proportionnelle, affirme Chirac.

— Ce n'est pas exact, corrige Bayrou.

— Il n'y a qu'Israël qui l'a adoptée.

— Désolé de te contredire, mais tous les pays européens, sauf la Grande-Bretagne, ont la proportionnelle. »

Alors, Chirac, tranchant comme un couteau : « C'est faux, ça n'a jamais été le cas. »

Tel est Chirac. Une vérité ne le déstabilise jamais. Il lui suffit d'en inventer une autre. Qu'importe la réalité si elle ne va pas dans son sens. Il l'étouffe sous les mots. Le président ne fait pas partie des gens qui, comme disait Pascal, « mentent simplement pour mentir ». Il ment parce qu'il n'aime pas se laisser contredire, fût-ce par l'ordre du monde.

François Bayrou restera au moins comme l'homme qui, avant même l'aube de son second mandat présidentiel, a dit non à Jacques Chirac. Contrairement à Nicolas Sarkozy, il n'a même pas laissé sa chance au chef de l'État.

Le 22 avril 2001 au matin, lendemain du premier tour de l'élection présidentielle, il dit à Jacques Chirac : « Tu vas faire 80 % des voix. Tu es donc dans la même position que de Gaulle en 1958. Il faut que tu fasses un gouvernement d'union nationale.

— Tout ça, c'est des conneries, soupire le président. Je vais faire le parti unique.

— Je n'en serai jamais.

— On ne sera pas fâchés pour autant. »

Le jour suivant, François Bayrou entre en campagne contre le projet de parti unique concocté par Alain Juppé et Jérôme Monod. Un système qui, selon lui, consiste à mettre toute la droite « dans le même moule ». Avec un « parti unique », ajoute-t-il, il y aura « une opinion unique et une pensée unique ».

Les semaines suivantes, Bayrou tient bon contre Chirac et les siens qui veulent « rayer de la carte » son parti en attirant notamment tous ses élus dans le nouveau parti unique, l'UMP, afin de le priver de tout financement public.

Après le second tour des élections législatives qui suivent la présidentielle, le 16 juin 2002, l'UMP obtient 309 députés. Soit 70 % des sièges à l'Assemblée nationale. Agglomérant le RPR, Démocratie libérale d'Alain Madelin et une partie de l'UDF, emmenée par Philippe Douste-Blazy, elle est devenue, et de loin, la première force politique du pays.

Mais l'UDF de François Bayrou a résisté. Avec 23 élus, elle a sauvé la face et assuré l'avenir du centrisme. C'est le seul os que n'aura pas réussi à avaler l'ogre Chirac, qui en a englouti tant. Le seul avec Nicolas Sarkozy.

François Bayrou et Nicolas Sarkozy n'ont pas grand-chose en commun. À un détail près : ce sont tous deux des survivants. Ils ont échappé à la faucheuse chiraquienne qui, depuis des générations, coupe tout ce qui dépasse.

98

La tyrannie du statu quo

« La France est un pays qui cultive le courage de l'indignation, la passion de la révolution et l'intelligence de rester tranquille. »

Blaise Mortemar

Comme Alain Juppé sept ans auparavant, Jean-Pierre Raffarin n'est pas préparé. Une des grandes constantes du chiraquisme : son culte du secret amène le chef de l'État à nommer ses Premiers ministres au dernier moment.

Le soir du second tour, Chirac ne dit rien à Raffarin. Pas même une indication, du genre : « À demain. Nous aurons une journée très chargée. » Le lundi matin, quand il convoque le sénateur de la Vienne pour lui annoncer sa nomination, c'est à 11 heures pour 11 h 30.

À midi, en raccompagnant à la porte son nouveau Premier ministre, le chef de l'État laisse tomber : « Jospin veut une passation de pouvoir très rapide. Ce sera aujourd'hui vers 15 heures. D'ici là, il faut que tu trouves un directeur de cabinet. »

Pas le temps de se retourner. À 16 heures, Jospin parti, Raffarin se retrouve seul ou presque à Matignon avec cent dix personnes, au bas mot, à nommer : quatre-vingts collaborateurs pour son cabinet et trente ministres pour son gouvernement. Depuis plusieurs semaines, il a bien tourné des noms dans sa tête, mais jamais très longtemps. Pour ne pas risquer de tomber de haut, le jour venu. Peut-être par superstition aussi.

Ce ne serait pas grave, si Raffarin savait quelle politique il allait mener. Mais non, il ne sait pas trop où il va. Avec le recul, il reconnaît qu'il pataugeait : « On avait pas mal de slogans mais peu de projets concrets. On avait bien annoncé qu'on assouplirait les 35 heures. Oui, mais comment ? Mystère. On avait pareillement annoncé qu'on réglerait le problème des retraites. Oui, mais comment ? Là encore, mystère [1]. »

Il règne ainsi un climat de grande improvisation pendant les premiers jours. Pour un peu, on se croirait en 1981, quand les socialistes découvraient le pouvoir. À un détail près, qui est essentiel : les nouveaux gouvernants ont décidé de ne pas se presser et de procéder en douceur. Telle est la ligne fixée par Jacques Chirac.

Ce fut longtemps un homme sans convictions, et qui les soutenait avec autorité, d'une voix de stentor. Il a baissé le ton et décidé qu'il serait désormais un homme reflet. Capable de tout, sauf de résolution.

Un débat a agité la droite, en coulisses, pendant la campagne électorale. Il a été lancé par Nicolas Sarkozy. Pour lui, il faut faire les réformes dans les cent jours. Après ça, les habitudes reprendront le dessus, le pays ne voudra plus rien changer et le gouvernement sera condamné, comme l'expérience l'a montré, à l'immobilisme.

C'est ce qu'on appelle la tyrannie du statu quo : les meilleurs projets deviennent lettre morte s'ils ne sont pas mis en œuvre dès l'arrivée au pouvoir de la nouvelle majorité. Dans un livre qui connut un certain succès dans les années quatre-vingt [2], Milton et Rose Friedman ont prouvé, exemples à l'appui, la validité de la théorie des cent jours. Elle se vérifie sous tous les cieux, pour la droite comme pour la gauche.

Si Roosevelt, Thatcher, Reagan ou Mitterrand ont chacun réformé en profondeur, c'est parce qu'ils ont agi vite après leur élection. « Un nouveau gouvernement, écrivent le prix Nobel d'économie et sa femme, bénéficie d'une période de six à neuf mois au cours de laquelle il peut opérer des changements fondamentaux. S'il n'en profite pas pour agir avec détermination, une telle occasion ne se représentera plus. » Les forces d'opposition, un temps mises en déroute, auront eu le temps de se refaire en coalisant toutes les résistances aux réformes.

1. Entretien avec l'auteur, le 15 décembre 2005.
2. *La Tyrannie du statu quo*, de Milton et Rose Friedman, J.C. Lattès, 1984.

Corollaire à ce principe : un candidat aux responsabilités suprêmes, édictent Milton et Rose Friedman, « devra avoir un programme détaillé et parfaitement défini avant l'élection. Si un nouveau chef d'État attend en effet d'avoir remporté les élections pour transformer ses prises de position de politique générale en un programme précis, ses dispositions ne seront jamais prêtes à temps pour pouvoir être adoptées ».

Apparemment, Chirac n'a pas lu *La Tyrannie du statu quo* du couple Friedman. Sinon, il aurait fait fissa après son élection, au lieu de se hâter si lentement. Il ne fouette pas Raffarin, il le bride. Pour lui, il s'agit, avant toute chose, de ne rien bousculer ni personne.

C'est sa pente. C'est aussi la leçon qu'il a tirée du scrutin. Pour un chiracologue averti comme Jacques Toubon, le chef de l'État a voulu rester assis sur son capital de 82 % des suffrages. De même que « l'avare ne possède pas son or, c'est son or qui le possède », le président est devenu prisonnier de son magot électoral.

Écoutons Toubon : « Chirac s'est dit qu'élu par tout le monde, il devait faire la politque de tout le monde. Il a décidé de ne mécontenter personne. C'est ainsi que l'année 2002 a été perdue. Il n'y avait aucun raisonnement idéologique derrière tout ça, mais juste la volonté de conserver son acquis. Cet homme est un empirique complet qui se fiche pas mal du libéralisme ou des concepts de ce genre. En cela, il ressemble aux Français. Il n'a simplement pas compris leur message du premier tour qui était un coup de colère et un appel au changement [1]. »

La faute historique de Chirac aura été en effet d'avoir fait l'impasse sur les enseignements du premier tour. Pour son second mandat, il s'est ainsi caparaçonné dès le premier jour, comme Mitterrand en 1988, dans le « ninisme ». Pas de dérangement et encore moins de grandes transformations en vue. Les Français pourront dormir tranquilles. Bonne nuit, les petits.

Tant pis si la France continue de vivre cul par-dessus tête avec un endettement galopant qui s'élèvera, cette année-là, à 934 milliards d'euros : grâce à la croissance économique, il a certes baissé sous le gouvernement Jospin, mais pas significativement. C'est le signe d'un dérèglement général dont les prémices sont apparues en 1981.

---

1. Entretien avec l'auteur, le 2 septembre 2005.

Les deux grands coupables en sont François Mitterrand et Jacques Chirac. Avec une mention particulière pour Édouard Balladur et pour Pierre Bérégovoy.

Tant pis si la France a trop longtemps laissé filer ses dépenses publiques sans jamais songer, comme la plupart de ses partenaires économiques, à réduire le train de vie de l'État. Pensez ! Pour ce faire, il faudrait diminuer le nombre de fonctionnaires. Pas en licenciant, simplement en ne remplaçant pas systématiquement tous ceux qui partent à la retraite. Pour Jacques Chirac, c'est impensable. Même si le nombre d'emplois publics est plus important en France qu'ailleurs : 10 pour 100 habitants, la moyenne européenne étant à 6. Soit un surplus de 2 500 000 agents.

Tant pis si la politique de l'emploi a fait la preuve de son inefficacité : en la matière, la France est l'un des pays qui, dans le monde, a dépensé le plus avec les plus mauvais résultats. Cas d'école : les 35 heures. Il a fallu les financer. Elles ont certes créé des emplois mais si on estime leur nombre à 200 000, on en arrive, selon les calculs de l'économiste Jacques Marseille, à une facture de 55 000 euros annuels par emploi. « Chaque poste créé, ajoute-t-il, aura ainsi coûté au citoyen-contribuable 4 500 euros par mois [1]. » Comme nos retraites ou nos acquis sociaux, nous les avons fait financer par l'étranger, en empruntant sur les marchés.

Le 10 mai 2002, quand se tient à l'Élysée le premier Conseil des ministres du quinquennat, tout pourrait laisser croire que l'heure des réformes a sonné. D'autant que contrairement au gouvernement Juppé, l'équipe de Raffarin n'est pas composée que de manchots, loin de là. Beaucoup de nouvelles têtes : sur vingt-sept ministres, vingt et un n'ont jamais exercé de responsabilités ministérielles. Beaucoup de personnalités fortes aussi : Nicolas Sarkozy à l'Intérieur, François Fillon aux Affaires sociales, Dominique de Villepin aux Affaires étrangères, Michèle Alliot-Marie à la Défense, Luc Ferry à l'Éducation, Jean-Jacques Aillagon à la Culture, Francis Mer aux Finances, Jean-François Copé aux Relations avec le Parlement ou Roselyne Bachelot à l'Écologie.

Avec sa tête d'électeur, Raffarin s'est tout de suite imposé dans le pays. Pour preuve, les sondages d'opinion placent rapidement très haut cet homme qui dit incarner la France d'en bas. Il aurait

---

1. *Le Grand Gaspillage*, de Jacques Marseille, Plon, 2002.

un boulevard devant lui s'il savait forcer, de temps en temps, la main de Chirac qui recule comme jamais devant l'obstacle.

La loyauté est parfois un grand tort...

99

Les colères de Sarkozy

« Ah ! il n'y a plus d'enfants... »
Molière

C'est l'homme qui ne se le tient jamais pour dit. Rien ne le démonte ni ne l'abat. Pas plus les clameurs de ses ennemis que ses déboires familiaux, ou l'espèce de haine sourde que lui vouent l'Élysée en général et Claude Chirac en particulier. Les avanies coulent sur lui comme sur une toile cirée.

Feu follet ou feu de paille ? Jacques Chirac est convaincu que l'étoile de Nicolas Sarkozy pâlira vite. En attendant, à l'aube de son second mandat, elle est au firmament. Dans les médias, il n'y en a que pour le nouveau ministre de l'Intérieur : à en croire les sondages, c'est la nouvelle coqueluche des Français.

Dès le premier jour, Nicolas Sarkozy se pose en candidat à la succession de Jacques Chirac. Il entend bien, de surcroît, faire la course en tête et le dit avec une désarmante sincérité. Quatre ans plus tard, après avoir tout vécu et tout subi, il donnera à l'auteur la clé du personnage qui l'aura habité tout au long du quinquennat :

« Je suis Forrest Gump. Il y a une petite voix en moi qui me répète sans cesse : "Cours, cours, Forrest." »

Il ne sait pas s'arrêter. Il a toujours besoin de courir ou de pédaler. L'été, par exemple, il est du genre à faire ses soixante kilomètres par jour en bicyclette. « J'aime les efforts longs, dit-il. J'adore dégouliner de sueur. Quitte à m'arrêter de temps en temps au bord d'un lac. Le lac, c'est la sérénité. »

Il y a du Chirac en lui. La même obstination increvable. La même endurance à toute épreuve, qui frise le masochisme. Sans

740

parler de cette aptitude à circuler à l'aise dans tous les milieux ou de cette connaissance de la France profonde qu'ils ont l'un et l'autre labourée sans discontinuer.

Quelque chose les dresse pourtant l'un contre l'autre. Une sorte de répulsion réciproque. Ils se voient mutuellement sous les traits diaboliques d'un avatar du duc de Noailles, tel que le décrit Saint-Simon dans ses *Mémoires* : « Une vie ténébreuse, enfermée, ennemie de la lumière, tout occupée de projets, et de recherches de moyens d'arriver à ses fins, tous bons, pour exécrables, pour horribles qu'ils puissent être, pourvu qu'ils le fassent arriver à ce qu'il propose, une profondeur sans fond [1]. »

Si en termes galants, ces choses-là sont énoncées par Saint-Simon, Chirac et Sarkozy usent de mots plus crus encore pour parler l'un de l'autre. Souvent, ses visiteurs ressortent, estomaqués, du bureau du président après avoir entendu des propos du genre : « Nicolas est fou, complètement fou. » Le ministre de l'Intérieur n'est pas en reste, qui décrit le chef de l'État, selon les jours, comme un « trouillard », un « fourbe » ou un « vieillard carbonisé ».

Pourquoi leur relation a-t-elle pris ce tour ? Sans doute le président aperçoit-il la grande faux de la mort dans les yeux de son ministre, successeur auto-désigné : rien que le voir le tue. Sans doute aussi Sarkozy a-t-il été meurtri de n'avoir pas été nommé Premier ministre. Jusqu'au dernier moment, Chirac lui a fait croire qu'il était sur sa liste, alors qu'il l'avait écarté d'entrée de jeu. Pas dupe, le petit Nicolas avait tenté de lui forcer la main. Et il avait cru qu'il réussirait avec son entregent, comme d'habitude.

Toujours la même méthode : voir et convaincre. Nicolas Sarkozy l'a expérimentée en 1983, quand il a décidé de devenir maire de Neuilly, à la mort d'Achille Peretti. Le gringalet, alors âgé de vingt-huit ans, a rendu visite à tous les conseillers municipaux. Un à un. Et il leur a démontré qu'il ferait mieux, à la tête de la ville, que Charles Pasqua, sénateur des Hauts-de-Seine et président du groupe parlementaire RPR au palais du Luxembourg.

C'était David contre Goliath. Le petit avocat contre le grand potentat. A priori, il n'avait aucune chance. Charles Pasqua, qui le considérait comme l'un de ses protégés, avait toutes les raisons d'être sûr de son coup. Il était entré au conseil municipal de Neuilly

---

1. « Caractère du duc de Noailles », *Mémoires*, 1715, La Pléiade, tome V.

pour remplacer, le jour venu, Achille Peretti qui se trouvait être, de plus, l'un de ses meilleurs amis. Affaire pliée. À tout hasard, quand le freluquet lui annonça ses intentions, il l'invita quand même à passer chez lui et lui offrit, pour le suborner, une boîte de cinq cents grammes de foie gras. C'est ce foie gras qui décida de tout. En rentrant chez lui avec son cadeau, Nicolas Sarkozy fut pris d'une rage qui s'arrêta seulement le jour où il s'assit dans le fauteuil du maire de Neuilly.

« Neuilly, c'est son chef-d'œuvre », dira, vingt ans plus tard, Jacques Toubon, encore ébahi par la performance. La victoire de la force de conviction qui a permis à Nicolas Sarkozy de circonvenir, à la surprise générale, plusieurs dizaines de conseillers municipaux.

Avant l'élection présidentielle de 2002, Sarkozy a employé la tactique qui lui a permis de prendre la mairie de Neuilly. Il a rencontré la plupart des amis du président et, après leur avoir déroulé le discours de politique générale qu'il avait déjà dans la tête, leur a demandé de faire passer le message. Comme quoi il était le mieux préparé pour Matignon. Le plus apte. Le moins « tendre ». Chaque fois, après avoir entendu le petit couplet sarkozien, Chirac a feint d'en prendre note.

« C'est une bonne idée, en effet », a-t-il même dit à certains, mi-figue, mi-raisin.

Sans doute le président a-t-il entendu naguère, au cours d'un de leurs nombreux déjeuners, la sentence que Robert Hersant, feu le patron du *Figaro*, aimait répéter : « Il ne faut jamais redonner une chance à quelqu'un qui vous a trahi. Il vous trahira toujours une deuxième fois. Pas par vice, non, simplement parce qu'il aura besoin de se prouver à lui-même qu'il avait raison la première fois. »

Chirac considère que Sarkozy lui a manqué en choisissant Balladur à l'élection présidentielle de 1995. À l'évidence, il a été plus affecté par sa défection que par celle de l'ami Édouard. Tant il est vrai qu'il s'était entiché du maire de Neuilly. Pendant la campagne électorale, il avait même demandé à Patrick Stefanini, homme lige de Juppé, de passer des messages du genre : « Vous qui l'aimez bien, dites à votre ami Nicolas de ne pas en rajouter et de ne pas insulter l'avenir... »

Pour qu'il y ait eu trahison, il aurait fallu que Nicolas Sarkozy doive quelque chose à Jacques Chirac. Là-dessus, les avis divergent parmi les amis les plus proches du chef de l'État. C'est dire s'il est malaisé, avec ces deux-là, de démêler le vrai du faux et l'apparence de la réalité.

Pierre Mazeaud est formel : « En 1995, Chirac s'est senti trahi parce qu'il a toujours pensé qu'il avait fait Sarko. C'est même lui qui l'a découvert au congrès de Nice et lui a proposé, dès 1975, d'entrer en politique dans son giron. » Jérôme Monod est tout aussi formel, mais dans l'autre sens : « Si Chirac l'a remarqué, Sarko n'a jamais été l'une de ses créatures. Il s'est fait tout seul comme un grand, à la force du poignet. »

Il est vrai que Sarkozy se sent, depuis longtemps, l'égal de Chirac. C'est à peine s'il lui a reconnu, parfois, un droit d'aînesse. La preuve en est qu'il n'a cessé de garder avec lui une grande liberté de parole. On ne trahit que par-derrière, ou par surprise. Or, à la façon de Mitterrand ou de Chirac, il prend toujours ses rivaux de face et ne tire jamais avant les sommations d'usage.

Sarkozy n'a jamais supporté, de surcroît, les méthodes de travail de Chirac. Sa fille Claude raconte : « Ce qui a toujours énervé Nicolas au plus haut point, c'est sa façon de faire les tours de table en encourageant la confrontation et puis, après, de se retirer pour n'en faire qu'à sa tête. »

Ce n'est pas un hasard si Chirac et Sarkozy se traitent mutuellement de « cyniques ». Ce sont deux affectifs contrariés qui n'arrivent pas à se défâcher. Il y a trop de soupçons entre eux. Trop de mots qui tuent. Des deux, l'enfant prodigue est sans doute le plus sentimental. Il ne pardonne pas au président ses doubles jeux. Il a fini par se convaincre qu'il n'avait rien à attendre du chef de l'État. Sauf des mauvais coups.

Dès le début du quinquennat, Sarkozy a donc décidé qu'il lui fallait se méfier de Chirac. Qu'il était condamné à construire avec lui un rapport de force s'il ne voulait être balayé aux premiers orages. Qu'il travaillait, en somme, en territoire ennemi sous la férule d'un président « dépassé » que sa politique « timorée » conduisait « droit dans le mur ».

S'il n'avait pas été nommé Premier ministre, alors qu'il était le meilleur, et de loin, c'était bien le signe, à ses yeux, que les Chirac n'avaient pas levé leur fatwa. Les Chirac : en l'espèce Jacques et Claude. Pas Bernadette. Elle n'a pas eu la même histoire avec lui. Contrairement aux deux autres, elle a ravalé sa rancune.

Quand *Le Monde* révéla, le 22 mars 1995, à quelques semaines de l'élection présidentielle, que Bernadette Chirac avait réalisé, deux ans plus tôt, une plus-value foncière de 1,4 million de francs, tous les doigts avaient pointé Nicolas Sarkozy, le ministre du Budget d'Édouard Balladur. Il était accusé d'avoir organisé la « fuite ».

C'est un réflexe : chaque fois que sort une affaire contre leur champion, les chiraquiens voient la main de Sarkozy qui, on l'a vu, clame toujours son innocence.

Une affaire apparemment banale, cette vente au Port autonome de Paris d'un terrain de 103 hectares appartenant en indivision aux Chodron de Courcel, la belle-famille de Jacques Chirac. Bernadette a reçu la quote-part qui lui revenait. Mais ce qui étonnait, c'était que les héritiers fussent passés par un intermédiaire. Ils lui avaient cédé pour 63,56 millions de francs un lot qu'il revendait quelques heures plus tard 83 millions. Quelque chose clochait, à l'évidence. Que les installations prévues sur le site n'aient toujours pas été construites, dix ans après cette transaction, est mêmement troublant.

Mais bon, la justice n'a rien trouvé à redire à tout cela. Bernadette Chirac n'a pas supporté que cette petite affaire familiale fasse les choux gras de la presse. Elle a longtemps soupçonné Nicolas Sarkozy d'avoir balancé l'affaire. Quand elle a acquis la conviction que le coupable était Nicolas Bazire, le directeur de cabinet d'Édouard Balladur, elle s'est rapprochée à grands pas de l'ex-ami de la famille.

C'est ainsi qu'elle appelle Nicolas Sarkozy, le 15 juillet 2004, après que le président eut tancé, la veille, son ministre avec une formule qui claquait comme un soufflet : « Je décide, il exécute. »

La femme du président veut le voir de toute urgence. « Ça ne sert à rien, répond Sarkozy. Je suis très en colère contre votre mari. »

Rendez-vous est quand même pris une semaine plus tard dans l'appartement de Bernadette à l'Élysée.

« Jacques est très malheureux, dit-elle. Que peut-on faire ?

— S'il est malheureux, il m'invite et j'arrive. C'est à lui de prendre l'initiative de la réconciliation. »

À la fin de l'entretien, elle le regarde droit dans les yeux et laisse tomber comme une évidence : « Mon mari ne se représentera pas et je vous soutiendrai. »

Elle ne cessera plus, ensuite, de répéter à la ronde tout le bien qu'elle pense de Sarkozy : « C'est le meilleur. Il connaît le terrain, lui. »

100

Jacques s'en va-t-en guerre

« Être inerte, c'est être battu. »
Charles de Gaulle

Mitterrand disait souvent, avec une pointe de regret non dénué d'humour : « Ah ! si j'avais eu une guerre ! » Chirac l'attendait aussi. Il l'aura. La France n'ayant plus les moyens d'en faire une vraie, ce ne sera, bien sûr, qu'une guerre diplomatique menée à coups de mots, de moulinets et de gesticulations. Mais ce sera l'occasion pour lui de montrer son caractère et aussi son panache.

Quand il était son Premier ministre, Jospin avait entendu Chirac prononcer à plusieurs reprises, notamment lors d'un sommet européen avec Blair et Schröder, des propos du genre : « J'ai un principe simple en politique étrangère. Je regarde ce que font les Américains et je fais le contraire. Alors, je suis sûr d'avoir raison. »

Tout en comprenant l'ironie du propos, Jospin était choqué par la vulgarité du raisonnement qui a pu inspirer, parfois, la diplomatie chiraquienne. La sophistication, en la matière, n'est pas le fort du président. Même quand il connaît bien les dossiers, ce qui est souvent le cas, il ne s'embarrasse pas de précautions. Il fait simple.

Quand, à la suite des attentats du 11 septembre 2001 à New York, George Bush commence à préparer le monde à une opération militaire en Irak, Jacques Chirac multiplie les mises en garde contre le président américain. Au journaliste du *New York Times* qui invoque la « dangerosité » du régime irakien, accusé de détenir des armes de destruction massive, il répond : « S'il existe des preuves, je ne les ai pas vues. » Quand le même journaliste lui demande si le monde peut vivre avec une pareille tyrannie, il laisse tomber :

« Tony Blair me dit la même chose pour Mugabe au Zimbabwe, alors si on commence chacun à dire : "On ne peut pas accepter", bientôt il y aura la moitié du monde qui se battra contre l'autre moitié [1]. »

Pendant des mois, Jacques Chirac tient tête aux États-Unis. Crânement, il se pose en croisé du réalisme contre une administration américaine dominée par ses passions. Il lui donne, avec des accents gaulliens, des leçons d'histoire, de stratégie ou de géopolitique. Enfin, il sonne l'alarme et lance des appels à la raison. « Si elle a lieu, dira-t-il un jour à l'auteur, les grands vainqueurs de cette guerre seront les terroristes et les champions du "choc des civilisations". Les Américains ne se rendent pas compte de la puissance, dans une grande partie du monde, de l'anti-américanisme et de l'anti-occidentalisme. En attaquant l'Irak, ils déclencheront un mouvement dont ils n'ont pas idée. »

C'est toujours la même analyse qu'il sert à ses visiteurs, jugulaire au menton, sur un ton prophétique. Saint Jean de l'Apocalypse reçoit les journalistes à la chaîne et par fournées pour leur annoncer qu'avec leur politique messianique, les États-Unis vont mettre le feu de la géhenne dans le monde arabe. Qu'ils laissent faire les grandes personnes ou les vieux sages comme lui.

Sans doute y a-t-il une part de dépit dans son attitude. George Bush n'a pas pris la peine de le consulter, lui le connaisseur de la chose arabe. Pour le président américain, c'est bien simple : « Les États-Unis décident, l'Europe exécute. » Alors, à quoi bon demander son avis au Vieux Monde ? D'autant qu'ils comptent en son sein quelques caniches de Pavlov qui les suivent sans même qu'ils aient à les siffler.

Chirac qui adorait Bush père, europhile averti, n'aime pas Bush fils. Il estime que le cerveau du président américain est passé sous le contrôle des néo-conservateurs. Des « illuminés », ces gens formés par la gauche socialiste et reconvertis dans la droite dure, qu'habite une seule obsession : exporter partout le modèle démocratique. « Ils s'imaginent qu'ils peuvent changer le monde, les benêts, ironise le chef de l'État français, mais il ne les a pas attendus pour vivre et prendre des habitudes. Ils se fichent les doigts dans

---

1. Entretien au *New York Times*, le 9 septembre 2002.

l'œil, s'ils croient qu'ils lui vendront leur démocratie comme du Coca-Cola ou des McDonald's. »

Aux néo-conservateurs qui rappellent que les Alliés ont réussi, après la guerre, à « démocratiser » l'Allemagne nazie, Jacques Chirac répond que les États-Unis commettent une faute, pire, une sorte de crime contre l'humanité, en se trompant aussi lourdement d'ennemis. Ce qu'il faut combattre, ce ne sont pas les Arabes laïcs, fussent-ils aussi abominables que Saddam Hussein. Ce sont les fondamentalistes, chiites et surtout sunnites, à qui la guerre redonnera un nouveau souffle.

En somme, le président français accuse à la fois les États-Unis d'ignorance et d'inexpérience. Sur ce dernier point, il se laisse volontiers aller : « Vous allez dire que j'élucubre, mais la seule question qui se pose aujourd'hui, c'est : voulons-nous d'un système où une seule nation, à savoir l'Amérique, décide pour tout le monde contre l'opinion mondiale ? C'est ce qui est en jeu aujourd'hui. »

Aristide Briand est revenu. Il s'appelle Jacques Chirac. Les harangues présidentielles semblent souvent sorties de *Paroles de paix* quand le vieil ennemi de Georges Clemenceau écrivait dans son style si particulier, qui réussit la gageure d'être aussi pauvre qu'ampoulé : « Moi, je dis que la France [...] ne se diminue pas, ne se compromet pas, quand, libre de toutes visées impérialistes et ne servant que les idées de progrès et d'humanité, elle se dresse et dit à la face du monde : "Je vous déclare la Paix !" »

Jacques Chirac en a-t-il trop fait ? Des mois durant, il a pris parti contre la stratégie américaine. « Cette région, déclare-t-il ainsi, le 16 octobre 2002, en Égypte, n'a pas besoin d'une guerre supplémentaire si on peut l'éviter. » Et il ajoute : « L'éviter serait de l'intérêt de la région, de la morale et d'une certaine idée de l'ordre international où chacun doit être respecté. » Façon de dire que la guerre de George Bush serait amorale.

On ne compte pas les déclarations de ce genre avant l'intervention américaine. Souvent, Jacques Chirac semble même avoir choisi le camp de Saddam Hussein, son ami des années soixante-dix avec lequel il passa des nuits à jouer aux cartes, contre celui de George Bush, personnage confit de certitudes, qui lui a toujours été antipathique. Détail qui ne trompe pas : sa résistance au président américain chaque fois que ce dernier tente, lors des sommets des Grands de ce monde, les G8, d'imposer sa mode vestimentaire. Un coup, il offre des bottes à ses hôtes. Jacques Chirac ne les portera pas. Une autre fois, le Texan arrive avec une chemise à col ouvert. Le Corrézien gardera sa cravate.

Jusqu'à l'intervention américaine, Jacques Chirac laisse libre cours à sa détestation de George Bush et à son exaspération contre ce qu'il appelle l'« unilatéralisme américain ». La France redevient l'« embêteuse ». Comme l'écrit le *Wall Street Journal*[1], « après presque une décennie de retraites diplomatiques, la France boxe à nouveau au-dessus de sa catégorie, offrant une vue du monde alternative à celle des États-Unis dominants [...]. C'est la France, pas la Russie ou la Chine, qui prend la tête de la tentative de dompter la puissance américaine ».

On a beaucoup dit que sa ligne anti-américaine lui avait été soufflée par Dominique de Villepin, son ministre des Affaires étrangères, qui lui aurait même, à plusieurs reprises, forcé la main. C'est faux. Que son ancien secrétaire général, croyant bien faire, en ait parfois rajouté, c'est sûr. Mais le président l'a aussitôt recadré, paternellement, parfois avec une pointe d'amusement. « Des erreurs de jeunesse », commentera-t-il avant de plaisanter sur le caractère de « chien fou » du patron du Quai d'Orsay.

Il éprouvera même une certaine fierté en prenant connaissance du discours que Villepin lira, le 14 février 2003, devant le Conseil de sécurité des Nations unies :

« La lourde responsabilité et l'immense honneur qui sont les nôtres doivent nous conduire à donner la priorité au désarmement dans la paix. Et c'est un vieux pays, la France, un vieux continent comme le mien, l'Europe, qui vous le dit, aujourd'hui, qui a connu la guerre, l'occupation, la barbarie. Un pays qui n'oublie pas et qui sait tout ce qu'il doit aux combattants de la liberté venus d'Amérique et d'ailleurs. Et qui pourtant n'a cessé de se tenir debout face à l'Histoire et devant les hommes. »

Une prose au phrasé un peu bancal, voire maladroit, mais la voix est là. Du grand Villepin. Une étoile est née. Chirac l'observera désormais d'un autre œil. En attendant, ce n'est encore qu'un exécutant. Sur le dossier irakien, le président est à son affaire. Il lui suffit de suivre sa pente, celle qui le conduit depuis si longtemps

---

1. Le 19 novembre 2002.

et qui explique sa popularité en Afrique ou dans le monde arabe. Y compris en Algérie où, en visite d'État, du 2 au 4 mars, il a fait un triomphe.

Il est habité par ses convictions parce qu'il ne doute pas que l'Histoire lui donnera raison. C'est pourquoi il cogne. En déclarant, quand George Bush entend faire la guerre avec un mandat de l'ONU, que la France est prête à lui opposer un veto au Conseil de sécurité. En envoyant Villepin rameuter les pays africains qui, au Conseil de sécurité, pourraient flancher devant les injonctions américaines : le Cameroun, la Guinée et l'Angola. En répétant à qui veut l'entendre que, contrairement aux affirmations de Bush et de Blair, l'Irak ne détient plus d'armes de destruction massive. En coalisant, contre Washington, la Russie et la Chine. Commentaire de Nicolas Sarkozy : « Voilà un peuple avec lequel on n'a jamais été en guerre et qui est même venu nous aider deux fois. Ce n'est pas une raison pour nous fâcher avec eux [1]. »

Que reste-t-il de tout cela, des années après ? Une immense clairvoyance. Une nostalgie qui remonte. Mais si elle est une « embêteuse », la France n'aura pas été une « empêcheuse ». Sur cette affaire, finalement, elle se sera comportée en spectatrice engagée et perspicace. Pays moyen-petit, que pèse-t-elle auprès de cette Amérique fière et resplendissante ? En dépit de nos objurgations, les États-Unis ont donc mené leur guerre avec leurs alliés britanniques, italiens, espagnols ou roumains. Sans se couvrir de gloire mais sans déclencher non plus l'apocalypse mondiale longtemps prophétisée par Villepin, à grand renfort d'imprécations fracassantes.

Depuis, après l'avoir longtemps boudé, Bush a recommencé à téléphoner, comme par le passé, à Chirac. La France et l'Amérique se sont raccommodées. Il est vrai que les fils n'avaient jamais été rompus, même dans les pires moments, entre Maurice Gourdault-Montagne, le conseiller diplomatique de l'Élysée, et Condoleezza Rice, l'égérie du président américain.

Même si la même Rice avait dit, au plus fort de la crise franco-américaine, qu'il faudrait pardonner à l'Allemagne et punir la France, tout a fini par s'arranger. Tant il est vrai que, sur ce dossier, Chirac a fait la preuve de capacités qu'il avait déjà déployées en

---

1. Entretien avec l'auteur, le 15 octobre 2003.

réglant l'affaire de l'ex-Yougoslavie. Détermination, responsabilité, souplesse. Il a suivi les préceptes du *Fil de l'épée* en n'écoutant personne : « Face à l'événement, c'est à soi-même que recourt l'homme de caractère. »

Gaullien, Chirac ? Oui, quand il s'agit de porter haut la voix de la France dans le monde. Pour le reste, c'est moins sûr. À l'époque, un économiste, Nicolas Baverez, a fait un parallèle cruel entre l'« activisme forcené » du président français sur le plan international où il est si inspiré et son « absence de stratégie et d'action » devant la « dégradation de la situation intérieure ». À son article, il a trouvé un titre qui fera mouche, et rire aussi : « Debout face à Bush, couché devant Blondel [1] ».

De Gaulle au-delà des frontières, Pétain en deçà ?

---

1. *Le Point*, le 14 mai 2003.

101

Quand les masques tombent

> « Un mensonge peut faire le tour de la terre le temps que la vérité mette ses chaussures. »
>
> Mark Twain

Il a soixante-dix ans, l'âge où l'on ne peut tricher ni avec les autres ni avec la mort qui guette. Sa vérité apparaît, enfin, derrière les impostures sur lesquelles il avait bâti sa carrière. Tout vermoulu, le personnage qu'il s'était construit ne peut plus faire illusion, désormais.

Il devient lui-même. Un tiers-mondiste féru d'archéologie et grand connaisseur des civilisations arabe, africaine et asiatique. Il observe les jeux politiques de plus en plus haut.

Il se lâche et tient régulièrement des propos qui révulsent son propre camp. Ainsi : « Le libéralisme, ce serait aussi désastreux que le communisme[1]. » Sa langue aurait-elle fourché ? Non, c'est vraiment ce qu'il pense. L'âge venant, il n'hésite plus à dire tout haut ce qu'il se contentait, jusqu'à présent, de ravaler.

Pour arriver, Chirac s'était inventé un profil de bonapartiste autoritaire. Il faisait comme n'importe quel politicien de basses eaux. Il suivait le peuple, et le sien, du moins celui de son parti, était de droite. Pendant plus de trois décennies, il a donc ressassé des slogans auxquels il ne croyait pas, ou peu.

C'est pourquoi il a toujours eu besoin de vraies consciences de droite à ses côtés. De stratèges articulés avec un vrai corps de doctrine. Ce rôle a été dévolu tour à tour à Marie-France Garaud,

---

1. *Le Figaro*, le 16 mars 2005.

Charles Pasqua, Édouard Balladur et Alain Juppé. Souvent, pourtant, il n'a pu s'empêcher de faire valser ces béquilles.

La bonne presse se gaussait de lui car elle s'imaginait, la cruche, qu'il avait besoin de gourous. Mais non, il lui fallait juste des repères. Des poteaux indicateurs grâce auxquels il suivrait le droit chemin sans suivre sa pente de rebelle compassionnel, toujours prêt à hurler, mais sous cape, contre l'égoïsme des riches ou l'impérialisme des États-Unis.

Contrairement à la plupart des politiciens, de droite ou de gauche, Chirac n'est pas fasciné par le monde de l'argent. Il le fréquente, bien sûr, et n'a jamais craché sur ses gratifications ni sur les invitations à utiliser son avion personnel de Rafic Hariri, l'ancien Premier ministre du Liban et homme d'affaires milliardaire, qui sera assassiné par les services syriens.

Si François Pinault restera jusqu'au bout l'un de ses meilleurs amis, sinon le plus proche, ce n'est pas parce qu'il figure en tête des plus grandes fortunes de France, mais parce que cet homme est un iconoclaste paradoxal. C'est ce qu'il aime chez lui.

Avec les autres, Chirac se tient sur ses gardes. Il faut l'entendre parler à ses proches de Serge Dassault, le patron du groupe du même nom, qu'il évite comme la peste : « Toujours à me harceler avec ses idées à la noix pour réformer l'impôt sur la fortune ! Il voudrait que je pleure sur son sort. J'ai beau y mettre la meilleure volonté, je n'arrive pas à avoir pitié de lui. Déjà que je me décarcasse pour qu'il vende des avions à l'étranger. Je crois que j'en fais assez pour lui. »

Non, il ne sera jamais une « petite sœur des riches » comme tant d'autres politiciens de droite, toujours prompts à pleurer sur les malheurs des rentiers et possédants. Le monde des chefs d'entreprise lui est plus insupportable encore. À propos de l'un ou de l'autre, il reprendra volontiers cette formule qu'il utilisait pour feu Jean-Luc Lagardère, lui aussi patron du groupe du même nom, un homme qu'il appréciait néanmoins : « C'est un type formidable. Tant qu'on n'a rien à lui demander. »

En somme, Chirac est un coucou. Un drôle d'oiseau qui a été longtemps couvé par la droite. Il a fallu l'expérience du pouvoir pour qu'elle découvre qu'il n'était pas l'un des siens. Enfin, pas tout à fait.

L'un des actes fondateurs de son « radicalisme », au sens tranchant et américain du mot, fut son refus de célébrer le bicentenaire de la découverte de l'Amérique par Christophe Colomb. Au lieu de quoi, il patronna une exposition sur les Taïnos, un peuple précolombien disparu : « Mon idée était de ressusciter cette grande civilisation massacrée... »

C'était certes au temps de la « fracture sociale ». Mais la passion de Chirac pour les arts premiers ne s'est plus jamais démentie. Jusqu'alors, il la cantonnait dans ses jardins secrets. Depuis qu'il a été élu à la présidence, il l'a laissée se déployer. Après Pompidou et Mitterrand, il a même décidé qu'il aurait, lui aussi, son musée, mais dédié, celui-là, aux « peuples oubliés de la terre ».

N'est pas Pompidou ni Mitterrand qui veut. Dix ans après qu'il l'eut annoncé, le musée des « arts premiers » n'était pas encore ouvert. Il a fallu attendre 2006. Il est vrai que, comme dit le poète, Paris n'a pas été bâti en un jour et n'est même pas encore terminé. Mais bon, Chirac n'a jamais été atteint, on le sait, par la fièvre bâtisseuse.

D'où lui est venu cet amour pour les civilisations disparues et les arts dits primitifs ? C'est une histoire qui, on l'a vu, remonte à l'adolescence.

Jacques Chirac revendique volontiers la paternité de l'expression d'« arts premiers ». Soit. Il prétend aussi avoir écrit des notes pour André Malraux et son *Musée imaginaire*. Possible. Dans les années soixante, il le fréquentait pas mal, partageant souvent avec lui ses déjeuners très arrosés chez Lasserre, restaurant où le ministre de la Culture du général de Gaulle avait un rond de serviette.

L'âge venant, Jacques Chirac aime se poser en expert international que la Chine appelle à la rescousse, sur un point particulier. Par exemple, à propos de bronzes archaïques ou de fouilles en cours. Il rappelle volontiers qu'il a souvent été invité à donner des conférences, notamment au Japon, sur des sujets érudits. Il évoque régulièrement son amitié avec Jacques Kerchache, un grand marchand d'art, qui avait « l'œil ». Depuis sa mort, il est devenu très proche de Christian Deydier, un grand antiquaire et un des meilleurs spécialistes des arts asiatiques.

Désormais, il ne dissimule plus son goût pour l'art. Il a baissé son masque d'inculte crasse. Au point que son bureau de l'Élysée est devenu, au bout de dix ans, une sorte de brocante. Un musée pas imaginaire où on trouve de tout. Une statue mumuyé en bois du Niger représentant une femme, datant de la fin du XIXᵉ siècle. Deux haches olmèques du Mexique, vieilles de près de trois mille ans. Sans parler de pièces boli, taïno, toumaï, shang, et on en passe.

Le président connaît tout de ces objets qui peuplent son bureau et peut faire l'article pendant des heures, avec une science qui n'est pas feinte, avant de partir dans une digression sur l'hindouisme ou le zoroastrisme. Lui que l'on croyait d'une ignorance encyclopédique a des civilisations disparues plein la tête. C'est ce qu'ont noté tous ses Premiers ministres.

Alain Juppé : « Chirac pense toujours le monde en termes de civilisations. C'est ce qui a expliqué sa position en faveur de l'entrée de la Turquie dans l'Union européenne. »

Jean-Pierre Raffarin : « Giscard résonnait en décennies. Chirac, lui c'est en siècles. Et encore, souvent, je me demande si ça n'est pas en millénaires... »

Dominique de Villepin : « Chirac n'est pas tout à fait d'ici. C'est un Oriental ou un Asiatique qui se place toujours très au-dessus du monde d'aujourd'hui. »

Certes. Ce pourrait être une explication à son immobilisme. Une version politique du nirvana, une philosophie de la contemplation appliquée à la France des années 2000. Mais ce refuge dans le passé n'est-il pas aussi un alibi à son inertie et à son « à-quoi-bonisme » ?

En tout cas, au terme de sa carrière, Chirac ne s'animera plus que pour évoquer le martyre des civilisations disparues ou des oubliés de la terre. Il est devenu leur porte-parole et s'exprime au nom de leurs charniers avec une fureur de prédicateur.

Écoutons-le : « Je ne suis pas un fanatique du bouddhisme, du taoïsme, de l'islam ou d'autre chose. Mais je ne supporte pas le rejet des autres cultures par la civilisation occidentale. La moutarde me monte au nez quand j'entends tous ces ignorants arrogants, européens ou américains, couvrir de leur mépris les arts premiers. Des pithécanthropes de la culture, voilà ce qu'ils sont. Ils croient tout savoir, mais ils ne font que perpétuer une tradition qui nous a amenés à écraser et détruire tant de civilisations. Après l'arrivée des hordes hispaniques en Amérique, c'est un des plus grands génocides de l'histoire de l'humanité, qui a été perpétré : 80 millions d'Amérindiens massacrés en un peu plus de cinquante ans, du Mexique à la Terre de Feu, voilà le travail ! Tout ça, au nom des grands principes, de la soif de l'or et de la prétendue supériorité de notre religion ! Pour moi, on ne me refera pas, l'art des Indiens de la côte ouest des États-Unis est aussi beau que la peinture française du XVIIIᵉ siècle. Tous les hommes sont égaux. Tous les chefs-d'œuvre aussi. Si on veut se respecter soi-même, il faut d'abord respecter les autres. C'est par la tolérance que l'on enracinera la paix dans le cœur de l'humanité[1]. »

Il y a là, dans ce grand corps usé et courbé, un esprit de révolte qui n'en finit pas de brûler.

---

1. Entretien avec l'auteur, le 30 janvier 2005.

102

Les griffes du « Tigre »

« Il est plus facile de faire la guerre que la paix. »

Georges Clemenceau

Quand la guerre a-t-elle été déclarée ? Il n'est pas sûr qu'elle ait jamais cessé. Aux premiers temps du quinquennat, lorsqu'il est question de donner du galon à Brice Hortefeux, l'alter ego de Nicolas Sarkozy, dans les instances de l'UMP, le chef de l'État téléphone lui-même à Alain Juppé et grommelle avec sa voix des mauvais jours : « Je ne suis pas d'accord. »

Soupçonné d'avoir activé les « affaires » qui lui ont pourri la vie, Hortefeux sera donc limogé avant même d'être nommé. Tel est le lot de la plupart des sarkozystes, à l'aube du deuxième mandat de Jacques Chirac. Ils sont priés de rester à l'office. On verra plus tard s'il reste des places à table. En attendant, ils n'ont qu'à se tenir tranquilles.

C'est au bout d'un an que les relations commencent à s'aigrir vraiment entre le président et son ministre de l'Intérieur. Un ministre populaire, qui fait ce qu'il dit et dit ce qu'il fait. Une sorte de farfadet qui aurait le don d'ubiquité. Avec ça, turbulent et médiatique, toujours le mot pour rire ou faire un titre.

Alors que baissent sans discontinuer les chiffres de la délinquance et des accidents de la circulation, Nicolas Sarkozy a transformé son ministère en vitrine du sarkozysme. Il a réformé autant qu'il pouvait. La garde à vue. La double peine. Les contrôles de vitesse. La place Beauvau est ainsi devenue son tremplin. Il ne cache pas l'ambition qui l'habite : la présidence de la République à laquelle il pense « chaque matin, en se rasant », et même davantage.

Pour ne rien arranger, l'image présidentielle de Sarkozy s'installe dans les têtes. À en croire les sondages, il est même devenu le candidat préféré de la droite pour la prochaine élection, assez loin devant Chirac. Mauvaise nouvelle pour le chef de l'État à l'heure où vacille le destin national de Juppé, son dauphin naturel, aux prises avec la justice dans une affaire d'emplois fictifs au RPR.

Chirac est comme tous les hommes de pouvoir. Plus méfiant encore que la moyenne, il ne souffre pas qu'on ait prise sur lui et entend avant tout garder les mains libres. Or, n'est-ce pas une stratégie de garrottage que mène contre lui le pétaradant ministre de l'Intérieur ?

À force de voir Sarkozy faire des galipettes sous ses fenêtres en jetant ses insolences comme des crachats, Chirac finira un jour par laisser tomber, sur un ton de grande lassitude : « J'ai compris ce qu'il veut. Faire de moi un roi fainéant. Eh bien, qu'il ne compte pas sur moi pour l'aider ! »

Il la joue fine, cependant. La plupart du temps, Chirac fait la chattemite, comme le montre une explication de gravure, tout en douceur, le 14 octobre 2003, après les journées parlementaires de l'UMP, à Nancy. Sarkozy a prononcé un discours de la méthode où, entre les lignes, il faisait la leçon à Raffarin. Le chef de l'État avait alors fait savoir, par voie de presse, qu'il condamnait les « manquements à la solidarité » gouvernementale. Colère du ministre de l'Intérieur.

À l'époque, Chirac et Sarkozy sont un peu en froid. Quelque temps auparavant, lors d'un aparté pendant un Conseil des ministres, le président avait tranché : « Il n'y aura pas de loi sur l'immigration et s'il y en a une, ce ne sera pas toi qui la feras. » Sarkozy avait répondu : « On ne parle pas de choses aussi importantes de façon aussi sommaire. »

« Je sais que j'ai commis une chose terrible, dit Sarkozy, ce 14 octobre, au chef de l'État. J'ai dit aux parlementaires : "Il faut réfléchir." Je reconnais aussi que j'ai commis une faute plus impardonnable encore en déclarant : "Il faut agir." »

Sarkozy s'interrompt un moment, puis :

« Et ça va durer combien de temps, toutes ces petites attaques contre moi ?

— Je n'y suis pour rien, jure Chirac. J'ai interdit que l'on dise du mal de toi à l'Élysée. »

Pour un peu, on dirait qu'ils n'ont plus qu'une chose en commun : l'hypocrisie. Ils sont néanmoins bien décidés à ne rien commettre d'irréparable. Sarkozy, notamment, parce qu'en attendant l'Élysée, il serait tout disposé à faire une escale à Matignon. « Je suis prêt, dit-il à l'auteur [1]. J'ai été assez longtemps en bas. C'est là, dans la vallée, qu'on emmagasine la chlorophylle et construit l'énergie que l'on consommera en haut de la montagne. Il ne faut jamais arriver en hélico, au sommet. Après, on se plante. J'ai eu le temps de me préparer et, franchement, je ne désespère pas. Poincaré a bien fini par appeler Clemenceau parce que, comme il l'a dit, tout était perdu et si ça ne l'avait pas été, le bougre aurait été capable de tout faire perdre. »

Référence qui en dit long. Raymond Poincaré, c'était l'irrésolution faite homme et, comme l'a dit Paul Morand, une « caravane de lieux communs dans un désert d'idées ». Georges Clemenceau, lui, c'est une grande page de l'histoire de France.

Sans doute Sarkozy se reconnaît-il dans le portrait que Jules Renard a fait du « Tigre » : « Un téméraire qui tâche, à chaque instant, de se faire pardonner ses audaces [2]. » Sans doute le verrait-on bien dire de Chirac, comme Clemenceau de Briand : « Même quand j'aurai un pied dans la tombe, j'aurai l'autre dans le derrière de ce voyou. »

Tant il est vrai que Sarkozy a quelque chose du Tigre. Le même caractère épineux. La même hargne au combat. La même rosserie aussi, qui a fait dire à Clemenceau tant d'horreurs dont la moindre ne fut pas sa réponse, en 1913, à Antonin Dubost, président du Sénat et candidat à l'Élysée, qui lui disait :

« Vous avez une drôle de façon de me soutenir. Pourquoi dites-vous à tout le monde que je suis un imbécile ? Je ne suis pas plus bête qu'un autre. »

Alors, Clemenceau : « Où est l'autre ? »

Jacques Chirac ne quitte plus Nicolas Sarkozy des yeux. Il suit de près tous ses faits et gestes, notamment son travail auprès de la communauté musulmane de France que le ministre de l'Intérieur

---

1. Entretien avec l'auteur, le 15 octobre 2003.
2. Cité dans *Vacheries. Petit dictionnaire des insolences*, de Jean Rivoire, Le Cherche Midi, 1992.

entend organiser. Depuis deux décennies, la plupart de ses prédécesseurs, de Joxe à Chevènement, s'y sont essayés. Sans succès.

Sarkozy a décidé de procéder autrement que les autres. Pour monter son Conseil français du culte musulman (CFCM), il tend la main à l'Union des organisations islamiques de France (UOIF), qui fédère un réseau de trois cents associations d'inspiration intégriste. Tollé général. Le ministre de l'Intérieur aurait-il perdu la tête en laissant l'islam de France passer sous le contrôle des fondamentalistes ?

Comme le note l'un de ses biographes [1], « il parie que le radicalisme est soluble dans le pouvoir et les honneurs ». Jusqu'à présent, la République choisissait ses interlocuteurs dans l'islam modéré en ostracisant tous ceux qui, comme l'UOIF, avaient des penchants intégristes. Sarkozy est convaincu qu'il ramènera tous les musulmans dans la communauté nationale en mettant fin aux anathèmes.

Pour lui manifester son soutien, Chirac n'attendra pas que la stratégie de Sarkozy se révèle payante, avec la montée en puissance des musulmans républicains, sous la houlette de Dalil Boubakeur, recteur de la mosquée de Paris. Après une apparition et un discours très remarqués du ministre de l'Intérieur au vingtième rassemblement de l'UOIF, au Bourget, en 2003, le chef de l'État l'a ainsi chaudement félicité : « Tu as fait ce que tu devais faire. »

S'il n'hésite jamais à dire ses désaccords avec Sarkozy, par exemple sur la discrimination positive, le chef de l'État ne combat que le rival ou le candidat à l'Élysée. Jamais le ministre de l'Intérieur qui, au demeurant, le reconnaît bien volontiers [2] : « Chirac me fiche une paix royale. La plupart du temps, il découvre ce que je fais dans la presse. En vérité, c'est quelqu'un qui veut du résultat et un engagement total. Si tu as les deux, pas de problème. Sinon, tu peux t'attendre à tout. »

De là à imaginer que Chirac n'est pas obsédé par Sarkozy, il y a un pas qu'on ne saurait évidemment franchir. Au contraire, le président le marque souvent à la culotte. Le 5 janvier 2004, par exemple, il appelle ainsi son ministre pour lui dire : « J'ai appris que tu partais bientôt aux États-Unis. Dans le contexte actuel, ça pose un problème.

---

1. *Sarko Star*, de Michaël Darmon, Le Seuil, 2004.
2. Entretien avec l'auteur, le 14 octobre 2003.

— Y a pas de date ni de projet, répond Sarkozy.

— Bonne nouvelle. Mes hommages à ta femme. »

Une autre fois, il téléphone à son ministre pour le complimenter sur sa visite en Égypte : « Fantastique, le succès que ç'a été. As-tu prévu d'autres voyages de ce genre ?

— Non.

— C'est très bien. Il ne faut pas en faire trop, tu sais. Et puis la prochaine fois que tu vas à l'étranger, essaie de me prévenir avant. »

Avec Sarkozy, le président n'oublie jamais de se méfier, donnant ainsi raison à la maxime de La Rochefoucauld : « Notre défiance justifie la tromperie d'autrui... »

103

Pour quelques pelletées de terre

« Rien ne s'arrange mais tout se tasse. »
Marcel Achard

Ce n'est pas un échec, c'est un tsunami. Aux élections régionales du 24 mars 2004, la droite perd toutes les régions sauf une : l'Alsace. La vague socialiste est telle qu'elle emporte même des bastions comme le Poitou-Charentes, présidé par Jean-Pierre Raffarin, ou les Pays de la Loire, présidé par François Fillon.

Un « 21 avril à l'envers », diagnostique François Fillon. À juste titre. Le scrutin traduit la colère et le désarroi du pays devant la politique du gouvernement. C'est ce que les chiracologues avertis comme Catherine Pégard appellent la « malédiction des deux ans ». Aux affaires, Jacques Chirac n'a jamais tenu plus de deux ans : 1974-1976, 1986-1988, 1995-1997 et, maintenant, 2002-2004.

À cette débandade, on peut donner, outre la « malédiction des deux ans », plusieurs explications : la mauvaise gestion de la canicule d'août 2003 qui a fait 15 000 morts, la radiation de 200 000 chômeurs des listes de l'Unedic ou encore les mouvements de protestation des chercheurs et des intermittents du spectacle. Mais avant même le fiasco, Chirac en subodorait déjà la raison : la France se ronge les sangs. Il avait donc demandé aux siens de rayer de leurs discours le mot si effrayant de « réforme ». Ils n'étaient autorisés qu'à parler de « changement » ou de « modernisation », et encore, pas trop, afin de ne pas terrifier le bon peuple.

Total : une débâcle historique, comme si les Français avaient eu peur de ce que préparait la main droite pendant que la main gauche les caressait dans le sens du poil.

Que faire ? Le premier réflexe de Chirac est de trouver des boucs émissaires, comme Jean-Jacques Aillagon, le ministre de la Culture, coupable de n'avoir pas cédé sur le dossier des intermittents du spectacle, avant de tout verrouiller. Donc, pas question pour le moment de se séparer de Raffarin. Hormis Sarkozy, le président n'a, de toute façon, pas de solution de rechange au Premier ministre et n'entend pas être relégué à l'« inauguration des chrysanthèmes ». « Encore que je ne suis même pas sûr, s'amuse-t-il, que Nicolas me laisserait les chrysanthèmes. » Il a fini par se résoudre à tourner la page Juppé. Ça lui fend peut-être le cœur, mais à la guerre comme à la guerre. Il doit inventer quelqu'un d'autre.

Quand les chevaux sont trop fourbus ou juste bons pour l'équarrissage, il faut en changer et en seller des frais. Depuis que la justice a mis Juppé hors jeu, après sa condamnation en première instance dans l'affaire des emplois fictifs du RPR, Chirac n'a plus personne pour l'aider à contenir la montée en puissance de Sarkozy.

Réflexe de vieux monarque. Alors que l'ennemi est aux portes et que la terre tremble sous les remparts, il ne songe toujours qu'à se débarrasser de son rival. C'est même son idée fixe. La grille de lecture d'une grande partie de ses décisions.

Pour mener la guerre contre Nicolas Sarkozy, il y aurait bien Hervé Gaymard ou Michèle Alliot-Marie, mais non, l'un est trop tendre et l'autre, trop raide. Il ne reste donc que l'ébouriffant ministre des Affaires étrangères.

Va pour Villepin. Chirac décide de retirer à Sarkozy le ministère de l'Intérieur qui lui a trop bien réussi pour le refiler à l'ancien secrétaire général de l'Élysée. Il connaît ses défauts et le prévient qu'il sera, lui, en stage d'apprentissage. « Écoutez les gens, lui dit-il en substance, voyez les parlementaires, partez à la rencontre de la France. Préparez-vous. »

Il y a un problème. Le 29 mars, au lendemain du fiasco des régionales, quand le chef de l'État propose le ministère des Finances à Sarkozy, ce dernier se rebiffe. Il veut rester place Beauvau. En fin d'après-midi, lors d'un second coup de téléphone, Chirac insiste et argumente : « Tu ne peux pas refuser de t'occuper de ce qui est important pour les Français. Tu as remis de l'ordre à l'Intérieur. Tu dois maintenant en mettre aux Finances. »

Sarkozy a vu la manœuvre mais finit par se laisser faire. Il a un grand projet : prendre le contrôle de l'UMP dont Juppé va abandonner la présidence. Sa stratégie pourrait être contrariée s'il quittait dès maintenant le gouvernement, engageant ainsi les hostilités et ouvrant un processus qu'il ne maîtriserait pas. Donc, il prendra Bercy.

Quelques mois avant la déroute des régionales, le chef de l'État lui avait demandé, sur un ton détaché mais avec un regard mauvais : « Est-il vrai que tu veux prendre la présidence de l'UMP ?

— Ça ne m'intéresse pas follement.

— Ça tombe bien, figure-toi. Tu t'es fait une très bonne image, place Beauvau.

— Je n'irai que si on m'emmerde, dit alors Sarkozy.

— Qu'entends-tu par là ?

— Eh bien, tout ce qu'on est en train de me faire en ce moment. »

Un mois avant les régionales, nouveau dialogue sur le même thème. « Je ne veux pas d'un accord entre Raffarin et toi pour la présidence de l'UMP, dit Chirac à Sarkozy. Si tu es son numéro deux, tu le boufferas.

— En ce cas, je serai numéro un. »

Après quoi, faussement coulant, le chef de l'État entreprend d'amadouer Sarkozy : « Ne t'en fais pas. Si tu es le meilleur en 2007, je te soutiendrai.

— Si je ne suis pas le meilleur, je ne comprends pas pourquoi vous ne me soutiendriez pas. Ce qui aurait été gentil, c'eût été de me dire : "Je t'aiderai à être le meilleur." »

Tel est le ton. Ces deux-là ne sont pas prêts à se réconcilier. En partant à la conquête de l'UMP et de son magot financier, Sarkozy se pose en héritier incontournable. Pour Chirac, c'est intolérable : on n'attend même pas qu'il soit mort pour le recouvrir de pelletées de terre. Il a un espoir, que son ministre s'autodétruise, et prédit volontiers qu'il ne tiendra pas la distance. Trop « fébrile » et trop « agité ». Il en parle, chose curieuse, avec les mêmes adjectifs que Giscard naguère à son égard.

« Ton pire ennemi, c'est toi-même, dira-t-il à Sarkozy.

— Être aussi mauvais que vous le pensez et faire cette carrière, franchement, c'est inespéré.

— Ne sois pas insolent.

— Ce n'est pas de l'insolence, c'est de la franchise. »

Il y a, c'est vrai, quelque chose d'effronté chez Sarkozy. Notamment quand il laisse tomber, pour clore une conversation avec Chirac : « Finalement, c'est moi, le chiraquien. Je fais ce que vous avez fait toute votre vie : y penser tout le temps... »

104

Le cri du corbeau

« Le corbeau, honteux et confus
Jura, mais un peu tard, qu'on ne l'y prendrait plus. »

La Fontaine

Quand il arrive au ministère de l'Intérieur, Dominique de Ville-pin ouvre tout de suite la chasse au Sarkozy. L'auteur du *Cri de la gargouille*[1] ne rate jamais une occasion de débiner la politique de son prédécesseur. Il parle volontiers, en petit comité, de « poudre aux yeux ». Mais les questions de sécurité ne sont pas son fort. Il leur préfère, et de loin, les affaires internationales. Quand vous l'interrogez sur l'actualité policière, il trouve toujours le moyen d'en venir par des voies détournées, comme l'Irak et le terrorisme, à la politique étrangère. Tous les chemins mènent à Bagdad.

Cet homme si épris de lui-même croit encore, comme le disait Talleyrand de Chateaubriand, qu'il devient sourd quand il n'entend plus parler de lui. Il garde toujours aussi quelque chose de baroque et d'exalté. Mais enfin, il s'applique à démonter la machine laissée par son successeur tout en essayant, bien sûr, de lui rafler son fonds de commerce. À la manœuvre, il fait le poids et apparaît vite comme l'une des personnalités clés de l'État-Chirac. S'il n'a pas, comme Nicolas Sarkozy, la capacité de mettre sa propre action en scène, il assure assez bien, avec un doigté qu'on ne lui connaissait pas. Son nouveau directeur de cabinet, Pierre Mongin, y est sans doute pour quelque chose. Un préfet de haute volée qui a fait ses armes à Matignon, au temps d'Édouard Balladur. Les sarkozystes

---

1. *Le Cri de la gargouille*, Albin Michel, 2002.

le surnomment « le syndrome de Stockholm », du nom de l'affection qui, dans certains cas, amènent les otages à tomber amoureux de leurs ravisseurs...

C'est dans ce contexte qu'éclate l'affaire Clearstream, sur fond de règlements de comptes à EADS. Au printemps 2004, le juge Renaud Van Ruymbeke reçoit une lettre anonyme. Encore une. Il en commence la lecture par acquit de conscience quand il comprend qu'elle dénonce, numéros de comptes bancaires à la clé, un gigantesque système de blanchiment d'argent sale. Tout tourne autour de Clearstream, la banque des banques, dont le siège est au Luxembourg. Une chambre de compensation qui, au lieu de transférer physiquement l'argent entre les banques, ne règle que les soldes des échanges. Résultat : on ne peut pas suivre le cheminement des sommes. Anonymat garanti. Sûrs qu'on ne trouvera jamais la trace de leurs versements illicites, des particuliers se sont mis ainsi à utiliser Clearstream comme une « blanchisseuse ».

La lettre anonyme accuse plusieurs personnalités du monde des affaires d'avoir perçu, via Clearstream, des fonds occultes, liés notamment à la vente par Thomson CSF, en 1991, de six frégates à Taïwan, dossier qu'ont eu en charge, ce qui tombe à pic, le juge Renaud Van Ruymbeke et sa collègue Dominique de Talancé. Parmi les cibles, Philippe Delmas, vice-président d'Airbus. Le 7 mai 2004 il est mis en garde à vue mais, après maintes vérifications, aucun élément n'est retenu contre lui. Pas la moindre trace de commission illicite ni de compte bancaire au Luxembourg.

Au cours de son audition, Philippe Delmas émet l'hypothèse que cette affaire serait une manipulation liée à la guerre qui oppose alors Philippe Camus, le patron d'EADS, la maison mère, à Noël Forgeard, le président d'Airbus que Jacques Chirac a décidé de promouvoir à la tête de l'ensemble, quoi qu'il en coûte.

Le chef de l'État a la manie de vouloir changer, quand bon lui semble, les patrons des grandes entreprises. Il a ses têtes. Et en l'espèce, il estime qu'il a son mot à dire : EADS vit en partie sur les commandes publiques d'armement et Forgeard fut l'un de ses proches collaborateurs. L'Élysée a ainsi déstabilisé ce fleuron de l'industrie française : dans le monde impitoyable de la défense et de l'aéronautique, tous les coups sont permis, surtout les plus tordus.

Quand les juges reçoivent la deuxième lettre du corbeau, leurs derniers doutes sont levés, il s'agit bien d'une grossière manipulation. Tout le bottin des affaires, de la politique et de la presse est cité et, bien sûr, Nicolas Sarkozy, faussement dissimulé sous les pseudonymes transparents de Paul de Nagy et de Stéphane Bocsa, tirés de son patronyme complet : Nicolas Paul Stéphane Sarközy de Nagy-Bocsa.

Si Sarkozy avait ouvert des comptes à l'étranger, pourquoi diable aurait-il pris des pseudonymes aussi voyants ? À l'évidence, quelque chose cloche. Villepin, pourtant, saute de joie. Bonne pioche. Il prévient tout de suite Jean-Pierre Raffarin : « Ça y est, on le tient ! » Il alerte aussi la bonne presse : « Sarkozy, c'est fini. Si les journaux font leur travail, et s'ils ont des couilles, il ne survivra pas à cette affaire-là. » Dans la foulée, il commande un rapport à la Direction de la surveillance du territoire (DST).

Qu'importe si tout ça sent le montage à plein nez : calomniez, calomniez, il en restera toujours quelque chose. D'autant qu'un démenti équivaut souvent, dans ce genre d'affaires, à une confirmation. Las ! la machination échafaudée par des Pieds nickelés ne prend pas. Elle a été trop bâclée. Pour un peu, elle se retournerait même contre Villepin.

Une note « Confidentiel Défense » du 23 octobre 2004, signée du grand patron de la DST, Pierre de Bousquet, et adressée au ministre, pose quelques questions troublantes, à propos du « corbeau » : « Aurait-il agi seul ou avec son entourage ? Avec le soutien technique d'une équipe à sa main ? Aurait-il pu être instrumentalisé ? Par qui ? »

Dans d'autres notes « Confidentiel Défense », la DST mentionne des rumeurs mettant en cause Jean-Louis Gergorin. Un des esprits les plus brillants de sa génération, ancien élève de l'ENA et grand expert en géopolitique, qui a ses entrées au Quai d'Orsay où il a longtemps travaillé. Il fut l'un des collaborateurs les plus proches de Jean-Luc Lagardère et reste un conseiller écouté de son fils Arnaud. Il a un ennemi dans la vie, Philippe Delmas. Et inversement.

C'est aussi un grand ami de Dominique de Villepin qu'il a connu quand il dirigeait le Centre d'analyse et de prévision du ministère des Affaires étrangères où ils ont cohabité pendant trois ans. Depuis, ils ne se sont jamais perdus de vue. Ainsi, quand Jean-Louis Gergorin fut décoré de l'ordre national du Mérite par Alain Richard, ancien ministre de la Défense, en avril, au moment où l'affaire Clearstream commençait, ce fut dans le bureau et en présence de Dominique de Villepin, place Beauvau.

Détail troublant. D'autant plus que la justice a, plus tard, établi la culpabilité de Jean-Louis Gergorin, condamné, avec son ami Imad Lahoud, à l'issue du procès Clearstream.

Alors que rien ne permet de l'établir, Nicolas Sarkozy a toujours soupçonné Jacques Chirac d'avoir suivi de près cette affaire montée, selon lui, par Dominique de Villepin, pour lui barrer la route de l'Élysée. Les deux hommes auront au demeurant une explication houleuse, le 15 octobre 2004, place Beauvau.

Si l'opération avait réussi, Nicolas Sarkozy n'aurait en effet pas pu conquérir la présidence de l'UMP, à l'automne, comme il l'avait programmé, ce qui aurait laissé à Dominique de Villepin la voie ouverte pour l'Élysée. Il s'en est fallu de peu, d'un cheveu…

Sarkozy a eu chaud. C'est ce qui permet, en partie, de comprendre son retour inopiné au ministère de l'Intérieur, un peu plus tard, après le four du référendum sur l'Europe. N'a-t-il pas déclaré, sibyllin, qu'il avait accepté de retourner place Beauvau afin de déjouer d'« éventuels complots » ?

C'est elle encore qui nourrit la haine froide ou brûlante, c'est selon, qui dresse l'un contre l'autre Nicolas Sarkozy et Dominique de Villepin. Ces deux-là sont désormais condamnés à se battre jusqu'au dernier sang. Ils ne se rateront pas. Les sourires de façade n'y changeront rien.

Une fois, pendant l'été 2005, Jacques Chirac dira à Nicolas Sarkozy : « Allez, arrête de me parler de cette affaire Clearstream. Il faut penser à l'intérêt général.

— Quel intérêt général ?

— C'est une histoire sans importance. Tu perds ton temps. »

Alors, Sarkozy : « Ne me parlez pas comme ça. Un jour, je finirai par retrouver le salopard qui a monté cette affaire et il finira sur un crochet de boucher. »

105

« Jean-Pierre Fera-rien »

« De temps en temps, les hommes tombent sur la vérité.
La plupart se relèvent comme si de rien n'était. »

Winston Churchill

Le 23 juillet 2004, Jérôme Monod est venu voir Jean-Pierre Raffarin. C'est un vieil ami de Jacques Chirac, la loyauté faite homme. Toujours l'ironie aux lèvres, le contraire d'un courtisan. Il n'a rien à attendre du chef de l'État : sa carrière est derrière lui.

Ce jour-là, le conseiller du président dit en substance au Premier ministre : « Vous savez comme je suis attaché à Chirac, mais je dois vous mettre en garde, vous êtes trop gentil avec lui. Cessez de le regarder avec des yeux humides et énamourés. Dans votre intérêt et dans le sien, arrêtez de lui demander tout le temps la permission avant de lever le petit doigt. Prenez vos responsabilités ! Virez les ministres qui font des conneries ! »

Jérôme Monod aime le chef de l'État comme un vieux frère. Il partage avec lui ce petit tas de secrets qui nourrit les grandes fraternités. Il a tout fait avec lui, la fondation du RPR puis celle de l'UMP. Il est l'un des rares à savoir que, quand il avait en charge l'industrie aéronautique au cabinet de Georges Pompidou à Matignon, dans les années soixante, Jacques Chirac guignait le secrétariat général de l'aviation civile pour pouvoir jouer, ensuite, la succession de Marcel Dassault qui l'avait à la bonne. D'où l'inimitié du président envers son fils Serge.

Ce sont des choses qu'il faut savoir pour comprendre Chirac. Monod les sait toutes ou presque. Il n'ignore donc rien de ses faiblesses. S'il célèbre volontiers ses qualités d'homme d'État dans le domaine international, il semble plus perplexe, en revanche, en matière économique ou sociale. Chose curieuse, il fait, sur le plan intérieur, une analyse du chiraquisme qui rejoint, à certains égards, celle de Sarkozy dont il est la bête noire. Depuis plusieurs mois, il a du tracas pour le président. « Pourvu que tout ça finisse bien ! dit-il. Je n'en suis pas sûr. » C'est qu'à force d'écouter les voix discordantes et de se replier sur son clan, Chirac n'entend plus que ce qu'il veut entendre.

Résultat : le chef de l'État n'y entend rien à rien. Alors qu'il fallait l'adapter, il s'est contenté de congeler le modèle social français, sous le prétexte, fallacieux, que le monde entier en rêverait.

Mais comment le monde envierait-il un système où un Français sur dix n'a pas d'emploi et un sur cinq, pas de formation ? Où l'on a réussi à cumuler la précarité et l'un des taux de chômage les plus élevés des pays développés ? Où l'État, malgré des prélèvements fiscaux massifs, dépense 25 % de plus que ses recettes chaque année ?

C'est une faillite sociale, économique et morale mais, apparemment, elle ne trouble pas la digestion ni la conscience de Jacques Chirac. Par lâcheté autant que par aveuglement, il persiste à suivre une politique qui, depuis plus de vingt ans, mène le pays à la ruine. Au sens propre. De 1995 à 2004, sous sa présidence donc, la France aura battu tous les records d'endettement dans l'Union européenne : il a augmenté de 10,5 points du PIB pour en représenter désormais 66 % – pente qui s'inversera à la fin de son mandat grâce à un exceptionnel ministre de l'Économie, Thierry Breton.

Certes, la France n'est pas encore au niveau de la Grèce où la dette s'élève à 109 % du PIB, ou de l'Italie (106 %). Mais le pays se laisse aller. Il est même devenu l'exemple de ce qu'il ne faut pas faire en matière de chômage, de précarité et de finances publiques.

Tout était écrit, pourtant. La prédiction est un genre difficile. Surtout quand elle concerne l'avenir. Mais Nicolas Baverez, avocat d'affaires et historien aronien, avait prophétisé tout cela, dans un article paru dès le 6 septembre 2002, alors que le pouvoir savourait son état de grâce. Un article qui, à l'époque, avait mis la chiraquie en émoi. « À la notable exception de la politique de sécurité, notait Baverez[1], il est désormais clair que le gouvernement Raffarin s'inscrit dans une totale continuité avec la gauche plurielle dirigée

1. *Le Point,* le 6 septembre 2002.

par Lionel Jospin, dans la mesure où il ne sait ni où il compte mener la France ni même où il va. Du Smic aux retraites, de la baisse des impôts au budget, des 35 heures au droit du travail, de la redevance aux effectifs de l'Éducation nationale, la valse à trois temps de la réforme avortée continue à tourner en boucle. Premier temps, une annonce martiale, sans aucune explication à l'usage de citoyens d'en bas ou d'en haut. Deuxième temps, une retraite en rase campagne devant les corporatismes. Troisième temps, l'enterrement précipité du projet sous couvert d'arbitrage politique. »

« Sous Raffarin comme sous Jospin, écrit encore Baverez, le mot d'ordre reste identique : la réforme, en parler toujours, ne la faire jamais. Ni socialistes ni libéraux, ajoute-t-il, les dirigeants français sont avant tout menteurs. » Puis, cette conclusion : « En France, depuis un quart de siècle, la politique cultive l'art de rendre impossible ce qui est indispensable. »

Pour titrer son article, Baverez a trouvé un surnom au Premier ministre : « Jean-Pierre Fera-rien ». Ce n'est guère plus aimable que celui qu'utilise Villepin : « Raffa-rien ». Il est vrai que le chef du gouvernement semble avoir été prédestiné pour devenir le bouc émissaire du chiraquisme. Il a le dos large, et prend tout sur lui, avec un sourire entendu.

La faute à Raffarin ? Le bilan de son gouvernement n'est pas négligeable, loin de là. Il a fait avancer plusieurs dossiers, notamment la décentralisation ou les retraites. Il a renforcé la République laïque en faisant interdire par la loi les signes religieux à l'école. Mais il n'a pas fait bouger des lignes, obsédé qu'il était par l'idée de ne pas déplaire au chef de l'État. Il l'aimait trop pour le servir bien.

Quelques jours après le coup de semonce des élections régionales, en mars 2004, François Fillon tente de raisonner le chef de l'État : « Je pense que tu te trompes. Si on a été battus, ça n'est pas parce qu'on a fait des réformes trop dures mais parce qu'on n'a plus de ligne et qu'on donne l'impression de gouverner au jour le jour. »

Il parle en connaissance de cause. C'est un homme de terrain qui a toujours de la terre sarthoise à la semelle de ses chaussures. Ministre des Affaires sociales, il a bouclé sans casse le dossier des retraites avant d'écoper de l'Éducation nationale. Le chef de l'État lui jette un regard glaçant avant de lui servir son discours traditionnel sur la fracture sociale et la fragilité du pays : « N'oublie pas. Les syndicats peuvent tout bloquer à chaque instant.

— Mais eux aussi sont traversés par des doutes. »

Non, rien ni personne ne le fera changer. Là est peut-être la grande faille de Jacques Chirac. La girouette qui se prenait pour le vent a de plus en plus tendance à se bloquer, l'âge aidant. La machine est rouillée. Quand il a une idée, on ne peut plus la lui enlever de la tête. Denis Jeambar, un de ses innombrables pourfendeurs, n'a pas hésité à écrire dans un pamphlet : « On l'a vu versatile, influençable, il n'a creusé qu'un seul sillon, incapable de s'adapter aux mutations considérables que le monde a connues au cours des dernières années [1]. »

Sa raideur peut même devenir comique, comme le montre cette vieille histoire que raconte le même Fillon : « Un jour, lors d'un bureau politique du mouvement, Chirac fait le procès de l'état de l'armée laissée par Mitterrand, avant d'ajouter que les choses allaient s'arranger avec l'arrivée du porte-avions *Charles de Gaulle*. J'interviens : "Il y a un problème, Jacques. Le *Charles de Gaulle* a été construit à l'économie. Il aura une vitesse de croisière de 27 nœuds alors que nos autres porte-avions vont à 32 nœuds." Chirac me coupe : "C'est faux. C'est moi qui ai commandé le *Charles de Gaulle*. Je sais qu'il ira à 32 nœuds." En sortant, je vérifie que j'avais raison. Le lendemain, alors que nous nous retrouvons dans une autre réunion, je lui passe donc un petit mot pour le lui dire. Il se lève, disparaît un moment et, quand il revient, me jette un papier où est écrit : "J'ai téléphoné à l'amiral qui commande le programme de construction du *Charles de Gaulle*. Il me confirme qu'il ira à 32 nœuds." Là, je ne comprends plus. Dès que je peux, je téléphone à l'amiral Louzeau, le chef d'état-major de la Marine. Il me certifie que la vitesse du *Charles de Gaulle* sera limitée à 27 nœuds en raison du manque de puissance de ses chaudières. Ce que je fais, alors ? Eh bien, j'insiste. L'après-midi, retrouvant Chirac dans l'hémicycle du Palais-Bourbon, je lui écris une petite lettre : "Tu vas trouver que je suis insolent mais voilà, j'ai téléphoné au chef d'état-major de la Marine. Il dit comme moi : 27 nœuds." On aurait pu en rester là. Ce serait mal connaître Chirac. Un moment plus tard, on se croise. Il me prend par le bras et me dit : "Écoute, le *Charles de Gaulle* ira à 32 nœuds, je le sais, je le maintiens, il n'y

---

1. *Accusé Chirac, levez-vous !*, de Denis Jeambar, Le Seuil, 2005.

a aucun doute là-dessus. Ne crois jamais les chefs d'état-major. Ce sont tous des menteurs." »

Des histoires comme celle-là, à en pleurer ou à en rire, il y en a beaucoup. Elle est déjà ancienne mais Chirac n'a pas changé aujourd'hui. On peut même dire que ça ne s'est pas arrangé. Cet homme s'arc-boute toujours sur des vérités dont il ne démord plus, même quand il s'avère que ce sont des mensonges. Il y a chez lui quelque chose de crispé, voire de pétrifié, qui s'est aggravé, l'âge aidant. C'est un psychorigide contrarié qui a fini par se convaincre que la France ne supporterait aucune grande réforme, au grand dam de la gauche qui aurait aimé que la droite les réalisât avant son retour au pouvoir.

Telle est la grande hypocrisie nationale. À la gauche qui dit : « On ne peut pas le dire », la droite répond, en écho : « On ne peut pas le faire. » Les politiciens de tous bords se livrent à une surenchère d'immobilisme, si l'on ose dire, alors qu'ils connaissent les solutions. Une moisson de rapports, commandés par les uns et les autres, les ont identifiées : la baisse des dépenses publiques, la transformation du système éducatif, le rétablissement d'un vrai dialogue social et la réforme du marché du travail. Ce sont les personnes qu'il faut protéger et non les emplois que l'on a tendance, en France, à subventionner, au mépris de toute rationalité économique.

La classe politique n'a pas compris que, l'évolution du monde aidant, les emplois sont condamnés à naître puis à mourir. La seule chose qui devrait compter, c'est l'individu qui est derrière. Mais le modèle soi-disant social de la France l'a passé par profits et pertes. Les effets pervers de la politique de l'emploi menée alternativement par la droite et la gauche n'ont réussi qu'à fabriquer plus de précarité et plus de pauvreté.

C'est le système RTT + CDI, les deux faces d'une même réalité, qui enferme les jeunes dans le chômage, les défavorisés dans la précarité et les pauvres dans l'exclusion, en produisant de moins en moins de richesse par rapport à nos partenaires. Dans le même temps, pourtant, les profits des grandes entreprises explosent et leurs patrons se goinfrent en ajoutant sans cesse des zéros à leurs rémunérations.

Mais bon, Chirac n'y trouve rien à redire. Plutôt que d'avoir à affronter des manifestations de rue, il préfère laisser en l'état ce modèle social qu'il a, il est vrai, enfanté avec Mitterrand et Jospin. Ils s'y sont, en effet, mis à trois, pour les résultats que l'on sait.

Son extrême prudence n'empêche cependant pas Chirac d'être continuellement mis en accusation pour un libéralisme qu'il ne pratique pas et qui, de toute façon, le révulse. « Libéral, moi ? s'amuse Raffarin qui est sur la même ligne. Mais si vous regardez mon bilan, je suis beaucoup plus à gauche que le travailliste Blair ou que le social-démocrate Schröder. Je ne vois pas pourquoi les socialistes français me cherchent des poux dans la tête. »

Soit. Mais on serait bien en peine de définir la politique de Chirac en matière économique et sociale. Après tant de rôles de composition, voici venu le temps de la décomposition. Il est devenu peu à peu le gardien du cimetière social français.

106

Sortie de route

« Le petit chat est mort. »

Molière

C'est le 29 mai 2005 que Chirac est mort politiquement, et pour de bon, cette fois, sans espoir de résurrection. Après l'échec de son référendum, il a encore deux ans à tirer. Ils seront sa croix. Ce cadavre bougera encore, par habitude, mais le cœur n'y sera plus.

Le voici, soudain, au fond du néant avant même la fin de son mandat. Du jour au lendemain, il a été relégué aux oubliettes, vieux fantôme déguisé en président, croque-mort du déclin français, zéro pensant, puisque c'est ainsi que le voient les Français, désormais.

Par 54,68 % des suffrages, ils ont rejeté le projet de Constitution européenne qui leur était présenté, après une campagne électorale qui a mis au jour la crise que traverse le pays. À son âge, on ne se relève pas d'un tel camouflet et Chirac le sait. Il suffit de voir son visage défloré, le soir, à la télévision, quand il ânonne une allocution où il prend acte de la « décision souveraine » du peuple français. Il a pris dix ans d'un coup. Ses yeux ne sont plus en face des trous et sa voix semble provenir d'outre-tombe. Sa cravate est presque noire. Il est en deuil de lui-même.

On peut certes gloser sur le projet de Constitution mis au point par une convention multipartite, sous la présidence de Valéry Giscard d'Estaing : c'est en effet un texte long et compliqué, mais le traité de Maastricht, que les Français avaient adopté, ne l'était pas moins. On peut mêmement épiloguer à perte de vue sur la mauvaise campagne menée par le chef de l'État et tous les partisans du oui : au lieu d'expliquer clairement les enjeux, ils sont toujours restés sur la défensive, même quand, à propos de la circulaire Bolkestein, les « nonistes », saisis d'un accès de xénophobie, ont brandi la menace du « plombier polonais » qui allait prendre l'emploi de leurs collègues français.

Il n'en reste pas moins vrai que les résultats du référendum ont révélé, surtout, à quel point le pays allait mal. Serge July dénonce ainsi, dans *Libération*[1] « un désastre général et une épidémie de populisme qui emportent tout sur leur passage, la construction européenne, l'élargissement, les élites, la régulation du libéralisme, le réformisme, l'internationalisme, même la générosité ». Pour faire « ce chef-d'œuvre masochiste », conclut-il, il fallait, « outre les habituels souverainistes, une classe politique élevée par des autruches, portée aux mensonges depuis de nombreuses années, des incompétents notoires à la manœuvre dont un président en exercice, et des cyniques en acier trempé dont un ancien Premier ministre socialiste ».

Laurent Fabius et les socialistes qui ont appelé à voter non avaient bien vu le filon : les chocottes. La France a fait la preuve, ce 29 mai, qu'elle avait trop peur de l'avenir pour être à la hauteur. Pour Jacques Chirac, c'est la confirmation qu'il avait raison de se méfier des grands mots et, par exemple, d'interdire à son Premier ministre de parler de « rigueur », substantif qui, ô horreur, signifie notamment, selon le *Larousse* : « Refus de tout laxisme dans le respect des impératifs économiques, budgétaires, etc. »

Jacques Chirac correspond alors à la définition que Winston Churchill a donnée de l'homme politique : « Être capable de dire à l'avance ce qui va arriver demain, la semaine prochaine, le mois prochain et l'année prochaine. Et être capable, après, d'expliquer pourquoi rien de tout cela ne s'est produit. » Le discours n'a donc, pour lui, aucune importance. C'est un instrument de conquête ou de séduction. Pas de vérité ni de pédagogie.

C'est à croire que les électeurs ne sont pas pour lui des grandes personnes, tant il les infantilise. Chaque mot est calculé, chaque virgule aussi. Comme Mitterrand qui, lui aussi, détestait le mot « rigueur », Chirac est un poseur d'emplâtres et un prince de la dissimulation. Un pipeauteur.

---

1. Le 30 mai 2005.

Mais ce n'est pas parce qu'il cherche à les embrouiller, comme l'ensemble de la classe politique, gauche en tête, que le chef de l'État parvient à rassurer les Français. Dans son essai *Le Malheur français* [1], l'historien Jacques Julliard a défini ainsi les quatre propositions qui, à ses yeux, résumaient l'état d'esprit des partisans du non : « À bas le monde extérieur ! À bas l'abolition du statu quo ! À bas tout ce qui est en haut ! À bas le gouvernement, vive l'État ! » C'est bien la frousse qui a guidé les pas de beaucoup de « nonistes ». Une frousse alimentée par la logomachie défensive et bénisseuse du président comme de la plupart des dirigeants politiques qui faisaient campagne pour le oui.

Que faire, après cette avoinée ? Il l'a vue arriver depuis longtemps. En nommant Jean-Pierre Raffarin à Matignon, Jacques Chirac lui avait dit que son bail durerait jusqu'à l'été 2005. Après ça, il appellerait un nouveau Premier ministre afin de préparer la prochaine élection présidentielle. Pour son propre compte ou pour celui du chef de l'État, on aviserait.

Mais ces derniers temps, dès que les sondages ont commencé à pronostiquer le non, il a fait comprendre à Jean-Pierre Raffarin qu'il pourrait accélérer les échéances. En cas d'échec du référendum, seul un changement de Premier ministre permettrait de décompresser l'atmosphère.

Trois semaines avant le scrutin, Giscard, qui était dans tous ses états, avait appelé Chirac pour lui dire : « Il semble que vous allez perdre le référendum. Ce sera une catastrophe pour l'Europe. Avez-vous envie de faire un grand coup politique ?

— Je ne comprends pas. Dites-moi.

— Oui, un grand coup. Vous annoncez demain que vous changez le gouvernement et que vous reportez le référendum à l'automne ou plus tard encore.

— C'est impossible, s'étrangle Chirac.

— Considérez que le pire, c'est de perdre le référendum. Quand on va dans le mur, mieux vaut faire volte-face avant. »

De leur conversation, Giscard avait tiré la conclusion que Chirac était « sans ressort ». Le président n'en menait pas large, en effet. Il pressentait déjà qu'il aurait du mal à se remettre d'une nouvelle

---

1. *Le Malheur français*, Flammarion, 2005.

défaite. Surtout d'une défaite sur l'Europe. Pour se consoler, il aurait pu tourner dans sa tête la célèbre phrase de Cervantès : « Nul chemin n'est mauvais qui touche à la fin, sauf celui qui mène au gibet. » Il avait déjà Sancho Pança à ses côtés, en la personne de Raffarin. Sauf qu'il n'était plus don Quichotte si seulement il le fut jamais. Il avait maintenant le regard des bêtes qui savent l'abattoir.

Le 29 mai au soir, après qu'ils ont commenté l'ampleur du désastre, Chirac annonce à Raffarin qu'il devra démissionner le lendemain. Le président garde le plan qu'il a eu tout le temps de mûrir, ces derniers jours : c'est Michèle Alliot-Marie qui ira à Matignon.

Un bourreau de travail. Avec ça, l'art et la manière. Elle est prête. C'est une femme qui a réussi partout où elle est passée. Localement, dans le parti et, enfin, au ministère de la Défense où, selon Chirac, elle fait des étincelles. Un détail qui ne trompe pas : sa notice est l'une des plus longues du *Who's who* (72 lignes).

Alors, va pour Michèle Alliot-Marie.

Avant que Raffarin ne prenne congé, Chirac laisse toutefois tomber : « J'hésite quand même encore un peu avec Villepin. »

Raffarin confirme qu'à ses yeux Alliot-Marie est un meilleur choix. C'est une « professionnelle ». Avec elle, le président ne prendra aucun risque.

Mais la nuit sera longue. Villepin fera le siège du président comme il le fait déjà depuis plusieurs jours. Il a entre les mains des rapports soi-disant alarmants des Renseignements généraux. Le mécontentement populaire est à son paroxysme. Il risque d'exploser après la déroute du référendum. Il faut donc un homme à poigne pour Matignon.

Chirac a envoyé le ministre de l'Intérieur, en fin de semaine, pour une sorte d'examen de passage devant Juppé. Officiellement, Villepin a été reçu. Avec mention. Mais Juppé doute néanmoins que son ancien directeur de cabinet soit en mesure de changer la donne, pour le président. Il a, ce soir-là, une illumination.

107

Le jour où Villepin s'est « nommé »

« Ou cet homme est mort, ou ma montre est arrêtée. »

Groucho Marx

Le lundi matin, au lendemain du fiasco référendaire, Alain Juppé appelle Jacques Chirac. Il est 8 h 30. Ils ont tous deux la « gueule de bois », après cette soirée de cauchemar où le chiraquisme semble s'être délité d'un coup.

« Au point où on en est, dit Juppé au président, je crois que vous devriez appeler Sarko à Matignon. Il a le parti et un soutien parlementaire fort. Est-ce qu'il ne faut pas tenter le coup en lui demandant de s'engager à ne pas vous humilier ?

— Vous savez comment il est. Il ne tiendra cet engagement que dix jours, et encore. »

À croire qu'il y a du complot dans l'air. Jérôme Monod, l'alter ego, est aussi sur la même ligne. Convaincu qu'il n'y a que Nicolas Sarkozy qui pourra sauver les meubles, il a déjà dit au chef de l'État :

« La meilleure solution, c'est Sarkozy. Il faut passer un pacte avec lui. Il doit mettre les formes avec toi et, en échange, tu lui promets de ne pas te représenter et de te prononcer pour lui, le moment venu. »

Chirac : « Je n'ai pas confiance. Il est fou. »

Monod : « Non, il n'est pas fou. Juste maniaco-dépressif. »

Que les deux hommes dont il est sûr de la fidélité disent la même chose au même moment, c'est troublant. Le chef de l'État est ébranlé. Il commence à envisager de nommer Sarkozy à Matignon. Enfin, il essaie. En le mettant en avant, ne risquerait-il pas de s'enterrer vivant ?

Sitôt qu'il a terminé sa conversation avec le chef de l'État, Juppé appelle Sarkozy et lui dit : « Si tu veux jouer ta carte, c'est le moment. Mais il faut que tu rassures Chirac. Tu ne peux pas vouloir t'installer à Matignon et, en même temps, créer un climat de défiance en expliquant à la terre entière que le président est un vieux con carbonisé. »

Message reçu. Sarkozy qui doit bientôt voir Chirac, affichera, pour la circonstance, son sourire des grands jours. Ce n'est certes pas son intérêt politique d'aller s'enterrer à Matignon à deux ans de l'élection présidentielle. Mais cet homme ne mène jamais des stratégies alambiquées, à tiroirs ou à triple détente. Il prend toujours ce qui est à prendre.

Matignon, de surcroît, tomberait à pic. Depuis que sa femme s'est éclipsée, quelques jours auparavant, il a besoin de se changer les idées. Sans compter que la présidence de l'UMP lui pèse. Après qu'il l'eut conquise, à l'automne 2004, Chirac lui avait demandé de quitter le ministère des Finances, au prétexte qu'elle n'est pas compatible avec des responsabilités gouvernementales. « Jurisprudence » inventée tout exprès pour lui : elle ne s'appliquait pas pour Juppé quand il était Premier ministre.

Tandis que Sarkozy médite, Villepin poursuit sa campagne sur le thème : « L'heure est grave, je suis le seul qui, le seul que, etc. » Il pose même ses conditions. Il veut tout. Autrement dit, pas question de cohabiter avec Sarkozy. À Juppé qui lui dit son souhait de remettre le président de l'UMP dans le jeu, à Matignon ou dans un grand ministère, il répond, tranchant : « Si je suis Premier ministre, Sarkozy ne peut accepter que l'Intérieur et, pour moi, c'est inenvisageable. »

Chirac hésite. Au milieu de toutes ces exhortations et objurgations, sa tentation est grande d'envoyer tout le monde dinguer. Pourquoi pas Jean-Louis Borloo, par exemple ? Il a un beau parcours. Il a réveillé Valenciennes, ville dont il fut maire de 1989 à 2002, et qui reste une belle vitrine de son savoir-faire. Il fait figure de Paganini du social, le genre de profil bien utile par les temps qui courent. Il a, au surplus, un partisan de poids à l'Élysée : Maurice Gourdault-Montagne, le conseiller diplomatique de l'Élysée, d'une fidélité à toute épreuve, que l'on peut déjà considérer comme le dernier des chiraquiens.

Après avoir reçu Borloo, Chirac se dira fasciné par son argumentaire social. Mais bon, il ne le connaît pas, ou à peine, et il préfère, à tout prendre, quelqu'un avec qui il a des habitudes. Retour à la case départ : ce sera Villepin et Alliot-Marie. Avec, cette fois, une préférence pour Villepin qui se démène comme un diable avec ses airs de cocher sur une diligence emballée.

Et Sarkozy ? Quand Chirac le reçoit, le lundi matin, pour un entretien qui durera une heure et demie, il lui jette tout à trac : « Tu es la meilleure solution pour Matignon, tout à fait le Premier ministre qu'il me faut. Mais voilà, je n'ai pas le droit de te nommer. Tu es le seul d'entre nous qui peut gagner la prochaine élection présidentielle et, en t'exposant ainsi, je te mettrais en danger. »

Du Chirac tout cru. On ne sait jamais, dans ce genre de cas, s'il tient son discours pour embobiner ou pour humilier. Les deux, peut-être.

« Le plus vraisemblable, dit le président, c'est que je ne serai pas candidat. Dans cette hypothèse, tu auras besoin de moi.

— Pas sûr, objecte Sarkozy.

— Pourquoi ?

— La France a guillotiné un roi et une reine alors que rien ne l'y obligeait. Elle n'aime pas les héritiers. Si vous vous prononciez pour moi, je ne suis pas sûr que ça serait mis à mon crédit. Je ne dis pas ça pour être insolent mais parce que je crois que notre pays a toujours voté pour le changement, même s'il pouvait s'agir, dans certains cas, de changement dans la continuité.

— N'importe comment, insiste Chirac, si tu es le meilleur, je t'aiderai.

— Mais si je suis le meilleur, pourquoi ne pas me nommer à Matignon ? »

La réponse est évidente : parce que le chef de l'État entend encore avoir son mot à dire. Les deux hommes ont en effet des différends importants. Sur le modèle social français que Sarkozy entend, si l'on en croit ses discours, remettre en ordre de marche. Ou encore sur l'adhésion de la Turquie à l'Union européenne, que le chef de l'État a plus ou moins patronnée.

Conscient de tout cela, Sarkozy concède qu'il serait prêt à revenir au ministère de l'Intérieur où il a été « heureux ». Le chef de l'État semble soulagé, tout d'un coup :

« Il faut que tu voies Dominique.

— Je ne le verrai qu'après vous avoir entendu dire à la télévision : "J'ai demandé à Nicolas Sarkozy d'être ministre d'État et il a accepté." »

Façon de dire qu'il veut être nommé par Chirac et non par Villepin. C'est du président qu'il entend tirer sa légitimité, pas de l'homme qui a pour mission, entre autres, de le détruire.

Reste l'épineuse question de la présidence de l'UMP que Chirac jugeait incompatible, il n'y a pas si longtemps, avec un poste ministériel.

« Qu'est-ce qu'on fait ? demande le président.

— Je garde la présidence, répond Sarkozy.

— Pourquoi ?

— Parce que j'ai pris la présidence de l'UMP contre vous. Si vous me l'aviez donnée, j'aurais accepté de vous la rendre. Mais là, après tout ce qui s'est passé, vous comprendrez que je ne puisse la mutualiser dans votre discussion.

— Tu vas m'humilier.

— On verra. »

C'est ainsi que Sarkozy s'est retrouvé numéro deux du gouvernement Villepin que Chirac annonce, le 31 mai 2005, dans une allocution où il sonne la « mobilisation nationale » pour l'emploi, « dans le respect du modèle français » qu'il entend, avec « détermination », « faire vivre et progresser ». On dirait un pot-pourri de ses vieux discours. Mauvais présage.

Nicolas Sarkozy se met, pour quelques jours, en immersion profonde. Il ne prend aucun de ses amis du moment au téléphone. Ni Balladur, ni Giscard, ni Méhaignerie. Il sait ce que tous vont lui dire. Qu'il a commis une lourde erreur en rejoignant le navire au moment où il coule. Qu'il risque d'être emporté, avec les autres, dans la vague qui monte contre le président.

Le nouveau ministre d'État est pourtant sûr de son calcul : « Les Français n'aiment pas les chicayas. Je voulais apaiser les choses. En retournant au gouvernement, je me retrouvais dans l'œil du cyclone et l'œil du cyclone, c'est, comme chacun sait, l'endroit le plus paisible. Pourquoi aurais-je dû diviser l'UMP ? C'eût été me diviser moi-même. Pourquoi aurait-il fallu essayer de mettre le président en difficulté ? Il l'était déjà assez. J'ai voulu faire un geste d'unité. À mes amis qui étaient tous furieux, j'ai répondu : "Écoutez, c'est moi qui paierai les factures." [1] »

Dominique de Villepin, lui, s'active. Il fait son gouvernement au Kärcher. S'il consent à laisser un pré carré à Nicolas Sarkozy au ministère de l'Intérieur, comme le veut le pacte passé avec le président, le nouveau Premier ministre a décidé de couper toutes les têtes qui dépassaient. Celles des « juppéistes », surtout.

Ils n'étaient pourtant pas beaucoup dans l'équipe sortante : trois. C'était déjà trop. Dominique de Villepin a donc inscrit sur sa liste noire les noms de Marc-Philippe Daubresse, ministre du Logement, Éric Woerth, secrétaire d'État à la Réforme de l'État, et Xavier Darcos, ministre de la Coopération et, surtout, homme lige d'Alain Juppé en Aquitaine.

Pourquoi cette vindicte ? Parce que Villepin est le nouvel héritier. Il entend donc effacer le précédent en coupant ses relais pour lui compliquer la tâche si jamais il revenait en grâce. Qu'importe si c'est Alain Juppé qui lui a mis le pied à l'étrier quand il en a fait son directeur de cabinet, en 1993. La gratitude retarde toujours la marche vers le pouvoir et, en politique, les premiers à abattre sont les rivaux les plus proches.

Le cas de Xavier Darcos est particulièrement édifiant. Il a toujours joué le jeu de Dominique de Villepin. Cet ancien inspecteur général de l'Éducation nationale, grand spécialiste de Tacite et de Mérimée, lui a même écrit une note, à sa demande, dans les jours qui ont précédé sa nomination à Matignon. Mais il n'a jamais caché qu'il était un féal d'Alain Juppé.

Alors, ouste, du balai ! « Quand Villepin m'a viré du gouvernement, raconte Darcos, je n'avais pas vu le coup venir et je lui ai demandé si c'était une blague. Il m'a répondu : "C'est le moment de montrer si tu as des couilles ou pas." Avec lui, on se croirait toujours dans un film de guerre, façon *Platoon*. Mais ce n'est qu'un bravache de salon [2]. »

---

1. Entretien avec l'auteur, le 14 juillet 2005.
2. Entretien avec l'auteur, le 4 octobre 2005.

Le chef de l'État n'en pense pas moins, mais il a laissé faire. Plût à lui, ni Barnier ni Fillon ni Darcos n'auraient été débarqués. « Je ne reviens pas sur le passé, dira-t-il au dernier, mais je dois avouer que je le déplore. »

C'est qu'après s'être « nommé » à Matignon pour reprendre le mot de Giscard, Villepin a « nommé », dans la foulée, un gouvernement à sa main, et le nouveau Premier ministre le reconnaîtra ensuite devant ses proches, en se rengorgeant : « C'était physique. J'ai violé Chirac. »

108

L'édredon magnifique

« Gouverner, c'est faire croire. »
Machiavel

Depuis que Villepin a rencontré Villepin, ils ne se sont plus quittés. Ils s'adorent. Ils sont même en état d'admiration mutuelle. Apparemment c'est communicatif. Encore sarkozystes il n'y a pas si longtemps, les médias encensent le nouveau Premier ministre comme ils encensaient naguère Balladur, qu'ils avaient programmé pour l'Élysée, avec le succès que l'on sait.

Édouard Balladur est revenu. Il s'appelle Dominique de Villepin. Un prince de la dissimulation qu'il a mise au service d'une inexorable ambition. Un conservateur aux aguets qui, contrairement à l'ancien Premier ministre, a l'intelligence de sublimer ses prudences derrière un langage militaire. Le genre de sous-officier qui vous demande de rester tranquillement au camp sur le ton qu'il emploierait pour vous ordonner de partir à l'assaut.

On peut tout dire à son propos. Qu'il incarne la politique de l'édredon magnifique ou qu'il sert aux Français la même gélatine que ses prédécesseurs, mais dans un beau plat. Qu'il ne connaît rien de la France, hormis les palais officiels où il pérore depuis douze ans, quand Juppé l'appela auprès de lui, au Quai d'Orsay. Qu'il est prêt à tout pour accomplir son « destin national ». Y compris à signer, comme Balladur en son temps, des chèques sur l'avenir, qui creuseront davantage encore la dette de l'État...

N'empêche. Pendant les premiers mois de son gouvernement, Villepin a fait preuve d'une habileté et d'un professionnalisme peu communs. De ce point de vue, c'est même un « sans-faute ». On attendait Cyrano. On a eu droit à un avatar de Raffarin, moins bonasse et plus maigre, qui, de surcroît, parle bien et présente bien. Il plaît à la droite du XVIe arrondissement, à une majorité de femmes et à une partie de la gauche. Après un moment d'effroi, les conservateurs de tous bords qui dominent le pays ont été soulagés. Ce Premier ministre serait comme les autres. Il ne dérangerait personne.

Avec Villepin, l'immobilisme martial est en marche, rien ne l'arrêtera. Un immobilisme radical-socialiste avec une rhétorique gaullienne. Le chef du gouvernement a été à bonne école, auprès de Chirac. Apparemment, la politique est son métier et la bourde n'est pas son fort.

Tout ce qu'il dit, depuis son avènement, vient tout droit d'une sorte de *Petit Chirac illustré*. Le 1er juin 2005, il déclare ainsi : « Nous n'avons pas tout tenté contre le chômage. Il n'y a pas de fatalité, c'est le grand combat. Cette bataille, je vais la mener personnellement. » Des déclarations comme celle-là, voilà dix ans que Chirac en fait avec les mêmes mots éculés, comme celui de « mobilisation » qu'il utilisera de nouveau, deux jours plus tard, quand il dira, lors du Conseil des ministres, à la nouvelle équipe : « Vous êtes un gouvernement pour l'emploi. »

Comme son maître, il donne volontiers dans le comique involontaire, par exemple, quand il dit : « Le pétrole est une ressource inépuisable qui va se faire de plus en plus rare. » Comme Chirac encore, il se garde sans cesse à droite et à gauche.

Les premières décisions de Villepin consistent à retirer la loi Fillon sur l'école, texte pourtant anodin, et d'annoncer des retouches à la seconde loi Perben sur la justice. Le déminage est l'une des mamelles du villepinisme, du moins au début. L'autre est le bon sens. Et du bon sens, il y en a beaucoup dans le discours de politique générale que prononce le nouveau Premier ministre devant l'Assemblée nationale, le 8 juin.

Pas de grandes phrases. Ni d'effets de manches. On dira que c'est un discours de secrétaire d'État à l'Emploi et que le Premier ministre reste dans la droite ligne de son prédécesseur : pas de réforme, rien que des mesurettes. Il n'empêche qu'inspiré par Jean-Louis Borloo, le ministre des Affaires sociales, Villepin ouvre au moins trois pistes : le développement des services d'aide à la personne, avec la généralisation des chèques-emploi ; la création, pour les petites entreprises seulement, du « contrat de nouvelle embauche » d'une durée de deux ans, qui devrait favoriser l'accès à l'emploi en facilitant le licenciement ; de nouvelles incitations pour que les chômeurs ne refusent pas les offres d'emploi qui leur sont faites.

N'était l'heureuse politique du « chèque-emploi », on peut dire que la France ne sort pas de son statu quo qui l'a amenée à tant dépenser, et en vain, pour l'emploi. Pour changer vraiment la donne, il eût fallu opérer un virage à 180 degrés. Villepin n'a pas osé, même s'il a fait un pas dans le sens de la fluidité avec son « contrat première embauche » qu'il a tenté, à sa façon, de faire passer à la hache, sans aucune concertation.

Résultat : sa politique créera certes des emplois, grâce aux aides et à des allègements de charges, mais sans doute pas une relance durable. Pour ce faire, il eût fallu en finir pour de bon avec le malthusianisme qui, combiné à toutes sortes de subventions, n'a réussi qu'à fabriquer, en France, plus de chômage et de précarité. Tant il est vrai que nous sommes déjà le pays des records, dans le monde industrialisé. Record des dépenses pour l'emploi, record des lois protectrices de l'emploi et record du... chômage de longue durée.

Sans doute Dominique de Villepin aurait-il pu s'inspirer du système danois dit de « flex-sécurité » où les entreprises peuvent licencier comme elles veulent, tandis que les salariés sur le carreau sont pris en charge par l'assurance-chômage qui leur garantit 90 % de leurs revenus – avec un plafonnement – pendant quatre ans. Mais c'eût été une longue bataille à laquelle il aurait fallu préparer les esprits, dans un pays qui semble se complaire dans le chômage endémique et son double, la précarité.

Même s'il en a la posture, Villepin n'est pas un réformateur. C'est un enfant de Chirac qui, après avoir participé à l'aventure présidentielle, aux premières loges, pendant dix ans, a fini par devenir une sorte de double du chef de l'État. Il n'a certes pas sa passion du concret ni son goût des autres. Mais il croit, comme lui, que la France est un pays traumatisé qui doit garder le lit et à qui, après l'avoir bordée, il faut chanter des berceuses pour qu'elle s'endorme. Sinon, elle a tôt fait de chercher noise à ses gouvernants.

Il peut dire pis que pendre de Chirac, avec cette cruauté si particulière des gens de maison. Surtout quand le président ne se plie pas à ses volontés. Mais il a toujours admiré chez lui son « sang-froid ». Cette façon de « tout avaler, les tensions, les bosses, les obstacles ». Cette « capacité aussi à dominer ses pulsions et à ne jamais se regarder ». Pour Villepin, le chef de l'État a « quelque chose de marmoréen ». L'œil froid, l'air impénétrable, les maxillaires butés. Un air impérial. Sauf qu'il n'écrit pas pour le marbre des stèles.

Villepin, lui, y prétend. Il se veut même artiste. Il produit en équipe et à la chaîne des livres qui sont comme des feux d'artifice mouillés, malgré les efforts de ses thuriféraires. Il s'est constitué en un temps record un collection dodue d'œuvres contemporaines (Matta, Zao Wou-Ki, etc.). Il songe à sa trace et y travaille d'arrache-pied en cultivant, comme Napoléon ou Mitterrand, la compagnie des écrivains ou des chroniqueurs. Ils pourront nourrir, le moment venu, la postérité du prince. Bonne pioche pour eux. C'est une pluie de décorations qui va leur tomber dessus. Sans parler des nominations.

Certes, il a une vraie culture et l'amour des mots. Mais on n'est pas toujours sûr qu'il sache vraiment ce qu'il y a dans ses propres livres. Il est vrai qu'il a trop à faire. Il a, au surplus, tendance à confondre la littérature et le microcosme médiatico-mondain où il s'est constitué, en quelques années, une cour qui ne tiendrait sans doute pas dans la chambre du roi du château de Versailles.

À la longue, il a fini par acquérir la confiance de grands écrivains, comme François Nourissier, ou d'authentiques philosophes, comme Régis Debray. Mais on peut se demander, comme Aude Lancelin dans un savoureux article du *Nouvel Observateur*[1] si Dominique Galouzeau de Villepin n'a pas « une stratégie personnelle d'agrégation d'images ».

Au surplus, ses choix artistiques ou littéraires sont souvent les fruits de petits calculs ou de grandes stratégies. On a peine à croire que ce soit un hasard s'il est devenu, comme Jacques Chirac, un fou d'arts premiers, notamment africains. Ou bien s'il met plus haut que tout, dans son panthéon personnel, René Char et Saint-John Perse, poètes officiels de la République chiraquienne, que certains considèrent, à tort ou à raison, comme les écrivains préférés de ceux qui ne lisent jamais de livres. Coïncidence : ces passions sont apparues en 1995, quand Villepin a été nommé secrétaire général de l'Élysée.

---

1. « Villepin en toutes lettres », par Aude Lancelin, le 14 juillet 2005.

Que la poésie soit portée si haut sous les ors de la chiraquie, c'est tout à fait compréhensible, si l'on en croit l'essayiste Philippe Muray, cité par Aude Lancelin : « La poésie m'a toujours semblé proche des promesses électorales, cette autre rhétorique aux alouettes. Sauf qu'elle n'est jamais exposée à la résistance ou à la sanction du réel, ce qui lui permet de demeurer éternellement une forme de démagogie parmi d'autres. »

Passons. Les engouements africains ou poétiques de Villepin sont trop calqués sur ceux de Chirac pour n'être pas suspects. D'autant qu'il fait, dans le même temps, le grand écart en se montrant toujours friand des notes salaces des Renseignements généraux sur la vie privée de la classe politique. Imagine-t-on Rimbaud dévorant des fiches de police ?

Sans parler du scandale Clearstream, il aura beau dire et démentir, on ne peut que s'interroger sur son goût de la chose policière. Par exemple, sur la façon dont il a géré l'affaire Ambiel, après que le conseiller et ami de Raffarin fut interpellé en compagnie d'une jeune prostituée de l'Est. « La nuit, dira Raffarin avec un sourire entendu [1], il y a toujours des ministres, des patrons ou des gens haut placés qui ont des problèmes avec la police. Dans ces cas-là, Sarkozy me prévenait à 8 heures du matin et ça ne sortait pas. Villepin m'a téléphoné à 13 heures et ça a fuité. »

Cet homme qui a célébré « Fouché l'obscur » dans son livre *Les Cent-Jours ou l'esprit de sacrifice* [2] reste avant tout un Mozart de la manipulation, tout miel par-devant et sans pitié par-derrière. Il aime avant tout avoir barre sur les hommes. Les tenir. Les manœuvrer. Il n'a qu'une passion, lui-même, et une religion, le pouvoir. En arrivant à Matignon, il a donc une seule obsession. Elle s'appelle Sarkozy.

---

1. Entretien avec l'auteur, le 15 décembre 2005.
2 *Les Cent-Jours ou l'esprit de sacrifice*, Perrin, 2001.

109

La guerre des fils

« Plutôt que de manger des vers, ma foi, je préfère encore que les vers me mangent. »

Karinthy Frigyes

Chirac a-t-il donné à Villepin la mission d'en finir avec Sarkozy ? C'est en tout cas celle que le nouveau Premier ministre s'est fixée. Il a une ambition et une stratégie dont il n'a jamais fait mystère : « La France a envie qu'on la prenne. Ça la démange dans le bassin. Celui qui l'emportera à la prochaine élection, ce ne sera pas un permanent de la politique, mais un saisonnier, un chenapan, un maraudeur [1]. » Il s'y voit déjà...

Il ne supporte pas que Sarkozy ait revêtu les habits du favori pour la prochaine élection présidentielle. Il pronostique, depuis plusieurs mois, la chute incessamment sous peu de celui qu'il appelle, selon les jours, le « nain » ou le « nabot ». Parfois, il propose aux démocrates de rallier son drapeau contre le danger que fait courir à la France le président de l'UMP : « C'est un fasciste, un fasciste à la française, prêt à tout pour arriver à ses fins. »

Parfois, mais seulement dans les bons jours, il compare Sarkozy au général Boulanger : « Un allumeur, un baratineur de soirée dansante, mais il serait bien incapable de faire un enfant à la France. Il n'a rien dans le pantalon. »

Rarement on aura vu, dans la politique française, un tel flot, pardon, un tel déluge de haine et de violence. À côté, l'aversion

---

1. Entretien avec l'auteur, le 17 mars 2004.

qui dresse l'un contre l'autre Chirac et Sarkozy relève de la querelle enfantine.

Aux journées parlementaires de l'UMP à Évian, Sarkozy fait un tabac auprès des élus. Villepin qui a été mollement applaudi se sent humilié et le dit plus tard dans la soirée au ministre de l'Intérieur : « Plus jamais ça. » Alors, Sarkozy : « Ça fait trente ans que je me bats. Pour me déloger, il faudra y aller à l'arme blanche. »

Nicolas Sarkozy, qui bien sûr sait les tombereaux d'insultes déversés contre lui par le Premier ministre en privé, n'est pas en reste. Mais en public, il ne prend généralement pas la peine de répondre. Tout juste balance-t-il quelques vannes sibyllines. Il feint de considérer que cet homme n'est pas à son niveau.

Pour lui, le nouveau Premier ministre est une sorte d'imposteur : « Il parle du peuple sans être jamais monté en seconde classe. Du terrain sans jamais avoir été élu. » À ses yeux, surtout, « Villepin, c'est Chirac ». Les coups portés par le chef de gouvernement, Sarkozy ne les rend donc qu'au président.

Le 14 juillet 2005, quand Sarkozy compare Chirac à « Louis XVI » en train de jouer au « serrurier » pendant que la révolte gronde, il commet une faute politique. On ne piétine pas un roi mourant. Mais il s'agit sans doute aussi pour lui de réagir aux agressions permanentes que lui inflige le Premier ministre. Il juge, à tort, que l'autre est toujours en service commandé. C'est donc le président qui prend.

Or, Dominique de Villepin ne roule plus que pour son propre destin, désormais. Le président n'a qu'à bien se tenir. Le premier à avoir annoncé l'émancipation du chef du gouvernement est Nicolas Domenach, l'un des meilleurs connaisseurs de la chose chiraquienne. Dans *Marianne*[1], il a révélé comment, un jour, « Dominique de Villepin s'est arrêté de parler, en plein Conseil des ministres [...] parce que Jacques Chirac ne l'écoutait pas et bavardait avec son voisin, en l'occurrence... Nicolas Sarkozy ». Comme l'esclave libéré de ses chaînes, Villepin est sans pitié pour son ancien maître qu'il a transformé en président honoraire mais qu'il prend néanmoins soin de ménager, à tout hasard : Chirac peut encore servir. Pas dupe, le chef de l'État n'a au demeurant pas pour lui l'affection qu'il éprouvait pour Juppé ou Raffarin, mais il pense que

---

1. *Marianne*, le 21 janvier 2006.

le nouveau Premier ministre est, comme son prédécesseur, sur la bonne ligne.

Deux ou trois semaines seulement après l'accession de Villepin à Matignon, le chef de l'État laisse tomber, avec l'autorité de la prescience : « Villepin ne sera pas un bon candidat de premier tour, mais un bon candidat de second tour. Sarkozy sera un très bon candidat de premier tour mais un médiocre candidat de second tour. »

C'est dire s'il se sent exclu du jeu. À peine le nouveau gouvernement est-il en place que Chirac imagine déjà la suite sans lui. Sa lucidité aidant, il en devient encore plus pathétique. Une espèce de roi en exil, rue du Faubourg-Saint-Honoré. L'Élysée n'est plus qu'une maison morte où errent quelques ombres qui rasent les murs, tandis que le chien de Claude, Scott, un labrador, fait des siennes. Un jour, il renverse Dominique Bussereau, le ministre de l'Agriculture, et attaque son pantalon avant d'emporter son dossier cartonné. Une autre fois, il prend la chaussure d'une secrétaire et s'en va la boulotter au fond du parc, dans un buisson..

Prière de trouver ça farce. Le garde qui s'est plaint sera aussitôt muté. Telles sont les servitudes des fins de règne : rien n'a plus trop d'importance et, même s'il fait semblant, Chirac a lâché les commandes. Il plane.

Ce n'est plus à l'Élysée que ça se passe, mais entre Matignon et la place Beauvau. Entre deux bordées d'invectives ou de sarcasmes, Nicolas Sarkozy et Dominique de Villepin gardent les bonnes manières. Mais c'est bien un combat à mort qu'ils mènent l'un contre l'autre, pour la succession de Jacques Chirac.

Pour mieux les comprendre, il faut écouter Jean-Pierre Raffarin. L'ancien Premier ministre est doté d'une subtilité peu ordinaire. Son impartialité ne peut non plus être mise en question parce que, en tout cas, au moment où il parle à l'auteur[1], il n'a d'actions ni chez l'un ni chez l'autre.

De Sarkozy, Raffarin dit : « Cet homme fait tout ce qu'il dit et ne fait que ce qu'il veut. Avec lui, c'est toujours l'épreuve de force. Ce n'est pas un sournois, mais un ruminant. Il ne réagit jamais dans l'instant. Il faut lui laisser le temps de digérer l'idée que vous

---

1. Entretien avec l'auteur, le 15 décembre 2005.

793

lui avez soumise pour qu'il la sculpte à sa façon et se la réapproprie. »

De Villepin, Raffarin fait un portrait tout différent : « C'est un calculateur, contemplateur du scénario qu'il construit. Il prétend toujours défendre une cause qui le dépasse. Il est fatigant pour ça, parce qu'il faut écouter la cause. Avec lui, avant de prendre une décision, on doit passer un temps fou sur le décor, ça n'en finit pas. Il est dans l'apparence. Il veut être celui qui a marqué la réunion. S'il partait en pèlerinage à Saint-Jacques-de-Compostelle, je crois qu'il n'arriverait jamais à bon port. »

Conclusion de Raffarin : « Sarkozy est attaché à une destination, Villepin à un parcours. »

Entre Sarkozy, le fils prodigue, et Villepin, le fils officiel, Chirac a déjà choisi en son for intérieur : Juppé, qui garde toujours son statut de fils préféré. À défaut, il se contentera de Villepin.

Juppé reviendra sans doute un jour. Dans quel état, Dieu sait, au terme d'un exil en Amérique du Nord où il a enseigné, après ses ennuis judiciaires. Il a pris goût à son nouveau métier. Mais il finira forcément par se réinstaller dans le paysage avant de laisser tomber son verdict.

Où Juppé se placera-t-il ? Fidèle à son personnage, Villepin l'a mortifié en le laissant tomber pendant sa tourmente judiciaire. Il n'a même pas pris la peine de l'appeler au téléphone pour lui laisser ces petits messages d'amitié qui, dans ces moments-là, font chaud au cœur. Pas le temps.

Sarkozy, lui, a toujours été là chaque fois que Juppé subissait un nouveau coup du sort. Il fut ainsi le seul à l'appeler, en 2004, après avoir pris sa succession à la présidence de l'UMP. Il est vrai qu'il ne peut oublier qu'alors qu'il n'était qu'un renégat de la chiraquie, l'ancien Premier ministre avait tenté, à deux reprises, de le réintroduire dans le jeu. La première fois, en 1996, comme ministre des Finances. La deuxième fois, comme secrétaire général du RPR. Chaque fois, Chirac s'y était opposé.

Contrairement à ce qu'espérait Villepin, on n'a en tout cas pas fini d'entendre parler de Juppé. Il sera au moins, à droite, l'un des hommes clés de l'après-Chirac. Le Commandeur ou plus encore...

110

Crépuscule

« On ne meurt jamais que de n'avoir pas vécu ni aimé. »

Angelo Rinaldi

Même au paradis, il serait insupportable de vivre seul. À l'Élysée, c'est encore pire. Le chef de l'État tue ses soirées en regardant la télévision, mais sans enfiler les bières ou les punchs comme avant, régime oblige. « La mort ? s'inquiétait Jean Paulhan. Pourvu que je vive jusque-là... »

Vit-il encore ? L'ennui, quand on vieillit longtemps, c'est qu'il vaut mieux ne pas regarder trop souvent par-dessus son épaule si l'on ne veut être, soudain, saisi de mélancolie. Tout se dépeuple derrière soi. On n'a pas intérêt à demander des nouvelles des vieux amis, car ils sont morts dans bien des cas, et on n'a plus personne ou presque à qui parler des bonheurs ou des chagrins passés.

C'est son cas. Jacques Chirac avait deux meilleurs amis. Le premier, Michel François-Poncet, est mort en 2005. Un joyeux drille avec qui il avait souvent fait la fête quand ils étaient à Sciences-Po. Malgré sa légendaire nonchalance, il était devenu l'un des grands banquiers de la place. Le chef de l'État n'a pu assister à son enterrement. Il avait autre chose à faire.

Son second ami, Jacques Friedmann, mourra deux ans après qu'il eut quitté l'Élysée, en 2009. Mais il lui a manqué. Un inspecteur des Finances, ironique et subtil, qu'il a connu lui aussi à Sciences-Po et qui a vécu la plus grande partie de sa carrière dans son sillage. C'était son alter ego. Or, quand il avait fallu choisir entre Balladur et lui, en 1995, il s'était défilé.

Le déclin est, pour l'homme d'État, une épreuve de vérité. La plupart des amis partent longtemps avant qu'il n'ait expiré son dernier souffle. Les amis qui voulaient des places. Les amis qui, au fond, le haïssaient. Alors que son règne arrive à son couchant, Jacques Chirac n'a plus grand monde autour de lui. On peut compter ses amis sur les doigts d'une seule main, et encore, une main à quatre doigts suffirait.

François Pinault, l'ami des bons et des mauvais jours, qui entretient avec le président une camaraderie que rien n'entamera jamais. Il l'aime. Même s'il exerce sur lui cette impitoyable lucidité qu'autorisent les vieux compagnonnages, surtout quand ils ne sont pas politiques.

Jérôme Monod, le dernier des fidèles, à la raideur protestante et à l'ironie cinglante, qui a commis l'erreur d'accepter de travailler à ses côtés, à l'Élysée, où il subit les vexations de ceux, nombreux, qui ne souffraient pas son emprise sur le président.

Line Renaud, qui est entrée dans sa vie, il y a longtemps, comme un ouragan, le cœur sur la main, la main sur le cœur, pour n'en plus ressortir et ne se déplace jamais sans ce grand rire rabelaisien qui la précède. Une « mamma » qui a fini par faire partie de la famille, même si Bernadette Chirac, jalouse de son ascendant sur son mari, tentera de l'écarter peu à peu.

Alain Juppé, la mauvaise conscience, qui a pris quelques distances avec un mélange de pudeur et d'élégance mais qui reste l'héritier – le candidat obsessionnel, sa « vengeance ».

Jean-Louis Debré, le fils adoptif, qui n'est pas loin, parfois, de supplanter dans son cœur Alain Juppé, le fils aîné.

Après ceux-là, c'est le désert. Pour preuve, les invités des dîners d'anniversaire que lui organise Claude chaque année. On n'y retrouve que des chanteurs, des acteurs ou des comiques qu'il n'aura jamais fait que croiser, un verre à la main : Johnny Hallyday, Muriel Robin, Patrick Sébastien ou Michèle Laroque. Des amis de passage ou d'un soir.

N'était le petit Martin dont il empile les dessins sur son bureau de l'Élysée, Jacques Chirac serait un handicapé de la famille et de l'amitié. Pour la première, il peut plaider coupable. Pour la seconde aussi. Après la trahison de Balladur et de sa clique, il a toujours plus pris qu'il n'a donné, réduisant, comme tous les gens de pouvoir, l'amitié à la définition de Montesquieu : « Un contrat par lequel nous nous engageons à rendre de petits services à quelqu'un afin qu'il nous en rende de grands. »

L'Élysée n'est plus qu'un grand palais vide où le président vit comme un mort, retranché de tout. Comme de Gaulle, Pompidou ou Mitterrand à leur couchant, il ne reçoit plus personne ou presque. Il n'a jamais aimé le système des audiences à la chaîne qu'il a si longtemps pratiqué. Il les accorde désormais au compte-gouttes à quelques habitués, triés sur le volet par Claude qui barre de l'agenda présidentiel tous les fâcheux, solliciteurs ou mauvais esprits.

Chaque entrevue est un martyre. Chaque sortie à l'extérieur aussi. Chirac se sait ausculté par tout le monde et peine, malgré tous ses artifices, à dissimuler le mélange de langueur et de tristesse qui, depuis le soir du 2 septembre 2005, a envahi son cerveau. Il cherche ses mots. Il ne se sépare plus de ses pense-bêtes.

Ce soir-là, alors qu'il travaille à son bureau, le chef de l'État éprouve, soudain, une forte migraine et constate qu'il a pratiquement perdu la vision d'un œil. Il n'est pas du genre à s'affoler mais prévient quand même Claude, la « chambellanne », et Jack Dorol, le chef du service médical de l'Élysée.

Ils décident que le chef de l'État doit partir d'urgence subir des examens à l'hôpital du Val-de-Grâce. Mais, Claude Chirac ne perd pas le nord : contrairement à l'habitude, la voiture présidentielle ne sera pas accompagnée par un détachement de gendarmerie, discrétion oblige.

Après que les médecins du Val-de-Grâce ont diagnostiqué un accident vasculaire cérébral, ils demandent au président de prolonger son séjour pour une semaine, afin de procéder à des examens complémentaires. Ils se font du mauvais sang : ce genre de symptôme est souvent le signe avant-coureur d'un infarctus cérébral. À partir de ce soir-là, Chirac ne sera plus jamais Chirac.

Passons sur le culte du secret qui a conduit Claude à dissimuler l'information jusqu'au lendemain matin : les Chirac restent d'indécrottables cachottiers. Passons aussi sur les séquelles laissées par le « petit accident vasculaire » du président, pour reprendre la terminologie du service de santé des armées : elles sont bénignes et ne se traduisent que par de légers troubles de mémoire qui l'empêcheront, par exemple, de retrouver le nom d'une vieille connaissance. Rien de grave. Chirac sait sauver les apparences.

Ce qui a changé, c'est que le président a enfin compris, à près de soixante-treize ans, qu'il n'était pas immortel et qu'il ne pourrait pas toujours forcer le destin. Jusqu'à présent, il aimait dire en rigolant qu'il était une « insulte à la médecine ». Gros mangeur, grand buveur et pétant le feu. Depuis le temps qu'il tirait sur la bête, elle ne s'était pas encore vengée de tout ce qu'il lui avait fait avaler. C'est fait. D'où la mélancolie qui, désormais, tourne dans sa tête et alourdit sa démarche. Il semblait naguère monté sur des ressorts ; il a des boulets aux pieds. Il préparait toujours la prochaine élection ; il sait qu'elle se jouera sans lui.

Dans son *Dictionnaire incorrect* [1], Jean-François Kahn a donné plusieurs définitions, souvent drôles, de Jacques Chirac. Par exemple : « Personne ne sait où il est : lui non plus. » Ou encore : « Beaucoup de gens l'aiment, nul ne l'admire : vrai démocrate ! » L'une des plus pertinentes est celle-ci : « Depuis Lazare, personne n'avait aussi spectaculairement ressuscité. »

Chirac-Lazare a toujours dit qu'il n'avait pas peur de la mort qu'il a, au demeurant, souvent fréquentée, notamment pendant la guerre d'Algérie. Mais pour être mort, il faut mourir pour de bon. C'est ça qui le tue, le regard faussement compatissant des autres. Leur façon de l'autopsier vivant. Déjà, il avait été vexé quand, quelque temps auparavant, la rumeur avait couru qu'il était malade parce que, après s'être fait brûler une verrue, il portait un pansement à l'index. Ou quand la presse avait spéculé sur sa surdité après que *Paris-Match* [2] eut publié une photo du profil présidentiel où apparaissait clairement une prothèse auditive. Jean-François Copé, le porte-parole du gouvernement, fut sommé de démentir, contre toute évidence, que le chef de l'État avait été appareillé. Claude Chirac était passée par là.

Longtemps, Chirac a cru qu'il pourrait toujours dominer les éléments. Il s'attribuait même volontiers des dons de sorcier. Un jour, par exemple, il apprend que la femme de Xavier Darcos, un de ses fidèles, qui deviendra ministre de la Coopération, souffre d'un cancer du sang. Le chef de l'État demande à la voir « seule pendant un quart d'heure avec son bébé ». Après la rencontre, il dira à

---

1. *Dictionnaire incorrect*, Plon, 2005.
2. Le 27 novembre 2003.

Darcos : « Je tiens de mon père un don qui me permet de savoir si les gens sont en bonne santé, rien qu'en leur serrant la main. Ta femme est sauvée. »

C'est tout Chirac : croyant, fataliste et rustique. Passablement superstitieux aussi. Il a passé sa vie à se démener sans compter pour les malades, à se ruer au chevet des agonisants ou à embrasser le front des morts. Son tour est arrivé. Il l'attend tristement, les jambes flageolantes, non de peur mais de fatigue, au terme d'une si longue marche. On le verrait bien dire, comme une de ses anciennes fréquentations, François Nourissier, dans *Bratislava*[1] : « Patience, sentinelle ! La guerre est perdue, mais il faut continuer de guetter l'ennemie. »

Et après ? « Je suis catholique comme mon père, dit-il[2]. Je crois donc à l'immortalité de l'âme, ce qui explique sans doute que je n'ai pas d'angoisses métaphysiques quand je pense à la mort. On la compare souvent à un naufrage. Quand son heure arrivera, je souhaite juste que ce naufrage se fasse le plus rapidement possible, sans trop de souffrance ni, surtout, de déchéance. »

S'il croit à l'immortalité, pense-t-il à la postérité ? « Restons modeste, répond-il. Ceux qui laissent quelque chose, ce sont les grands artistes, les grands penseurs ou les grands scientifiques. Rarement les hommes politiques. Il y a bien de Gaulle, l'exception, mais tout ce qu'on peut apporter, nous autres les successeurs, comme petite contribution, c'est un peu de tolérance et de respect de l'autre : la France en a bien besoin. »

Il ne croit cependant pas à la vanité de la politique : « Chacune de nos actions finit par avoir une conséquence sur l'ensemble de l'humanité. C'est l'histoire du battement d'aile de papillon... »

Encore faut-il battre les ailes...

1. *Bratislava*, Grasset, 1990.
2. Entretien avec l'auteur, le 1er octobre 2004.

111

Au-dessus du volcan

« On les aura ! »

Philippe Pétain

Le mercredi, au Conseil des ministres, ses collègues remarquent, pendant plusieurs semaines, que Nicolas Sarkozy n'arrête pas de consulter son portable. Il semble attendre un SMS. Sans doute de Cécilia, sa femme, qui a pris du recul, comme on dit, quelque temps auparavant.

Nicolas Sarkozy a beaucoup maigri. Il supporte mal cette rupture. Il entretenait une relation fusionnelle avec Cécilia qui semblait la femme de sa vie. À la surprise quasi générale, il montre que l'amour est, pour lui, « la plus importante des affaires », comme disait Stendhal.

La plupart des ministres sont frappés par cette « humanité » qu'ils n'imaginaient pas chez lui et qui n'empêche toutefois pas Nicolas Sarkozy de vaquer, le visage assombri, à ses occupations. Dominique de Villepin, lui, se tord de rire. Le nouveau chef de gouvernement a ciselé une formule dont il est sans doute très fier, puisqu'il la répète à tout-va : « Un type qui ne peut pas garder sa femme ne peut pas garder la France. »

Dans la foulée, Villepin s'étonne que la presse soit si prudente quand elle parle de la rupture entre les Sarkozy : « Les journalistes français n'ont pas de couilles. Dans n'importe quel autre pays, ça ne se passerait pas comme ça, on raconterait cette histoire en donnant tous les détails. Les Français ont le droit de savoir ! » Mais cette discrétion n'est-elle pas à l'honneur de la presse française ? Dans son ensemble, elle estime, pour reprendre la formule de

Claude Angeli, l'un des piliers du *Canard enchaîné*, que « le journalisme s'arrête à la porte de la chambre à coucher ». À moins d'aller voir ce qui se déroule sous les draps, et encore, qui peut être sûr de percer les secrets de l'amour ?

Le journalisme est en droit de raconter un amour ou un désamour quand la messe est dite. Il n'a pas à rapporter l'histoire quand elle est en cours, ce qui l'amène alors à en devenir aussi l'un des acteurs. Même si l'éthique française lui a bien profité personnellement, Villepin n'en démord pas, qui ne cesse de vitupérer : « Les journalistes français n'ont rien dans la culotte. »

De là à imaginer que la rupture – provisoire – entre les Sarkozy ait pu être provoquée par une manipulation d'État, il n'y a qu'un pas qu'on ne franchira pas, faute de preuves. Mais la rumeur a couru que le départ de Cécilia avait été déclenché par une note blanche, c'est-à-dire sans signature, des Renseignements généraux, parvenue miraculeusement sur son bureau et détaillant de prétendus écarts de son mari. C'est dire l'atmosphère glauque qui règne dans la République chiraquienne à son couchant.

Reste que Jacques Chirac n'a jamais rien dit sur cette affaire. Parler de la vie privée des autres n'est pas son genre. Il a assez à faire avec la sienne. Si le sujet est abordé devant lui, il dira même avec l'air d'avoir bu du vinaigre : « On a toujours tort de mêler les choses privées au débat politique. Je ne trouve pas ça convenable. »

Mais Villepin est un guerrier et, pour lui, la politique n'est que la continuation de la guerre par d'autres moyens. S'il perçoit une faille chez l'ennemi, il tapera dessus jusqu'à ce qu'elle saigne. Tout est bon. À l'université d'été de l'UMP, après que Sarkozy eut prétexté une grippe pour ne pas avoir à courir avec lui, il prend un bain de mer très médiatisé dans l'Atlantique. Comme le dira drôlement Alain Duhamel, « c'est la sortie de l'eau la plus spectaculaire et la plus préparée depuis celle d'Ursula Andress dans *James Bond contre Docteur No* [1]. » Du grand art – de communication s'entend.

D'autres fois, quand les deux hommes sont debout à la même tribune et que crépitent les applaudissements, Villepin prend la main de Sarkozy et la lève avec la sienne pour mieux souligner qu'il est plus grand que lui. Un vieux truc de routier de la politique. Le Premier ministre est bien décidé à ne rien lui épargner.

---

1. *Le Point*, le 5 janvier 2006.

Chirac aussi. Quand, par exemple, il demande à Tony Blair, comme « un service personnel », de ne pas recevoir Sarkozy. Le ministre de l'Intérieur est comme le canard d'une histoire de l'autre siècle, racontée par l'humoriste Robert Lamoureux. On a beau lui tirer dessus, les balles ne l'atteignent jamais : « Le canard est toujours vivant. »

En faisant subir continuellement à Sarkozy un harcèlement moral et politique, Villepin s'impose peu à peu comme son concurrent. Même si le ministre de l'Intérieur feint de l'ignorer, le chef du gouvernement marque des points. Ce n'est plus seulement le mannequin péremptoire du commencement, mais aussi un Machiavel qui a du ressort, du coffre et de l'estomac.

Face à Sarkozy, il se pose ainsi en rassembleur et défend « le modèle social français qu'il ne faut pas mettre à la poubelle ». Au ministre de l'Intérieur qui a invoqué la nécessité d'une rupture, il ose même répondre sans rire, à l'Assemblée nationale, que les ruptures, « ça se termine toujours dans le sang ». En somme, plus chiraquien que Chirac, il exalte le statu quo. Il ne sait pas le feu qui couve, au même moment, dans les banlieues.

Le « modèle-social-que-le-monde-entier-nous-envie » a pris un rude coup, le 27 octobre 2005. Il n'est pas mort, non, la vue ne reviendra pas en un jour à une classe politique qui, depuis des décennies, refuse de regarder la réalité en face. Mais cette réalité s'est vengée avec les émeutes qui, les jours suivants, ont frappé les banlieues françaises rappelant, les morts en moins, ce qui s'était passé naguère dans les ghettos américains. Après ça, la gauche et la droite devront cesser de se glorifier d'un système qui, à cette occasion, est apparu dans sa vérité : en décomposition, sur fond de chômage et de malheur social.

Tout a commencé avec la mort de deux adolescents de Clichy-sous-Bois qui, s'estimant à tort ou à raison poursuivis par la police, s'étaient réfugiés dans un transformateur où ils ont été électrocutés. En somme, un tragique fait divers. Il n'en a pas fallu plus pour mettre les banlieues à feu mais non à sang.

Les premiers jours, Villepin a laissé son ministre de l'Intérieur seul au front en espérant qu'il s'enferrerait. Il est vrai que Sarkozy n'a pas la cote chez les jeunes qui brûlent des voitures, des maternelles ou des bibliothèques. Le 25 octobre, soit l'avant-veille de la première émeute, il avait été interpellé, lors d'une visite d'Argenteuil, par une immigrée : « Monsieur Sarkozy, débarrassez-nous de ces racailles, on n'en peut plus, on a peur. » À quoi, il avait répondu : « Oui, madame, faites-nous confiance, on va vous débarrasser de ces racailles. » Propos qui faisait écho à une de ses déclarations précédentes, le 20 juin, à La Courneuve : « Dès demain, on va nettoyer au Kärcher la cité des 4000. »

Mâle rhétorique à laquelle le chef du gouvernement a tôt fait d'imputer l'explosion des banlieues. C'est pourquoi il interdit au « premier flic de France » de participer à la séance des questions orales au gouvernement, le mercredi, au Palais-Bourbon. Contre lui, il fait aussi donner son ami Azouz Begag, ministre délégué à l'Égalité des chances. Le chef de l'État lui-même s'en mêle en laissant tomber après l'exposé de Nicolas Sarkozy au Conseil des ministres du 2 novembre : « L'absence de dialogue et l'escalade de l'irrespect mèneraient à une situation dangereuse. »

La faute à Sarkozy, la crise des banlieues ? Le piège paraît s'être refermé sur lui quand Villepin est confronté le même jour, après une septième nuit de violences dans les banlieues, à une « jacquerie » des députés de l'UMP, dont certains, comme Pierre Cardo, dénoncent son « silence assourdissant ». Les élus soupçonnent le Premier ministre d'attendre le premier mort pour limoger Sarkozy. À la tête de la révolte, Philippe Briand, maire de Saint-Cyr-sur-Loire et chiraquien de toujours, qui réclame la solidarité gouvernementale derrière le ministre de l'Intérieur.

Après avoir passé un mauvais moment devant le groupe parlementaire au Palais-Bourbon et manifesté son agacement ou son mépris par un grand geste du bras, Villepin changera de pied, preuve qu'il sait, lui aussi, suivre les vents.

Certes, il continuera, comme Chirac, à réfuter systématiquement toutes les propositions de Sarkozy. Sur la discrimination positive ou sur le droit de vote des immigrés aux élections locales. C'est un réflexe conditionné. Mais il a compris que la droite ne lui pardonnerait pas de jouer l'échec dans les banlieues pour se débarrasser de son rival. Fin de la récréation : le chef du gouvernement et le ministre de l'Intérieur parleront désormais le même langage. En tout cas, pendant quelques jours.

Totalement absent depuis le début de la crise des banlieues, Chirac finit à son tour par réapparaître, évanescent et lunetté, avec une allocution télévisée de haute tenue, le 14 novembre, où il parle de crise de « sens », de « repères » et d'« identité ». « Nous ne construirons rien, dit-il, sans le respect [ni] sans combattre le poison pour la société que sont les discriminations. » En somme, un éditorial. Il y annonce des mesurettes, comme la création d'un service civil volontaire, mais se garde bien de tirer de cette épreuve nationale les conclusions qui s'imposent. Pour les connaître, il faudra se reporter au *Monde* où, quelques jours plus tard, Jean-Marie Colombani, son directeur, dressera le bilan sans appel de près d'un quart de siècle de politiques ineptes[1].

Tout y passe : l'arrogance du discours officiel qui n'a plus le droit, après les émeutes, de parler de la supériorité du « modèle français » par rapport aux Anglo-Saxons ; la stupidité de la politique de l'emploi : « ce n'est pas en diminuant l'offre de travail que l'on peut avancer, mais au contraire en la dopant » ; le scandale de la discrimination dans un pays qui s'oppose à l'action « positive » et accepte que ses élites soient « uniformément masculines, blanches et fermées » ; la nocivité de l'immobilisme à la française : « la France refuse de s'adapter au nom de la préservation du statut de ceux qui en ont un ».

Moyennant quoi, le tandem Chirac-Villepin a repris, sitôt le calme rétabli, le cours de sa politique. On ne sait trop comment la qualifier. Pierre Rosanvallon, professeur au Collège de France, a parlé de l'idéologie de la « radical-nostalgie ». Mais ne s'agit-il pas plutôt d'une sorte de « gaullo-pétainisme » ? D'un côté, la posture du Général et de l'autre, le défaitisme du Maréchal. Les deux en un. Résultat : l'atonie virile comme mode de gouvernement. Plus le pouvoir recule, plus son discours devient grandiloquent.

« Je n'ai rien à perdre à tout tenter, déclare sérieusement le Premier ministre[2]. Mes résultats ne peuvent être pires que ceux de mes prédécesseurs. »

Villepin aime marcher des épaules, flamberge au vent. Ainsi, quand il se lance dans le combat du contrat première embauche, réforme au demeurant mineure, c'est avec une adresse digne des Pieds nickelés, sans consulter personne, ni Borloo son ministre, ni

---

1. Le 29 novembre 2005.
2. *Le Figaro Magazine*, entretien avec Sylvie Pierre-Brossolette, le 28 janvier 2006.

les représentants syndicaux, et en prenant tout le monde en otage : Chirac, Sarkozy et les Français. À la fin des fins, il lui faudra bien sûr battre en retraite, toute honte bue.

En attendant, qu'importe si l'économie ne fabrique toujours pas, ou peu, de vrais emplois : on en est revenu au bon vieux temps de l'emploi aidé qui, avec les radiations de faux chômeurs, les retraites des baby-boomers et l'arrivée des classes creuses, devrait faire baisser la courbe du chômage.

Qu'importe si les Français sont en train de perdre la course à la productivité et à la compétitivité : 872 heures travaillées par an et par habitant aux États-Unis, 792 en Grande-Bretagne et... 597 en France. Mais il ne faut pas le dire, ça troublerait le sommeil du pays.

Qu'importe si l'endettement du pays continue à peser sur l'économie, malgré une amélioration qu'il faut imputer à Thierry Breton, le ministre de l'Économie, et à lui seul ; il s'élève désormais à 1 100 milliards d'euros auxquels il faut ajouter de 800 à 900 milliards d'engagements sur les retraites. Villepin a promis, le farceur, de ramener le ratio d'endettement sous la barre des 60 % du PIB à l'horizon de la prochaine législature, donc en 2012. Autrement dit, comme tous ses prédécesseurs, il a repassé la patate chaude à ses successeurs.

Qu'importe si le gouvernement n'arrive pas à contrôler ses dépenses publiques afin de redonner à l'État une marge de manœuvre, Villepin a promis de commencer à réduire le nombre de fonctionnaires en 2007... quand il ne sera plus à Matignon. Voici venu le temps de la gouvernance d'anticipation, comme les romans du même nom.

La France est-elle à la ramasse ? Villepin est sans doute fondé à fustiger, comme il l'a fait le 10 janvier 2006, les « déclinologues » qui se délectent des déboires du pays avec une jouissance un peu morbide. *Marianne*, le journal de Jean-François Kahn, a raison, la même semaine, de plaider pour « l'optimisme » et « la renaissance » en brocardant la « gauche de papa » et le « néopétainisme de droite ».

Mais enfin, la France n'est pas sur la bonne pente. Si l'on s'en tient à un critère imparable, le PIB par habitant en dollars courants, elle était, en 1970, au 11e rang parmi les pays de l'OCDE. Elle a reculé d'une case en 1981 et d'une autre en 1984. En 2004, elle était tombée au 16e rang. Lui sont ainsi passés devant, en trois décennies, le Japon, la Grande-Bretagne, l'Irlande ou l'Autriche.

La France est, de surcroît, de plus en plus « injuste », pour reprendre le titre du livre de l'universitaire canadien Timothy Smith[1]. Même si on la dit de gauche, sa politique sociale sert les intérêts de tous sauf, comme il le démontre bien, ceux des exclus, des femmes et des jeunes. Surtout quand ils sont d'origine immigrée. Pour masquer son incurie, la classe politique a trouvé le bouc émissaire, la mondialisation à laquelle Jacques Chirac a consacré tant de discours plus ou moins insipides (163 de 1995 à 2000). Mais le chef de l'État n'est-il pas responsable, au même titre que François Mitterrand et Lionel Jospin, de la ségrégation économique, sociale et raciale qui s'est développée dans le pays ?

Alors que s'égrènent les notes du glas des fins de règne, le destin de Jacques Chirac peut rappeler le sort d'Albert Lebrun, le dernier président de la IIIe République, tel que le voyait le général de Gaulle : « Au fond, comme chef d'État, deux choses lui avaient manqué : qu'il fût un chef, qu'il y eût un État. »

À quelques détails près. Le moindre n'est pas qu'à défaut d'avoir été le réformateur qui s'imposait, Jacques Chirac fait désormais figure de conscience. Peut-être pas morale mais au moins nationale. Au fil des ans, il est devenu une vieille habitude, comme le veilleur de nuit de la maison de retraite qui vient procéder, de son pas fatigué, à l'extinction des feux.

---

1. *La France injuste*, de Timothy Smith, Éditions Autrement, 2006.

112

Acédie

« Que deviennent toutes les larmes qu'on ne verse pas ? »
Jules Renard

Avec tous ses kilos perdus, il ressemble de nouveau au jeune homme qu'il était, le grand échalas à lunettes aux airs d'oiseau de proie. Sauf qu'il a une moitié de siècle en plus sur ses épaules et que des lambeaux de peau pendent sous son menton comme du linge à sécher. Sauf, surtout, qu'il ne cesse de se ménager. Il quitte précipitamment les déjeuners pour aller « piquer un roupillon » et même s'il a encore de l'allant marche souvent à pas comptés, comme un futur petit vieux.

Il y a quelque chose de crépusculaire en lui qui était, il n'y a pas si longtemps, la joie de vivre en personne. Parfois, il semble comme anéanti par sa propre déchéance. C'est peut-être pourquoi il va plus souvent à la messe qui est toujours pour lui « un moment de bonheur où l'on rentre un peu en soi pour essayer de se retrouver ».

À soixante-treize ans, Jacques Chirac ne s'est pas retrouvé. Il eût déjà fallu qu'il se fût trouvé. Il a passé sa vie à se fuir, comme quelqu'un qui, dans son enfance, aurait subi un grand traumatisme psychologique. C'est au demeurant la thèse de Valéry Giscard d'Estaing qui, pour l'avoir beaucoup fréquenté, imagine qu'il a pu se passer quelque chose dans le cercle de famille à trois que ce fils unique formait avec une mère toute dévouée et un père très coureur. Si tel fut le cas, c'est encore un secret avec lequel il mourra.

Cet homme est « très gardé », pour reprendre une formule de Lionel Jospin. Il ne s'ouvre ni ne se donne. Toutes les femmes de sa vie ont vu son visage se fermer, son regard se glacer et ses derniers poils se hérisser quand elles lui posaient des questions personnelles. Sur son enfance, par exemple. Il fait peur, alors, comme il fait peur à ses amis politiques quand, au cours d'un entretien détendu, il darde soudain sur eux, après une phrase qui lui a déplu, des yeux d'acier, tranchants comme des couteaux. Tant il est vrai qu'il a beaucoup tué en quarante ans de carrière politique. Longue est la liste de ses victimes qu'il n'a néanmoins jamais prises en traître et qui, en outre, se sont parfois assassinées elles-mêmes : Jacques Chaban-Delmas, Jean Charbonnel, Jean-Jacques Servan-Schreiber, Marie-France Garaud, Valéry Giscard d'Estaing, Charles Pasqua, François Léotard, Alain Madelin, Édouard Balladur et Philippe Séguin. Sur son tableau de chasse, ils sont dix, comme les dix petits nègres. Sans parler de tous ses lieutenants pressés comme des citrons et jetés comme des pelures quand il n'en avait plus l'usage.

Hormis Nicolas Sarkozy et François Bayrou, il est toujours parvenu à ses fins. Mais la main n'est plus si sûre, alors qu'il arrive à son couchant. Elle tremble. Quand elle ne se laisse pas forcer par celle de Dominique de Villepin, un homme qui, comme Fouché jadis, sait créer, autour du prince, une « terreur factice » ou supposée de « dangers imaginaires » [1] pour parvenir à ses fins en écartant qui bon lui semble. Jacques Chirac ne fait plus peur, désormais.

Le jour où il acceptera de se retourner pour regarder derrière lui, il apercevra des monceaux de cadavres, à perte de vue. Telle est la fatalité du survivant. Encore que celui-là n'est pas du genre à faire de quartier. À la guerre, il aurait laissé ses blessés derrière lui. Il ne se serait pas non plus embarrassé de prisonniers. S'il a une morale personnelle, c'est bien celle du darwinisme : que le plus fort l'emporte, surtout si c'est lui. Après ça, pas de pitié. Jadis, il aimait citer un proverbe qu'il disait oriental mais qui était sans doute de son invention : « Rien ne sert de blesser le chat dont on veut se débarrasser, il faut le tuer. » Cet exécuteur professionnel laissera cependant derrière lui une droite en état de marche, avec des héritiers comme Alain Juppé et Nicolas Sarkozy. Sans parler de François Fillon. Ce n'est pas rien.

Pour le reste, que restera-t-il de lui ? Son musée des Arts premiers et quelques grands discours. Celui du Vél'd'Hiv où, après cinquante

---

1. Chateaubriand à propos de Fouché, dans les *Mémoires d'outre-tombe*, tome II, livre 23ᵉ, chapitre 20.

ans d'amnésie officielle, il reconnaissait les fautes de l'État français pendant l'occupation nazie. Celui du 17 décembre 2003 où il a défendu le principe d'une « laïcité ouverte et généreuse » dans une France qui assume sa « diversité », principe qui, à ses yeux, « n'est pas négociable ». Deux textes fondateurs qui ont posé des bornes et marqué leur temps. Ils continueront à parler aux Français long-temps après qu'il aura tiré son rideau.

Sur le plan des valeurs, il a tenu son rang et bien rempli la fonction symbolique de président. Mais hormis plusieurs adresses au peuple et une diplomatie dégourdie, il est clair que Chirac n'aura pas laissé un héritage substantiel aux générations futures. Pas de grand monument, bien sûr, mais pas non plus de réforme digne de ce nom, n'était l'avancée décentralisatrice que lui a imposée Raffa-rin. En dépit de ses postures, il a veillé, surtout, à ne jamais troubler l'air du temps. Si l'on excepte sa position en faveur de l'entrée de la Turquie dans l'Union européenne, il s'est même contenté, pour l'essentiel, de suivre la pente des Français.

Un homme qui le connaît bien, Jean-François Lamour, ancien ministre de la Jeunesse et des Sports, dit que Jacques Chirac aime « la transgression, voire la provocation ». Sans doute, mais surtout en privé. Sur le plan international, il a pu être inspiré et même prophétique. Depuis des décennies, par exemple, il est obsédé par le développement économique de la Chine où il est l'une des per-sonnalités étrangères les plus populaires. Il est mêmement convaincu de la déstructuration sinon du déclin de l'empire améri-cain. Concernant la politique française, en revanche, il fut un accompagnateur, parfois un escamoteur. Jamais un innovateur ni un dérangeur. L'économiste Jacques Rueff disait aux gouvernants : « Soyez socialistes, soyez libéraux, mais ne soyez pas menteurs. » Comme François Mitterrand dont il fut le grand continuateur, Jacques Chirac aura été les trois en même temps. Si un politicien français a pratiqué « le culte de l'opinion publique », pour reprendre l'expression d'Alain Minc [1], ce fut bien lui. Il a été un pilier de cette église. Une sorte de cagot de la pensée dominante. Y compris quand il a combattu fièrement l'intervention américaine en Irak, en 2003 : les Français aussi y étaient hostiles, dans leur grande majorité.

---

1. *Le Crépuscule des petits dieux*, Grasset, 2006.

Si sa filiation fut gaullienne, il reste, la nonchalance en moins, un avatar d'Aristide Briand. La même fausse naïveté. Le même sentimentalisme républicain. Le même idéalisme roué mais de bon aloi. De cet homme de gauche qui, avec le « Tigre », a surplombé les trois premières décennies du XXe siècle, Georges Clemenceau disait : « Il ne sait rien mais comprend tout. » De Jacques Chirac, il eût dit sans doute : « Il ne fait rien mais comprend tout. »

Prince du lieu commun et « monstre de souplesse », à en croire Maurice Barrès, Aristide Briand a toujours été un bénisseur qui jouait l'apaisement, fût-il rapporteur de la loi de 1905, instituant la séparation de l'Église et de l'État. Après la guerre de 14-18, il a œuvré pour la réconciliation avec l'Allemagne avant de recevoir le prix Nobel de la paix. Ce ne fut pas un homme médiocre, même s'il attirait sur lui les quolibets de toutes sortes, comme ceux de Léon Bloy, le traitant de « sans-culotte qui a perdu son pantalon ».

Jacques Chirac non plus n'est pas médiocre. S'il ne semble pas nobélisable, c'est parce que, contrairement à Aristide Briand, il n'a pas su attacher son nom à une grande cause. Il s'est dispersé dans l'humanitaire et la compassion en donnant l'impression, là aussi, de surfer sur la vague. Mais il a fait preuve d'un véritable engagement. Ce fut le cas, notamment, quand il a proposé la taxe sur les billets d'avion pour financer les achats de médicaments dans les pays pauvres.

Reste qu'en matière d'aide au développement, la France a encore beaucoup à faire, qui ne dépense sur ce plan que 0,4 % de son PIB. Mais bon, ce n'est pas le sujet. Chirac a toujours eu un faible pour les symboles et les effets d'annonce. C'est ainsi qu'il faut interpréter aussi l'introduction du principe de précaution dans la Constitution. Si les Français redemandent de la sécurité, pourquoi ne pas leur en donner en paroles ?

Il est leur chef, donc, il les suit : ç'aura été sa devise. Il a donc fini par incarner une société rétive au risque qui prétend soigner ses maux et trouver le salut grâce aux cellules de soutien psychologique, la nouvelle religion. Il s'est mis à l'unisson des Français qui, à en croire un sondage du *Figaro*[1], mettent plus bas que tout, parmi les qualités demandées à un président, le franc-parler (35 %), le courage (32 %) ou la conviction (25 %). Au tribunal de l'His-

---

1. *Le Figaro*, le 30 janvier 2006.

toire, l'héritier du « ninisme » bénéficiera de circonstances atténuantes. À quelques exceptions près, il a été ou il a fait ce que le pays voulait. À l'heure des comptes, il ne faudra pas exonérer la gauche, la droite et la presse qui, à quelques exceptions près, ont célébré pendant des années le soi-disant modèle social français Un « modèle » qui a conduit les Français à signer, pour sauvegarder certains acquis, des traites sur l'avenir en endettant leur descendance.

Avec l'autorité de l'autosatisfaction, tout le monde s'y est mis, à commencer par les socialistes, pour enfanter cette tragédie française, sur fond de chômage, d'exclusion et d'illettrisme, avec son million d'enfants pauvres et ses banlieues à la dérive. Sans parler du décrochage économique : la richesse nationale par habitant était 15 % plus élevée en France qu'en Grande-Bretagne, dix ans auparavant ; elle est tombée à 5 % de moins. Chirac ne saurait être le seul accusé de ce procès en impéritie qu'il faudra bien instruire un jour.

En attendant, à force d'avoir été abusée par les uns et les autres, la France souffre désormais d'acédie, affection de l'âme que saint Thomas d'Aquin définissait ainsi : « Une tristesse qui produit dans l'esprit une dépression telle qu'il n'a plus envie de faire quoi que ce soit, à la manière de ces choses qui, mordues par l'acide, deviennent toutes froides. Et c'est pourquoi l'acédie produit un certain dégoût de l'action. »

Français jusqu'à la moelle des os, le président est lui aussi atteint d'acédie. L'aveuglement n'étant pas son fort, il ne se fait aucune illusion sur lui-même. D'où ses troubles psychosomatiques. Moins cynique qu'on le croit, il est parfois si rempli de nausée qu'il lui faut se lever, en pleine nuit, pour aller vomir, oui, mais quoi ? Une certaine haine de soi ? Claude Chirac se souvient de son effarement devant un costume qu'il avait reçu en cadeau d'anniversaire : « Mais je ne pourrai jamais le porter, il est trop beau pour moi ! » Tout semble trop beau pour lui, désormais. Sauf ses vacances mortelles dans des hôtels cinq étoiles. Il s'est donc retranché de la vie, avec son souffle au cœur, et puni dans la solitude de l'Élysée : emmuré dans son palais, il y tue le temps qui, à la longue, s'est vengé en l'enterrant vivant.

Il est comme la France, dont il incarne si bien la tragédie. Il en a vu d'autres. Il sortira donc un jour de son sépulcre.

113

Enterré vivant

« Il n'était même pas sûr d'être en vie
puisqu'il vivait comme un mort. »

Albert Camus

Jacques Chirac est à l'âge où l'on évite de se regarder dans la glace. Quand par hasard il y croise son visage, il y voit celui de Dominique de Villepin. Le Premier ministre, c'est son avatar, une sorte de caricature.

Certes, Villepin ne se teint pas les cheveux comme Chirac l'a toujours fait, mais il est affecté, à table, de la même boulimie. Il a aussi, comme on dit, une bonne descente. Avec un faible pour le bordeaux. De plus, il possède tout ce que le président a perdu : la niaque, la fougue, le charisme, quelque chose de chevaleresque.

Villepin donne toujours l'impression de descendre de cheval, la cravache à la main, et il a cette respiration haletante, essoufflée, qui fut longtemps celle de Chirac. Il plaît pareillement aux femmes et aux nostalgiques du gaullisme, avec la même propension que le président aux moulinets et à la langue de bois qu'il truffe de mots creux mais sonores.

Même si, en petit comité, il use d'un vocabulaire de corps de garde, ce Chateaubriand de poche écrit un beau français et tient, en public, un discours pompeux, répétant continuellement et sans rire, par exemple, qu'il est là pour « servir » les Français.

Tout en jouant toujours avec l'idée de se représenter pour un troisième mandat, le président préférerait l'avoir comme successeur à la place de cet apostat de Sarkozy.

Seulement voilà : quelques semaines après sa nomination à Matignon, Villepin le navre. Chirac pensait que la fonction le changerait. Mais non. Le Premier ministre n'a toujours pas la manière. Trop autoritaire, trop expéditif, trop impatient. Il n'écoute personne. Toujours à tonitruer, il ne s'écoute même pas lui-même.

Avant que Villepin se lance dans la bataille du CPE qui sera son Waterloo, Chirac l'a mis en garde, comme le raconte Bruno Le Maire, alors directeur de cabinet du Premier ministre, dans son livre, *Des hommes d'État*[1] : « Moi, ce qui m'inquiète dans votre truc, c'est la tuyauterie, pas un Français ne comprendra. » Après quoi, il assène : « Vous faites ce que vous voulez, mais vous faites une connerie. »

Si l'on en croit Bruno Le Maire, Jacques Chirac n'a jamais cessé, sur le mode grave ou moqueur, de prodiguer des conseils avisés au chef du gouvernement en l'appelant au calme.

Avant une réunion avec les syndicats : « Dominique, soyez gentil. Je sais que ce n'est pas votre qualité principale, mais je vous le dis par affection personnelle : écoutez-les, ne dites rien, soyez gentil. »

Avant une visite en banlieue : « Je peux vous prêter mon petit chien Sumo, il aboie très fort. »

Surtout, le chef de l'État exhorte Dominique de Villepin d'en rabattre dans sa détestation obsessionnelle de Nicolas Sarkozy. En politique, il faut savoir cacher sa haine. Sinon, elle a tôt fait d'apparaître comme une faiblesse. Même si le président est d'accord sur le fond avec son chef du gouvernement et pense que le ministre de l'Intérieur n'a pas les qualités nécessaires pour la présidence de la République, il estime qu'il y a, dans le comportement de Villepin, quelque chose d'infantile qui nuit à sa cause.

« Arrêtez de vous occuper de Nicolas Sarkozy », lui répète-t-il. Sans succès. Villepin ne fait même que ça.

De ce point de vue, Villepin est comme Sarkozy. Ce sont deux narcisses monomaniaques, toujours au bord de l'hystérie et incapables de se contrôler. Ils se marquent l'un et l'autre à la culotte et, devant leurs proches, se traitent de tous les noms.

Un jour, devant son vieil ami Omar Bongo, le président du Gabon, Jacques Chirac les compare à Trotski et Staline : l'un a le verbe, la classe et le panache ; l'autre, une froide détermination, le

---

1. *Des hommes d'État*, Grasset, 2008.

sens de l'organisation, le chef de l'État n'ayant, bien sûr, rien à voir avec Lénine. La suite de l'histoire est déjà écrite...

Moins d'un an après l'arrivée de Villepin-Trotski à Matignon, c'est déjà Sarkozy-Staline qui a la main. Après l'échec du CPE et alors que l'affaire Clearstream se rapproche dangereusement de lui, le Premier ministre est plombé et le chef de l'État, déjà au plus bas dans les sondages, redoute qu'il ne l'entraîne dans sa chute, à quelques mois de la fin de son mandat. Villepin l'a déçu : il ne fait pas l'affaire.

Chirac ne supporte plus ses écarts ou ses coups de sang d'agité du bocal ; il a compris qu'il ne le changerait pas et laisse volontiers percer ses désillusions. Le Maire rapporte ainsi des propos accablés du Premier ministre après un entretien avec le chef de l'État, le 25 avril 2006 : « Le président trouve Sarkozy formidable. Il me critique, il critique mon entourage. Si dans deux mois je ne suis pas plus haut dans les sondages, il me remplace. Par MAM, par Sarkozy, par un proche de Sarkozy, qu'importe. Il a peur. Il ne prendra aucun risque. »

Le 27 octobre de la même année, le Premier ministre se plaint amèrement auprès son directeur de cabinet d'avoir été lâché par le chef de l'État dans l'affaire Clearstream : « Ce que le président m'a fait là, c'est une très mauvaise manière. Qu'est-ce que ça lui aurait coûté de faire rouler la balle ? Depuis des années, je le protège, je le défends. Et lui n'est même pas capable de dire une phrase pour moi ! »

Devant ses visiteurs, Jacques Chirac cache de moins en moins son agacement. Quand Pierre Mazeaud, le président du Conseil constitutionnel, l'adjure de se séparer de Villepin qui le « tire vers le bas », le chef de l'État répond : « Je réfléchis. » Quand on prononce le nom de son Premier ministre devant lui, il lui arrive de pousser un gros soupir évocateur en levant les yeux au ciel.

C'est seulement après avoir quitté l'Élysée qu'il se lâchera à plusieurs reprises devant des amis proches :

« Villepin, c'était ma connerie. La plus grosse connerie de mon second mandat. »

Déçu par Villepin, le président ne se rapproche pas pour autant de Sarkozy. Au contraire, le ministre de l'Intérieur continue de l'indisposer au plus haut point. Son caractère le révulse, sa ligne politique l'exaspère.

« C'est "Monsieur Sans Gêne" a-t-il dit un jour[1]. Un enfant gâté, pourri, mal élevé, insupportable. Rien ne l'arrête. Ni les échecs ni les scrupules. Avec un ego démesuré, il est trop plein de lui-même pour apprendre quoi que ce soit du monde extérieur. »

Un soupir, puis :

« Je lui ai tant donné… C'est comme s'il voulait me faire payer ses propres trahisons envers moi. Vous verrez, même quand je serai mort, il continuera à me tacler. »

Quand il pardonne, Jacques Chirac n'oublie pas. Ou l'inverse. Il pense, non sans raison, que cet ex-proche est capable de tout. Il a toujours en tête que ses ennuis judiciaires ont commencé quand, en 1994, le cabinet de Nicolas Sarkozy, ministre du Budget d'Édouard Balladur, a transmis au tribunal de Créteil le dossier explosif d'un entrepreneur, as de la fausse facture.

Dans leur livre *Off*[2], Nicolas Domenach et Maurice Szafran rapportent des conversations sidérantes avec Nicolas Sarkozy, qui refait l'histoire avec un aplomb qui laisse pantois.

Ce n'est pas seulement de l'ingratitude ; c'est aussi de la malhonnêteté intellectuelle. Sarkozy a oublié tout ce qu'il doit à Chirac qui l'a choisi, choyé et promu pendant deux décennies. Après l'avoir trahi avec Balladur en 1993, il a toujours eu besoin de piétiner celui qui l'a fait roi ou du moins roitelet. Une envie irrépressible à laquelle il s'abandonne régulièrement.

Écoutons-le : « Il m'aimait… Je l'ai beaucoup aimé… Bon… Mais je suis un grand garçon et je suis parmi ceux, en politique, qui doivent le moins aux "grands hommes"… "Ma" mairie, "ma" circonscription, "mon" ministère… Personne ne m'a fait le moindre cadeau, j'ai conquis tout ça tout seul… Je connais Chirac depuis juillet 1975, depuis ce jour où pour la première fois, il m'a reçu en tête à tête. Je l'ai toujours à la fois exaspéré et bluffé par mon refus de me coucher, d'accepter par principe ce qu'il dit. Je ne lui ai jamais dissimulé mes désaccords. Je n'ai pas de complexes vis-à-vis de Chirac et je suis donc le seul à avoir des rapports à peu près normaux avec lui. Chirac est un personnage ambigu, certainement pas le type binaire que vous décrivez. Il est beaucoup moins gentil que vous le croyez tous. Chirac, c'est un animal politique qui sait

---

1. Entretien avec l'auteur, le 30 janvier 2005.
2. *Off. Ce que Nicolas Sarkozy n'aurait jamais dû nous dire*, Fayard, 2011.

toujours où se situe son intérêt, il fait disparaître tout affect de ses raisonnements. »

De son côté, quand il parle de Nicolas Sarkozy, Jacques Chirac garde toujours une blessure qui saigne : « J'ai du mal à croire qu'il puisse faire un bon président, dit-il en privé. Il est trop cynique pour réussir. Trop nombriliste et trop peu attentif aux autres aussi. Ses grands défauts sont d'abord la brutalité, sur le plan des idées comme sur celui des rapports humains ; ensuite, l'absence totale de vision : sur son petit vélo, il ne voit pas plus loin que son guidon, il est toujours sur le court terme, ce qui explique le discontinu de son action. En vérité, c'est un instable. Observez comme il change à tous les instants de cheval de bataille et, chaque fois, il faut qu'il en rajoute, c'est pathologique. Il ne semble à l'aise que dans la démesure et l'exagération, ce qui explique ses élucubrations sur l'atlantisme comme sur le communautarisme. C'est à croire qu'il confond la France et les États-Unis. »

Il est vrai que Nicolas Sarkozy s'est amouraché de George Bush Jr. On ne sait pas bien ce qu'il trouve à celui qui restera, dans les annales, comme l'un des plus mauvais présidents de l'histoire des États-Unis, mais il n'est pas interdit de penser que son « bushisme » frénétique est une manière pour lui de se démarquer de Jacques Chirac, très en froid avec l'administration américaine.

Lors d'un voyage aux États-Unis en septembre 2006, Nicolas Sarkozy prend ses distances avec la politique étrangère de Jacques Chirac. « Sarkozy l'Américain » – c'est son nouveau surnom – dénonce « l'arrogance française » et promet de « rebâtir la relation transatlantique ». Plus bushiste que Bush, il n'a néanmoins été reçu que dix minutes par le président américain et non pas trente-cinq, comme il l'a prétendu.

La fin du règne de Jacques Chirac est ainsi rythmée par toutes sortes d'incidents de ce genre. Des provocations grâce auxquelles Nicolas Sarkozy, le candidat annoncé de l'UMP, entend montrer qu'il n'a rien à voir avec le président sortant dont il est pourtant, jusqu'à quelques semaines du scrutin, le numéro deux du gouvernement. Jusqu'à cet entretien d'une violence inouïe dans *Le Journal du dimanche*[1] où culmine toute sa détestation envers son ex-mentor : « Je ne biaiserai pas avec les Français. Je ne leur mentirai

---

1. Le 11 mars 2007.

pas, je ne les trahirai pas. Je veux être le candidat qui dira clairement aux Français ce qu'il fera s'ils me font confiance. C'est ma
spécificité. Je suis donc différent de Jacques Chirac. »

Auparavant, Nicolas Sarkozy est allé jusqu'à avancer le traditionnel bilan annuel du ministère de l'Intérieur le jour des vœux à la
presse du chef de l'État. Sans doute pour partager la vedette avec
lui, lors des journaux télévisés du soir, mais sûrement aussi pour
montrer au pays qu'il s'affranchissait définitivement de l'autorité du
vieux président.

Alors que Jacques Chirac gravit péniblement, d'un pas de plus
en plus lent, les dernières marches avant la sortie, Nicolas Sarkozy
le nargue, prône la « rupture » et multiplie les petites phrases assassines qui font le bonheur des gazettes. En somme, il l'enterre
vivant.

C'est ce qui expliquera notamment la mollesse du soutien de
Jacques Chirac à son futur successeur, dans les mois qui précèdent
l'élection. Le chef de l'État prend de la hauteur, donnant souvent
le sentiment de renvoyer la gauche et la droite dos à dos. « Il faut
se garder des idéologies, des illusions : la réduction du temps de
travail comme solution au chômage, la hausse des impôts plutôt
que les réformes », dit ainsi le président, le 4 janvier 2007, avant
d'ajouter aussitôt : « Il faut tout autant écarter la voie d'une France
convertie au tout-libéral, à la compression des salaires et au rétrécis-
sement de la protection sociale. »

Dans le même temps, Jacques Chirac s'accroche à son fauteuil
et entend occuper l'espace jusqu'à la dernière seconde. Pas seulement pour faire payer ses insolences à Nicolas Sarkozy, mais aussi
pour conjurer l'angoisse qui le mine avant de quitter les lambris du
pouvoir sous lesquels il vit depuis qu'il est entré au cabinet de
Georges Pompidou à Matignon il y a près d'un demi-siècle, en
1962. Une angoisse qu'avive le délabrement de son grand corps
fourbu qu'il n'a jamais ménagé et qui, aujourd'hui, se venge...

114

Le spectre d'Alzheimer

« J'ai une mémoire admirable : j'oublie tout ! »
Jules Renard

« Je mourrai foudroyé d'un coup, comme mon père », prédisait Chirac. Un père mort dans sa chambre de la maison familiale de Sainte-Féréole en rentrant d'un dîner bien arrosé dans un restaurant corrézien.

Tous ceux qui connaissaient Jacques Chirac le savaient : c'était écrit, un jour, il exploserait, de la tête ou du cœur, Dieu sait, mais il exploserait. Il avait englouti trop de cochonnailles, trop de plats canailles. Il fallait qu'il finisse par payer l'addition.

Quand on malmène sa carcasse, elle finit par vous trahir. C'est ce qu'avait fait celle de Chirac, en ce jour fatidique du 2 septembre 2005, quand l'AVC l'a frappé.

À l'hôpital du Val-de-Grâce où il a été emmené, les médecins sont horrifiés. Devant le spectacle des vaisseaux bouchés de son cerveau, ils ne lui donnent pas une grande espérance de vie. Un an ou deux avant la prochaine attaque cérébrale qui, selon eux, pourrait être mortelle. Mais Jacques Chirac a décidé que c'était juste un accident de parcours. Une contrariété qui sera vite oubliée. De retour à l'Élysée, il ne supporte donc pas qu'on lui demande des nouvelles de sa santé :

« Est-ce que j'ai l'air malade ? »

Il prétend se porter « comme un charme », mais ses proches ou ses visiteurs détectent chez lui quelque chose qui ressemble à une dépression et qui ne cessera plus, par la suite, de s'accroître. Jusque-là, Chirac se croyait invulnérable et semblait increvable. Un miracle de la nature. Il a compris, soudain, que l'âge est venu.

Ce n'est plus le même. Certes, il ne dételle pas, ce n'est pas son genre : rien ne l'abattra jamais, surtout pas une faiblesse vasculaire. De surcroît, il a toujours su faire semblant et devient donc de plus en plus mécanique, avec une capacité de résistance qui ne cesse d'épater.

À peine sorti du Val-de-Grâce, Chirac trouve même la force de faire plier Sarkozy qui, comme Villepin, s'était senti pousser des ailes pendant son hospitalisation. Le ministre de l'Intérieur entendait partir en guerre contre l'adhésion de la Turquie à l'Union européenne lors de la convention de l'UMP, prévue le 24 septembre. Le chef de l'État lui a fait savoir que, en ce cas, il le sortirait sans ménagement du gouvernement.

« Si le nain persiste, je le vire », a-t-il dit à plusieurs ministres.

Le 14 mai 2006, un communiqué du Val-de-Grâce annonce que le président est définitivement sorti d'affaire : « Les résultats sont totalement satisfaisants et montrent la complète résorption de l'hématome. » Quelques semaines plus tard, le président effectue même à Verdun, sous un soleil de plomb, une performance physique quand, après son discours devant l'ossuaire, il se livre, en nage, pendant une vingtaine de minutes, à l'un de ses exercices préférés, celui du bain de foule, embrassant les femmes ou les enfants et posant pour les photographes amateurs.

Ce jour-là, la canicule est telle que les civières de la Croix-Rouge ont emporté six personnes saisies de malaise. Mais Jacques Chirac n'était pas du nombre. Si son courage a forcé l'admiration, le chef de l'État n'a toutefois pas trompé son monde.

Après le discours de Verdun, un article de *Libération* [1] fait sauter le tabou sur sa santé : « Son pas est lent, sa silhouette voûtée, ses traits marqués. Le chef de l'État […] donne davantage l'impression de glisser que de marcher […]. Diminué, Jacques Chirac l'est sans doute : il entend très mal et voit nettement moins bien. Il est régulièrement saisi de tremblements du bras ou de tics du visage. Comme nombre de personnes âgées, il se pince les lèvres, ce qui lui donne un air renfrogné. »

---

1. Le 27 juin 2006.

C'est à partir de cette période qu'apparaît en effet cette affreuse grimace qui, désormais, barrera régulièrement son visage. Elle exprime un mélange d'ennui, de tristesse et d'angoisse. Elle révèle son mal de vivre.

Libération prend cependant soin d'ajouter : « Aucun signe de sénilité chez lui [...]. Jamais il ne perd le fil de ses idées en développant une pensée. »

Il y a même une idée avec laquelle il joue volontiers : guigner un troisième mandat. Il ne le dit pas, mais il y songe. C'est sans doute ce qui lui permet de rassembler les derniers éléments de cette énergie qui, après avoir si longtemps mené ses pas, semble en voie d'épuisement. Son agenda est allégé. Il fait la sieste. Il confond les dates et les noms. Il cherche souvent ses mots. Il n'improvise pratiquement plus jamais, se contentant de lire des fiches écrites en gros caractères. Il n'est plus que le fantôme de lui-même.

Dans le même temps, il pense encore, à deux ou trois mois du scrutin, que Nicolas Sarkozy peut exploser en vol à tout moment et que Dominique de Villepin ne sera jamais éligible. Alors qui ? Lui, comme d'habitude. Ces gens-là ne lâchent jamais l'affaire.

En petit comité, sa femme Bernadette concède volontiers que son mari n'a pas été un très grand président mais elle est traumatisée d'avance par la perspective de n'être bientôt plus première dame de France. Elle n'y perdrait pas seulement les ors et les lambris du pouvoir mais peut-être aussi son honneur : elle redoute le moment où, n'étant plus protégé par le statut pénal du chef de l'État, son époux aura des comptes à rendre à la justice. Même si elle soutient officiellement Nicolas Sarkozy qui la courtise sans retenue, elle encourage les ambitions en demi-teintes de son clan.

C'est que, pour occuper le terrain, le clan Chirac essaie justement d'éveiller des appétits présidentiels chez Jean-Louis Borloo, dont Jacques et Claude se sont amourachés pendant le deuxième mandat. Sans grand succès : le ministre du Travail répugne à jouer les boute-en-train et c'est à peine s'il sort une oreille. Le fond de l'air est frais et il est trop craintif, trop foutraque, trop velléitaire, trop malin aussi, pour tomber dans le panneau.

L'espoir fait vivre et survivre. Quand vient le temps de quitter l'Élysée, après l'élection de Nicolas Sarkozy, Jacques Chirac dégringolera encore quelques barreaux dans l'échelle de la vieillesse. À partir de 2007, c'est à peine si l'actualité l'intéresse encore. La retraite ne lui réussit pas. Il se retranche de tout. Il a de plus en plus souvent des absences. Il n'identifie plus toujours les personnes qu'il connaît bien, parfois depuis longtemps, et peut demander leur nom à plusieurs reprises en l'espace d'un repas.

Il tue le temps qui tue sa mémoire à petit feu. Il rumine, il s'embrouille, il ne fait plus la conversation, en tout cas jamais longtemps.

À Jean-Louis Debré, qui lui rend visite plusieurs fois par semaine, est arrivée cette mésaventure qui résume bien la pathologie de l'ancien président. Alors qu'il rentre à son bureau du Conseil constitutionnel après avoir déjeuné avec Jacques Chirac, celui-ci l'appelle :

« Et si on se voyait, Jean-Louis ?

— Mais on vient de se voir !

— Oh ! Pardon. »

De plus, l'ancien chef de l'État n'a plus de surmoi, ce qui peut l'amener à dire d'une voix de stentor – effet de la surdité – pendant un concert ou une cérémonie officielle : « Quel beau cul, elle a, celle-là ! » Ou bien : « Oh, qu'il est trop chiant, ce discours ! » Ou encore : « Qu'est-ce qu'on s'emmerde ici ! »

À l'auteur qu'il rencontre dans un dîner, pendant l'été 2011, Jacques Chirac dit bonjour trois fois de suite, avec une exubérance forcée, avant de s'enfoncer dans un mutisme mélancolique tout le reste de la soirée.

Il sort juste d'une grosse dépression qui a duré une dizaine de jours. À Bity, son château de Corrèze, où il séjournait seul, il a refusé de s'alimenter et de quitter sa chambre. Il flotte dans son costume, ses cuisses sont maigres comme des bras, et il ne peut se lever de son fauteuil sans être soutenu.

Il a quitté le monde avant qu'il le quitte. Il n'a plus à lui offrir que son affreux rictus de bébé contrarié, ce qui est une façon de couper court à toute conversation. Rien ne sert de le ramener sur terre : après un petit sourire de politesse, il retourne dans les limbes d'où il vient.

Quelques semaines avant cette rencontre de 2011, le jour de la sortie du deuxième tome de ses *Mémoires*, le même Chirac avait pourtant soutenu une longue conversation téléphonique avec l'auteur. S'interrompant de temps en temps pour partir d'un grand rire, il était comme il avait toujours été : vif, farceur et gouailleur.

821

Rien ne pouvait laisser penser qu'il n'était pas, alors, en pleine possession de ses moyens.

En somme, il a des hauts et des bas. De moins en moins de hauts et de plus en plus de bas. Mais il peut sortir de ses longues périodes de réclusion volontaire, surtout quand il se trouve devant un seul interlocuteur. À Christian Jacob, son ancien ministre de la Famille, qui a refusé la proposition de Nicolas Sarkozy de le faire entrer au gouvernement, il fait des remontrances : « Si j'étais ton père, je te botterais le cul. » Devant le journaliste Saïd Mahrane, il trousse une de ces formules où l'on retrouve tout son sens de l'autodérision : « Le chiraquisme est une vieille branche sur laquelle viennent se poser les corbeaux. »

Il a des sursauts, mais semble entraîné dans une spirale infernale au fond de laquelle l'attendent la déchéance et la mort. Il fait face avec un mélange de fatalisme et de stoïcisme, sans oublier d'en rire parce qu'il a toujours ri de tout, y compris de lui-même.

Mais il garde sa dignité. Il ne souffre pas d'être traité par les siens comme un grand malade qu'il faut protéger contre lui-même. Un pauvre d'esprit dont on veut toujours surveiller la parole. Quand, s'appuyant sur des déclarations privées – démenties par la suite – de Bernadette Chirac, *Le Journal du dimanche* [1] affirme que l'ancien président est atteint de la maladie d'Alzheimer, il casse le plan média établi par sa femme, sa fille et son gendre.

Il était prévu que Bernadette Chirac répondrait le lendemain sur Europe 1, au micro de Jean-Pierre Elkabbach, mais il a décidé de prendre les devants. Sans prévenir les membres de sa famille, il s'en va déclarer, sur le mode souriant, à un journaliste qui lui demandait des nouvelles de sa santé, alors qu'il sortait de son domicile : « Je me porte bien, je vous remercie. Je vous souhaite de vous porter aussi bien. »

François Hollande, le président du conseil général de Corrèze, qui rencontre de temps en temps Jacques Chirac dans son département, confirme cet autodiagnostic : « Lorsque je discute avec lui, j'ai en en face de moi un homme cohérent et qui ne perd rien de sa mémoire, ni à l'égard de ses amis, ni à l'égard de ses adversaires. » Bernadette Chirac croit nécessaire d'en rajouter : « J'ai en face de

---

1. Le 30 janvier 2011.

822

moi, chaque jour, un homme qui peut être éblouissant et qui en étonnerait plus d'un. »

C'est peut-être aussi pour pouvoir le contrôler davantage – et pour lui éviter une humiliation à son procès sur les emplois fictifs de la ville de Paris auquel il veut assister – que Bernadette Chirac a demandé, quelques mois plus tard, au professeur Olivier Lyon-Caen, une sommité de la neurologie qui officie à l'hôpital de la Pitié-Salpêtrière, de rédiger un rapport sur l'état de santé de son mari. Un rapport en forme de coup de grâce, communiqué au tribunal trois jours avant sa comparution, prévue le 6 septembre 2011 : il établit que l'ancien président souffre de « sévères troubles de mémoire » qui provoquent d'« importants troubles de raisonnement ».

Le professeur Lyon-Caen a donné un nom à cette pathologie : l'« anosognosie ». Elle amène notamment ceux qui en souffrent à ne pas être conscients de leur maladie. Jacques Chirac ne se doutait précisément de rien : il avait décidé de se battre pour défendre son honneur et de lire une déclaration de trois pages devant le tribunal qui allait le juger sur les emplois fictifs ; il pensait que la vieille magie chiraquienne opérerait et qu'il convaincrait les juges qu'il n'avait volé personne. Quand il a appris que le clan avait décidé pour lui qu'il serait dispensé du procès pour cause d'incapacité, il est tombé de haut.

Il ne remontera plus. Tout le tire désormais vers le bas. Ses lésions vasculaires, ses troubles neurodégénératifs, sa difficulté à marcher, son sentiment de solitude extrême après avoir été si longtemps au centre de tout et, enfin, le soin pesant que les siens mettent à le brider et à le materner...

115

Un désir de Hollande

« Aimer, ce n'est pas se regarder l'un l'autre,
c'est regarder ensemble dans la même direction. »

Saint-Exupéry

Ils n'ont jamais pu se passer l'un de l'autre mais, alors que leur couple arrive à son couchant, ils ont de plus en plus de mal à se supporter. Ils se chipotent souvent en public, sans mégoter sur les rosseries, quand ils ne se disputent pas purement et simplement. Parfois même, il y a tant de violence dans leurs échanges que leurs amis en arrivent à se demander s'ils ne devraient pas divorcer.

Dépressive depuis qu'elle a quitté l'Élysée, l'ex-Première Dame de France vit leur retraite comme un déclassement et semble faire payer à son mari des décennies d'infidélités et de frasques plus ou moins connues de tous. Certes, elle prend toujours soin de lui et continue de surveiller son régime. Quand ils déjeunent ensemble, elle lui interdit les plats gras et lourds qu'il affectionne. L'alcool est banni. Il est condamné à boire et à fumer en cachette ou en son absence avec le sourire en coin des mauvais garnements.

Elle ne lui passe plus rien et plastronne volontiers avec un humour ravageur :

« À son enterrement, je vous préviens, je serai la seule veuve ! »

Elle aime lui rappeler qu'il est arrivé au commencement de la fin :

« L'heure approche. »

Un jour, elle dit à l'auteur avec tristesse, alors que Jacques Chirac, à deux pas, peut l'entendre :

« Vous avez vu ce qu'est devenu mon mari ? »

824

Une autre fois, elle s'amuse, facétieuse :

« Il n'y a plus rien à craindre avec mon mari. Il est condamné aux vieilles, et encore, je crains qu'elles ne veuillent plus de lui. »

C'est l'heure des comptes. Bernadette Chirac a assez donné et assez subi ; elle ne rendra pas plus douce la vieillesse de son mari, au contraire. Ce qui provoque de temps en temps des dialogues de ce genre devant des témoins estomaqués :

« Jacques, vous ne dites que des bêtises !

— Bernadette, vous m'emmerdez ! »

Chez les Chirac, jusqu'à présent, on avait souvent joué *Qui a peur de Virginia Woolf ?*, mais en sourdine, derrière les murs lambrissés des successifs domiciles de fonction. Désormais, c'est à haute voix et au grand jour, dans les dîners assis placés de la belle société parisienne.

Il est vrai que Chirac se lâche souvent. Un jour, en sortant d'un restaurant, il soulève la robe de Bernadette avec sa canne. Il fait de l'œil aux jeunes filles qui, pour lui, sont des « louloutes ». Il dit ce qu'il pense sur à peu près tous les sujets. Il appelle tout le monde « pépère ». Il demande, rigolard, aux hommes à femmes : « Comment il marche, ton crayon ? » Souvent, il surnomme Nicolas Sarkozy le nain pour la mettre hors d'elle et ça marche toujours.

Ils accusent leurs différences et se jouent volontiers des mauvais tours. Par exemple, un jour, elle accepte la proposition de Bernard Arnault d'entrer au conseil d'administration de LVMH, le numéro un du luxe mondial. Ce n'est pas fatigant, c'est gratifiant dans tous les sens du mot (quelques dizaines de milliers d'euros par an de jetons de présence), et c'est aussi logique : la femme de l'ancien président a été, pendant les deux mandats de son mari, du meilleur bien avec Bernard Arnault qui l'habillait et pour qui elle a inauguré des boutiques en sa qualité de première dame de France.

Or, il se trouve que le même Arnault entretient des relations difficiles, parfois orageuses, avec François Pinault, propriétaire de grandes marques comme Gucci, Balenciaga ou Saint Laurent, et par ailleurs, depuis des années, meilleur ami de son époux, qu'elle fréquente beaucoup et chez qui elle passe ses vacances, à Saint-Tropez ou à Dinard.

Elle a juste oublié de prévenir l'un et l'autre. Quand, le même jour que le monde entier, Jacques Chirac apprend l'arrivée de sa femme dans le saint des saints de LVMH, il est tellement tourne-boulé par la nouvelle qu'il file aussitôt voir son vieil ami François Pinault pour lui présenter ses excuses.

Ce ne sera pas la seule vengeance expiatoire infligée par Berna-dette, déchaînée, contre ce mari volage qui l'a tant fait souffrir. Jacques Chirac est un adepte du proverbe arménien qui dit : « Ma tête est trouée, nul ne peut s'y asseoir. » Autrement dit, il n'est pas du genre à supporter longtemps d'être écrasé par toute forme d'autorité au-dessus de lui.

« Jacques Chirac, explique Jean-Louis Debré, est un enfant unique, gâté et vénéré qui, toute sa vie, a été assisté. Jusqu'à présent, c'était toujours lui qui décidait et les autres qui exécutaient. Il n'accepte pas de changer de rôle. »

Il lui faudra pourtant se faire une raison. Depuis qu'il a manifesté les premiers signes de faiblesse, Bernadette l'a pris en charge. Au fur et à mesure que les vaisseaux encrassés de son cerveau l'éloignent du monde des vivants, elle le laisse de moins en moins gérer sa propre existence, ou mener ses propres combats. Elle le traite comme un handicapé. Parfois, elle le maltraite.

Elle ira ainsi jusqu'à biffer le nom de Jean-Louis Debré, le plus chéri de ses fils, pour son dîner d'anniversaire de 2013. Claude aura beau insister, Bernadette ne cèdera pas. Elle reproche au prési-dent du Conseil Constitutionnel d'avoir fait couper, pour cause d'absentéisme systématique, le versement à Jacques Chirac de sa rémunération de membre de droit du Conseil.

Sur le plan judiciaire, elle prend tout en main. Elle ne supporte pas que leur nom soit sali depuis la mise en examen de l'ancien président, en 2007, pour « détournements de fonds publics » dans l'affaire des présumés vingt et un emplois fictifs de la ville de Paris, qui, au cours des années quatre-vingt-dix, payait des salariés fan-tômes : ils ne travaillaient pas à la mairie mais, pour la plupart, au RPR. Elle a trouvé en Nicolas Sarkozy une épaule compatissante, attentive et secourable, mais, bien sûr, intéressée à l'approche de la campagne de 2012.

Très marqué par ses ennuis judiciaires, l'ancien président tente, lui, de donner le change. Il hausse les épaules : « N'oubliez pas, il ne s'agit pas d'enrichissement personnel ! La justice reconnaît au moins que je n'ai pas pris un sou ! » Il feint même de se désintéres-ser de cette affaire pendant que sa femme organise la parade avec

Nicolas Sarkozy : pour que la ville de Paris retire sa plainte, ils ont mis au point en 2010 le remboursement à celle-ci des 2,2 millions d'euros qu'ont coûté ces emplois fictifs aux contribuables parisiens – 500 000 euros seront prélevés sur les fonds personnels des Chirac, l'UMP payant le reste.

Quand Jacques Chirac se retrouve le 15 juin, avec sa femme et Nicolas Sarkozy, dans l'un des restaurants préférés de l'ancien président, le Tong Yen, pour finaliser l'accord, il évite soigneusement le sujet. Il fait des blagues pour détourner la conversation. Au dessert, Bernadette met les pieds dans le plat, il feint de ne rien comprendre. Il s'enferme dans une « absence », comme souvent, ces derniers mois, dès qu'il est mal à l'aise, mais il laisse faire.

« Je n'ai rien dit », répétera-t-il fièrement aux siens, après le déjeuner.

Après ça, Jacques Chirac ne manifestera aucune gratitude envers son successeur, loin de là. Il refuse l'idée de se laisser instrumentaliser par le « nain », soudain si bienveillant après l'avoir si souvent raillé ou insulté, et qui cherche aujourd'hui sans vergogne des soutiens de toutes parts pour sa réélection : la ficelle est bien trop grosse.

Bernadette Chirac se fiche pas mal de la réaction de son mari : elle a eu ce qu'elle voulait. Elle n'en sera pas, comme elle le redoutait tant, de ses deniers personnels, la cassette de son mari suffira pour payer la facture des emplois fictifs.

Sûre de son ascendant, Bernadette Chirac a trouvé là le meilleur remède à sa dépression post-élyséenne : elle ne doute plus une seconde d'avoir définitivement maté son mari. Il est même devenu l'objet de ses plaisanteries cruelles, comme quand elle dit à un retraité corrézien : « Je vous amènerai mon mari, cela lui fera une sortie. »

Il encaisse. Il a toujours su encaisser. C'est un métier. Aux yeux de son épouse, il n'est plus qu'une pauvre chose qu'elle traîne dans les dîners et qu'il faut faire taire parce qu'il aime dire des « bêtises » pour « faire son intéressant ». Elle oublie que son homme reste une vieille bête politique qui n'abandonne jamais et sait donner du temps au temps. Elle croit qu'il est passé sous son contrôle parce qu'il laisse le clan filtrer ses rendez-vous, surveiller sa parole ou corriger les épreuves de ses *Mémoires*, mais il est simplement embusqué, comme il l'a toujours été. Il attend tranquillement l'heure de la revanche. Elle sonne le 11 juin 2011.

Ce jour-là, à l'occasion de l'inauguration de la collection de Peter Kwok, un grand amateur d'art chinois, au musée Chirac de Sarran, en Corrèze, l'ancien chef de l'État retrouve François Hollande, président du conseil général du département. Ils se connaissent depuis trente ans, depuis que le futur candidat du PS à l'Élysée s'était présenté contre lui dans sa circonscription d'Ussel, en 1981. Jacques Chirac lui en avait fait voir de toutes les couleurs. Notamment en utilisant un truc classique qui consistait à ne jamais se souvenir du nom de ses adversaires.

Ces dernières années, il avait apprécié que François Hollande revendique son héritage et sa méthode. « Il y a une certaine empathie », reconnaissait ainsi le futur candidat socialiste, moins de deux ans plus tôt, le 7 novembre 2009 exactement, au salon du Livre de Brive, où ils avaient dédicacé leurs livres respectifs, Bernadette n'hésitant pas à parler, en petit comité, de « passage de témoin corrézien ». « Nous nous retrouvons tous les deux sur des valeurs communes, ajoutait Hollande, nous avons la même conception républicaine. » « Il peut avoir de l'ambition, car il en a les moyens », avait déclaré en écho Jacques Chirac, le jour même, dans un entretien au quotidien régional *La Montagne*.

Ils ont eu le même parcours : l'ENA, la Cour des comptes et la mise en orbite par un père putatif, Pompidou pour l'un, Jospin pour l'autre. À quoi il faut ajouter une réelle passion pour la Corrèze, ses paysans, sa gastronomie, ses paysages et son plateau de Millevaches.

Jacques Chirac a au demeurant tout juste décerné à François Hollande un brevet d'« homme d'État » dans le deuxième tome de ses *Mémoires* qui viennent de paraître. Il y salue son « courage » pour avoir soutenu la loi sur le voile en 2004, ce qui lui fut beaucoup reproché, au sein du PS, par ses propres amis. « Hollande vote la loi Chirac », avait titré, horrifié, *Le Monde*.

Un brevet que Jacques Chirac n'avait pas attribué, dans le même livre, à Nicolas Sarkozy dont il a brossé un portrait assez sévère, on le verra. Il a fallu batailler avec les dames de la famille, sans parler du gendre, Frédéric Salat-Baroux, le mari de Claude Chirac, qui souhaitaient tous qu'il nuance ses jugements. Pour éviter de peiner son successeur, le clan ne s'est au demeurant pas privé de réécrire l'entretien publié, la veille, dans *Le Figaro*. L'ancien président n'accepte plus d'être ainsi bordé, surveillé, infantilisé. Soudain, à la surprise générale, sans avoir calculé son coup, il va se rebiffer.

Ce 11 juin 2011, après une remise de décoration à Peter Kwok qui a mis à la disposition de la Corrèze ses œuvres en bronze et or, les édiles se retrouvent donc à déjeuner au restaurant du musée. Un repas à la corrézienne à base de foie gras, de veau et de fromages, arrosé de bière et de saké. Jacques Chirac parle avec le collectionneur, et sa femme avec François Hollande. Après le café, tout le monde emprunte l'escalier qui mène à la salle où auront lieu les discours.

Jacques Chirac est joyeux, pas pompette. « Il a bien bu mais pas abusé », se souvient François Hollande.

Il est vrai que l'ancien président a tout pour être heureux. Que rêver de mieux ? La journée se déroule sous le signe de la Corrèze, de la Chine et de Hollande pour lequel il éprouve, depuis si longtemps, une vive sympathie que rien n'a jamais obscurcie.

Tout en marchant vers la grande salle du musée, Jacques Chirac met sa main sur l'épaule du président du Conseil général avant de la passer sur celle de Stéphane Martin, un ami qui préside le musée des Arts premiers, quai Branly, à qui il annonce tout à trac en regardant François Hollande :

« J'ai beaucoup d'estime pour François Hollande. Je peux le dire : moi, je suis le passé, mais lui, c'est l'avenir. Il va être candidat. »

François Hollande pique un fard. De contentement, il va de soi. Puis, bon garçon, il montre à Jacques Chirac la forêt de micros et de caméras qui les accompagnent.

Observant la gêne qu'il a provoquée chez certains de ses collaborateurs préférés comme Hugues Renson, l'ancien président remet ça :

« Je vais voter pour lui, sauf si Juppé se présente parce que j'aime bien Juppé. »

Un sourire, puis : « Si Juppé n'y va pas, alors je vote Hollande. »

Quand ses proches, de plus en plus embarrassés, lui font signe d'arrêter, l'ancien président insiste, d'une voix de stentor, avec une mimique de provocation : « Mais si ! Je peux dire ce que je veux, je fais ce que je veux ! »

Sa déclaration de soutien à Hollande est-elle une illustration du gâtisme qui le ronge, comme le prétendra aussitôt la galaxie sarkozyste ? Rien n'est moins sûr. D'abord, la référence à Juppé montre bien que Chirac est alors bien en possession de toutes ses facultés mentales. Juppé, c'est l'héritier désigné. Le fils rêvé. La loyauté incarnée. La mauvaise conscience. Celui qui a toujours tout pris pour lui, et qui passera toujours avant tous les autres. Avant François Hollande, notamment.

Ce jour-là, quand les siens le mettent en garde, Jacques Chirac se cabre, au lieu de rétropédaler. Sur son visage, on lit l'exaspération de celui qu'on a mis sous cloche. Il ne se laissera pas tout dicter, jusqu'à son vote à l'élection présidentielle. Il entend dire encore ce qu'il pense et vivre – un peu – jusqu'à sa mort.

De plus, il y a une vraie communauté d'esprit entre Jacques Chirac et François Hollande. Ils incarnent la même France, celle du radical-socialisme, des petits villages, des fêtes de la moisson et de l'eau qui dort sous les frondaisons. Pas idéologues ni messianiques ni amateurs de débats d'idées, l'un et l'autre semblent apaisés ; ils n'ont pas de revanche à prendre sur la vie.

Enfin, Chirac est content de son coup. Dans les jours qui suivent, l'ancien président a appelé plusieurs amis pour commenter son acte de rébellion. À aucun moment, il n'a fait part du moindre remords. Comme désinhibé, il dira aux siens : « Vous avez vu, ce que je lui ai mis, au nain ? »

Dans *Le Nouvel Observateur*, François Bazin parlera à juste titre de « jackpot » pour Hollande. Chirac lui a rendu un fier service en le crédibilisant, mais le candidat à la candidature socialiste a su la jouer modeste. « C'était une plaisanterie », a-t-il commenté aussitôt. Si c'en est une, elle ne fait en tout cas pas rire le président en exercice.

L'éclat de Jacques Chirac a pris Nicolas Sarkozy de court. Comme d'habitude, le chef de l'État pique d'abord une colère et réfléchit après. Il convoque, il fulmine, il hurle. La femme et la fille de l'ancien président ne sont pas à la fête. Il leur est reproché de ne pas savoir tenir son prédécesseur qui n'est pas dans son état normal. Un danger public, un vieillard « fatigué et aigri ». Il serait temps qu'elles lui clouent une fois pour toutes ce grand bec dont ne peuvent plus sortir, désormais, que des sottises ou des insanités.

Chaque fois qu'il se sent blessé ou agressé, Nicolas Sarkozy demande un rectificatif, un démenti ou une lettre d'excuses. Le lendemain matin, le clan Chirac cède à ses objurgations en rédigeant un communiqué un peu ridicule, signé de l'ancien président, qui met la déclaration de soutien à Hollande sur le compte d'un « humour corrézien entre républicains qui se connaissent de longue date ». « Je déplore, fait dire ce texte à Jacques Chirac, que cela ait pu être interprété autrement. »

Mais ce communiqué, âprement négocié entre les membres de la famille, ne redresse pas la barre. Indiquant que l'ancien président « ne prendrait pas part au débat politique et en particulier à celui de la campagne présidentielle », il laisse ainsi entendre que Chirac ne fera pas de geste de rattrapage, le moment venu, en direction de Sarkozy.

L'appel de Sarran n'était-il donc qu'une blague ? Ce pseudo-communiqué ne trompe personne. Philippe Goulliaud, l'un des meilleurs chiracologues de la place, observe dans *Le Figaro*[1] que l'ancien chef de l'État « dit aujourd'hui ce qu'il a envie de dire. S'il dit du bien de François Hollande [...], c'est qu'il le pense. Sans se soucier de savoir quelles peuvent être les conséquences politiques d'une telle déclaration ». « L'humour corrézien, catégorie nouvellement apparue, est l'autre monde de l'inconscient chiraquien », renchérit Guillaume Tabard, autre chiracologue, dans *Les Échos*[2]. « Le vieil homme, conclut Françoise Fressoz dans *Le Monde*[3], a verbalement basculé dans le hollandisme, avec entêtement et jubilation. Il a fait tomber les masques. »

Pour Sarkozy, il n'y a qu'une façon de réduire à néant l'appel de Sarran : décrédibiliser son auteur. Mettre en question ses capacités intellectuelles. Le renvoyer dans sa décrépitude et ce naufrage qu'est la vieillesse.

Le hasard, parfois, tombe à pic : plusieurs jours après l'esclandre de Jacques Chirac, la révélation de son « anosognosie » discrédite à tout jamais sa parole, signe sa mort politique et le condamne au silence éternel.

Elle lave l'outrage fait à Nicolas Sarkozy.

---

1. Le 13 juin 2011.
2. Le 14 juin 2011.
3. Le 18 juin 2011.

116

Petites morts

« Ce n'est pas que j'aie peur de la mort,
mais je ne veux pas être là quand ça m'arrivera. »

Woody Allen

Après que Jacques Chirac, défini comme un grand malade par une sommité médicale du pays, a payé sa faute, Nicolas Sarkozy tient enfin sa vengeance suprême : une réclusion perpétuelle qui mettra son prédécesseur hors d'état de nuire pendant la campagne présidentielle et après. À tout jamais.

Le 14 décembre 2011, le président a convoqué à l'Élysée, en fin de matinée, Claude et Bernadette, pour mettre au point la phase terminale. Celle qui permettra à Sarkozy d'enclouer Chirac dans son cercueil et de l'ensevelir pour de bon avant même qu'il ait poussé son dernier soupir.

Mais les choses ne se passeront pas ainsi. Claude Chirac veille, toujours aux avant-postes pour défendre les intérêts du père.

Un président à la retraite, ça coûte cher. Jusqu'à présent, la République mettait à sa disposition un *pool* de secrétaires et des bureaux, rue de Lille. Sans parler des officiers de sécurité. Le plan de Nicolas Sarkozy est d'arrêter les frais pour lui fournir un service médicalisé qui lui permettra de bénéficier gratuitement de l'assistance d'infirmières et de médecins.

Certes, Jacques Chirac n'est pas très flambant. Il n'avance qu'à petits pas glissants en s'appuyant sur une épaule. Il a des trous dans sa mémoire et peine à soutenir longtemps une conversation, surtout à plusieurs. Mais il ne gêne personne et ne trouble pas l'ordre public. Une semi-hospitalisation ne s'impose pas vraiment dans l'immédiat.

Pourquoi ne pas le laisser tranquille ? Nicolas Sarkozy entend neutraliser son prédécesseur, l'empêcher de s'exprimer. Il est sûr que Chirac, cloîtré chez lui, ne commettra plus, si ça lui chantait encore, de nouvel appel de Sarran en faveur de François Hollande. L'ancien président serait en effet capable de remettre ça à tout moment, rien que pour s'affranchir de la curatelle de sa femme.

Comme tous les initiés, Nicolas Sarkozy sait que, après son appel de Sarran, l'ancien président était au comble de la jouissance devant l'émoi de son épouse. Chirac saura-t-il résister longtemps encore à l'envie de dire ce qu'il pense et de choquer les siens qui, depuis des années, le débilitent en le momifiant vivant ? Sarkozy n'est pas à l'abri d'autres incartades.

Elles pourraient s'avérer mortelles, politiquement parlant. Sarkozy est conscient des dégâts que Chirac a déjà provoqués, pour longtemps, dans l'électorat de la majorité en annonçant qu'il voterait Hollande. Celui-ci s'est félicité en petit comité du « grand cadeau » que lui a fait Jacques Chirac. C'est l'expression qui convient : maintenant que le candidat socialiste est pourvu du viatique chiraquien, il sera difficile pour la droite de le présenter comme un dangereux extrémiste qui mettra le pays à feu et à sang.

Pour Sarkozy, cet appel de Sarran est donc un mauvais coup qui ne doit pas se renouveler et qu'il faut faire payer à Chirac. Apparemment humanitaire, son projet de le mettre sous tutelle médicale semble dicté par sa détestation de l'ancien chef de l'État. Une détestation qu'il n'a pu dissimuler pendant son quinquennat. Les psychanalystes diront que le traître poursuit toujours le trahi de sa haine jusqu'à la tombe parce qu'il lui donne mauvaise conscience : il s'imagine qu'il ira mieux quand sa victime aura disparu de la surface de la terre.

La forfaiture de 1993, quand Sarkozy est passé sans vergogne dans le camp de Balladur, toute honte bue, est un traumatisme que les deux hommes n'ont jamais réussi à surmonter. Il y avait eu trop de proximité entre eux. C'était quand même Chirac qui avait mis sur orbite le maire de Neuilly, pour ainsi dire entré dans la famille. Un futur beau-fils très présent et très empressé. « Rendez-vous compte que ce petit salaud a couché dans nos draps ! » disait, à l'époque, Bernadette Chirac à qui voulait l'entendre.

Sarkozy a essayé de réécrire l'histoire en racontant qu'il avait ravi la mairie de Neuilly à Pasqua après un bras de fer avec Chirac. Balivernes. Son prédécesseur l'a remis à sa place dans le premier tome de ses *Mémoires*[1] : c'est « tout naturellement », écrit-il, qu'il lui a apporté « son soutien » pour prendre ses premiers galons.

En fait, Sarkozy n'a jamais pardonné ses propres manquements à Chirac qui, après avoir été sa victime, fut son persécuteur avant que les rôles s'inversent à nouveau. Tant qu'il est encore en position de force, Sarkozy entend donc mettre un point final à ce feuilleton interminable. Par un meurtre aussi virtuel que rituel, en condamnant l'ancien président à une peine de mise au secret à perpétuité, une perpétuité qui, n'importe comment, ne durera pas longtemps, à en juger par son état.

N'est-ce pas de l'acharnement ? Après son AVC de 2005, Jacques Chirac a perdu ce qui lui restait de niaque et d'impétuosité. L'exercice du pouvoir ne lui avait certes pas réussi, à la longue, mais, cette année-là, les réalités médicales ont eu raison de lui pour de bon et, à soixante-douze ans, il s'est retrouvé, soudain, comme mort au monde. Depuis, il n'a pas ressuscité, ni remonté la pente, bien au contraire. Avec sa démarche et ses absences, il fait de la peine. Malgré tout, à la veille de cette élection présidentielle de 2012 que redoute tant Nicolas Sarkozy, il a gardé son pouvoir de nuisance.

Le chef de l'État n'a pas plus apprécié l'appel de Sarran que le deuxième tome des *Mémoires*[2] de Chirac. Il a certes ricané en lisant le passage où l'ancien président dit s'être ému de n'avoir pas entendu son successeur prononcer son nom dans son discours de victoire, le soir de son élection, le 6 mai 2007 : « Chacun de nous écoute avec la plus grande attention chaque phrase, chaque mot qu'il prononce, guettant secrètement le moment où il citera sans doute le nom de celui auquel il s'apprête à succéder, ou même le remerciera du soutien qu'il lui a apporté. Mais ce moment ne viendra jamais. » « De quoi aurait-il voulu que je le remercie ? s'amusera Sarkozy. De tous les bâtons qu'il m'a mis dans les roues ? »

En revanche, Sarkozy a explosé en découvrant le portrait peu flatteur que Chirac brosse de lui : un « homme nerveux, impétueux, ne doutant de rien et surtout pas de lui-même ».

---

1. *Mémoires, tome 1 : Chaque pas doit être un but*, Nil, 2009.
2. *Mémoires, tome 2 : Le Temps présidentiel*, Nil, 2011.

Il est vrai que Nicolas Sarkozy a beaucoup cherché Jacques Chirac depuis son arrivée à l'Élysée. C'est plus fort que lui, il ne peut pas se contrôler, il faut toujours qu'il refasse le match. Avec des petites piques quand ce ne sont pas des charges au vitriol ou à l'huile bouillante.

Quelques exemples. Le 7 mai 2008, recevant les députés UMP pour son premier anniversaire à l'Élysée, Sarkozy laisse tomber : « Chirac a mis vingt et un ans à se faire élire. Moi, je l'ai été du premier coup […]. Il a fait une réforme et demie, son premier septennat s'est arrêté en 1995 sur un recul sur la réforme des régimes spéciaux. »

Le 7 janvier 2009, Sarkozy récidive : « Je préfère qu'on me dise omniprésent que roi fainéant. » « On en a connu », ajoute-t-il avec un petit sourire énigmatique. Quand on sait qu'il utilisait régulièrement, dans le passé, cette formule contre Chirac, il ne fait aucun doute qu'il vise son prédécesseur. Juppé est tout de suite venu à la rescousse de l'ancien chef de l'État en écrivant sur son blog que ce « bon mot » est « injuste, inélégant et surtout inutile ». Sur la même longueur d'onde, Hollande assure que la volonté sarkozyenne de « décider seul en République […] finirait par faire regretter le temps des Mérovingiens ».

Le 7 novembre 2009, remettant le prix de la Fondation Chirac pour la prévention des conflits à un ancien ministre coréen, à un imam et à un pasteur nigérian, Sarkozy critique la politique du « calme plat » et se livre devant son prédécesseur à un éloge de Kofi Annan, l'ancien secrétaire général de l'ONU, en forme d'autocélébration : « Franchement, quand on est en situation de responsabilité et quand on veut faire quelque chose, Jacques, forcément, à un moment, on provoque l'incompréhension. » « Toute comparaison avec la situation française serait totalement fortuite », a-t-il pris soin de préciser pour ceux qui n'auraient pas vu malice dans cet hymne au mouvement. Tous les témoins se souviennent que Chirac a gardé jusqu'au bout le visage fermé.

On dira que c'est la malédiction du 7 du mois. Mais non, le 21 mai 2010, lors d'un déplacement dans le Lot-et-Garonne à la rencontre des agriculteurs, Nicolas Sarkozy croit bon de remettre ça : « On a souvent traité l'agriculture de façon folklorique. On était très content, on allait dans une ferme, on flattait la vache, on passait des heures au Salon, on goûte de tout, on s'en va, au revoir et merci. »

Revenu de tout, l'ancien président ne s'abaisse pas à répondre. Il se contente de hausser les épaules : « Vous savez comme il est, il ne peut pas s'empêcher. » Désormais sacré personnalité préférée des Français, Chirac prétend cependant n'en vouloir à personne. Ni à Sarkozy ni à aucun de ses ennemis. Pas même à ses victimes.

Avant de commencer à travailler avec lui sur ses mémoires, il a annoncé à l'historien Jean-Luc Barré : « Je vous préviens, je ne dirai du mal de personne. » Il s'y tient. À moins qu'on ne le cherche. Ainsi quand, après la mort d'Omar Bongo, en 2009, Valéry Giscard d'Estaing déclare que feu le président du Gabon avait financé la campagne électorale de Chirac en 1981. Le jour même, il appelle Jean-Luc Barré : « Ce que vient de faire Giscard n'est pas convenable. On y va. »

Pour le reste, Chirac est comme « l'esprit libre » tel que l'a défini Maître Eckhart, un théologien dominicain du Moyen Âge, dans ses *Traités et sermons* : « troublé par rien » ni « attaché par rien », « sorti de lui-même ». Il a éteint les lumières et disparaît à petit feu.

Après avoir quitté le pouvoir, Chirac s'est préservé, avec des emplois du temps de petit vieux. Il ne lit pas les journaux et c'est à peine s'il écoute la radio. Lever vers 10 heures, puis petit-déjeuner, avec pour seule compagnie sa chienne Sumette. De temps en temps, déjeuner avec des proches, souvent chez Le Père Claude, un restaurant de l'avenue de La Motte-Picquet, spécialisé dans les viandes et les gibiers, qui, selon lui, est un as de la tête de veau. Ensuite, quelques rendez-vous rue de Lille. Dans les premières années de sa retraite, ils étaient souvent consacrés à la préparation de ses procès ou à sa Fondation au service de la Paix créée en 2008, qui accorde un prix pour la prévention des conflits. Mais les visiteurs se sont raréfiés au fil des ans et la journée se terminait dans les cafés du coin, le Concorde ou la Rhumerie, autour d'une tomate (Ricard et grenadine) ou d'une piña colada (un mélange de rhum blanc, de rhum ambré, de jus d'ananas et de lait de coco).

L'ancien président vit désormais en circuit fermé, dans une solitude peuplée par de très rares amis comme François Pinault ou Jean-Louis Debré, le rabbin Haïm Korsia ou l'antiquaire Christian Deydier, et par quelques collaborateurs permanents comme Hugues Renson, chargé de mission de Christian Jacob lorsque celui-ci était ministre de la Famille et qui voue un véritable culte à Jacques Chirac depuis 1986. Cette année-là, après avoir perdu son père à l'âge de huit ans, Renson avait écrit à son futur mentor pour lui dire son chagrin d'orphelin, et celui qui était à l'époque Premier ministre, maire de Paris et président du RPR avait trouvé le temps de lui répondre par une lettre manuscrite.

Il a été dit que c'est Bernadette qui a fait rayer le nom de Renson de la liste des collaborateurs de la dernière heure. Son crime : ce jeune homme était trop dévoué. Trop chiraquien. Mais Chirac n'étant plus Chirac, en avait-il encore l'usage ?

S'il est en droit de se sentir abandonné par un monde qu'il a au demeurant lui-même abandonné, Jacques Chirac tient néanmoins sa revanche quand le règne de Sarkozy arrive à son couchant. Depuis l'automne 2010, quand il a décidé de garder François Fillon à Matignon, le président en exercice a, pour reprendre l'expression de Nicolas Domenach, « liquidé le sarkozysme [1] ». Tout en gardant la même logomachie et la même obsession de la communication, il s'est, d'une certaine façon, chiraquisé.

Pour preuve, tous ceux qui marquent des points, à la fin du quinquennat de Nicolas Sarkozy, sont des anciennes jeunes pousses du chiraquisme élevées avec soin, pendant des années, dans les pépinières de l'ex-président : Alain Juppé à la Défense puis aux Affaires étrangères, François Baroin, ministre de l'Économie, Valérie Pécresse au Budget, Bruno Le Maire à l'Agriculture, Nathalie Kosciusko-Morizet à l'Écologie, Xavier Bertrand au Travail ou Luc Chatel à l'Éducation nationale. Sans parler de Jean-François Copé à la tête de l'UMP et de Christian Jacob, président du groupe parlementaire du parti majoritaire à l'Assemblée nationale.

Après avoir piétiné et martyrisé les siens, Nicolas Sarkozy n'a pas su bâtir sa propre équipe. Il a donc récupéré la précédente. Même Nadine Morano, qui passe pour être une sarkozyste historique, est, en fait, une invention de Chirac qui l'a toujours poussée et auquel elle est restée fidèle en lui rendant parfois visite.

Le président Sarkozy est ainsi condamné à s'appuyer sur la génération Chirac. De ce Chirac qu'il agonit sans cesse. Ce n'est pas l'un des moindres paradoxes qui peuvent divertir l'ancien chef de l'État en son crépuscule.

Il y en a un autre, mais il est moins amusant : ce 14 décembre 2011, jour de son rendez-vous avec Sarkozy pour régler son compte à son

---

1. *Marianne*, 20 novembre 2010.

mari et le réduire à l'état de semi-grabataire fatigué du cerveau, sa femme a été retrouvée inanimée dans sa chambre.

Une attaque. Bernadette Chirac est restée dans un semi-coma pendant une journée entière, ne reconnaissant personne, même pas sa fille. Chacun son tour.

Le lendemain, 15 décembre 2011, Jacques Chirac est mort une nouvelle fois en apprenant que, dans l'affaire des emplois fictifs de la ville de Paris, il était condamné à deux ans d'emprisonnement avec sursis pour « abus de confiance », « détournements de fonds publics » et « prise illégale d'intérêt » par le tribunal correctionnel de Paris.

Ce jour-là, il répétera à François Pinault et à d'autres proches qui cherchent à le réconforter : « Je m'en fous. » Mais il est évidemment très affecté. Il n'en laissera jamais rien paraître. Il a toujours su donner le change.

En égrenant le son de leur glas, les petites morts préparent à mourir : c'est même à ça que sert la vieillesse. Mais Jacques Chirac n'a pas besoin d'apprendre. Il est déjà mort si souvent. Il est prêt.

Le 2 décembre 2013, après la découverte d'un cancer, il se fait retirer un rein au service d'urologie de la Pitié-Salpêtrière. Il le regrette déjà mais la vie refuse de le quitter. Alors, il tue le temps, replié sur lui-même ou visitant la nuit, en chaise roulante, son musée du quai Branly pour retrouver de visu les reliques des civilisations disparues, parmi lesquelles il a si longtemps vécu.

Épilogue

À la fin de sa vie, alors qu'il s'astreint au silence, Jacques Chirac dit volontiers : « Je ne suis pas atteint du virus de la politique, je ne sais d'ailleurs pas si cela existe, je suis retiré du jeu politique et cela ne me manque pas, croyez-moi [1]. »

Que la politique ne lui manque pas, rien n'est moins sûr à le voir traîner alors, l'âme en peine, un mélange de nostalgie et de mélancolie. Même si, contrairement à son successeur, il n'a jamais été en extase devant lui-même, Chirac regrette de n'être plus au centre de tout. Encore qu'il ne déplore pas que les courtisans, les obligés et les goulus en tout genre, avides de bonne soupe, soient partis se bâfrer ailleurs. C'est la loi du métier : il a trop vécu pour s'en étonner.

Il aurait pu profiter de ses nouvelles latitudes pour occuper le temps retrouvé avec ce qui l'a toujours passionné : l'archéologie et l'histoire des civilisations. Mais il est trop tard. La carcasse ne suit plus. Elle ne l'autorise qu'à faire quelques pas derrière une épaule complaisante, très lentement, une chute est si vite arrivée. Il est juste bon pour le fauteuil roulant.

« J'ai eu une belle vie », répète-t-il alors qu'il est arrivé au bout de son histoire. Une belle vie, oui, mais une seule. C'est sans doute la blessure qui coule en lui. Il n'était pas né, comme d'autres, pour devenir président de la République. Il aurait pu faire autre chose. Capitaine au long cours, par exemple : il a quitté le domicile familial à dix-sept ans pour aller s'engager à Dunkerque sur un cargo qui filait sur Alger où il s'est fait dépuceler dans un bordel de la

---

1. Confidence à Saïd Mahrane dans un article du *Point*, le 3 mars 2011.

Casbah. Il s'est rêvé aussi militaire de carrière, patron de l'Aviation civile, héritier de Marcel Dassault, antiquaire, galeriste, archéologue et Dieu sait quoi encore.

C'est Georges Pompidou qui a décidé de son destin, en demandant, en 1966, à son jeune collaborateur à Matignon de se présenter aux élections législatives alors qu'il guignait la Direction des transports aériens.

En somme, il a fait carrière sur ordre. Il n'a pas décidé de sa vie, c'est elle qui a décidé pour lui. Elle a mené ses pas jusqu'à l'Élysée, les choses allaient de soi, il suffisait de se laisser porter et de gravir une à une les marches qui s'offraient à lui. Quand il a quitté le pouvoir, il a été comme pris de court. Il croyait que sa retraite lui permettrait de renaître au monde, de faire des fouilles en Chine ou de militer pour quelques grandes causes humanitaires ; son AVC en a fait du gibier d'hôpital.

Il est vrai qu'il avait trop d'énergie et trop d'appétit pour songer au lendemain. Il n'a pas pensé sa vie ; il l'a vécue au jour le jour. À cause de ce tempérament ébouriffant et de cette nature en vrac, il a toujours cherché, consciemment ou pas, à avoir auprès de lui des personnalités fortes et rigides, voire castratrices. Des garrots. Ainsi, Pierre Juillet, Marie-France Garaud, sa femme Bernadette, Édouard Balladur ou sa fille Claude. Cette dernière fut, d'une certaine manière, sa bénédiction.

Claude aura été la femme de sa vie. Sa muse, sa vestale, son ange gardien, et son garde du corps qui lui aura tout sacrifié. Jérôme Monod, avec qui elle n'a pas toujours été du meilleur bien, dit d'elle : « C'est une sainte. »

Elle est bien la fille de ses parents dont elle a beaucoup de traits de caractère. Le goût du détail, la passion du travail bien fait et un sens quasi masochiste du devoir. Sans parler d'une tendance à l'autodérision...

Avec son mari, Frédéric Salat-Baroux, l'ancien secrétaire général de l'Élysée, un bel esprit qui gagne à être connu, Claude entretient la flamme. De tous ces pivots successifs, c'est la personne qui lui aura fait le plus de bien en tentant sans cesse de lui donner confiance et de le réconcilier avec lui-même. Si elle n'y a pas vraiment réussi, c'est que le cas de ce père qui ne s'aime pas plus qu'il ne s'estime est pratiquement désespéré. Il n'empêche, elle l'a aidé, malgré tout, à surmonter en partie ses complexes, ses culpabilités, sa haine de soi.

C'est elle qui a insisté pour qu'il écrive ses mémoires. L'autocélébration n'est pas le genre de Jacques Chirac et, après l'Élysée, son statut de personnalité politique préférée des Français suffit à son bonheur. La postérité n'ayant, de surcroît, jamais hanté ses nuits, il s'est livré avec plus ou moins de bonne grâce à cet exercice sous la tutelle de l'historien Jean-Luc Barré qui est tombé sous le charme.

Après des heures de discussion avec lui pour préparer ses mémoires, Jean-Luc Barré croit avoir percé l'ancien président : « Un pragmatique avec des idées fixes, très attaché aux valeurs de la République, qui a horreur des discriminations et qui déteste la morgue de l'Occident. »

C'est une image de ce genre qu'il laissera dans l'Histoire. Celle du dernier chef d'État tiers-mondiste du monde occidental, celle aussi d'un gouvernant, doté de quelques convictions, qui n'a pas cherché à laisser sa trace parce qu'il voit le monde de trop haut.

Dans *Les Mille Sources*, ses mémoires inédits écrits à la fin des années soixante-dix, Chirac donne dès le premier chapitre une définition de la France qui explique tous ces atermoiements et prudences dans les décennies qui suivront :

« Nous avons mis très longtemps à faire la France. Elle a réclamé une longue maturation et elle est passée par des chemins complexes [...]. Nous, nous avons dû faire l'unité entre des hommes aussi différents que des Bretons et des Provençaux, des Limousins et des Alsaciens qui, au plus profond des âges, sont d'origine ethnique totalement différente. Au prix d'un effort extraordinaire, on les a rassemblés, on en a fait une nation. C'est un miracle. »

Un miracle qu'il juge fragile. Il ne faut donc pas trop secouer la France : elle est pleine de fêlures et risquerait de se briser. D'où ses perpétuelles prudences.

Chirac ou l'homme qui ne voulait pas faire l'Histoire. Pourquoi, en effet, chercher à la faire quand elle repasse tout le temps les plats ? Même s'il a souvent tenté de donner le change, il a toujours été acquis à la théorie de l'« éternel retour » qui a marqué de son sceau tant de civilisations. Il pensait, comme l'Ecclésiaste, qu'il n'y avait jamais « rien de nouveau sous le soleil ».

Dans *Les Mille Sources*, Chirac se moque aussi de ceux qui, dans le prolongement de Mai 68, glosent sur le « mal du siècle » dont serait frappée la jeunesse, en citant plusieurs textes de l'Antiquité, dont cette inscription babylonienne, datant de trois mille ans avant Jésus Christ :

« Cette jeunesse est pourrie depuis le fond du cœur. Les jeunes gens sont malfaisants et paresseux. Ils ne seront jamais comme la jeunesse d'autrefois. Ceux d'aujourd'hui ne seront pas capables de maintenir notre culture. »

Philosophiquement, en somme, Chirac est un adepte du déterminisme, doctrine selon laquelle, pour le *Robert*, « tous les événements et en particulier les actions humaines, sont liés et déterminés par la chaîne des événements antérieurs ».

Dans la serviette en cuir qu'il traîne partout pendant ses années de présidence et après, il y a des fiches qui résument les grandes étapes de l'histoire de l'humanité, de l'écriture ou des civilisations. Leurs titres : « Qui sommes-nous ? », « D'où venons-nous ? ». Il les a souvent consultées, pendant les sommets européens ou les conseils restreints à l'Élysée, pour se remettre en tête la « vanité du monde » et la « relativité des choses. » Quand il vous observe de son œil que l'âge a terni, ce ne sont pas des siècles qui vous contemplent, mais des millénaires. Sa connaissance encyclopédique de la Chine, de la Russie, du Japon ou du monde arabe le rapproche de l'historicisme du général de Gaulle, habitué de prophéties comme celle-ci, alors que l'empire soviétique semble à son apogée : « La Russie boira le communisme comme un buvard. » « C'est pure folie de vouloir éliminer Saddam Hussein, explose Chirac, quand George W. Bush prépare sa guerre en Irak. Ce sera bien pire après. » « Il n'y a rien à craindre de la Chine, a souvent dit le même Chirac. Elle n'a jamais eu de traditions belliqueuses. »

Puits de culture malgré les apparences, Chirac a bien tenu son rang et son rôle. Il avait une haute idée de sa fonction qu'il n'a jamais abaissée. Mais il n'a jamais songé à bousculer l'ordre des choses ni à laisser une trace.

À quoi bon essayer de changer le monde si le monde ne change jamais ? Pourquoi chercher à préparer l'avenir si ce n'est que du passé recomposé ? Jacques Chirac aura finalement été le président de l'immanence. C'est sans doute ce qui explique son incroyable durée, son radical-socialisme pathologique et l'influence bonasse qu'il exercera longtemps encore sur cette terre de France avec laquelle il a fini par se confondre, tandis que le pays se reconnaissait en lui, dans ses contradictions.

Table

Mise en page par Meta-systems
59100 Roubaix

CET OUVRAGE
A ÉTÉ ACHEVÉ D'IMPRIMER
SUR ROTO-PAGE
PAR L'IMPRIMERIE FLOCH
À MAYENNE EN FÉVRIER 2016

N° d'édition : L.01ELJN000451.A002. N° d'impression : 89336
Dépôt légal : janvier 2016
Imprimé en France